COLL

# Alexandre Kojève

# Esquisse d'une phénoménologie du droit

## Exposé provisoire

Gallimard

## AVERTISSEMENT DE L'ÉDITEUR

*Alexandre Kojève rédigea ces pages au cours de l'été 1943, à Gramat (Lot), où il était allé voir la famille d'Éric Weil. Ce travail, bien que l'auteur s'en déclarât satisfait, est demeuré inédit et a gardé sa forme de premier jet.*

*La première page du texte dactylographié porte la mention « Marseille, 1943 ».*

# REMARQUES PRÉLIMINAIRES

## § 1.

Il est impossible d'étudier la réalité humaine sans se heurter tôt ou tard au phénomène du Droit. Notamment si l'on considère l'aspect politique de cette réalité. Et tout particulièrement lorsqu'on s'occupe des questions relatives à la Constitution de l'État, puisque la notion d'une Constitution est elle-même une notion tout autant politique que juridique.

Malheureusement le phénomène du Droit n'a pas encore trouvé une définition universellement acceptée et vraiment satisfaisante. Aussi peut-on lire dans les manuels juridiques des phrases comme celle-ci : « Dans l'état actuel de la science une définition pleinement satisfaisante du concept " Droit " est exclue [1]. » Or, parler d'une chose sans pouvoir la définir, c'est au fond parler sans savoir de quoi l'on parle. Et dans ces conditions le discours a peu de chances d'être convaincant, voire conforme à la chose dont on parle.

Il faut dire cependant qu'on se trouve dans une situation analogue chaque fois qu'on a affaire à un phénomène spécifiquement humain : que ce soit le Droit, ou l'État, la Religion, l'Art, etc., une définition satisfaisante fait généralement défaut. Mais cette remarque ne dispense nullement de la recherche d'une définition correcte du Droit. Au contraire.

\*

Il serait facile de donner du Droit une définition arbitraire, quitte à refuser d'appeler « juridique » tout ce qui est appelé

1. Sternberg, *Allgemeine Rechtslehre*, Leipzig 1904, vol. I, p. 21.

ainsi par ailleurs, mais ne cadre pas avec la définition choisie. Mais une telle définition aurait peu d'intérêt, car il est impossible de faire simplement fi des enseignements impliqués dans le langage et dans l'histoire. Si quelque chose est — ou a été — appelé « Droit », il est plus que probable que ceci n'a pas été fait par hasard. Mais d'autre part il est matériellement impossible de réunir en une seule définition tout ce qui a été appelé « Droit » à un moment quelconque et quelque part : ce contenu serait trop disparate.

Il faut donc chercher une voie moyenne. Cette voie ne peut, d'ailleurs, être autre que celle dans laquelle s'est déjà engagé Platon, suivi par son disciple Aristote, et dans laquelle nous pouvions rencontrer tout récemment encore un Max Weber. Il s'agit de trouver l'« Idée » (Platon), l'« Idealtypus » (Max Weber), le « Phénomène » (Husserl), etc., de l'entité étudiée, en analysant un cas concret particulièrement net, typique, spécifique, pur. Il faut découvrir en d'autres termes le contenu qui fait que le cas donné est un cas de droit par exemple, et non de religion ou d'art, etc. Et l'ayant découvert, c'est-à-dire ayant trouvé l'« essence » (Wesen) du phénomène, il faut le décrire d'une façon correcte et complète, cette description de l'essence n'étant rien d'autre que la définition du phénomène en question.

Ayant obtenu la définition, il faut procéder au contrôle. Il faut passer en revue les différents cas généralement appelés « juridiques » et voir si la définition en question peut y être appliquée. Cette confrontation de l'idée-essence avec les divers cas de sa réalisation apportera probablement des retouches et des précisions à la définition. Mais si cette dernière est correcte, on la verra s'appliquer à l'immense majorité des cas. Il est plus que probable cependant qu'on trouvera des cas dits « juridiques » non conformes à la définition, ainsi que des cas conformes qu'on n'appelle généralement pas « juridiques ». Dans ces cas on a le droit de rectifier l'usage linguistique ou historique. Mais en le faisant il faut chaque fois montrer et expliquer le pourquoi de l'erreur. Dans un cas il faudra relever les traits qui ont permis de confondre le phénomène donné avec un phénomène juridique. Dans l'autre cas il s'agira d'indiquer les traits qui ont recouvert l'aspect juridique du phénomène au point de le rendre méconnaissable.

Ce n'est qu'après avoir passé en revue tous les différents types de phénomènes humains et les avoir répartis en juridiques et non juridiques (religieux, politiques, moraux, artistiques, etc.), de façon à ce qu'il ne reste plus aucun type non classé, qu'on peut être sûr d'avoir trouvé une définition satisfaisante, c'est-à-dire s'appliquant à tous les phénomènes en question et à eux seulement. Et encore faudrait-il compléter la description phénoménologique par une analyse de la substructure métaphysique (cosmologique) et ontologique du phénomène décrit, pour parer au risque de l'avènement dans l'avenir d'un cas nouveau, forçant à réviser la définition qui était conforme aux cas réalisés dans le présent et le passé.

Bien entendu je n'ai même pas essayé d'atteindre cet idéal dans les pages qui vont suivre. D'une part j'ai délibérément supprimé tout ce qui aurait été une analyse métaphysique ou ontologique. D'autre part, même la description phénoménologique est probablement loin d'être parfaite, car son contrôle n'a pas été poussé très loin : je n'ai confronté que très peu de cas dits juridiques avec la définition que je propose du phénomène « Droit ».

La description du phénomène « Droit » que je donne dans la *Première Section* a donc un caractère nettement provisoire (de même d'ailleurs que le contenu des deux autres sections). Mais ceci dit j'y proposerai une définition du Droit qui, à mon avis, tient compte de l'essence même de ce phénomène. Cette définition permettra de fixer les conditions de la réalisation de cette essence. Enfin, en connaissant l'essence du Droit et le mode de sa réalisation, on pourra terminer la *Première Section* par une comparaison de l'activité juridique avec les autres activités humaines, ce qui permettra de démontrer la spécificité et l'autonomie du Droit.

§ 2.

Pour Platon, l'essence d'un phénomène subsistait en dehors du temps. Autrement dit une définition correcte était — selon lui — valable partout et toujours. Depuis Hegel on ne pense généralement plus ainsi. J'admets, en tout cas, que les phénomènes humains (qui ne sont pas seulement naturels, animaux) naissent dans le temps et y « vivent », c'est-à-dire se modifient et disparaissent.

Il ne suffit donc pas de définir le phénomène Droit et d'indiquer les conditions de sa réalisation. Il faut montrer encore dans l'acte anthropogène, qui engendre l'homme en tant que tel dans le temps, l'aspect qui fait naître dans l'homme le phénomène juridique. Et il faut voir si ce phénomène constitué dans le temps ne subit pas une évolution temporelle dans son essence même.

C'est la *Deuxième Section* qui doit donner une réponse — toute provisoire — à ces questions d'origine et d'évolution. J'y suppose connus et admis les principes fondamentaux de la philosophie hégélienne, et j'essaierai de les appliquer au problème du Droit.

Pour le moment je voudrais seulement mentionner que l'analyse génétique des essences n'implique pas nécessairement un relativisme sociologique ou historique. Certes, le phénomène isolé, dans son *hic et nunc* particulier, n'est pas « absolu » : tel droit donné n'est pas *le* Droit, absolu et définitif; ce qui a été « juste » hier peut ne plus l'être demain. Mais si tout ce qui existe dans le temps change de ce fait même, le temps en tant que tel ne change pas. Ni l'ensemble des phénomènes temporels, qui peut donc être appelé « absolu », si l'on veut. De même, si tous les systèmes juridiques particuliers proposés au cours de l'histoire s'ordonnent en un tout systématique, qui implique toutes les possibilités juridiques, ce tout n'aura plus rien de « relatif ». Et par rapport à ce tout, les éléments, tout en étant « relatifs » en eux-mêmes, auront eux aussi une valeur « absolue ». En d'autres termes l'évolution du Droit peut avoir un but final et réaliser ainsi un progrès objectif.

D'ailleurs, le fait que le Droit se constitue dans le temps ne prouve nullement qu'un système juridique définitif soit impossible. Un système sera définitif, voire « absolu », s'il implique toutes les possibilités juridiques, si tout ce qui est Droit peut se réaliser dans ce système sans le déranger. Ou bien encore le système sera « absolu » s'il contient des normes juridiques rendant effectivement impossible tout acte susceptible de modifier ce système ou de le supprimer. Seulement, pour qu'il en soit ainsi, il faut supposer que le système s'est parfaitement compris lui-même, qu'il a épuisé toutes les possibilités *théoriques* du Droit, soit en les impliquant, soit en les excluant et les rendant alors inoffensives. Ainsi le système « absolu » doit impliquer tous les autres : réellement ou idéellement. Il doit les « comprendre » en soi et « se comprendre » lui-même. Mais il peut les comprendre comme des stades dépassés, et il peut se comprendre comme un résultat de ces stades, comme leur intégration.

§ 3.

Un système juridique absolu aura une structure bien définie, où tous les phénomènes juridiques possibles trouveront leur place. Mais même un système relatif, réalisé à un moment quelconque de l'évolution historique, tendra à prendre une forme « totale », en englobant tous les phéno- mènes juridiques réalisés à cette époque. On peut donc étu- dier le Système du Droit même sans supposer que celui-ci soit arrivé au terme de son évolution. Seulement il faut admettre qu'un tel système peut être incomplet et que sa structure ne peut être que provisoire.

C'est dans ce sens que j'essaierai d'esquisser un Système du Droit dans la *Troisième Section* de cette étude. Mais je m'en tiendrai aux généralités et l'analyse restera fragmen- taire.

*Première Section*

# LE DROIT EN TANT QUE TEL

## § 4.

Comme toute entité réelle, le Droit 1) se « montre » ou se « révèle » à l'homme, 2) « existe » ou entre en interaction avec d'autres entités (qu'il modifie et codétermine tout en subissant des contrecoups) et 3) « est », tant en lui-même que dans l'ensemble de l'Être. Une analyse complète du Droit devrait donc tenir compte de ces trois aspects, étant non seulement « phénoménologique », mais encore « métaphysique » et « ontologique ». Mais je me contenterai ici de décrire l'aspect « superficiel » du Droit, de l'analyser en tant que « phénomène » donné à la conscience immédiate de l'homme, qui « sait » ce que c'est que le Droit et le distingue des autres choses, tout en ne pouvant pas décrire correctement ce « savoir immédiat », c'est-à-dire donner une définition phénoménologique du Droit.

C'est une telle définition que j'essaierai de donner dans le premier chapitre de la présente section.

Ensuite, dans un deuxième chapitre, il s'agira de montrer dans quelles conditions le Droit ainsi défini est réel, c'est-à-dire réussit à se maintenir dans l'existence en dépit des forces qui tendent à le supprimer. Il y sera question des rapports entre le Droit, la Société et l'État proprement dit.

Enfin il faudra montrer dans un dernier chapitre que le Droit est un phénomène *sui generis*, spécifique et autonome. Autrement dit il faudra comparer le Droit à d'autres phénomènes spécifiquement humains qui lui sont apparentés, tels que la Morale, la Religion, etc. On verra alors que le Droit ne peut être réduit à aucun de ces phénomènes, ni à leur combinaison, qu'il a une « essence » propre spécifique et une origine autonome, à savoir l'idée de Justice. C'est ainsi que la définition objective (ou « behavioriste ») du premier § sera complétée par une définition subjective (ou « introspective »), qui présentera le Droit comme une réalisation manifestante ou une manifestation réalisatrice de la Justice.

C'est alors seulement qu'on pourra poser dans la *Deuxième Section* la question de l'origine de l'idée de Justice et du Droit, compris comme processus réalisateur de cette Justice.

CHAPITRE I

## Définition du Droit

### § 5.

Lorsqu'on a affaire à un phénomène humain, il est souvent utile de ne pas commencer par analyser son « contenu », en demandant à l'introspection de nous révéler son « sens » ou sa « signification », mais d'étudier d'abord sa « forme » extérieure en se servant de la méthode « behavioriste ». Ainsi, en ce qui concerne le Droit, on peut commencer par se demander quels sont les actes extérieurement perceptibles qui caractérisent une situation juridique en tant que telle et la distinguent de toute autre situation humaine.

Pour arriver à une telle définition « behavioriste » du phénomène juridique, voyons comment agissent les hommes lorsqu'ils se trouvent dans un rapport typique de droit. Et demandons-nous si la nature même de ces actes ou de leur interdépendance suffit pour qualifier de juridiques le rapport qui les déclenche et la situation qui les implique.

### § 6.

On peut tout d'abord répartir toutes les situations juridiques en trois groupes. On dit se trouver dans une *situation juridique* ou dans un *rapport de droit*.

1) lorsqu'on *a le droit*,
2) lorsqu'on *n'a pas le droit* et
3) lorsqu'on *a le devoir* (au sens d'obligation juridique) de faire ou d'omettre quelque chose.

Dans tous ces cas il s'agit d'autre chose encore que du simple vouloir ou désir de quelqu'un d'agir ou de s'abstenir d'une action : le désir concret ou la volonté effective peuvent faire totalement défaut. Et la situation juridique n'a rien à voir non plus avec la possibilité matérielle, physique, de faire ou de ne pas faire quelque chose dans un cas donné. Pour que cette situation existe, il suffit que l'action ou l'omission soient matériellement possibles d'une manière générale, dans un cas type, et que l'homme en tant que tel puisse la vouloir ou la souhaiter dans certains cas. Seuls les actes irréalisables en principe et ne pouvant faire l'objet de la volonté d'aucun homme sont inaptes à engendrer une situation juridique.

Il ne suffit pas cependant qu'un acte soit désirable et réalisable pour qu'il y ait situation juridique. Il y a des actes qui ne créent que des situations juridiquement neutres, qui ne donnent pas lieu à des rapports de droit. Pour qu'il y ait situation juridique il faut (et il suffit) qu'à la possibilité juridiquement neutre de vouloir et de réaliser une action ou une omission s'ajoutent soit le *droit*, soit le *devoir* (juridique) de le faire, soit enfin le fait de *ne pas en avoir le droit*.

Avant de nous demander ce que cela signifie, voyons si l'on ne peut pas réduire ces trois cas à un type unique de situations juridiques (ou rapports de droit).

Il est facile de voir que les cas 2) et 3) peuvent être immédiatement réduits l'un à l'autre.

En effet, ne pas avoir le droit à une action donnée, c'est avoir le devoir (juridique) de s'en abstenir, et inversement. De même, ne pas avoir le droit de s'abstenir d'une action, c'est avoir le devoir (juridique) de la faire, et *vice versa*. On peut donc supprimer le deuxième cas et dire qu'il y a situation juridique là, et là seulement, où l'on a soit le droit soit le devoir (juridique) de faire ou d'omettre quelque chose.

Et on peut faire encore un pas dans cette direction. Non pas, certes, que « droit » et « devoir juridique » soient une seule et même chose. On ne peut certainement pas réduire le *devoir* de faire ou d'omettre quelque chose au seul *droit* de le faire ou de l'omettre. Mais l'élément « droit » est nécessairement impliqué dans l'élément (juridique) « devoir ». Dès qu'on a le *devoir* de faire ou d'omettre quelque chose on a aussi et par là même le *droit* de le faire ou de l'omettre. Par conséquent, on peut dire qu'il n'y a pas de situation juridique tant que manque l'élément « avoir droit de... », et qu'il y a une telle situation dès que cet élément est présent.

J'aurai à discuter plus loin le problème du devoir juridique ou de l'obligation. Il faudra se demander alors si l'élément

« devoir » est un élément juridique *sui generis*, ou si la situation qui implique cet élément n'est juridique que parce qu'elle implique aussi nécessairement l'élément « droit ». Pour le moment il suffit de constater que toute situation juridique implique ce dernier élément et qu'il suffit qu'une situation l'implique pour qu'elle soit juridique. Il suffit donc de considérer le seul phénomène « avoir droit » pour découvrir l'*essence* du phénomène « Droit » en général et pour pouvoir dire ainsi si telle situation est ou non juridique en en indiquant la raison.

On peut donc dire :

Il y a *situation juridique* ou *rapport de droit* partout — et là seulement — où l'on *a le droit* de faire ou d'omettre quelque chose.

Voyons maintenant si l'on peut supprimer dans cette formule la distinction entre l'action et l'omission.

Certes, ici encore il n'y a pas d'identité essentielle : agir et s'abstenir d'agir n'est pas la même chose. Mais le fait qu'il peut y avoir situation juridique dans les deux cas prouve que cette distinction n'a pas de valeur juridique essentielle. Avoir droit à l'action ou à l'omission, à l'abstention d'agir, c'est avoir droit à l'*effet* de cette action ou abstention, au *résultat* objectif ou extérieur, produit au-dehors ou constatable du dehors. Or, l'omission peut effectivement produire un tel effet tout aussi bien qu'une action proprement dite. Pour comprendre ce qu'est une situation juridique en tant que telle, pour révéler son « essence », il n'y a donc pas lieu de distinguer entre les actions et les omissions. On peut parler indifféremment de « comportement » par exemple, auquel on a droit, ce comportement pouvant être tant actif que passif, consistant soit en une action proprement dite, soit en l'abstention d'une telle action.

Pour pouvoir être impliqué dans une situation juridique, le comportement doit avoir un effet objectif. Il doit soit créer ou modifier quelque chose en dehors de son sujet, soit créer ou modifier quelque chose dans ce sujet lui-même, mais de façon à ce que ceci soit constatable du dehors. (Cette constatation étant, d'ailleurs, une modification produite par le comportement en dehors de son sujet, on retombe si l'on veut dans le premier cas.) C'est pourquoi, pour faire ressortir cette condition, il vaut mieux parler non pas de « comportement » tout court, mais de « comportement *effectif* ». Ou bien encore on peut appeler « action » tout « comportement effectif » susceptible d'être impliqué dans une situation juridique. Mais il ne faut pas oublier alors que cette « action » peut être soit « positive », lorsqu'il s'agit d'action au sens propre du terme, soit « négative », lorsqu'il s'agit d'une simple omission, d'une abstention d'agir.

Ceci posé on peut dire en définitive :

Il y a *situation juridique* ou *rapport de droit* partout — et là seulement — où l'on a *droit* à un comportement effectif (ou à une action, soit positive, soit négative).

§ 7.

L'essence du Droit se révèle donc à nous tout d'abord dans le phénomène « avoir droit à... ». Ce phénomène ne peut avoir lieu qu'à l'occasion d'un « comportement effectif ». Mais peu importe pour le moment. Il suffit qu'il y ait « droit » ou « situation juridique », « rapport de droit », etc., là et là seulement où l'on est en présence du phénomène « avoir droit à... ». Décrire et définir le phénomène « Droit », c'est donc décrire et définir le phénomène « avoir droit à... ».

Afin d'arriver à une telle définition descriptive (d'abord « behavioriste ») du phénomène « Droit » considérons quelques situations simples et typiques dans lesquelles on peut dire sans ambiguïté qu'on a *droit* à un comportement déterminé.

Supposons que A veuille prendre une certaine somme d'argent chez B. Admettons que l'action (le comportement) de A provoque une réaction (un comportement) de B. Cette réaction de B peut annuler l'action de A, qui n'aura pas l'argent en question. Ou bien A, étant par exemple plus fort que B, annule la réaction de ce dernier et s'empare de l'argent par force. Dans aucun des deux cas on ne pourra dire avec certitude que A avait *droit* à cet argent. Mais on ne pourra pas le faire non plus au cas où B donne spontanément à A l'argent que celui-ci lui demande. Car si, dans la première hypothèse, il peut s'agir d'une tentative de vol (réussi ou non), il peut être question d'un acte de charité dans l'autre hypothèse : B peut donner à A l'argent que celui-ci lui demande par bonté de cœur, sans que A ait un *droit* à cet argent. La situation change radicalement par contre dès qu'on modifie l'hypothèse de la façon suivante : A agit en vue d'obtenir l'argent; B réagit de façon à le garder; mais une troisième personne C intervient, annule la réaction de B de sorte que A reçoit l'argent sans avoir eu à faire d'effort pour l'avoir, la réaction de B que A aurait dû annuler ayant été annulée par l'intervention de C; ajoutons que A et B sont indifférents, voire inconnus à C et que C n'est pas intéressé personnellement à ce que l'argent reste chez B ou passe à A. Dans ce cas on peut dire avec certitude que A avait *droit* à l'argent de B, qu'il avait le *droit* de le lui prendre. On peut supposer par exemple que A voulait reprendre à B l'argent qu'il avait déposé chez lui et que C était l'huissier qui a fait l'opération pour le compte de A, B ne voulant pas s'exécuter spontanément.

Prenons un autre cas, où il y a absence de droit à un comportement donné. Supposons que A est assis sur un banc dans un parc à côté de B; B projette sur A son ombre; A entreprend une action en vue de déloger B, qui réagit. On ne dira pas que A a *droit* à son action (ou, si l'on veut, qu'il a *droit* au soleil) tant qu'on ne saura pas qu'il peut faire intervenir un tiers (impartial et désintéressé), dans la personne du gardien du parc, par exemple, qui annulera la réaction de B de façon à ce que A obtienne le résultat voulu par lui sans faire d'effort.

C'est ce qui a lieu dans un cas analogue. Supposons que B, voisin de A, fasse du bruit la nuit. Si A agit pour faire cesser le bruit et B réagit pour pouvoir le prolonger, A pourra faire intervenir un tiers désintéressé et impartial (le concierge ou un agent de police par exemple), qui annulera la réaction de B, donnant ainsi à l'action de A l'effet voulu.

Supposons maintenant que A se promène au bord d'une rivière. B, qui est la mère d'un enfant qui vient de tomber dans l'eau, agit en vue d'inciter A à se jeter à l'eau et sauver son enfant. A réagit afin de maintenir son comportement de simple spectateur. Tant qu'on ne constate pas que B peut faire intervenir un tiers désintéressé qui annulera la réaction de A, on ne peut pas dire que B a *droit* à l'aide de A. (S'entend : dans la société, où se produit l'événement et à l'époque où il se produit, cette remarque étant valable pour tous les cas considérés.) Et si A peut faire intervenir un tiers qui annulera les réactions de B provoquées par son comportement, on pourra dire qu'il a le *droit* de rester simple spectateur.

Supposons enfin que A batte B, qui réagit pour faire cesser les coups. Si A peut faire appel à l'intervention d'un tiers, qui est censé pouvoir annuler la réaction de B, de sorte que A puisse le battre sans éprouver de résistance, on dira que A a le *droit* de battre B. On peut supposer par exemple que B est l'esclave du citoyen romain A.

Il est inutile d'allonger cette liste d'exemples. Les cas cités suffisent pour faire voir que le phénomène « Droit » (dans l'aspect « avoir droit à... ») existe chaque fois qu'a lieu l'intervention d'un tiers désintéressé. Dès que ce tiers annule la réaction de B, provoquée par une action de A, on dira que A a *droit* à cette action, peut importe que celle-ci paraisse normale et justifiée ou absurde, révoltante, immorale, etc. Inversement, en l'absence d'une telle intervention on ne pourra jamais dire avec certitude que A a *droit* à son action, même si celle-ci paraît parfaitement « naturelle ».

On dit généralement que le tiers désintéressé intervient *parce que* A a droit à son action (ou au résultat de l'action). Mais ceci n'est nullement évident *a priori*. Il se peut que le rapport soit inverse, que le droit de A soit non pas la *cause*, mais l'*effet* de l'intervention du tiers désintéressé. Autrement dit le Droit pourrait être considéré comme une codification (orale ou écrite) des cas où ont eu lieu des interventions de tiers désintéressés, au lieu d'être interprété comme l'ensemble des principes provoquant de telles interventions. Et c'est une question importante, qui sera étudiée dans la *Deuxième Section*, consacrée à l'étude de l'origine et de l'évolution du Droit. Pour le moment il suffit de remarquer qu'on peut constater la présence du Droit en se basant uniquement sur le fait de l'intervention du tiers. Et l'on peut ajouter qu'il suffit de savoir par ailleurs qu'on se trouve en présence d'une situation juridique, pour être forcé de postuler (ou de prévoir) une telle intervention (tout au moins en tant que possible).

Il faut donc dire que le Droit ne peut pas se révéler à l'homme sans que celui-ci constate ou postule une intervention désintéressée d'un tiers. En d'autres termes cette intervention est un élement constitutif nécessaire ou « essentiel » du phénomène « Droit ». Et c'est grâce à cet élément que ce phénomène peut être décrit ou défini par une méthode « behavioriste ».

§ 8.

En partant des quelques exemples considérés dans le § précédent on peut formuler une

PREMIÈRE DÉFINITION « BEHAVIORISTE »
DU DROIT

Rappelons les rapports entre l'essence, l'existence et le phénomène à l'occasion de la notion du Droit.

Le Droit en tant qu'*existence* (empirique) réalise l'*essence* « Droit » dans le monde spatio-temporel, matériel, et le *phénomène* « Droit » révèle cette essence (à l'homme ) par l'intermédiaire de sa réalisation.

Ceci dit posons que

l'essence « Droit » est l'entité [au sens indéterminé d'un quelque chose *(Etwas)* qui n'est pas rien *(Nichts)*; nous verrons par la suite que cette entité est la Justice ou l'« idée » de la Justice] qui se réalise en tant qu'existence « Droit » et se révèle en tant que phénomène « Droit » à l'occasion d'une interaction entre deux êtres humains A et B, dans et par l'intervention d'un troisième être humain C, impartial et désintéressé, cette intervention étant nécessairement provoquée par l'interaction en question et annulant la réaction de B qui répond à l'action de A.

Par conséquent

le phénomène « Droit » (dans son aspect « behavioriste ») est l'intervention d'un être humain impartial et désintéressé, qui s'effectue nécessairement lors d'une interaction entre deux êtres humains A et B et qui annule la réaction de B à l'action de A.

C'est cette intervention qui est l'élément spécifiquement juridique. C'est elle qui transmet un caractère juridique à l'ensemble de la situation.

On peut préciser la définition proposée du phénomène « Droit » en la développant de la manière suivante :

1) Supposons que l'interaction entre deux êtres humains A et B provoque nécessairement l'intervention d'un tiers impartial et désintéressé C, cette intervention annulant la réaction de B à l'action de A;

2) dans ce cas, et dans ce cas seulement nous pourrons dire ce qui suit :

   a) A *a le droit* d'agir comme il le fait; son action et l'effet de cette action constituent son *droit subjectif (right)*, et lui-même est le *sujet* de ce droit, donc un *sujet de droit* en général (ou une *personne juridique,* soit *physique* soit *morale*); son action est une *action juridique* et son interaction avec B un *rapport de droit* (au sens technique, le terme d'« action juridique » désigne les actes spécifiques que A entreprend en vue de provoquer l'intervention de C);

b) l'action de A ou plus exactement l'effet ou le but de cette action est un *objet de droit;*

c) l'élément qui lie nécessairement l'intervention de C à l'interaction entre A et B peut être formulé dans une proposition; cette proposition (qui permet de prévoir l'intervention lorsqu'on connaît l'interaction) s'appelle *règle de droit* (qui peut être soit seulement pensée, implicitement ou explicitement, soit exprimée oralement ou par écrit); c'est la « règle de droit » qui est l'élément juridique fondamental de la situation : toute interaction qui correspond à une « règle de droit » est un « rapport de droit », tout agent d'une telle interaction est un « sujet de droit » et tout objet (ou but) d'une telle interaction est un « objet de droit »; la « règle de droit » constitue le *droit objectif (law)* par opposition au « droit subjectif » *(right)* que possède le « sujet de droit » correspondant à cette « règle »;

d) plusieurs « règles de droit » peuvent se rattacher logiquement les unes aux autres de façon à former un ensemble systématique, appelé *théorie juridique* (par exemple la théorie juridique du mariage ou des assurances); l'ensemble des actions sociales (réelles ou possibles) qui correspondent à une telle « théorie juridique » (ou la réalisent) s'appelle *institution juridique* (par exemple le mariage en tant que tel, ou l'organisation effective des assurances dans une société donnée), l'existence d'une « institution juridique » crée une *situation juridique,* dans laquelle se trouve tout « sujet de droit » A susceptible d'agir de façon à ce que son interaction avec B provoque nécessairement l'intervention de C, conformément à une « règle de droit » faisant partie de la « théorie juridique » réalisée dans l'« institution juridique » en question (par exemple tout homme capable de se marier ou se mariant effectivement se trouve dans une « situation juridique » déterminée par l'« institution juridique » du mariage); (dans ce qui suit je ne tiendrai pas compte de la distinction terminologique entre « situation juridique » et « rapport de droit »; je me servirai indistinctement — sauf avis contraire — des expressions « situation juridique », « rapport de droit », « rapport juridique »);

*e)* l'ensemble des « règles de droit » (ou des « institutions juridiques ») valables dans une société donnée (pendant toute la durée de son existence ou à un moment donné de son histoire) s'appelle le *droit national* de cette société (par exemple le droit romain, ou le droit français féodal); (une « règle de droit » est « valable » lorsqu'elle correspond à des interventions effectives — du moins en principe — d'un tiers désintéressé C lors de l'interaction entre A et B prévue par la « règle »);

*f)* l'ensemble de toutes les « règles de droit » (ou « institutions juridiques ») qui ont été valables (ou qui ont été supposées pouvoir être valables) dans les différentes sociétés au cours de l'histoire universelle, constitue le *phénomène « Droit »* en tant que tel; c'est ce « phénomène » qui est étudié dans le présent ouvrage : tout d'abord *(Première section)* en tant que tel, c'est-à-dire dans ce qu'il y a de commun entre toutes les règles de droit quelles qu'elles soient, à savoir du point de vue de leur contenu propre (définition descriptive du chapitre I), des conditions de leur réalité (chapitre II) et de leur autonomie spécifique (chapitre III); ensuite *(Deuxième Section)* dans son origine et son évolution générale; enfin *(Troisième Section)* dans sa structure systématique interne, qui révèle l'existence de différents types de « règles de droit ».

§ 9.

Les définitions *a)-f)* du § précédent sont purement verbales et se passent de commentaires. Leur contenu réel leur a été préposé sous la forme d'une « supposition ». C'est elle et elle seulement qu'il s'agira de commenter par la suite. Car ce sont les conditions indiquées dans cette « supposition » qui constituent l'élément commun aux contenus propres de toutes les « règles de droit » (réelles ou possibles). C'est en tenant compte de ces conditions qu'on peut poser et résoudre le problème général de la réalité des « règles de droit ». Et c'est la présence nécessaire de ces conditions qui permet de constater l'autonomie spécifique de ces « règles », c'est-à-dire leur différence essentielle de tous les autres phénomènes humains.

Rappelons donc que l'essence du Droit se réalise et se révèle (ou se manifeste) dans et par

l'interaction entre deux êtres humains A et B, qui provoque nécessairement l'intervention d'un tiers impartial et désintéressé C, cette intervention de C annulant la réaction de B opposée à l'action de A.

Cette définition (« behavioriste ») du phénomène « Droit » implique trois éléments :

1) l'interaction entre deux êtres humains;
2) l'intervention d'un tiers impartial et désintéressé, et
3) le rapport nécessaire entre cette intervention et l'interaction et sa conséquence (c'est-à-dire l'annulation de la réaction de B).

Il s'agit de commenter tous les termes de chacun de ces trois éléments. Il faudra voir ce que signifie et ce qu'implique le fait

*a)* qu'il est question d'*êtres humains* A et B (§ 10),
*b)* qui sont *deux* (§ 11), et
*c)* qui sont en *interaction* (constituée par une *action* et une *réaction*) (§ 12);
*d)* qu'il y a *intervention* (§ 13)
*e)* d'un *tiers* C (§ 14)
*f)* *impartial* et *désintéressé* (§ 15);
*g)* que cette intervention de C, qui est *provoquée nécessairement* par l'interaction entre A et B (§ 16);
*h)* *annule* la réaction de B (§ 17).

Cette analyse permettra de préciser et de compléter, voire de modifier la première définition « behavioriste » du Droit, c'est-à-dire d'en formuler une deuxième.

## § 10.

*a)* Il n'est pas question de définir en ce lieu la notion d'être humain. Posons simplement que l'être humain diffère essentiellement tant de l'animal que de la chose inanimée. D'après notre définition il n'y a donc pas de rapports juridiques entre les choses ou les animaux.

Pour les choses ceci est évident. Mais chez certains animaux (dans une horde de singes, par exemple) il y a, semble-t-il des rapports qui pourraient être appelés « juridiques » en ce sens que l'interaction entre deux animaux A et B provoque l'intervention d'un tiers désintéressé (un adulte séparant deux jeunes qui se battent, par exemple). Or, ces rapports ne sont pas juridiques au sens de notre définition, précisément et uniquement parce qu'il s'agit d'animaux et non d'êtres humains. Au point de vue purement « behavioriste » cette restriction peut sembler injustifiée et la définition trop étroite. Ce n'est qu'une définition « introspective » (que je proposerai à la fin de ce chapitre) qui pourra justifier notre terminologie en montrant que les rapports entre animaux n'ont effectivement rien à voir avec le Droit. (Cette question sera discutée dans la deuxième section, à propos de la question de l'origine du Droit.)

Certes, les hommes ont parfois admis l'existence de rapports juridiques entre animaux (dans les mythes, dans les fables, etc.). Mais il s'agit là de cas d'anthropomorphisme. Ce qui est animal pour l'auteur du mythe est pour nous un être humain à corps animal. Ainsi notre définition s'applique aussi à ces phénomènes juridiques « littéraires » [1].

1. À cette occasion, on peut faire une remarque générale importante. Le « phénomène » est la « révélation » d'une entité (d'une « essence ») à une conscience humaine. Ce « phénomène » peut être « adéquat » ou non, selon que la conscience reflète l'entité (l'« essence ») correctement ou en la déformant. Nous admettons que l'essence se révèle dans et par notre conscience telle qu'elle est en réalité. Autrement dit *nous* avons affaire au phénomène *adéquat*, et c'est lui qui est décrit dans la définition que *nous* proposons. Mais d'autres hommes ont proposé d'autres définitions, qui correspondent à des phénomènes *inadéquats*. Une phénoménologie complète du Droit doit énumérer *tous* les phénomènes juridiques, en opposant le phénomène adéquat aux phénomènes inadéquats et en expliquant le pourquoi de ces derniers. (Il faut montrer aussi comment et pourquoi la « dialectique » des phénomènes inadéquats engendre finalement le phénomène adéquat, qui permet de les expliquer et qui s'explique soi-même comme leur résultat « dialectique ».)

Dans le cas du phénomène juridique « mythique » considéré j'admets qu'il est inadéquat uniquement parce qu'il a lieu à l'occasion de rapports entre animaux : on se trompe en croyant que le corps d'un animal peut servir de support à un comportement humain, en particulier juridique. Ici l'erreur « anthropomorphique » est explicite, car le mythe attribue effectivement une nature humaine à l'animal. Mais il y a des cas d'erreur implicite. On peut croire par exemple qu'on voit l'animal tel qu'il est en réalité (c'est-à-dire tel que *nous* le voyons), mais ce qu'on dit de lui peut impliquer (sans qu'on s'en rende compte) des éléments incompatibles avec la nature de l'animal. Dans les cas de déformation (par exemple d'anthropomorphisme) *inconsciente*, le phénoménologue doit donc distinguer non seulement entre l'*essence* telle qu'elle est *pour nous* (c'est-à-dire en réalité) et telle qu'elle est pour l'homme en question (qui déforme cette essence dans sa conscience), mais encore entre le phénomène « psychologique » et

La question devient plus compliquée quand l'interaction entre des animaux ou des choses provoque l'intervention d'un être humain, jouant le rôle du « tiers désintéressé » de notre définition. Un homme peut intervenir lors d'une bataille de chiens par exemple. D'après notre définition, la situation n'aura rien de juridique et l'intervention du tiers ne transformera pas le chien en « sujet de droit » ayant *droit* à quelque chose, précisément parce que c'est un animal et non un être humain. Or, il ne semble pas qu'il y ait là effectivement un phénomène juridique de sorte que notre définition soit trop étroite (c'est-à-dire le phénomène qui lui correspond — inadéquat). Par contre, et conformément à notre définition, la

---

le phénomène « logique ». Autrement dit le phénoménologue doit : *1°* reproduire la description (définition) que donne du phénomène inadéquat la conscience correspondante (c'est le phénomène psychologique); *2°* donner de ce phénomène inadéquat une description (définition) complète et correcte (phénomène logique), c'est-à-dire expliciter tout ce qui y était impliqué inconsciemment, en expliquant la nature, la raison et la portée de l'inconscience; *3°* indiquer la nature, la raison et la portée de l'erreur du phénomène inadéquat (dans sa forme complète et explicite de *2°*), en le comparant au phénomène adéquat; *4°* décrire (définir) le phénomène adéquat (et le justifier par la description de la « dialectique » des phénomènes inadéquats qui y mène). (Le point *2* n'est rien d'autre qu'une « critique des idéologies ».)

Ceci d'une part. D'autre part il faut distinguer entre le « phénomène inadéquat » et l'« erreur terminologique ». Un phénomène inadéquat peut être défini (décrit) d'une certaine manière (correcte ou non) par l'homme correspondant et la définition peut être appliquée correctement. Mais elle peut aussi être appliquée d'une manière erronée, dans quel cas le phénoménologue doit relever l'erreur et ne pas tenir compte des cas auxquels la définition n'a été appliquée que par erreur.

Par exemple : On peut supposer et dire que les notions juridiques s'appliquent aux animaux et les appliquer; le phénomène sera « inadéquat » (d'ailleurs explicite, « logique »), mais il n'y aura pas d'« erreur terminologique ». Il y aura par contre une telle « erreur », si un voyageur, qui par ailleurs n'admet pas de rapports juridiques entre animaux, constate des rapports de ce genre entre des singes, qu'il prend par erreur pour des indigènes. Il y a eu au Moyen Âge des procès d'animaux, sans qu'il y ait d'anthropomorphisme mythique conscient (voir plus bas), ni « erreur terminologique » (car on jugeait un animal en se rendant compte que c'était un animal). Dans ce cas il y a lieu de distinguer entre le « phénomène psychologique » (le droit ne s'applique qu'aux hommes; les animaux compris de la façon dont nous les comprenons) et le « phénomène logique » (dans l'action, c'est-à-dire en fait, quoique inconsciemment, ou bien le droit est conçu de façon à pouvoir s'appliquer aux animaux, ou bien les animaux sont anthropomorphisés). Le phénoménologue décrira d'abord le « phénomène psychologique » (qui peut être adéquat, par hasard), puis construira le « phénomène logique » (inadéquat), indiquera les raisons (« idéologiques ») de leur décalage, et finalement comparera ces deux phénomènes avec le phénomène adéquat, c'est-à-dire avec la façon dont le Droit et l'Animal se révèlent à sa propre conscience.

situation devient juridique dès qu'il s'agit non pas seulement des chiens qui se battent, mais encore de leurs propriétaires. L'action de se promener dans la rue du chien A peut provoquer une réaction d'attaque d'un chien B, qui sera annulée par l'intervention d'un agent de police C. Cette intervention réalise et révèle un rapport juridique non pas entre les chiens A et B, mais entre leurs propriétaires respectifs A' et B' : c'est A' qui a *droit* à ce que son chien A se promène sans encombre dans la rue; en particulier il a *droit* à ce que B' ne le gêne pas au moyen de son chien B; ce n'est pas le chien B, mais son propriétaire B', qui n'a pas le *droit* de gêner le chien A du *propriétaire* A', qui a le *devoir* juridique d'éviter les cas où son chien B va le faire.

Il en est de même lorsqu'il y a interaction entre un être humain A et un animal B, avec intervention de C. Si un agent de police ou un passant me protège contre l'attaque d'un chien, ceci encore n'a rien de juridique : ni en fait, ni d'après notre définition. Par contre — en fait et par définition — l'intervention de l'agent réalise et révèle un rapport juridique entre moi et le propriétaire du chien. Dès qu'il y a interaction entre moi et un autre être humain, j'ai des *droits* par rapport à cet autre, s'il y a — en principe — intervention du tiers. C'est bien le propriétaire du chien et non le chien qui est juridiquement responsable.

Cette remarque semble être contredite par le phénomène incontestablement juridique de l'« abandon noxal », où la responsabilité semble pouvoir passer du propriétaire à l'animal « coupable ». Mais s'il en est vraiment ainsi on est tout simplement en présence d'un cas d'anthropomorphisme (plus ou moins conscient). Notre définition reste donc valable, à condition de supposer que dans certains cas (inadéquats) un être humain peut avoir pour support matériel le corps d'un animal [1].

Même remarque pour les procès d'animaux au Moyen Âge par exemple (déjà mentionnés en note). Dans ces procès, l'animal se trouve bien dans une situation juridique. Il y a donc un phénomène juridique inadéquat, c'est-à-dire non conforme à notre définition. Mais on peut constater qu'on ne juge l'animal (ou la chose) que parce qu'on l'anthropomorphise (d'ailleurs inconsciemment, car on continue de

1. Il semble d'ailleurs qu'à l'origine l'animal jouait le rôle d'un simple gage de garantie, qui, étant abandonné, éteignait l'obligation. Ce n'est qu'après coup — et beaucoup plus tard — qu'on a imaginé l'interprétation anthropomorphique, qui a engendré un phénomène juridique inadéquat. (Cf. GIFFARD, *Précis de droit romain*, vol. II, p. 258, note 1.)

penser que l'homme diffère *essentiellement* de l'animal et de la chose). On ne peut donc pas dire que notre définition est trop étroite et le phénomène qui lui correspond — inadéquat : on retombe simplement dans le cas précédent, ou celui du « mythe » [1].

Un phénomène juridique moderne semble plus inquiétant. C'est la loi sur la protection des animaux. On pourrait l'interpréter en ce sens que l'animal a le *droit* de ne pas être torturé par l'homme, ce qui est tout autre chose que de dire que l'homme n'a pas le droit de le faire, qu'il a le devoir juridique de s'en abstenir. S'il en était vraiment ainsi notre définition ne s'appliquerait pas : ou bien elle serait trop étroite, ou bien le phénomène impliqué par la loi serait inadéquat. Mais ce dilemme n'est qu'illusoire. Ce qui est inadéquat, c'est seulement l'interprétation (plus ou moins consciemment anthropomorphique) de la loi et non la loi elle-même. Dans son interprétation correcte, elle interdit non pas de maltraiter les animaux, mais de léser les sentiments « humanitaires » des autres en le faisant. C'est une loi analogue à la loi visant les attentats à la pudeur publique, etc. Il s'agit donc ici d'une interaction entre deux êtres humains, le coupable et le public, qui s'effectue à l'occasion d'un animal, et non pas d'une interaction entre l'animal et l'homme. Ce phénomène ainsi interprété (et c'est ainsi que l'interprète, je pense, la jurisprudence moderne) cadre donc parfaitement avec notre définition.

Reste enfin la notion juridique de la propriété. On dit couramment que la propriété est le *droit* à une chose, et on a souvent pensé qu'il y a un rapport juridique entre le propriétaire et la chose ou l'animal possédés. Or ceci est contraire à notre définition, qui serait ainsi trop étroite, étant donné qu'il est impossible de nier le caractère juridique adéquat de la notion de propriété.

En réalité c'est seulement cette interprétation de la notion de propriété qui est inadéquate. Le droit de propriété n'est pas un droit par rapport à la propriété (à l'animal ou à la chose). C'est uniquement un droit par rapport à d'autres êtres humains, qui ne sont pas propriétaires de la chose ou

---

1. En réalité le phénomène en question est inadéquat non pas seulement par rapport à l'animal (qu'on traite à tort comme un être humain), mais encore par rapport au Droit lui-même. L'animal est jugé parce que le juge est censé représenter Dieu, le justicier divin, et parce que le rapport entre la créature animale et Dieu est censé être semblable au rapport entre Dieu et la créature humaine. Il y a donc confusion entre les phénomènes juridique, moral et religieux. Mais je n'insiste pas là-dessus.

de l'animal en question. Le *droit* de propriété se réalise et se révèle lorsqu'il y a interaction non pas entre la chose (ou l'animal) et le propriétaire, mais entre celui-ci et d'autres êtres humains.

Pour le Code civil (art. 544 par exemple) et le droit romain le droit de propriété est le droit d'user, de jouir et de disposer d'une chose d'une façon absolue, exclusive et perpétuelle. Or, « façon absolue » signifie juridiquement non pas que le propriétaire peut faire ce qu'il veut de la chose ou de l'animal, mais qu'il peut le faire *sans rendre compte à personne* (ce qui n'est pas exact, d'ailleurs, puisqu'il n'a pas le droit d'en faire un usage prohibé par les lois générales et doit donc rendre compte à l'État; mais peu importe). « Façon exclusive » signifie que seul le propriétaire possède sur la chose de telles prérogatives et qu'il peut s'opposer à ce qu'*un autre* vienne les lui disputer. Enfin « façon perpétuelle » signifie seulement que la « façon absolue et exclusive » n'est pas limitée dans le temps, que le propriétaire peut exclure tous les autres même par une volonté posthume [1]. La possibilité d'« user et abuser » de la chose possédée est une possibilité purement physique; seule l'*exclusivité* de cette possibilité est juridique, l'exclusivité par rapport aux autres hommes. Dans le *droit* de propriété il est donc question d'interaction (virtuelle ou réelle) entre deux êtres humains, et par conséquent notre définition s'y applique parfaitement. (C'est d'ailleurs ainsi que la jurisprudence moderne interprète le droit de propriété [2]. Cependant Durkheim [3] parle d'un lien juridique direct entre le propriétaire et la chose qui lui appartient.) En effet, si mon champ ne se laisse pas labourer et si mon cheval me résiste, il n'y aura pas d'intervention d'un « tiers désintéressé » (de la police, par exemple). Ou s'il y avait une telle intervention, elle ne créerait pas de situation juridique, précisément parce que c'est une chose ou un animal qui réagit à mon action de propriétaire. Mais si cette réaction vient d'un autre homme (qui m'empêche de labourer mon champ, ou de me servir d'un cheval, en le volant par exemple), le « tiers » interviendra nécessairement (en principe), et cette intervention révélera et réalisera alors mon *droit* de faire ce que je fais, c'est-à-dire mon *droit* de propriété, précisément parce qu'il y aura interaction entre deux êtres humains.

En bref, l'exclusion des êtres « naturels » au sens de non

1. Cf. Solus, *Les Principes du droit civil*, p. 92.
2. Cf. par exemple Capitant, *Introduction à l'étude du droit civil*, 5ᵉ éd., p. 8.
3. Cf. *De la division...*, p. 123 sq.

humains — animaux, plantes ou choses — de la définition du phénomène « Droit » ne semble pas la rendre trop étroite : en ce point le phénomène correspondant à la définition semble être adéquat. Un phénomène peut donc présenter toutes les apparences d'un phénomène juridique : il ne le sera pas tant qu'il n'impliquera pas une interaction entre *êtres humains*. Mais un animal ou même une chose peuvent être assimilés à un être humain. L'expression « êtres humains » dans la définition ne signifie donc pas nécessairement des êtres de l'espèce Homo sapiens. Ce sont des êtres quelconques qui sont censés pouvoir agir et réagir comme le ferait à leur place un être que *nous* appelons humain.

*b)* Sans chercher à définir l'être que *nous* appelons « humain » posons encore qu'il diffère de l'*être divin* non moins essentiellement que de l'animal ou de la chose. D'après notre définition il n'y a donc de rapports juridiques ni entre êtres divins, ni entre êtres divins et humains. Reste à savoir si cette définition n'est pas trop étroite.

Le cas de prétendus rapports juridiques entre êtres divins est sans intérêt. On peut admettre qu'il s'agit là d'un cas d'anthropomorphisme mythique (conscient ou non) à tout point semblable au cas considéré de prétendus rapports juridiques entre animaux.

Mais le cas de prétendus rapports juridiques entre un être divin et un être humain doit être discuté.

La définition la plus générale de l'*être divin* peut être donnée comme suit : A est *divin* par rapport à B et pour B (c'est-à-dire pour la conscience qu'en a B) si A est censé pouvoir agir sur B sans que B soit censé pouvoir réagir sur A [1]. Il n'y a donc pas d'inter-action possible entre un être divin et un être humain. Autrement dit, du moment que notre définition prévoit une *interaction* entre deux êtres A et B il s'ensuit qu'un être divin ne peut pas prendre la place de A ou de B. Mais ceci ne fait que déplacer la question de savoir si notre définition n'est pas trop étroite.

En fait on a toujours eu le sentiment qu'il n'y a pas de rapports proprement juridiques entre l'homme et un être vraiment divin, c'est-à-dire tout-puissant par rapport à l'homme. Ainsi, d'après le droit romain, le Maître *(pater familias)* est responsable des délits commis par son Esclave (ou en

---

1. Exemple : tant que les hommes ont cru que les astres agissaient sur eux, mais qu'ils ne pouvaient pas agir sur les astres, ceux-ci étaient considérés comme divins; mais dès que la physique nous a révélé que l'action des astres sur nous est exactement égale à notre réaction sur eux, ils ont été « sécularisés ».

général par un *alieni juris* en sa puissance) en dehors de la maison; mais lorsqu'un délit est commis par l'Esclave (ou l'*alieni juris*) contre le Maître lui-même, « il ne naît aucune action (juridique) », car il n'y a pas d'obligation juridique possible entre le Maître et les individus soumis à sa puissance [1]. Il n'y a donc pas de rapport juridique entre A et B là où l'action de A est censée ne pas pouvoir provoquer une réaction de B, B étant « soumis à la puissance » de A. Or c'est ce qui a lieu dans les rapports entre l'homme et son Dieu (ou ses dieux). Sans réaction, pas d'*inter*-action et par suite pas d'intervention d'un tiers (qui serait sans objet), c'est-à-dire, d'après notre définition, pas d'élément spécifiquement juridique.

D'autre part l'homme parle souvent de ses rapports avec le divin en termes juridiques, et il attribue presque toujours un caractère divin au Droit. Essayons donc de l'expliquer.

Tout d'abord il faut éliminer les cas très fréquents de théologie anthropomorphique. Ils sont sans intérêt puisque avec eux nous retombons dans les cas de zoologie anthropomorphique, déjà discutés plus haut. Le phénomène pourra alors être adéquat dans son aspect juridique; seul l'aspect théologique sera inadéquat, le divin étant faussement conçu comme humain. Notre définition sera ainsi valable [2].

---

1. Cf. Gaius, 4, 78, cité par Giffard, l.c., vol. II, p. 257, note 1.

2. La théologie *magique* est toujours anthropomorphique. Plus exactement la Magie est par définition athée et n'a rien à voir avec la Religion (étant à proprement parler une Technique ou un Art). En effet le magicien est censé pouvoir agir sur le « divin ». Ce qu'il appelle « divin » n'est donc pas divin *pour nous*. C'est un être humain, ou plus exactement anthropomorphe, situé sur le même plan que l'homme et la nature, et non pas *transcendant* par rapport à eux. Le Religieux ne peut adresser à son Dieu que des prières, qui n'exercent sur Dieu aucune contrainte : l'être qu'on ne peut que *prier* est donc vraiment divin. La pratique magique agit par contre nécessairement, elle *contraint* l'être auquel elle s'adresse. Cet être n'est donc pas divin par rapport au magicien. Dans le plan de la Magie il peut donc y avoir des rapports juridiques — au sens de notre définition — entre l'homme et ce qu'on appelle à tort le « divin », précisément parce que ce pseudo-divin ne diffère pas essentiellement de l'humain. (Par ailleurs les buts du Magicien sont toujours *immanents* au monde, à l'encontre des buts du Religieux, qui sont essentiellement *transcendants*. Nous verrons au chapitre III que de ce point de vue également les rapports magiques peuvent avoir un caractère juridique, par opposition aux rapports religieux, qui n'ont rien à voir avec le Droit.) Or, toute Religion concrète implique beaucoup d'éléments (ou de réminiscences) magiques. D'où la tendance à l'anthropomorphisme et, par suite, à l'interprétation *juridique* des rapports entre l'homme et le divin. (Surtout dans les « Religions magiques » et les « Magies religieuses ». Les premières sont des *Religions* parce que le divin y est conçu correctement, comme tout-puissant ou transcendant par rapport au monde et à l'homme, mais qui sont

Il y a des cas où le phénomène théologique est adéquat (toute-puissance de Dieu) et où l'on parle néanmoins de rapports juridiques. D'après notre définition c'est le phénomène juridique qui est alors inadéquat. Il s'agit d'expliquer l'erreur et de justifier ainsi la définition proposée.

L'analyse des cas concrets (le christianisme par exemple) montre qu'on commence par admettre une sorte de dédoublement du divin (de Dieu) : on distingue un aspect ou un avatar céleste (transcendant) B et un aspect ou avatar terrestre (quasi immanent) C de Dieu. L'action divine est partagée entre B et C, et l'on suppose (plus ou moins explicitement) que seule l'action intégrale est toute-puissante, tandis que l'action isolée de B ou de C (ou des deux) ne l'est pas. On admet alors une *inter*-action entre un être humain A et l'avatar B par exemple, l'avatar C jouant le rôle du « tiers » de notre définition. C'est ainsi qu'on a l'impression d'être en présence d'une situation juridique (conforme à notre définition).

En pratique l'action de l'avatar immanent C est déléguée à une Église, qui joue le rôle d'arbitre entre l'homme et son Dieu (dans l'avatar transcendant B). Cette Église peut ainsi réaliser et révéler un « Droit divin ». C'est le « droit canon » au sens étroit et propre du terme, le « droit » s'appliquant au sacrilège, à l'hérétique, etc., c'est-à-dire non pas à des rapports entre êtres humains, mais aux rapports entre les hommes et Dieu.

Si un tel « droit canon » est effectivement un Droit, notre définition est trop étroite. Mais on peut montrer que ce prétendu « Droit » n'est qu'un phénomène juridique inadéquat, et qu'il l'est précisément parce qu'il implique un rapport entre un être humain et un *être divin*.

En effet si l'Église ne fait que représenter Dieu sur terre, elle n'est pas distincte de lui, elle n'est pas un « tiers désintéressé et impartial » par rapport à lui. Or, personne ne voudra voir un rapport de droit là où la partie lésée ou revendiquant un droit est en même temps législateur juridique, juge et exécutant du jugement. On retombe dans le

---

*magiques* dans la mesure où les buts de l'homme restent immanents au monde; par exemple l'Hébreu biblique *prie* Dieu de lui envoyer de la nourriture. Les « Magies religieuses » sont des *Magies* parce que les pratiques rituelles sont censées agir nécessairement, mais elles sont *religieuses* dans la mesure où le but est transcendant : par exemple les pratiques du yoga en vue du salut de l'âme. Cas de Magie pure : pratique infaillible pour contraindre un « dieu » à faire tomber la pluie; cas de Religion pure : prière pour le salut de l'âme.)

cas du rapport entre Maître et Esclave, qui n'est pas un rapport juridique ni pour le droit romain, ni pour le sentiment juridique général. Mais si l'Église diffère essentiellement de Dieu, elle sera par définition sans puissance par rapport à lui, puisqu'il est tout-puissant par rapport à tout ce qui n'est pas lui-même. L'Église ne pourra donc pas *intervenir* dans un conflit entre l'homme et son Dieu : il n'y aura ni arbitrage, ni exécution, c'est-à-dire il n'y aura pas de situation juridique constatable, il n'y aura pas de *phénomène* juridique. Certes, l'Église pourra agir sur l'homme, mais ici son intervention sera inutile, voire sans objet, puisque la réaction de l'homme est annulée d'office, Dieu étant tout-puissant par rapport à lui. Ainsi, lorsqu'un être humain A est en rapport avec un être divin B, deux cas seulement sont possibles. Ou bien il n'y aura pas d'intervention d'un tiers, de sorte qu'il n'y aura même pas d'apparence d'une situation juridique. Ou bien un tiers efficace sera là, mais il ne sera alors en réalité qu'une émanation de B et non un *tiers* C proprement dit, de sorte qu'il n'y aura qu'une *illusion* de situation juridique. Et c'est pourquoi la définition précise que l'intervention de C doit se produire à l'occasion de l'interaction entre deux *êtres humains*, pour qu'il y ait une situation juridique authentique.

Pratiquement, l'illusion d'un rapport « juridique » entre l'homme et son Dieu apparaît là où l'homme veut présenter quelque chose (à soi-même ou à d'autres) comme un « droit » ou un « devoir juridique », sans pouvoir en donner une justification juridique proprement dite (c'est-à-dire, comme nous le verrons plus tard, sans pouvoir déduire le prétendu « droit » de l'idée de justice admise par lui). C'est alors qu'on dit que le « droit » ou le « devoir » en question sont des commandements de Dieu, que léser ce « droit », faillir à ce « devoir », c'est offenser Dieu, c'est entrer dans un rapport juridique avec lui, c'est tomber sous la juridiction du « droit canonique ». Or, *pour nous*, il n'y a là qu'un phénomène juridique inadéquat : si une situation juridique ne peut pas se constituer à l'occasion d'une interaction donnée entre deux *êtres humains*, elle ne peut pas se constituer du tout; en particulier on ne peut pas la créer en remplaçant l'un de ces êtres humains par un être divin. Et c'est ce que dit notre définition.

Certes, le sacrilège par exemple est (ou a été) un phénomène incontestablement juridique. Mais il cadre avec notre définition à condition d'être correctement interprété. À savoir, il faut l'interpréter comme nous avons interprété la loi protectrice des animaux. Le sacrilège commis par un être humain est un phénomène *juridique* non pas parce qu'il « offense Dieu », mais parce qu'il « offense » un autre être humain, individuel ou collectif (par exemple la société dans son ensemble), c'est-à-dire parce qu'il y a interaction entre deux *êtres humains*. Si le sacrilège est puni uniquement parce qu'il offense Dieu, la punition n'a rien de vraiment juridique : il n'y a que l'apparence illusoire d'un « Droit ». Par contre la punition sera authentiquement juridique si le sacrilège est puni parce qu'il offense le sentiment religieux de la communauté par exemple, ou lèse réellement ses intérêts, la mettant tout entière sous le coup de la colère divine, provoquée par l'acte sacrilège [1].

1. Prenons le cas de l'inceste. On ne peut l'interdire *juridiquement* qu'en supposant qu'il lèse des intérêts *humains* quelconques. Si on le nie, on peut encore l'interdire comme « offensant Dieu ». Mais alors cette interdiction sera morale ou religieuse, et non juridique. Cf. le droit français moderne, qui ne punit pas l'inceste, tout en reconnaissant son caractère immoral (voire « sacrilège »), mais qui se refuse à reconnaître des enfants incestueux, ceci étant contraire aux intérêts de la famille; l'inceste n'a donc d'existence juridique que dans la mesure où il est rapporté à la société humaine, tandis que le droit l'ignore dans la mesure où il n'est rapporté qu'à Dieu.

Le droit primitif se contente souvent d'expulser l'homme sacrilège, afin que le châtiment divin ne touche que lui seul et épargne le groupe social auquel il appartient. En voici l'interprétation correcte (qui n'est pas celle que donne le droit primitif lui-même) : d'une part le bannissement n'est pas une peine juridique; le groupe se désintéresse simplement du criminel, en laissant à Dieu le soin de le juger et de le punir; le *droit* ne s'applique donc pas aux rapports entre le coupable et Dieu. D'autre part le bannissement est un châtiment juridique; mais alors il est motivé par le fait que le criminel a lésé le groupe, en attirant sur lui le courroux de Dieu; le *droit* (pénal) s'applique donc à un rapport entre êtres humains.

Au Moyen Âge, l'État ne jugeait pas l'hérétique se contentant de le livrer à l'Église. L'Église ne châtiait pas l'hérétique (mais essayait seulement de le corriger), se contentant de livrer l'hérétique incorrigible à l'État (qui le mettait à mort). Il semble que la raison (inconsciente) est la suivante : l'État admet qu'il incarne le Droit proprement dit mais se rend compte que l'hérésie, étant un rapport entre l'homme et *Dieu*, n'est pas un phénomène juridique; il a donc raison de se désintéresser juridiquement de l'hérésie et de céder l'hérétique à l'Église; mais il a tort de croire que l'action ecclésiastique contre l'hérétique est une juridiction : une juridiction *sui generis*, certes, mais une juridiction quand même (« *droit* canon »). L'Église reconnaît que le châtiment est un phénomène authentiquement juridique, tandis que la procédure ecclésiastique ayant trait aux rapports entre l'homme et Dieu n'est pas une véritable juridiction; elle a donc raison de ne pas châtier elle-même le coupable et de penser que tout châtiment (juridique) doit être effectué par l'État; mais elle a tort de dire (et l'État d'admettre) qu'une procédure non juridique (fondée sur le « droit » canon) peut et doit engendrer un châtiment juridique (fondé sur le Droit proprement dit). Dans la mesure où le « droit canon » s'applique aux interactions

Posons donc qu'il n'y a pas de « Droit divin » dans le sens d'un rapport juridique entre un être humain et un être divin (ou entre deux êtres divins). Mais on parle encore — et très souvent — de « Droit divin » là où il s'agit d'interaction entre deux êtres humains. L'être divin joue alors le rôle du « tiers impartial » C de notre définition : il est soit le Législateur qui crée la règle de droit, soit le Juge qui l'applique à un cas donné, soit enfin la puissance qui exécute le jugement (ou bien il combine ses fonctions). Or, si notre définition s'oppose à ce que A ou B soient des êtres divins, elle n'exclut pas le cas où l'être divin joue le rôle de C. Au contraire.

Nous verrons en effet que l'intervention de C est censée être absolument efficace : C est donc « tout-puissant » par rapport à A et à B. Autrement dit il a un caractère « divin » par rapport à ces derniers. Rien d'étonnant donc que les hommes aient souvent divinisé le « tiers » en question, et par cela même le Droit en tant que tel, qui se réalise et se révèle précisément dans et par l'intervention de ce tiers. Le Droit est souvent conçu comme ayant sa source ou sa garantie dernière en Dieu, et Dieu est généralement compris comme un Législateur, un Juge ou un Justicier suprême. Quant à la phénoménologie du Droit, elle n'a pas à résoudre la question de savoir s'il y a ou non des « êtres divins » réels. Elle se contente de constater que dans le cas où un « être divin » impartial et désintéressé intervenait à l'occasion d'une interaction de deux êtres humains A et B, en annulant la réaction de B, on serait en présence d'un phénomène juridique authentique[1].

---

entre êtres humains, c'est un Droit authentique. (Voir dans le chapitre ɪɪ l'analyse du « droit de groupe », c'est-à-dire du « droit potentiel ».)

1. Nous verrons qu'en réalité le « tiers désintéressé » est la Société ou l'État. Le diviniser, c'est donc diviniser ces derniers. Mais on peut admettre avec Hegel (et Durkheim) que le « divin » n'est jamais autre chose que la Société ou l'État « idéalisés » ou « hypostasiés », c'est-à-dire projetés inconsciemment dans l'au-delà. Rien d'étonnant alors que l'homme cherche en Dieu la source et la garantie du Droit.

En fait le « tiers » C (et l'État) n'est « tout-puissant » par rapport à A et à B que dans la mesure où il s'agit de l'interaction en question; par ailleurs A et B peuvent *agir* sur C. (Par exemple : tant que l'État reste ce qu'il est, il est un juge « tout-puissant » de ses nationaux; mais ceux-ci peuvent modifier l'État par une action révolutionnaire. Autrement dit le « tiers », l'État et par suite le Droit lui-même ne sont pas réellement *divins*. Ils n'ont que l'apparence du divin, ce qui explique le fait qu'ils sont souvent divinisés (consciemment ou non, mais toujours à tort). Le Droit peut sembler être « *divin* » à l'individu, parce que celui-ci ne peut pas modifier le Droit par son action *directe*. Mais il *semble* seulement l'être, parce que le même individu peut modifier le Droit *indirectement*, en forçant par exemple l'État à modifier le Droit dans le sens voulu.

Mais la question du « tiers » ne nous intéresse pas pour le moment. Et le problème général du rapport entre le Droit et la Religion sera discuté au chapitre III. Pour le moment il suffit de constater qu'en dépit des apparences il n'y a de phénomène juridique adéquat (c'est-à-dire conforme à notre définition) ni lorsqu'un être humain est en interaction avec un animal ou une chose, ni lorsqu'il est en rapport avec un être divin, c'est-à-dire tout-puissant par rapport à lui. Le rapport *juridique* est nécessairement un rapport entre *êtres humains*.

c) D'après notre définition il faut donc être un « être humain » pour pouvoir être un « sujet de droit ». Mais le terme « être humain » dans cette définition signifie-t-il la même chose que « représentant de l'espèce *Homo sapiens* »?

Nous avons vu que, dans le cas d'anthropomorphisme, des « divinités », des animaux ou même des choses peuvent être considérés comme des « êtres humains », qui ne diffèrent de l'homme proprement dit que par le fait d'avoir un autre « support » que lui, de ne pas appartenir à l'espèce Homo sapiens. Nous verrons maintenant qu'il ne suffit pas d'avoir pour support l'animal *Homo sapiens* pour être un sujet de droit.

Il y a d'abord le cas de l'esclavage. L'Esclave est un Homo sapiens qui, par définition, ne peut pas être une personne juridique, un sujet de droit. Si l'interaction entre deux personnes libres A et B provoque nécessairement l'intervention du « tiers » C, cette même interaction ne provoquera pas d'intervention au cas où A ou B (ou A et B) sont des esclaves. (Le mariage par exemple n'est juridiquement reconnu à Rome qu'entre personnes libres.) Il n'y a donc de situation juridique que dans le premier cas, quoiqu'il s'agisse dans les deux cas de représentants de l'espèce Homo sapiens.

L'Esclave ne peut être sujet de droit en aucun cas. Si A, ou B, ou A et B, sont des esclaves, C n'interviendra jamais et il n'y aura donc pas de situation juridique. Il peut y avoir une situation juridique *à propos* d'un esclave, ou *à cause* de lui, mais seulement s'il y a aussi interaction entre deux personnes libres. L'Esclave est une propriété, un animal ou une chose, et tout ce qui a été dit plus haut à propos de la propriété s'applique à lui. Mais il y a des cas où même une personne libre ne peut pas être sujet de droit, tout en pouvant l'être dans d'autres cas. Une interaction déterminée entre A et B, qui provoque nécessairement l'intervention de C, créant ainsi une situation juridique, peut ne pas provoquer cette intervention et rester par conséquent extra-juridique, si A, ou B, ou A et B sont par exemple des enfants en bas âge, ou des fous, ou des femmes, ou s'ils appartiennent à une classe sociale déterminée, etc.

C'est toute la question ardue du sujet de droit ou de la personne juridique qui apparaît ainsi. J'aurai à la discuter, mais plus tard. Pour le moment les remarques suivantes doivent suffire.

S'il n'y avait pas de phénomènes juridiques inadéquats, on aurait pu éliminer pour le moment la question en renversant la situation. On aurait pu dire que A et B sont des sujets de droit chaque fois que, et dans la mesure où, leur interaction provoque nécessairement l'intervention de C. Alors le terme restrictif « êtres humains » pourrait être supprimé dans la définition. Mais nous avons vu qu'il y a des phénomènes inadéquats, des situations « juridiques » illusoires. Par exemple, l'interaction entre A et B a beau provoquer l'intervention de C, la situation ne sera pas juridique si A ou B est un animal. Et nous avons dit qu'il en est nécessairement ainsi dès que A, ou B, ou A et B sont des animaux, ou des choses, ou des êtres divins. Il faut donc se demander si le phénomène ne devient pas inadéquat du seul fait que A ou B appartiennent à une catégorie spéciale d'êtres humains (Homo sapiens). Je ne me demande pas pour le moment pourquoi une interaction entre représentants de telle catégorie d'êtres humains ne provoque pas d'intervention de C, restant ainsi extra-juridique, tandis qu'elle le fait si elle a lieu entre représentants d'une autre catégorie. Je ne me demande par exemple ni pourquoi un être humain est Esclave, ni pourquoi un Esclave ne peut pas être sujet de droit. Je me demande seulement s'il y a des catégories d'êtres humains qui, comme l'animal ou Dieu, ne peuvent pas être sujets de droit, même si l'interaction provoque l'intervention conformément à notre définition, ou du moins semble le faire, c'est-à-dire même s'ils *semblent* être des sujets de droit. Autrement dit, peut-on considérer un phénomène juridique comme inadéquat *uniquement* parce que le rôle de A ou de B (ou de A et B) est joué par le représentant d'une catégorie spéciale d'« êtres humains » — Homo sapiens?

Il semble que la réponse doive être négative. Si toutes les autres conditions mentionnées dans notre définition sont remplies, il suffit que A et B soient des êtres appartenant à l'espèce Homo sapiens pour que le phénomène juridique soit adéquat.

C'est à cette conclusion qu'aboutit l'évolution historique de la conscience juridique. Car le droit européen moderne a pour principe que « par le fait seul de son existence, l'être humain (s'entend l'Homo sapiens) est un sujet de droit[1] ». Un Homo sapiens peut être affecté d'« incapacités spéciales » ou même d'« incapacité générale », comme disent les juristes, mais son « incapacité » ne sera jamais absolue. Autrement dit, du point de vue moderne, il y aura toujours des cas où une action de n'importe quel Homo sapiens, suscitant une réaction, provoquera nécessairement l'intervention prévue par notre définition, ce qui donnera une situation juridique authentique, où l'Homo sapiens en question jouera le rôle de sujet de droit.

Certes il ne suffit pas de constater l'existence de ce point de vue dans la jurisprudence moderne. Il faut encore le justifier phénoménologiquement, en présentant le point de vue moderne (qui est le nôtre) comme un résultat nécessaire (c'est-à-dire « compréhensible » ou « déductible après coup ») de l'évolution « dialectique » du phénomène « Droit ». Je ne pourrai pas le faire en ce lieu. Mais j'essayerai de justifier ce point de vue dans la Deuxième Section (chapitre I), en montrant que l'acte anthropogène primordial implique nécessairement un élément juridique. Autrement dit l'acte dans et par lequel un animal Homo sapiens se crée en tant qu'être humain authentique est nécessairement tel qu'il le rend apte à entrer en interaction avec un autre être humain créé de la même manière, de façon à provoquer l'intervention d'un troisième être semblable, conformément à notre définition. En bref, en se constituant en être humain, l'animal Homo sapiens se constitue aussi et par cela même en sujet de droit, qui ne peut être ni un animal non humanisé, ni un dieu.

Il restera cependant une difficulté qu'il faut lever dès maintenant. L'acte anthropogène n'est certainement pas effectué chez un nourrisson ou un homme psychiquement anormal : un idiot ou un fou. Nous disons cependant avec le droit moderne qu'ils peuvent être sujets de droit dans une situation juridique authentique. Et pourtant ils ne diffèrent pas encore effectivement de l'animal et ils sont par ailleurs traités comme tels (par l'application de la force brute, sans inter-

---

1. Cf. par exemple BONNECASE, *Introduction à l'étude du droit*, p. 42.
  Ce principe est d'ailleurs tout récent, puisque le Code Napoléon connaissait encore la « mort civile », qui ne fut abolie en France qu'en 1854.
  Le terme « existence » doit être pris dans un sens très large, puisque le « sujet » peut exister tant après la mort de l'Homo sapiens correspondant (cas de l'enfant attribué *post mortem;* Code civil, art. 315) qu'avant sa naissance, voire avant sa conception (cas des « enfants à naître »; Code civil, art. 1048).

vention du langage). A première vue il y aurait donc là un phénomène juridique inadéquat.

Il semble qu'on ne puisse éviter cette conséquence qu'en admettant (ce qu'on essayera de justifier par la suite) que le rapport juridique est par son essence même « éternel ». Certes, il ne peut se réaliser et se manifester que dans le temps, mais il implique la *totalité* du temps et non pas seulement tel moment déterminé du temps (présent, passé ou futur). Ainsi le sujet de droit n'est pas seulement l'Homo sapiens tel qu'il est à un moment donné de son existence, mais tel qu'il est dans la *totalité* de cette existence, présumée éternelle (ou tout au moins avec des limites indéfinies, quelconques). Dans notre cas le nourrisson est traité en « être humain » (sujet de droit) parce qu'il est censé le devenir un jour, et le fou — parce qu'il est censé l'avoir été ou pouvoir l'être [1]. La chose, par contre, et l'animal, ainsi qu'un être divin, sont censés ne jamais pouvoir devenir des êtres humains authentiques. Ils ne peuvent donc pas être des sujets de droit, tandis qu'un homme déjà mort peut l'être encore, précisément parce qu'il a été un être humain proprement dit.

Admettons donc que notre définition ne deviendrait pas trop large si nous y remplacions le terme « êtres humains » par celui de « Homo sapiens ». Autrement dit si, toutes les autres conditions de la définition étant remplies, A et B sont des représentants de l'espèce Homo sapiens quels qu'ils soient, le phénomène sera authentiquement juridique.

Mais signalons encore une fois qu'il ne suffit pas que A et B appartiennent à l'espèce Homo sapiens pour qu'il y ait intervention de C, c'est-à-dire situation juridique. Non seulement beaucoup d'interactions entre A et B peuvent être extra-juridiques ou juridiquement neutres du fait qu'elles ne provoquent pas nécessairement l'intervention du « tiers » C. Une seule et même interaction peut provoquer ou non cette intervention, c'est-à-dire être juridique ou non, selon que A et B sont des hommes adultes ou des enfants, des hommes ou des femmes, sains d'esprit ou fous, ou selon qu'ils appartiennent ou non à une classe sociale déterminée, ou pour d'autres raisons encore. Je dis seulement que *si* cette intervention de C a lieu, la situation sera authentiquement juridique, du moment que A et B appartiennent à l'espèce Homo sapiens,

---

1. Ainsi le Code civil (art. 725, § 2) déclare l'enfant « non viable » incapable de succéder. Quant aux fous, la jurisprudence moderne semble ne pas admettre juridiquement l'existence de cas de folie congénitale *incurable*.

et qu'elle ne le sera pas si A, ou B, ou A et B sont des choses, des animaux ou des dieux [1].

*d)* Nous venons d'admettre que notre définition ne devient pas trop large si nous y remplaçons le terme « êtres humains » par celui de « Homo sapiens ». Autrement dit nous affirmons que tout Homo sapiens est un « être humain » au sens qu'a en vue la définition. Mais l'inverse n'est pas vrai. Et c'est pourquoi on ne peut pas substituer « Homo sapiens » à « être humain » : la définition deviendrait trop étroite. Si la notion « être humain (en tant que sujet de droit) » peut s'appliquer authentiquement à tout Homo sapiens, elle ne s'applique pas qu'à lui.

Nous avons vu en effet qu'on peut anthropomorphiser juridiquement des dieux, des animaux et même des choses. Nous n'y reviendrons pas. D'autant plus que ces cas (juridiquement adéquats) sont inadéquats en ce sens que les êtres en question n'y sont pas pris pour ce qu'ils sont en vérité (c'est-à-dire pour nous). Mais il y a des cas où l'être est pris tel qu'il est pour nous (c'est-à-dire en vérité), et où il est néanmoins sujet de droit authentique, tout en n'étant pas un Homo sapiens proprement dit. Ce sont les cas où A ou B, ou A et B de notre définition, sont ce que les juristes appellent des « personnes morales ».

Il faut discuter brièvement ces cas (supposés authentiquement juridiques), afin de préciser définitivement le sens du terme « être humain », censé s'appliquer dans notre définition tant aux « personnes morales » qu'aux « personnes physiques », comme disent les juristes.

Pour la jurisprudence française la notion de « personne physique » coïncide avec celle d'Homo sapiens : tout Homo sapiens est *eo ipso* une « personne physique », et toute « personne physique » est un Homo sapiens, quel que soit son sexe, son âge et son état mental.

Aux « personnes physiques » s'opposent les « personnes morales ». Celles-ci sont soit des « associations *(lato sensu)*, soit des « fondations » [2]. Toutes ces « personnes morales » sont dites être « de droit privé ». Quant aux « personnes

---

1. Ce n'est d'ailleurs pas seulement le *fait* de l'intervention de C, mais encore sa *nature* (ou sa modalité) qui est fonction de l'appartenance de A ou de B à une catégorie déterminée d'êtres humains.

2. Les « associations *lato sensu* » sont des « associations *stricto sensu* » à but non lucratif — « simples », « déclarées » ou « reconnues d'utilité publique » —, soit des « sociétés » à but lucratif, qui sont ou bien des « sociétés de personnes » ou bien des « sociétés de capitaux ». Mais ces distinctions purement techniques ne nous intéressent pas ici.

morales de droit public » (qui sont soit des « administrations publiques », c'est-à-dire l'État, les Départements, les Communes et les Colonies, sont des « établissements publics »[1]; j'en parlerai plus tard dans ce même paragraphe). Les « associations » *(lato sensu)* sont des « personnes morales qui ont à leur base un groupement de personnes physiques, formé en vue d'un ou de plusieurs buts déterminés »; ce sont donc des « unions de personnes physiques », des « personnes physiques groupées », « faisant figure d'associés ». Les « fondations » par contre sont « indépendantes de tout groupement »; « elles se ramènent à une œuvre charitable, intellectuelle ou d'agrément, dotée d'une organisation matérielle et gratifiée de la personnalité[2]. »

Autrement dit, là où il y a action d'une « association » il y a toujours un groupe de volontés et d'actions d'adultes normaux de l'espèce Homo sapiens. L'action de l'association n'est rien d'autre que la résultante de leurs actions, qui est formée d'après un principe déterminé, d'ailleurs quelconque (unanimité, décision majoritaire, etc.), et qu'on peut appeler leur « action ou volonté collective ». L'association naît d'une telle « volonté collective » (qui est une condition nécessaire, sinon suffisante), et la même volonté qui l'a créée peut aussi l'anéantir[3]. Pour faire ressortir cet aspect de l'« association », je propose de l'appeler *« personne morale collective ».*

La « fondation » naît aussi d'une volonté ou action d'un Homo sapiens adulte et normal, ou d'un groupe d'adultes normaux, c'est-à-dire d'une « volonté collective ». Mais une fois née, elle se détache de cette volonté, qui ne peut plus l'anéantir. Et l'action de la « fondation » peut être tout à fait indépendante de l'action du fondateur. Cette action est donc autonome. Certes, il y a toujours une action individuelle ou collective d'Homo sapiens, la fondation ne pouvant évidemment pas agir effectivement elle-même. Mais le rapport de l'agent avec la fondation sera le même que le rapport entre le mandataire et le mandant. Au point de vue juridique, il y aura action autonome de la fondation, effectuée par l'inter-

1. D'après Hauriou.
2. Cf. Bonnecase, *op. cit.*, p. 53.
3. Si une association, un syndicat ouvrier par exemple, est imposée à ses membres, qui ne peuvent pas la dissoudre ni en sortir, ceci ne peut être fait en fin de compte que par l'État. L'association sera alors une « administration », c'est-à-dire une personne morale de droit public, même si son action n'est que l'action collective de ses membres. Je parlerai des « administrations » plus bas.

médiaire du gérant, etc. Là où il y a une action de la fondation en tant que telle, il n'y aura donc pas d'action d'un Homo sapiens. On peut dire aussi qu'en créant une fondation on fait abstraction de l'action du fondateur. C'est pourquoi je propose d'appeler les fondations des *« personnes morales abstraites »*.

Or, je pense qu'il faut ajouter à ces deux types de personnes morales un troisième, que je propose d'appeler *« personne morale individuelle »*[1]. Ce n'est qu'en tenant compte de ce troisième type qu'on peut interpréter correctement les deux autres.

Pour arriver à la notion de ce troisième type de personne morale il faut se rappeler que les notions « Homo sapiens » et « personne physique » ne sont pas interchangeables. Car cette dernière notion n'a de sens que si l'on admet que toute « personne physique » est par définition personne *juridique*, c'est-à-dire sujet de droit. Or, il suffit de penser à la notion de *Capitis deminutio* du droit romain ou de la « mort civile » du Code Napoléon pour constater qu'un homme peut cesser d'être une « personne physique » sans changer en quoi que ce soit en tant qu'Homo sapiens. Par conséquent, et nous l'avons déjà constaté plus haut, il ne suffit pas d'être Homo sapiens pour être « personne physique ». Tout Homo sapiens *peut* l'être, sans que la situation juridique soit de ce fait inauthentique, mais il ne l'est pas *nécessairement*[2]. Tout Homo sapiens *peut* être « personne physique », mais pour l'être effectivement il doit être reconnu comme tel par l'État[3].

Cette remarque permet de voir clair dans un long débat relatif aux « personnes morales » (collectives et abstraites). Pour certains[4], ces « personnes » sont des « fictions » parce que leur existence présuppose l'intervention de la loi. Pour d'autres[5], elles sont « réelles », parce que la loi ne fait que reconnaître un fait, sans le créer : « À l'instar des personnes physiques, les personnes morales *imposent* leur consécra-

---

1. En allemand j'aurais appelé les trois types respectivement : *besondere, allgemeine, einzelne*.

2. Je ne parle pas dans ce contexte de l'Esclave, parce que d'après certaines théories (celle d'Aristote par exemple) les esclaves n'appartiennent pas à l'espèce Homo sapiens, étant une espèce particulière, anthropomorphe, mais en fait animale.

3. Peu importe pour le moment pourquoi, et que signifie cette « reconnaissance ». Il en sera question dans le chapitre II.

4. Par exemple, pour Ducrocq, *Cours de droit administratif*, 7ᵉ éd., vol. IV, p. 13.

5. Par exemple, Bonnecase, *op. cit.*, p. 61 sq.

tion aux pouvoirs publics [1]. » Or, nous venons de voir que la « personne physique », c'est-à-dire − ici − l'Homo sapiens, « impose » tout aussi peu sa « consécration » à l'État que la « personne morale ». Si tout ce qui est créé par la loi est « fiction », la « personne physique », c'est-à-dire − ici − la personne juridique, est tout aussi « fictive » que la « personne morale ». Sur ce point il n'y a aucune différence entre les deux.

Une différence existe cependant.

D'après notre définition, A est sujet de droit ou personne juridique quand son action provoque une réaction de B, avec intervention de C..., etc. Quand cette action de A est l'action effective d'un Homo sapiens individuel et réel qui n'est autre que A lui-même, on peut dire que A est une « personne (juridique) *physique* » (en ce sens qu'il est le sujet du droit [*right*] déterminé par le fait et la nature de l'intervention de C). Mais quand l'action de A est en réalité ou bien la *résultante* de plusieurs individus de l'espèce Homo sapiens, A n'étant aucun d'eux ni en général Homo sapiens (cas de l'association) ou bien une action « *idéelle* » qui ne peut se réaliser que dans et par un *Homo sapiens* autre que A, qui n'en est pas un (cas de la fondation), alors A est une « personne (juridique) *morale* », « collective » ou « abstraite ». De même, lorsque l'action de A est « idéelle » en ce sens qu'elle ne peut se réaliser (en fait ou en principe) que par un Homo sapiens autre que A, A étant néanmoins lui-même un Homo sapiens, A sera une « personne (juridique) *morale* ». Mais cette fois cette personne morale sera « *individuelle* ». Par exemple un nourrisson A est incapable *en fait* d'accomplir un acte de nature commerciale. Un mineur A peut être capable de le faire en fait, mais il est incapable *en principe* (d'après la loi). Dans les deux cas l'action de A est donc « idéelle », réalisée *nécessairement* par un autre Homo sapiens A′ (le tuteur par exemple). Mais A est dans les deux cas un Homo sapiens [2]. Même situation pour le fou. Ou la femme dans certains cas, etc. Autrement dit il y a « personne morale individuelle » chaque fois que, et dans la mesure où une « personne phy-

---

1. *Ibid.*, p. 64.
2. Le cas de l'adulte normal agissant par un mandataire est intermédiaire. On peut dire qu'il est une « personne physique » (ayant droit d'agir soit lui-même, soit par l'intermédiaire d'un autre), mais on peut dire aussi que c'est une « personne morale individuelle » (dans le cas où il agit par le mandataire). L'essentiel, c'est qu'il peut − en fait et en principe − agir lui-même. Il vaut donc mieux l'appeler « personne physique » dans tous les cas.

sique » (au sens courant) agit tout en étant juridiquement
« incapable » de le faire, de sorte qu'elle est obligée d'agir
effectivement par un autre. Il suffit de penser aux cas où A est
un enfant à naître ou un homme déjà mort, pour se rendre
compte que la « personne morale individuelle » diffère essentiellement de la « personne physique » (au sens que j'attribue
à ce terme). Dans ces cas, la « personne morale individuelle »
ne diffère pas beaucoup de la « personne morale abstraite »
(fondation) : si l'on veut il y a une sorte de « fondation » au
profit de l'Homo sapiens qui est à la base de la personne
morale individuelle. Mais l'existence de cet Homo sapiens
dans le cas de la « personne morale individuelle » le distingue
du cas de la « personne morale abstraite ». En tout cas,
l'action du tuteur est comparable (juridiquement) à celle du
gérant de la fondation ou du représentant de la volonté de
l'association. Il est seul à agir effectivement, mais au point
de vue juridique l'action n'est pas sienne, mais celle de la
personne qu'il représente.

Pour le droit européen moderne tout Homo sapiens vivant,
quels que soient son sexe, son âge, son état mental, sa race,
sa classe, etc., est toujours capable d'accomplir lui-même
certains actes réels, de sorte qu'il est toujours aussi une
« personne physique » (tout en pouvant être une « personne
morale individuelle » pour d'autres actes, s'il est frappé
d'« incapacité » spéciale ou générale). Mais il n'en était pas
toujours ainsi. (Par exemple dans l'ancien droit romain,
l'enfant nouveau-né ne l'était pas avant sa reconnaissance
par le père.) Je n'ai pas à discuter ici la question de savoir
dans quels cas et pourquoi un Homo sapiens peut agir de
façon à provoquer l'intervention de C prévue par notre définition, c'est-à-dire de façon à être sujet de droit. Je dis seulement que s'il peut agir de la sorte, il est une personne juridique authentique : « physique » quand il agit (ou peut — en
fait ou en principe — agir) de la sorte lui-même, et « morale
individuelle » quand il est incapable — en fait ou en principe —
de le faire, mais agit néanmoins par l'intermédiaire d'une
autre personne juridique (physique ou morale) [1].

---

1. Un même Homo sapiens peut être « personne physique » dans un
cas et « personne morale individuelle » dans un autre cas. Par exemple le
nourrisson A a *droit* à la vie, puisque le tiers C annule la réaction de B
(désir de tuer A) provoquée par l'action de A, qui consiste à vivre, par
exemple à respirer. Or le nourrisson respire lui-même. De même le nourrisson (ou le fou) est « personne physique » quand la loi protège sa propriété, puisqu'il suffit d'être simplement vivant pour « exercer soi-même
son droit de propriété ». Mais le même nourrisson est effectivement incapable d'accomplir des actes de nature commerciale par exemple. En tant

Certes, la notion de « personne morale » permet de créer des personnes juridiques ayant pour base une chose, un animal ou un dieu, tout comme la « personne morale individuelle » a pour base un Homo sapiens quelconque (vivant, mort ou à naître). Si l'action du « tuteur » A' de l'animal, etc., A suscite une réaction de B qui est annulée par l'intervention de C, on peut dire qu'il y a rapport juridique et que A est sujet de droit, c'est-à-dire personne juridique (« morale » *sui generis*). Et c'est ce qu'on fait parfois. Mais je dis que dans ce cas le phénomène sera juridiquement inadéquat, précisément et uniquement parce que A est un animal[1].

La raison en a déjà été indiquée plus haut [voir *c*].

Le Droit se rapporte au temps. Mais il ne se rapporte pas exclusivement à un moment donné du temps. Il se rapporte à l'ensemble du temps : au temps passé, présent et futur. Or, par rapport à un moment donné, l'enfant à naître et le mineur *seront* (en principe) un Homo sapiens adulte et « normal », et le mort l'a *été*. Pour le Droit ils *sont* donc des représentants « normaux » de l'espèce Homo sapiens, puisqu'ils le seront ou l'ont été à un moment quelconque du temps. La « fiction » de la personne morale individuelle, qui leur permet de l'être effectivement au moment considéré, c'est-à-dire d'agir *comme* s'ils étaient « normaux », est donc *juridiquement* justifiée[2].

Le cas du fou ne diffère pas essentiellement de celui de

que sujet de droits commerciaux il est donc « personne morale individuelle ».

1. On dit qu'un testateur peut léguer une somme à un cheval, plus exactement pour l'entretien d'un cheval. Mais on ne doit pas le dire. Il ne faut pas dire que le cheval a un droit à l'argent légué, à être nourri, etc. Le cheval n'est pas l'objet d'une fondation, et non un sujet de droit. Le sujet est le testateur (ou la fondation) qui a droit, même en étant déjà mort, de nourrir, c'est-à-dire de faire nourrir son cheval. Le testateur mort nourrit son cheval non pas en fait, mais en droit, en tant que « personne morale individuelle ». Le cheval est nourri en fait, mais il n'a pas un *droit* à être nourri.

2. Dans le cas où le droit admet que l'enfant ne sera *jamais* un adulte « normal », il peut lui refuser la personnalité morale individuelle. Par exemple, le Code civil n'admet pas que l'enfant « non viable » hérite. Mais on peut se demander si cette façon de raisonner est juridiquement justifiable. Mais l'État peut, comme nous le verrons, refuser la personnalité juridique à qui bon lui semble.

La notion de la « prescription » ne contredit pas notre remarque sur l'« éternité » du Droit. Au contraire. La « prescription » présuppose justement une vision « totale » du temps. Le Droit dit dans ce cas : tel droit existe jusqu'au moment *t*, et n'existe plus à partir de ce moment − « jusqu'à la fin des temps ». La situation juridique (existence d'un droit + non-existence du même droit) englobe donc la *totalité* du temps.

l'enfant. Si le Droit ne reconnaît pas l'existence de cas incurables, il admet que le fou peut devenir normal « un jour ». Il l'*est* donc juridiquement parlant, d'où la « fiction » de sa personnalité morale individuelle.

Les cas des « incapacités » sexuelle (la femme) et sociales (l'esclave, etc.) sont plus compliqués.

Prenons le cas de l'Esclave (et de l'incapacité pour raisons sociales en général). Si un Droit admet (avec Aristote) que l'Esclave ne peut jamais devenir un Homo sapiens « normal » et ne peut jamais l'avoir été, et s'il lui refuse toute personnalité juridique, il est juridiquement logique avec lui-même. Il peut dire que *tout* Homo sapiens est une personne juridique, mais que l'Esclave n'est pas un Homo sapiens. Mais si dans cette hypothèse le Droit assigne à l'Esclave une personnalité morale individuelle (comme le fait le droit romain) le phénomène est juridiquement inadéquat. Inversement, si le Droit admet qu'un Homo sapiens « normal » (libre) peut devenir esclave et qu'un esclave peut être affranchi (c'est-à-dire devenir un Homo sapiens « normal »), et s'il refuse la personnalité morale individuelle à l'esclave, il est en contradiction avec lui-même. Plus exactement il ne tient pas compte de l'essence même de la notion du Droit, qui se rapporte à la *totalité* du temps. Or, tout phénomène tend à devenir adéquat, c'est-à-dire en particulier à supprimer sa contradiction interne. Le Droit en question finira donc par voir dans l'esclave une personne morale individuelle. Or c'est le traiter en Homo sapiens « normal », et non en esclave. Il y a donc dans ce cas une cause *juridique* de l'abolition de l'esclavage, indépendante des causes économiques, religieuses, morales et autres.

Prenons maintenant le cas de la femme. Aucun Droit n'a supposé qu'une femme a été ou sera homme un jour. Si le Droit n'admet aucune différence *juridique* entre l'homme et la femme, il n'y a aucune difficulté. Car *pour nous* la femme est non moins que l'homme un Homo sapiens « normal » [1]. Une situation conforme à notre définition où le rôle de A ou de B, ou de A et B est joué par des femmes est donc authentiquement juridique. Rien à dire non plus contre le droit qui refuse aux femmes la qualité de sujet de droit, c'est-à-dire de personne tant « physique » que « morale », puisque, comme nous l'avons vu, il n'est nullement nécessaire que *tout* Homo sapiens soit un tel sujet. Un droit peut nier la personnalité

1. Une justification de cette proposition exigerait une analyse métaphysique du problème des sexes, qu'il n'est pas question de faire en ce lieu.

juridique de tous les hommes dont la taille dépasse 1,80 m, par exemple, sans que ce droit devienne de ce chef juridiquement inauthentique. Une difficulté ne se présente que là où le droit nie la « personnalité physique » de la femme, tout en lui attribuant une « personnalité morale individuelle », c'est-à-dire là où la femme est frappée d'« incapacité » spéciale ou générale, mais non absolue. En effet la justification de la « personnalité morale » de l'enfant, du mort et du fou ne s'applique pas au cas de la femme, vu qu'elle n'a jamais été et ne sera jamais un homme. Il semble donc qu'elle en diffère *essentiellement,* qu'elle appartient à une autre *espèce,* qu'elle n'est pas un être humain. Or, dans ce cas, sa « personnalité morale » serait juridiquement tout aussi inadéquate que celle d'un animal ou d'un dieu. Pourtant presque tous les systèmes de droit du passé (et un bon nombre de législations actuelles) ont admis des cas où la femme ne peut pas être « personne physique », où elle doit agir par l'intermédiaire d'un autre, c'est-à-dire où elle est, tout comme l'enfant, le mort ou le fou, une « personne morale individuelle ».

Il semble que la justification de ce comportement doive être cherchée dans le fait qu'une femme est nécessairement la fille d'un homme et qu'elle peut avoir des enfants mâles. Nous verrons en effet que l'hérédité semble se justifier juridiquement par la conception selon laquelle l'identité du père (ou des parents) se conserve dans les enfants : le père et l'enfant, par exemple, sont une seule et même personne [1]. Or, s'il en est ainsi, l'homme et la femme sont essentiellement identiques. En un certain sens on peut dire que la femme a été ou sera homme, si on se rapporte à la *totalité* du temps (réalisée dans et par la Famille par exemple). Et l'on peut exprimer cette identité d'*essence* en disant que la femme « aurait pu » être homme, c'est-à-dire un Homo sapiens « normal ». Le tuteur A' d'une femme A agit donc comme aurait agi cette femme *si* elle avait été un homme. Or elle *aurait pu* l'être. On peut donc considérer l'action de A' comme une action de A. La fiction est donc juridiquement justifiée et les cas où la femme a une « personnalité morale individuelle » sont juridiquement authentiques même du point

---

1. La conception purement agnatique de l'hérédité chez les romains cadre bien avec le fait que le droit romain avait tendance à traiter la femme en mineure perpétuelle. Mais logiquement on devrait nier dans ce cas toute personnalité juridique de la femme. Seulement même dans la conception agnatique la fille est dans une certaine mesure identifiée au père. C'est seulement l'enfant qui ne dépend pas de la mère, étant rattaché directement au père (la femme n'est qu'un réceptacle de la semence du père).

de vue du droit qui n'admet pas qu'une femme puisse être ou devenir effectivement un Homo sapiens « normal ».

Tout comme dans le cas de l'Esclave, il y a donc semble-t-il une raison purement *juridique* de traiter la Femme en sujet de droit, indépendante des raisons économiques, religieuses et autres. Et il semble que cette raison doive être cherchée dans le droit successoral.

Mais peu importe. Ce qui est à retenir de tout ce qui précède, c'est le fait que la « personne morale individuelle » se justifie juridiquement par l'idée que le support réel de cette « personne », — l'enfant à naître ou en bas âge, le mineur, le fou, le mort, la femme, etc. — a été, sera ou « aurait pu être » un Homo sapiens « normal ». Si l'action du « tuteur » A' est attribuée à A, c'est que A *aurait pu* agir exactement comme agit A' : soit à un autre moment du temps, soit dans d'autres circonstances (d'ailleurs « contingentes »). Car même la femme « aurait pu » être un homme, si les « circonstances » de sa conception avaient été autres. En tout cas, quand A' agit au nom de A, il est censé se demander ce qu'aurait fait A dans le cas considéré, s'il était un Homo sapiens « normal ». Ou, ce qui revient au même, A' agit en supposant qu'il est à la place de A, que l'action qu'il entreprend l'intéresse lui, A', et non A. Or ces fictions ne sont justifiées que si A « avait pu » agir comme A'. C'est ce qui a lieu si A appartient à l'espèce Homo sapiens (ou a appartenu à cette espèce de son vivant). Par contre la chose, la plante, l'animal ou l'être divin sont par définition (c'est-à-dire lorsqu'ils sont conçus tels qu'ils sont en vérité, c'est-à-dire pour nous) *incapables* d'agir de la façon dont agit un Homo sapiens « normal », c'est-à-dire d'agir « humainement ». Dans ces cas la fiction de l'action de A' rapportée à A n'est donc pas justifiée : l'action de A' n'a rien à voir avec l'action de A, A' ne peut pas « représenter » A. Autrement dit, toute « personne morale individuelle » qui n'a pas pour « base » un représentant de l'espèce Homo sapiens est juridiquement inauthentique. Mais elle est authentique quel que soit le représentant de l'espèce Homo sapiens. L'action d'un Homo sapiens A ou de son représentant A' peut ne pas provoquer de réaction de B, etc.; il n'y aura pas alors de situation juridique. Mais si elle le fait, la situation sera juridique authentiquement. Inversement, une action d'un être naturel (animal, plante, chose) ou divin A ou de son représentant A' peut provoquer une réaction prévue par notre définition. La situation sera alors juridique, mais elle sera inauthentique précisément et uniquement parce que A n'est pas Homo sapiens, de sorte que l'action humaine de A′ ne peut pas lui être attribuée. L'être naturel ou divin ne peut être authentiquement ni « personne physique », ni « personne morale individuelle », parce qu'il n'est pas Homo sapiens.

Or une « *personne morale collective* » n'est pas non plus un représentant individuel de l'espèce Homo sapiens. Pourtant cette « personne » est juridiquement authentique. Et voici pourquoi.

On a longuement discuté la « réalité » des « personnes collectives », en se demandant s'il y a une « volonté collective » en tant que telle, distincte des volontés individuelles composant le collectif. Il semble bien que oui. Quand deux jeunes mariés décident de faire un voyage de noces, aucun des deux n'a l'intention de voyager seul. La décision de voyager est donc bien une décision collective, qui diffère des volontés isolées. (On suppose qu'aucun des deux ne serait parti en voyage s'il avait dû emmener l'autre par force.) Certes, chacun des deux a l'intention de voyager, mais il ne l'a que dans la mesure où l'a l'autre, c'est-à-dire dans la mesure où il fait partie du « collectif » : en dehors du collectif la volonté de voyager n'existe pas. De même si on ne peut pas dire que le « collectif » voyage indépendamment du voyage de ses membres, il faut dire que ceux-ci ne voyagent qu'en tant que « collectif ». On peut donc dire que l'acte de voyager est une action du « collectif » en tant que tel. La volonté collective peut, d'ailleurs, s'opposer à la volonté de tous les membres du collectif pris isolément. Ainsi si deux personnes se donnent rendez-vous, ils peuvent y aller même si les deux ont entre-temps changé d'avis et ne tiennent plus à se rencontrer. Certes, le collectif n'agit que dans et par ses membres. Mais dans chacun d'eux la volonté « collective » s'oppose à la volonté « isolée ». Ou bien encore dix hommes décident de soulever une poutre pesant 500 kg. Ils ne peuvent le faire que tous ensemble, le poids dépassant les forces des membres isolés du collectif ou même d'une quelconque de ses parties. Si donc l'action de soulever la poutre provoque une réaction avec intervention d'un tiers conformément à notre définition, c'est-à-dire si cette action engendre une situation juridique, il faut bien dire que seule l'action collective pouvait le faire. C'est donc le collectif en tant que tel qui est ici sujet de droit. Aucun des membres n'aurait pu l'être pris isolément. Supposons maintenant que deux hommes s'associent pour soulever une poutre qu'aucun d'eux ne peut soulever à lui seul. Mais ils trouvent un troisième, suffisamment fort pour le faire seul, et ils l'engagent pour le faire. L'action sera alors effectuée par ce troisième, mais elle ne fera que réaliser la volonté collective des deux autres. Son action devra donc être rapportée au collectif, exactement comme si ce troisième n'était qu'un animal ou une machine utilisée par le collectif.

L'action ou la volonté collective est donc autre chose encore que la volonté ou action individuelle. Il n'y a pas d'individu réel de l'espèce Homo sapiens ayant en fait cette volonté ou accomplissant cette action : il ne peut être que le « tuteur » ou le « mandataire » du collectif auquel appartiennent la volonté et l'action en question. Autrement dit le collectif en tant que tel n'est pas une « personne physique » : il ne peut être sujet de droit qu'en tant que « personne morale (collective) ». Mais il faut se demander alors si la situation juridique reste encore authentique dans le cas où A, ou B, ou A et B de notre définition sont des « personnes morales collectives ». Bien entendu un collectif A, tout comme un Homo sapiens A, n'est pas *nécessairement* sujet de droit : son action peut fort bien ne pas provoquer d'intervention de C. Le collectif n'est « personne morale collective », l'Homo sapiens n'est « personne physique » que *si* son action provoque l'intervention en question. Dans le cas de l'Homo sapiens la situation sera alors authentique. Il s'agit de savoir s'il en sera de même au cas où il s'agit d'un collectif.

On répond que oui. Mais on ne peut plus dire que le collectif a été, sera ou aurait pu être un Homo sapiens « normal ». On justifie la notion de « personne morale collective » par la supposition qu'un Homo sapiens « normal » aurait pu avoir la même volonté, aurait pu accomplir la même action que le collectif. Ainsi par exemple un seul homme aurait pu avoir l'intention de soulever la poutre pesant 500 kg. Mais il est « incapable » de le faire et il engage dix hommes qui le font pour lui. Ces dix hommes sont alors son « mandataire » (collectif, mais peu importe), dont le rôle est tout à fait semblable au rôle du « tuteur » d'un mineur « incapable » (d'un nourrisson par exemple). On assimile donc l'action du collectif à l'action d'un Homo sapiens « normal », parce qu'un tel Homo sapiens est censé pouvoir vouloir cette action. Et le collectif est nécessairement personne morale et non physique là où son action ne peut pas être effectuée par un seul Homo sapiens « normal ». Et un collectif peut être une personne morale chaque fois que son action ou sa volonté n'est pas en fait une action ou une volonté individuelle, tout en pouvant l'être en principe.

Autrement dit, si la *volonté* (ou l'*intention*) collective n'est pas en fait une volonté d'un Homo sapiens réel, elle peut l'être en principe. Elle n'en diffère donc pas essentiellement. Quant à l'*action* collective, elle peut certes être telle qu'aucun Homo sapiens « normal » ne puisse l'accomplir (soulever un poids de 500 kg par exemple). Mais cette action sera effectuée par un groupe d'individus Homo sapiens. Elle différera donc quantitativement, mais non qualitativement de l'action d'un Homo sapiens « normal ». En d'autres termes elle n'en différera pas non plus essentiellement. La volonté et l'action collectives restent ainsi *humaines* et diffèrent essentiellement de l'action et de la volonté naturelles (animales) ou divines. Et c'est pourquoi la situation sera authentiquement juridique chaque fois qu'une volonté ou une action collectives provoqueront l'intervention de C, conforme à notre définition. Dans tous ces cas l'agent sera appelé « personne morale collective » [1].

Passons enfin au cas de la « fondation », c'est-à-dire de la *« personne morale abstraite »*. Ici encore — et par définition — il n'y a pas en fait d'Homo sapiens réel accomplissant l'action de la « fondation » qui provoque l'intervention du « tiers », en créant ainsi une situation juridique. Celle-ci est néanmoins authentique, à l'encontre des situations ayant pour base un animal ou un être divin.

On peut justifier l'authenticité juridique de la « personne morale abstraite » de la même façon dont on justifie l'authenticité de la « personne morale collective ». La justification tient alors au fait qu'un Homo sapiens « normal » aurait pu avoir la même volonté qu'a la « fondation », et que l'action de la « fondation » est toujours accomplie par un ou plusieurs représentants « normaux » de l'espèce Homo sapiens. Mais on peut admettre encore une justification directe. Si la « fondation » est créée par la volonté d'un Homo sapiens « normal » (ou d'un groupe de représentants « normaux » de cette espèce) elle sera une entité humaine et son action pourra être assimilée à l'action (individuelle ou collective) d'un Homo

---

1. Ce raisonnement suppose un principe général selon lequel l'interaction entre des êtres appartenant à une certaine catégorie ontologique ne peut jamais transcender cette catégorie. Ainsi une interaction quelle qu'elle soit entre des êtres naturels (des animaux par exemple) ne peut jamais avoir pour résultat une entité humaine, une œuvre d'art par exemple, ou un État. Par conséquent un collectif formé par des êtres humains sera toujours une entité humaine, et non animale ou divine : c'est pourquoi son action peut être assimilée à l'action d'un Homo sapiens « normal ». Mais ce principe général a un caractère métaphysique et ne peut pas être discuté et justifié en ce lieu.

sapiens « normal », cette action étant censée réaliser la volonté du ou des fondateurs, tout comme l'action effective d'un Homo sapiens réel réalise sa propre volonté. Certes, la volonté de la fondation est détachée par définition de la volonté du fondateur, mais elle la prolonge en quelque sorte et n'en diffère pas essentiellement. Étant donné que le Droit se rapporte au temps pris dans son ensemble, la volonté qui a été celle d'un Homo sapiens « normal » à un moment donné (au moment de la fondation) l'est « éternellement », c'est-à-dire dans son « essence ». Mais si une fondation naît d'une action naturelle (animale par exemple) ou divine, elle ne sera pas un sujet de droit authentique, même si son action provoque l'intervention du tiers prévu par notre définition [1].

*En résumé* on peut donc dire ceci :

Une situation sera authentiquement juridique 1) si elle correspond par ailleurs à notre définition et 2) si A, ou B, ou A et B sont :

> *a)* un Homo sapiens réel qui accomplit lui-même effectivement l'action en question ou est censé pouvoir le faire
>
> (A = personne physique);
>
> *b)* un Homo sapiens (présent, passé ou futur) incapable

---

1. Si l'Église était instituée par Dieu elle ne serait pas une « personne morale abstraite » authentique. En fait elle l'est, mais seulement parce que *pour nous* (c'est-à-dire en vérité) elle est une institution *humaine*. On peut se demander d'ailleurs (tout comme dans le cas de l'État) s'il s'agit là d'une « fondation » ou d'une « association ».

La justification directe a pour base un principe général, selon lequel l'effet diffère de la cause, mais n'en diffère pas *essentiellement :* la cause et l'effet sont toujours sur le même plan ontologique. Ainsi tout ce qui naît de l'homme en tant qu'homme (et non animal) est humain, et inversement. Ce principe exige une analyse métaphysique qui ne peut être faite ici.

Par définition, l'État n'est pas une « personne physique » (ni une « personne morale individuelle »). Si un monarque dit avec raison « l'État c'est moi », il est propriétaire privé et non monarque; il n'y a pas d'État. Mais on a discuté et on discute pour savoir si l'État est une « association » ou une « fondation ». On peut dire que c'est — *en principe* — une « fondation », mais — *en fait* — une « association ». Ou bien encore : l'État est une « association » qui agit *comme si* elle était une « fondation », qui a tendance à se comprendre comme une « fondation ». Autrement dit la volonté de l'État est la résultante des volontés des citoyens, mais ces citoyens ont tendance à détacher d'eux-mêmes leur volonté collective. Cette volonté collective détachée du collectif est la Constitution. De même une Administration n'est une « fondation » qu'en principe et non en fait. C'est une pseudo-fondation, dont le fondateur (c'est-à-dire l'État) est toujours en vie et peut la supprimer ou la modifier à son gré.

d'accomplir lui-même l'action considérée ou seulement censé en être incapable
(personne morale individuelle);

c) un groupe de représentants de l'espèce Homo sapiens effectuant eux-mêmes en commun l'action en question ou censés pouvoir le faire
(personne morale collective);

d) une entité créée par un ou plusieurs représentants de l'espèce Homo sapiens, cette entité n'étant pas un Homo sapiens (et donc incapable d'agir elle-même)
(personne morale abstraite *)[1].

---

* Une « personne morale collective » peut impliquer des « personnes morales individuelles » ou n'être composée que de telles personnes. Une « personne morale abstraite » peut être créée tant par une « personne physique » que par une « personne morale individuelle » ou une « personne morale collective ».

---

Si l'on divise tous les êtres ontologiquement possibles en 1) êtres naturels (animaux, plantes et choses), 2) êtres humains et 3) êtres divins, on peut dire qu'il y a situation juridique authentique chaque fois que notre définition s'y applique, c'est-à-dire — en particulier — quand A et B sont des « êtres humains », ce qui veut dire qu'ils ne sont ni des « êtres naturels », ni des « êtres divins »[2].

Mais pour attirer l'attention sur les phénomènes discutés *sub d)* dans ce paragraphe, il vaut mieux remplacer dans notre définition l'expression « êtres humains » par celle de :

« personnes physiques ou morales (individuelles, collectives ou abstraites). »

Le terme « personne » indique qu'il ne s'agit pas d'êtres naturels (animaux, plantes ou choses) et le terme « physique

---

1. Nous verrons plus tard qu'il n'y a pas de rapport juridique entre l'individu et l'État ou entre des États souverains. Pourtant l'État est bien une « personne morale » telle que nous l'avons définie. C'est que, comme nous verrons, notre définition ne peut pas s'appliquer à ces rapports parce qu'il n'y a pas de « tiers » C, ce « tiers » ne pouvant être que l'État lui-même, qui participe déjà à l'interaction. Ce n'est donc pas le fait d'être une « personne morale » qui détermine ici l'inauthenticité du phénomène.

2. Cette trichotomie a un caractère métaphysique. On ne peut donc pas l'analyser et la justifier en ce lieu. Ni définir les trois termes. L'« être humain » n'est pour nous ici qu'un *phénomène* intuitif. Mais je n'en fais même pas d'analyse phénoménologique.

ou morale » signifie que la personne en question n'est pas divine. Il est donc bien question d'êtres humains (réels ou idéels) [1].

## § 11.

Notre définition postule que dans toute situation juridique authentique il y a nécessairement *deux* agents A et B. C'est-à-dire

a) ni plus de deux;

b) ni moins de deux.

1. Si l'on veut introduire le terme « personne » dans une *définition* du Droit, il faut bien spécifier qu'une « personne » n'est pas *eo ipso* une personne *juridique*, un sujet *de droit*. Sinon la définition serait circulaire. Une « personne » (physique ou morale) ne sera une « personne *juridique* (physique ou morale) » que si son action provoque une intervention du « tiers » prévu par la définition. Puisque « personne physique » ne signifie rien d'autre que « Homo sapiens », il est évident qu'il y a des « personnes physiques » qui ne sont pas des « personnes juridiques (physiques) ». Mais il est facile de voir qu'il en est de même des « personnes morales ». Elles aussi peuvent exister en dehors de toute situation juridique, c'est-à-dire être et agir sans provoquer l'intervention du « tiers » prévu par notre définition. Si je demande à des amis de se réunir tous les dimanches dans un café pendant un an après ma mort et s'ils le font, il y aura bien une « fondation » ou une « personne morale abstraite » réelle; elle n'aura pourtant rien de juridique (s'entend en France, actuellement). De même quand quatre joueurs se réunissent simplement pour une partie de cartes il y a une « association » ou une « personne morale collective » réelle, mais elle n'est nullement juridique. (C'est ainsi que l'État souverain peut être une « personne morale collective » sans être un sujet de droit.) Enfin il y a des « personnes morales individuelles » non juridiques. C'est ce qui a lieu par exemple quand l'Église baptise un nouveau-né. Ce n'est certainement pas le « support » physiologique, l'*animal* Homo sapiens qui est baptisé. C'est l'Homo sapiens « normal », c'est-à-dire vraiment *humain*. Mais il n'existe pas encore en fait : il n'est qu'en puissance, il le *sera* seulement un jour en acte. De même, lorsque l'Église prie pour un mort ce n'est pas le cadavre qu'elle a en vue, mais l'être humain, qui n'existe cependant pas (plus) en tant qu'Homo sapiens. Dans les deux cas il y a donc une « personne morale individuelle » réelle. Mais elle n'existe que dans le plan religieux de la réalité humaine, puisque les actes en question n'ont en eux-mêmes rien de juridique, ne provoquant pas d'intervention d'un « tiers » conformément à notre définition. On aurait donc tort de croire que la notion de « personne morale » est une notion spécifiquement juridique : la religion, l'éthique, la politique par exemple la connaissent aussi. Une « personne morale » peut exister dans le plan juridique de la réalité humaine seulement. Mais elle peut aussi exister en dehors de ce plan. Et dans ce cas, tout comme la « personne physique », c'est-à-dire un Homo sapiens, elle peut être ou ne pas être une « personne juridique », c'est-à-dire un « sujet de droit » au sens de notre définition.

*a)* Si un agent est simultanément en rapports de droit avec B, B′, B‴‴, etc., on peut toujours décomposer ce rapport complexe en autant de rapports élémentaires qu'il y a de B. Car autrement il faudrait dire que les B forment une « association ». Or nous admettons que B (comme A) peut être une « personne morale collective » faisant figure d'un agent unique.

L'affirmation qu'il n'y a *pas plus de deux agents* dans un rapport de droit est donc purement analytique. Elle se passe de commentaire et ne présente que peu d'intérêt.

*b)* Plus importante, mais aussi moins évidente, est l'affirmation qu'il n'y a *pas moins de deux agents* dans une situation juridique authentique.

Ceci revient à dire qu'on ne peut pas avoir de droit par rapport à soi-même, qu'on n'a pas d'obligation (de devoir) juridique vis-à-vis de soi-même. On ne parle pour ainsi dire jamais de « droits » par rapport à soi-même. (Pourtant, si l'on avait des devoirs *juridiques* vis-à-vis de soi on aurait par cela même des « droits », à savoir le « droit » de faire son « devoir ».) Mais on parle parfois de « devoirs » par rapport à soi-même. Je pose donc qu'on ne peut le faire qu'en soulignant que le terme « devoir » a une signification religieuse, morale, etc., mais non pas celui d'obligation *juridique*.

À dire vrai le cas d'un agent unique est exclu du seul fait que la définition exige l'intervention d'un *tiers* C : si C est un « tiers », il faut qu'il y ait « deux », ces deux étant précisément les *deux* agents A et B. Mais si un agent C intervient de la même manière (impartiale et désintéressée) qu'intervient le « tiers » de notre définition, on peut avoir *l'illusion* d'une situation juridique même là où cette intervention est provoquée non pas par une *inter*-action entre *deux* agents A *et* B, mais par l'action du seul A. Si C annule l'action de A, on pourra dire si l'on veut que A a le « devoir » de s'abstenir de son action (ou le « droit » de s'en abstenir). Mais *pour nous* ce « devoir » (et ce « droit ») n'aura rien de *juridique*. Si une telle situation est considérée comme juridique (C étant par exemple un juge jugeant aussi des cas vraiment juridiques), nous dirons donc qu'il y a là un phénomène juridique *inadéquat*. Et ceci précisément et uniquement parce qu'il n'y a que A comme agent, qu'il n'y a pas de B qui réagit à l'action de A, de sorte qu'il ne peut pas y avoir de *tiers*, le C en question n'ayant donc que l'apparence illusoire de l'être.

Il y a cependant des cas authentiquement juridiques qui

semblent ne pas cadrer avec notre définition parce que, à première vue, il n'y a qu'un seul agent A.

Ainsi par exemple le droit anglais moderne punit le suicide (ou plus exactement la tentative de suicide). Certains droits punissent des automutilations graves, telles que la castration. Tous les droits punissent l'automutilation d'un mobilisé le rendant inapte au service militaire. Inversement certains droits primitifs prescrivent des automutilations, des tatouages rituels par exemple. S'il s'agissait effectivement dans tous ces cas d'une « interaction » avec soi-même la situation ne répondrait pas à notre définition et ne serait donc pas authentiquement juridique (tout en pouvant être morale ou autre). Mais en réalité il n'y a pas que A qui agit. Il y a encore un B pouvant réagir, et c'est seulement la présence de ce B qui fait de C un « tiers » et de toute la situation un rapport de droit. C'est pourquoi la situation est juridiquement authentique. Seule son interprétation est erronée et c'est en ce sens seulement que ce phénomène juridique est inadéquat : on néglige ou l'on fait abstraction — à tort — de B et de sa réaction à l'action de A. Ce B n'est autre chose que la Société ou l'État, c'est-à-dire une « personne morale collective », qui est en interaction avec une « personne physique » B dans les exemples cités, ces exemples étant ainsi conformes à notre définition.

Si j'ai l'obligation *juridique* de ne pas me suicider, je l'ai non pas vis-à-vis de moi-même, mais uniquement vis-à-vis de l'État. S'il y a un *droit (right)* dans ce cas, c'est seulement l'État qui l'a : l'État a le *droit* de pouvoir disposer de ma vie, il a donc *droit* à ce que cette vie ne soit pas supprimée, en particulier par moi-même. Si l'État A se comporte (« agit ») d'une certaine façon vis-à-vis de ma vie, et si ce comportement engendre une réaction de ma part (moi = B) tendant à annuler ce comportement, un « tiers désintéressé » C (le Juge ou la Police) interviendra nécessairement pour annuler ma réaction. On retrouve ainsi la situation prévue par notre définition. Il en est de même dans les trois autres cas cités. Et le mécanisme est particulièrement apparent dans le cas de l'automutilation du militaire en temps de guerre. Si un civil A s'amuse en temps de paix à se couper l'index de la main droite, l'État B ne réagit pas, il n'y a pas d'intervention de C et la situation n'a rien de juridique. Tout change si ce même citoyen A est un soldat en temps de guerre. Pourquoi? Uniquement parce que l'État a intérêt à faire valoir alors ses droits sur le corps du citoyen en question. Il y a donc une situation juridique non pas parce que le citoyen A est en « interaction » avec son propre index, mais parce qu'il est en interaction avec un agent B − à savoir l'État[1].

La jurisprudence contemporaine a tendance à interpréter les cas analogues aux cas cités de la façon dont je viens de le faire. Mais il n'en a pas toujours été ainsi. En se trouvant en présence d'un cas juridiquement authentique, on l'interprétait comme s'il n'y avait qu'un seul agent A, en introduisant la notion d'un « devoir » (au sens d'obligation *juridique*) vis-à-vis de soi-même. Or ce phénomène est inadéquat parce que *que pour nous* (c'est-à-dire en vérité) ce « devoir » (s'il existe) n'a rien de juridique, précisément parce qu'il n'implique pas d'interaction entre *deux* agents distincts. Mais cette interprétation erronée est relativement rare et assez récente. Généralement on introduit un deuxième agent B, mais on y voit un être divin. Le suicide et la mutilation, par exemple, sont censés être *juridiquement* interdits parce que ces actes « offensent Dieu ». Ici encore le phénomène est inadéquat puisque *pour nous* (c'est-à-dire en vérité) il n'y a pas de rapports de droit possibles entre un être humain A et un être divin B. Mais si « Dieu » n'est ici qu'une projection (inconsciente) dans l'au-delà d'une réalité sociale, c'est-à-dire humaine, le rapport peut être juridiquement authentique. Seule l'interprétation en sera erronée. On aura donc un phénomène *juridique*, mais inadéquat. Par contre, si l'intervention de C n'est vraiment justifiable que par les rapports de A avec un être divin ou avec soi-même, cette intervention n'aura rien de juridique : la situation sera donc religieuse ou morale, mais n'aura rien à voir avec un rapport *de droit*. Il n'y aura donc pas de « phénomène juridique » du tout, mais une simple « erreur terminologique »,

---

1. Nous verrons plus tard qu'il n'y a pas de rapports de droit authentiques entre un citoyen et son État. Et ceci uniquement parce que dans ces cas C et B coïncident. Mais j'ai voulu seulement montrer que la situation juridique dans les cas cités présuppose l'existence d'un deuxième agent B. Et mon interprétation incorrecte peut le montrer. Pour que l'interprétation soit vraiment correcte, il faudrait que B soit un agent autre que l'État (dont A est citoyen) : une « personne physique » par exemple, ou une « personne morale » telle que la Famille, ou la Société, ou une « association » quelconque, etc., n'importe quoi, sauf l'État souverain. Il est d'ailleurs facile d'imaginer ou de trouver de tels exemples. On peut supposer par exemple qu'un droit punisse la tentative de suicide − ou une automutilation − de la part de A, si A a conclu un contrat de travail avec B. Ici encore seule l'existence de B crée une situation *juridique*, l'État jouant alors le rôle de C.

un abus de langage dont le phénoménologue n'a pas à tenir compte dans sa définition [1].

On peut donc maintenir le terme « deux » dans notre définition. On peut tout au plus le renforcer, en remplaçant l'expression « deux êtres (humains) » par

> « deux êtres distincts (dont chacun peut être soit une personne physique, soit une personne morale : individuelle, collective ou abstraite) ».

§ 12.

Notre définition postule en outre que les « deux êtres distincts » en question doivent être en « *interaction* » l'un avec l'autre.

L'« interaction » est une entité complexe, qui se décompose naturellement en une « action » A et une « réaction » B. Une action en général est appelée « action » au sens étroit quand elle est considérée comme naissant spontanément. Par contre une action est dite être une « réaction », si elle est considérée comme déterminée dans son être et sa nature par une autre action, à savoir par l'« action » au sens étroit, qui forme alors avec elle une « interaction ». En d'autres termes

---

1. La dialectique historique des phénomènes en question est généralement la suivante : on commence par interdire un acte de A pour des raisons *religieuses*, en croyant que cet acte offense une divinité; puis — pour des raisons quelconques — on ne croit plus à l'existence de cette divinité, ou bien on n'admet plus que l'acte en question puisse l'offenser. Si l'on ne laisse pas tomber l'interdiction, on essaie alors d'en donner une justification *morale*, en introduisant la notion du devoir vis-à-vis de soi-même. Si l'on s'aperçoit (ou croit s'apercevoir) que l'acte n'a pas en réalité de valeur *morale* (négative), et si l'on veut néanmoins maintenir son interdiction, on la présente comme une simple interdiction de « droit positif » : l'acte est interdit parce qu'il est interdit (par l'État). Mais cette situation est intenable à la longue. Ou bien l'interdiction sera abolie tôt ou tard, ou bien on cherchera une *justification juridique* de l'interdiction. Or on ne peut trouver une telle justification qu'à condition d'introduire un agent B, distinct de A et n'étant pas divin (ni « naturel »). Si l'on réussit à introduire un tel B, et si l'on trouve la justification *juridique* de l'intervention de C (c'est-à-dire, comme nous le verrons plus tard, si l'on réussit à la déduire de l'idée de Justice), on dira que la situation a toujours été authentiquement juridique, mais que le phénomène a été jusqu'ici inadéquat, ou que la situation a été mal interprétée. Si l'on échoue par contre, on dira que la situation n'avait rien de juridique. On supprimera alors l'interdiction, en ajoutant qu'il y a eu simple abus de langage (« erreur terminologique ») lorsqu'on en a parlé en termes juridiques (tant au stade juridique qu'aux stades moral ou religieux).

la « réaction » B n'existerait pas telle qu'elle est s'il n'y avait pas l'« action » A.

Lorsqu'il y a une « interaction » entre deux agents distincts A et B, nous appellerons par définition A l'agent qui « agit » (au sens étroit du mot) et B l'agent qui « réagit » à l'« action » de A. C'est donc toujours A qui provoque la « réaction » et engendre ainsi l'« interaction ». Quant à sa propre « action » elle est censée être « spontanée ».

Nous devons voir maintenant ce que signifie une « interaction » en tant que telle (s'entend : pouvant avoir une signification juridique). À cette fin, il faut analyser ses deux éléments constitutifs, à savoir :

    *a)* *l'action* de A, et
    *b)* *la réaction* de B.

*a)* D'une manière générale, l'action humaine (au sens étroit ou large du mot) a trois aspects ou éléments. Il y a d'abord l'élément « volonté ». C'est l'aspect qui distingue l'action « volontaire » de l'action « involontaire » : réflexe, forcée, etc. Il peut y avoir une « volonté » d'agir sans action effective. Mais toute action effective est caractérisée soit par la présence, soit par l'absence d'une volonté de l'accomplir. Deuxièmement il y a cette action effective même, voulue ou non : c'est l'« acte », ou — si l'on préfère, — l'« objet » de l'action ou de la volonté (si elle existe). Enfin il y a le « but » de l'action ou de la volonté, ou — si l'on veut — le « motif déterminant », ou bien encore l'« intention ». Ici encore l'intention ou le but peuvent être détachés de l'acte et de la volonté. Mais tout acte volontaire et toute volonté sont caractérisés par leur but. Un acte peut s'accomplir sans but, puisqu'il peut être involontaire. Mais un acte volontaire a nécessairement un but, ainsi que la simple volonté d'agir, même non suivie de l'acte correspondant.

Un exemple : 1) je décide de boire de l'eau dans un verre (« *volonté* » d'agir; si je l'exprime d'une façon quelconque : « *déclaration de volonté* » d'agir); (si je renverse un verre d'eau sans le vouloir il y aura action « involontaire », c'est-à-dire absence de « volonté » d'agir); 2) je prends le verre et je bois l'eau (acte; le fait de boire l'eau dans ce verre est l'« *objet* » de l'action ou de la volonté); 3) je bois cette eau dans ce verre pour me désaltérer, ou pour avaler un comprimé, etc. (« *but* » de l'action ou de la volonté, ou « intention », ou « motif » [1]).

---

1. Il n'est pas question de faire en ce lieu une analyse métaphysique ou ontologique de ces trois éléments de l'action, ni de l'action elle-même. Il faudrait par contre en donner une description phénoménologique. Mais

On a dit parfois que le Droit diffère de la Morale en ce qu'il ne tient compte que de l'acte, en faisant abstraction de la volonté et du but. Mais c'est foncièrement faux. Certes, un Droit peut ne pas distinguer (dans certains cas ou en général) entre l'action volontaire et l'action involontaire, sans cesser d'être un Droit authentique. Ainsi beaucoup de Droits archaïques ou primitifs ne distinguent pas entre le meurtre involontaire par exemple et l'assassinat prémédité. Mais d'une manière générale la valeur juridique d'une action varie selon qu'elle est censée être volontaire ou non. De même pour le but ou l'intention. Le Droit peut ne pas en tenir compte. Mais il peut aussi le faire sans cesser pour cela d'être un Droit authentique, sans devenir une Morale. Ainsi dans le droit privé et public moderne la notion de but joue un rôle de plus en plus grand sans qu'on puisse dire que ce Droit soit juridiquement moins authentique que le Droit (encore récent) qui affirmait que le but ou la « cause » ne jouait aucun rôle dans la formation d'une obligation civile par exemple [1].

D'une manière générale on peut donc distinguer *juridiquement* deux actions non pas seulement d'après leurs objets, c'est-à-dire d'après leur nature en tant qu'« actes » proprement dits, mais encore d'après leurs éléments « volonté » et « intention » ou « but ». Ainsi, par exemple, on peut distinguer l'action qui implique l'« acte » de tuer de celle qui implique l'acte de voler, etc. On peut distinguer les « actes » de tuer d'après la façon dont le meurtre s'effectue, ou d'après la personne qui est tuée, etc. Mais on peut aussi distinguer entre deux actions, qui impliquent exactement les mêmes « actes », mais dont l'une est « volontaire » et l'autre non. De même, une seule et même action volontaire peut avoir des « buts » différents, et ces actions qui ne diffèrent que par les buts ou motifs peuvent être distinguées aussi juridiquement. Par exemple le meurtre volontaire d'une personne donnée

---

ceci m'entraînerait trop loin. Je suppose que les notions en question sont connues d'une manière immédiate, intuitive. Et en effet tout le monde sait fort bien distinguer en général les actions volontaires des actions involontaires, et opposer l'acte à son motif. Mais dans un cas concret il peut être très difficile de savoir si l'action est ou non volontaire, et d'en démêler le « vrai » motif. C'est alors qu'une analyse phénoménologique précise des phénomènes en question peut rendre de grands services, ainsi qu'une analyse métaphysique ou même ontologique.

1. Cf. Ducuit, *Des transformations générales du droit privé*, p. 52 sq.; cf. aussi Ducuit, *Les Transformations du droit public*, pp. 157 sq., 206 sq., 220, où sont analysées les notions modernes d'« usurpation de pouvoir » et de « détournement de pouvoir », qui se rapportent précisément au *but* de l'action administrative.

(accompli d'une certaine manière) peut avoir une signification juridique (et non seulement morale) différente selon qu'il s'agit de l'action d'un sadique, ou d'un malfaiteur assassinant pour voler, ou de quelqu'un qui voulait seulement abréger les souffrances d'un moribond. Encore une fois, un Droit authentique peut ne pas tenir compte de ces différences. Mais s'il le fait, il ne cesse pas pour cela d'être authentique.

Il y a plus. De même que le Droit peut faire abstraction des éléments « volonté » et « but », il peut ne pas tenir compte de l'élément « acte ». Il peut y avoir une situation juridique même là où l'action se réduit à son élément « volonté » (qui est nécessairement accompagnée de l'élément « but »), ou à l'élément « intention ». Ainsi, par exemple, le Code pénal français ne distingue pas, quant à la peine, entre le meurtre et la tentative de meurtre, c'est-à-dire la seule « volonté » de le commettre. Et on peut imaginer un Droit punissant la seule « intention », même non accompagnée de la « volonté » d'accomplir l'acte conforme à cette « intention ». (Par exemple on aurait pu punir un homme qui dit qu'il aurait voulu tuer le roi, même s'il n'est pas encore décidé à tenter l'acte pouvant réaliser ce but.)

Pourtant il y a du vrai dans l'affirmation que le Droit diffère de la Morale (religieuse ou « laïque ») parce qu'il ne tient compte que de l'action effective, et non de l'intention ou de la volonté. Ainsi le Code pénal ne punit la « tentative de meurtre » que s'il y a un début d'acte effectif. Et, de toute évidence, un Droit ne peut punir l'« intention » que si elle se manifeste d'une manière quelconque : seuls Dieu et la conscience morale peuvent savoir ce qui n'existe que dans l'« âme » d'un homme.

Je crois que notre définition résout la difficulté. D'après elle, l'action de A ne peut avoir une existence *juridique* que par le fait que, et dans la mesure où, elle provoque une réaction de B. Autrement dit elle doit être *réelle*, objective, elle doit s'exprimer ou se manifester, en modifiant le monde en dehors de l'agent (cette modification pouvant, d'ailleurs, se réduire au seul fait que quelqu'un – B par exemple – connaît cette action de A). Mais *si* cette action de A provoque une réaction de B, elle peut engendrer une situation juridique (en supposant que les autres conditions de la définition sont remplies) même si elle n'implique pas tous ses trois éléments constitutifs. L'action peut se réduire à l'« acte » pur et simple. Mais elle peut aussi n'impliquer que l'élément « volonté » (+ « but ») ou se réduire au seul « but ». Il suffit qu'elle soit *constatable objectivement* pour qu'elle puisse provoquer une réaction. Or *si* l'action de A provoque une réaction de B, suivie d'une intervention de C, la situation sera authentiquement juridique, même si cette action se réduit à la seule « intention » ou à la seule « volonté » d'agir.

Par ailleurs l'action de A peut être quelconque, et ceci dans tous ses trois éléments. N'importe quel acte (volontaire ou non) de A engendrera une situation juridique s'il provoque une réaction de B suivie de l'intervention de C, prévue par notre définition. Et il en est de même du « but », qui peut être économique, religieux, moral, esthétique ou autre : dans tous les cas l'action de A engendrera une situation juridique dès qu'il y aura réaction de B et intervention de C [1].

D'ailleurs le terme « action » doit être pris dans son acception la plus large. Ce peut être tout aussi bien une action « positive » qu'une action « négative », c'est-à-dire une simple abstention d'agir. À vrai dire, comme je l'ai déjà remarqué plus haut, il s'agit de « comportement » en général, qui peut être « actif » ou « passif ». Il faut seulement, et il suffit, que ce « comportement » de A engendre un autre « comportement », celui de B, qui se rattache à lui comme la « réaction » se rattache à l'« action » dans une « réaction » quelconque. Ce « comportement » doit donc *modifier* d'une certaine manière le milieu ambiant. Et c'est pourquoi on peut l'appeler « action », au sens large de ce terme.

*b)* En ce qui concerne la « *réaction* » de B, on peut en dire tout d'abord tout ce que nous avons dit de l'« action » de A. Elle implique également trois éléments, puisqu'elle est une « action » au sens général du terme, ou — si l'on veut — un « comportement » humain. Et ces éléments peuvent être dissociés et faire partiellement défaut.

Ainsi par exemple quand A vient encaisser une dette chez son débiteur B et celui-ci « réagit » de façon à ne pas la payer, le Droit peut se désintéresser de la question de savoir s'il agit ainsi parce qu'il ne veut pas ou ne peut pas payer (n'ayant pas d'argent par exemple) : le Droit fait donc abstraction de l'élément volonté, comme il fait généralement abstraction, dans ce cas, de l'élément « but ». Mais C pourrait intervenir même si la « réaction » de B se réduit à la seule « volonté » de réagir ou même à la seule « intention ». Une seule condition doit être remplie : puisque l'intervention

---

1. Il se peut, bien entendu, qu'il y ait des actes (ou des « intentions ») qui ne peuvent pas — en principe — avoir ces conséquences. Mais c'est là une question qui ne nous intéresse pas ici. L'essentiel pour nous, c'est que la nature de l'acte ne peut pas par elle-même rendre la situation juridiquement inauthentique, si elle se crée en fait.

de C doit annuler la réaction de B, celle-ci doit être « suppri-
mable ». Autrement dit, tout comme l'« action », elle doit
modifier le milieu ambiant, par l'un au moins de ses éléments.

A proprement parler tous les exemples discutés *sub a)* se
rapportent non pas à l'action de A, mais à la réaction de B.
Car comme nous le verrons c'est la réaction de B qui est
« criminelle » lorsqu'elle provoque une intervention de C, qui
l'annule. Mais je voulais simplement montrer que le Droit
tient compte non pas seulement de l'« acte », mais encore de
la « volonté » et du « but ». Certes, A peut avoir *droit* à une
simple « volonté » d'agir, ou à un « but » indépendamment
de la réalisation active. Mais en pratique c'est dans la réaction de B surtout que les éléments sont détachables.

Quoi qu'il en soit, la seule différence entre l'action de A
et la réaction de B tient au fait que la première est considérée
comme « spontanée », tandis que la réaction de B est déterminée dans son être et sa nature par l'action de A. Et c'est
seulement ainsi que les deux actions forment ensemble une
« interaction ». Or, pour qu'il y ait « interaction », il ne suffit
pas que l'action A détermine une action B. Il faut que l'action B *réagisse* sur l'action A. En physique la réaction est
égale à l'action prise avec un signe contraire. Dans le Droit
cette égalité n'est pas nécessaire : la réaction peut être plus
faible ou plus forte que l'action. Mais la condition du signe
contraire doit être maintenue. Autrement dit la réaction de
B doit tendre à contrecarrer l'action de A et — à la limite —
la supprimer complètement. Et cette condition doit être
remplie dans tous les trois éléments de la réaction. La
« volonté » de B ne constitue une « réaction » que si elle est
une « volonté » d'agir de façon à supprimer l'action de A.
L'« acte » de B n'est une « réaction » que s'il a pour objet
la suppression de l'action de A. Enfin l'« intention » (ou le
« but ») de B n'est une « réaction » que si, et dans la mesure
où, elle implique la négation de l'action de A. En bref, le
tiers C n'intervient que dans la mesure où le comportement
(l'action) de B (volonté, acte ou but) tend à supprimer le
comportement (l'action) de A (volonté, acte ou but), c'est-
à-dire dans la mesure où l'action de B est une véritable
« réaction », c'est-à-dire dans la mesure où il y a une « interaction » entre A et B. C'est alors seulement que C tend à
supprimer la réaction de B, ce qui crée une situation *juridique*, où A a *droit* à son comportement. Tant qu'il n'y a
pas d'« interaction » entre A et B, c'est-à-dire tant que
l'action de B n'est pas une « réaction », l'intervention d'un
tiers C ne pourrait pas créer une situation juridique authen-

tique. Il n'y aurait qu'une illusion de Droit, une simple « erreur terminologique », dont la Phénoménologie n'a pas à tenir compte [1].

A première vue le fait juridique du Contrat semble en désaccord avec ce que je viens de dire. Mais il n'en est rien. En effet on est d'accord pour dire que le Contrat en tant que fait juridique diffère d'une simple convention sans portée juridique uniquement parce que le Contrat est « sanctionné », que sa non-exécution provoque l'intervention de C qu'a en vue notre définition (du Juge, etc.). Or cette « sanction » n'a de sens que si le Contrat n'est pas exécuté en fait, ou peut tout au moins ne pas être exécuté. Or en cas de non-exécution du Contrat par B, A agira contre B en vue de le forcer à exécuter le Contrat, et si B « réagit » de façon à supprimer cette « action » de A, C interviendra pour annuler la « réaction » de B. C'est alors seulement qu'on pourra dire que la situation est juridique et que A a *droit* à son action. Le Contrat lui-même n'est donc qu'une simple convention sans valeur juridique. Il n'est Contrat (juridique) que dans la mesure où il permet (à C) de constater que A a *droit* à une certaine action. Il n'est un fait juridique que dans la mesure où il est impliqué dans le comportement de A de façon à ce que ce comportement provoque l'intervention de C, si B réagit pour l'annuler. Si une telle réaction de B était impossible *en principe*, ou si *en principe* A ne pouvait pas agir de façon à provoquer une telle réaction de B, C n'interviendrait pas et la situation n'aurait rien de juridique.

Nous pouvons donc maintenir le terme « interaction » dans notre définition. Mais pour faire ressortir sa signification, on peut le remplacer par l'expression suivante :

« action de A, qui provoque une réaction de B, supprimant cette action ou tendant à le faire [2]. »

1. Si la « réaction » existe en fait, mais n'apparaît pas dans la conscience de ceux pour qui la situation en question existe, elle est juridiquement authentique, mais le phénomène est inadéquat (puisque non conforme, en tant que *phénomène*, à notre définition, tout en lui étant conforme *pour nous*, c'est-à-dire en vérité).

2. Bien entendu la « réaction » de B n'a pas besoin d'exister en fait. Il suffit qu'elle soit possible pour que la situation puisse être authentiquement juridique. Certes C n'intervient effectivement que si la réaction a lieu (en tant que volonté, acte ou but). Mais la situation sera juridique même s'il n'y a qu'une simple *possibilité* d'une intervention de C. Or cette possibilité est là dès qu'il y a une *possibilité* de réaction de la part de B. Il en est de même pour l'action de A, d'ailleurs : elle aussi peut être seulement *possible*. Une règle de droit peut avoir en vue des actions qui n'ont encore jamais été accomplies. Il suffit qu'il soit *possible* qu'il y ait une action de A, pouvant provoquer une réaction de B telle qu'elle entraîne

## § 13.

Il ne suffit pas qu'il y ait une « interaction entre deux êtres humains ». Il faut qu'il y ait encore une « intervention d'un tiers impartial et désintéressé ». Tout d'abord donc une *« intervention »*. Voyons ce que signifie ce terme.

L'« intervention » en question est une action humaine au sens fort du terme [1]. Elle implique donc les trois éléments constitutifs de toute action humaine : la « volonté », l'« acte » et le « but ». Et pour qu'il y ait une « intervention » véritable, il faut qu'il y ait tout d'abord l'élément « acte ». La seule « intention » (le « but » conscient) ne suffit pas, même si elle est accompagnée d'une « volonté » d'agir. Une « intervention » modifie la situation dans laquelle elle se produit. Et pour qu'une « intervention » puisse modifier une « interaction », elle doit être « action » au sens d'« acte ». Elle doit modifier le milieu ambiant, elle doit être objectivement opérante, constatable du dehors.

Bien entendu, si toute la situation est purement « idéelle », seulement possible ou imaginée, et non réelle, l'intervention est « idéelle » elle aussi. Elle reste telle tant que reste « idéelle » l'interaction en question, soit parce que A n'agit pas du tout, soit parce que B ne réagit pas pour une raison quelconque. Mais dès que cette réaction, et par suite l'interaction, existent réellement, l'intervention existe aussi, et elle existe en tant qu'« acte ». Cet « acte » n'a pourtant pas besoin d'être matériel en quelque sorte. Si B ne réagit pas parce qu'il sait qu'il y aurait dans ce cas une intervention de C, annulant sa réaction (et ceci soit par simple « crainte »

nécessairement une intervention de C, pour qu'il y ait une règle de droit, c'est-à-dire une situation juridique, sinon réelle, du moins « idéelle ». Même A et B peuvent être seulement « possibles ». On peut par exemple établir le statut juridique d'un type d'associations sans qu'une telle association existe en réalité. Enfin la règle de droit elle-même peut exister à l'état d'un simple projet. Notre définition s'applique donc tant aux situations juridiques réelles (règles de droit appliquées en fait) qu'aux situations seulement *possibles*, c'est-à-dire « idéelles » (règles de droit non appliquées en fait ou projets de règles de droit). (Tant qu'une règle de droit n'existe que comme *projet* de loi juridique, l'intervention de C est seulement possible, « idéelle », même si l'interaction est réelle.) Mais tout ceci est tellement évident qu'il est inutile de le signaler dans le texte même de la définition.

1. J'ai dit que dans beaucoup de phénomènes juridiques le « tiers » est conçu comme un être divin. Mais *pour nous*, c'est-à-dire en vérité, il s'agit bien entendu d'un être humain.

de C — du Juge, de la Police, etc.; soit par « respect pour la loi » incarné en C et réalisé par son intervention), l'intervention n'a pas lieu matériellement. Mais elle a eu lieu « moralement ». C'est elle qui a modifié l'interaction en supprimant la réaction. Elle a donc eu la valeur d'un « acte » véritable, et d'un « acte » *réel* (quoique « moral », et non « matériel », « physique »).

Mais pour qu'il y ait « intervention » au sens propre du terme, l'« acte » qu'elle implique doit provenir d'une « volonté » d'agir de la façon dont on agit. L'« intervention » doit être une action *volontaire,* c'est-à-dire consciente et libre. Il semble à première vue que l'expression : « volontaire » ne devrait pas figurer dans une définition « behavioriste ». Mais on peut en donner une définition également « behavioriste », sans faire intervenir les notions « introspectives » de « liberté » et de « conscience ». « Volontaire » signifie *d'une part* (et c'est là son aspect « libre ») que l'intervention n'est pas engendrée « mécaniquement » par l'interaction : si l'intervention ne peut pas avoir lieu sans l'interaction, celle-ci peut fort bien ne pas provoquer celle-là. L'intervention a donc une cause propre, autre que celle formée par l'interaction. Et c'est tout ce que veut dire le terme « volontaire » (au sens de « libre ») dans son acception « behavioriste ». Autrement dit il n'y a rien dans une interaction donnée qui puisse la transformer en une situation juridique, impliquant une règle de droit. Cette qualité lui vient du dehors, elle est créée par l'intervention de C, qui peut avoir lieu ou non, pour des raisons qui lui sont propres. Certes, si l'intervention a lieu, elle se produira nécessairement (comme nous le verrons encore) chaque fois que l'interaction en question va se reproduire. Mais la situation aurait pu se produire sans qu'il y ait eu d'intervention. Ou bien, comme on dit, tout Droit est un « Droit positif » : il n'y a pas de règles de droit « nécessairement et universellement valables ». N'importe quelle interaction (conforme à notre définition) peut provoquer une intervention de C (prévue dans cette définition), réalisant et révélant une règle de droit correspondante. Mais le système qui implique cette règle est juridiquement tout aussi authentique que celui qui ne la reconnaît pas [1]. Il suffit que la règle soit *toujours* appliquée aux cas correspondants, si elle existe, et qu'elle ne soit *jamais*

---

1. Un système peut être authentiquement juridique, tout en étant incomplet ou même contradictoire. Le sens de ce qui vient d'être dit deviendra plus clair par la suite.

appliquée, si elle n'existe pas. Ainsi les Droits qui punissent le parricide par exemple le punissent chaque fois que le cas se présente. Mais le cas peut se présenter dans d'autres Droits sans qu'il produise une intervention, pour la simple raison que ces Droits n'impliquent pas une règle de droit relative au parricide (comme c'est le cas de beaucoup de Droits archaïques ou primitifs). *D'autre part* (et c'est là l'aspect « conscient »), « volontaire » signifie que l'« intervention » est conditionnée (sans être déterminée) par l'interaction à laquelle elle se rapporte. Ce n'est pas une action spontanée quelconque. Elle n'a lieu que si l'interaction en question a lieu, et *si* elle a lieu, elle a lieu chaque fois que l'interaction se produit. Et la nature de l'acte qu'implique l'intervention est elle aussi conditionnée (sans être déterminée) par la nature de l'interaction correspondante. Autrement dit une même interaction peut engendrer des règles de droit différentes dans différents systèmes de droit, qui peuvent tous être juridiquement authentiques. Ainsi un même crime peut être différemment puni par diverses législations juridiques. Mais dans chacun de ces systèmes la règle de droit est rapportée d'une manière univoque à une interaction donnée [1].

C'est en ce sens « behavioriste » qu'il faut prendre le terme : « volontaire » si l'on veut l'introduire dans notre définition. L'intervention de C est « volontaire » parce que l'« acte » qu'elle implique 1) n'aurait pas lieu si une interaction donnée n'existait pas (en fait ou comme simplement supposée), — c'est l'aspect « conscient » de l'action de C; 2) aurait pu ne pas avoir lieu même si l'interaction existait (en fait ou comme supposée), — c'est l'aspect « libre » de l'action de C.

Or si une action est « volontaire », elle a nécessairement aussi un « but » conscient, c'est-à-dire une « intention ». L'intervention de C implique donc non seulement les éléments : « volonté » et « acte », mais encore l'élément : « but » ou « intention ».

L'« intention » est une notion « introspective » qu'on ne doit

---

1. Dans toutes les règles il est question d'une « annulation » de la réaction de B. Mais nous verrons que les modalités de cette annulation peuvent varier. D'où la diversité des règles de droit se rapportant à une même interaction. D'autre part chaque Droit peut interpréter la situation à sa manière. Deux interactions qui sont identiques *pour nous* (c'est-à-dire en vérité) peuvent ne pas l'être pour un Droit « positif » (authentique, mais inadéquat). Ainsi les « Droits barbares » distinguent entre le meurtre d'un homme libre et d'un serf, d'un homme et d'une femme; d'un Germain et d'un Gallo-Romain, etc. Il ne faut pas confondre ces deux sources de différences entre les Droits « positifs »).

pas introduire dans une définition « behavioriste ». Nous verrons plus tard, en passant à la définition « introspective » du Droit, que cette « intention » de C, dans une situation authentiquement juridique, n'est rien d'autre que le désir de réaliser et de révéler l'idée ou l'idéal de Justice. Mais l'« intention » a aussi un aspect « behavioriste », et c'est de cet aspect que rendent compte les termes « impartial et désintéressé ». On pourrait donc dire que l'intervention de C est un « acte volontaire impartial et désintéressé », quitte à définir en langage « behavioriste » les deux derniers termes, qui semblent à première vue purement « introspectifs » (comme je l'essayerai au paragraphe 15). Ainsi les trois éléments constitutifs de l'action qu'est l'intervention de C seront définis : il y aura 1) « acte », 2) « volonté » d'agir, et 3) une « intention » (ou un « but ») impartiale et désintéressée.

Mais je préfère rattacher les termes « impartial et désintéressé » non pas à l'action de C, c'est-à-dire à l'intervention en tant que telle, mais à la personne même de C. Je dis donc non pas « acte volontaire impartial », mais « acte volontaire d'un C impartial » (et j'explique les termes « impartial et désintéressé » en parlant de C, ce que je fais aux paragraphes 14 et 15). Je le fais pour la raison suivante : si la règle de droit (et donc le Droit en général) réalise et révèle l'idée de Justice et participe ainsi à l'« essence » de cette dernière, l'idée de Justice précède sa réalisation, c'est-à-dire le Droit. Si la Justice n'existe réellement que dans et par le Droit, ou si l'on préfère en tant que Droit, ce Droit lui-même ne peut exister et naître que parce qu'il y a une idée de Justice. Par conséquent, étant donné que l'impartialité et le désintéressement de l'intervention de C est l'aspect « behavioriste » de la réalisation et de la révélation de la Justice par le Droit, il faut dire que l'intervention de C ne peut être impartiale que parce que C lui-même est impartial, parce qu'il l'a été avant d'intervenir (tout au moins par rapport à l'interaction qui correspond à son intervention). C est un Juge au sens le plus large du terme. Or si un homme qui agit en tant que Juge est certainement un « homme juridique » (Homo juridicus?) en acte, il ne peut être et devenir Juge que parce qu'il est un « homme juridique » en lui-même, et non seulement Homo sapiens, ou Homo œconomicus, religiosus, etc. Si, en étant par définition, « impartial et désintéressé », il intervient quand même, il a un « motif » (un « but », une « intention ») *sui generis*, qui, comme nous le verrons, n'est autre que le désir de réaliser la Justice (car c'est dans ce cas seulement que la situation sera authentiquement *juri-*

*dique*). C'est ce désir qui le fait intervenir, qui rend son intervention impartiale et désintéressée. Elle est désintéressée parce que C est désintéressé. C'est parce que C est censé être désintéressé que son intervention a une signification *juridique*, ce qui implique entre autres qu'elle est elle-même désintéressée.

Tout ceci ne pourra être justifié que plus tard (notamment dans le chapitre iii de cette section et dans la deuxième section). Pour le moment j'ai simplement voulu indiquer la raison pour laquelle je rattache la qualité d'impartialité et de désintéressement non pas à l'intervention de C (à laquelle cette qualité appartient également), mais à la personne de C (en tant qu'intervenant par un acte volontaire dans l'interaction entre A et B). Quant à l'intervention elle-même, il suffit de préciser qu'elle implique un « acte » et une « volonté », celle-ci étant par définition inséparable d'une « intention » : car si l'agent en tant qu'agent est impartial et désintéressé, son action (ou plus exactement l'élément « intention » ou « but » ou « motif » de cette action) le sera nécessairement aussi. Au lieu de dire « intervention » tout court je dirai donc seulement

« une intervention, c'est-à-dire un acte volontaire ».

§ 14.

L'intervention en question doit être effectuée par un « tiers impartial et désintéressé ». C'est-à-dire tout d'abord par un « *tiers* ». Et nous verrons plus tard que cette condition a une importance capitale, permettant de reconnaître la *spécificité* de la situation juridique en tant que telle, c'est-à-dire du Droit en général.

Si C est un « tiers » par rapport à l'interaction entre A et B, c'est qu'il n'est et ne peut être ni A, ni B. Si A et C ou B et C ne font qu'un, la situation n'a rien de juridique. C'est évident et cela a toujours été admis : on ne peut pas être juge et partie en même temps. Mais il y a des cas où cette absence d'un « tiers » véritable n'est pas apparente, et on a alors des phénomènes soi-disant « juridiques » qui ne le sont pas en vérité, c'est-à-dire *pour nous* ou en accord avec notre définition. Si un homme (ou un collectif) est le représentant des « intérêts » d'une divinité sur terre, et s'il intervient dans une « interaction » qui est une relation entre un être humain et cette même divinité, il n'est pas un véritable « tiers », et il s'agit d'une simple « erreur terminologique » s'il s'appelle

Juge au sens juridique du mot (sans parler du fait qu'en vérité il ne peut pas y avoir de véritable *interaction* entre un être humain et un être divin). Et il y a un phénomène juridique inadéquat si C est un « tiers » véritable et se *croit* seulement être un « représentant » de Dieu, ou si l'interaction s'effectue en fait non pas entre un homme et une divinité, mais entre des êtres humains. De même il n'y a pas de situation juridique véritable s'il y a une interaction entre un citoyen et son État, le même État intervenant en tant que « tiers ». C'est dans ces cas surtout que naissent les « phénomènes juridiques inadéquats » et les « erreurs terminologiques ». Et nous aurons à nous en occuper plus tard (surtout dans le chapitre ii et dans la troisième section, chapitre ii, *b*).

Pour le moment il suffira de souligner l'importance du fait qu'il y a un « tiers » dans toute situation juridique authentique. Quant à la nature intrinsèque de ce « tiers », il ne peut certainement pas être un « être naturel », vu que son intervention doit être un acte *volontaire*. Le « tiers » est donc humain ou divin. Or, j'ai déjà dit qu'une divinité peut jouer le rôle de ce « tiers » C, à condition évidemment de n'être ni A, ni B, et d'intervenir par un acte volontaire, étant un agent impartial et désintéressé. J'ai même dit pourquoi on a tendance à diviniser le « tiers » en question. Son intervention devant être, comme nous le verrons, « irrésistible », elle a par rapport aux agents en interaction la valeur d'une intervention divine. Et si *pour nous* le « tiers » est nécessairement humain, c'est uniquement parce qu'il n'y a pas pour nous d'êtres divins. Mais si Dieu existait, il aurait pu jouer le rôle de Juge dans les interactions humaines. Quant au « tiers » réel (qui est, comme nous le verrons, la Société ou l'État), il est humain parce que, comme je l'ai déjà dit, l'« irrésistibilité » de son intervention n'est que relative. Si et quand le « tiers » intervient pour supprimer la réaction de B, B est censé (en principe) ne pas pouvoir s'y opposer, de même que A ne peut pas influencer cette intervention. Mais en dehors de leur interaction qui a provoqué l'intervention de C, A et B peuvent agir sur C et agir de façon soit à modifier la nature de son intervention, soit à la supprimer complètement. Si C est l'État et A et B ses citoyens, ils ne peuvent certes pas agir sur le Juge officiel en tant que justiciables. Mais ils peuvent agir sur l'État en tant que citoyens, et l'État peut modifier ou supprimer l'intervention du Juge (en modifiant ou supprimant la règle de droit qui correspond à cette intervention).

Pour nous donc, c'est-à-dire en vérité, l'acte volontaire du tiers impartial et désintéressé est toujours accompli par un être humain, qui peut être soit une « personne physique », soit une « personne morale ». Tous les trois agents (A, B et C) d'une situation juridique sont donc pour nous sur le même plan ontologique. Mais pour que cette situation soit juridiquement authentique il faut qu'il y ait sur ce plan *trois* agents distincts.

Autrement dit le Droit est un phénomène essentiellement social. *Tres faciunt collegium*, dit un adage romain. Et c'est profondément vrai. Deux êtres humains sont tout aussi peu une Société (ou un État, voire une Famille) qu'un être isolé. Pour qu'il y ait Société il ne suffit pas qu'il y ait interaction entre deux êtres. Il faut — et il suffit — qu'il y ait encore une « intervention » d'un tiers, peu importe qu'il soit par cette « intervention » médiateur, arbitre, but, cause, etc. — ou simple spectateur de l'interaction. C'est pourquoi il n'y a pas de Droit sans Société, en dehors de la Société ou contre la Société (en tant que telle), et peut-être pas de Société sans Droit. J'aurai l'occasion de revenir plus tard sur cette question et d'essayer de justifier ce que je viens de dire. Pour le moment il suffit d'avoir souligné l'importance de l'existence du « tiers » dans la situation juridique. Mais étant donné que les qualificatifs « impartial et désintéressé » indiquent suffisamment que C est un être *distinct* de B et de C, il est inutile de le souligner expressément dans la définition elle-même.

§ 15.

Il nous reste, pour préciser la nature de l'intervention du tiers, à analyser sa qualité de tiers
    *a) impartial,* et
    *b) désintéressé.*
    *a)* À première vue l'*impartialité* est une notion purement et exclusivement « introspective ». C est dit « impartial » par rapport à A et B s'il n'a pas de « préférence » pour l'un d'eux, s'il n'a pour eux ni amour ni haine, s'il se rapporte aux actes et non aux personnes, etc. Mais il est très facile d'exprimer cette notion d'impartialité en termes « behavioristes ». Il suffit de dire en effet que C est « impartial » par rapport à A et B, si son intervention dans leur interaction ne sera pas et ne pourra pas être modifiée par le seul fait qu'on interchange A et B, A jouant le rôle de B, et B celui de A. En principe tout au moins on peut donc vérifier l'impartialité (la « justice ») d'un Juge de la même façon qu'on vérifie l'exacti-

tude (la « justesse ») d'une balance. En tout cas, pour qu'il y ait situation juridique authentique, A et B doivent être interchangeables dans notre définition. Et c'est ce que la définition veut dire en disant que C est « impartial ».

*b)* Le terme *« désintéressé »* étant beaucoup plus important que l'autre, il est aussi plus difficile à définir. Même en utilisant le langage « introspectif », c'est-à-dire, « normal ».

Tout d'abord l'expression « désintéressé » ne doit pas être prise dans un sens trop large. On peut dire en effet que toute action volontaire, c'est-à-dire consciente et libre, a un but ou un motif, et on peut appeler ce motif l'« intérêt » que l'agent a à son action. Si l'on agit d'une certaine façon, c'est qu'on a « intérêt » à agir ainsi. Dans ce sens large l'intervention de C n'est donc pas « désintéressée », puisqu'elle est volontaire. Mais toute la question est de savoir si l'« intérêt » qui porte C à agir est ou non un « intérêt » *sui generis*, un « intérêt *juridique* ». Si oui, nous dirons que son intervention est « désintéressée », au sens étroit du mot. Et c'est dans ce sens étroit que l'expression est prise dans notre définition.

Mais on ne peut pas introduire la notion de l'« intérêt *juridique* » dans une première *définition* du Droit en tant que tel. Nous sommes censés connaître tous les « intérêts » possibles et imaginables, sauf l'« intérêt juridique ». Ce dernier ne peut donc être défini que d'une manière négative. Si C intervient sans qu'un « intérêt » connu de nous l'y pousse, nous devons supposer qu'il a un « intérêt » inconnu à le faire, et cet « intérêt » inconnu sera appelé « motif juridique »; l'intervention étant alors dite être « désintéressée ».

N'oublions pas cependant que notre définition doit être « behavioriste ». Or, en langage « behavioriste » on peut distinguer deux types d'action, et par conséquent de « buts », de « motifs » ou, si l'on veut, d'« intérêts ». Il y a d'une part les actions qui réagissent sur l'agent lui-même, qui en ressent le contrecoup, pour ainsi dire. L'agent est modifié (objectivement) par suite de son action. (Il en profite ou elle lui nuit, en langage ordinaire.) Dans ces cas l'« intérêt » (au sens large) pourra être appelé « matériel » ou « pratique ». D'autre part, il y a les actions qui ne rejaillissent pas sur l'agent qui reste tel qu'il aurait été s'il n'avait pas agi : son action ne l'affecte (objectivement) d'aucune manière. Dans ces cas, l'« intérêt » qui pousse à l'action sera dit être « moral » ou « théorique ».

Posons maintenant que toute action qui rejaillit sur l'agent en le modifiant objectivement (« matériellement ») a un motif, un but ou une intention « intéressés » : c'est une « action intéressée ». Toute action par contre qui ne modifie pas objectivement (« matériellement ») l'agent aura un but ou un motif ou une intention « désintéressés » : ce sera une « action désintéressée ». « Intérêt » signifiera donc désormais « intérêt matériel ou pratique ». L'action qui naît d'un « intérêt moral ou théorique » sera dite « désintéressée ». C devra donc intervenir d'une façon « désintéressée » dans le sens indiqué. Son intervention, en modifiant l'interaction entre A et B, c'est-à-dire en modifiant (objectivement) A et B eux-mêmes, ne modifiera pas (objectivement) l'état de C.

C'est bien là le sens courant du terme « désintéressé », dans le contexte qui nous occupe. Un Juge ou un Arbitre par exemple est dit « désintéressé » quand son jugement et sa mise en exécution ne lui rapportent rien, et ne lui nuisent en rien. le laissant ainsi « indifférent ». Peu lui importe que A agisse ou non, ou que B réagisse ou non, ou enfin que lui-même intervienne ou non pour annuler la réaction de B : son existence sera la même dans tous les cas. Il n'a aucun motif « égoïste » pour intervenir. S'il intervient, c'est pour des raisons purement « morales » ou « théoriques », pour faire régner la Justice par exemple.

Rien ne dit cependant que son motif est nécessairement juridique. À première vue, il peut tout aussi bien être éthique, esthétique, religieux ou autre, quitte à être « désintéressé » au sens indiqué. Mais j'essayerai de montrer plus tard (chapitre III) qu'il n'en est pas ainsi. Certes, un motif « désintéressé » peut être, d'une manière générale, tant juridique qu'éthique, esthétique, etc. Mais si toutes les autres conditions de notre définition sont remplies, et si C est « désintéressé » au sens indiqué, son intervention ne peut avoir d'autre motif que l'idée de Justice : elle sera donc spécifiquement et exclusivement juridique [1]. Pour le moment cette affirmation doit être acceptée sans preuve. Nous posons simplement que l'intervention de C est exclusivement et spécifiquement juridique quand elle s'effectue dans les autres conditions prévues par notre définition, en étant en plus « désintéressée » au sens indiqué, c'est-à-dire quand elle ne modifie pas objectivement l'agent lui-même, c'est-à-dire C.

Mais s'il est facile de donner une définition « behavioriste » verbale de l'intervention « désintéressée » de C, c'est-à-dire d'une situation authentiquement juridique, il faut dire que cette définition n'a aucune valeur *réelle*. Autrement dit elle

---

1. Ceci sera ainsi *pour nous*, c'est-à-dire en vérité. Lui-même peut bien entendu se tromper sur la nature de son propre motif. Il y aura alors un « phénomène inadéquat », mais néanmoins authentiquement juridique.

ne peut s'appliquer à aucun cas concret. En effet, l'intervention de C est par définition un « acte ». C'est-à-dire qu'elle modifie objectivement le milieu ambiant, le monde où vit C. Or une modification du monde retentit toujours sur ceux qui y vivent, c'est-à-dire sur ce qui constitue précisément ce monde. Autrement dit une action réelle, objective, c'est-à-dire un « acte », n'est jamais « désintéressée » au sens indiqué. Car elle modifie objectivement l'agent (en tant qu'élément intégrant du monde où s'effectue l'acte), et celui-ci peut s'en rendre compte. Cette modification anticipée peut donc déterminer l'action elle-même. Celle-ci ne sera donc pas nécessairement « désintéressée » au sens indiqué. Le Juge est donc toujours « intéressé ». Directement ou indirectement il profite toujours de son intervention, ou est lésé par elle. En fait il n'y a pas de Juge « désintéressé ».

C'est parce qu'on s'est rendu compte (plus ou moins explicitement) de cette difficulté qu'on a toujours voulu voir en C un être *divin*. En effet Dieu seul est vraiment « désintéressé » au sens indiqué. Car il est en dehors du monde où se passent l'interaction et son intervention. Cette intervention divine modifie bien le monde où elle s'effectue, mais ce monde n'a aucune influence sur Dieu lui-même. Seul Dieu est donc un Juge vraiment « désintéressé », et le Droit n'est authentique que s'il implique en dernière analyse une intervention divine dans les interactions humaines, c'est-à-dire si le Législateur (juridique), le Juge ou l'exécuteur de la décision du Juge (la Police) sont divins. Le vieil adage *Fiat justicia, pereat mundus* provient de la même difficulté. Son sens véritable est le suivant. La Justice doit s'accomplir, c'est-à-dire le Droit doit exister, même si le monde doit périr. S'entend le monde avec tout ce qu'il implique, c'est-à-dire en particulier avec le Juge qui applique le Droit. Autrement dit le Juge n'est vraiment « désintéressé » que s'il accepte sa propre ruine en fonction de son intervention. Et il n'y a de situation juridique authentique que si cette situation implique l'intervention d'un tel Juge. Le sentiment qui est à la base de cet adage est donc conforme à notre façon de voir. Il faut que C soit « désintéressé ». Or son intervention réagit toujours sur lui-même (au point de pouvoir le détruire, le cas échéant). Il doit donc faire abstraction de cette réaction, du contrecoup de son intervention. Il doit intervenir, agir *comme s*'il était un être divin, transcendant par rapport au monde où il agit.

Si donc C est un être humain intervenant dans une interaction humaine, il n'est jamais « désintéressé » nécessairement, automatiquement. Du moment qu'il ressent toujours en fait le contrecoup de son intervention (et même de l'action de A, ainsi que de la réaction de B), il ne peut être « désintéressé » que s'il fait *abstraction* de ce contrecoup, que s'il agit dans l'état d'esprit : « Advienne que pourra... », « Mais si le monde périt, et moi avec lui », j'agirai comme j'ai l'intention de le faire. Le Juge humain n'est jamais « désintéressé » *en fait.* Il est dit être « désintéressé » quand il intervient *comme s*'il ne l'était pas, quand il fait *abstraction* de son « intérêt matériel ou pratique ». Or la notion d'intention n'a pas en elle-même de sens « behavioriste » : elle n'est pas constatable, contrôlable du dehors, objectivement. Du point de vue « behavioriste » le « comme si » en question ne peut être défini que de la manière suivante. C est « désintéressé » s'il peut être quelconque; l'intervention de C est « désintéressée » si elle reste la même quand un C donné est remplacé par un C quelconque. L'idée est la suivante. L'intervention de C réagit sur C lui-même; si C′ diffère de C″, les résultats de cette réaction seront différents; si donc C′ et C″, tout en étant différents, interviennent de la même manière dans un cas donné, c'est que leur intervention ne dépend pas de la répercussion qu'elle a sur eux-mêmes; elle est donc « désintéressée », ils interviennent *comme si* l'intervention ne les affectait pas, c'est-à-dire *comme si* C′ et C″ n'étaient pas différents, *comme s*'il n'y avait qu'un seul et même C qui intervenait et qui serait ainsi « désintéressé » *en fait* (c'est-à-dire quasi divin).

C'est de cette idée qu'on part lorsqu'on tire les juges au sort. En le faisant, on prend un C « quelconque » et on suppose qu'ils seront « désintéressés » justement parce qu'ils sont tirés au sort, c'est-à-dire parce qu'ils sont « quelconques ». Et on dit souvent dans ce cas que le tirage au sort révèle une intention divine : par la bouche des juges tirés au sort parle la divinité elle-même; c'est elle qui intervient dans l'interaction en question.

Bien entendu, ce raisonnement est fallacieux. Si C est un homme « quelconque », il sera par définition un homme « désintéressé », mais il restera un *homme*, il ne deviendra pas Dieu. Il y aura une intervention « désintéressée », c'est-à-dire « juste », c'est-à-dire authentiquement juridique, mais ce Droit, cette Justice seront néanmoins *humains.* Car la qualité d'être « quelconque » (tiré au sort par exemple) élimine seulement les variations de la nature humaine, et non cette nature elle-même. Seulement, s'il n'y a rien au-dessus de l'homme, si Dieu n'existe pas, ce Droit *relatif*, puisque seulement humain et non divin, deviendra *absolu;* il sera le Droit tout court. S'il n'y a rien de conscient en dehors de

l'homme, il suffira donc que C soit vraiment « quelconque »
pour qu'il soit « désintéressé », pour que son intervention soit
authentiquement, spécifiquement et exclusivement juridique.

Notons en passant que la notion « désintéressé » implique
celle d'« impartial » (sans que l'inverse soit vrai). Si C est vraiment quelconque, A et B ne peuvent avoir aucune influence
sur son intervention et peuvent par conséquent être interchangeables. On peut donc supprimer dans notre définition le
terme « impartial ». Il suffira de dire que C est « désintéressé »[1].

Mais y a-t-il en fait un C « désintéressé », c'est-à-dire vraiment quelconque?

Si C était vraiment quelconque, il n'y aurait qu'une seule
intervention possible dans un cas donné. Quel que soit C, il
intervient de la même façon si un A donné est en interaction
donnée avec un B donné. Autrement dit, pour chaque cas
donné, il n'y aurait qu'une seule règle de droit sur terre. Or,
en fait, il n'en est rien. Le Droit varie selon les époques et
les peuples. Autrement dit, une seule et même interaction
peut provoquer ou non une intervention selon que C appartient à telle ou telle autre société, vit à telle ou telle autre
époque historique. Puisque les hommes morts et à naître ne
peuvent pas jouer le rôle de C, C ne peut être choisi que parmi
les contemporains : il n'est « quelconque » qu'à un moment
donné du temps. Et pratiquement il n'est pas « quelconque »
même à ce moment. On ne le choisit qu'au sein d'une société
donnée, et non parmi tous les représentants de l'espèce
humaine. Or l'expérience montre que l'intervention de C varie
en fonction de l'espace et du temps. L'état de la société au
sein de laquelle C est censé être « quelconque » codétermine
en fait son intervention. Si C est quelconque au sein d'une

---

1. Si C ne peut pas être une femme, si C n'est qu'un *homme* quelconque,
son « désintéressement » n'est pas garanti. Si les Lois (juridiques) s'appliquent aussi aux femmes, et si seuls les hommes les font et les appliquent,
l'intervention d'un C quelconque (masculin) pourra ne pas être « désintéressée ». En effet le « cas Phryné » se produit sous diverses formes même
de nos jours à chaque pas, notamment quand C est censé être « quelconque » parce que tiré au sort parmi tous les hommes (jury masculin).
Je ne veux pas dire cependant que la justice masculine est par cela même
juridiquement inauthentique; elle peut être authentique même si elle est
déterminée par un « intérêt » (sexuel). J'expliquerai pourquoi il en est
ainsi quand j'analyserai de plus près un peu plus bas la notion de « quelconque ». Il suffit de dire pour l'instant que ce « quelconque » ne peut
jamais être pris à la lettre. Ainsi C ne sera jamais un fou, ni un enfant en
bas âge. Et on peut fort bien supposer que C ne peut pas non plus être une
femme.

société donnée, cette société elle-même ne l'est pas : elle est unique en son genre et ne peut pas être remplacée par une autre identique à elle. Ainsi, pratiquement, C n'a jamais été « quelconque » sur terre, et il ne peut pas l'être même de nos jours.

Or, si l'intervention de C n'est pas une « invariante », si elle est fonction de l'appartenance sociale de C, c'est que C n'est pas « désintéressé » au sens défini. C'est-à-dire qu'il n'agit pas exclusivement pour des raisons spécifiquement juridiques. En effet, il est déterminé par la société à laquelle il appartient. Or son intervention modifie cette société. Et puisque la société le détermine, la modification de la société va le modifier lui-même. Il ressentira donc le contrecoup de son intervention. C'est-à-dire qu'il ne sera pas « désintéressé », il sera toujours plus ou moins « partie », et non un « tiers » véritable. À moins qu'il ne fasse abstraction de ce contrecoup, en adoptant l'attitude *fiat justicia, pereat mundus*. Le critère « behavioriste » du « quelconque » ne suffit donc pas.

Si C est déterminé ou codéterminé dans son intervention par la société à laquelle il appartient, c'est que le motif qui le pousse à agir de la façon dont il agit n'est pas purement juridique. Le motif purement juridique est, comme nous le verrons, le désir de réaliser et de révéler l'idée de Justice. Le motif déterminé par l'appartenance sociale peut être appelé « raison d'État ». Car être déterminé par une société dans un état donné, c'est ne pas pouvoir nier, voire modifier cette société et son état, c'est agir de façon à la maintenir dans l'existence et dans l'état où elle se trouve. Or, juger ou légiférer (juridiquement) avec la préoccupation de ne pas modifier l'état de la société et de ne pas mettre en danger son existence, c'est précisément s'inspirer de la « raison d'État ».

Beaucoup de théoriciens ont voulu réduire tout le Droit à ce que j'appelle « raison d'État », ou − ce qui est la même chose, à l'« utilité sociale », au maintien de l'« ordre public », etc. Pour eux il n'y a pas et il ne peut pas y avoir de C « quelconque », c'est-à-dire « désintéressé » au sens défini. Mais admettre ce point de vue, c'est nier l'existence du Droit comme phénomène spécifique et autonome. Le Droit n'est qu'un élément du phénomène social ou politique. C'est ce que ne voulaient pas admettre les partisans du « Droit naturel » sous toutes ses formes. Et pour eux ce Droit naturel, c'est-à-dire le Droit authentique (vraiment « juste », spécifiquement et exclusivement juridique), est le Droit que « dit » un C *quelconque*, un C « désintéressé » au sens de notre définition. C'est le Droit qui vaut partout et toujours, qui est indépendant des conditions sociales.

Notre définition est donc en accord avec la conception dite « rationaliste » du Droit. Mais quand il s'agit de trouver les conditions de la *réalisation* de cette définition, il faut tenir compte des résultats acquis par la conception dite « historique » ou sociologique, qui a montré qu'*en fait* il n'y a pas de C « quelconque », que le C réel (Législateur juridique ou Juge) est toujours déterminé ou codéterminé par la société où il vit, qu'il n'est jamais « désintéressé » au sens indiqué.

J'aurai à traiter des conditions de réalisation du Droit conforme à ma définition dans le chapitre II. Mais il faudra en dire quelques mots ici même.

Tout d'abord il est évident que les « rationalistes » ont raison en ce sens que le Droit ne se réduit pas à la seule « politique », qu'il y a des raisons juridiques spécifiques, essentiellement autres que la « raison d'État », l'« utilité publique », etc. En effet, l'homme a toujours protesté contre la « raison d'État » et a toujours su distinguer entre le « juste » et l'« utile », même le politiquement ou socialement utile. On peut accepter une mesure si on la considère comme utile à la société, voire indispensable au maintien de l'État. Mais très souvent cette même mesure est considérée comme *injuste* (auquel cas on voudrait la savoir être provisoire; on cherche le moyen de changer les conditions sociales et politiques de façon à pouvoir s'en passer). De même, dans le Droit criminel, l'élément spécifiquement juridique est indéniable. Il suffit de lire les théories de l'« école italienne » pour se rendre compte à quel point le Droit criminel est autre chose encore qu'une « hygiène sociale ». Châtier un criminel adulte et « normal », et interner un fou inoffensif, c'est vraiment tout autre chose. L'idée d'un « juste châtiment » ne peut pas être escamotée. On ne peut pas la remplacer définitivement par des considérations d'utilité sociale, d'hygiène publique, de protection, de mesures prophylactiques, etc. Et il en va de même pour tous les domaines du Droit. Partout le phénomène spécifiquement juridique est là. Il est tout au plus recouvert par des phénomènes politiques, éthiques, religieux ou autres.

J'essaierai de le montrer dans le chapitre III. Admettons-le pour le moment comme « évident ». La question est alors de savoir comment résoudre la difficulté à laquelle nous nous heurtons. D'une part, il y a un Droit authentique, ou tout au moins il y a l'idée — et l'idéal — d'un tel Droit. Et ce Droit n'est possible que si C est « quelconque » car ce Droit n'est autre que celui prévu par notre définition. Mais, d'autre part, *en réalité* il n'y a pas de C quelconque, C est toujours déterminé par la société, en agissant ainsi en fonction de la « raison d'État ».

Cette difficulté n'existe pas seulement *pour nous,* pour le phénoménologue du Droit. L'homme qui « vit » le Droit s'en est depuis longtemps rendu compte lui-même. Et il a essayé de *réaliser* les conditions nécessaires à l'existence du C « quelconque » prévu par notre définition. D'un C, donc, qui serait « désintéressé » en ce sens qu'il ne dépendrait pas des conditions sociales et politiques dans lesquelles il vit — et « intervient » en tant que « tiers » —, qu'il ne s'inspirerait pas de la « raison d'État », mais seulement de l'idéal de Justice.

C'est d'un tel désir de l'homme qu'est née l'idée de la « séparation des pouvoirs », c'est-à-dire de la séparation du Droit et de la vie juridique, de l'État incarné dans son Gouvernement. On a supposé qu'en rendant le Juge (C) indépendant du Gouvernement, en le soustrayant à son influence, on le rendrait indépendant de l'État et de la Société, c'est-à-dire des conditions spatiales et temporelles. Bref, on croyait pouvoir le transformer ainsi en un « tiers désintéressé », intervenant dans les interactions humaines uniquement pour des raisons juridiques, c'est-à-dire en fonction de l'idée (présumée *universellement* et *éternellement* valable) de Justice. On croyait qu'un tel C serait « quelconque », que les Juges « séparés » « interviendraient » partout et toujours de la même manière. En un mot on croyait pouvoir réaliser ainsi les conditions nécessaires à la *réalité* du phénomène décrit dans notre définition.

Toute la question est de savoir si c'est possible, si en « séparant » C on le rend vraiment « quelconque ».

Tout d'abord il faut présenter l'idée de « séparation » sous sa forme adéquate. J'ai dit, et je dirai encore, que le « tiers » C n'est pas seulement Juge (ou Arbitre) et exécutant de la sentence du Juge (Police judiciaire au sens large du mot). Il est encore, et même surtout, Législateur juridique. Car pour que l'*application* du Droit soit juridiquement authentique, il faut tout d'abord qu'un Droit juridiquement authentique *existe*. Or c'est le Législateur (juridique) qui le crée. « Séparer » C c'est donc avant tout le « séparer » en tant que Législateur, en tant qu'intervenant « pour la première fois » dans une interaction donnée et *créant* ainsi la règle de droit correspondante. Or, on a généralement méconnu cette vérité. On n'a voulu « séparer » que le Juge (et la Police), en laissant le soin de la *législation* juridique au Gouvernement. Autrement dit, on a essayé de rendre C « quelconque » en sa qualité de Juge et de Police, et non en sa qualité de Législateur. Ceci a sans doute une certaine valeur. Et on peut dire qu'on a vraiment réussi à rendre le Juge et la Police « quelconques », c'est-à-dire « désintéressés ». Quand il s'agit d'*appliquer* et d'*exécuter* une loi juridique donnée, *tous* les Juges et toutes les Polices modernes agissent d'une seule et même manière (comme le prouve, entre autres, la pratique du « Droit international privé » : un juge français applique par exemple la loi allemande tout comme le ferait un juge allemand) [1]. Mais tout ceci est insuffisant tant que la Loi elle-même reste sans garantie de son authenticité juridique. Or elle est sans cette garantie tant que la *législation* juridique n'est pas « séparée » du Gouvernement. Et le fait des divergences entre les Droits nationaux le prouve suffisamment.

Je ne veux pas discuter la question de savoir si une telle « séparation » est possible. Il semble bien que non, vu les difficultés évidentes de « séparer » la législation juridique de la législation politique. Je voudrais dire seulement qu'elle ne servirait à rien, même si elle était possible.

Les « rationalistes » « raisonnent » de la manière suivante : le Droit implique l'idée de Justice, idée *sui generis* qui n'a rien à voir avec l'« utilité sociale » ou la « raison d'État »; ceux-ci changent avec les lieux et les époques; *donc* l'idée de Justice est universellement et éternellement valable; si on isole un homme de la Société et de l'État, il trouvera l'idée de Justice à l'état pur et construira sur elle un Droit qui sera le même pour tous et toujours. Les « sociologues » font un « raisonnement » inverse : l'expérience montre que l'idée même de Justice varie selon les lieux et les époques; l'« utilité sociale » et la « raison d'État » en font de même; *donc* l'idée de Justice n'est rien d'autonome, elle peut être réduite à l'« utilité sociale » ou à la « raison d'État ».

Il est facile de voir que ces deux « raisonnements » sont fallacieux. En réalité l'idée de Justice est une fonction du lieu

---

1. Bien entendu, je suppose que le Juge est « idéal ». Je fais abstraction des *erreurs* dans l'application de la Loi donnée. En fait, ces erreurs, voire des divergences, sont toujours possibles. D'où l'institution de l'Appel. Cet Appel n'est d'ailleurs rien d'autre qu'une des méthodes de rendre C « quelconque » : on remplace un C par un autre pour voir si l'intervention de C ne varie pas de ce fait. (Ainsi, si l'instance d'appel renvoie l'affaire, elle la renvoie à un *autre* tribunal du même degré. Quant à l'instance définitive, elle est considérée « quelconque » par définition, ce qui n'est évidemment qu'une fiction. Mais ces questions techniques ne nous intéressent pas. (Cf. d'ailleurs la pratique de statuer « toutes chambres réunies » dans des cas importants.)

et du temps non moins que l'utilité sociale et la raison d'État; néanmoins elle est essentiellement autre chose qu'eux.

J'essaierai de montrer plus tard (Deuxième Section) que l'idée de Justice a trois formes consécutives : la Justice (thétique) d'égalité du Maître, la Justice (antithétique) d'équivalence de l'Esclave, et la Justice synthétique du Citoyen. Les deux premières n'existent jamais à l'état pur. Toutes les Justices réelles sont synthétiques. Mais elles diffèrent les unes des autres pour ainsi dire selon les proportions de Maîtrise et de Servitude, d'égalité et d'équivalence. Il y a donc en principe une infinité de Justices synthétiques, dont l'une est caractérisée par l'équilibre parfait de ses deux éléments constitutifs et qui peut être appelée « Justice du Citoyen » au sens étroit et propre du terme.

Nous verrons que chacune de ces Justices est fonction du temps et de l'espace, que chacune est solidaire de la Société ou de l'État où elle naît et vit. Plus exactement, l'idée de Justice et le Droit qui en découle, l'organisation sociale et politique, la conception religieuse, morale, esthétique, etc., ne sont que les divers aspects d'un seul et même phénomène humain, qui naît et évolue dans le temps et se localise dans l'espace. Par conséquent, même s'il était possible d'isoler l'aspect juridique de tous les autres, on n'obtiendrait pas un Droit unique, mais une pluralité de systèmes de Droit, variant selon les lieux (c'est-à-dire les Sociétés) et les époques. Mais cet aspect juridique, tout en étant variable, et même s'il est inséparable en fait des autres aspects, en est parfaitement distinct et ne peut pas être réduit à eux ou déduit d'eux. On le voit parce qu'un État donné ou l'état donné d'une Société, par exemple, peuvent être considérés comme *injustes* par les hommes mêmes qui les réalisent ou les « vivent ». Et si dans les cas où l'État et la Société sont en accord avec l'idéal de Justice qu'ont les hommes qui y vivent, l'opposition entre l'idée sociale et politique et l'idée juridique n'est plus apparente, leur distinction essentielle n'en est pas pour cela supprimée.

Si l'existence d'un « pouvoir judiciaire séparé » était vraiment possible, ce pouvoir aurait élaboré un Droit indépendant de l'« utilité sociale » ou de la « raison d'État », et on pourrait voir alors si les institutions sociales et politiques sont ou non en accord avec les principes de ce Droit. Mais ce Droit ne serait pas universellement et éternellement valable. Il serait le Droit d'un groupe humain donné à un moment donné, les divers aspects de ce groupe, tels que les aspects juridique, social et politique, par exemple, pouvant être en harmonie ou non [1].

Dès qu'on tient compte de la *réalité* du Droit, c'est-à-dire dès qu'on parle du Droit réel ou « positif », on ne peut donc pas introduire dans la définition la notion (introspective) de « désintéressement » (ou son équivalent behavioriste, c'est-à-dire la notion d'un C « quelconque »), sans limiter la portée de cette notion. Dans un Droit réel donné, C n'est pas vraiment « quelconque » : il n'est quelconque qu'à l'intérieur du groupe donné à un moment donné de son existence historique. En d'autres termes, C ne sera « désintéressé » que du point de vue de ce groupe, et non d'une façon absolue. Un observateur situé en dehors du groupe verra qu'il est déterminé par le groupe en question dans son état historique donné, qu'il est donc « intéressé » au maintien de ce groupe, à la conservation de cet état de choses, puisque son intervention, en modifiant le groupe, le modifierait lui-même, puisqu'il ressent ainsi le contrecoup de son « intervention ». Et il sera « intéressé » même en sa qualité de C, c'est-à-dire d'« homme juridique ». Car il voudra *réaliser* son idéal de Justice. Il voudra donc intervenir d'une manière efficace, c'est-à-dire en se faisant appuyer par l'État, en faisant agir l'État à sa place, conformément à son intention. Mais il a une notion « toute faite » de l'État. Il interviendra donc nécessairement de façon à ce que l'État, tel qu'il le conçoit, puisse appuyer son intervention. Il interviendra autrement dit en tenant compte de la « raison d'État », telle qu'il la comprend. Son « pouvoir » ne sera pas « séparé » en fait de celui de l'État.

On peut, certes, introduire dans la définition générale du Droit l'expression : « (un tiers C) désintéressé, c'est-à-dire censé pouvoir être quelconque. » Mais il faut dire alors qu'un

1. Dans ce dernier cas il y aurait conflit. Or, nous verrons que la Justice (idée) ne devient Droit (réalité) que dans la mesure où elle est appliquée par l'État, c'est-à-dire par le Gouvernement (par le pouvoir législatif et exécutif). En cas de conflit il n'y aura donc pas de Droit authentique. L'activité de l'État ne sera pas juridique parce qu'en désaccord avec l'idée de Justice, et cette idée ne sera pas juridique parce que non appliquée en fait (par l'État). Comme la Justice tend à se réaliser, c'est-à-dire à devenir Droit, et l'État tend à se « justifier », c'est-à-dire à devenir « légal », il y aura lutte entre le « pouvoir judiciaire » (et en général les citoyens pris en tant qu'« hommes juridiques ») et le pouvoir gouvernemental (c'est-à-dire les citoyens pris en tant qu'« hommes politiques »). Le Droit authentique sera déterminé par l'issue de cette lutte, par son « résultat ». Tout Droit « positif », c'est-à-dire tout Droit réel, est un tel « résultat ». J'aurai, d'ailleurs, l'occasion de revenir sur cette question.

tel Droit n'existe pas sur terre et n'a encore jamais existé. Si l'on veut définir le Droit réel, c'est-à-dire *un* Droit réel ou « positif » donné, il faut dire : « désintéressé, c'est-à-dire censé pouvoir être quelconque *à l'intérieur d'une Société donnée à un moment donné de son existence historique.* »

Mais même cette restriction ne suffit pas pour rendre notre définition applicable à la réalité, c'est-à-dire à un Droit réel ou « positif » donné. Car il est évident que C n'est jamais en fait « quelconque » (c'est-à-dire « désintéressé »), même à l'intérieur de la Société où il intervient. Aucune Société ne consentira en effet à tenir compte des « interventions » d'un fou, ou d'un enfant en bas âge. Les Sociétés antiques excluaient les esclaves. De nos jours même, en France par exemple, une femme ne peut pas jouer le rôle de C, quoiqu'elle puisse subir l'effet de son intervention. Et puis, en fait, la législation juridique et l'exercice de la justice en général, représentent souvent (sinon toujours) les idées (et par conséquent les « intérêts ») propres à un groupe quelconque au sein d'une Société, et non celles de tous les membres de ce groupe. C'est alors surtout qu'on parle de « justice de classe », c'est alors qu'on s'aperçoit que l'idée de Justice (s'entend : l'idée que se fait de la Justice un groupe qui n'arrive pas à faire réaliser cette idée par l'État) est en désaccord avec la « raison d'État » ou l'« utilité sociale » (s'entend : telles qu'elles sont comprises par le groupe qui arrive à faire réaliser ses idées par l'État).

Tous ces faits sont indéniables. Et pourtant il est de toute évidence impossible de déclarer juridiquement inauthentique tout Droit positif où le Législateur (juridique) et le Juge ne sont pas vraiment quelconques. Un Droit forgé et appliqué par les hommes libres à l'exclusion des esclaves, par les hommes à l'exclusion des femmes, par une « classe » contre la volonté d'une autre « classe », etc., peut fort bien être juridiquement authentique, être un Droit au sens propre du terme, et non pas une simple force ou violence.

Il faut donc tenir compte de ce fait dans notre définition, si nous voulons qu'elle soit applicable au Droit réel ou positif. D'autre part, il est tout aussi évident que si l'on supprime complètement la condition selon laquelle C doit être « désintéressé », c'est-à-dire « quelconque », on abolit du coup la notion même de Droit. Il faut donc chercher un compromis.

Rappelons d'abord que C a trois aspects distincts, mais complémentaires et également indispensables : il est Légis-

lateur (juridique) dans la mesure où il crée une règle de droit;
il est Juge dans la mesure où il applique une règle donnée
à un cas concret, et il est Police (judiciaire) dans la mesure
où il exécute l'application donnée d'une règle donnée [1].
Si un Législateur promulgue une règle de droit que nul autre
n'aurait promulguée, s'il était à sa place, s'il est seul à vouloir l'appliquer à des cas concrets, et si enfin nul autre que
lui ne voulait exécuter son jugement, il faut dire de toute
évidence qu'il n'est ni Législateur, ni Juge, ni Police : il n'y
a pas de phénomène juridique du tout, mais une simple violence. Supposons maintenant que personne n'ait légiféré et
jugé comme lui, mais que *n'importe qui* ait exécuté son jugement (parce que c'est un jugement et son jugement). Il faudra dire alors qu'on est en présence d'un phénomène juridique authentique. Il faudra dire que sa seule volonté fait loi,
qu'elle est la seule et unique source du Droit en question,
mais que ce Droit est bien un Droit, et non une violence [2].
Il en sera de même si le Législateur n'étant pas « quelconque », le Juge qui applique sa loi est « quelconque »
(l'exécutant l'étant ou ne l'étant pas). Si tous les membres
d'une société appliquent une règle de droit, cette règle est
juridiquement authentique, même si aucun de ces membres
ne l'aurait promulguée au cas où elle n'existerait pas. Enfin,
une règle de droit que n'importe quel membre d'une société
aurait promulguée ne cesserait pas d'être une règle de droit
si aucun ne voulait l'appliquer ou l'exécuter. Tous ces cas
sont, bien entendu, imaginaires, car généralement on ne
refuse pas d'appliquer une règle de droit que tout le monde
aurait promulguée, et on n'exécute pas une règle que personne n'accepte en tant que règle. Je voulais seulement montrer qu'il suffit que C soit « quelconque » dans l'un de ses
trois aspects pour que le phénomène soit authentiquement
juridique.

Mais en pratique C n'est jamais « quelconque », et il ne
l'est dans aucun de ses aspects. Et c'est là que commencent
les difficultés. Si le Législateur établit une règle de droit

---

1. Parfois le Juge statue sans qu'il y ait loi. Mais alors il est en une
seule personne Juge *et* Législateur. De même, la partie (gagnante) peut
être chargée d'exécuter elle-même le jugement. Mais alors elle le fait non
plus en sa qualité de partie, mais en qualité d'une Police. Dans tous les cas
où il y a Droit, il y a donc une triple « intervention » : celle du Législateur,
celle du Juge et celle de la Police.

2. On ne peut le nier qu'en opposant à ce jugement exécuté un jugement fondé sur l'idée d'une justice éternellement et universellement valable,
c'est-à-dire sur le « Droit naturel ». Or ce « Droit » n'existe pas encore.

qu'une *partie* seulement des membres de la société accepte en tant que règle, si une *partie* seulement consent à l'appliquer, et si une *partie* seulement exécute cette application, bref, s'il y a « justice de classe », le phénomène est-il juridique ou non?

À mon avis, il n'y a qu'un seul moyen de répondre.

Si, dans une Société ou un État, un groupe (ou une « classe ») M, à l'intérieur duquel un C donné est quelconque, peut *supprimer* un autre groupe N (où un C d'un autre type est aussi quelconque) sans que la Société ou l'État périsse, le C du groupe M pourra être dit « quelconque » tout court (au sein de cette Société, bien entendu) : la règle de droit qu'il énonce, applique ou exécute sera authentiquement juridique. Dans une Société, par contre, où aucun groupe ne pourra jouer le rôle du groupe M, il n'y aura pas de Droit au sens propre du terme.

Le terme « supprimer » peut d'ailleurs avoir deux significations différentes. On peut le prendre à la lettre. Le groupe M peut *supprimer* le groupe N (ou tous les groupes non M) en tuant, ou en expulsant tous ses membres. Dans ce cas C sera vraiment *quelconque* dans la Société en question puisqu'elle coïncidera alors avec l'ancien groupe M. Mais on peut aussi prendre le terme « supprimer » au sens d'*exclure*. Il suffit en effet de ne pas tenir compte des membres des groupes non M dans le choix de C, tout en les laissant subsister au sein de la Société, où ils peuvent jouer tout rôle autre que celui de C, c'est-à-dire tout rôle non juridique. Ainsi, par exemple, les femmes sont exclues en France de la vie juridique active; le Droit français moderne est donc exclusivement masculin; néanmoins, étant donné que l'État français existe, c'est un Droit authentique.

Bien entendu, les méthodes de l'« exclusion » peuvent être fort diverses. Dans un Parlement qui est en train de voter une loi juridique, le C qui la vote n'est quelconque qu'au sein de la majorité (groupe M), puisqu'un membre de la minorité (groupe N) ne l'aurait pas votée. Le groupe N peut donc être « exclu » d'après le principe majoritaire. Mais cette méthode est loin d'être la seule possible. On peut aussi, par exemple, tirer au sort, ou former une « élite » homogène (par exemple l'« élite » des hommes à l'exclusion des femmes, etc.). Pour qu'il y ait Droit (positif) il faut et il suffit que C soit quelconque au sein d'un groupe qui peut enlever à tous les autres groupes la possibilité de jouer le rôle de C, sans que la Société en tant que telle cesse d'exister à cause de cette exclusion (ce qui signifierait, d'ailleurs, la ruine du groupe lui-même en tant que groupe de la Société en question[1].

Appelons « groupe exclusif » tout groupe au sein d'un État ou d'une Société, qui peut supprimer ou seulement exclure tous les autres groupes, sans que la Société ou l'État périssent de ce fait. S'il n'est question que d'« exclusion », il peut y avoir plusieurs « groupes exclusifs » dans une seule et même Société. Il sera dit « religieux » quand il va exclure des participants possibles à la vie religieuse (active ou passive) de la Société; « esthétique » — quand l'exclusion n'intéressera que la vie esthétique, etc. Un « groupe exclusif » sera donc « juridique » quand il pourra exclure sans danger pour l'État tous les candidats au rôle de C qui « interviendraient » le cas échéant autrement que ne l'aurait fait un représentant de ce groupe. C peut donc être dit « quelconque » au sein d'une Société donnée s'il est quelconque à l'intérieur d'un « groupe exclusif juridique » de cette Société. Mais puisque dans une définition du Droit il ne peut s'agir que d'un groupe exclusif *juridique*, il est inutile de le spécifier.

On peut donc remplacer l'expression « un tiers C impartial et désintéressé » par celle d'« un tiers C censé pouvoir être quelconque au sein d'un groupe exclusif d'une Société donnée à un moment donné »[2].

Passons maintenant à la limite, comme disent les mathématiciens.

Supposons que la Société en question implique l'humanité tout entière, qu'elle est l'« État *universel* », si elle est organisée en État. Dans ce cas on pourra dire : « Un tiers C censé pouvoir être quelconque au sein d'un groupe exclusif à un moment donné. » Supposons maintenant que l'humanité (ou l'État universel) soit *homogène* (État universel et homogène, ou « Empire ») en ce sens que personne n'y ait d'« intérêt

1. Le « groupe » peut se réduire à un seul individu, en principe. Mais en fait un tel « groupe » ne pourra jamais « supprimer » le groupe non M, formé de plusieurs individus, puisqu'il sera plus faible que lui. Si un seul a de l'*autorité*, il peut certes être plus « fort » qu'un groupe même nombreux. Mais il y aurait abus de langage si l'on voulait parler alors d'« exclusion » (ou même de « force »). Car ceux qui se soumettent à son autorité forment par cela même un *groupe* avec lui. Sa volonté étant la leur, ils agiraient (en principe) comme lui : dans le groupe formé par eux et lui C pourrait donc être quelconque.

2. Si la Société est un État, ceci revient à dire que tout Droit reconnu par cet État est par cela même authentique. (Ceci résulte, d'ailleurs, comme nous le verrons, du fait que C « annule » la réaction de B d'une façon *irrésistible*.) Mais j'ai voulu me servir d'une terminologie plus compliquée et générale parce que la Société en question peut être quelconque, c'est-à-dire qu'elle n'a pas besoin d'être un État au sens propre.

privé ». À un moment donné, C pourra y être vraiment
« désintéressé », c'est-à-dire « quelconque » sans restriction : si, d'une manière générale, chacun y peut jouer le rôle
d'un autre, on n'a nulle raison de supposer qu'il jouera
autrement que l'autre un rôle juridique. On pourra donc
dire : « Un tiers C censé pouvoir être quelconque à un
moment donné [1]. » Mais si l'État (ou la Société) est vraiment
universel et homogène, on ne voit pas comment il pourra périr
ou même changer. Sans guerres extérieures, sans luttes
intestines, c'est-à-dire sans révolutions, l'État semble devoir
se maintenir indéfiniment dans l'identité avec lui-même. La
restriction « à un moment donné » n'a donc plus de sens s'il
s'agit d'une Société ou d'un État universel et homogène.
On pourra donc dire finalement : « Un tiers C censé pouvoir
être quelconque »; c'est-à-dire — en langage « introspectif » :
« Un tiers C désintéressé. »

À la limite, nous revenons donc à notre point de départ.
Nous avons éliminé les restrictions que nous avions dû introduire pour tenir compte de la *réalité,* qui était une réalité où
les Sociétés sont multiples, où aucune Société n'est homogène,
et où toutes changent par conséquent. Au moment où l'État
universel et homogène sera une *réalité,* on n'aura donc plus
besoin d'introduire les restrictions en question dans la définition générale du Droit.

Or, sans ces restrictions, notre définition n'est rien d'autre
que la définition du « Droit naturel » dont parle l'« école
rationaliste ». Nous n'avons introduit ces restrictions que
pour tenir compte des divers « Droits positifs ». Mais « à
la limite » le Droit positif coïncide avec le Droit naturel.
Car le Droit *réalisé* dans et par l'État universel et homogène
est tout aussi *universellement* et *éternelle-
ment* (c'est-à-dire « nécessairement ») valable que le prétendu « Droit naturel ». Nous pouvons donc dire que le Droit
« positif » de l'État universel et homogène réalise le Droit
« naturel », qui n'est rien d'autre que *le* Droit en tant que
tel, c'est-à-dire l'« essence » du Droit. Dans l'État universel
et homogène, la théorie « rationaliste » du Droit coïncide
donc avec la théorie « historique ou sociologique ».

C'est là le fond même de l'hégélianisme, ou, si l'on préfère,
de la compréhension dialectique de l'histoire.

L'idée, l'essence, l'idéal, l'universellement et le néces-

---

1. Bien entendu il s'agit là d'un cas limite irréel. La femme ne sera
jamais homme, ni l'enfant adulte, ni le fou sain d'esprit. Mais l'homogénéité peut être plus ou moins proche de cette limite.

sairement (c'est-à-dire l'éternellement) valable, le Vrai, le Juste en soi — peu importe comment on s'exprime — tout ceci est non pas un début mais un *résultat,* non un être mais un *devenir,* et un devenir proprement dit, c'est-à-dire un devenir *dans le temps,* dans l'histoire. Ainsi le « Droit absolu » n'existe pas dès le début, il n'existe pas *encore.* Mais il ne s'ensuit pas que tout Droit sera *toujours* « relatif ». Le Droit de l'État universel et homogène ne le sera pas : il sera « absolu » puisqu'il sera seul et ne changera pas. Mais il ne le sera qu'à la fin de l'histoire, quand l'État en question sera une réalité. Pour le moment il n'y a pas de Droit absolu, et tout Droit réel est effectivement relatif : tant par rapport à l'espace qu'au temps.

Tant que l'Empire ne sera pas réalisé, le Droit restera relatif. Et il se peut fort bien que cet Empire ne sera jamais réalisé. Car l'évolution historique procède par négation, c'est-à-dire librement, ou d'une façon imprévisible. Mais si cet Empire se réalise, on pourra savoir ce qu'il est, on verra qu'il est universel et homogène, et on pourra en conclure qu'il ne changera plus. On saura donc que son Droit « positif » est *le* Droit, le Droit absolu, unique et immuable. Et on pourra voir alors que ce Droit est synthétique, qu'il résulte de tous les Droits relatifs précédents. On pourra le « déduire » après coup, en d'autres termes. Par rapport à lui, tous les autres Droits pourront être ordonnés en un système de triades dialectiques, formées par une position, par la négation de cette position et par le résultat de leur lutte. On verra que le Droit absolu est le dernier résultat de cette dialectique des Droits relatifs, qu'il est leur intégration. Non pas que ce Droit soit une simple somme (nécessairement contradictoire) de tous les Droits antérieurs. Il maintiendra les uns et n'impliquera les autres que sous la forme de leur négation. Mais il tiendra compte de tous, en expliquant en quoi et pourquoi il maintient les uns et rejette les autres. Et c'est en comprenant son passé qu'il se comprendra lui-même, qu'il se justifiera comme le résultat de ce passé. C'est d'ailleurs cette autocompréhension parfaite par la compréhension de son devenir qui lui permettra de se comprendre comme définitif. Et cette révélation de son caractère absolu sera la preuve et l'indice de la réalité de ce caractère. Il sera absolu parce qu'il se saura être tel, parce qu'il pourra montrer qu'il n'y a pas d'autre Droit possible, vu qu'il implique (positivement ou négativement) toutes les possibilités réalisées au cours de l'histoire, c'est-à-dire *réalisables* en général.

Ce Droit absolu sera un *Droit*. Et c'est pourquoi on peut en donner dès maintenant une définition *formelle*, qui permet de distinguer un Droit de tout ce qui n'est pas juridique et de reconnaître comme tel tout ce qui l'est. Mais il serait vain de vouloir déterminer à l'avance son *contenu*. Nous savons seulement que le Droit absolu sera le Droit positif de l'État universel et homogène. Mais nous ne pouvons pas savoir à l'avance *ce que* sera ce Droit positif. Nous ne pouvons pas le déduire *a priori* des Droits relatifs que nous connaissons. Ce n'est qu'après coup que nous pourrons le comprendre (c'est-à-dire le déduire *a posteriori*) à partir de ces Droits relatifs, comme le résultat final de leur dialectique historique que nous connaîtrons alors entièrement.

C'est en ce sens que doit être comprise notre définition. Elle ne donne aucun renseignement sur le *contenu* du Droit, quel qu'il soit. Elle permet seulement de voir si un contenu donné (un phénomène) est ou non authentiquement juridique. Et elle permet de le faire quel que soit ce contenu. C'est pourquoi on peut dire que c'est une définition *formelle* (d'ailleurs behavioriste) de l'*essence* Droit.

La *première* définition behavioriste, telle qu'elle a été donnée au § 9, c'est-à-dire sans la restriction proposée dans le présent paragraphe, ne peut pas s'appliquer à la *réalité* juridique que nous connaissons. Mais ce n'est pas tant pis pour la définition, c'est tant pis pour la réalité. Ce n'est pas la définition, c'est la réalité qui ne tient pas le coup, pour ainsi dire. Car les Droits réels « positifs » sont – comme le montre l'expérience – des réalités *éphémères*, limitées dans l'espace et dans le temps. Ils ne *sont* pas à proprement parler : ils naissent et meurent; ils *passent*. Seul leur caractère formel reste le même, leur essence : et c'est elle qui est décrite dans la définition. L'existence du Droit ne sera conforme à cette définition que quand elle sera vraiment conforme à son essence, et ce n'est qu'à ce moment, en tant que conforme à la définition, qu'elle sera vraiment *réelle* ou réelle *en vérité*, c'est-à-dire partout et toujours.

Pour tenir compte de cette existence éphémère de l'essence, de ces réalisations partielles et transitoires du Droit en tant que tel, il faut remplacer dans notre définition les termes « impartial et désintéressé » ou – traduit dans le langage behavioriste – « quelconque », par l'expression :

> « censé pouvoir être quelconque (à l'intérieur d'un groupe exclusif d'une Société donnée à une époque donnée) ».

Notre définition ne s'applique donc pas au cas où il n'y

aurait pas à un moment donné de « groupe exclusif » dans une Société donnée : il n'y aurait donc pas — d'après cette définition — de Droit authentique du tout dans cette Société à ce moment. Or il en est effectivement ainsi. Car une Société sans « groupe exclusif », c'est une Société en pleine révolution. La définition implique donc l'affirmation qu'il n'y a pas de *Droit* révolutionnaire, que la révolution est au contraire une négation absolue du Droit (s'entend : d'un Droit positif donné, puisqu'il n'y a de révolution que tant qu'il n'y a pas d'État universel et homogène, et puisqu'il n'y a pas de Droit absolu en dehors de cet État). Et en effet, quand il y a une révolution véritable, un Droit (positif) donné meurt pour en engendrer un autre, et on peut dire que chaque fois qu'un Droit meurt pour en engendrer un autre il y a une révolution véritable. La révolution est donc le *passage* d'un Droit à un autre, elle est donc bien une absence (qui est une « puissance »), une négation (créatrice) du Droit. Tant que le Droit est reconnu, l'action est juridiquement légale, et une action juridiquement légale n'est pas révolutionnaire. Et l'action révolutionnaire n'a rien de juridique (sinon dans le sens négatif dans lequel est « juridique » un *crime* politique ou vulgaire), tant que les révolutionnaires n'ont pas constitué un « groupe exclusif » dans une nouvelle Société qu'ils ont créée dans et par leur révolution.

Mais partout ailleurs, partout donc où il y a un groupe exclusif dans une Société quelle qu'elle soit, organisée ou non en État, il y a une possibilité d'appliquer notre définition, à condition d'y introduire la restriction proposée : il y aura un Droit authentique, s'il y a — toutes les autres conditions de la définition étant remplies — un tiers censé pouvoir être quelconque à l'intérieur du groupe exclusif en question.

Si une Société est *homogène*, on pourra supprimer les mots : « d'un groupe exclusif ». Si elle est *universelle*, on pourra supprimer les mots : « d'une Société donnée ». Si elle est homogène *et* universelle, on pourra supprimer toute la parenthèse, c'est-à-dire toute la restriction introduite dans ce paragraphe. La définition de l'*essence* du Droit s'appliquera alors aussi à l'*existence* du Droit, précisément parce que l'existence et l'essence ne feront plus qu'un : l'essence du Droit sera pleinement réalisée et l'existence sera entièrement pénétrée par la plénitude de l'essence juridique. La Justice sera pleinement réalisée dans et par le Droit parce que toute l'existence humaine sera déterminée par la Justice.

## § 16.

Dans les paragraphes 10 à 12, j'ai commenté la condition de l'interaction entre A et B. Dans les paragraphes 13 à 15, celle de l'intervention de C. Il faut voir maintenant (dans les paragraphes 16-17) comment ces deux conditions doivent être liées l'une à l'autre dans une définition générale (formelle et behavioriste) du phénomène « Droit ».

J'ai dit dans la première définition que l'interaction « provoque nécessairement » l'intervention. Il faut donc voir ce que signifient les termes :

  a) *provoque*, et
  b) *nécessairement*.

a) Un commentaire du terme « *provoque* » a déjà été donné implicitement dans ce qui précède.

L'intervention de C est *en relation* avec l'interaction entre A et B. L'intervention n'est pas un acte spontané quelconque. Elle n'a lieu que parce qu'a lieu l'interaction en question. Mais elle aurait pu ne pas avoir lieu en dépit de l'existence de cette interaction. Celle-ci provoque l'intervention, mais l'intervention est un acte, qui pourrait être ou ne pas être, et qui peut avoir telle nature ou telle autre. Seulement sa nature sera toujours en rapport avec la nature de l'interaction qui la provoque. Bref, en langage courant (c'est-à-dire « introspectif »), C est libre d'intervenir ou de ne pas intervenir et il peut intervenir comme bon lui semble, pourvu qu'il soit toujours impartial et désintéressé. Son intervention n'est donc pas *déterminée* par l'interaction, elle n'en résulte pas automatiquement, elle ne peut pas être prévue à partir de l'interaction. Mais l'intervention est toujours *en relation* avec l'interaction. Car C intervient ou non, et intervient d'une certaine manière en fonction de l'idée qu'il se fait de l'interaction en question (ainsi qu'en fonction d'un principe juridique qui lui est propre, c'est-à-dire en fonction de l'idée de Justice, telle qu'il la conçoit). C intervient pour un motif « désintéressé », à savoir pour un motif spécifiquement juridique, qui n'est rien d'autre que le désir de réaliser et de révéler son idée ou idéal de Justice. Mais il veut le réaliser à l'occasion d'un cas concret, en l'appliquant à ce cas, qui est précisément l'interaction en question entre A et B. Ou bien encore : prise isolément, une interaction donnée ne contient rien qui puisse permettre de dire pourquoi elle engendre (dans une Société donnée) telle règle de droit plutôt que telle autre; mais chaque règle de droit permet (en principe) de distinguer les cas concrets, c'est-à-dire les interactions auxquelles elle est censée être appliquée.

Ces remarques valent pour toute situation juridique quelle qu'elle soit. Mais on peut distinguer deux types de situations juridiques, qui diffèrent précisément par la façon dont l'intervention de C y est « provoquée ».

J'ai dit que l'interaction entre A et B, prévue par la définition, peut être quelconque quant à sa nature, son motif et sa portée. En principe, elle n'a donc rien à voir avec C et son intervention : elle peut être telle qu'elle aurait été si C n'existait pas ou n'intervenait pas. Autrement dit C peut intervenir spontanément dans cette interaction en ce sens qu'il intervient parce qu'il le veut bien, parce que c'est lui seul qui décide d'intervenir, c'est-à-dire d'annuler la réaction de B. Mais il y a des cas où l'intervention de C est conditionnée. Dans ce cas, C n'intervient que si l'action de A, dirigée contre B, implique aussi un élément orienté vers C. En langage courant : si A sollicite l'intervention de C. Quand l'interaction entre A et B n'implique pas cet élément de sollicitation, C n'intervient pas. Si cet élément est là, C peut encore intervenir ou ne pas intervenir, et s'il intervient, il le fait comme bon lui semble. Mais s'il intervient, il le fait parce qu'il a été sollicité par A. Dans le premier cas, par contre, C peut aussi intervenir ou non, mais il le fait indépendamment de toute sollicitation [1]. Enfin il y a des cas où C n'intervient que s'il est sollicité par A et B simultanément, quoique, bien entendu, ici encore il peut fort bien ne pas intervenir malgré cette double sollicitation, et s'il intervient il le fait comme bon lui semble.

Si C n'intervient pas, la situation n'est dans aucun cas juridique. Mais s'il intervient, les autres conditions de la définition étant remplies, la situation sera juridique dans tous les trois cas distingués : il y aura chaque fois un Droit, un phénomène essentiellement et spécifiquement juridique. Mais il y aura deux ou, si l'on veut, trois types différents de Droit.

---

1. Bien entendu, B peut aussi solliciter l'intervention de C, c'est-à-dire vouloir que C soutienne sa réaction en la rendant irrésistible et annule l'action de A. Mais pour pouvoir appliquer notre définition nous devons dire alors que c'est B qui agit, que A réagit et que C annule la réaction de A à l'action de B. Or, nous sommes convenus d'appeler A celui qui agit et B celui qui réagit. Notre définition, en ne prévoyant que la sollicitation par A seul et non par B seul, a donc une portée générale : il suffit de changer de terminologie et de nomenclature pour l'appliquer au cas où c'est B qui sollicite seul l'intervention de C.

Dans le premier type, l'intervention de C n'est « provoquée » que par l'interaction entre A et B. Dans le deuxième type, elle n'est « provoquée » par cette interaction que dans la mesure où celle-ci implique une « Sollicitation » de la part de A. Enfin dans le troisième type cette « Sollicitation » doit venir de A et de B simultanément.

Il est facile de voir que le premier type de Droit n'est rien d'autre que le *Droit pénal* (c'est-à-dire *public*), tandis que les deux autres types forment le *Droit civil* (ou *privé*). Et on peut dire encore que dans les deux premiers cas il s'agit de *Jugement* proprement dit (criminel ou civil), tandis que dans le troisième cas il y a *Arbitrage* (civil).

Si l'on veut tenir compte de ces distinctions à l'intérieur du phénomène juridique général, on peut introduire dans la définition une parenthèse. Au lieu de dire simplement que l'interaction entre A et B « provoque... », on peut ajouter (entre parenthèses) : « par elle-même ou par une sollicitation venant de A, avec ou sans le consentement de B... »

*b)* Notre définition dit encore que l'interaction entre A et B « provoque *nécessairement* » l'intervention de C.

À dire vrai l'expression « nécessairement » n'est pas heureuse parce qu'elle peut faire croire que l'interaction produit *automatiquement* l'intervention. Or nous venons de dire qu'il n'en est rien, puisque l'intervention peut ne pas avoir lieu même si l'interaction se produit. Cependant cette expression correspond à un élément nécessaire de la définition.

D'une manière générale le « nécessaire » s'oppose au « contingent », au « fortuit ». Or, il est évident qu'il n'y aura pas de Droit là où l'intervention de C est « contingente » en ce sens que C intervient d'une manière différente à l'occasion d'interactions *identiques* entre A et B [1]. On peut donc dire,

---

1. Une interaction peut être identique à une autre même si les rôles de A et de B sont joués par des personnes différentes : le meurtre de X par Y peut être identique au meurtre de M par N, par exemple, ou de Y par X. Mais il n'en est pas toujours ainsi. D'après le « Droit barbare » par exemple, le meurtre d'un Germain X par un Gallo-Romain Y était puni autrement que le meurtre du Gallo-Romain Y par le Germain X. (A première vue, soit dit entre parenthèses, ce fait semble être en désaccord avec l'exigence de l'« impartialité » de C, que nous avons définie plus haut par la possibilité d'intervertir A et B, sans que cela modifie la nature de l'intervention de C. Mais en fait il n'en est rien. Car dans ce cas il n'y a pas – *pour* C – d'identité entre les deux interactions. En effet, *pour lui*, l'interaction n'est pas « meurtre d'un A quelconque par un B quelconque », mais « meurtre d'un *Germain* A quelconque... », ou « meurtre d'un *Gallo-Romain* A quelconque... ». A et B ne sont intervertibles qu'à condition que l'interaction reste la même du point de vue de C. Ainsi, dans le cas du Juge « barbare », il faut dire que son intervention ne serait pas modifiée si le

si l'on veut, que l'interaction « provoque *nécessairement* » l'intervention de C, en voulant dire par là que des interactions *identiques* provoquent des interventions *identiques*. Mais nous avons dit d'autre part qu'une interaction donnée peut « provoquer » une intervention quelconque, ou ne pas l'engendrer du tout. « Provoquer nécessairement » ne peut donc signifier que ceci : si une interaction donnée provoque ou non une intervention déterminée, celle-ci se reproduira ou fera défaut *chaque fois* que se produira une interaction *identique* à l'interaction donnée.

On peut dire aussi que l'intervention est contingente par rapport à l'interaction, mais qu'elle n'est pas contingente en elle-même. Autrement dit on ne peut pas prévoir l'intervention à partir de l'interaction prise isolément. Mais on peut la *prévoir* si l'on connaît d'une part l'interaction et d'autre part l'idée de Justice qu'a C. Or, ce qui est *prévisible* peut être appelé « nécessaire ».

« Nécessaire » ou « prévisible » signifie aussi dans ce cas que l'intervention sera la même quel que soit C. Or nous avons déjà supposé dans le paragraphe précédent que C peut être quelconque. Mais cette condition ne suffit pas. Supposons en effet que l'idée de Justice n'existe pas. C aura alors beau être quelconque, c'est-à-dire désintéressé, il n'aura aucune raison d'intervenir plutôt que de ne pas intervenir ou d'intervenir d'une certaine façon plutôt que d'une autre. Dans ce cas, l'intervention sera donc contingente ou imprévisible, elle sera le fait du seul et simple hasard. Or, dans ces conditions, elle n'aura certainement rien de juridique. Pour qu'il y ait Droit (c'est-à-dire en fin de compte application d'une idée de Justice), il faut donc non seulement que C soit quelconque, mais encore que ce C quelconque intervienne de la même façon chaque fois que se reproduit la même interaction susceptible de provoquer son intervention. En d'autres termes, C doit être « quelconque » non seulement par rapport à l'espace, mais encore par rapport au temps. Non seulement tous les candidats aux rôles de C doivent intervenir de la même façon dans une interaction donnée, mais ils ne doivent pas modifier leur intervention si l'interaction en question se reproduisait dans l'avenir.

« Germain A » était — par impossible — le « Romain B », et le « Romain B » — le « Germain A ». Ce qui veut dire précisément que pour lui le « Romain » ou le « Germain » peuvent être quelconques. Et c'est pourquoi on peut dire qu'il est « impartial ».) Quoi qu'il en soit, dès que C se croit en présence de deux interactions *identiques*, il doit intervenir de la même manière, pour que son intervention ait une signification juridique.

Or, dès qu'on veut appliquer la définition à la réalité historique, on rencontre une difficulté qui exige une nouvelle restriction. C'est qu'en réalité le Droit évolue avec le temps, de sorte que deux interactions considérées comme identiques peuvent provoquer des interventions différentes si elles ont lieu à des époques différentes. Ainsi par exemple un seul et même acte de braconnage aurait été puni de mort en France au Moyen Âge et d'une légère amende à l'heure actuelle. Et pourtant le fait qu'un Droit varie ne le rend pas juridiquement inauthentique. Ainsi le Droit français médiéval est tout autant un Droit authentique que le Droit moderne.

C'est que, tout en évoluant en fait, tout Droit authentique est immuable ou « éternel » en principe. Certes les hommes peuvent admettre que leur Droit actuel va changer un jour. Mais c'est là une conception extra-juridique. Le Droit en tant que Droit ne reconnaît pas sa nature temporelle et temporaire. Une règle de droit donnée est valable « pour tous les temps (à venir )» : *elle* ne change jamais. Si le Droit change, c'est qu'une règle de droit a été remplacée par une autre. Mais aucune de ces règles ne peut varier en elle-même : si elle s'applique à un cas, elle s'appliquera à tous les autres cas identiques à celui-ci, tant qu'elle reste ce qu'elle est, c'est-à-dire une règle *de droit en vigueur*, et non un *souvenir* de ce qui a été une règle de droit un jour. Ce *souvenir* n'a rien de juridique, tout comme n'a rien de juridique l'*évolution* du Droit. Le Droit *passé* (loi abrogée) est tout aussi peu un *Droit* que le Droit *à venir* (projet de loi). Et le Droit *présent*, le Droit qui a une présence réelle dans le monde, ne varie pas.

Bref, une règle de droit *est censée* devoir s'appliquer *toujours*, c'est-à-dire *chaque fois* que se présente l'interaction à laquelle elle s'applique. Mais *en fait* elle ne s'applique *chaque fois* que tant qu'elle n'est pas annulée ou remplacée par une autre. Autrement dit elle s'appliquera bien « chaque fois », mais seulement pendant une certaine période, à une certaine époque (et, bien entendu, dans une certaine Société).

Nous retrouvons donc la restriction introduite dans la définition à l'occasion du terme « quelconque ». Cette restriction y figurait déjà, il est inutile de la répéter. On peut donc dire « chaque fois » tout court. Le sens sera de toute façon : « chaque fois dans une Société donnée à une époque donnée. »

En définitive, nous pouvons remplacer l'expression « l'interaction entre A et B provoque nécessairement l'intervention de C » par cette autre :

« provoque chaque fois qu'elle se reproduit (par elle-même ou par une sollicitation venant de A, avec ou sans le consentement de B [1]. »

§ 17.

L'intervention de C, provoquée par l'interaction entre A et B, a pour motif et pour effet d'*annuler* la réaction de B à l'action de A. A peut ainsi atteindre son but sans rencontrer de résistance, c'est-à-dire sans avoir besoin de faire des efforts. Et c'est précisément pourquoi on peut dire que A a droit à son action.

Il faut commenter maintenant cette notion d'*« annuler »*.

Notons tout d'abord que le terme « annuler » doit être pris au sens fort. C annule la réaction de B sans résistance possible de sa part. Il suffit que C décide d'annuler cette réaction pour qu'elle soit annulée réellement [2].

Ce caractère irrésistible de l'intervention de C est néces-

1. Bien entendu il peut y avoir une situation juridique même si l'intervention de C n'a pas lieu *en fait* ou « matériellement ». Il suffit qu'elle *puisse* ou *doive* avoir lieu, qu'elle ait lieu *en principe* ou « idéellement ». Je veux dire que la situation reste juridique et que A a un droit à agir comme il agit même dans le cas où par hasard aucun Juge n'intervient, soit parce qu'il n'a pas été averti, soit parce qu'il se trompe sur la nature véritable de l'interaction en question, soit parce qu'il est de mauvaise foi, etc. La définition suppose un cas « idéal » où C est ce qu'il doit être. Mais ceci est tellement évident qu'il est inutile de le mentionner dans le texte même de la définition. Il faut dire cependant que l'intervention de C n'est jamais totalement absente là où il y a une situation juridique authentique. Car n'oublions pas que l'« intervention de C » peut signifier simplement « présence d'une règle de droit prévoyant l'interaction en question ». Ce que l'interaction « provoque » alors c'est tout simplement l'application de la règle à un cas concret, de la règle en tant que règle et non pas en tant que jugement ou exécution d'un jugement. Or, une telle « application » est toujours là dès qu'il y a une règle établie auparavant (cette règle pouvant d'ailleurs être un simple « précédent », un jugement — exécuté ou non — fait à l'occasion d'un cas identique). Sans l'existence de cette règle, c'est-à-dire sans « intervention de C » du tout, la situation ne serait pas juridique. Là où il n'y a ni exécution, ni jugement effectif, ni même règle de droit applicable, il n'y a pas de Droit du tout.

2. Bien entendu, ici encore la définition a en vue un cas idéal : elle fait abstraction des défaillances de la Loi, de la Justice et de la Police. On pourrait donc écrire : « l'intervention est censée annuler » ou « annule en principe », ou « doit annuler », etc. Mais cette restriction est trop évidente pour qu'il soit utile de l'exprimer dans le texte même de la définition.

Comme je l'ai déjà dit, C peut appuyer la réaction de B et annuler l'action de A. Mais on pourra appeler alors B — A — et appliquer notre définition sans la changer.

saire pour qu'il y ait Droit ou situation juridique. Et c'est
ce qu'on a en vue quand on dit qu'il n'y a pas de Droit sans
sanction. Car cette sanction est censée être irrésistible.
C'est pourquoi, comme je l'ai déjà dit, C est souvent conçu
comme un être divin : il agit sur A et B sans que ceux-ci
puissent réagir sur lui (dans la situation juridique en question). Pratiquement, c'est l'action *sociale* ou *étatique* qui
est (en principe) irrésistible par rapport aux individus isolés. Et c'est pourquoi, quand on dit que le Droit implique
et présuppose une sanction, on a en vue une sanction venant
de l'État ou de la Société en tant que telle. Il s'agit autrement
dit d'une sanction à laquelle on ne peut pas se soustraire.

J'aurai à insister sur ce point dans le chapitre suivant.
Pour le moment, je veux seulement signaler que l'« irrésistibilité » de l'intervention de C est liée au fait que C est
quelconque. Car dire que l'intervention de C est en dernière
analyse une intervention de l'État ou de la Société en tant
que telle, c'est dire que beaucoup d'autres membres de
cette Société (et à la limite — tous) interviendraient de la
même façon dont intervient C, puisqu'ils l'aident à intervenir, c'est-à-dire à annuler la réaction de B. Or c'est dire
justement que C est « quelconque ».

L'annulation de la réaction de B par C est irrésistible ou
absolue en ce sens que B ne peut pas s'y opposer : B ne
peut ni annuler ni modifier l'action de C qui annule sa
réaction. Or cette « réaction » de B est une « action » au sens
large du terme, et comme toute action elle a ou peut avoir
trois éléments constitutifs : 1) la volonté d'agir, 2) l'acte
lui-même, et 3) le motif qui fait agir ou le but de l'action, ou
encore l'intention. L'annulation peut donc annuler soit tous
ces trois éléments, soit n'en annuler que deux ou un seul.
D'où plusieurs modalités de l'annulation, c'est-à-dire de
l'intervention de C.

Voyons ce que sont ces diverses modalités.

Tout d'abord C peut pour ainsi dire étouffer la réaction
de B dans l'œuf. En d'autres termes, il peut annuler en B
la volonté d'agir. B ne réagit donc pas uniquement parce
qu'il sait que C interviendrait dans ce cas pour annuler sa
réaction. C'est donc bien C qui annule la réaction de B en
annulant sa volonté d'agir. Il y a donc « intervention » de C.
La volonté d'agir étant annulée, B ne réagit pas et A atteint
son but sans résistance, c'est-à-dire sans faire d'efforts.
Il a donc un *droit* d'agir comme il le fait. Et ceci quel que
soit le « motif », le « but » ou l'« intention » de B. Il suffit
donc que C annule la volonté d'agir. L'acte est « annulé »

par cela même, puisqu'il ne se produit pas, et le « but » de l'action est sans intérêt, du moment qu'il n'y a pas eu d'acte, que l'action n'a pas été réalisée. C n'a donc pas besoin d'annuler le « motif » s'il annule la volonté, et il ne peut pas annuler la volonté sans annuler par cela même l'acte (supposé volontaire, bien entendu).

Supposons maintenant que C n'a pas annulé chez B la volonté d'agir. Ou bien encore supposons que l'action de B est involontaire. Dans ce cas l'annulation devra porter sur l'acte lui-même. B passe à l'acte, c'est-à-dire essaie d'annuler par une réaction effective l'action de A. Mais C intervient, s'interpose entre B et A, et supprime par son intervention irrésistible l'effet de l'action de B dirigée contre A. Ici encore A ne rencontre pas de résistance, il agit sans faire d'efforts, il a donc le droit de le faire. Cette fois la réaction de B est réelle, elle est un acte, mais l'acte est sans effet pour A, il est pour A comme s'il n'existait pas, grâce à l'intervention de C. Peu importe donc que C annule ou non en B la volonté d'agir et le motif de sa réaction. Pour qu'il y ait situation juridique, il suffit que C annule l'acte de B.

Mais supposons que B ait eu le temps de réaliser sa réaction (volontaire ou non). Il a donc annulé l'action de A, qui n'a pas atteint son but, tout en ayant dû faire des efforts infructueux pour vaincre la résistance de B, c'est-à-dire pour supprimer sa réaction à son action. Il semble donc que notre définition ne s'applique pas, que A n'avait pas le droit d'agir comme il l'a fait, que la situation n'a rien de juridique. Et il en serait effectivement ainsi si C ne réussissait pas à annuler la réaction de B. Pour qu'il y ait Droit, il doit l'annuler d'une manière irrésistible. Or puisqu'il n'a su annuler ni l'acte, ni la volonté d'agir (s'il y en avait une, c'est-à-dire si l'action était volontaire), il doit annuler (irrésistiblement) le troisième élément constitutif de l'action de B, c'est-à-dire de sa réaction à l'action de A. C doit annuler ce que nous avons appelé le « but », le « motif », ou l'« intention ».

C'est ce qui a lieu en effet dans tous les cas où l'on parle du « droit » de A d'agir, et où néanmoins A ne réussit pas à agir effectivement. Dans tous les cas où C, c'est-à-dire — pratiquement — le Législateur juridique, le Juge ou la Police (judiciaire), n'arrive pas à annuler une action criminelle ou délictuelle (c'est-à-dire précisément censée devoir être annulée par C) en tant que volonté ou acte, c'est-à-dire dans tous les cas où le crime ou le délit ont été commis, C agit de trois manières différentes. C peut premièrement annuler l'action illicite en la renversant pour ainsi dire, en l'effectuant à rebours : par exemple, si X a volé à Y son cheval, enlever ce même cheval à Y et le rendre à X. Deuxièmement, si une telle opération est impossible pour des raisons quelconques, C effectue (ou fait effectuer à Y) une action assimilable à la restitution proprement dite, qui est un simple renversement de l'action illicite. Par exemple si le cheval de X est mort entre-temps, C oblige Y à restituer à X un cheval équivalent, ou le prix du cheval volé. Enfin troisièmement, si aucune restitution, même symbolique, n'est possible, C châtie B, lui fait subir une peine. Bien entendu, C peut combiner ces divers modes d'action. La restitution proprement dite peut s'accompagner d'une restitution « symbolique », qui s'appellera alors « dommages-intérêts ». Ainsi si Y vole à X son cheval de travail et ne le rend qu'une semaine plus tard, il a volé en fait le cheval + sept jours de travail; il rendra donc le cheval + l'équivalent de ces sept jours, une certaine somme d'argent par exemple. La restitution réelle ou symbolique, ou la combinaison des deux, peut s'accompagner d'un châtiment. Ainsi Y, tout en ayant rendu le cheval et payé les sept jours, peut encore être condamné à trois mois de prison par exemple, ou à une amende (encaissée par C ou transmise à X dans certains cas, sans se confondre pour cela avec les « dommages-intérêts » payés à X, c'est-à-dire avec la restitution; c'est ainsi que dans certains cas le voleur devait rendre le double à la victime, d'après le Droit romain).

Quand C intervient de la sorte, on dit que la situation est juridique, et que A est sujet d'un droit. Or dans le langage de notre définition ceci signifie précisément que C a annulé la réaction de B dans son « but », son « motif » ou son « intention ».

En effet, considérons le cas de la restitution proprement dite. C n'a pu annuler ni l'acte (le vol du cheval de X par Y, par exemple), ni donc la volonté d'agir (en supposant qu'il y en a eu une, l'action ayant été volontaire). Mais il a bien annulé le « but », etc. Car Y a voulu soit enlever le cheval à X, soit se l'approprier, soit les deux à la fois. Or tout en ayant accompli l'acte approprié à ce but, il ne l'a pas atteint, puisque le cheval est de nouveau chez X. Sans toucher à l'acte (qui n'est pas annulable, vu qu'il appartient au passé), C a donc annulé le « but » ou l'« intention » dans laquelle cet acte a été commis. Dans ce cas l'annulation de la seule « intention » suffit donc pour qu'il y ait Droit.

Il en va de même pour la restitution « symbolique ». Certes la solution n'est ici qu'approchée, mais le principe est le même : B, tout en ayant agi, n'a pas réalisé son *but*. Mais changeons un peu l'exemple. Si Y avait l'intention de faire de la peine à X en lui enlevant et en tuant un cheval qui lui était cher, C est incapable d'annuler *cette* intention de B. Notre définition ne s'applique donc pas. Mais cette « exception » ne fait que confirmer la justesse de la définition. Car dans *ce* cas il n'y a effectivement pas de situation *juridique*. En effet, X a un droit de propriété, mais on ne peut pas dire qu'il ait un *droit* à ne pas être chagriné. Dans la mesure où l'action de Y porte atteinte à la propriété de X, elle est annulée (dans son intention). Mais dans la mesure où elle chagrine seulement X, elle n'a rien d'illicite. Et c'est pourquoi elle n'est pas annulée en tant que telle (ou, plus exactement, c'est parce qu'elle n'est pas et ne peut pas être annulée dans *cet* aspect, qu'elle n'est pas illicite).

Admettons cependant qu'un Droit (imaginaire) condamne comme criminel l'acte de chagriner quelqu'un. Il faudra donc, pour que notre définition reste valable, que C soit capable d'annuler l'acte de Y, c'est-à-dire l'acte d'avoir tué un cheval cher à X. L'acte ayant été accompli, seule l'intention peut être annulée. Or, en fait, C, qui agit en fonction du Droit considéré, *punira* Y (amende, prison, peine corporelle, peine de mort, etc.). Il faut donc dire que le châtiment correspond à l'annulation de l'« intention » du coupable, de l'action criminelle prise en tant qu'« intention », « motif » ou « but ». Et il en est effectivement ainsi. En fin de compte Y voulait se procurer un *plaisir* en chagrinant X. Or, en le châtiant, C inflige à Y un mal, il le fait *souffrir*, il *annule* donc son plaisir (du moins il est censé le faire en le punissant) et par cela même le « but » ou le « motif » de son action. On peut même ajouter que X aura *plaisir* à apprendre que Y est puni, et que ce plaisir va atténuer le chagrin que Y voulait lui causer. Certes, on peut supposer que Y a agi « sans motif » en lésant X. Dans ce cas le châtiment n'annulerait rien, et notre définition ne s'appliquerait donc pas. Mais ici encore la prétendue « exception » confirme la justesse de la définition. Car dans le cas où Y aurait vraiment agi « sans motif », C ne le punirait pas : Y aurait été déclaré fou, ou en état d'irresponsabilité morale, car agir « sans motif » au sens fort du terme, c'est agir en animal, et non en être humain. De même, il n'y aurait pas d'annulation de l'intention, si le châtiment ne causait aucune peine à Y. Mais ici encore C n'aurait pas puni Y. Car si un être ne peut être peiné par aucun châtiment, c'est qu'il est « inconscient » (fou, idiot, etc.) : il n'est pas un être vraiment humain et ne sera donc pas puni. Quant à X, il n'aura aucun « droit » dans ces deux cas, d'après notre définition. Et en effet on ne peut pas dire que quelqu'un a *droit* à ne pas être peiné par des faits « naturels », non humains : personne n'a le *droit* par exemple de ne pas être frappé par la foudre, ou mouillé par la pluie, etc. Or l'acte d'un fou ou en général d'un Homo sapiens qui n'est pas un être humain proprement dit, est assimilable à l'acte d'un animal ou à l'action d'une chose. Enfin, même le cas limite de la peine de mort peut être interprété juridiquement comme une annulation (irrésistible) de l'intention, puisqu'en supprimant la vie on supprime en même temps l'intention [1].

Quand C, ne pouvant pas annuler l'acte ou la volonté, se contente d'annuler l'intention, et l'annule par une *restitution* proprement dite ou « symbolique », on est en présence de ce que Durkheim a appelé « justice restitutive » (ce qui se recouvre à peu près avec le Droit dit « civil »). Quand l'annulation de l'intention revêt la forme d'un châtiment, il y a un cas de « justice rétributive » de Durkheim (ce qui correspond plus ou moins au Droit dit « pénal »). Mais comme je l'ai déjà dit, C peut combiner ces divers modes d'annulation de l'intention. Et il peut même combiner l'annulation de l'intention dans ses trois modes avec l'annulation de l'acte ou de la volonté d'agir. Ainsi, par exemple, le Code pénal français prévoit le châtiment d'une tentative de meurtre qui a été empêché par l'intervention de la Police. Dans ce cas, C annule l'acte (en sa qualité de Police) et l'intention (en sa qualité de Juge), de sorte que seule la volonté d'agir échappe à l'annulation [2].

Il semble donc que notre définition puisse s'appliquer à tous les cas possibles. Seulement, si l'on veut tenir compte de la diversité des cas, il faut préciser dans la définition même la nature de l'annulation. Ainsi, au lieu de dire tout simplement « annule », il faudra préciser en disant « annule (la réaction de B) en tant que volonté, acte ou but » [3].

1. Si on admet l'immortalité de l'âme cette conclusion ne s'impose plus. L'assassin peut fort bien jouir après sa mort de son crime. Mais si l'on admet l'immortalité tout en voulant conserver l'idée de Droit, il faut postuler l'existence d'un C immortel, ayant prise sur l'âme après la mort. Il faut un C divin. Et dans la mesure où Dieu joue le rôle de C, il agit conformément à notre définition. Dans notre exemple, le Juge divin remplacera le plaisir par une peine de l'âme du criminel. Il semble, d'ailleurs, qu'il soit impossible d'admettre l'immortalité de l'âme sans postuler l'existence d'un Dieu.

2. Les emprisonnements préventifs, les mesures prises en vue de l'amendement du coupable, etc., peuvent être interprétés juridiquement comme des annulations de la seule volonté d'agir, non suivie d'actes.

3. Les termes « volonté » (d'agir) et « but » semblent être « introspectifs ». Mais on pourrait les traduire en termes « behavioristes ». Ainsi la

Si l'intervention de C annule une réaction (de B), c'est-à-dire une action au sens large du mot, c'est qu'elle est elle-même une action. L'annulation par C de la réaction de B est une *action* d'annuler. Elle implique donc également, ou peut impliquer, les trois éléments constitutifs qu'implique la réaction de B. On peut donc distinguer encore trois modalités de l'annulation, en les rapportant cette fois non plus à B, mais à C.

Dans certains cas, C ne peut annuler la réaction de B qu'en intervenant effectivement, par un « *acte* » réel. C'est ainsi qu'intervient la police dans un meurtre qui est en train de s'accomplir. D'une manière générale, C devra intervenir ainsi chaque fois que B ne sera arrêté dans sa réaction ni par une loi qui l'interdit, ni même par un jugement qui applique à lui cette loi. Si B se refuse de restituer à A son dû en dépit de la règle de droit (de la Loi) qui l'y oblige et malgré la sentence d'un juge qui lui a dit que la règle s'appliquait bien à son cas et qu'il devait s'exécuter, alors C aura recours à la police, à un huissier, etc., qui devra agir effectivement, c'est-à-dire accomplir un acte au sens propre du terme. Dans ce cas C devra être non seulement Législateur (juridique) et Juge, mais encore Police (judiciaire, au sens le plus large du mot). Et C interviendra dans son aspect « Police » chaque fois qu'il annulera la réaction par un « acte » proprement dit.

Mais il se peut que le jugement suffise pour que B renonce à sa réaction, c'est-à-dire pour qu'elle soit annulée. C'est encore une intervention de C qui l'annule, mais C n'intervient cette fois qu'en sa qualité de Juge. La qualité de Législateur ne suffisait pas puisque B, tout en connaissant la Loi, était prêt à réagir. Mais la qualité de Police n'est pas intervenue parce que B a renoncé à sa réaction dès le moment où le Juge s'est prononcé. Or on peut dire que B a renoncé à sa réaction parce qu'il savait que la sentence du Juge entraînerait nécessairement l'intervention de la Police, si B ne s'exécutait pas lui-même. On peut donc dire que le jugement correspond à une « *volonté* » d'agir, qu'il est une intervention de C qui annule la réaction de B tout en n'étant qu'une simple volonté d'agir, et non un acte. Mais on peut dire aussi que le jugement, la sentence du Juge, est une « volonté » d'agir en elle-même, et non seulement parce que B sait qu'elle aboutit

« volonté » peut signifier : « la réaction de B, qui aurait eu lieu si C n'existait pas, mais qui n'a pas eu lieu en fait. » Le « but » (ou l'« intention ») signifie : « le comportement de B qui aurait suivi sa réaction à l'action de A si C n'avait pas annulé cette réaction. »

à une intervention de la Police. En effet, c'est cette sentence qui rend la Loi *opérante*, qui la *réalise* en l'appliquant à un cas réel concret, qui la fait passer de la puissance à l'acte. La Sentence joue donc par rapport à la Loi le rôle que joue la volonté d'agir par rapport au motif qui pousse à l'action, c'est-à-dire par rapport à l'intention ou au but. On peut donc dire qu'en sa qualité de Juge, C annule la réaction de B par sa seule *« volonté »* d'agir.

Quant à la qualité de « Législateur juridique », nous venons de dire qu'elle correspond à l'*« intention »* de C, à son intervention qui annule la réaction de B en n'étant qu'une simple « intention », un « motif » ou un « but ». Une telle annulation a lieu chaque fois que B renonce à sa réaction, dès qu'il s'aperçoit qu'il y a une loi qui l'interdit. Il n'a nul besoin de penser au Juge et à la Police. Il peut s'abstenir par le seul respect de la loi, et non par crainte du Juge et de la Police qui en dépend. Or qu'est-ce que la Loi juridique, sinon une « intention », un « but » qu'on se donne, et qui peut être atteint par une volonté d'agir et par un acte approprié? Dans la Loi se condense l'intention du Législateur, elle sert le but qu'il s'est posé, elle révèle le motif de son activité. Ainsi la Loi qui interdit et punit le meurtre a pour *but* qu'il n'y ait pas de meurtre sur terre, elle a pour *motif* le désir qu'il n'y en ait point, elle exprime l'*intention* de faire de façon à ce qu'il n'y en ait plus. Si cette seule *intention* ne suffit pas pour supprimer ou annuler les meurtres, on passera à la *volonté* d'agir, on appliquera la Loi aux cas concrets, et s'il y a lieu on va effectuer les *actes* qui découlent de cette volonté. On peut donc dire que lorsque C annule la réaction de B par le seul fait de promulguer une Loi juridique, c'est-à-dire lorsqu'il l'annule en intervenant en sa qualité de Législateur juridique, il l'annule par sa seule « intention », par l'élément « but » ou « motif » de son action qui annule la réaction de B. Et peu importe qu'il s'agisse d'un Législateur en chair et en os, ou du simple résultat de l'activité de ce Législateur en tant que Législateur, c'est-à-dire d'une Loi juridique ou d'une règle de droit. Si elle annule la réaction de B, elle « intervient » dans l'interaction entre A et B. Elle joue donc le rôle de C, elle est C. Quand nous parlons de C comme d'un « législateur », nous avons donc tout aussi bien en vue C en tant que « Loi ». (Bien entendu, l'existence de la Loi présuppose celle d'un Législateur. Mais celui-ci peut ne plus exister au moment où la Loi existe encore, et existe au sens fort, existe en tant que Loi juridique, c'est-à-dire intervient dans l'inter-action entre A et B et annule la réaction de B, soit par elle-même, soit par l'intermédiaire d'un Juge, soutenu ou non par une Police).

Cette analyse nous montre pourquoi C peut avoir trois aspects distincts : celui de Législateur ou de Loi, celui de Juge et celui de Police. Et elle nous montre ce que signifie chacun de ces trois aspects, et quels sont leurs rapports mutuels. On voit donc comment et pourquoi C peut se réaliser dans trois personnes distinctes, soit individuelles, soit collectives. Mais il se peut aussi que ces trois aspects se réalisent en une seule et même personne (individuelle ou collective). Ainsi par exemple la Police peut arrêter un individu sans jugement préalable et même pour une action qui n'est pas prévue par la loi en vigueur. Dans ce cas, la Police est en même temps le Législateur qui énonce la règle de droit applicable à l'action en question et le Juge qui applique cette règle à cette action. De même un Juge qui statue sur un cas non prévu par la loi ou en l'absence de lois en général, est en même temps Juge et Législateur. Inversement un Législateur peut être Juge, ou Juge et Police, et un Juge peut être aussi Police, en exécutant lui-même ses jugements [1]. C peut être seulement Législateur ou Loi. Il peut être aussi seulement Législateur (ou Loi) et Juge, soit en une seule personne, soit en deux personnes distinctes. Mais il ne peut pas être que Police. S'il est Police, il est nécessairement aussi Juge et Législateur (ou Loi), en une ou en plusieurs personnes. Et s'il est Juge, il est aussi Législateur.

---

1. J'ai déjà mentionné le cas où l'exécution est confiée à la partie gagnante. Mais alors la partie n'est partie que dans la mesure où elle profite de l'exécution. Dans la mesure où elle opère l'exécution elle n'est pas partie, mais Police. Aussi dans les sociétés primitives où cette pratique s'observe, on voit qu'on distingue nettement par exemple entre une vengeance sans jugement et une vengeance en exécution d'un jugement qui a permis, voire prescrit cette vengeance. Dans le premier cas la vengeance est un acte privé qu'on exécute à ses risques et périls et qui est même un acte illicite et punissable, tandis que dans le second cas l'acte ne sera pas puni et ne pourra pas provoquer une vengeance en réponse. C'est que dans le second cas la partie agit au nom de la Société, en qualité de Police. Certes, ce cas n'est pas « authentique », parce qu'en sa qualité de Police C n'y est pas un véritable *tiers* par rapport à A et B. Et c'est pourquoi ces pratiques disparaissent avec le temps. Mais elles sont conformes au schéma général de notre définition, vu que la réaction de B est au moins annulée du dehors, par un autre que B lui-même. Par contre il n'y a pas de sens de dire que B joue le rôle de Police au cas où il s'exécute lui-même. Car dans ce cas il n'y a même plus de semblant d'un *tiers* C. Cette auto-exécution n'a en tant que telle rien de juridique. De même on ne peut pas dire que B est « son propre Juge » quand il s'abstient de réagir par respect pour la Loi qui l'interdit. S'il est « Juge », ce « Juge » n'a rien de juridique.

Ceci est évident. Et ça s'explique fort bien par notre interprétation. Car si une « intention » ou un « but » peuvent exister sans l'acte qui les réalise et même sans volonté d'agir, de même que notre volonté peut ne pas être suivie de l'acte correspondant, un acte (s'entend : volontaire) ne peut pas se produire, c'est-à-dire exister, sans la volonté d'agir, et la volonté d'agir implique et présuppose l'intention.

Notre définition s'applique donc à toutes les modalités de l'annulation de la réaction de B par l'intervention de C, et ceci tant par rapport à B que par rapport à C lui-même. C peut agir en sa qualité de Législateur (ou de Loi), de Juge ou de Police, et il peut annuler la réaction de B soit en l'étouffant dans l'œuf, soit en l'empêchant de se réaliser, soit enfin en l'annulant après coup, et ceci tant par une restitution proprement dite que par une restitution symbolique, ou par le châtiment de B, c'est-à-dire par l'annulation des *conséquences* de la réaction effectuée par B ; dans tous ces cas notre définition sera applicable et il y aura donc Droit et situation juridique.

Mais si l'on veut faire ressortir dans la définition toute cette diversité des cas possibles, il ne faut pas se contenter de dire que l'intervention de C « annule » la réaction de B. Il faut dire que cette intervention

> « annule irrésistiblement (par sa volonté, son acte ou son but) la réaction de B (en tant que volonté, acte ou but) ».

Le mot « irrésistiblement » est superflu, le terme « annuler » n'étant pas équivoque. Mais la notion correspondante ayant une importance capitale, il vaut mieux la souligner et rappeler que le terme « annuler » doit être pris en son sens fort.

### § 18.

Si l'on introduit dans notre première définition behavioriste du Droit toutes les modifications mentionnées dans les paragraphes 10 à 17, on peut formuler une

### DEUXIÈME DÉFINITION « BEHAVIORISTE » DU DROIT

« On est en présence d'une *situation juridique* quand sont remplies les conditions suivantes :
1) quand il y a deux êtres distincts A et B, dont chacun peut être soit une personne physique soit une personne

morale (individuelle, collective ou abstraite), et quand il y a une interaction entre ces deux êtres, c'est-à-dire quand l'action de A engendre une réaction de B, supprimant cette action ou tendant à le faire;

2) quand il y a une intervention, c'est-à-dire un acte volontaire, d'un tiers C, censé pouvoir être quelconque (à l'intérieur d'un groupe exclusif d'une Société donnée à une époque donnée), et enfin

3) quand l'interaction entre A et B provoque chaque fois qu'elle se reproduit (par elle-même ou par une sollicitation venant de A, avec ou sans le consentement de B) l'intervention de C, qui annule irrésistiblement (par sa volonté, son acte ou son but) la réaction de B (en tant que volonté, acte ou but).

Dans cette situation juridique A est dit être un *sujet de droit,* ayant un *droit subjectif (right)* déterminé d'agir comme il le fait. La proposition (mentale ou exprimée, soit oralement soit par écrit) qui définit (décrit) ce droit est une *règle de droit* ou un *droit objectif (law).* L'ensemble des règles de droit valables (à l'intérieur d'une Société donnée à une époque donnée) constitue le *Droit positif, interne* ou *national* (de cette Société à cette époque). L'ensemble de toutes les règles de droit, tant des règles ayant été ou étant valables quelque part que des règles seulement possibles, constitue *le Droit* en tant que tel. Le Droit ou l'un de ses éléments constitutifs, pris en tant que contenu d'une conscience humaine, s'appelle *Phénomène juridique.* La description des phénomènes juridiques s'appelle *Phénoménologie du Droit.* La description de tous ces phénomènes dans leur ensemble constitue le *Système de la Phénoménologie du Droit.* »

§ 19.

Pour vérifier cette définition il faudrait passer en revue toutes les situations qui sont ou qui ont été appelées « juridiques » et voir si la définition s'y applique. Si l'on trouve alors qu'elle s'y applique dans la règle, mais qu'il y a des exceptions, il faut 1) montrer que ces cas exceptionnels ne méritent pas d'être appelés juridiques et 2) expliquer d'où vient l'erreur qui les fait appeler tels. Bien entendu, on peut grouper les situations par types, et ne vérifier que l'application de la définition aux types.

Cet énorme travail ne peut pas être effectué ici. Et j'avoue ne l'avoir jamais fait. Il est pourtant indispensable. Le lecteur pourra y contribuer en voyant dans chaque cas concret qu'il rencontre si l'on peut le présenter de façon à ce que notre définition y soit applicable.

Pour le moment, je me contenterai de donner une justification provisoire de ma définition en montrant qu'on peut arriver, en partant d'elle, à la plupart des notions juridiques fondamentales et à leurs définitions courantes. J'indiquerai aussi les notions fondamentales qui ne cadrent pas avec ma définition et j'essayerai de montrer qu'elles n'ont effectivement rien de juridique. Une partie de cette tâche a d'ailleurs déjà été accomplie dans ce qui précède (de sorte que je n'aurai qu'à rappeler ce que j'y ai déjà dit), et une autre sera effectuée dans ce qui suit, surtout dans la troisième section (de sorte que je me contenterai d'y renvoyer le lecteur).

Notons tout d'abord que la définition proposée n'est pas en contradiction avec la définition classique de Jhering, d'après laquelle le Droit est un « intérêt protégé ». Car si la définition parle d'interaction entre deux personnes, d'action de A, c'est qu'elle admet que A a « intérêt » à agir comme il le fait. Et « protégé » signifie chez Jhering : protégé par l'État ou en général par une force en principe « irrésistible ». Ainsi, si notre « interaction entre A et B » correspond à l'« intérêt » de Jhering, sa « protection » correspond à notre « intervention de C ». C'est ce qu'on voit très bien si l'on considère l'une quelconque des définitions courantes du droit subjectif *(right)*, basée sur la conception de Jhering. Celle de Capitant par exemple : « Le droit subjectif est un intérêt d'ordre matériel ou moral, protégé par le droit objectif, qui donne à cet effet, à celui qui en est investi, le pouvoir de faire les actes nécessaires pour obtenir la satisfaction de cet intérêt[1]. » L'« intérêt » pousse donc à accomplir des « actes », c'est-à-dire à agir. Le « Droit objectif » ou la règle de droit « protège ces intérêts ou actes en ce sens qu'elle donne le pouvoir... », c'est-à-dire qu'il permet à l'agent A d'accomplir son action sans encombre, sans rencontrer de résistance de la part d'un B. Or c'est ce que fait notre C, qui est dans notre définition non seulement Police et Juge, mais aussi Législateur ou Loi, c'est-à-dire précisément « règle de droit » ou « droit objectif ».

Je crois seulement que ma définition est plus précise que les définitions courantes et qu'elle n'est pas inutile pour cette

1. Cf. Capitant, *Introduction à l'étude du droit civil,* 5ᵉ éd., p. 25.

raison. Car elle nous permettra de tirer d'elle des conséquences importantes.

Mais justement parce que ma définition est plus précise
que celle de Jhering, etc., elle peut être plus étroite que cette
dernière. Il y a donc le danger qu'elle soit trop étroite, ne
s'appliquant pas à des cas authentiquement juridiques [1].

Voyons donc si la définition proposée s'applique d'une part
aux grandes catégories juridiques, telles que celles de : « droit
à », « acte criminel », et « devoir de... ». D'autre part, passons
rapidement en revue les grandes divisions traditionnelles du
Droit, pour voir si la définition proposée s'applique aux
matières qui y sont traitées, en les considérant en bloc.

Notre définition s'applique bien aux cas où A a un droit
par rapport à B (un droit de créance par exemple), si A a
droit à ce que B lui donne quelque chose, ou fasse quelque
chose ou s'abstienne de faire quelque chose. Mais il y a des
cas où, à première vue, A a droit à quelque chose sans qu'il
y ait un B. Par exemple, A peut avoir le droit de circuler librement, d'aller où bon lui semble. Or, d'après notre définition,
il faut qu'il y ait un B en interaction avec A pour qu'il y ait
Droit. Mais j'ai déjà dit qu'en réalité aussi il y a toujours
un B quand A a *droit* à quelque chose. Ainsi, dans l'exemple
cité, on peut dire que A a le *droit* de circuler uniquement
parce qu'il peut en être empêché. Là où une action est telle
qu'elle ne puisse pas être annulée, il ne peut être question
d'un *droit* à cette action. Ainsi il n'y a aucun sens de dire
qu'un homme a le *droit* d'avoir une opinion dans son for
intérieur. Il a tout au plus le droit de la professer, de l'exprimer, etc., donc de faire des actes en fonction de cette opinion, qui peuvent être annulés, et qui justement ne doivent
pas l'être. Or, s'il y a empêchement, annulation possible, il
y a aussi quelqu'un qui peut empêcher et annuler. Dans notre
exemple il y a des hommes qui pourraient annuler la liberté
de circuler de A. Et A a le *droit* de circuler par rapport à ces
hommes, c'est-à-dire par rapport à un B, tel qu'il est prévu
par notre définition. Et comme ce B peut être une « personne
morale », le droit de A peut avoir un caractère général,
« impersonnel » : si B est la Société en tant que telle, dire que
A a le droit de circuler signifie qu'une réaction de la Société
(c'est-à-dire de n'importe qui) tendant à supprimer l'action

---

1. Quant à la définition de Jhering, elle est visiblement trop large. Tout
« intérêt protégé » n'est certainement pas juridique. Ainsi dans un État
policé l'« intérêt » que les citoyens portent à leur santé est certainement
« protégé » par l'État. Mais si en vue de cette protection l'État entreprend
des travaux d'assèchement de marais, il n'y a là rien de juridique.

de A (sa libre circulation), sera (en principe) annulée par l'intervention de C (de la Police par exemple, etc.).

Quand la définition « behavioriste » affirme qu'il y a toujours un B quand il y a une règle de droit fixant le droit subjectif de A, cela signifie — dans un langage « introspectif » ou courant — que C (c'est-à-dire en fin de compte le Législateur) doit poursuivre un *but social* en édictant la règle de droit (objectif) qui fixe le droit subjectif en question. Si le Législateur n'a en vue que A lui-même, ou le rapport entre A et C, ou bien encore le rapport entre A et un être non humain (naturel ou divin), je dis que C n'est pas un Législateur juridique, qu'il n'y a ni un *droit* de A, ni une règle de *droit,* mais seulement une règle religieuse, morale, esthétique, ou autre [1].

Or c'est ce qu'on admet généralement. On accepte couramment l'idée de Jhering, qui attribue un rôle décisif à l'élément « but » dans les phénomènes juridiques *(der Zweck im Recht)* : pour que la Loi soit juridique, il faut que le Législateur poursuive un *but* en l'édictant. Et on définit ce but comme étant le « bien public » [2]. Certes, cette notion de « bien public » est plus que vague, et on lui donne les interprétations les plus diverses. Pour le « Libéralisme », le « bien public » se réduit au bonheur individuel dans la mesure où il est compatible avec les autres bonheurs individuels (le plus grand bonheur du plus grand nombre). Pour l'« Étatisme » est « bien public » tout ce qui profite à l'État en tant que tel (le Droit se confondant ainsi avec la « raison d'État »). D'autres encore (notamment Duguit et le Socialisme dit démocratique) subordonnent l'individu et l'État à la Société, le « bien public » que doit viser le Législateur juridique étant pour eux le « bien » de cette Société apolitique (le « Droit social »). Etc. Mais je n'ai pas à discuter ces divergences, car je n'ai pas besoin d'introduire la notion du « bien public » dans ma définition du Droit. Je ne dis même pas que le but du Législateur doit nécessairement être le maintien de l'État qui réalise le Droit qu'édicte le Législateur, puisque celui-ci peut adopter le principe *Fiat justicia, pereat mundus* [3]. Je dis seulement qu'il faut qu'il y ait un *but* et que ce but soit *social.* Autrement dit, si le Législateur a en vue A afin de lui

1. Si B existe en fait (et pour nous), mais non dans l'intention consciente de C, la Loi sera authentiquement juridique, mais le phénomène juridique sera inadéquat.

2. Cf., par exemple, Bonnecase, *Introduction...*, p. 33 : « La règle de droit peut être définie : un précepte de conduite... imposé... en vue de la réalisation de l'harmonie sociale... »

3. Il y a là cependant une dialectique que j'ai déjà mentionnée et que je discuterai dans le chapitre suivant.

assigner un droit subjectif par une règle de droit, il doit considérer A non pas dans ses rapports avec lui-même, ni dans ses rapports avec le Législateur, mais dans une interaction (réelle ou possible) avec une autre personne humaine (individuelle ou collective), c'est-à-dire avec un B au sens de la définition. Ainsi *pereat mundus* signifie seulement : *cette* Société doit périr si elle n'est pas conforme au Droit. Mais la Société qui lui serait conforme, et qui ne devrait donc pas périr, est-elle aussi une Société au sens propre du mot, c'est-à-dire une interaction entre au moins trois personnes : A, C et un B quelconque. Or tout le monde est d'accord pour dire qu'il ne peut pas y avoir de Droit là où il n'y a qu'un seul être humain, ou seulement deux. Il faut qu'il y en ait un troisième, en plus du sujet de droit et du Législateur. Or ce troisième indispensable à l'existence du Droit est précisément notre B. Dire que C doit poursuivre un « but social » signifie donc simplement que le Législateur juridique doit avoir en vue une interaction entre au moins deux êtres humains, c'est-à-dire entre un A et un B, comme le dit notre définition.

Il semble donc que cette définition s'applique à tout droit subjectif *positif*, c'est-à-dire un droit de A de faire quelque chose ou de s'abstenir de faire quelque chose.

Mais il y a encore la notion du droit *négatif*, de l'acte juridiquement *illicite* (contravention, délit, crime), de ce que A *n'a pas le droit* de faire, de ce dont A *n'a pas le droit* de s'abstenir. Et il semble qu'ici la présence d'un B ne soit pas nécessaire. Or, si l'on veut appliquer notre définition à un acte illicite à un droit négatif, on ne peut le faire qu'en identifiant cet acte à la réaction de B. Le fait que C annule irrésistiblement cette réaction signifie précisément qu'elle est illicite, criminelle, que B n'a pas le droit de l'effectuer. Mais l'acte illicite de B est une *réaction*, qui présuppose une action de A, c'est-à-dire qui présuppose A et son droit positif. Le crime et l'acte illicite en général seraient donc la négation active d'un *droit*.

Le Libéralisme individualiste affirme que tout crime, que tout droit négatif, est effectivement la négation d'un droit positif, à savoir d'un droit individuel. Je n'ai pas le droit d'agir de façon à supprimer un acte ou un comportement auquel a droit un autre. Mais la conception « sociale » ou « socialiste » n'accepte pas cette interprétation : il peut y avoir, selon elle, un acte illicite, même si cet acte ne lèse aucun droit individuel. C'est possible, c'est même certain. Mais je n'ai pas à discuter cette question. Car ma définition ne dit pas qu'il y a lésion d'un droit *individuel*, mais d'un droit (positif) *quelconque*, qui peut avoir pour sujet la Société en tant que telle (puisque A peut être une « personne morale »). Je dis donc qu'un acte n'est pas juridiquement illicite, qu'on ne peut pas dire qu'on n'a pas le droit de l'accomplir, s'il ne lèse aucun droit positif (« intérêt protégé ») individuel, ni celui de la Société prise dans son ensemble. Ainsi, un acte qui ne lèse qu'un être naturel (un animal par exemple qu'on maltraite) ou un être divin (blasphème par exemple, qui n'est pas censé nuire à la Société ou à un particulier quelconque) peut, certes, être interdit, et provoquer l'action annulatrice d'un « tiers quelconque », mais cette intervention du tiers n'aura rien de juridique et l'acte ne pourra pas être considéré comme étant illicite *juridiquement*. Or ceci semble être accepté généralement. Dans chaque acte juridiquement illicite on peut donc trouver l'élément d'une réaction à un acte (réel ou possible) auquel une personne (physique ou morale) *a droit*, et que cette réaction tend à supprimer. En d'autres termes, on peut toujours définir l'acte illicite comme une réaction de B à une action de A, conformément à notre définition [1].

Bien entendu ce détour est souvent inutile. Il est bien plus simple de dire qu'un acte de A est juridiquement illicite quand (et parce que) C intervient pour l'annuler. Mais je voulais seulement montrer qu'on peut toujours dire que cet « A » est en réalité le B de notre définition, qui essaye de supprimer par sa réaction l'action d'un A à laquelle celui-ci a droit, cet A pouvant d'ailleurs être un individu ou un collectif quelconque, voire la Société dans son ensemble. Je veux simplement montrer que notre définition semble pouvoir s'appliquer à tous les cas juridiquement authentiques où il s'agit d'acte illicite (contravention, délit ou crime) ou de droit négatif, du fait de ne pas avoir le droit d'agir ou de se comporter d'une certaine manière, de faire quelque chose ou de s'abstenir de quelque chose.

Reste la notion du *devoir* juridique ou de l'obligation juridique (ou si l'on veut du droit impératif). Or, comme je l'ai déjà remarqué plus haut, cette notion peut être réduite à celle de l'acte illicite, du droit négatif [2]. Il suffit de se rappeler

1. L'acte ne sera pas juridiquement illicite s'il ne supprime qu'un droit de l'agent lui-même, s'il ne nuit qu'à son intérêt propre. Les cas soi-disant contraires s'expliquent par le fait que l'agent B est pris comme membre de la Société; c'est elle qui est le A lésé par l'acte de B, et c'est pourquoi il est illicite (cas de l'automutilation pendant la guerre, ou de l'autocastration, etc.).

2. D'autre part, tout devoir est aussi un droit (positif) : j'ai toujours le

qu'une contravention, un délit ou un crime ne consistent pas nécessairement en des actes au sens étroit du mot. Ils peuvent tout aussi bien consister dans un « acte négatif », c'est-à-dire dans une absence d'acte, dans une abstention. Or le devoir juridique de faire quelque chose n'est rien d'autre que l'expression du fait qu'il est criminel (au sens large) de ne pas le faire. Et le devoir de ne pas faire quelque chose exprime le fait qu'il est criminel de le faire. Les notions du devoir et du crime sont rigoureusement équivalentes et l'une n'ajoute rien de nouveau à l'autre. Si tuer ou voler est un crime, j'ai le *devoir juridique* de ne pas le faire. Si payer les impôts municipaux est mon devoir juridique, c'est que je *n'ai pas le droit* de m'en abstenir. Ce qui veut dire : l'individu (A) a droit à la vie et à la propriété (ou : la Société [A] a droit à ce que ses membres restent en vie et ne soient pas dépossédés); la commune a droit à m'enlever telle somme d'argent (tout comme le déposant a le droit d'enlever son dépôt au dépositaire). Ce qui veut dire encore : si l'individu A agit de façon à rester en vie et si B réagit de façon à supprimer cette action en tuant A, C annulera la réaction de B; si la commune agit de façon à enlever la somme due par B et si B réagit en vue de supprimer cette action en ne payant pas, C annulera la réaction de B.

Bref, notre définition semble pouvoir s'appliquer aussi à tous les cas où il s'agit de la notion du devoir juridique. Mais, bien entendu, ici encore, il est souvent plus simple et plus naturel de ne pas se servir du langage de la définition et de dire que A a le *devoir* de faire ou de ne pas faire quelque chose quand son comportement, qui tendrait à ne pas le faire ou à le faire, est annulé d'office par C.

Notre définition semble donc s'appliquer aux notions juridiques fondamentales du *droit positif*, de l'*acte illicite* et de l'*obligation*.

Passons maintenant brièvement en revue les grandes divisions traditionnelles du Droit. Ce sont : le Droit international public, le Droit international privé, le Droit constitutionnel, le Droit administratif, le Droit processoral, le Droit pénal, le Droit civil, le Droit commercial et industriel.

Notre définition ne s'applique pas au *Droit international public* car, dans les interactions entre États souverains, il n'y a pas de C (pas d'annulation irrésistible). Mais tout le monde est d'accord pour dire que ce Droit est un droit

*droit* de faire tout ce qu'exige de moi mon devoir juridique. La définition rend donc de toute façon compte de la nature juridique du devoir dans la mesure où elle rend compte du droit positif qui y est impliqué.

« imparfait », précisément parce qu'il n'implique aucune sanction. D'autre part je tiendrai compte de l'élément juridique dans les rapports internationaux en introduisant dans le chapitre suivant la distinction entre le Droit en acte et en puissance. Et nous verrons que notre définition peut s'appliquer au Droit international, à condition de dire qu'il y a Droit dans la mesure où il y a un C *censé* devoir annuler irrésistiblement une réaction de B à une action de A, tout en n'ayant pas en fait la possibilité d'intervenir d'une manière irrésistible.

Quant au *Droit international privé*, ce n'est qu'un Droit interne, soit privé, soit public[1]. Il n'y a donc pas lieu d'en parler spécialement.

En ce qui concerne le *Droit constitutionnel*, le *Droit administratif* et le *Droit processoral* (civil et criminel), on peut dire qu'ils forment un seul et même Droit, le *Droit public* au sens étroit du mot, distingué du Droit criminel. Or, j'ai déjà dit qu'il n'y a pas de rapport de droit entre le citoyen et son État, étant donné que l'État joue nécessairement le rôle de C. L'État ne peut donc pas jouer aussi le rôle de A ou de B. Il semblerait donc que notre définition ne s'applique pas au Droit public. Mais (comme je le dirai dans le chapitre suivant et dans le chapitre ii, B, *a* de la Troisième Section) on peut parler d'un Droit public et lui appliquer notre définition en distinguant entre l'État en tant que tel et ses agents et représentants (pris soit comme fonctionnaires, soit comme personnes privées). Alors l'État peut jouer le rôle de C, c'est-à-dire intervenir comme un tiers « quelconque » dans l'interaction entre un particulier (individuel ou collectif) A et un agent B (individuel ou collectif), ou un agent A et un particulier B, pour annuler irrésistiblement la réaction de B à l'action de A, conformément à notre définition.

Passons maintenant au *Droit pénal ou criminel*[2]. Or j'ai déjà dit que la notion d'acte illicite (contravention, délit ou crime) est en accord avec notre définition, ou en tout cas peut être mise en accord avec elle après un remaniement terminologique approprié. Et j'ai déjà indiqué brièvement le sens juridique que cette définition attribue au châtiment (annulation de la réaction de B prise en tant que but ou intention)[3].

1. Cf. par exemple LEREBOURS-PIGEONNIÈRE, *Précis de droit international privé*, 3e éd., p. 44.

2. Cf. Troisième Section, chapitre ii, B, *b*.

3. Cette interprétation ne semble pas être généralement admise. Mais je la considère comme la seule qui soit vraiment juridique. Voir pour plus de détail : Troisième Section, chapitre ii, B, *b*.

Je veux néanmoins discuter brièvement ici même quelques types fondamentaux de crimes prévus par le Droit pénal.

Les Droits archaïques et primitifs ont sévèrement puni le sacrilège, en y voyant un crime capital. Or, si le sacrilège n'est qu'une interaction entre un homme et la divinité, l'intervention de C (le châtiment du coupable) n'a rien de juridique d'après notre définition, puisque B n'est pas une « personne », c'est-à-dire un être humain. Cependant l'interdiction du sacrilège peut être un phénomène juridique authentique (c'est-à-dire conforme à notre définition) si le sacrilège lèse aussi l'« intérêt protégé », c'est-à-dire les droits de la Société ou d'un particulier. Or on voit que le Droit n'impliquait des lois contre le sacrilège que tant qu'on croyait que celui-ci était un « danger public », puisqu'il attirait sur la communauté et sur ses membres le courroux divin. À partir du moment où on a cessé d'y croire, le sacrilège a peu à peu cessé d'être considéré comme un crime au sens juridique du mot. Il semble donc qu'inconsciemment on ait pensé conformément aux principes impliqués dans notre définition. Actuellement, même un homme religieux ne voudra pas attribuer un caractère *juridique* aux rapports entre l'homme et Dieu.

Un autre crime capital, puni par tous les Droits positifs, est la trahison. Or que se passe-t-il quand il y a trahison? Supposons par exemple que quelqu'un ait vendu à l'ennemi un secret militaire. Nous pouvons décrire la situation *juridique* de la manière suivante. L'armée (c'est-à-dire A) a le droit d'agir de façon à ce que ses secrets restent inconnus de l'ennemi. Quelqu'un (c'est-à-dire B) réagit là contre et supprime les actes effectués à la base de ce droit, puisqu'il agit de façon à ce que les secrets soient connus de l'ennemi. Alors l'État (c'est-à-dire C) intervient et annule irrésistiblement la réaction de B (par exemple dans son but, en châtiant B). La situation est donc bien conforme à notre définition.

Il en est de même pour un autre crime capital, universellement puni : la désertion. Ici encore l'armée A a le droit d'agir de façon à ce que B se trouve à un endroit qu'elle lui indique. S'il réagit en vue de supprimer les actes de A qui sont censés le conduire en ce lieu, s'il fuit par exemple, l'État (C) interviendra pour annuler irrésistiblement la réaction de B.

Quant au meurtre (et aux crimes contre la personne en général) et au vol (ainsi qu'à tous les crimes contre la propriété), j'en ai déjà parlé plus haut. Sans aucun doute il s'agit là de lésion de droits individuels ou collectifs, dont le sujet est soit un particulier, soit la Société en tant que telle.

*Le Droit commercial et industriel* n'est qu'une branche du Droit civil, et il n'a rien de spécifique par rapport aux autres branches de ce Droit. Tout ce qui n'y est pas Droit civil appartient soit au Droit pénal, soit au Droit administratif (ou au Droit international privé)[1]. Il ne nous reste donc qu'à parler du *Droit civil* pour terminer ce bref aperçu du système du Droit.

Le Droit civil se divise en Droit des personnes (ou Droit de la famille) et en Droit du patrimoine (ou Droit des biens)[2].

Le Droit des personnes définit en dernière analyse le « statut » ou l'état juridique des êtres humains. Or tout le monde est d'accord pour ne voir dans le « statut » que l'ensemble des droits subjectifs appartenant à la personne dont on établit le « statut »[3]. Or notre définition s'applique à la notion du sujet de droit, porteur de droits positifs.

Reste le Droit du patrimoine. On le subdivise généralement en Droit de la propriété et en Droit de l'obligation. Or j'ai déjà eu l'occasion de montrer que le Droit de propriété n'est pas la sanction d'un rapport entre l'homme-propriétaire et la chose ou l'animal possédé. Il n'y a droit dans les rapports de propriété que dans la mesure où il y a une interaction effective ou possible entre deux personnes à propos d'une chose possédée. Et si la propriété est un « statut » juridique de la personne, elle ne l'est que dans la mesure où elle est l'ensemble des droits subjectifs relatifs à de telles interactions entre A et B, où C intervient pour annuler la réaction de B. Le Droit de propriété semble donc être en accord avec notre définition.

Reste le Droit de l'obligation. Celle-ci peut être soit contractuelle (ou quasi contractuelle), soit délictuelle (ou quasi délictuelle).

Parlons d'abord des contrats et des quasi-contrats. J'ai déjà eu l'occasion de rappeler qu'un contrat juridique ne diffère d'une simple convention sans portée juridique que par le fait qu'il est « sanctionné » par la législation judiciaire, les tribunaux et la police, c'est-à-dire par C dans notre terminologie. Or la « sanction » n'a de raison d'être que si l'une des parties contractantes ne tient pas ses engagements. Mais alors on retombe dans le cas prévu par notre définition. Le contrat crée en A un droit positif subjectif, qui est lésé par B, ce qui provoque l'intervention de C. Le contrat n'est juri-

1. Cf., par exemple, Julliot de la Morandière, *Le Droit commercial*, p. 9.
2. Cf., par exemple, Capitant, *Introduction...*, 5e éd., p. 41.
3. Cf., par exemple, Capitant, *loc. cit.*, p. 144.

dique que dans la mesure où il permet à A d'agir de façon à ce qu'une réaction de B, tendant à supprimer cette action de A, soit annulée irrésistiblement par une intervention de C. Et il en est de même pour les quasi-contrats. Prenons pour exemple le don. Il n'est juridique que dans la mesure où il est un droit positif subjectif soit du donateur, soit de celui qui reçoit le don. Quand A fait un don, il accomplit une action qui est telle, que toute tentative d'un B de la supprimer, provoque l'intervention de C, annulant cette tentative. Et le droit du donataire n'est rien d'autre que la possibilité d'agir en vue de s'approprier le don sans avoir besoin de faire des efforts, C se chargeant d'annuler toute réaction possible d'un B.

Passons enfin aux obligations provenant des délits et des quasi-délits. Le délit ou le quasi-délit n'est juridique que dans la mesure où il engendre une obligation sanctionnée par la loi, c'est-à-dire par C. Autrement dit, un délit ou un quasi-délit (un acte involontaire par exemple) de B n'a un caractère juridique que si un A quelconque (un individu, ou un collectif, voire la Société en tant que telle) peut agir contre B d'une certaine manière (lui prendre une somme d'argent par exemple) sans craindre une réaction de sa part, cette réaction devant être annulée le cas échéant par C. D'ailleurs A peut agir de la sorte envers B (demande de dommages-intérêts par exemple) parce que B a réagi de façon à supprimer une action à laquelle A avait droit, c'est-à-dire précisément une action dont la suppression par un B devait entraîner l'intervention de C, annulant cette réaction de B. Ainsi par exemple, si B lance une pierre (avec intention ou par hasard) et brise la vitre de son voisin A, B lui doit une réparation parce que A avait droit d'agir de façon à ce qu'une vitre se trouve là où elle se trouvait et où elle a été atteinte par la pierre lancée par B. B a réagi à l'action de A (l'acte de placer une vitre à un endroit donné) et cette réaction a supprimé l'action de A (la vitre n'étant plus à sa place). D'où l'intervention de C qui annule la réaction de B (dans son motif ou dans son but, c'est-à-dire dans ses conséquences). Et c'est cette intervention qui transforme toute la situation en une situation juridique et conforme à notre définition.

Il semble donc en définitive que notre définition peut s'appliquer à tous les cas où il y a un Droit authentique. Nous pouvons donc l'abandonner et ne plus utiliser son langage « behavioriste » lourd, compliqué et incompréhensible sans commentaire. Du moment que les notions juridiques fondamentales peuvent être traduites en son langage et sont conformes à notre définition, nous pouvons les utiliser telles qu'elles s'expriment dans un langage « introspectif », c'est-à-dire courant. Nous pourrons désormais parler de droit positif subjectif, d'acte illicite ou de crime, de devoir ou d'obligation juridique, de propriété, de contrat, etc., sans retraduire chaque fois ces termes simples et clairs en un langage conforme à celui de notre définition.

C'est en utilisant le langage « introspectif » courant que nous étudierons dans le chapitre suivant la question de savoir quelles sont les conditions qui doivent exister dans le monde pour que le Droit puisse y être *réalisé,* pour qu'il y ait dans ce monde un Droit positif valable, c'est-à-dire pour qu'il y ait des interventions effectives de C réels à des interactions réelles entre des A et des B réels. Mais, tout en parlant ce langage, nous ne perdrons pas de vue notre définition « behavioriste », qui nous permettra de mieux analyser ces conditions et de résoudre certaines difficultés.

# CHAPITRE II

## La réalité du Droit : Droit, Société, État.

### § 20.

Nous avons vu que le Droit, quel qu'il soit, ne peut exister que là où il y a au moins trois personnes : deux « sujets de droit » (dont l'un a un droit subjectif positif et l'autre un droit subjectif négatif; l'un le droit d'agir, l'autre le devoir de ne pas s'y opposer par exemple) et une « règle de droit », et par suite une personne distincte des deux autres, qui soit crée cette règle (Législateur), soit l'applique (Juge), soit l'exécute (Police). Or on peut dire que trois personnes (distinctes l'une de l'autre) constituent déjà une Société, tandis qu'une personne isolée, ou deux personnes même en interaction n'ont encore rien de social. On peut donc dire aussi que le Droit ne peut exister qu'au sein d'une *Société*[1].

---

1. On peut dire aussi l'inverse : une Société ne peut exister (au sens fort du terme, c'est-à-dire durer indéfiniment, durer tant qu'une cause *extérieure* ne la détruit pas) que s'il y a en elle un Droit réel. Supposons en effet pour simplifier qu'une Société isolée est composée de trois personnes seulement. Elle n'est vraiment une Société, c'est-à-dire une unité, que si ses membres sont unis entre eux, c'est-à-dire s'ils sont en inter-action. Or, là où il y a interaction, il y a nécessairement action et réaction, et cette dernière peut annuler l'action ou tendre à le faire. Autrement dit, il peut y avoir des conflits au sein d'une Société. Certes tant qu'il n'y a pas de conflit la Société peut exister sans Droit. Mais là où les conflits sont *impossibles* il n'y aura pas de Société (à moins que ses membres ne s'asso-cient pour entrer en interaction avec l'extérieur, avec une autre Société par exemple; mais nous supposons que la Société étudiée est *isolée*). En effet le conflit est *impossible* là où les individus n'ont rien à se demander les uns aux autres. Mais alors ils sont indépendants les uns des autres, et il n'y a aucune raison pour qu'ils s'unissent, c'est-à-dire entrent en inter-action. Dès qu'ils le font, c'est qu'ils ont besoin les uns des autres. C'est-à-dire qu'ils n'ont pas les mêmes moyens, les mêmes buts. Mais du coup

Pour que le Droit existe effectivement au sein d'une Société, il faut qu'il y ait (en fait ou en principe, en puissance, en tant que simple possibilité) des *interactions* entre ses membres. Ces interactions peuvent, d'ailleurs, être quelconques, pourvu qu'elles aient lieu entre deux membres de cette Société et qu'elles provoquent l'intervention (irrésistible) d'un tiers désintéressé, d'un Législateur doublé d'un Juge secondé par une Police.

Le contenu, la diversité, la complexité du Droit réel d'une Société dépend donc d'une part du contenu et de la richesse des interactions sociales. Car toute interaction sociale (réelle ou possible) peut engendrer une règle de droit, et toute règle de droit correspond à une interaction sociale (réelle ou possible). Mais d'autre part le contenu du Droit dépend aussi de la volonté du Législateur juridique. Car nous avons vu qu'une interaction sociale n'engendre pas *automatiquement* une règle de droit, puisque le tiers désintéressé peut intervenir ou non, et intervient comme bon lui semble.

Ainsi, une seule et même interaction sociale peut constituer une situation juridique dans une Société donnée à un moment donné, et ne pas avoir de caractère juridique dans une autre Société ou à une autre époque historique dans la même Société. On constate par exemple que les obligations civiles (délictuelles et surtout quasi délictuelles) deviennent de plus en plus nombreuses à mesure que la Société évolue.

---

ils *peuvent* opposer leurs moyens et leurs buts les uns aux autres, et un conflit entre eux devient par cela même *possible*. Or on peut définir le possible (cf. Aristote, et la formule précise de Diodore Cronos; cité par Enriques, *Causalité et déterminisme*, p. 11) comme ce qui n'est pas (encore) réel mais se réalisera un jour. Une Société donc où les conflits sont *possibles* ne peut exister indéfiniment, c'est-à-dire être vraiment réelle, sans que les conflits ne deviennent un jour *réels* en elle. Supposons donc qu'il y a un conflit entre deux membres de notre Société. Si le conflit est « sérieux » (et tout conflit est en principe « sérieux », c'est-à-dire qu'il peut le devenir), il aboutit à la suppression de l'un des membres (au moins en tant qu'agent d'une interaction donnée), c'est-à-dire à la destruction de la Société (au moins dans son aspect représenté par l'interaction en question), puisqu'il ne reste plus que deux membres. Pour que la Société continue d'exister, il faut donc qu'il y ait compromis. C'est-à-dire qu'aucun des membres de l'interaction ne doit agir comme partie seulement; chacun doit prendre aussi en considération l'intérêt de l'autre. Autrement dit, se place au point de vue d'un tiers désintéressé par rapport aux membres en conflit. Par conséquent, le compromis est toujours assimilable à l'intervention d'un tiers. Or pour que la Société continue à exister il *faut* que cette intervention ait lieu. C'est donc une intervention « irrésistible ». Bref, il y a une situation juridique. La Société ne peut donc être vraiment réelle, c'est-à-dire durer indéfiniment que s'il y a en elle un Droit réel, c'est-à-dire valable, c'est-à-dire appliqué en fait.

Par contre tout ce qui a trait à la Religion, au culte, à la façon de se vêtir, etc., perd peu à peu son caractère juridique. Enfin une interaction donnée engendre des règles de droit qui varient selon les lieux et les époques. Certes, là où il y a une règle de droit, celle-ci prévoit l'annulation de la réaction contraire à l'action à laquelle on a droit. Mais cette annulation peut avoir des modalités différentes. Prenons l'interaction dans laquelle un membre de la Société détériore le corps d'un autre membre de cette Société. L'acte, jugé criminel, peut être annulé soit d'après le principe du talion, soit d'après celui de la simple compensation (le *Wergelt*), ou bien encore par un châtiment du coupable, qui peut varier de la peine de mort à une simple réprobation publique (venant de la part du tiers désintéressé).

Je ne veux pas dire par là que l'intervention du Législateur est purement arbitraire. Nous verrons au contraire qu'elle est déterminée par l'idée qu'il se fait de la Justice. Mais il n'en reste pas moins que le Droit réel est une fonction tout autant des interactions sociales que de la volonté de les résoudre par un « arbitrage », c'est-à-dire précisément de les transformer en situations juridiques, de créer des règles de droit qui leur correspondent. En principe une Société relativement pauvre en interactions sociales peut donc avoir un Droit relativement riche, et inversement. Mais en réalité les deux évolutions vont de pair : plus une Société se complique socialement, plus riche devient son Droit. Car le Droit, comme tout phénomène humain (et même tout phénomène en général) tend non seulement à parvenir à l'existence réelle et à s'y maintenir indéfiniment, mais encore à se propager le plus possible, à s'étendre dans l'espace de façon à atteindre ses « frontières naturelles ». Du moment qu'il y a dans une Société donnée une volonté juridique réelle dans la personne d'un Législateur (juridique, de la Société prise en tant que Législateur collectif), cette volonté aura pour but d'englober tout ce qui est susceptible d'être une situation juridique. C'est pourquoi l'augmentation des interactions sociales entraîne toujours (vu en grand) une augmentation du nombre des règles de Droit, c'est-à-dire un enrichissement du Droit réel [1].

---

1. Au début il y a même une tendance à dépasser les « frontières naturelles », à formuler des pseudo-règles de droit à l'occasion d'événements qui n'ont rien de juridique même en puissance, n'étant pas des interactions *sociales* proprement dites, c'est-à-dire des interactions entre des membres de la Société donnée. Ce n'est qu'en prenant conscience de soi, c'est-à-dire en devenant « philosophique », que le Droit limite lui-même le

Mais il faut distinguer ici entre deux types de Droit réel, qui sont le Droit dit *public* et le Droit dit *privé*. Le Droit est public si le Juge (assisté par la Police) intervient dès que se produit une interaction appartenant au type prévu par une règle de droit (s'entend : de droit public). Par contre, la règle de droit appartient au Droit privé si le Juge (et la Police) n'intervient qu'à la demande de l'une des deux personnes en interaction (prévue par cette règle) ou des deux à la fois. C'est là, certes, une différence importante. Mais le Droit est *réel* ou « valable » dans les deux cas. Car *si* l'intervention a lieu elle est dans les deux cas effective, voire irrésistible. Seulement dans le cas du Droit privé elle peut avoir lieu, ou non, tandis que dans un cas de Droit public elle a lieu nécessairement (s'entend : en principe; c'est-à-dire qu'elle *doit* avoir lieu partout et toujours).

Il faut dire cependant que cette différence a un caractère verbal. On peut dire en effet que le Droit dit « privé » est également un Droit « public », c'est-à-dire un Droit d'après lequel l'intervention du Juge (+ Police) est *nécessaire* et non facultative. Il suffit à cette fin de changer de terminologie et de définir autrement l'interaction qui correspond à la règle de droit. Il y a Droit public proprement dit quand une interaction sociale donnée est censée provoquer nécessairement une intervention déterminée du Juge. Il y a Droit privé, quand cette intervention est facultative. Mais on peut s'exprimer autrement. On peut dire qu'une interaction donnée ne provoquant pas l'intervention du Juge n'est pas une situation juridique. Mais cette même interaction, si elle implique l'appel au Juge d'un des agents (ou des deux), est une situation juridique provoquant nécessairement l'intervention du Juge.

On peut donc dire que tout Droit réel est un Droit public [1]. Mais il n'en reste pas moins que certaines Sociétés le Droit (« public ») ne s'intéresse à une interaction que si elle implique un appel des intéressés au Juge, tandis que dans une autre Société le Droit (« public ») s'y intéresse même sans cet appel. Et cette différence d'attitude est très significative et importante. C'est pourquoi il y a intérêt à maintenir la distinction traditionnelle, quitte à rappeler que le Droit privé n'est pas moins réel que le Droit public.

Pratiquement, par opposition au Droit public, l'existence réelle du Droit privé présuppose non seulement l'existence

---

domaine de son application aux cas qui peuvent être des situations juridiques authentiques.

1. Comme le fait Durkheim; cf. *Division du travail*, p. 71.

d'interactions sociales et de la volonté du Législateur de leur faire correspondre des règles de Droit et de les appliquer, mais encore du désir des justiciables de s'y soumettre spontanément. En d'autres termes le Droit privé ne peut exister réellement que si le Législateur (l'État ou le Gouvernement par exemple) bénéficie de la confiance juridique des membres de la Société (c'est-à-dire seulement s'il a une Autorité juridique). Seul le Droit public peut être imposé par force. Et c'est pourquoi on voit que le Droit privé peut cesser d'exister en fait dans un État où les citoyens n'ont pas de confiance juridique vis-à-vis du Gouvernement (c'est-à-dire vis-à-vis soit du Législateur, soit du Juge, soit de la Police). C'est ainsi qu'en U.R.S.S. les commerçants ont évité les Tribunaux soviétiques (de droit privé) pendant la période de la N.E.P.

L'extension du Droit privé est donc dans une certaine mesure un indice d'une harmonie entre la Société prise dans son ensemble et ses membres pris isolément. Mais il ne faut pas croire que le Droit privé ne se retrécit (relativement, c'est-à-dire par rapport au Droit public correspondant) que pendant les périodes révolutionnaires. Il le fait chaque fois que l'intérêt collectif s'oppose aux intérêts privés : en temps de guerre par exemple, ou pendant les crises graves, etc. C'est pourquoi la conception « libéraliste », selon laquelle l'évolution (et le progrès) juridique consiste dans le rétrécissement du Droit public et l'élargissement du Droit privé est fausse [1]. Certes, les Droits archaïques ou primitifs ne connaissaient pour ainsi dire pas de règles de droit privé, qui tiennent une place énorme dans le Droit romain et les Droits modernes. Mais nous assistons actuellement à un processus inverse : les règles de droit privé ont de plus en plus tendance à être remplacées par des règles de droit public. Et ce fait peut tout aussi bien être l'indice d'une « période de crise » que l'expression d'un changement révolutionnaire de la notion même du Droit, c'est-à-dire de l'idée de Justice qui forme sa base.

Quoi qu'il en soit, le Droit ne peut être réel que dans une Société réelle, où il y a des interactions réelles ou possibles entre les membres, et où un Législateur quelconque crée des règles de droit applicables à ces interactions. Quant à l'application effective de ces règles par le Juge (appuyé par la Police), elle peut être soit spontanée, soit sollicitée par les agents en interaction.

[1]. C'est la conception selon laquelle le Droit des « statuts » cède peu à peu le pas au Droit des contrats. Cf., par exemple, Sumner-Maine, *Ancient Law*, 15e éd., p. 168, citée par Decugis, *Les Étapes du droit,* p. 93.

§ 21.

Dans certaines conditions le Droit peut être *réel.* Or, d'une manière générale, une entité peut être réelle soit *en puissance (dynamei on),* soit *en acte (energeia on)* (cf. Aristote). Il ne faut pas confondre le *réel* en puissance avec le possible, qui est *idéel.* Le possible n'existe pas *en réalité,* ni en acte, ni en puissance. Mais il *peut* exister *réellement,* c'est-à-dire doit se réaliser à un moment quelconque du temps (supposé infini), par opposition à l'idéel impossible, qui ne se réalisera jamais. Ainsi la relation entre des nombres purs (« abstraits ») telle que 2 + 2 = 4 est possible (puisque même en ce moment deux et deux pommes sont quatre pommes), tandis que la relation 2 + 2 = 5 ne l'est pas. Pourtant elle subsiste tout autant que la première, en tant qu'entité *idéelle :* car je comprends *le sens* des deux relations, et je sais que la deuxième est fausse tout comme je sais que la première est vraie (ou peut être vraie, si la vérité est la coïncidence de l'idéel avec le réel). Ou bien encore l'avion au xviiie siècle était seulement *possible* c'est-à-dire idéel (il était possible parce qu'il est réel de nos jours), mais nullement réel. Mais une entité *réelle* peut être réelle en puissance ou en acte. Ainsi l'œuf n'est pas moins réel (« matériel ») que la poule. Mais si l'on dit que la poule est réelle *en acte,* il faut dire que l'œuf n'est réel qu'en puissance : il est la puissance de la poule. Autrement dit *tous* les éléments constitutifs de la poule sont déjà dans l'œuf (sous forme de « gènes », pour fixer les idées), et ils y sont en tant que réels, mais aucun n'y est *en acte,* car aucun ne peut accomplir l'*acte* qui lui est propre et modifier ou annuler ainsi une réalité actuelle extérieure. Le bec est là, par exemple, mais il ne peut pas encore picorer, broyer les grains. La poule existe donc réellement dans l'œuf, mais elle ne peut pas y *agir* (en tant que *poule*). Ou bien encore son acte est encore dans le processus d'accomplissement : le bec en tant que « gène » se transforme en bec de poule qui va broyer les grains. L'entité en puissance existe donc *réellement,* mais sa réalité est la réalité d'un *devenir.* La réalité en puissance est une réalité en voie de devenir, tandis que la réalité en acte est la réalité « devenue », le résultat ou l'intégration de son devenir.

Ceci rappelé, peut-on distinguer un *Droit* (réel) *en acte* d'un *Droit* (réel) *en puissance?*

Pour répondre à cette question prenons un cas simplifié.

Supposons qu'une Société se compose de trois personnes X, Y et Z. Cette Société prévoit la possibilité d'un conflit (de type donné) entre ses membres et le résout d'avance. C'est-à-dire que les trois membres sont d'accord sur le point suivant : si ce conflit se produit entre X et Y, Z doit intervenir d'une certaine manière. Chacun des membres peut donc jouer le rôle de X, de Y ou de Z. Il y a donc dans cette Société une règle de droit, un Droit, une Loi juridique, peu importe qu'elle soit seulement pensée par ses membres, ou fixée oralement, ou enfin rédigée par écrit. Supposons maintenant que le conflit entre X et Y, purement possible d'abord (idéel), se réalise. Supposons que X agisse « légalement » et que c'est Y qui réagit d'une façon « illicite ». Que s'est-il passé? En tant que coauteur de la règle de droit, c'est-à-dire en tant qu'« homme juridique », Y réprouve sa façon d'agir, tout comme il l'aurait fait s'il était à la place de Z. Le vrai conflit est donc non pas entre X et Y, ou entre X et Z et Y, mais entre X, Y et Z pris en tant qu'« hommes juridiques » et Y pris en tant qu'homme « non juridique ». Le motif qui fait agir Y d'une façon « illicite » peut être quelconque : religieux, esthétique, économique, sexuel, etc. Pour simplifier, nous supposons que ce motif est purement biologique : Y agit comme un animal aurait pu agir à sa place. Dans ce cas X, Y et Z en tant qu'hommes juridiques agissent contre Y en tant qu'animal. Mais en réalité, c'est-à-dire en acte, Y agit en tant qu'animal : son action juridique est remplacée par l'action animale, qui modifie la réalité actuelle environnante et est ainsi réelle en acte. Le Droit n'est donc réel en acte que dans la mesure où est réelle en acte l'action de X et de Z. Pour être réelle en acte en tant que juridique celle-ci doit supprimer la réalité actuelle de l'action animale de Y (qui est réelle en acte). En principe deux animaux sont plus forts qu'un seul animal de même type. L'intervention de X et de Z supprimera donc l'action animale de Y et réalisera à sa place son action juridique. Et puisque l'action animale était réelle en acte, l'action (juridique) qui la supprime est également réelle en acte. Par conséquent, la règle de droit, c'est-à-dire le Droit en général, est devenu réel en acte dans cette Société parce que l'interaction entre ses trois membres a eu pour résultat la suppression d'une action réelle en acte, à savoir de l'action animale de Y. Cette action a été supprimée par l'action juridique de Z (soutenu par X; Z = Juge, X = Police). L'action juridique a donc été réelle en acte. Et on voit bien que le Droit réel est une réalité sociale, présupposant l'existence d'au moins trois membres en interaction. Sans X il n'y aurait pas de cause de conflit, sans Y, pas de conflit, donc pas d'intervention de Z, sans laquelle il n'y aurait pas d'action juridique. Cette dernière n'est réelle en acte que parce qu'elle supprime (ou peut supprimer) une action réelle en acte non juridique. Autrement dit le « criminel » Y doit être présent dans la Société et il doit être supprimé en tant que « criminel » *à l'intérieur* de cette Société, pour que le Droit de cette Société existe réellement et en acte.

Il *suffit* qu'Y reste au sein de la Société pour que le Droit s'y actualise. Car nous avons dit qu'en principe deux membres sont plus qu'un seul. Mais cette force ne servirait à rien si Y pouvait quitter la Société. Alors son action animale actuelle ne serait pas supprimée, et l'action juridique ne deviendrait donc pas actuelle en tant que telle. La Société doit donc être *isolée* (sans rapports avec l'extérieur) pour que le Droit s'y actualise nécessairement dans les conditions supposées. Or être isolé de l'extérieur c'est ne pas être en interaction avec l'extérieur et en particulier ne subir aucune action perturbatrice venant du dehors. On peut donc dire qu'une Société isolée est une Société *autonome :* elle n'existe qu'en fonction des interactions internes entre ses membres. (Une Société non isolée n'est pas autonome : car s'il y a pour elle un « dehors », Y peut y fuir; or sa fuite modifie l'état de la Société; cette modification est donc fonction du « dehors », puisque sans ce « dehors », Y n'aurait pas pu fuir.) Le Droit ne s'actualise donc nécessairement (s'entend : en principe; car en fait l'actualisation peut toujours être empêchée par des causes dues au « hasard ») que dans une Société.

Le « dehors » n'existe pour la Société en tant que Société que dans la mesure où ce « dehors » est social, en étant lui-même une Société, une autre Société. Supposons en effet que notre Société implique l'humanité entière. Y peut certes fuir dans la « jungle », mais il ne cesse pas pour cela de faire partie de l'humanité, c'est-à-dire de notre Société. Il s'est soustrait à l'action judiciaire en fait, « par hasard » en quelque sorte, mais non en principe. Et la Police sociale peut en principe l'atteindre partout où il peut aller. La Société qui implique toute l'humanité est donc vraiment autonome, et le Droit s'y *actualise* nécessairement dès qu'il y existe en réalité. Il en sera de même pour une Société vraiment *isolée* du reste de l'humanité. Ce sera le cas par exemple, si nos X, Y et Z sont des naufragés sur une île déserte, sans espoir de retour. Mais pratiquement une Société n'est jamais isolée, ou, en d'autres termes, elle n'est jamais vraiment autonome. Car même s'il n'y a pas d'interaction effective entre elle et les Sociétés voisines, celles-ci exercent toujours une action sur elle par le seul fait de leur existence. En particulier, dans notre cas, Y pourra toujours se soustraire à l'action combinée de X − Z en se réfugiant dans une autre Société. Et le Droit dans notre Société ne passera donc jamais à l'acte. En effet, rien ne dit que la nouvelle Société où Y va vivre appliquera à Y la règle de droit admise dans l'ancienne Société. Supposons qu'elle ne le fasse pas. Pour actualiser son Droit, l'ancienne Société devra donc aller chercher Y dans la nouvelle Société. Or, par définition (puisque Y est supposé être accepté par la nouvelle Société comme membre) la nouvelle Société défendra Y contre son ancienne Société (sinon les deux Sociétés ne seront qu'une seule Société par rapport à la règle de droit en question). Or rien ne·dit que X + Z seront plus forts que Y soutenu par sa nouvelle Société. De toute façon cette question ne pourra être décidée que par une lutte (effective ou seulement possible : la nouvelle Société peut se soumettre sans combat, par crainte). Si X + Z réussissent à châtier Y en dépit du soutien de la nouvelle Société, le Droit sera actualisé dans l'ancienne Société, formée par X, Y et Z. Mais si la nouvelle Société s'oppose efficacement à l'action de X + Z, le Droit de l'ancienne Société ne sera pas actualisé.

On ne peut pas dire cependant que ce Droit n'existe pas, qu'il n'est pas réel. Il l'est incontestablement puisqu'il a fait agir Z et a même réagi sur Y, en l'obligeant à fuir. Mais il n'a pas réussi à annuler l'action animale de Y. L'action juridique n'était donc pas sur le même plan ontologique que cette dernière. Or celle-ci était une action réelle en acte. L'action juridique, et par conséquent le Droit correspondant, est donc réel sans l'être *en acte*. Et c'est ce qu'on appelle être réel *en puissance*. En effet, tous les éléments constitutifs ont été là, et ils l'ont été réellement : la règle de droit, l'action légale de X, la réaction illicite de Y, l'intervention de Z. Mais tout comme la poule dans l'œuf ne peut pas broyer des grains actuels, le Droit en question n'a pas pu annuler l'action actuelle de Y.

Le Droit en puissance a été et reste réel dans la Société X-Y-Z (réduite à X-Z). Il tendra donc à s'actualiser (car la réalité en puissance n'est rien d'autre qu'une « tendance » à l'acte). À cette fin, X-Z, essaieront soit de réintégrer et de châtier le Y en question, soit de prévenir la possibilité de fuite d'un nouveau membre Y′, qui est venu remplacer Y. Dans le premier cas ils pourront par exemple conclure un traité d'extradition avec la Société où Y s'est réfugié.

Dans le second cas ils pourront émettre (avec Y') une nouvelle règle de droit, interdisant par exemple d'accomplir tout acte rendant possible le passage à une autre Société. Dans les deux cas le Droit primitif (que nous avons supposé ne contenir qu'une seule règle de droit) devra être complété, c'est-à-dire modifié. Il a donc été modifié parce que, étant réel, il n'a pas pu s'actualiser. Et c'est précisément pourquoi il est dit être réel en puissance : il doit se *modifier* pour s'actualiser, sa réalité est la réalité d'un *devenir*.

Ces considérations permettent d'aborder la fameuse question du « Droit des brigands ».

Supposons qu'un groupe de Français forment en France une Société de malfaiteurs. Cette Société peut avoir un Droit qui lui est propre : des règles de droit, des conflits réels jugés conformément à ces règles par des « tiers désintéressés » (pris au sein de la Société), et des exécutions de ces jugements par une sorte de Police interne. Ce Droit sera donc réel. Et c'est pourquoi les sociologues ont raison de parler d'un « *Droit* des brigands ». Mais cette Société n'est pas isolée; elle n'est pas autonome. Car chaque membre est aussi citoyen français. Or en tant que tel il peut se soustraire s'il le veut au Droit en question. Il lui suffit de s'adresser à la Police française pour que celle-ci le protège efficacement (du moins en principe) contre l'action « judiciaire » des membres de la Société (tout en le punissant peut-être à cause de son ancienne appartenance à cette Société — mais c'est une autre question). C'est donc que le « Droit des brigands », tout en étant un Droit et un Droit réel, n'est réel qu'en puissance. Tous les éléments constitutifs du Droit y existent réellement, mais ils sont en principe inopérants. Car la Société elle-même n'existe que « par hasard ». « En principe » la police française aurait dû la supprimer.

Or, il est évident que le Droit international public ne diffère pas essentiellement du « Droit des brigands », quant à sa réalité : cette réalité est seulement en puissance. Car ce Droit est purement facultatif. Quand deux États se soumettent à l'arbitrage d'un troisième (ou — ce qui est la même chose — à l'arbitrage d'un Tribunal international, d'une S.D.N., ou même de l'« opinion mondiale »), il y a une situation juridique *réelle*, puisque tous les éléments (le Juge et les Parties) sont réels. Mais, du moment que cet arbitrage est facultatif, ce Droit réel n'existe qu'en puissance. Les deux États-parties et l'État-arbitre forment bien une « Société » impliquant un Droit réel. Mais chaque membre peut quitter cette Société et former une Société « en dehors ».

Le Droit réel de cette Société ne s'actualise donc pas *nécessairement*. C'est un Droit réel en puissance. Et c'est pourquoi le Droit international contemporain doit se *modifier* pour devenir réel en acte.

Le Droit ne s'actualise donc nécessairement que dans une Société autonome, c'est-à-dire dans une Société qui — entre autres — enlève à ses membres la possibilité de la quitter (car, en la quittant et en adhérant à une autre Société, ils rendraient du même coup la première Société dépendante de cette autre, ne serait-ce que de la volonté de cette dernière de livrer ou de ne pas livrer le transfuge). Dans une Société facultative le Droit n'est réel qu'en puissance.

À première vue il y a des exceptions à cette règle. Le Droit canon par exemple. Mais en fait il n'en est rien. Car ce Droit n'a été réel en acte qu'aux époques où un membre de l'Église ne pouvait pas (en principe) la quitter. Seulement, ce n'est pas l'Église qui l'en empêchait, mais l'État : c'est l'État qui poursuivait en acte le « transfuge ». C'est pourquoi il faut dire que le Droit canon n'a jamais été un Droit en acte en tant que Droit de l'Église. Il ne l'était que dans la mesure où l'État le faisait sien. C'est donc le Droit de l'État qui était réel en acte. Et peu importe que ce Droit de l'État impliquait des règles de droit élaborées par l'Église, et qu'il faisait appliquer ces règles par des Juges ecclésiastiques. Du moment que les jugements de ces Juges étaient sanctionnés automatiquement par l'État (agissant en tant que Police), ils étaient des Juges de l'État, ne différant en rien des autres magistrats étatiques. Et du moment que l'État acceptait les règles de droit du Droit canon, ces règles devenaient partie intégrante du Droit de l'État. On peut donc dire que le Droit, qui était réel en puissance en tant que Droit canon, était réel en acte en tant que Droit d'un État autonome.

Il en va de même du Droit familial, corporatif, etc. Ou bien ce Droit n'est réel qu'en puissance, ou bien, s'il est réel en acte, il est sanctionné par l'État, et il est alors le Droit de l'État au même titre que tout le Droit étatique proprement dit. Peu importe que l'État donne carte blanche au père pour juger ses enfants. Du moment que c'est l'État qui ramènera au père son enfant fugitif en lui permettant ainsi de châtier effectivement cet enfant, c'est l'État, et non la Famille, qui actualise le Droit familial. Ce Droit, en tant qu'actuel, est un Droit étatique. La Société *autonome* est ici l'État, et non la Famille, ou la Corporation, etc., et c'est seulement au sein de l'État que le Droit en question se réalise *en acte*. Si la Famille par exemple est pratiquement « isolée », c'est-à-dire

« autonome » (par rapport au Droit familial), ce n'est pas parce qu'elle se ferme en elle-même, s'isole du dehors. C'est l'État qui la ferme, qui y réintègre ses membres fugitifs. C'est donc l'État qui actualise son Droit. Le même Droit, qui n'est réel qu'en puissance en tant que Droit de la famille, est réel en acte dans la mesure où le Droit de l'État implique ce Droit de la famille. Et peu importe qu'il l'ait emprunté à la Famille ou non, et qu'il confie ou non son exécution au chef de famille. Le Droit familial n'existe en acte que si la Famille est une Société autonome, c'est-à-dire isolée du reste du monde. Mais pratiquement de telles « Familles » isolées n'ont jamais existé sur terre.

Il résulte de ce qui précède que le Droit d'une Société (organisée en État ou non) ne peut être réel qu'en puissance si cette Société n'englobe pas l'humanité entière. En particulier, tout Droit « positif » ou « interne », « national », est un Droit (réel) en puissance. Et il faut dire que l'expérience confirme cette façon de voir. Car elle montre que tous les Droits nationaux évoluent avec le temps. Or ceci prouve qu'ils ne sont pas réels en acte, mais passent tout au plus de la puissance à l'acte. À l'heure qu'il est le Droit en tant que tel n'existe donc qu'en puissance, n'étant que l'ensemble des Droits nationaux, tous non actuels. Et on a effectivement tout lieu de supposer que le Droit réel, c'est-à-dire réalisé jusqu'ici sur terre, continuera à évoluer.

Comme je l'ai déjà dit, seul l'État universel et homogène est censé ne plus varier, vu qu'il n'y aura plus, par définition, ni guerres extérieures, ni révolutions intestines. Son Droit ne variera donc pas non plus. Or cet État implique l'humanité tout entière. Il est donc une Société vraiment « isolée » ou autonome. Son Droit sera donc un Droit en acte. Et c'est pourquoi il ne variera plus. Ce Droit réel en acte sera un et unique. Et il sera le résultat de tous les Droits antérieurs. Car l'État universel et homogène résultera des interactions des États nationaux (guerrières ou pacifiques), c'est-à-dire aussi de l'interaction des Droits nationaux. L'évolution du Droit sera donc un devenir du Droit de l'État universel et homogène. L'histoire du Droit est donc le passage du Droit de la puissance à l'acte. On peut dire par conséquent que le Droit n'existe de nos jours que comme un devenir du Droit actuel de l'Empire futur.

Il faut dire cependant qu'une partie du Droit existe déjà en acte dans une certaine mesure. J'ai en vue le fait que certains criminels sont livrés par tous les États « civilisés » à l'État qui se charge de les punir. Par rapport à ces règles de droit, l'humanité constitue donc dès aujourd'hui une seule et unique Société (juridique). Mais il faut dire néanmoins que cette actualisation n'est pas absolue. Et non pas parce que certains États ne livrent pas encore les criminels, ni parce qu'il y a encore une partie de l'humanité non organisée en États. Car on peut dire que ce ne sont là que des anachronismes qui disparaissent à vue d'œil. Le Droit n'est pas vraiment actuel parce que l'adhérence des États aux traités d'extradition reste facultative, parce que chaque État peut l'annuler sans qu'on puisse le contraindre à ne pas le faire. L'unification *juridique* de l'humanité ne suffit donc pas pour que le Droit existe vraiment en acte, car la Société juridique ainsi formée dépend des États et n'est donc pas autonome. L'unification juridique doit donc être secondée par une unification *politique*. Encore une fois, le Droit ne sera réel en acte que dans l'État universel et homogène [1].

§ 22.

Le Droit peut être réel *en puissance* dans n'importe quelle Société. Mais il n'est réel *en acte* que dans une Société isolée ou autonome. De nos jours, et dans le monde civilisé, les Sociétés autonomes (« autonomes » pratiquement, c'est-

---

1. Notons que si l'on livre en principe les criminels vulgaires, les criminels politiques ne sont généralement pas livrés. Et non seulement en fait : on admet généralement le *principe* qu'ils ne doivent pas l'être. Or ceci est important. Car accepter ce principe, c'est dire que les criminels politiques ne seront *jamais* livrés. Mais le dire, c'est dire que le Droit « politique » ne sera *jamais* réalisé en acte. Or, ce qui ne sera *jamais* réalisé en acte n'est même pas réel en puissance. Les crimes politiques et les règles qui les définissent ne forment donc pas un Droit réel. On peut donc dire que l'humanité (l'« opinion publique ») nie l'existence d'un Droit « politique », d'un Droit qu'aurait l'État de punir ses citoyens pour leurs actes dirigés contre l'État en tant que tel. Certes, on ne le nie pas explicitement, consciemment. Mais la pratique du « droit d'asile » montre qu'on le nie en fait. Reste à savoir si on a raison de le faire. (Ou bien encore : ce Droit « politique », s'il n'est pas réel, ni en acte ni en puissance, est-il au moins « idéel », c'est-à-dire seulement possible, devant se réaliser un jour.) Je crois pouvoir répondre affirmativement. Il n'y a pas de *Droit* authentique selon lequel l'État punit les crimes politiques, car les rapports entre le citoyen et son État n'ont rien de *juridique*. Ceci ne veut pas dire que je condamne le fait qu'on châtie les crimes politiques. Loin de là. Mais je crois qu'on ne peut expliquer, voire justifier ces actes de l'État que par des raisons spécifiquement politiques, et non par des raisons juridiques. En effet, quel est ce « Droit » où la partie qui se croit lésée est en même temps législateur juridique, juge et exécutant du jugement? J'aurai, d'ailleurs, l'occasion de revenir sur cette question.

à-dire plus ou moins) sont toujours organisées en État. Ce n'est que dans une Société organisée en État que les membres de la Société ne peuvent pas la quitter comme et quand ils veulent. (En principe l'État doit donner son consentement pour que son citoyen puisse changer de nationalité. Mais pratiquement le citoyen peut fort bien s'en passer.) On peut donc dire qu'actuellement, dans le monde civilisé, tout Droit réel en acte est un Droit de l'État, sanctionné par l'État, un *Droit étatique.*

Il faut donc voir quels sont les rapports entre le Droit et l'État en tant que tel.

Beaucoup de théoriciens du Droit[1] pensent qu'il n'y a pas d'autre Droit que le Droit étatique. Pour eux le Droit est toujours une Loi promulguée par l'État.

Bien entendu, le terme « Loi » doit être pris dans un sens très large. De nos jours il s'agit généralement d'une Loi proprement dite, c'est-à-dire rédigée par écrit et promulguée officiellement par un organe approprié. Mais la Loi étatique peut aussi bien être une « coutume » orale, que l'État fait sienne tacitement, par le seul fait qu'il l'applique dans ses tribunaux. Enfin la « Loi » peut n'exister qu'à l'état mental, non exprimé oralement ou par écrit. Ainsi dans la jurisprudence anglaise par exemple, une « Loi » peut exister uniquement en tant qu'impliquée dans un jugement concret. En tant que Loi générale elle n'a existé que dans l'esprit du juge, qui l'a appliquée au cas concret en question, et qui ne l'a jamais exprimée en tant que telle.

Mais la question n'est pas là. Il s'agit de savoir si vraiment le Droit n'est réel qu'en tant que Loi étatique.

La réponse est déjà donnée par ce qui précède. Si l'on suppose 1) que le Droit réel est réel *en acte*, et 2) que la Société autonome est un État, on peut dire effectivement que le Droit n'est rien d'autre que la Loi. Mais nous avons vu que le Droit peut être réel tout en ne l'étant qu'en puissance, et que ce Droit en puissance peut exister même au sein d'une Société non autonome, c'est-à-dire à participation facultative. Or comme de telles Sociétés existent au sein même d'un État, on peut parler d'un Droit potentiel réel non étatique. Ainsi par exemple les règles appliquées dans une association sportive sont bien des règles de droit, il y a donc un Droit réel (potentiel) dans cette association, qui n'a cependant rien à voir avec l'État en tant que tel, ni avec la Loi étatique

---

1. Notamment en Allemagne, KELSEN par exemple; cf. Joseph BARTHÉLEMY, *Précis de droit public,* p. 10.

(cf. aussi ce qui sera dit au § 24). D'autre part il n'est pas exact que toute Société autonome est nécessairement organisée en État. Certes, ce n'est là qu'une question de définition, et on peut appeler « État » n'importe quelle Société, pourvu qu'elle soit autonome (pratiquement). Mais on peut définir l'État d'une manière plus précise, quitte à ne pas appeler « État » certaines Sociétés archaïques ou primitives. Et alors on ne pourra plus dire qu'il n'y a pas de Droit en acte en dehors de l'État. Un Droit réel *en acte* existe dans toute Société *autonome*, même si elle n'est pas un État au sens propre du terme. Et de toute façon le domaine du Droit réel en tant que tel est plus étendu que celui du Droit étatique, car le Droit réel en puissance n'est pas étatique, tout en étant un Droit authentique et un Droit réel.

Pratiquement, dans le monde civilisé contemporain, le Droit réel en acte se confond avec la Loi étatique : le Droit réel en acte est l'ensemble des lois juridiques appliquées par l'État; c'est le « Code » des lois en vigueur. Mais on a tort, je crois, de renverser cette proposition et de dire que toute Loi étatique est une Loi juridique, un Droit. Car, à mon avis, il y a beaucoup de Lois étatiques, qui sont des Lois politiques ou autres, sans signification juridique. Si tout Droit en acte est une Loi, toute Loi n'est pas un Droit.

Quand le gouvernement de la Perse décide d'appeler ce pays « Iran », ou quand l'État de Weimar proclame que le drapeau national allemand sera désormais composé des couleurs noire, rouge et or, il s'agit sans aucun doute de Lois étatiques. Mais je ne pense pas que ces Lois ont quelque chose à voir avec un Droit quel qu'il soit. Ce sont des Lois étatiques qui ne sont pas juridiques. Et beaucoup de Lois étatiques sont dans ce cas. Certes, si un citoyen de l'Allemagne arbore le nouveau drapeau et que son voisin essaie de l'empêcher de le faire, le premier pourra faire appel à la Police, voire au Juge. C'est donc qu'il a *le droit* d'arborer ce drapeau. Mais ce qui est juridique, ce n'est pas la Loi sur les couleurs nationales. C'est la Loi (explicite ou implicite) qui dit que tout citoyen a le *droit* d'arborer les nouvelles couleurs. Or il n'est nullement nécessaire que cette deuxième Loi accompagne la première. Et même si c'est le cas, il faut néanmoins distinguer entre la Loi étatique non juridique, et la Loi étatique juridique.

On attribue généralement un caractère juridique à toute Loi étatique parce que toute Loi étatique prévoit une sanction, même si elle ne le mentionne pas explicitement. En effet, toute action contraire à la Loi (quelle qu'elle soit) sera en principe annulée. Et comme généralement cette « annulation » est effectuée par les mêmes organes (Juge et Police) qui « annulent » les actes illicites du point de vue juridique, on a l'impression que l'« annulation » en question a aussi une nature juridique, et par conséquent que la Loi l'a aussi. Et l'illusion est d'autant plus forte que l'organe de l'État qui édicte les Lois non juridiques édicte aussi les Lois juridiques. Mais toute la question est de savoir si les deux « annulations » en question sont vraiment juridiques.

Je discuterai cette question au § suivant. Mais je répète dès maintenant encore une fois que la sanction d'une Loi non juridique ne peut pas la rendre juridique, car cette sanction elle-même n'a rien de juridique. Dans les exemples cités la Loi statue sur quelque chose qui intéresse l'État en tant que tel : son nom, son emblème. L'État est donc partie. Or si une partie accomplit l'acte qu'elle a l'intention de faire en usant de la force, ceci ne signifie nullement qu'elle a le *droit* de le faire. Supposons que deux naufragés vivent sur une île déserte. L'un décide que l'autre doit le servir, ou l'appeler « Monseigneur », etc., et il force l'autre de se comporter en conséquence. Personne ne voudra dire qu'il y a un Droit sur cette île. Or l'île est comparable à un État souverain, l'un des habitants au Gouvernement, l'autre — aux gouvernés. Il semble donc qu'il y a des Lois étatiques non juridiques, qui restent telles en dépit du fait que les actes qui leur sont contraires sont en principe annulés d'une façon irrésistible par une action étatique.

Nous verrons (chapitre III) qu'une règle de conduite n'est une règle *de droit* que dans la mesure où elle est une application du principe de la Justice (conçue d'une certaine façon) à un cas qui admet une telle application. Or il est évident qu'il y a des Lois qui règlent des conduites sans nul rapport avec le principe de Justice. Quel rapport a la Justice (quelle qu'elle soit) avec le drapeau ou le nom d'un pays, par exemple? Il y a donc des Lois étatiques non juridiques. Quand le principe de Justice est appliqué à un cas concret qui s'y prête (à une interaction sociale susceptible d'être juste ou injuste), il y a règle de droit ou Droit en général. Mais si cette application s'effectue à l'intérieur d'un État, le Droit ne sera réel *en acte* que si c'est l'État lui-même qui fait l'application en question, et qui — par conséquent — « annule » les actes illicites correspondants. Et dans ce cas, le Droit réel en acte sera une Loi étatique.

On peut donc dire, d'une part, que toutes les Lois étatiques ne sont pas des Lois juridiques. Mais il faut ajouter, d'autre part, que l'ensemble des Lois étatiques doit nécessairement impliquer aussi des Lois juridiques. Autrement dit il ne peut pas y avoir d'État sans *Droit* étatique, de même que le Droit ne peut exister en acte dans un État qu'à condition d'être étatique.

Supposons en effet que plusieurs Sociétés autonomes, et par conséquent munies de Droits réels en acte, s'agglomèrent pour former une Société unique organisée en État. Pour cela même ces Sociétés partielles cessent d'être autonomes : leurs membres peuvent soit les quitter librement, soit sont astreints à y appartenir par l'État (et non plus par les Sociétés elles-mêmes). Par suite, leurs Droits cessent d'être réels en acte. Si donc l'État n'adopte pas ces Droits, ou ne les remplace pas par un Droit qui lui est propre, la Société globale (organisée en État) sera une Société sans Droit existant en acte. Or nous avons vu qu'une Société quelle qu'elle soit ne peut pas exister réellement, c'est-à-dire durer indéfiniment sans se désagréger par suite de processus internes, sans posséder un Droit actuel qui lui est propre. La Société globale doit donc posséder un Droit réel en acte. Mais comme elle est organisée en État, ce Droit ne peut être qu'un Droit étatique. On voit donc que tout État, quel qu'il soit, doit compter parmi ses Lois des Lois juridiques.

On peut d'ailleurs présenter ce raisonnement sous une forme quelque peu différente.

L'intégration d'une Société autonome dans un État ne détruit pas complètement le Droit de cette Société. Elle le fait seulement passer de l'acte à la puissance. Or toute puissance tend à s'actualiser. Le Droit de la Société intégrée par l'État aura donc tendance à devenir un Droit étatique. Si l'État accepte comme sien le Droit de la Société qu'il absorbe, il n'y aura pas de difficultés. Mais s'il s'y refuse, s'il ne fait pas sien le Droit en question et surtout s'il le remplace par un autre Droit (étatique), il y aura nécessairement un conflit (juridique) entre l'État et la Société qu'il a absorbée. Pour maintenir le Droit de cette dernière à l'état de simple puissance, l'État devra exercer une pression continue (car naturellement la puissance tend à s'actualiser, le processus inverse étant donc « contre nature »). Or exercer une pression, c'est se trouver en conflit, et tout conflit interne tend à disloquer le tout, c'est-à-dire à supprimer l'union des éléments en conflit. Car tout conflit, étant une *contradiction*, tend à se supprimer soi-même. Or supprimer le conflit, c'est supprimer l'interaction des membres du conflit, dans la mesure où elle n'est rien d'autre que le conflit lui-même. Et on supprime l'interaction soit en rompant le contact, soit en supprimant les deux membres ou l'un des deux membres. Dans notre cas il y aura donc soit une tendance de la Société intégrée au séparatisme, soit une tentative de sa part d'accaparer l'État, de se substituer à lui. Si l'État veut se maintenir et conserver son intégrité, il devra donc supprimer cette Société dans la mesure où celle-ci sert de support au Droit (en puissance) qu'il ne veut pas faire sien (qu'il ne veut pas actualiser en le faisant sien). Ainsi, l'État qui ne veut pas faire sien le Droit canonique a toujours une tendance plus ou moins marquée à supprimer l'Église en tant que Société *sui generis,* qui continue à exister au sein de l'État. Inversement, l'État qui veut maintenir dans son sein une Société spécifique doit actualiser le Droit propre à cette Société, en le faisant sien, en le décrétant par une Loi juridique. Ainsi par exemple, si l'État veut conserver la Famille formée par le mariage, il doit faire siens les principes fondamentaux du Droit familial : l'interdiction du divorce, la punition de l'adultère, l'inégalité entre les enfants naturels et légitimes, etc. Par malheur, l'État n'est pas toujours conscient de cette nécessité. Il ne voit pas toujours qu'il doit nécessairement choisir, en fin de compte, entre la suppression de la Société particulière impliquée en lui et l'adoption du Droit propre à cette Société.

§ 23.

À première vue il y a une contradiction quand on dit que d'une part tout Droit en acte est étatique, c'est-à-dire une Loi, et que d'autre part les rapports entre l'État et ses citoyens n'ont rien de juridique. Mais la contradiction n'est qu'apparente. Cependant elle a donné lieu à maints malentendus et à des polémiques sans issue entre les théoriciens étatiques du type de Kelsen, les partisans du « droit naturel » et les sectateurs du « droit social », tels que Duguit. Pour résoudre la question il faut voir ce que sont l'État et le citoyen dont on parle quand on discute la nature juridique des rapports entre État et citoyen.

Certes je ne peux pas étudier ici la nature et la structure de l'État en tant que tel. Mais il faudra en dire quelques mots. Car on oppose l'« individu » à l'État, on parle de leurs rapports, sans préciser suffisamment dans quel aspect on les considère. C'est qu'en réalité l'État et l'« individu » sont des entités fort complexes et il importe de savoir quel aspect de l'« individu » est rapporté ou opposé à l'État, et dans quel aspect est pris cet État lui-même.

*a)* Considérons d'abord l'« *individu* ».

Hegel et beaucoup de sociologues modernes sont d'accord pour dire que l'homme n'est un être vraiment humain que dans la mesure où il est social. L'acte anthropogène, qui transforme l'animal de l'espèce Homo sapiens en être humain (ayant cet animal pour support) est une interaction entre *deux* êtres humains (lutte pour la reconnaissance, qui engendre l'humanité dans les deux) [1]. Un Homo sapiens qui par définition n'est pas en rapports sociaux quelconques n'est donc qu'un animal. Un « individu » vraiment « isolé », c'est-à-dire absolument « asocial », n'est donc pas un être humain, mais le support animal d'un être humain, privé de sa suprastructure humaine. Mais dans tout être humain ce support continue de subsister : dans chaque homme il y a un animal. On peut donc considérer tout « individu » humain dans son aspect animal.

Or l'État est aussi en rapport tant avec l'Homo sapiens qui n'est qu'animal qu'avec un individu humain pris en tant qu'animal. Ainsi, les mesures de santé publique ont souvent en vue l'animal dans l'homme. D'autre part, l'État est en rapport même avec un débile mental qui n'a rien d'humain : il interdit de le tuer par exemple, ou prescrit de l'interner dans un asile, etc.

Mais, généralement parlant, l'« individu » n'est pas qu'animal. Il est encore un être humain proprement dit. C'est-à-dire qu'il est membre d'une Société, qu'il est en interaction sociale. Or l'être humain peut être humain de diverses façons : en tant qu'homme religieux, moral, esthétique, économique, politique, etc. Autrement dit l'interaction sociale qui humanise l'Homo sapiens peut être morale, religieuse, économique, politique, etc. Ou bien encore l'« individu » peut être membre d'une Société soit religieuse, soit économique, soit politique, etc. Ce n'est donc pas seulement en tant que citoyen, c'est-à-dire membre d'une Société politique que nous appelons État, que l'« individu » est plus qu'un animal.

---

1. Deux ne constituent pas encore une Société au sens propre du mot. Mais en fait il y a toujours un « spectateur », un « troisième » : A lutte avec B 1) pour que B le reconnaisse et 2) pour que C sache qu'il est reconnu par B. C'est la triade ABC qui forme une Société, et c'est une telle Société qui s'organise en État, quand s'établit un rapport de gouvernant à gouverné entre B et C, c'est-à-dire quand B ou C reconnaît l'Autorité (politique) de C ou de B, et quand le groupe ABC est exclusif par rapport à tous les autres groupes : D, E..., etc.

Il l'est aussi en tant que membre d'une Société religieuse appelée Église, par exemple. Il peut être à la fois animal, croyant et citoyen. Etc.

Appelons « Société » au sens étroit l'ensemble de toutes les unités sociales autres que la Famille, l'État et l'Humanité. Et distinguons entre les Sociétés trans-étatiques et cis-étatiques, c'est-à-dire les Sociétés qui débordent l'État ou se constituent à l'intérieur de l'État (la Famille est donc dans l'État moderne une Société cis-étatique; l'Humanité est une Société trans-étatique par rapport à tout État national). Nous pouvons dire alors que dans l'immense majorité des cas un « individu » est à la fois animal (c'est-à-dire un individu pris en tant qu'isolé), membre d'une Famille, citoyen, membre de diverses Sociétés cis- ou trans-étatiques, et enfin élément intégrant de l'Humanité [1]. Or l'État peut être en rapport avec l'« individu » dans tous ses aspects. On ne peut donc pas parler du rapport entre l'État et l'« individu », sans préciser l'aspect de ce dernier auquel l'État est censé se rapporter. Généralement on oppose à l'État l'individu pris en tant que membre d'une « Société », de la Société économique par exemple. Mais on oublie de le spécifier, parlant de l'« individu » tout court. Et on oublie que l'opposition ou le conflit entre l'État et l'individu pris en tant que membre d'une « Société » (par exemple économique) se reproduit à l'intérieur de l'individu lui-même : le citoyen peut entrer en conflit en lui avec lui-même en tant qu'« Homo œconomicus », le premier se solidarisant avec l'État contre le dernier. Etc.

Mais il y a plus. Un membre d'une Société (au sens large)

---

1. Tout être humain fait partie de l'Humanité, prise en tant que notion générale ou abstraite : « le *genre* humain ». Mais de nos jours l'Humanité est aussi une entité *réelle*, du moment qu'il y a des *interactions* réelles « mondiales ». Et l'Humanité réelle existe dans plusieurs aspects. Ainsi l'Église catholique est en principe une Église universelle, de même que l'État communiste est un État universel. Cette Église, cet État prétendent donc être l'Humanité dans son aspect religieux ou politique. Certes, cette Humanité catholique ou communiste n'existe pas encore en acte. Mais elle existe en puissance (en tant qu'ébauche), elle est *réelle* en puissance. Il ne suffit donc pas de dire qu'un catholique ou un communiste sont membres de Sociétés trans-étatiques. Il faut dire qu'ils existent en tant que membres de l'Humanité réalisée (en puissance) dans son aspect religieux ou politique. Et c'est précisément ce qui complique les rapports entre un catholique ou un communiste et l'État national dont il est citoyen. Si l'État national peut encore (peut-être) se désintéresser de l'aspect religieux de l'existence humaine, il ne peut pas ignorer l'aspect politique, puisqu'il est lui-même une entité politique. Un État national, s'il veut rester national, ne devrait donc pas tolérer l'existence de communistes parmi ses nationaux.

peut agir (et agir, c'est *être*) en tant que « particulier » ou en tant qu'« universel ». C'est-à-dire : étant membre d'une Société je peux agir, tout en agissant en tant que membre de cette Société, soit dans mon propre intérêt, pour mon propre compte (me prenant toujours en tant que membre de cette Société), soit dans l'intérêt de cette Société en tant que telle [1]. Ainsi par exemple le membre d'une Famille peut soit agir dans l'intérêt de cette Famille prise dans son ensemble, ou bien agir en fonction des intérêts qu'il a au sein de cette famille en occupant la place qu'il y occupe. Dans la mesure par exemple où un fils peut influencer son père qui fait un testament, il peut soit essayer d'avoir une part plus grande que son frère (attitude « particulariste »), soit veiller à ce que le patrimoine familial reste intact (attitude « universaliste »). Et les deux attitudes sont possibles dans toute Société pour chacun de ses membres.

Par conséquent, il ne suffit pas de dire que l'État est en relation avec un « individu » pris comme membre d'une famille, par exemple, ou d'une corporation de métiers. Il faut encore spécifier si ce membre agit d'une façon « universelle » ou « particulière » en agissant en sa qualité de membre des Sociétés en question. Car l'attitude de l'État peut varier en fonction de l'attitude que prend l'individu vis-à-vis de sa Société. Par exemple, si l'État veut supprimer une Société, il pourra soutenir les actions « particulières » des membres de cette Société et combattre les actions « universelles ».

Et ce n'est pas tout encore. Les Sociétés (au sens large) sont multiples, et souvent elles se recoupent ou s'emboîtent l'une dans l'autre : une Société A peut englober une Société B et être à son tour englobée par une Société C. Autrement dit un même « individu » peut être membre de plusieurs Sociétés juxtaposées ou emboîtées. En particulier l'État a affaire à des « individus » qui sont membres de Sociétés tant cis-

---

1. Ce n'est qu'aux deux limites que cette distinction entre le « particulier » et l'« universel » disparaît. A la limite inférieure, l'animal réalise les buts de l'espèce en poursuivant ses propres buts, et inversement. (On peut dire que tout « individu » animal est un *élément intégrant* de son « espèce » ; mais il vaut mieux ne pas dire qu'il en est un *membre*, justement pour faire ressortir que dans ce cas il n'y a pas de différence entre le « particulier » et l'« universel », c'est-à-dire pas de conflit possible entre le tout et les parties membres.) A la limite supérieure, le citoyen de l'État universel et homogène réalise ses fins « particulières » en agissant en vue du bien « universel » de l'État, et il réalise ce bien en agissant dans son propre intérêt. Mais ce n'est là qu'un cas limite, qui suppose une homogénéité absolue.

étatiques que trans-étatiques, ce qui déjà complique bien les choses. Or, dans chacune de ces Sociétés, l'individu peut prendre une attitude soit « particulière », soit « universelle ». S'il ne participe qu'à deux Sociétés A et B, nous avons déjà quatre cas : il est soit « particulier » ou « universel » dans les deux, soit « particulier » dans l'une et « universel » dans l'autre. Et dès que l'individu participe à plusieurs Sociétés la complexité devient énorme.

Il est important de savoir comment se comporte l'individu dans les diverses Sociétés auxquelles il appartient. Et comme ces Sociétés peuvent entrer en conflit l'une avec l'autre, il est aussi important de savoir pour laquelle optera en fin de compte l'individu. Ainsi, par exemple, l'État national peut tolérer l'appartenance de son citoyen à une Société trans-étatique (un syndicat, une Église, etc.), à condition de pouvoir supposer que l'individu agira en citoyen loyal dans le cas d'un conflit entre l'État et la Société trans-étatique (comme c'était le cas pour le parti socialiste S.F.I.O.).

On voit donc que le problème des rapports entre l'État et l'« individu » est beaucoup trop complexe, quant à l'« individu », pour pouvoir être posé et résolu globalement. Certes une action réelle (en acte) est toujours, en fin de compte, l'action d'un « individu » (ou une somme de telles actions individuelles). Mais l'« individu » peut agir soit en animal, soit en membre d'une Famille ou d'une Société cis-étatique, soit en citoyen, soit enfin en membre d'une Société trans-étatique. Il peut d'ailleurs agir de plusieurs façons à la fois. Et chaque fois il peut être soit « particulier », soit « universel ». Ainsi, quoiqu'il soit vrai que l'État est toujours en interaction réelle (en acte) avec des « individus », et avec eux seulement, on n'a pas dit grand-chose en le disant, tant qu'on n'a pas précisé ce qu'est l'« individu » avec lequel l'État est en interaction. En particulier, pour savoir ce qu'est le rapport *juridique* entre l'État et l'« individu », il faut tenir compte de la nature complexe de ce dernier.

*b)* Cela suffit pour l'« individu ». Voyons maintenant ce qu'est l'*État* en tant que tel.

Pour qu'il y ait un État il faut que soient remplies les deux conditions principales suivantes : 1) il faut qu'il y ait une Société, dont tous les membres sont « amis », et qui traite en « ennemi » tout non-membre quel qu'il soit; 2) il faut qu'à l'intérieur de cette Société un groupe de « gouvernants » se distingue nettement des autres membres, qui constituent le groupe des « gouvernés ». Chacune des deux conditions est nécessaire; mais prise isolément aucune n'est suffisante.

Il n'y a donc État que si elles sont remplies toutes les deux [1]. « Ami » et « ennemi » signifient : « ami *politique* » et « ennemi *politique* ». En fin de compte, l'« ami » est le « frère d'armes » et l'« ennemi », l'ennemi militaire, qui doit céder ou mourir; et s'il ne cède pas et n'est pas tué, il faut mourir soi-même. Mais je suppose connues ces deux catégories fondamentales, spécifiquement politiques [2]. Et je ne me demande pas non plus (en ce lieu) comment naissent ces catégories existentielles, ni comment se forment les Sociétés réelles d'« amis ». Quant aux « gouvernants », ce n'est rien d'autre que le « groupe exclusif » dont j'ai parlé plus haut (cf. § 15). C'est un groupe au sein d'une Société, qui peut se substituer à l'ensemble des membres de cette Société, c'est-à-dire soustraire celle-ci à leur influence, en disposer à leur gré, sans qu'elle périsse à cause de cela et sans que les membres « exclus » quittent la Société pour en former une autre. C'est ainsi que les « exclus » forment eux aussi un groupe au sein de la Société, qui est subordonné au « groupe exclusif ». Quand la Société est *politique*, c'est-à-dire quand elle est formée par des « amis », qui s'opposent en bloc aux « ennemis », le « groupe exclusif » et le « groupe exclu » sont des groupes *politiques* : on les appelle alors « groupe gouvernant » et « groupe gouverné » (« classe dirigeante », « élite politique », « aristocratie », etc.). Les « gouvernants » disposent de l'État, ils le gouvernent, et ils l'imposent, tel qu'ils l'ont constitué et tel qu'ils le gouvernent, aux gouvernés [3].

1. La première condition détermine une « Société politique autonome », non organisée en État proprement dit. Si la deuxième condition est seule remplie, la Société sera « organisée », mais elle ne sera pas « politique »; elle ne sera donc pas organisée en *État*. C'est le cas de l'Église par exemple.

2. Cf. Karl SCHMIDT, *Der Begriff des Politischen*.

3. Le groupe gouvernant fournit les candidats au support de l'Autorité politique (en choisissant ceux de ses membres qui ont une Autorité politique au sein du groupe). Les gouvernés acceptent les candidats proposés par le groupe gouvernant parce qu'ils reconnaissent l'Autorité politique de ce groupe. C'est le cas idéal où l'« aristocratie » fonde son pouvoir sur l'Autorité. Cas dégénéré : le groupe gouvernant nomme les candidats qui ont de l'Autorité au sein du groupe; mais ce groupe n'a pas d'Autorité chez les gouvernés; les candidats doivent donc être imposés aux gouvernés par force (cas de la « dictature de classe »). Cas mixte, généralement de transition : le groupe n'a pas d'Autorité, mais un candidat du groupe peut avoir une Autorité personnelle chez les gouvernés (le groupe disparaîtra tôt ou tard). Autre cas : le groupe a de l'Autorité, mais un candidat s'impose au groupe par force, soit en ayant, soit en n'ayant pas d'Autorité chez les gouvernés. Etc.

On peut dire si l'on veut que le rapport entre gouvernants et gouvernés

Ceci posé, qu'entend-on par « État » quand on l'oppose à l'« individu » ou quand on parle du rapport juridique ou autre entre l'« individu » et l'« État » ?

L'État est une « personne morale ». Ceux qui créent un État prétendent généralement que cet État est une « personne morale abstraite », c'est-à-dire une Fondation, ayant un statut (la « Constitution ») qui ne peut plus être changé par la volonté de ceux qui vivent dans cet État. Mais en fait il s'agit d'une « personne morale collective », c'est-à-dire d'une Association, qui est une résultante des volontés de ceux qui constituent en fait l'Association à un moment donné (cette résultante étant aussi le résultat des rapports entre gouvernants et gouvernés). Étant une « personne morale », l'État ne peut pas agir lui-même. Une ou plusieurs « personnes physiques », c'est-à-dire un ou plusieurs « individus », doivent agir pour lui, agir en son nom. Pratiquement il y a toujours plusieurs personnes agissant au nom de l'État. Car même un monarque absolu délègue son pouvoir à d'autres personnes, pour pouvoir gouverner l'État en fait. L'ensemble des personnes (choisies par le groupe gouvernant) qui agissent au nom de l'État peut être appelé « Gouvernement » (au sens large) [1]. Dans la mesure où l'État agit, et en particulier est en rapport avec des « individus », il n'est rien d'autre que le Gouvernement. Les rapports, juridiques ou autres, entre l'individu et l'État sont donc toujours en fait des rapports entre l'individu et le Gouvernement.

Or les membres du Gouvernement sont eux-mêmes des « individus ». Dans la mesure où ils représentent l'État, ils

est une projection à l'intérieur de la Société politique du rapport politique fondamental d'ennemi et ami. Les gouvernés seront donc les « ennemis intérieurs » des gouvernants, qui forment un groupe d'« amis intérieurs ». Ceci cadrerait bien avec la théorie de Gumplowicz et de plusieurs sociologues modernes (surtout anglo-saxons), d'après laquelle tout État proprement dit serait le résultat d'une conquête, les amis vainqueurs devenant des gouvernants et les ennemis vaincus des gouvernés qui reconnaissent l'Autorité des vainqueurs. Mais je ne veux pas discuter ici cette théorie. Elle n'est vraie à la lettre qu'à la limite, c'est-à-dire là où les gouvernés sont des *esclaves* des gouvernants.

1. Dans une Démocratie « bourgeoise » le groupe gouvernant légal est constitué par tous les hommes normaux et adultes, ou par tous les citoyens des deux sexes, adultes et normaux. Le Gouvernement par contre, formé par l'ensemble des divers députés et fonctionnaires, est toujours relativement restreint. Dans l'État socialiste (l'U.R.S.S.), par contre, presque tous les citoyens sont fonctionnaires et font ainsi – légalement – partie du Gouvernement au sens large. Mais il faut distinguer entre le Gouvernement (et le groupe gouvernant) légal, et le Gouvernement (et le groupe) effectif.

sont des citoyens, et quand ils agissent au nom de l'État ils agissent en tant que citoyens. Mais en fait ils ne sont pas que citoyens. Ils sont aussi des animaux d'une part, et, de l'autre, membres de Familles, ainsi que de diverses Sociétés cis- et trans-étatiques [1].

Il faut donc bien faire attention quand on parle des rapports entre l'« individu » et l'« État ». Dans tous les cas il s'agit de rapports avec le Gouvernement, c'est-à-dire, en fin de compte, avec ses membres, avec les individus qui le composent. Mais quand il s'agit de rapports avec l'État proprement dit, ces « individus » gouvernementaux ou « administratifs » doivent être pris en tant que citoyens. Par contre, quand un individu « administré » (et j'appelle « administré » tout citoyen ne faisant pas partie du Gouvernement, qu'il appartienne ou non au « groupe gouvernant »; ainsi un étudiant majeur en France est « administré », mais il est — légalement — « gouvernant », tandis qu'une étudiante est « administrée » et « gouvernée ») est en rapports avec des membres du Gouvernement pris en tant que non-citoyens (en tant qu'animaux ou membres de Familles ou de Sociétés), il n'est pas en rapport avec l'État. Dans ce cas il y a simplement un rapport entre « individus », chaque « individu » pouvant agir dans l'un quelconque de ses aspects, sauf que l'« administrateur » n'agit pas par définition dans son aspect de citoyen. Et il en va de même pour les rapports entre gouvernants et gouvernés. Il n'y a rapport avec un gouvernant que dans la mesure où le membre du groupe gouvernant avec lequel on est en rapport agit en tant que citoyen. Mais, même dans ce cas, le rapport avec l'État est seulement indirect. En étant en rapport avec un gouvernant pris en tant que tel, c'est-à-dire en tant que citoyen, on est indirectement en rapport avec l'État dans la mesure où le gouvernant peut faire agir à sa place le Gouvernement (en la personne d'un membre du Gouvernement) [2].

1. Platon a voulu que dans l'État idéal le Gouvernement, et même le groupe gouvernant tout entier, soit composé d'individus qui ne sont que citoyens. D'où son « communisme », l'abolition de la famille, l'isolement absolu par rapport à l'extérieur, etc. Mais l'idéal platonicien n'a encore jamais été pleinement réalisé.

2. Il faut distinguer, d'ailleurs, entre la situation légale et la situation réelle, effective. Souvent le Gouvernement est composé d'hommes de paille, le Gouvernement réel étant en dehors du Gouvernement légal. De même, le groupe gouvernant réel peut ne pas être reconnu comme tel légalement. Ainsi dans une monarchie vraiment absolue, le groupe gouvernant légal se réduit à la seule personne du monarque. Mais en fait il y a toujours un groupe gouvernant plus ou moins étendu.

*c)* Voyons maintenant ce que peuvent être, au point de vue juridique, *les rapports entre l'« individu » et l'« État ».*

Tout d'abord l'« individu » peut être « ami » ou « ennemi » de l'État. Or il n'y a aucune relation entre « amis » et « ennemis » sauf celle de l'exclusion mutuelle (ce qui est — quand elle s'actualise complètement — la guerre à mort, la guerre dite d'extermination), c'est-à-dire de la suppression de l'interaction. On peut donc dire qu'il n'y a pas d'interaction proprement dite entre les « amis » d'une part et leurs « ennemis » de l'autre [1]. L'État tend à supprimer, voire à absorber tous les « ennemis » (guerres d'extermination ou de conquête), et s'il n'y réussit pas il essaye de s'isoler politiquement d'eux le plus possible (l'idéal de l'autarcie) [2]. Cette tendance à l'isolement se traduit dans le domaine juridique par le fait que le Droit étatique (national) ne s'applique qu'aux nationaux. Les étrangers, censés être des ennemis, sont par définition « hors la loi ». On dit généralement qu'on a le « droit » de tout faire à un ennemi : le tuer, le dévaliser, etc. Mais en réalité il n'y a là aucun « droit », mais simplement absence de Droit : l'étranger n'est pas sujet de droit, le Droit ne s'applique pas aux relations des étrangers entre eux ou avec les nationaux. Du moment qu'il n'y a pas d'interaction véritable entre A et B si A ou A et B sont des étrangers, il n'y a pas de situation juridique du tout. Et c'est ce qu'on observe dans les sociétés archaïques ou primitives, à Rome, par exemple, pendant la période archaïque.

On peut présenter cette situation un peu autrement. Si A est un citoyen et B un étranger, c'est-à-dire un ennemi, l'État se place dans tous les cas du côté de A. Il n'est donc ni impartial, ni désintéressé; il n'est pas Juge, mais partie, et la situation est donc politique, mais nullement juridique. Quand A et B sont tous deux amis, la situation est par contre nécessairement juridique. Car si l'État prend A et B dans leurs aspects politiques d'« amis », ils sont égaux en ce sens qu'ils sont tous les deux des amis et non des ennemis.

---

1. Je suppose, pour simplifier, que l'État n'a pas d'alliés, c'est-à-dire d'« amis » politiques étrangers.

2. Cf. l'idéal platonicien, ainsi que celui de Fichte, etc. En fait un État national ne réussit jamais ni à absorber tous ses ennemis, ni à s'isoler complètement d'eux. La limite n'est atteinte que par l'État universel ou l'Empire. Mais alors il n'y a plus d'« ennemis », c'est-à-dire plus de domaine *politique.* L'Empire, en *actualisant* complètement la relation politique fondamentale d'amis-ennemis, épuise la « *puissance* » politique. Or l'acte s'annule au moment où il épuise sa puissance. L'Empire n'est donc plus une entité *politique* au sens propre du mot : il n'a pas d'*histoire* politique.

Ils sont donc interchangeables, c'est-à-dire que l'État est *impartial*. Et il est aussi « *désintéressé* » en ce sens que son représentant, c'est-à-dire le gouvernement en sa qualité de Juge, peut être *quelconque*. En effet n'importe quel compatriote est un ami pour un compatriote quelconque : n'importe quel Juge le traitera donc en ami. Toute interaction entre *amis* politiques peut donc engendrer une situation juridique actuelle en ce sens que l'État *peut* jouer le rôle d'un Juge impartial et désintéressé. On peut donc dire que la possibilité de relations juridiques est l'expression dans le domaine du Droit du fait politique de l'« amitié », tandis que le rapport politique d'ami à ennemi se traduit juridiquement par l'impossibilité d'une situation juridique actuelle. Mais pour qu'il y ait vraiment une situation juridique entre « amis », il faut que l'État-Juge soit encore désintéressé en ce sens qu'il ne soit pas en même temps partie, élément de l'interaction qu'il juge. Or s'il prend A et B en leur qualité de citoyens, l'État est par cela même en interaction politique avec eux. Il est donc toujours partie et ne peut pas être Juge au sens propre du terme. Pour qu'il y ait situation juridique, il faut donc 1) que l'État se rapporte à des amis politiques, que A et B, qui sont en interaction, soient des citoyens, et 2) que A et B soient en interaction *non* politique entre eux, de sorte que l'État puisse se désintéresser de la nature de leur interaction et ne pas être partie là où il est censé être Juge.

À l'origine il n'y avait donc de Droit en acte, c'est-à-dire de Droit étatique, qu'entre amis, c'est-à-dire entre citoyens de l'État en question. Mais pour qu'il y ait vraiment un Droit dans cet État, l'État doit se rapporter à ces citoyens en les prenant dans leurs aspects non politiques, c'est-à-dire en tant que membres de Familles ou de Sociétés quelconques. Mais, en principe, la Famille, et surtout la Société, peut être tant cis-étatique que trans-étatique. Or, du moment que l'État, en sa qualité de Juge, fait abstraction du fait qu'il a affaire à des citoyens, il peut faire un pas de plus et juger même des étrangers dans leurs interactions non politiques tant entre eux qu'avec les nationaux. Et c'est ce qu'on observe effectivement. Dans les Sociétés plus évoluées, le Droit déborde petit à petit les cadres nationaux. C'est ainsi que le droit romain ajoute au *jus civile* national un *jus gentium*, qui s'applique aussi aux non-citoyens. Certes, il ne s'agit là que des « sujets romains », des habitants de l'empire romain. Mais en principe on peut l'appliquer à n'importe qui (cf. l'idée romaine du *jus naturale*, commun au genre humain), et c'est ainsi qu'on l'applique dans les États modernes. Mais la distinction entre le *jus civile* et le *jus gentium,* que les Romains ont maintenue jusqu'à la fin, montre qu'à l'origine le Droit en acte, c'est-à-dire le Droit étatique, ne s'appliquait qu'aux nationaux.

De toute façon, si l'État juge un étranger, c'est qu'il l'assimile, dans le plan juridique, aux « amis », c'est-à-dire aux nationaux. Plus exactement, il fait abstraction de la différence politique entre ami et ennemi, et prend les justiciables dans leur aspect non politique, c'est-à-dire, si l'on veut, politiquement « neutre » [1]. Pratiquement, cela n'est possible que tant que le rapport *politique* reste en puissance, c'est-à-dire tant que règne la paix. En temps de guerre, les citoyens ennemis redeviennent des « ennemis » politiques et cessent ainsi d'être des sujets de droit. Ils sont de nouveau « hors la loi ». Certes, dans les pays civilisés les citoyens ennemis ne sont pas livrés à leur sort. Ils ont un statut. Mais ce statut n'a plus rien de juridique; il est purement politique. En tout cas, le Droit valable pour les nationaux cesse de s'appliquer automatiquement aux ennemis. En bref, dès que le rapport politique ami-ennemi s'actualise, le rapport juridique disparaît, ou passe à l'état de puissance, n'étant plus appliqué par l'État.

Donc : l'État n'applique son Droit aux étrangers que s'il les prend dans leur aspect non politique, s'il ne les traite pas en « ennemis ». Autrement dit c'est le Droit dit civil qu'il applique à eux, et non le Droit dit public (qui n'est, d'ailleurs, pas un Droit proprement dit). L'État les considère comme membres de la Société formée par l'ensemble des Familles, ou comme membres de la Société constituée par l'ensemble des relations économiques, etc. C'est ainsi qu'à Rome les étrangers ont bénéficié du droit du *conubium* et du *commercium,* mais non du droit de cité. Et il en est toujours ainsi. Aucun État ne punira un étranger parce qu'il a été déserteur dans sa patrie, ou traître, etc., et il ne se préoccupera pas de son « droit » de vote, etc. Car il le traite non pas en *citoyen* d'un État étranger, mais en « personne privée », en non-citoyen, en membre d'une famille, en commerçant, etc. [2].

---

1. En *politique,* il n'y a pas de neutres : le non-ami est par définition ennemi et inversement. Traiter un homme ou une Société, voire un État, en « neutre », c'est simplement ne pas avoir de rapports *politiques* avec eux; c'est avoir seulement des rapports économiques, culturels, religieux, etc.

2. Le Droit international privé s'occupe de la nationalité des étrangers, c'est-à-dire de leur statut politique de citoyens. Mais il ne le fait que pour savoir si la personne en question est ou non un étranger. Il y a donc simple-

Prenons la Société économique. Si c'est une Société autonome, elle actualise elle-même son Droit, et si elle est organisée en État, elle l'applique à des « amis », tout en faisant abstraction de ce fait dans l'application elle-même. Mais il se peut que les membres de cette Société soient répartis entre plusieurs États indépendants. La Société elle-même n'est donc plus un État, elle n'est même plus une Société autonome. Le Droit n'y peut donc exister en acte qu'à condition d'être appliqué par les États qui se partagent les membres de la Société en question. Mais puisque ce Droit s'applique aux citoyens non pas en tant que citoyens mais en tant que membres de la Société économique qui déborde chacun de ces États, chaque État peut actualiser le Droit en l'appliquant à n'importe quel membre de la Société économique, peu importe qu'il soit un national ou un étranger.

Les choses se compliquent si le Droit économique varie d'État à État. Mais la situation générale reste la même : le Droit économique s'actualise par son application par les États, et les États appliquent ce droit aux membres de la Société économique pris en tant que tels, et non en tant que citoyens. Seulement, il y a maintenant deux variantes possibles : celle du Droit dit « territorial » et celle du Droit dit « personnel ». Dans le premier cas, l'État applique son propre Droit à tous les membres de la Société économique, nationaux ou étrangers. Dans le deuxième cas, tout en continuant à exercer en fait la justice sur son propre territoire, l'État n'applique son Droit qu'à ses nationaux, en appliquant aux étrangers les Droits de leurs États respectifs. (Ce qui engendre le « Droit international privé » proprement dit.) Mais la situation reste en principe la même, car, en le faisant, l'État continue de se rapporter aux justiciables comme à des membres de la Société économique, et non comme à des citoyens. L'État A ne se préoccupe pas de la façon dont un citoyen de l'État B est traité en tant que citoyen de cet État; il se demande seulement comment l'État B traite un membre de la Société économique en tant que membre de

---

ment un rapport entre ladite personne et l'État, qui est par conséquent partie, et non Juge. L'État peut, certes, appliquer la loi du pays d'origine pour déterminer la nationalité du ressortissant. Mais cette application n'a rien de juridique (comme n'a rien de juridique, d'ailleurs, la loi appliquée). Dire que le fils d'un Anglais né en France est anglais ou français n'est pas plus juridique que d'annexer une partie de l'Angleterre ou céder une partie de la France et décréter ensuite que les habitants sont français ou anglais. Ce sont des décisions ou des lois purement politiques, c'est-à-dire non juridiques.

cette Société si celui-ci est son citoyen. Autrement dit, si la Société économique n'est pas homogène quant à sa structure juridique, elle reste une Société économique, c'est-à-dire non politique, et ses membres sont traités par tous les États qu'elle implique comme des « personnes privées », des non-citoyens.

En définitive, on peut donc dire ceci.

Quand une société est organisée en État, le Droit ne peut s'y actualiser par une application étatique.

Quand l'État a affaire à des « amis » politiques (individuels ou collectifs), il peut et il doit leur appliquer un Droit. Car l'application du Droit n'est rien d'autre que la traduction juridique du rapport politique de l'État avec ses « amis », c'est-à-dire avec ses citoyens [1]. Si l'État intervient en qualité de Juge dans une interaction entre A et B, c'est qu'il ne les traite pas en ennemis politiques. Or, en politique, le non-ennemi est ami. Juger, c'est donc traiter en amis. C'est-à-dire : l'État traite politiquement en amis ceux qu'il juge, mais il ne les juge pas en leur qualité d'amis. Par contre, quand l'État refuse d'intervenir comme Juge dans une inter-action entre A et B, c'est que A et B, ou A, ou B sont ses ennemis politiques, c'est-à-dire des étrangers.

Mais pour qu'il y ait Droit, il faut que l'État-Juge ne soit pas partie, c'est-à-dire co-agent dans l'interaction. Autre-ment dit il ne doit pas prendre A et B dans leurs rapports avec lui-même, c'est-à-dire en tant que citoyens (nationaux ou étrangers). C'est pourquoi il peut juger aussi A et B quand ils sont des étrangers. Mais politiquement l'étranger est ennemi, c'est-à-dire par définition il ne peut pas être un justiciable. Pour pouvoir juger les étrangers, l'État doit donc les traiter en « neutres », c'est-à-dire ne pas avoir de rapports *politiques* avec eux. Et ceci n'est possible qu'en temps de paix, quand l'élément politique n'est pas actualisé. Même en temps de paix, l'étranger reste un ennemi politique (puisque nous supposons que l'État n'a pas d'alliés). Mais l'État peut agir en sa qualité non politique de Juge et dans cette attitude politiquement « neutre » il pourra juger des étrangers. En temps de guerre, par contre, l'État est une entité politique en acte. Tous ses rapports sont donc politiques et il se rap-porte à l'étranger comme à un ennemi. Il ne peut donc plus voir en lui un sujet de (son) droit. Quant au national, il est lui aussi traité politiquement. Mais il est traité en ami poli-

---

1. Je répète que j'ai supposé pour simplifier que l'État n'a pas d'*alliés* à l'étranger.

tique. Or, l'État peut toujours juger des amis. Le citoyen reste donc sujet de droit même en temps de guerre [1].

Voyons maintenant ce que donne dans le domaine juridique la distinction politique entre gouvernants et gouvernés.

Les gouvernants, c'est-à-dire le « groupe exclusif politique », sécrète le Gouvernement, qui actualise l'État en tant que tel, en agissant en son nom. Le reste de la population, c'est-à-dire les gouvernés (ou « le Groupe politique exclu »), subit l'action gouvernementale, sans pouvoir y opposer de résistance (tout au moins en principe) [2]. En particulier, dans une société organisée en État seul le Gouvernement peut actualiser le Droit en l'appliquant effectivement. Car seul le Gouvernement peut rendre le Droit vraiment efficace, en empêchant les justiciables de se soustraire à l'action juridique en quittant la société où celle-ci est censée avoir lieu. L'État en tant que Juge (au sens large, c'est-à-dire l'État pris dans son aspect juridique en général) n'est donc en dernière analyse rien d'autre que le Gouvernement.

Ceci ne veut pas dire que le Gouvernement crée de toutes pièces le Droit, qu'il n'y a pas de Droit sans gouvernement. Pour qu'il y ait Droit il suffit qu'il y ait des personnes en interaction, c'est-à-dire une Société (au sens large) et une idée de Justice applicable à ces interactions. Seulement, s'il y a un État, c'est-à-dire un Gouvernement, le Droit n'existe *en acte* que dans la mesure où il est appliqué par ce Gouvernement. Les interactions auxquelles le Droit est

1. Bien entendu, l'État peut appliquer à ses nationaux en temps de guerre un Droit « privé » autre que celui qu'il applique à eux en temps de paix. (Il peut décréter un moratoire, par exemple.) Mais il y aura toujours un *Droit* « privé » interne et le citoyen restera sujet de droit. Quant au « Droit » public, il n'est un Droit ni en temps de guerre, ni en temps de paix.

2. Bien entendu, les gouvernés peuvent reconnaître l'Autorité (politique) des gouvernants. Ceux-ci ne sont donc nullement obligés d'employer toujours la force. Mais ils sont censés pouvoir et devoir l'employer, si la nécessité se présente.

A la limite, le groupe gouvernant cesse d'être « exclusif », en englobant l'ensemble des citoyens. C'est le cas de l'État homogène. Or j'ai dit qu'il n'y a d'État proprement dit que là où il y a une distinction entre gouvernants et gouvernés. Comme dans le cas ami-ennemi, l'actualisation totale équivaut ici encore à l'annulation. L'État n'est « absolu », c'est-à-dire indéfiniment durable et immuable qu'à condition d'être parfaitement homogène. Mais l'État homogène n'est plus un État proprement dit. L'État universel et homogène, ou l'Empire, n'est donc ni un État, ni une entité politique en général. Mais ce n'est là qu'un cas limite, car en fait l'homogénéité n'est jamais absolue : il y a des différences d'âge, de sexe, de « caractère », etc., et par conséquent des groupements cis-étatiques.

appliqué sont évidemment « données » au Gouvernement :
il les trouve en dehors de lui-même. Quant à l'idée de Justice
qui détermine le fait et la nature de son intervention juridique, elle peut soit être propre au Gouvernement, soit être
empruntée également du dehors, comme une « donnée ».
Ainsi un Gouvernement peut appliquer (actualiser) une
« coutume » juridique préexistante ou créée indépendamment
du Gouvernement proprement dit. Il se peut aussi que le
Gouvernement applique un Droit qu'il désapprouve, qu'il
croit injuste ou pernicieux. Mais il faut distinguer alors deux
cas. Dans le premier, le Gouvernement en tant que tel se
solidarise avec le Droit qu'il applique, mais les membres
du Gouvernement, pris en tant que « personnes privées »
(membres de Familles ou de Sociétés cis- ou trans-étatiques)
ne reconnaissent pas son autorité juridique. Mais ce cas ne
nous intéresse pas, car nous parlons du Gouvernement et
non des personnes privées. Dans l'autre cas, le Gouvernement
s'oppose en tant que tel au Droit qu'il applique néanmoins.
Il le fait donc sous la pression de forces extra-gouverne-
mentales. Il n'est par conséquent pas un Gouvernement véritable : il s'agit d'une période de transition où l'État, privé
de Gouvernement, n'existe pas en acte. Mais dans les cas
« normaux », le Gouvernement se solidarise (en tant que tel
et dans la personne de ses membres) avec le Droit qu'il
actualise en l'appliquant. Et donc il puise les principes de
ce Droit dans l'idée de Justice qui est sienne. Or, du moment
que le Gouvernement est sécrété par le groupe politique
exclusif, c'est-à-dire par les gouvernants, l'idée de Justice
du Gouvernement n'est rien d'autre que l'idée de ce groupe.
Ce dernier est donc aussi le « groupe exclusif juridique »,
mentionné dans notre définition générale du Droit.

Le cas « normal » est donc le suivant. Au sein d'une société
se constitue un groupe exclusif juridique. Autrement dit, ce
groupe peut exclure de la vie juridique active (créatrice du
Droit) tous ceux qui n'acceptent pas l'idéal de Justice accepté
par le groupe, sans que la société en périsse. Ce groupe est
en même temps un groupe exclusif politique. Il sécrète donc
un Gouvernement, et ce Gouvernement actualise le Droit
du groupe en en faisant le Droit étatique de la société (organisée en État). Tous les « administrés » sans exception
subissent donc ce Droit sans pouvoir s'y opposer. Mais les
gouvernants le subissent en reconnaissant son autorité,
tandis que les gouvernés s'y soumettent parce que le Gouvernement les y force. Mais il y a des cas où le groupe exclusif
juridique ne coïncide pas avec le groupe exclusif politique,

ou des cas où le Gouvernement en tant que Juge n'est pas un produit de sécrétion des gouvernants. Et ces cas « anormaux » seront discutés dans le § suivant.

Retenons pour le moment que le Gouvernement est seul à actualiser l'État, tant en tant qu'entité politique qu'en tant que Juge. Se rapporter juridiquement à l'État, c'est donc se rapporter en fin de compte à son Gouvernement. Car on a beau « séparer » le pouvoir judiciaire, l'exécution du jugement (la Police) incombe toujours en fin de compte au Gouvernement, et celui-ci ne l'exécute que s'il le fait sien (car autrement ce serait le pouvoir judiciaire qui ferait office de Gouvernement et il n'y aurait plus de « séparation » non plus). Dès qu'il y a État, toute justice en acte est donc nécessairement étatique, c'est-à-dire gouvernementale, peu importe qu'elle le soit explicitement (comme en France, où les lois juridiques sont l'œuvre du Parlement) ou seulement d'une manière implicite (comme en Angleterre, où la législation juridique est l'œuvre des juges). L'« administré », c'est-à-dire l'« individu » (et bien entendu le membre du Gouvernement pris en tant que personne privée, qui est « administrée » comme n'importe quelle autre) n'a le choix qu'entre deux possibilités : ou bien il reconnaît librement l'autorité juridique du Gouvernement, ou bien le Gouvernement le contraint par force de subir l'action juridique gouvernementale. Mais comme le Jugement est exécuté (en principe) dans les deux cas, il y a toujours un Droit en acte.

Tirons maintenant les conséquences de ce qui précède.

Le Gouvernement actualise l'État tant dans son aspect politique que dans son aspect juridique. Dès qu'il y a État et dès qu'il y a une interaction *politique* dans cet État, l'État représenté par son Gouvernement ne peut pas être Juge de cette interaction, puisqu'il y a par définition partie. Là où, par contre, il s'agit d'interactions non politiques (familiales, économiques, etc.), le Gouvernement peut jouer le rôle d'un tiers. Seules les interactions *non politiques* peuvent donc engendrer dans un État une situation authentiquement juridique.

La situation est particulièrement claire dans le cas du Droit privé ou civil proprement dit (tel qu'il sera défini avec plus de détail dans la Troisième Section). Dans ces cas l'intervention juridique du Gouvernement est facultative : elle ne s'effectue que sur la demande des intéressés. Ce comportement du Gouvernement montre que l'interaction en question ne l'affecte pas en tant que tel. Ou, plus exactement, le Gouvernement pense — à tort ou à raison — que cette interaction ne l'affecte pas. Du point de vue de l'État moderne, par exemple, on peut être un bon citoyen tout en ne payant pas ses dettes privées. Si B doit de l'argent à A, l'État croit pouvoir se désintéresser de la question de savoir si B rendra cet argent à A ou le gardera pour lui. C'est pourquoi le Gouvernement n'intervient pas si A ne réagit pas au non-paiement de la dette de B. Ce qui intéresse dans ce cas le Gouvernement en tant qu'agent politique, c'est qu'il n'y ait pas de bagarres entre *citoyens* pour des raisons privées. C'est pourquoi il interdit à A d'agir spontanément contre B, et l'oblige à s'adresser à l'arbitrage gouvernemental. Mais cette obligation n'a rien de juridique en elle-même : ce n'est ni un « droit » ni un « devoir » au sens *juridique* de ces termes. C'est une obligation *politique* qui interdit la « guerre civile » sous toutes ses formes. Et cette obligation ne détermine nullement la *nature* de l'intervention gouvernementale juridique. Dans son aspect politique, le Gouvernement décide de supprimer certains conflits entre ses citoyens en leur imposant un arbitrage juridique gouvernemental. Mais c'est dans son aspect juridique que le Gouvernement fixe la modalité de cette intervention. Et il le fait en s'inspirant de son idée de Justice, en l'appliquant à l'interaction en question [1]. C'est cette application par le Gouvernement de l'idée gouvernementale (c'est-à-dire acceptée par le Gouvernement) de Justice à une interaction non politique qui constitue le Droit en acte.

D'une manière générale, le Gouvernement peut jouer le rôle d'un Juge, c'est-à-dire d'un « tiers impartial et désintéressé » qui intervient en fonction de son idée de Justice, partout où il s'agit d'interaction entre membres de Familles ou de Sociétés cis- ou trans-étatiques, ces membres agissant en membres de ces Familles ou Sociétés, et non en membres de l'État, c'est-à-dire en citoyens. En tant qu'entité politique, l'État se désintéresse de ces interactions, et c'est pourquoi son intervention est facultative. Mais, s'il intervient, il le fait d'après des principes juridiques qui lui sont propres. Le Gouvernement décide de la façon dont sera résolu le conflit soumis à son arbitrage, et on ne peut pas dire que l'« individu » a un droit vis-à-vis du Gouvernement. Il a un droit vis-à-vis

---

1. Je ne discute pas pour le moment la question de savoir si l'idée de Justice est un phénomène autonome, ou si cette idée est une résultante des « intérêts » économiques du Gouvernement (voire des gouvernants), ou de ses idées politiques, morales ou autres. Il me suffit que ces « intérêts » ou ces idées non juridiques passent par l'idée de Justice avant de s'appliquer aux interactions soumises à l'arbitrage juridique du Gouvernement.

d'un autre « individu », et ce droit est fixé par une décision gouvernementale. C'est tout. Certes, l'interaction peut avoir lieu non seulement entre individus proprement dits, mais encore entre « personnes collectives » ou entre des individus et des sociétés (au sens large). Mais ceci ne change en rien la situation générale : l'individu agit en sa qualité de non-citoyen et la société est autre chose que l'État. Quand ces individus et ces sociétés sont en interactions, le Gouvernement peut jouer le rôle d'un *tiers,* car il s'agit d'interaction entre ces individus et ces sociétés, et non pas de leurs inter-actions avec l'État [1].

On ne peut donc pas dire que l'individu (ou une société non politique) a le *droit* d'être jugé par le Gouvernement, ni que celui-ci a le *devoir* juridique de le juger. On ne peut pas dire par conséquent que l'individu a le *droit* d'être jugé d'une façon plutôt que d'une autre. Ce n'est que parce que l'individu est jugé par le Gouvernement, et jugé d'une certaine façon, qu'il a des *droits* et des *devoirs* juridiques, et il les a par rapport non pas au Gouvernement, mais vis-à-vis d'autres individus ou sociétés non politiques.

La situation est moins claire quand il s'agit du Droit pénal, c'est-à-dire des cas où l'intervention juridique de l'État n'est plus facultative. Si le Gouvernement intervient spontané-ment, même s'il n'est pas sollicité par les intéressés, c'est qu'il est « intéressé » lui-même, c'est qu'il est ou se croit lésé par l'interaction en question. Il ne peut donc plus être Juge; il est déjà partie. Il semble donc que le Droit pénal n'est pas un droit authentique. Mais cette solution est visi-blement paradoxale. Elle l'est d'autant plus que les limites

1. Si le « droit social » dont parle par exemple Duguit règle les rap-ports entre les membres d'une Société économico-culturelle et cette Société en tant que telle, prise dans son ensemble, il s'agit d'un Droit privé. L'État est donc tout aussi peu obligé de faire siens les intérêts de cette Société que de se solidariser avec l'intérêt de l'un des membres de ladite Société. Sinon il faut dire que le soi-disant « Gouvernement » est l'organe administratif de cette Société non politique : ce n'est plus alors le Gouvernement d'un État, il n'y a plus d'État, il n'y a plus de relation ami-ennemi. En effet Duguit raisonne toujours en oubliant qu'il y a des guerres. Car on ne peut vraiment pas dire que l'État veille au « bonheur » ou au « bien-être » de ses citoyens, s'il les fait tuer pour se maintenir en tant qu'État dans l'exis-tence. En cas de guerre, le Gouvernement soumet l'intérêt non politique à l'intérêt politique : le « droit social » doit donc se subordonner aux exi-gences purement politiques. Le « droit social » n'est donc possible que là où la Société peut subsister sans être une entité politique, un État, c'est-à-dire là où il n'y a pas de guerres. Le « droit social » à la Duguit n'a donc de sens que dans l'État universel qu'avait en vue Marx : on ne peut pas admettre ce « droit » en conservant l'idéal d'une *nation* organisée en État.

entre le Droit civil et le Droit pénal varient selon les époques et les lieux. Or on ne peut vraiment pas dire que l'interdiction du meurtre par exemple a cessé d'être juridique dans les États modernes du seul fait que le Gouvernement y punit le meurtrier spontanément, tandis que dans les États archaïques le Gouvernement n'intervenait que sur la demande des intéressés. Or ce paradoxe permet de résoudre le problème.

Si des cas de Droit pénal ont pu être des cas de Droit civil, et des cas de Droit civil — des cas de Droit pénal, c'est qu'il y a un élément « civil » dans le Droit pénal. Autrement dit il s'agit d'interactions entre « particuliers » où le Gouvernement intervient ou peut intervenir en qualité de *tiers*. La seule différence avec le cas de Droit civil ou privé réside dans le fait que le gouvernement intervient spontanément. Encore faut-il distinguer deux cas. Dans le premier le Gouvernement intervient parce qu'il suppose que l'intéressé aurait dû le solliciter « normalement », qu'il ne l'a pas fait pour ainsi dire « par hasard ». C'est ainsi que le Gouvernement peut intervenir « spontanément » là où l'on lèse les intérêts d'un enfant. Mais ce cas est sans intérêt, car il ne diffère pas essentiellement des cas du Droit civil proprement dit. Le Gouvernement y défend l'intérêt du justiciable, pris en tant que personne privée, et non le sien propre. Dans l'autre cas, par contre, l'État intervient parce que l'action qu'il juge lèse ses propres intérêts. Ainsi le meurtrier non seulement prive la Famille et la Société de son membre, mais encore enlève un citoyen à l'État. Dans ce cas il y a donc lieu de distinguer entre une intervention juridique et une intervention politique du Gouvernement. Le Gouvernement intervient juridiquement, c'est-à-dire en sa qualité de Législateur juridique, de Juge ou de Police judiciaire, quand il punit le meurtrier d'un individu isolé (d'un animal Homo sapiens), d'un membre d'une Famille ou d'une Société cis- ou trans-étatique. Mais il intervient politiquement quand il punit le même meurtrier pour avoir enlevé un citoyen à l'État. Et ce dernier châtiment n'a alors rien de juridique.

Cette distinction peut paraître bien subtile. Mais elle est phénoménologiquement justifiée. Et nous verrons plus tard (Troisième Section) qu'elle permet de résoudre certaines difficultés de la théorie de la peine. On voit parfois qu'une mesure pénale de caractère politique (privation des « droits » civiques par exemple) vient se greffer sur une peine juridique (emprisonnement par exemple ou châtiment corporel). C'est qu'il y a eu une double intervention du Gouvernement : une intervention juridique du Droit pénal, et une intervention politique non juridique. Sans doute, le Gouvernement décide dans les deux cas de la nature de la peine et de la nécessité de l'appliquer. Mais dans le premier sa décision crée une situation juridique, tandis que dans le second il n'y a qu'un rapport purement politique entre un citoyen et son Gouvernement.

D'une manière générale il y a Droit pénal proprement dit là où le Gouvernement intervient spontanément, mais à l'occasion d'interactions qui ont lieu entre « particuliers », et non entre citoyens pris en tant que tels. Et le Gouvernement n'agit juridiquement que dans la mesure où il fait abstraction du fait que les interactions en question lèsent aussi ses propres intérêts politiques. Il peut sans doute défendre ses propres intérêts tout en défendant ceux des particuliers pris en tant que particuliers. Mais alors il n'agira plus en Juge, mais en partie, et son action n'aura rien de juridique. Ce qu'on entend généralement par « Droit pénal » est donc en réalité une entité hybride, où des éléments authentiquement juridiques sont amalgamés à des éléments politiques.

On peut présenter la situation de la manière suivante. Le Gouvernement fixe le statut du citoyen, qui dit non pas seulement à quel âge celui-ci devient électeur par exemple, etc., mais encore qu'un citoyen ne peut pas être bigame, ou assassin, etc. Le Gouvernement fixe ce statut comme bon lui semble, et ce statut n'a rien de juridique. La loi qui le détermine ne diffère en rien de la loi qui détermine les couleurs nationales par exemple : c'est une loi politique et non juridique. Si un individu se comporte en citoyen, il est censé vivre et agir conformément à son statut. S'il agit autrement, c'est qu'il agit en non-citoyen, en personne privée, membre d'une Famille ou d'une Société. Dans ce cas il y a en lui un conflit entre lui-même pris en tant que citoyen et en tant que personne privée. L'État intervient alors et soutient en quelque sorte le citoyen contre la personne privée, en forçant celle-ci d'agir en citoyen, c'est-à-dire conformément au statut. L'État est ici partie et la situation n'a rien de juridique. Mais il se peut qu'en agissant contrairement à son statut de citoyen, l'individu lèse aussi les intérêts d'une autre personne privée ou d'une Société non politique. Ainsi, par exemple, l'assassin lèse les intérêts d'un individu isolé – le bigame – ceux de la Famille (monogame). Dans ce cas-là, le Gouvernement intervient non pas seulement politiquement, pour faire respecter le statut du citoyen qu'il a fixé, mais encore juridiquement, afin d'appliquer son idée de Justice au cas d'une interaction entre deux personnes privées, individuelles

ou collectives, physiques ou morales. Et le « Droit pénal »
n'est un Droit que dans la mesure où il implique de telles
règles de droit applicables à des interactions de non-citoyens
entre eux.

Là par contre où il s'agit de « Droit public » au sens étroit,
c'est-à-dire de « Droit » constitutionnel et administratif,
c'est-à-dire là où il s'agit de rapports, d'interactions avec
l'État lui-même, il n'y a pas d'élément juridique du tout.
L'État étant partie, il ne peut pas être en même temps Juge.
Le Droit, s'il y a Droit, ne peut donc pas être *actualisé*.

D'ailleurs, si le citoyen agit en citoyen, il ne peut pas — par
définition — entrer en conflit avec l'État. Sinon il s'agit d'une
action révolutionnaire, qui de toute évidence n'a rien à voir
avec le Droit. Elle est illégale politiquement, et en désaccord
avec le statut admis du citoyen. Mais il est absurde de dire
qu'elle est illégale juridiquement. Elle nie simplement le
Droit en vigueur, elle s'opère en dehors du Droit en acte.
Mais comme on ne peut pas dire qu'on a un « droit » au
Droit, on ne peut pas dire qu'il est *juridiquement* « criminel »
de nier le Droit en vigueur. Quoi qu'il en soit, si le citoyen
n'est pas révolutionnaire et s'il agit néanmoins contre son
statut de citoyen et entre ainsi en conflit avec l'État, c'est
qu'il agit contre l'État en non-citoyen, en personne privée,
en membre d'une Famille ou d'une Société. L'État se défend
alors contre une force extérieure en quelque sorte, et il est
bien partie et non Juge dans ce conflit. Quant aux conflits
entre citoyens, ils sont eux aussi impossibles quand les
citoyens agissent en citoyens, c'est-à-dire conformément à
leurs statuts. Car l'État ne peut exister indéfiniment, il n'est
vraiment politiquement viable que si sa structure est en harmonie avec le statut des citoyens, et si ce statut lui-même est
tel que les citoyens qui s'y conforment ne puissent pas entrer
en conflit entre eux. L'État n'a donc jamais affaire à des
conflits entre citoyens en tant que tels, ni à des conflits entre
ces citoyens et l'État. Il se contente de fixer son propre statut
ainsi que celui des citoyens, et de les faire respecter par les
non-citoyens, peu importe que le non-citoyen soit un élément
intégrant de la personne concrète du citoyen ou un « sujet »
de l'État, ou bien encore un étranger. Dans tous ces cas, il
n'y a pas de situation juridique et l'intervention de l'État
peut être assimilée à un cas de guerre : l'État supprime par
force le non-citoyen ou le force à respecter le statut du citoyen.

Pourquoi parle-t-on cependant de « garanties constitutionnelles », de « Droit public », constitutionnel et administratif ? C'est que les membres du Gouvernement sont — géné-

ralement parlant — non seulement citoyens, c'est-à-dire
précisément membres du Gouvernement, mais encore personnes privées, membres de Familles et de Sociétés non
politiques. Or ce que je viens de dire vaut seulement pour les
rapports avec le Gouvernement en tant que tel, c'est-à-dire
avec ses membres pris en tant que citoyens, et non pas pour
les rapports avec ces mêmes membres, pris en tant que personnes privées. Si un individu ou une société entre en conflit
avec un membre du Gouvernement (ou l'ensemble de ces
membres) pris comme personne privée, c'est-à-dire comme
individu isolé ou membre d'une Famille ou d'une Société,
il y a interaction entre personnes privées. En tout cas, il n'y
a pas d'interaction avec l'État. L'État, c'est-à-dire le Gouvernement en tant que tel, c'est-à-dire ses membres pris en
tant que citoyens, peut donc intervenir comme un *tiers* dans
cette interaction. Il peut être Juge. Il peut donc y avoir une
règle de droit, une situation juridique. Et le « Droit public »
n'est un *Droit* que dans la mesure où il implique de telles
règles de droit, réglant les rapports entre les administrés
et leurs administrateurs, ceux-ci étant pris comme personnes
privées.

Il ne s'agit donc nullement de supprimer le Droit public,
de nier les « garanties constitutionnelles ». Il faut seulement
les interpréter correctement. Dans la mesure où la Constitution fixe le statut de l'État et des citoyens, elle n'a rien de
juridique. C'est une loi purement politique que l'État, c'est-
à-dire le Gouvernement, crée comme il veut et qu'il peut changer quand il veut. Il n'y a aucun sens de faire appel à la Constitution contre l'État, représenté par son Gouvernement.
Mais seul l'État peut changer la Constitution. Autrement dit,
le Gouvernement doit agir en tant que Gouvernement : ses
membres doivent agir en citoyens et non en membres de
Sociétés autres que l'État. Et c'est ce que montre très clairement l'origine de nos Constitutions modernes. Elles étaient
imposées aux rois et elles avaient pour but d'empêcher le
roi de confondre les intérêts de l'État avec ceux de sa dynastie, c'est-à-dire de sa Famille ou avec ses autres intérêts privés. La Constitution annulait l'action du roi quand celui-ci
agissait en personne privée au nom de l'État. La Constitution était donc une règle de droit s'appliquant aux interactions entre les individus et une *personne privée* (impliquée
dans la personne concrète du roi). En énonçant cette règle,
l'État agissait donc en Législateur *juridique* et c'est en Juge
qu'il l'appliquait, c'est en Police judiciaire qu'il exécutait son
jugement. Or ce qui est vrai pour la Constitution monar-

chique est vrai pour toute Constitution au sens large, c'est-
à-dire aussi pour toute Administration étatique.

On a toujours distingué entre l'acte d'un membre du Gouvernement (roi, ministre, ou fonctionnaire) agissant en tant
que citoyen, c'est-à-dire au nom du Gouvernement, en tant
que membre du Gouvernement, et son acte privé, où il agit
en tant qu'individu isolé, ou membre d'une Famille, ou d'une
Société autre que l'État. Et dans ce dernier cas, on lui appliquait le Droit commun. Avec raison, sans aucun doute. Dans
ce cas l'État avait affaire à un particulier, entrant en interaction avec d'autres particuliers. L'État n'avait donc qu'à
appliquer son Droit civil ou pénal. Mais il ne faut pas oublier
qu'il y a encore un troisième cas. Le membre du Gouvernement peut agir au nom de l'État et poursuivre néanmoins son
intérêt privé, non politique. Et cet intérêt n'a pas besoin
d'être son intérêt strictement personnel. Il peut être aussi
celui de sa Famille, ou de sa « classe », en général d'une
Société dont il est membre et qui n'est pas l'État lui-même,
étant cis- ou trans-étatique. Ici encore il y a une action
d'une personne privée de sorte que l'État peut intervenir en
qualité de tiers, et appliquer ainsi une règle de *droit*. Mais
ce Droit ne sera plus le Droit civil ou criminel commun, car
la personne privée agit ici au nom de l'État, en faisant semblant ou en croyant agir en citoyen, en membre du Gouvernement représentant l'État en tant que tel. La règle de droit
qui s'applique à de tels cas fera donc partie d'un Droit *sui
generis*, et ce Droit n'est autre que le Droit dit public, constitutionnel ou administratif.

Somme toute, la Constitution (et le « Droit administratif »)
n'est une « garantie » que dans la mesure où elle permet de
distinguer les cas où les membres du Gouvernement agissant
en tant que tels, c'est-à-dire en tant que citoyens, des cas où
ils agissent en personnes privées au nom de l'État. Dans le
premier cas, leurs actes sont « constitutionnels », dans le
second — ils sont « anticonstitutionnels ». Et la Constitution n'est *juridique* que dans la mesure où elle annule les
actes « anticonstitutionnels » ou quand elle prévoit des
sanctions contre les membres du Gouvernement agissant au
nom de l'État en tant que personnes privées (ces sanctions
étant généralement — mais à tort — sous-entendues, non
formulées explicitement). Quand un ministre commet un
acte anticonstitutionnel, il est censé avoir agi en fonction
d'intérêts autres que ceux de l'État (consciemment ou non) :
il a agi au nom de l'État, mais ce n'est pas le citoyen, c'est-
à-dire le ministre en tant que tel, qui a agi en lui. Il a agi

(consciemment ou non) en personne privée, et l'État intervient (en appliquant l'aspect juridique de sa Constitution) pour annuler cette action privée. Quant à l'aspect de la Constitution qui fixe le statut de l'État (et des citoyens), il n'a rien de juridique. La Constitution est créée par l'État et l'État peut la changer quand il veut et comme il veut. Aucune Constitution ne se présente, d'ailleurs, comme immuable, puisqu'elle prévoit généralement la méthode qu'il faut suivre pour la modifier. Mais c'est seulement l'État lui-même qui peut changer la Constitution. Autrement dit le Gouvernement qui change la Constitution doit agir en Gouvernement : ses membres doivent agir sous leur aspect de citoyens, de membres du Gouvernement (au sens large, le Parlement étant un Gouvernement par exemple), et non en personnes privées quelles qu'elles soient. Et la méthode de changement que prévoit la Constitution a pour but de garantir cette condition : les formalités sont censées être telles que seuls des hommes agissant dans leur aspect de citoyens peuvent réussir à changer la Constitution. Certes, ces garanties ne sont jamais suffisantes en fait, et aucune Constitution n'a empêché un État d'être un État « de classe », où le Gouvernement agit au nom de l'État pour servir non pas l'État en tant que tel, mais une Société cis- ou trans-étatique, une Société économique par exemple, ou religieuse. Mais c'est une telle garantie qu'ont en vue les Constitutions. Et elles ne sont juridiques que dans la mesure où elles permettent à l'État d'intervenir dans les cas où des personnes privées veulent agir au nom de l'État. C'est contre ces personnes privées que l'État intervient en tant que Juge. Or, tant que la Constitution n'est pas changée d'une façon « constitutionnelle », c'est-à-dire par des citoyens agissant en citoyens, toute personne quelle qu'elle soit agissant d'une façon contraire à la Constitution est censée agir en personne privée, même si elle agit au nom de l'État étant membre de son Gouvernement.

Faire appel à la Constitution à propos d'un acte gouvernemental, c'est donc affirmer que le Gouvernement (ou son membre) agit dans ce cas non pas en citoyen, mais en personne privée, et c'est inciter l'État, c'est-à-dire le Gouvernement pris en tant que tel, d'agir en Juge étatique, c'est-à-dire en tiers contre lui-même pris comme personne privée. Et cette action sera effectivement juridique, car l'État (par son Gouvernement) jugera une interaction avec une personne privée autre que lui-même, même si cette personne est son Gouvernement. Car si ce Gouvernement agissait à l'encontre de la

Constitution en sa qualité de Gouvernement, c'est-à-dire comme l'État lui-même, il aurait pu changer la Constitution de façon à rendre son action « constitutionnelle ». Si le Gouvernement ne le peut pas, c'est qu'il n'agit pas en Gouvernement, c'est qu'il n'est pas dans son action l'État lui-même. Et alors l'État est un tiers par rapport à lui et son action contre lui peut être celle d'un Juge.

C'est en ce sens et en ce sens seulement qu'il y a un *Droit* constitutionnel et administratif. Car il n'y a aucun sens de dire qu'il y a un droit vis-à-vis de l'État en tant que tel. La Constitution (au sens large, c'est-à-dire l'ensemble des lois réglant la structure de l'État, de ses administrations et le statut de ses citoyens pris en tant que citoyens) est appliquée par l'État, et si on l'invoquait contre l'État celui-ci serait à la fois partie et Juge, ce qui est juridiquement absurde. D'ailleurs c'est l'État qui crée sa Constitution et elle n'est valable que tant que l'État l'applique. Quand l'État agit contre la Constitution en tant qu'État, c'est qu'il l'abroge purement et simplement, et personne n'a rien à y redire. Mais tant que l'État la maintient, elle a deux fonctions bien distinctes. D'une part elle décrit la structure que l'État se donne à l'époque où la Constitution est valable : et il est utile de savoir ce qu'est au juste un État donné, quoique cette connaissance n'ait rien à voir avec le Droit, étant une connaissance purement politique. D'autre part la Constitution permet de distinguer entre les actes de l'État et les actes privés accomplis à tort au nom de l'État : auquel cas l'État peut intervenir en sa qualité de Juge pour annuler ces actes dans la mesure où ils engendrent des conflits avec les « administrés ». Dans son aspect juridique la Constitution et le « Droit public » en général ne touchent que les actes privés faisant figure d'actions étatiques. Quant aux actes vraiment étatiques, ils n'ont rien de juridique, puisque étant accomplis par l'État en tant que tel, ils ne peuvent pas être jugés par cet État, et puisqu'il n'y a pas dans un État de Droit (en acte) autre que celui qu'applique cet État lui-même [1].

1. On dit souvent que la Constitution monarchique parlementaire (anglaise par exemple) limite le pouvoir royal. C'est faux. Elle empêche seulement le roi d'agir en personne privée au nom de l'État, de faire en sorte que l'État serve ses intérêts privés, par exemple dynastiques. Car si le roi agit en citoyen, c'est-à-dire en roi, en Gouvernement, il est censé être d'accord (d'après la Constitution) avec les autres citoyens (représentés par le Parlement). Et en effet, s'il est d'accord avec les citoyens (c'est-à-dire s'il a l'assentiment du Parlement), il peut « faire ce qu'il veut ». Son pouvoir vraiment *politique* n'est donc nullement limité. La Constitution limite, voire annule, le pouvoir du roi quand celui-ci est en désaccord avec le Par-

§ 24.

À l'intérieur d'un État, le Droit étatique est le seul Droit existant en acte. Tout Droit est un Droit « positif ». Le Droit est la Loi juridique édictée par le Gouvernement. Et il n'y a aucun sens de lui opposer un « Droit naturel » ou une « Coutume ». Car on n'oppose pas une simple puissance à l'acte. Il n'y a pas de Droit opposable à l'État, personne n'a de droit vis-à-vis du Gouvernement pris en tant que tel. Car tous les droits existent seulement à l'intérieur du Droit étatique, et ce Droit n'est rien d'autre que l'ensemble des prescriptions juridiques de l'État. C'est le Gouvernement qui crée le Droit actuel et il peut le modifier quand et comme il veut.

C'est ainsi qu'un Kelsen voit les choses de nos jours. C'est ainsi que les voyaient un Hobbes, un Bentham et un Austin. Mais ce point de vue a toujours été critiqué. On a objecté qu'il y a une idée ou un idéal de Justice, indépendamment du Droit positif étatique ou gouvernemental, et opposable à

lement. Mais c'est que, d'après cette Constitution, le roi, dans ce cas, n'agirait pas en roi, c'est-à-dire en Gouvernement incarnant l'État, mais en personne privée. Et ce qui est vrai pour le roi, est vrai pour n'importe quel Gouvernement : une Constitution ne limite l'action gouvernementale que dans le cas où le Gouvernement voudrait agir non pas en Gouvernement mais en personne privée, représentant des intérêts autres que ceux de l'État, c'est-à-dire de ses citoyens *pris en tant que citoyens*. Mais ceci n'est vrai qu'en principe. En fait (dans un État non homogène) la Constitution « garantit » non pas les intérêts politiques de tous les citoyens, mais seulement ceux des gouvernants, du groupe exclusif politique. Or, pratiquement, ce groupe est aussi une Société non politique, avant tout économique, une « classe ».

Si l'« individu » n'a aucun *droit* vis-à-vis de l'État, il n'a pas non plus de *devoir juridique* envers lui. Car il n'y a rien de juridique là où il n'y a pas de *tiers*. Or, dans le droit comme dans le devoir vis-à-vis de l'État, l'État est par définition partie et ne peut donc pas être tiers. Et comme il n'y a pas dans l'État d'autre Droit en acte que le Droit étatique, il n'y a rien de juridique dans les rapports (positifs ou négatifs) avec l'État. Mais il ne s'ensuit pas de là qu'il y ait un risque d'arbitraire des deux côtés. Les individus (et les Sociétés, les Familles) ont sans aucun doute des devoirs vis-à-vis de l'État et l'État a des devoirs vis-à-vis d'eux. Mais ces devoirs sont *politiques*, et non juridiques. De même qu'on distingue les devoirs *moraux* ou *religieux* du devoir *juridique*, il faut distinguer de celui-ci aussi les devoirs *politiques*. Et pour la même raison : dans aucun de ces cas il n'y a d'intervention d'un *tiers*. Dans le devoir moral je suis moi-même mon « Juge »; dans le devoir religieux, Dieu est à la fois « Juge » et partie; et il en est de même dans le devoir politique, où c'est l'État qui est et le « Juge » et la partie. Or, là où il n'y a pas de Juge distinct des parties, il n'y a rien de juridique.

ce Droit. Il est indéniable qu'on distingue entre un « Droit juste » et un « Droit injuste » quand on parle d'un Droit positif. Et les « étatistes » ont certainement tort de répondre que la catégorie de Justice opposée au Droit positif est une catégorie purement morale, non juridique. Quand on qualifie d'« injuste » un Droit positif, on lui oppose non pas une morale ou une religion, mais un *Droit* (juste). Pourtant les étatistes ont raison de dire qu'il n'y a pas de sens d'opposer un « Droit juste » au Droit positif. Car il n'y a pas de Droit sans sanction et l'État est seul capable de sanctionner un Droit. Il n'y a donc pas de Droit en dehors du Droit sanctionné par l'État, c'est-à-dire du Droit positif. L'État, c'est-à-dire le Gouvernement, dispose souverainement du contenu du Droit.

Je pense qu'on ne peut pas mettre fin à cette discussion sans faire appel à la distinction entre le Droit en acte et le Droit en puissance. L'idée ou l'idéal de Justice est bien une idée juridique, et non morale ou religieuse. C'est même le « principe » du Droit en tant que tel, de tout Droit et par suite de tout Droit « positif ». Sans cette idée, le Droit ne peut ni naître, ni se maintenir dans l'existence. Mais premièrement la Justice n'est que le « principe » ou la source du Droit : elle n'est pas encore le Droit. La Justice ne devient Droit, c'est-à-dire une entité juridique au sens plein du mot, que si elle s'applique à des interactions sociales quelconques (admettant une telle application). On ne peut donc pas opposer à un Droit la Justice en tant que telle. On ne peut lui opposer qu'un autre *Droit*, c'est-à-dire une autre application de la Justice, ou une application d'une autre Justice, à des interactions sociales. Car — deuxièmement — l'idée de Justice n'est pas donnée une fois pour toutes. Elle aussi évolue dans le temps. On ne peut donc pas opposer à un Droit positif un Droit naturel, valable partout et toujours. Le Droit absolu n'existera qu'à la fin de l'histoire, étant l'application correcte de l'idée de Justice élaborée dans l'État universel et homogène aux interactions sociales existant dans cet État. Jusquelà, parler d'un Droit positif « injuste » ne peut signifier que deux choses. Ou bien on veut dire par là que le Droit positif « injuste » n'applique pas correctement l'idée de Justice qui est à sa base. Ou bien on affirme que cette idée même est fausse ou insuffisante. Alors on oppose au Droit positif en question un autre Droit, fondé sur une autre idée de Justice (cf. la Deuxième Section). Enfin — troisièmement — il ne faut pas oublier qu'une seule et même idée de Justice, réalisée dans et par un Droit, peut exister soit en acte, soit en puissance. Dans les deux cas il y aura un Droit, et ce Droit sera réel. Mais quand un Droit réel en acte s'oppose à un Droit réel en puissance, ce dernier devra s'effacer comme toute réalité en puissance s'efface devant une réalité en acte, comme l'œuf s'efface devant la poule qui en naît.

Sumner-Maine [1] a objecté à Austin que beaucoup de Gouvernements, même « despotiques », c'est-à-dire pleinement et absolument « souverains », n'ont jamais édicté de lois juridiques et ne se sont pas mêlés de la vie juridique de leurs sujets. Et il a insisté sur le fait que le Droit naît avant les États, qu'il y a des Droits « coutumiers » non étatiques. Ces remarques sont justes, sans aucun doute. Mais on peut donner aussi raison à Austin (et à Kelsen), si l'on distingue le Droit en acte du Droit en puissance.

Tant que la Société n'était pas organisée en État, mais était néanmoins une société (pratiquement) « autonome », il y avait en elle un Droit, et ce Droit était réel en acte. Mais dès que cette Société s'organise en État, elle cesse d'être autonome en tant que Société non étatique : elle n'est autonome qu'en tant qu'État. Du coup son Droit n'existe plus qu'en puissance dans la mesure où il n'est pas devenu étatique. C'est le Droit accepté et sanctionné, ou créé, par l'État qui seul existe en acte. Ce qui n'est pas accepté par l'État devient une simple « coutume ». C'est sans aucun doute un Droit, mais qui n'existe plus qu'en puissance. Et il n'y a aucun sens d'opposer cette puissance à l'acte du Droit étatique. Le faire, c'est vouloir actualiser ou réactualiser la puissance, la « coutume ». Et ceci équivaut au désir de supprimer l'actualité du Droit étatique. Autrement dit on veut ou bien transformer en Droit étatique la coutume, en l'imposant au Gouvernement, ou bien on veut supprimer le Gouvernement et revenir ainsi à l'État pré-étatique. Dans aucun des deux cas on n'oppose donc un Droit en puissance à un Droit en acte. Et on ne peut effectivement pas le faire. On veut simplement remplacer un Droit en acte par un autre Droit en acte, qui sera un Droit étatique, gouvernemental ou « positif » chaque fois que la Société où s'opère cette substitution continuera à être un État. Seulement il ne faut pas penser que le Gouvernement (le « souverain ») doit nécessairement abolir l'ancien Droit ou créer son Droit de toutes pièces. Le Gouvernement d'une Société organisée en État peut fort bien se contenter de faire sien le Droit qui régnait dans cette Société avant qu'elle ne devînt un État.

---

1. Cf. *Histoire des institutions primitives,* chapitres XII-XIII.

Et dans ce cas il n'y aura même pas de passage de la puissance à l'acte, puisque l'ancien Droit non étatique était actuel tant qu'il n'y avait pas d'État. Il n'a cessé de l'être qu'au moment où l'État est né. Mais si cet État le fait sien, il redevient actuel. On peut donc dire qu'il n'a jamais cessé de l'être, que la transformation de la Société en État n'a pas affecté l'aspect juridique de son existence. Le Droit non étatique (« coutumier ») était actuel tant qu'il n'y avait pas d'État, et il est resté actuel sans avoir changé de contenu dans l'État par le fait qu'il est devenu étatique. Mais s'il n'était pas devenu étatique, il serait passé de l'acte à la puissance, et on ne pourrait pas l'opposer alors au Droit actuel de l'État. Car dans l'État le Droit n'est actuel que par la sanction gouvernementale, et on ne peut pas opposer à l'acte ce qui n'existe qu'en puissance.

Sumner-Maine a donc tort de critiquer le principe qui est à la base des raisonnements d'un Bentham ou d'un Austin. À savoir le principe selon lequel « le Souverain prescrit tout ce qu'il n'interdit pas ». En effet, le Gouvernement sanctionne une « coutume », c'est-à-dire un Droit qui était à l'origine non étatique, par le seul fait qu'il ne l'abroge pas et permet son application. Car le Droit cesse d'exister en tant que Droit (et redevient un pur et simple idéal de Justice) dès qu'il n'est pas sanctionné, dès que le Juge ne dispose plus d'une force irrésistible (en principe) pour exécuter ses jugements. Or cette force n'existe pas là où le justiciable peut se soustraire au jugement par la fuite, en quittant la Société où le Droit est censé être valable. Mais dès que cette Société est organisée en État, c'est uniquement le Gouvernement qui peut l'en empêcher, puisque c'est le Gouvernement qui représente la Société dans ses rapports avec l'extérieur, qui trace la limite infranchissable (en principe) qui sépare les amis des ennemis. L'État sanctionne donc toujours en dernière analyse le Droit qui est censé être valable, et c'est uniquement grâce à cette sanction étatique ou gouvernementale que le Droit existe en acte. Tout Droit exercé ouvertement dans un État, c'est-à-dire avec l'acquiescement explicite ou tacite du Gouvernement, est donc un Droit étatique. Et on ne peut lui opposer dans cet État aucun autre Droit. Certes, si l'État nouveau se contente de sanctionner (tacitement par exemple) l'ancien Droit non étatique, on peut dire avec Sumner-Maine qu'il n'a rien changé au point de vue juridique. Mais il faut ajouter avec Austin qu'il a transformé par cette sanction un Droit non étatique (existant en acte) en un Droit étatique (existant en acte), et que désormais seul le Droit étatique peut avoir une existence actuelle. Tout ce que l'État n'a pas voulu sanctionner dans l'ancien Droit cesse d'exister en acte, et tout ce que l'État rejettera par la suite retombera également à l'état de puissance, qu'il n'y aura aucun sens d'opposer à l'acte du Droit étatique, peu importe que celui-ci soit une ancienne « coutume » sanctionnée par le Gouvernement, ou un Droit nouveau, créé de toutes pièces par ce Gouvernement et peut-être contraire au Droit ancien. Tant que le Droit « coutumier » n'est pas en conflit avec le Droit étatique, on peut ne pas remarquer — comme le fait Sumner-Maine — que la « coutume » n'est un Droit actuel que grâce à la sanction de l'État, comme le remarque Austin. Mais dès que l'État retire sa sanction, c'est-à-dire modifie ou abroge la coutume, on voit immédiatement que celle-ci retombe à l'état de simple puissance qu'il serait vain de vouloir opposer au Droit actuel étatique. À moins de vouloir l'imposer par force au Gouvernement (ce qui équivaut à un changement violent du Gouvernement) ou d'essayer de supprimer ce dernier en tant que tel. Mais dans ce cas il s'agirait d'une révolution politique (effectuée ou tentée pour des raisons juridiques), qui n'a plus rien de juridique en elle-même. Ce n'est pas l'entité juridique de l'ancien Droit qu'on oppose alors au Droit étatique : c'est une action politique qu'on oppose à la réalité politique de l'État, censée avoir pour résultat soit un changement violent de sa nature, soit sa suppression totale.

À l'intérieur d'une Société organisée en État seul le Droit étatique ou gouvernemental existe donc en acte : est Droit en acte ce que le Gouvernement décrète être tel. Ceci ne veut pas dire cependant que le Gouvernement a le pouvoir et la possibilité de donner n'importe quel contenu au Droit actuel ou « positif ». Et Sumner-Maine a parfaitement raison de remarquer qu'il est ridicule d'affirmer que le Gouvernement britannique par exemple peut introduire en Angleterre la polygamie ou autoriser le meurtre. On veut dire seulement que tout ce que le Gouvernement a pu *effectivement* promulguer en fait de lois juridiques est juridiquement valable. Il n'y a pas de sens d'opposer au Droit étatique *effectif* ni un prétendu « Droit naturel » universel, ni une « coutume » particulière. Car tout Droit autre que le Droit étatique actuel n'existe et ne peut exister dans l'État que comme un Droit en puissance.

Mais l'existence d'un Droit en puissance à côté d'un Droit en acte n'est nullement sans importance. Et il importe beaucoup de savoir si ce Droit en puissance concorde ou non avec le Droit actuel promulgué par le Gouvernement. Et ce sont ces rapports entre le Droit étatique en acte et le ou les Droits en puissance qu'il nous faut maintenant étudier.

Le Droit ne peut exister en acte qu'à condition d'avoir en sa disposition une force (en principe irrésistible) qui le sanctionne et le fait respecter, comme on dit. Or dans une Société organisée en État seul le Gouvernement peut fournir cette force. Et c'est pourquoi seul le Droit étatique y est un Droit actuel. Mais dans la réalité humaine quelle qu'elle soit la force n'est jamais qu'un succédané de l'Autorité. La force peut et doit être appliquée là où l'Autorité fait défaut. Mais l'Autorité doit faire défaut le moins possible, elle doit toujours autant que possible remplacer la force, la rendre inutile. Et il n'en va pas autrement dans le domaine juridique. Ici encore la règle de droit doit être valable (autant que possible) à cause de son Autorité, et non en raison de la force qui s'y rattache.

Or c'est le Gouvernement ou l'État qui dispose de la force dans une Société organisée en État. Le Droit « coutumier », c'est-à-dire non étatique, non accepté et sanctionné par le Gouvernement, n'y a pas de force en sa disposition, et c'est précisément pourquoi il est dit n'exister qu'en puissance. S'il existe quand même, c'est-à-dire s'il est *réel*, tout en ne l'étant qu'en puissance, c'est qu'il bénéficie d'une Autorité. Le Droit étatique par contre peut n'exister en acte que grâce à l'emploi de la force. Mais si l'État se contente de sanctionner et de faire sien un Droit qui a existé, ou qui est censé pouvoir exister, sans sanction étatique, c'est-à-dire emploi de la force, on peut admettre que ce Droit étatique bénéficie lui aussi d'une Autorité dans la Société en question.

C'est en ce sens que les théoriciens « anti-étatistes » tels que Sumner-Maine opposent la « coutume » à la « loi » (juridique). On dit qu'un Droit étatique ou « légal » ne peut avoir d'Autorité que là où il adopte une « coutume », en se contentant de la préciser et de la développer, et qu'il devient « tyrannique », devant faire appel à la force brute, chaque fois qu'il est en désaccord avec le Droit « coutumier ». D'ailleurs, la force ne pouvant jamais remplacer complètement (et à la longue) l'Autorité, le Gouvernement ne peut même pas pratiquement faire valoir un Droit qui serait en complet désaccord avec la « coutume » valable. C'est ainsi que le gouvernement britannique ne peut pas introduire la polygamie en Angleterre ou y autoriser le meurtre. Même s'il réussissait à édicter des lois juridiques correspondantes, elles ne seraient pas obéies, à moins que le gouvernement n'essaie de les imposer par la seule force. Mais dans ce cas il échouerait tôt ou tard et devrait soit abroger ses lois, soit périr avec elles.

Sans aucun doute, le Droit en général, et le Droit étatique ou « légal » en particulier, doit autant que possible reposer sur l'Autorité. Mais il n'est pas vrai que l'État doit toujours accepter la coutume, qu'il ne peut pas la changer sans devenir « despotique », sans devoir appuyer son Droit anti-coutumier sur la seule force brute.

Et tout d'abord, de quelle « coutume » s'agit-il?

Sans nul doute, dans l'immense majorité des cas il n'est pas question d'unanimité. On trouvera toujours dans une Société tant soit peu étendue et hétérogène des individus ou des groupes qui ne reconnaissent pas l'Autorité de telle règle de droit ou même du Droit étatique dans son ensemble. La « coutume » en question n'est rien d'autre que le Droit dont l'Autorité est reconnue par un « groupe exclusif juridique ». C'est le Droit qui applique correctement aux interactions sociales l'idéal de Justice admis dans ce groupe. Ce groupe constitue alors une espèce de « Parlement » juridique, une « Assemblée manifestante », qui révèle l'Autorité dont dispose le Droit positif. Si le Droit étatique actuel est en accord avec le Droit en puissance valable dans le groupe en question, on peut dire qu'il a une Autorité reconnue. Sinon, il devra être dit reposer sur la seule force brute. Dans ce cas on sera en présence d'un Droit positif « injuste ». Dans l'autre cas le Droit étatique actuel sera à la fois un Droit « positif » et « juste ».

Supposons que le « groupe exclusif juridique » est en même temps le « groupe exclusif politique » dans l'État, ce qui est d'ailleurs le cas « normal ». Le Droit « juste » sera alors le Droit dont l'Autorité est reconnue par les gouvernants (administrés ou administrateurs). Dans ce cas, le Gouvernement sécrété par les gouvernants adoptera automatiquement pour ainsi dire le Droit « coutumier » du groupe exclusif politique et juridique. Le Droit étatique ou « légal » reposera donc sur l'Autorité. Le Droit actuel actualisera alors un Droit qui existe aussi en puissance. L'acte ne sera donc pas séparé, privé de sa puissance. Ce sera donc un acte « puissant », c'est-à-dire efficace ou résistant : il pourra se maintenir indéfiniment dans l'existence, en restant identique à lui-même.

Mais l'expérience montre que le groupe juridique ne coïncide pas partout et toujours avec le groupe politique. Dans ce cas le Gouvernement peut décréter le Droit propre au groupe gouvernant, et ce Droit peut être en désaccord avec le Droit reconnu par le groupe juridique. Dans ce cas le Droit positif sera dit « injuste », et il reposera — généralement parlant — sur la force, et non sur l'Autorité. Or une réalité *humaine* reposant sur la force brute (c'est-à-dire animale, « inhumaine ») ne peut pas être efficace à la longue. Elle ne pourra pas exister indéfiniment en restant ce qu'elle est. Et il en va de même pour le Droit. Si le Droit étatique est en désaccord avec le Droit « coutumier, » c'est que le Droit existe en acte (en tant que « loi ») sans exister aussi en puissance (en tant que « coutume » reconnue par le groupe juridique). Ce sera donc un acte séparé et privé de sa puissance : un acte sans puissance, une actualité impuissante.

On peut se demander comment une entité sans puissance parvient à exister en acte, ou même simplement à être réelle. C'est que l'acte sans puissance est l'acte qui a épuisé sa puissance en l'actualisant complètement. Il fut un temps où cette entité était soutenue par la puissance qu'elle était en train d'actualiser. C'est cette puissance qui l'a portée à l'existence, à la réalité, et c'est en tant qu'actualisation de cette puissance qu'elle a existé et existe en acte. Mais si cet acte a épuisé la puissance en l'actualisant *complètement,* l'entité ne pourra pas se maintenir indéfiniment dans l'actualité, ni même dans la réalité quelle qu'elle soit : elle passera entièrement — tôt ou tard — dans l'idéalité du passé. Et cette loi ontologique générale s'applique aussi à notre cas. Le Droit « injuste » peut exister en acte parce qu'il a été « juste » un jour, parce qu'il a actualisé en l'étatisant un Droit coutumier accepté par le groupe exclusif juridique de l'époque. Mais il a épuisé complètement cette « coutume » en la réalisant totalement en acte, et c'est ainsi qu'il est devenu « impuissant », voire périssable, voire « injuste ». Car la puissance épuisée, actualisée, a été entre-temps remplacée par une autre, qui n'est plus actualisée par le Droit actuel en question et qui n'est pas encore actualisé par un Droit actuel qui lui est propre. Aussi tend-elle vers l'actualité et essaie-t-elle de supprimer l'actualité de l'ancienne puissance. Le Droit étatique actuel ne peut lui opposer que la seule force : le cadavre ou la momie de son ancienne Autorité. Quant au Droit « coutumier » nouveau, il ne peut opposer à la force du Droit étatique que l'Autorité de la coutume. Mais l'Autorité finit par vaincre la force, parce qu'une puissance tendant à l'acte est plus puissante que l'acte qui est devenu impuissant en épuisant, c'est-à-dire en actualisant, sa puissance. L'ancien Droit s'est usé parce qu'il a été efficace :

il n'est plus efficace parce qu'il l'a été. Il cédera donc tôt ou tard la place au nouveau Droit étatique, qui actualisera la nouvelle puissance juridique, jusqu'à ce qu'il ne l'épuise à son tour. Et ce jeu va continuer tant que le groupe juridique n'aura cessé d'être *exclusif*, en englobant l'humanité dans son ensemble. Mais ceci n'aura lieu que dans l'État universel et homogène, c'est-à-dire à la fin du temps (historique)[1].

Quoi qu'il en soit, quand le Droit étatique ou la « Loi » juridique (orale ou écrite) n'actualisent pas la « coutume » (orale ou écrite), il y a un conflit de Droits, un conflit juridique. Or, qui dit conflit dit contradiction, et toute contradiction tend à se supprimer elle-même. Car la contradiction est l'expression du néant : l'actualiser, c'est donc « actualiser » le néant, c'est-à-dire anéantir. Et tout ce qui est — et la contradiction existe aussi — tend à l'existence en acte : la contradiction tend donc à son propre anéantissement.

Mais il y a diverses façons d'anéantir une contradiction, c'est-à-dire de résoudre un conflit. Il y a donc diverses façons de résoudre le conflit entre la Loi et la Coutume, de supprimer le Droit injuste ou l'injustice du Droit.

Le groupe juridique peut déloger l'ancien groupe politique et se mettre à sa place. Son Droit deviendra alors un Droit étatique, qui sera « juste » ou fondé sur l'Autorité. Dans ce cas il y aura une *révolution politique*, un changement de groupe gouvernant, cette révolution ayant eu une cause juridique, un besoin de changer de Droit et d'idéal de Justice. On change le groupe gouvernant, on modifie l'État, pour remplacer un Droit injuste par un Droit juste.

Mais le groupe juridique peut ne pas réussir à se constituer en groupe politique. L'État et le Gouvernement resteront donc entre les mains de l'ancien groupe. Mais le groupe juridique peut « éduquer » le groupe politique et l'amener

---

1. Ce schéma est à première vue aristotélicien. Mais il est en réalité hégélien, c'est-à-dire dialectique ou historique (humain) et non biologique (naturel). Pour Aristote la nouvelle puissance est la *puissance* de l'acte qui a actualisé l'ancienne puissance : la poule, née de l'œuf, pond un nouvel œuf, et ainsi de suite à l'infini. Pour Hegel par contre la nouvelle puissance est l'impuissance de l'acte, qui disparaît donc sans retour : la nouvelle puissance s'actualise dans et par un acte qui est essentiellement autre que l'acte précédent. Car pour Hegel la nouvelle puissance est la *négation* de l'acte : l'antithèse de la thèse qui ne se maintient ainsi que comme synthèse. Le Moyen Âge chrétien est né de l'Antiquité, mais il a « pondu » les Temps modernes, qui sont si l'on veut une « Renaissance » de l'Antiquité païenne, c'est-à-dire sa synthèse avec le christianisme, mais non pas un simple retour au paganisme.

à accepter le Droit propre au groupe juridique. Maintenant encore le Droit étatique sera « juste ». Mais le changement se sera opéré sans révolution. Il y aura une *évolution politique,* une transformation pacifique des idées du groupe gouvernant. Et cette évolution politique aura eu elle aussi des causes juridiques, un besoin de Droit juste.

Ou bien enfin le groupe juridique ne pourra ni remplacer, ni modifier le groupe politique. Dans ces conditions le conflit ne pourra être résolu que par l'anéantissement du groupe gouvernant. Alors deux cas se présentent. Dans le premier la ruine du groupe gouvernant aura pour conséquence non pas seulement la chute de l'État, mais l'anéantissement de la Société en tant que Société autonome. Et dans ce cas il n'y aura plus de Droit actuel du tout. Dans le second cas la ruine du groupe gouvernant, c'est-à-dire de l'État, n'entraînera pas la disparition de la Société autonome. Celle-ci existera alors comme une Société autonome apolitique ou politiquement « neutre », et elle pourra avoir un Droit juste actuel. Mais une Société apolitique ou politiquement « neutre » est censée ne pas avoir d'« ennemis ». Or, en fait, toute Société limitée a des « ennemis » (et c'est pourquoi elle doit s'organiser en État ou se répartir entre des États). Elle ne pourra donc pas se maintenir indéfiniment : ou bien elle devra se défendre contre ses « ennemis », et alors elle s'organisera en État (nous retombons donc dans le premier cas d'une révolution politique), ou bien elle cessera d'être autonome et n'aura donc plus de Droit en acte. Une Société apolitique ne pourra donc avoir un Droit actuel permanent qu'à condition d'être universelle, d'englober l'humanité entière. Mais si la Société est universelle, le groupe juridique coïncide avec le groupe politique, de sorte que tout conflit entre Droit étatique et Droit coutumier est impossible. Dans cette Société limite, le Droit est « juste » par définition et il ne changera plus jamais.

On peut donc dire que le conflit entre un Droit étatique injuste et un Droit coutumier juste ne peut être résolu que par une révolution ou une évolution politique, mais jamais par la simple suppression du domaine politique, c'est-à-dire de l'État. Et quand, à la limite, l'État et la politique seront supprimés dans la Société universelle (c'est-à-dire sans « ennemis »), il n'y aura plus de conflit de Droit, c'est-à-dire plus de révolutions, plus d'évolution politique pour des causes juridiques.

Jusqu'ici nous avons supposé que l'État maintient le Droit périmé, ayant perdu son Autorité, devenu injuste. Mais il se peut que les termes du conflit soient renversés. L'État, c'est-à-dire le Gouvernement et le groupe gouvernant, peuvent actualiser le Droit nouveau, tandis que le groupe exclusif juridique peut conserver en puissance l'ancien Droit étatique. Le nouveau Droit étatique sera encore « injuste » puisqu'en désaccord avec le Droit adopté par le groupe juridique : il reposera sur la force et non sur l'Autorité. Mais maintenant le conflit sera résolu autrement [1].

Le groupe gouvernant pourra remplacer le groupe juridique, se constituer à sa place en groupe juridique. Le Droit étatique deviendra alors un Droit juste. Et on peut dire qu'on a opéré une *révolution juridique.* Et cette révolution juridique sera engendrée par une révolution politique. Car la couche gouvernante ne peut avoir introduit un Droit nouveau « injuste », c'est-à-dire non accepté par le groupe juridique, que parce qu'elle est une couche nouvelle, formée par une révolution.

Mais il se peut aussi que le groupe gouvernant ne remplace pas l'ancien groupe juridique. Alors le conflit ne pourra être résolu qu'à condition que le groupe gouvernant réussisse à modifier l'idéologie du groupe juridique. S'il réussit, son Droit deviendra juste, et il y aura eu une *évolution juridique.* Celle-ci a été engendrée par une évolution politique, puisque c'est le groupe politique qui aura changé le Droit que le groupe juridique aurait voulu conserver intact.

Ou bien encore le groupe gouvernant ne peut supprimer le conflit qu'en supprimant le groupe juridique en tant que tel. Mais alors il n'y aura plus de Droit fondé sur l'Autorité. Le Droit étatique reposera sur la force brute et il périra donc tôt

---

1. D'après la dialectique hégélienne, qui procède par négation et aboutit à une synthèse, il n'y a pas de retour possible. Il peut y avoir un arrêt momentané et même une destruction totale du nouveau, mais jamais un retour en arrière. En principe l'histoire peut à chaque instant s'égarer dans l'anarchie. Mais si l'histoire continue, elle sera ou bien stationnaire, ou bien il y aura toujours du nouveau. Ainsi, dès qu'un nouveau Droit apparaît, tout retour en arrière devient impossible. Car nier ce nouveau Droit, ce n'est pas revenir à l'ancien tel qu'il existait avant l'apparition du nouveau. Le nier, c'est créer un nouveau Droit encore, une synthèse de l'ancien et du nouveau qu'on a nié. Mais si on ne nie pas un Droit donné, il peut se maintenir indéfiniment. Chaque étape nouvelle est la *négation* de l'étape donnée; elle est donc un acte de *liberté,* ce qui veut dire précisément qu'elle aurait pu ne jamais avoir lieu (étant « impossible »). Tout Droit nouveau est donc une négation facultative d'un Droit donné. Et dès que cette négation a eu lieu, on ne peut plus revenir au Droit nié. Car nier le nouveau Droit, c'est nier la négation de l'ancien. Et dans la réalité dialectique ou historique le non-non-A est non pas A, mais C, autre que A et non-A, étant la synthèse de la thèse A et de l'antithèse non-A = B.

ou tard : et l'État périra lui-même dans cette anarchie juridique. À moins que l'État puisse se passer du Droit. Mais ceci n'est possible que s'il n'y a pas de conflits entre ses citoyens, ce qui ne peut avoir lieu (en principe) que là où l'État est parfaitement homogène. Or, dans le cas limite de l'État homogène, il n'y a pas de distinction entre le groupe juridique et le groupe politique. Si donc l'État pouvait exister sans droit, il n'y aurait pas en lui de conflits juridiques, le Droit y étant « juste » par définition.

Autrement dit, ou bien il n'y aura pas de conflit juridique entre deux Droits, ou bien il ne pourra pas être résolu par la simple suppression du domaine juridique. Le Droit nouveau injuste devra devenir un Droit juste, et il ne pourra le devenir qu'à la suite d'une révolution ou d'une évolution juridiques.

Ainsi donc un conflit entre un Droit (étatique) injuste et un Droit (coutumier) juste est toujours soit la conséquence soit la cause d'une révolution politique, qui − à la limite − peut prendre l'allure d'une « évolution ». Et le Droit et l'État vont « évoluer » ou se transformer par des « révolutions » tant que ne sera pas réalisé − dans et par l'État universel et homogène − le Droit juste définitif.

Or s'il arrive qu'une évolution ou une révolution juridiques provoquent une évolution ou une révolution politiques, on peut se demander d'où vient cette évolution ou révolution, c'est-à-dire comment et pourquoi naît un Droit nouveau qui fait voir en l'ancien Droit un droit « injuste ».

Je tâcherai de montrer dans la Deuxième Section que le Droit change en fonction du changement de l'idée ou de l'idéal de Justice [1]. Mais je voudrais signaler ici même que la transformation du Droit est un phénomène beaucoup plus complexe que le changement de l'idée de Justice.

Le Droit « juste » est un Droit fondé sur l'Autorité, et un Droit cesse d'être « juste », devient « injuste », dès qu'il perd son Autorité. Or l'Autorité juridique spécifique est du type « Juge » (cf. mon analyse de la Notion d'Autorité). Un homme ou un collectif ont cette Autorité quand ils sont censés être « impartiaux » ou « équitables », c'est-à-dire quand ils incarnent pour ainsi dire la Justice. Or, puisque le Droit n'est rien d'autre qu'une réalisation ou incarnation de la Justice, l'Autorité qui lui est propre est bien du type « Juge ».

---

1. L'apparition de nouvelles interactions sociales peut forcer à développer un Droit donné, mais non à l'abandonner, tant que l'idéal de Justice reste intact. De sorte que même si le changement des relations sociales change le Droit, il ne le fait qu'à travers un changement de l'idéal de Justice.

Dire qu'un Droit donné bénéficie d'une Autorité J, c'est dire que c'est un Droit « juste ».

Mais les trois autres types d'Autorité, c'est-à-dire les Autorités du « Père », du « Maître » et du « Chef », peuvent également se rencontrer dans le domaine juridique, tout comme ils se rencontrent dans le domaine politique. Ainsi un Droit peut avoir de l'Autorité non pas parce qu'il est « juste » (Autorité J), mais parce qu'il est « traditionnel », étant appliqué depuis très longtemps (Autorité P). Ou bien encore il aura une Autorité rationnelle, commode, facilement applicable à des interactions nouvelles ou compliquées, etc. (Autorité C). Ou bien enfin il peut avoir de l'Autorité simplement parce qu'il est opérant et efficace, parce que c'est un Droit en vigueur, existant en acte (Autorité M). Et bien entendu toutes ces Autorités juridiques peuvent se combiner entre elles, les combinaisons différant aussi par le poids relatif de leurs divers éléments. Certes le Droit n'est authentiquement « juste » que s'il bénéficie de l'Autorité J. Mais il se peut aussi qu'un Droit soit considéré comme injuste uniquement parce qu'il lui manque l'Autorité P. Etc.

On voit donc la complexité des conflits juridiques possibles, en particulier de ceux entre un Droit étatique et un Droit coutumier. Mais ce n'est pas tout.

Nous avons vu, et nous verrons encore (§ 25) que le Droit est inséparable de la Société ou de l'État où il se réalise. Si un État ou une Société ne peuvent pas exister sans Droit, le Droit ne peut pas non plus exister en acte sans un État ou une Société autonome. Et le Droit étatique n'est rien d'autre que la réalisation et la manifestation de cette interdépendance entre l'État et le Droit. De toute façon, le Droit tâchera toujours de soutenir l'État qui l'applique, de même que l'État tâchera de maintenir le Droit qui lui est propre. Il se pourra alors qu'un Droit aura de l'Autorité non pas parce que c'est un Droit d'un caractère juridique donné (correspondant à une idée donnée de Justice), mais parce que c'est le Droit de tel ou tel État. Certes, l'Autorité du Droit ne sera pas dans ce cas authentiquement juridique : ce sera une Autorité politique s'exerçant (à tort) sur le domaine du Droit. Mais en fait même le Droit jouissant d'une Autorité politique sera considéré comme « juste » et opposé au Droit qui sera dit « injuste » uniquement parce que l'État ne le reconnaît pas comme sien.

L'État (ou la Société) agit non pas seulement politiquement, mais encore juridiquement, dans son aspect de Législateur juridique, de Juge et de Police judiciaire. Et c'est dans cet aspect surtout qu'il bénéficie de l'Autorité du type J. Or il se peut qu'un Droit (étatique par exemple) soit dit être « juste » uniquement parce qu'il est créé ou appliqué par l'aspect juridique d'un État bénéficiant de l'Autorité J (dans cet aspect). Certes, reconnaître l'autorité d'un jugement parce qu'il est prononcé par un juge qu'on croit être « juste » (ou par un représentant de l'État qu'on sait être « juste »), est tout autre chose que de reconnaître ce même jugement parce qu'on voit qu'il est conforme à l'idée de Justice qu'on accepte. Et ce n'est que dans ce deuxième cas que l'Autorité du jugement (et donc de la règle de droit qui est à sa base) sera authentiquement juridique. Mais même dans le premier cas on est en quelque sorte très peu éloigné de l'authenticité. On s'en éloigne davantage par contre si l'on rattache à un Droit une Autorité politique autre que celle du type J. Car il se peut aussi qu'on reconnaisse l'Autorité d'un Droit étatique uniquement parce qu'on reconnaît l'Autorité P d'un État par exemple. Autrement dit on peut se soumettre volontairement à un Droit non pas parce qu'il est conforme à un idéal de justice, ni même parce qu'il est traditionnel lui-même, mais seulement parce qu'il est promulgué par un État ayant un passé vénérable. Ou bien on peut faire passer sur le Droit l'Autorité politique du type M ou C. Et ainsi de suite. Et il est évident que non seulement le Droit peut bénéficier de toutes les combinaisons possibles d'Autorités politiques, mais que cette Autorité politique du Droit peut se combiner avec une Autorité juridique quelconque.

On voit ainsi la complexité quasi infinie des rapports possibles entre un Droit « juste » et un Droit « injuste » et de la notion même d'un Droit « juste », c'est-à-dire accepté en raison de son Autorité (juridique ou politique) et non imposé par force : on voit qu'un seul et même Droit peut être « juste » d'un certain point de vue (juridique ou politique) et « injuste » de l'autre. Mais il ne faut pas oublier qu'un Droit n'est « juste » *authentiquement* que s'il bénéficie de l'Autorité *juridique* du type J, c'est-à-dire s'il est censé réaliser correctement l'idéal de Justice admis par le groupe exclusif juridique d'une Société donnée (organisée ou non en État).

Je n'ai pas l'intention de poursuivre l'analyse du problème complexe que je viens de signaler. Mais je voudrais dire encore quelques mots du rapport dialectique général qui existe entre le Droit et la Société ou l'État qui le réalise.

§ 25

Toute entité quelle qu'elle soit, si elle est encore idéelle et non réelle, tend à passer de l'idéalité à la réalité : toute « possibilité » tend à se réaliser et se réalise un jour, si le temps est suffisamment long, car autrement elle serait « impossible ». Et toute entité réelle non actuelle tend à passer de la puissance à l'acte. Or ce passage a un double aspect. D'une part l'entité réelle tend à se maintenir indéfiniment dans l'existence en restant identique à elle-même : elle tend à se *conserver*. D'autre part elle tend à se *propager*, à s'étendre le plus possible, à absorber la totalité de l'être réel, à se l'assimiler entièrement et complètement. Or dans ces deux aspects la tendance à l'acte se heurte à une résistance extérieure qui elle aussi tend à se « propager » en absorbant, c'est-à-dire en annulant, l'entité en question. Il y a donc une contradiction à l'intérieur de la réalité en tant que telle : il y a un conflit et une lutte. Et cette contradiction, inhérente à la réalité elle-même, se retrouve dans tout ce qui est réel. C'est ainsi que les deux aspects complémentaires de la tendance à l'acte entrent en conflit l'un avec l'autre et se « contredisent » mutuellement.

Ce conflit immanent à l'entité réelle en train de s'actualiser est particulièrement évident là où l'entité en question est une réalité biologique, un être vivant, un animal par exemple. Tout animal tend à se conserver et à se propager : il y a toujours un instinct de conservation (défense et nourriture) et un instinct de propagation (sexualité). Or ces deux instincts sont contradictoires. Et on voit souvent que l'animal doit mourir pour engendrer, pour se propager. Mais dans le plan de la réalité « naturelle » (c'est-à-dire non humaine ou historique) cette contradiction immanente n'est pas dialectique : elle n'aboutit pas à une synthèse; elle reste dans l'identité et se résout par l'identité; et c'est pourquoi elle ne mène pas à une évolution créatrice, à un progrès, à un processus *historique*. Le non-non-A est ici égal à A. Si l'individu producteur est sacrifié à la reproduction (propagation), la négation de celle-ci, c'est-à-dire la fixation du processus reproducteur dans et par le produit, ramène au point de départ, à l'individu : l'individu produit est identique à l'individu producteur, et c'est pourquoi le processus se répète indéfiniment. C'est que l'entité niée est niée absolument et non dialectiquement : elle s'anéantit dans et par la négation et ne se conserve pas en tant que niée, c'est-à-dire en tant que modifiée ou « évoluée ». Si l'animal meurt pour se propager, il disparaît complètement en laissant la place libre. Et c'est ainsi qu'elle peut être reprise par ce qui naît de la négation de la négation : l'animal qui naît, et qui arrête, qui nie ainsi le processus de *propagation,* puisque le nouveau-né se *conserve,* peut être *identique* à l'animal qui est mort pour l'engendrer, qui a été nié en tant que se conservant pour exister en tant que se propageant [1].

Chez l'homme par contre, dans le plan de la réalité humaine ou historique, la contradiction entre l'actualisation par conservation et celle par propagation indéfinie, est dialectique. Elle se résout non pas dans et par une identité, une répétition, un retour en arrière, mais dans et par une totalité, une synthèse, une évolution, un progrès. Car la négation est ici dialectique : elle conserve ce qui est nié, mais le conserve en tant que nié, c'est-à-dire modifié et évolué. Le non-A n'est pas zéro, mais B. La négation de l'Antiquité païenne n'est pas la ruine de l'humanité, mais son existence « évoluée » − le Moyen Âge chrétien. Or, si le nié se conserve en changeant, il ne laisse pas sa place libre. Le non-A est B et ce B a pris la place de A. Le non-non-A ne peut donc être ni B, ni A : c'est une entité nouvelle, évoluée − elle est C. Et tout comme le B, étant non-A, est encore A, C − étant non-B, c'est-à-dire non-non-A − est encore B et donc A. A est devenu C après avoir été B. D'être thétique qu'il était, il est devenu synthétique après avoir été antithétique. Et en tant que synthétique il a une *histoire.* La négation du Moyen Âge chrétien n'est pas un retour à l'Antiquité païenne mais une évolution ou un progrès historique, menant à la synthèse des Temps modernes, débutant par une Renaissance de l'Antiquité.

Si une réalité humaine s'obstine à se *conserver,* à se maintenir dans l'identité avec elle-même, elle peut y arriver. Mais

1. On parle d'une « évolution » biologique, qu'on assimile à l'évolution historique. Mais c'est de l'anthropomorphisme. L'évolution biologique existe pour nous, pour l'homme, et non dans la Nature, pour l'animal qui « évolue ». Et c'est pourquoi l'animal n'évolue pas en réalité, mais reste *identique* à lui-même, ou périt complètement. L'ancêtre du cheval n'était pas un cheval et le cheval n'est pas son ancêtre. On constate qu'une espèce *remplace* l'autre, mais on ne peut pas dire qu'une espèce *devient* une autre, se transforme, évolue, progresse. D'ailleurs, la biologie moderne rejette le lamarckisme. L'animal est imperméable aux influences extérieures, il ne les transmet pas aux descendants. S'il change, il change par « mutations » spontanées. Mais une « mutation » n'est pas une évolution, ni même un changement proprement dit. Une « mutation » équivaut au simple remplacement d'une espèce par une autre.

elle n'arrivera pas alors à se *propager*, à s'étendre indéfiniment. Elle devra se nier en tant qu'identique, elle devra changer, évoluer ou progresser, subir un processus historique, si elle veut continuer à s'étendre. Et si elle est en voie d'expansion, elle devra changer encore si elle veut se maintenir dans l'existence en conservant son identité. Ainsi la civilisation grecque a dû changer et devenir hellénistique pour pouvoir se propager indéfiniment. Et la Révolution française a dû changer (après Napoléon) pour pouvoir se maintenir en France (comme III$^e$ République par exemple).

Ce qui vaut pour l'existence humaine en général vaut aussi en particulier pour l'existence du Droit. Un Droit donné tend lui aussi d'une part à se maintenir indéfiniment dans l'existence actuelle, en restant identique à lui-même : il a donc un « instinct » de conservation. Mais d'autre part il tend à se propager le plus possible : il a comme un « instinct » de reproduction ou de propagation. Et ceci non pas seulement qualitativement, mais encore quantitativement. Le Droit essaie d'être complet en ce sens qu'il veut s'appliquer à tous les types possibles et imaginables d'interactions sociales (admettant une application du Droit). Et il essaie aussi d'être complet en s'appliquant effectivement à toutes les interactions concrètes d'un type donné. Tout Droit tend donc en principe 1) à être appliqué dans l'humanité tout entière, et 2) à embrasser toute la vie de l'humanité. Mais cette tendance à la propagation entre généralement en conflit avec la tendance à la conservation. Un Droit donné ne réussit à s'étendre qu'en se modifiant, et il ne peut arrêter son évolution qu'en limitant le domaine de son application. Et c'est pourquoi il change continuellement, évolue ou progresse. Le Droit subit une évolution historique qui le mène vers le point où les deux tendances coïncident : dans l'État limite, universel et homogène, le Droit s'applique à toute l'existence sociale de l'humanité et reste néanmoins identique à soi-même.

Ce que je viens de dire du Droit peut se dire aussi de l'État. Lui aussi tend simultanément à se conserver et à se propager. Et lui aussi n'y peut réussir qu'à condition de changer, d'évoluer historiquement ou de progresser jusqu'au point où il devient l'État universel et homogène.

Dans les deux cas il y aura donc une évolution historique. Mais l'expérience montre que ces évolutions ne coïncident pas toujours. Il y a souvent des décalages. Le Droit d'un État peut tendre à la propagation quand l'État tend à la conservation et se limite en conséquence, de même que l'État peut essayer de s'étendre au-delà de ses limites et se modifie pour pouvoir le faire, tandis que son Droit fait tout pour se conserver en restant identique à lui-même, et est prêt à limiter le domaine de son application. Il semble donc qu'il s'agit là de deux processus indépendants.

Mais nous avons vu (§ 24) que l'évolution du Droit provoque une évolution politique et *vice versa*. Les deux évolutions ne sont donc pas absolument indépendantes, tout en n'étant pas identiques. Le Droit et l'État se meuvent en quelque sorte sur deux lignes parallèles. Mais ils peuvent se mouvoir avec des vitesses différentes et parfois même en sens contraire. Certes, il n'y a là rien pour nous surprendre. Les phénomènes spécifiquement humains sont tous solidaires les uns avec les autres du fait même qu'ils sont humains. Et c'est pourquoi un Fustel de Coulanges arrive à « expliquer » les institutions politiques par les idées religieuses, tout aussi bien qu'un marxiste « explique » la politique et la religion par l'économie. Du moment que l'homme évolue pour ainsi dire en bloc, du moment qu'il change radicalement et complètement, il change dans tous ses comportements et dans toutes ses idées. Ainsi l'évolution politique s'accompagne-t-elle toujours d'une évolution économique et idéologique, et inversement. Mais il n'en reste pas moins que la connexion entre le Droit et l'État semble être plus intime que celle entre l'État et les autres aspects de l'existence humaine.

Voyons donc s'il en est vraiment ainsi.

La Justice en tant que telle est une idée ou un idéal (que nous supposons être « possible », c'est-à-dire censé devoir se réaliser un jour). C'est une entité idéelle qui tend — comme toute entité idéelle — à se réaliser, à passer dans le plan de l'existence réelle, c'est-à-dire spatiale et temporelle. Or la *réalité* de la Justice est le Droit, et le Droit n'est rien d'autre que l'application de l'idée de Justice à des interactions sociales. La Justice ne peut donc se réaliser qu'en devenant un Droit (ou le Droit). Vouloir réaliser et actualiser la Justice c'est donc vouloir réaliser et actualiser un Droit. Par suite, c'est vouloir aussi réaliser et actualiser des interactions sociales. Car sans l'actualité de ces interactions il n'y aurait pas de Droit en acte et par conséquent pas de Justice réelle, existant en acte. Et du moment qu'il n'y a Droit que là où *trois* personnes sont en relation : les deux parties et le Juge, la réalisation actuelle de la Justice implique et présuppose la réalité actuelle d'une Société au sens propre du terme. On ne peut pas vouloir la Justice sans vouloir le Droit, ni vouloir le Droit sans vouloir la Société.

Inversement, on ne peut pas vouloir la Société sans vouloir le Droit, et par suite la Justice. Certes, dans le cas limite d'une Société parfaitement homogène, où tout conflit entre ses membres est exclu par définition, on pourrait se passer du Droit. Mais on peut se demander si une Société homogène sera encore une Société, si elle se maintiendra en tant que Société. Car dans les Sociétés que nous connaissons le lien social est conditionné par la diversité des membres, l'un donnant à l'autre ce que l'autre n'a pas. (Ce point a été très bien mis en lumière par Durkheim, dans son livre sur la Division du travail social.) Mais peu importe, car les Sociétés réelles que nous connaissons ne sont jamais homogènes. Or l'hétérogénéité sociale est un conflit social en puissance, qui s'actualisera nécessairement un jour. La Société doit donc pouvoir exister en dépit de ses conflits intérieurs. Or la méthode qui permet de maintenir l'unité sociale en dépit des conflits qui s'y forment n'est rien d'autre que le Droit. Et le Droit ne peut exercer cette fonction sociale que parce qu'il a un principe autre que ceux qui sont à la base des conflits qu'il est appelé à « apaiser », ce principe juridique spécifique étant l'idée de Justice. Vouloir maintenir une Société dans l'existence c'est donc bien vouloir maintenir dans l'existence un Droit approprié et — par conséquent — réaliser une certaine idée de Justice.

La Société et le Droit se présupposent donc mutuellement. Certes, on peut le dire de n'importe quel phénomène humain, puisqu'il n'y a rien d'humain en dehors de la Société, puisque l'homme ne devient un être humain qu'en devenant un être social, et inversement. On a donc bien raison de dire — avec Hegel et les Sociologues modernes — qu'il n'y a en dehors de la Société ni morale, ni religion, ni culture quelconque. Mais quand il s'agit de phénomènes autres que le Droit, leur relation avec le phénomène social n'existe que *pour nous* (c'est-à-dire en vérité), pour le phénoménologue ou le sociologue. En tout cas elle peut ne pas exister pour ces phénomènes eux-mêmes. Un religieux, un moraliste, un savant, etc., peuvent fort bien ne pas se rendre compte de la nature sociale de leur activité. Ainsi une Religion par exemple peut être antisociale sans se contredire. Un religieux peut prêcher le célibat en se rendant parfaitement compte du fait que son succès complet signifie l'anéantissement de la Société en tant que telle. Car son but (le salut de l'âme) est transcendant par rapport à la Société et peut donc se réaliser même si celle-ci périt. Mais vouloir réaliser un Droit qui aurait pour conséquence la ruine de la Société est contradictoire ou « absurde ». Car le Droit qui détruit la

Société se détruit lui-même, vu qu'il n'est rien d'autre que l'application de l'idée de Justice à des interactions *sociales*. Aussi personne n'a encore imaginé consciemment une Justice ou un Droit incompatibles par définition avec l'existence de la Société en tant que telle. De même que personne n'a consciemment voulu une Société injuste par définition et foncièrement antijuridique.

Supposons maintenant (sans discuter ici le bien-fondé de cette supposition) qu'une Société ne puisse subsister dans les circonstances données qu'à condition d'être organisée en un État d'un type donné. Alors, dans cette Société, vouloir réaliser la Justice, c'est-à-dire vouloir le Droit, équivaut à vouloir l'État en question. Si le Droit veut se maintenir dans l'existence, il devra vouloir maintenir dans l'existence cet État. De même, s'il veut se propager indéfiniment, il devra vouloir la propagation indéfinie de l'État. Or nous avons vu que la tendance à la conservation entre, généralement parlant, en conflit avec la tendance à la propagation, et ceci tout autant dans le domaine politique que dans le domaine juridique. D'où une dialectique spécifique de l'évolution du Droit. Si le Droit veut simplement se maintenir, il essayera de maintenir l'État dans son identité avec lui-même, et il entrera donc en conflit avec ce dernier si celui-ci tend en ce moment à l'expansion et change en conséquence. Inversement, si le Droit change pour pouvoir se propager il devra aussi vouloir étendre l'État et par conséquent le changer. Il entrera donc en conflit avec l'État, si celui-ci essaye en ce moment de conserver son identité avec lui-même. Or le Droit voudrait en principe éviter tout conflit avec l'État, puisque l'État est la condition nécessaire de son existence. Le conflit est donc immanent au Droit : c'est un conflit interne ou dialectique. Et c'est ce conflit interne qui détermine l'évolution du Droit. Ainsi le Droit peut ne pas vouloir changer soit parce qu'il ne veut pas changer lui-même, soit parce qu'il ne veut pas changer l'État, soit parce qu'il ne veut pas entrer en conflit avec l'État qui ne veut pas changer. Etc. [1].

---

1. Duguit et les anti-étatistes affirment que le Droit peut se désintéresser de l'État. D'où l'idée d'un « Droit social » non étatique. Sans doute, l'idée d'une Société où il y a un Droit en acte et qui n'est pas un État n'a rien d'absurde. Toute la question est de savoir si une Société peut effectivement exister sans être un État, c'est-à-dire en n'étant pas une Société politique. L'expérience a montré que l'évolution historique a étatisé toutes les Sociétés. Et il est évident qu'une Société ne peut exister sans être un État, c'est-à-dire une Société *politique*, qu'à condition de ne pas avoir

D'une part le Droit veut donc nécessairement créer ou maintenir dans l'existence actuelle une Société ou un État donnés. Autrement dit, l'homme qui a des « intérêts » juridiques a nécessairement, et par cela même, des « intérêts » sociaux ou politiques. Et ceci non pas seulement parce que l'« homme juridique » est aussi en même temps un « homme social ou politique ». Il l'est, sans aucun doute, et il agit simultanément dans ces deux qualités. Mais c'est là une autre question. Il agit politiquement aussi en sa qualité d'« homme juridique », de même qu'il agit juridiquement aussi en sa qualité d'« homme politique ». L'utilité sociale ou politique ne s'impose donc pas au Droit du dehors : elle est poursuivie par le Droit lui-même et dans la mesure où ce Droit a en vue son propre intérêt juridique, où il poursuit ce qui est utile au Droit en tant que Droit. Ce n'est pas seulement l'État qui introduit la « raison d'État » dans la vie juridique. Le Droit le fait nécessairement lui-même. De même, ce n'est pas seulement le Droit, c'est aussi l'État lui-même qui introduit un élément juridique dans la vie sociale et politique. Et c'est pourquoi il est vain de vouloir séparer le « pouvoir judiciaire » des « pouvoirs » soi-disant spécifiquement politiques[1].

Mais, d'autre part, il y a le vieil adage : *« Fiat justicia, pereat mundus. »* Et une mesure politiquement fort utile peut néanmoins être considérée comme injuste (et alors être soit rejetée, soit acceptée quand même, pour une « raison d'État »). Inversement, l'État peut prendre des mesures politiquement inutiles, voire nuisibles, avec le seul but de

d'« ennemis » politiques. Or, pratiquement, ceci n'est possible que si la Société devient universelle, en impliquant l'humanité tout entière, de façon à ce qu'il n'y ait plus du tout de Sociétés politiques, c'est-à-dire d'États. Ainsi, que Duguit le veuille ou non, l'idéal de « Droit social » implique l'internationalisme marxiste.

1. Je ne veux pas dire par là qu'il est toujours inutile de donner au pouvoir judiciaire un support indépendant de ceux des autres pouvoirs. Mais en le faisant il ne faut pas croire qu'on obtient une justice non étatique. Même « séparé », le pouvoir judiciaire est tout aussi politique ou étatique que le pouvoir législatif ou exécutif. D'ailleurs, tant que le pouvoir législatif édicte aussi les lois juridiques, la séparation est illusoire. En Angleterre la séparation existe (plus ou moins) même dans le domaine de la législation, puisque les lois juridiques sont élaborées par les tribunaux au lieu d'être votées par le Parlement. Mais il faut comprendre qu'il y a eu là simplement une division du « Parlement », le Parlement proprement dit s'occupant de la législation non juridique, tandis que celle-ci a été confiée au « Parlement » formé par l'ensemble des juges anglais. Mais ces Parlements sont tous deux politiques ou étatiques : c'est leur ensemble qui constitue le Gouvernement.

sauvegarder le Droit. Il semble donc que la Justice et le Droit sont tout autre chose que l'État, que la vie juridique n'a rien à voir avec la vie politique.

Or, en réalité, ce paradoxe apparent se résout en un truisme. Un Droit donné soutient l'État qui lui est conforme, qui l'applique, qui réalise ainsi en acte l'idée de Justice propre à ce Droit. Dans la « raison d'État » que le Droit invoque en tant que Droit, l'État est censé être un État « juste » et juridiquement « légal ». Inversement, l'État se préoccupe du Droit qui lui est conforme et qui est prêt à le soutenir. Quand l'« homme juridique » dit *« pereat mundus »* il a en vue un monde « injuste », un État ou une Société en désaccord avec ce que sont pour lui le Droit et la Justice. Et quand l'« homme politique » dit *« fiat justicia »*, il a en vue une Justice et un Droit compatibles avec l'existence de ce qu'il croit devoir être l'État. Et chaque fois qu'un Droit fait périr un État, il le remplace par un autre (ou accepte celui qui est venu à sa place), de même qu'un État qui détruit un Droit s'empresse d'en créer un autre à sa place ou d'accepter le Droit nouveau, qui a remplacé l'ancien.

Seulement, en réalité, l'adéquation entre le Droit (et l'idéal de Justice) et l'État n'est jamais complète, ni parfaite. En fait, l'équilibre entre le juridique et le politique est le résultat d'un compromis, où le Droit se défigure spontanément pour des « raisons d'État » et l'État se mutile pour des raisons juridiques. Car le Droit risque de périr lui-même en anéantissant l'État injuste ou « illégal », de même que l'État risque sa perte en supprimant le Droit qui le gêne. Aussi le conflit n'éclate que là où tout compromis est devenu impossible.

Or il n'y a conflit que là où il n'y a pas d'identité foncière. Et il n'y a pas de compromis là où il n'y a aucune dépendance mutuelle. Il faut donc dire, puisqu'il y a conflit et compromis entre le Droit et l'État, que ceux-ci ne sont ni identiques, ni indépendants l'un de l'autre. Et c'est ce qu'on constate effectivement.

Le Droit est la *réalisation* de la *Justice* par son application à des interactions sociales actuelles, dont l'État est la condition nécessaire (comme nous l'avons supposé). Dans son aspect « réalité », le Droit est donc nécessairement étatique et étatiste : on est étatique et étatiste dès qu'on veut *réaliser* la Justice. Mais cette Justice elle-même, l'aspect « justice » du Droit, est indépendante de l'État en tant que tel. La Justice, c'est-à-dire la catégorie juridique fondamentale ou le « principe » du Droit, n'a rien à voir avec la catégorie fondamentale politique d'Amis-Ennemis, ni avec la catégorie proprement étatique de Gouvernants-Gouvernés. Et c'est pourquoi on peut dire que s'il n'y a jamais de séparation *réelle* entre le pouvoir judiciaire et les pouvoirs politiques, il y a toujours une séparation *idéelle* entre eux. C'est cette séparation idéelle qui engendre, en s'actualisant, les conflits entre le Droit et l'État, tandis que l'union réelle des pouvoirs élabore les compromis. Quand la séparation idéelle s'actualise sous la forme d'un conflit entre le Droit et l'État, leur union réelle intervient pour sauvegarder l'existence réelle des deux. La séparation actualisée peut se traduire par la naissance d'un Droit nouveau dans un État qui ne change pas. Et l'union réelle essayera alors de changer l'État pour le remettre en accord avec le Droit, tout en modifiant ce Droit nouveau afin de rendre le raccord plus facile. Inversement, la séparation idéelle peut maintenir l'identité du Droit malgré le changement de l'État. Et c'est encore l'union réelle qui rétablira l'harmonie, en élaborant un compromis entre l'État nouveau et le Droit en vigueur : elle « légalisera » l'État, mais « modernisera » aussi le Droit.

En résumé on peut donc dire ceci.

Le Droit (qui est la réalisation de la Justice) peut se réaliser dès qu'il y a une Société d'au moins trois membres, et il ne peut être réel que dans une telle « Société ». Le Droit ne sera donc jamais antisocial. Mais pour exister en acte, le Droit doit être efficace : le Législateur doit être secondé par un Juge, soutenu par une Police judiciaire, qui exécute ses jugements avec une force en principe irrésistible. Or pour qu'il en soit vraiment ainsi, les membres de la Société ne doivent pas pouvoir quitter la Société sans son consentement. Autrement dit la Société doit être autonome, ou — si l'on veut — souveraine. Par sa tendance à l'acte le Droit essayera donc de transformer la Société où il s'applique en Société autonome et il tâchera de maintenir la Société qui l'est déjà. A condition toutefois que la Société autonome consente à résoudre ses conflits intestins conformément au Droit en question. Si la Société s'écarte du Droit et devient juridiquement « illégale », le Droit essayera de la ramener à la « légalité » juridique. Inversement, si le Droit évolue pour des raisons quelconques, il tâchera de modifier la Société de façon à se la rendre conforme. Mais dans les deux cas le Droit essayera de sauvegarder tant l'autonomie de la Société (c'est-à-dire sa propre actualité) que la réalité sociale en tant que telle (c'est-à-dire la sienne propre). D'où compromis et « raisons d'État ». Et ce qui vaut pour les rapports entre le Droit

et une Société autonome non politique, c'est-à-dire non organisée en État proprement dit, vaut aussi pour les relations
entre le Droit et l'État. Non pas que le Droit ait une tendance
innée à étatiser la Société : l'autonomie de celle-ci suffit au
Droit en tant que tel puisqu'elle suffit pour l'actualiser. Mais
si la Société ne peut être autonome qu'à condition d'être
ou de devenir un État, le Droit sera étatiste. Et dès que la
Société est organisée en État, le Droit ne peut exister en acte
que comme un Droit étatique. Mais à côté du droit étatique
actuel peut exister un droit « coutumier » en puissance. Si
le droit « légal » étatique actualise cette puissance il n'y a
pas de conflit juridique et la situation peut rester indéfiniment
stationnaire. Mais si le Droit « coutumier » change spontanément, ou si l'État modifie (pour des raisons politiques) le
Droit « légal », il y aura un conflit entre les deux Droits, et
— par suite — synthèse ou compromis et évolution historique,
c'est-à-dire progrès.

Le fait d'une évolution juridique est indéniable et on ne
peut pas nier non plus un progrès du Droit, comme on ne
peut pas contester son universalisation progressive, ainsi
que son unification ou homogénéité croissante. On peut donc
affirmer que le Droit tend à se propager de plus en plus tout
en se maintenant de plus en plus dans l'identité avec soi-
même, c'est-à-dire en se conservant. En un mot, le Droit tend
vers le Droit absolu de l'État universel et homogène.

Mais on peut se demander si cette évolution ou ce progrès
juridiques sont spontanés, c'est-à-dire spécifiques et autonomes, ou s'il s'agit d'une simple conséquence d'autres processus. Je viens de dire que l'idée de Justice est indépendante de l'idée politique et qu'elle peut par conséquent
évoluer spontanément. Mais il faudrait revenir sur cette
question. De plus, même si l'idée de Justice est autonome
par rapport à la politique, elle peut dépendre d'autres phénomènes humains, tels que la morale, la religion, l'économie,
mie, etc. Avant de se demander ce qu'est l'évolution spontanée de l'idée de Justice, et par conséquent du Droit dans
son élément proprement juridique (ce que je me propose de
faire dans la Deuxième Section), il faut donc voir si le Droit
a un principe vraiment spécifique et autonome, irréductible
à d'autres phénomènes humains. Autrement dit il faut discuter la question de la spécificité et de l'autonomie de l'idée
de Justice.

# CHAPITRE III

## La spécificité et l'autonomie du Droit.

### § 26.

Tout se tient dans l'existence humaine, précisément parce que l'homme reste identiquement homme tout en se niant, c'est-à-dire tout en devenant autre qu'il n'est. C'est un seul et même être humain qui agit et pense tantôt comme homme politique, tantôt comme homme juridique, religieux, moral, esthétique, etc. Il serait tout aussi vain d'isoler ces différents « hommes », qu'il est impossible de séparer les « facultés de l'âme » ou d'opposer l'« âme » au corps. Il n'en reste pas moins que l'existence humaine a des aspects complémentaires, certes, et inséparables, mais néanmoins distincts. Agir et penser économiquement par exemple est certainement autre chose qu'agir et penser en religieux. Et l'homme qui mange et digère est tout autre chose que ce même homme résolvant un problème mathématique ou priant Dieu. On a donc raison de distinguer plusieurs types d'attitudes existentielles. D'autant plus que ces attitudes peuvent entrer en conflit les unes avec les autres, et elles le font parfois à l'intérieur d'une seule et même existence concrète, dans une seule et même personne individuelle. Mais d'autre part leur unité foncière en tant qu'attitudes *humaines* n'est pas seulement garantie par leur coexistence dans une personne unique. Elles restent unies même quand elles sont réparties entre des personnes différentes. Car même lorsqu'elles existent ainsi séparément au sein d'une Société, elles se conditionnent mutuellement. Aussi lorsque l'une d'elles vient à changer les autres s'en ressentent toujours tôt ou tard.

Tout en admettant l'unité foncière de l'existence humaine, il y a donc lieu de distinguer en elle des aspects typiques et permanents qu'on puisse décrire isolément. Mais s'il ne faut pas mélanger ce qui est distinct, il ne faut pas non plus séparer ce qui en réalité ne fait qu'un. Il ne faut isoler que ce qui est vraiment irréductible à autre chose, et, en décrivant chaque type autonome, il faut y impliquer tout ce qui lui appartient, tout ce qui dépend et peut être déduit de lui. Et la tâche principale de la Phénoménologie de l'existence humaine consiste dans la recherche d'une description complète de tous ses aspects vraiment autonomes, c'est-à-dire irréductibles les uns aux autres, ou qualitativement spécifiques. Or, le critère de la spécificité ou de l'autonomie est en dernière analyse la négation mutuelle. Deux aspects sont autonomes l'un vis-à-vis de l'autre quand il y a une possibilité de négation de l'un par l'autre, c'est-à-dire d'un « conflit » entre eux. Mais ce conflit ne doit pas découler automatiquement de leur nature, car dans ce cas il y aurait encore dépendance mutuelle, quoique négative. Autrement dit la possibilité d'un conflit doit coexister avec celle d'une entente harmonieuse, voire d'un compromis. C'est alors et alors seulement que les aspects autonomes et spécifiquement différents formeront une unité essentielle synthétique : une identité du divers, une différenciation de l'identique, une union dans et par la séparation et l'opposition.

J'ai dit, et il semble être hors de doute, qu'un État politiquement justifiable et justifié par le succès peut être considéré comme juridiquement injuste : l'aspect juridique de l'existence humaine peut donc entrer en conflit avec son aspect politique. Mais d'autre part l'idée d'un État politiquement valable, c'est-à-dire efficace, et néanmoins juridiquement juste, est parfaitement concevable, sinon encore pleinement réalisée : l'aspect juridique peut donc être en harmonie avec l'aspect politique. Et on peut conclure de ces deux constatations que les attitudes juridique et politique sont deux aspects autonomes d'une seule et même existence humaine. Mais il faut se demander encore si ces attitudes irréductibles l'une à l'autre ne peuvent pas être déduites d'autres attitudes humaines.

Le présent chapitre sera consacré à la question de savoir si le phénomène « Droit » est vraiment un phénomène spécifique et autonome, c'est-à-dire irréductible aux autres phénomènes humains.

Or il est évident que ce problème ne peut pas être résolu pour lui-même. En effet, pour le résoudre réellement, il faudrait disposer de la liste complète des phénomènes autonomes et démontrer que le phénomène « Droit » ne se réduit à aucun d'eux. Et il ne peut être question d'entreprendre ce travail dans cette étude. Il n'y peut donc s'agir que d'une solution incomplète et par suite toute provisoire.

Premièrement je laisserai de côté tous les phénomènes qui sont — à première vue tout au moins — si différents du phénomène « Droit » qu'une réduction de celui-ci à eux paraisse impossible sans discussion. Tel le phénomène esthétique par exemple. Mais je me rends compte qu'ici comme ailleurs l'« évidence » peut être trompeuse. D'autant plus que pour les anciens Grecs, par exemple, une réduction du Juste au Beau ou du Beau au Juste n'a pas semblé être absurde. Deuxièmement, en comparant le Droit à certains autres phénomènes pour le distinguer d'eux, je les supposerai être spécifiques et autonomes sans démontrer leur autonomie. Or, ici encore, il est dangereux de se fier à l'« évidence », qui n'est d'ailleurs nullement générale. Troisièmement enfin les comparaisons elles-mêmes que je vais établir ne seront pas complètes. Et je laisserai sans discussion maintes tentatives de réduire les uns aux autres les phénomènes que j'essayerai de séparer.

Pratiquement, je me contenterai de reprendre les sujets traditionnels de discussions se rapportant au problème de l'autonomie du Droit qui nous intéresse ici. Tel le sujet des rapports entre le Droit et la Morale (§ 31), ou celui du rapport entre le Droit et la Religion (§ 30). Je discuterai aussi (§ 29) l'opinion des « étatistes » et « utilitaristes », qui voudraient réduire le Droit soit à la « raison d'État », soit à l'« utilité sociale », en me rapportant surtout à ce que j'ai dit dans le chapitre précédent. Il faudra voir encore ce que vaut et signifie la tentative marxiste de réduire le Droit — comme tous les autres phénomènes humains — au phénomène économique (§ 28). Enfin (§ 32) je dirai quelques mots du rapport entre l'attitude juridique et ce qu'on appelle généralement les tendances égoïste et altruiste de l'existence humaine.

Mais je commencerai par faire une remarque générale pouvant suggérer l'idée que le Droit est effectivement un phénomène spécifique et autonome, comme j'essayerai de le prouver (ou de le rendre plausible) par les discussions de ce chapitre. Par ailleurs l'autonomie du Droit dépend de l'autonomie de son « principe », c'est-à-dire de l'idée de Justice. Le présent chapitre n'est donc qu'une sorte d'introduction à la Deuxième Section, où cette idée sera analysée. Et c'est là surtout que j'essayerai d'établir l'autonomie de cette idée et, par suite, du Droit lui-même.

§ 27.

D'une manière générale, quand on étudie un phénomène et le compare avec les autres pour découvrir sa spécificité et démontrer son autonomie, il faut le prendre dans son intégrité concrète, l'étudier à la fois dans tous ses éléments constitutifs, et le placer dans l'ensemble de l'existence humaine.

Or, lorsqu'on parle du Droit ou de son autonomie, on a tendance à s'attacher trop exclusivement aux « justiciables », pour ainsi dire. On cherche les motifs de ceux qui *subissent* passivement le Droit. On se demande pour quels motifs un homme agit conformément à une règle de droit, ou pour quels motifs le criminel agit à l'encontre de cette règle. Et on constate que ces motifs peuvent être les plus divers : on fait valoir des raisons d'ordre biologique (chez le criminel notamment), ou l'« intérêt », économique ou social par exemple, ou la morale, etc. Bref on risque de ne trouver aucun motif spécifiquement juridique.

Mais en réalité l'existence des « justiciables » ne suffit pas encore pour qu'il y ait Droit. Il faut qu'il y ait un tiers « impartial et désintéressé ». Et on peut même dire que la spécificité du Droit réside précisément dans la présence de ce tiers. Une interaction quelconque devient une situation juridique uniquement parce qu'elle provoque l'intervention d'un tiers. Aussi, pour comprendre le phénomène juridique, il faut analyser la personne de ce tiers. En tout cas il ne faut pas le négliger.

Certes, personne ne nie que l'existence du Droit implique et présuppose celle de ce « tiers ». Mais d'une part on l'oublie souvent, lorsqu'on parle du Droit, en ne parlant que de ceux à qui le Droit s'applique, au lieu de parler de ceux qui l'appliquent. D'autre part, quand on en parle, on prend le « tiers » surtout dans son aspect de Législateur juridique ou de Police judiciaire. On se demande quels sont les buts ou les motifs de sa législation, on pose la question du pourquoi et du comment de la contrainte judiciaire. Et comme dans l'immense majorité des cas la Législation et la Police sont entre les mains de l'État, du Gouvernement, on se demande pourquoi l'État édicte telles ou telles lois juridiques et les fait respecter en usant de la force. Rien d'étonnant donc qu'on invoque avant tout, ou même exclusivement, la « raison d'État », en essayant de ramener le phénomène « Droit » dans son ensemble au principe de l'*utilité* sociale ou politique.

Or, en fait, le tiers n'est pas seulement Législateur et Police. Il est aussi, et même surtout, Juge ou Arbitre. En effet, la Police ne fait qu'exécuter les décisions du Juge. Et le Législateur édicte ses lois juridiques en vue de leur application par ce même Juge. Si donc la situation n'est juridique que parce qu'elle implique un tiers « impartial et désintéressé », ce tiers lui-même n'est une entité spécifiquement juridique que dans la mesure où il implique un aspect de Juge et d'Arbitre. Et c'est surtout en tant que Juge qu'il est censé être vraiment « tiers », c'est-à-dire « impartial et désintéressé ».

Pour comprendre ce qu'est le Droit, pour voir si c'est un phénomène autonome ou non, il faut donc se demander tout d'abord pourquoi, pour quels motifs, l'homme devient Juge ou Arbitre. On verra alors tout d'abord qu'on peut faire fonction de Juge même s'il n'y a pas de Loi juridique, ou en tout cas de règle de droit prévoyant le cas à juger. Et on peut être Juge même si l'on sait que le jugement ne sera pas nécessairement exécuté, c'est-à-dire sans avoir à sa disposition une force irrésistible. D'ailleurs on peut « juger » même là où on sait que le « jugement » n'aura aucune portée réelle et ne changera en rien la situation. Certes, dans ce cas il n'y aura pas de Droit, car on ne sera pas en présence de *tous* les éléments constitutifs de ce phénomène. Mais je veux dire seulement qu'un de ses éléments essentiels peut exister sans certains autres, à savoir sans l'élément contrainte. Ensuite on verra que le jugement (même s'il est exécuté) ne peut avoir une valeur juridique que si le Juge a été « impartial et désintéressé ». Autrement dit le Juge est censé n'avoir agi que pour le seul motif de vouloir avoir été Juge ou Arbitre. Certes, toute action présuppose un but, c'est-à-dire un « intérêt ». Mais l'« intérêt » du Juge est censé se réduire au désir de réaliser la Justice, d'appliquer à un cas donné l'idée de Justice. Tout motif « utilitaire » est donc exclu par définition. Le Juge « idéal » n'est pas « intéressé » au jugement qu'il émet : ce jugement ne lui rapporte rien personnellement et ne lui est pas nuisible. Et il ne pense pas non plus à l'utilité « publique » dans le cas où il sait que son jugement ne sera pas exécuté. S'il juge quand même, c'est qu'il a un « intérêt » *sui generis,* immanent à l'acte même du jugement. Il a un « intérêt juridique », qui est déterminé par l'idée de Justice.

L'introspection et l'étude du comportement (du « *beha-*

*vior* ») humain confirment cette façon de voir les choses. L'homme est spontanément porté à faire office de Juge ou d'Arbitre. Partout et toujours on trouve des hommes prêts à intervenir en « tiers désintéressés », à agir en Juge ou en Arbitre. Et chacun peut voir en lui-même une « tendance » à juger, qui devient un besoin impérieux dès qu'on est en présence d'une « injustice » quelconque. En voyant par exemple un homme vigoureux attaquer un faible malade, chacun se précipitera pour le défendre. C'est qu'on aura en un clin d'œil énoncé une « loi » qui l'interdit, appliqué cette « loi » au cas donné, et essayé d'exécuter ce « jugement ». Or de toute évidence on n'est pas lésé par le fait et on ne profitera pas de l'intervention : au contraire. Et il serait vraiment artificiel de dire qu'on pense en le faisant à la « Société », au fait que dans une Société ou un État les faibles doivent être protégés contre les forts, etc. On peut constater, d'ailleurs, que l'intervention en qualité de Juge ou d'Arbitre provoque un vif plaisir indépendamment du caractère « moral » du cas jugé ou arbitré. Une contestation lors d'une compétition sportive, par exemple, engendre spontanément une masse d'Arbitres bénévoles. C'est qu'on prend plaisir à arbitrer et ce plaisir est vraiment « désintéressé ». C'est un plaisir *sui generis,* tout aussi spécifique que le plaisir sexuel ou esthétique par exemple. Or c'est un plaisir qu'on tire du fait de pouvoir être « désintéressé et impartial », c'est-à-dire « juste ». C'est donc un plaisir spécifiquement juridique, incompréhensible si l'on nie l'existence d'une attitude juridique autonome, fondée sur l'idée de Justice. Ainsi, dans le cas du malade, c'est le seul fait de l'« injustice » (c'est-à-dire ici de l'inégalité) qui pousse à intervenir. On ne se demande même pas si le fort a raison de battre le faible, on ne demande pas ce que sont l'un et l'autre, ce qu'a fait celui qu'on bat à celui qui le bat. C'est la seule disproportion des forces, c'est-à-dire l'« injustice » à l'état pur, qui fait agir. Et il se peut qu'après coup, ayant appris les motifs du fort, on les approuve et on aide le fort à maltraiter le faible.

Chez certains peuples primitifs, les pères enseignent à leurs fils qu'il n'y a que deux devoirs « moraux » impératifs : celui d'être brave et celui de rendre la justice, de juger les concitoyens en tiers impartial et désintéressé [1]. On parle de « morale ». Mais en réalité il s'agit d'une « vertu » politique et d'une « vertu » juridique. Il faut être brave – vis-

---

1. Cf. DAVIE, *La Guerre dans les sociétés primitives*, p. 363.

à-vis des « ennemis ». Et il faut faire fonction de Juge (quand l'occasion se présente) parmi les « amis ». Certes, rendre la Justice, c'est faire une œuvre socialement et politiquement *utile*, comme il est *utile* à la Société et à l'État que ses citoyens soient braves. Mais il serait vraiment artificiel de dire qu'on est brave pour des « raisons d'État » ou des considérations d'utilité publique; et il est absurde de chercher un « intérêt » dans l'acte de bravoure qui entraîne la mort du brave. De même, s'il est socialement utile d'être Juge, ce n'est pas cette utilité qui pousse à le faire. Le sauvage en question dira à son fils que c'est un « devoir ». Le Phéno-ménologue dira qu'il y a là un motif *sui generis,* qu'il appellera « juridique » et dont il dira que son « principe » est la Justice. On aime être Juge ou Arbitre parce qu'on possède une idée ou un idéal de Justice, et parce qu'on tend à réaliser toutes ses idées. Or l'idée de Justice se réalise par son application à des interactions humaines, c'est-à-dire dans et par le Droit qui se concrétise dans et par l'action du Juge. Le plaisir spécifique (et spécifiquement humain) qu'on éprouve à être Arbitre témoigne de l'existence dans l'homme d'une idée *sui generis* qu'il tend à réaliser. Et c'est cette idée que nous appelons l'idée de Justice, tandis que sa réali-sation s'appelle le Droit.

Cette façon de voir est corroborée par l'analyse du phéno-mène de l'Autorité (cf. ma Notice sur *L'Autorité*). J'ai essayé de montrer qu'il y a une Autorité pure *sui generis* du type « Juge ». En effet, dans beaucoup de cas, on obéit à un homme uniquement parce qu'on le croit être « juste », « impartial », « désintéressé », « objectif », « équitable », etc., sans se préoccuper de ses autres qualités. Notamment lors-qu'on veut soumettre un litige au jugement d'un tiers, d'un Arbitre, on s'adresse à celui qui bénéficie de l'Autorité du type « Juge ». Un homme aura beau être intelligent, éner-gique, prévoyant, beau ou autre chose. On ne le choisira pas s'il est présumé être « partial » ou « intéressé » dans le cas qu'on voudrait lui soumettre : ou s'il est « injuste » en géné-ral. Inversement, si on le sait être « juste », on peut fermer les yeux sur tous ses défauts. Certes, on choisira un homme « vertueux » ou « moral ». Mais c'est parce qu'on suppose que la « vertu » ou la « moralité » impliquent nécessairement la « vertu » de « justice ». Et si l'on choisit de préférence un homme « religieux », « pieux », c'est encore parce qu'on le présume être « juste » ou « équitable », et non pas parce qu'il a des « vertus » spécifiquement religieuses, ayant obtenu le salut de son âme par exemple.

Il y a donc une Autorité *sui generis* qui qualifie le Juge en tant que tel. Cette qualité spécifique n'est rien d'autre que sa « justice » ou son « équité », c'est-à-dire une incarnation agissante de l'idée de la Justice, qu'on doit par conséquent considérer comme une idée spécifique et autonome. Et il ne servirait à rien de dire que l'homme « juste », qu'on choisit pour Arbitre aux décisions duquel on se soumet volontairement, est « juste » parce que conforme dans son comportement à une loi (juridique). Ce ne serait que déplacer le problème ou en changer simplement les termes. Car cette loi elle-même a une Autorité *sui generis*, la même que celle du Juge. Et il arrive souvent qu'une loi a de l'Autorité uniquement parce qu'elle a été décrétée par un législateur qui bénéficie de l'Autorité du Juge, étant considéré comme « juste » ou « impartial et désintéressé », tout au moins dans les cas visés par sa loi.

Il suffit donc d'introduire dans l'étude du phénomène juridique l'élément constitutif essentiel du « tiers désintéressé » pour s'apercevoir que ce phénomène n'admet pas d'interprétations « utilitaristes ». Il y a un « intérêt » *sui generis* qui pousse l'homme à agir juridiquement, tout au moins en tant que Juge. Et cet « intérêt » n'a rien à voir avec l'intérêt biologique, ou économique, ou social ou politique. Ni même avec l'« intérêt » spécifiquement religieux, qui est celui du salut de l'âme. Car si le jugement inique est un « péché », rien ne dit qu'être juge est un « devoir » religieux. Ce n'est pour aucune de ces raisons « égoïstes » que l'homme devient Juge ou Arbitre dans un cas qui n'a aucun « intérêt » pour lui, sauf celui d'être un cas auquel peut s'appliquer l'idée de Justice ou d'équité.

Restent les motifs « altruistes ». Et reste aussi la Morale en général. Mais avant d'aborder le problème souvent discuté des rapports entre le Droit et la Morale, il faut critiquer plus à fond les théories « utilitaristes » du Droit. Ne serait-ce qu'en raison de leur immense crédit.

§ 28.

Il est inutile de discuter les « théories » biologiques du Droit. Il est trop évident que le Droit est un phénomène spécifiquement humain qui ne se trouve pas dans la nature non humaine. Si les interactions humaines auxquelles le Droit s'applique peuvent dans certains cas être assimilées à des

interactions animales, l'intervention du tiers qui les « juge »
en tiers impartial et désintéressé n'a rien d'équivalent dans
le monde animal. On ne peut donc pas l'expliquer biologi-
quement (cf. Deuxième Section).

Mais quand ils parlent d'« intérêt », les « Utilitaristes »
n'ont pas en vue seulement l'intérêt vital, biologique. Il y a
aussi des intérêts spécifiquement humains autres que celui
du Droit, et il s'agit de savoir si celui-ci ne peut pas être
réduit à l'un d'entre eux ou à leur combinaison.

De nos jours, c'est surtout l'*intérêt économique* qu'on
met en avant. Pour les marxistes par exemple, et pour beaucoup d'économistes en général, le Droit n'est qu'un épiphénomène de la vie économique de l'humanité [1].

Notons tout d'abord que la vie économique est tout autre
chose que la vie biologique. L'homo œconomicus n'est pas
seulement l'*animal* homo sapiens : c'est aussi et même surtout un être vraiment et spécifiquement humain. L'économie
humaine est fondée sur le travail et l'échange, qui n'ont pas
d'équivalents dans le monde animal. (Cf. ma Notice sur
*Le Travail.*) Expliquer l'homme par l'économie est donc tout
autre chose que de l'expliquer par la biologie. Le « matérialisme économique » des marxistes n'a du matérialisme que
le nom. Si l'on veut opposer au biologisme ou au matérialisme le « spiritualisme », il faut dire que la réduction
marxiste de l'homme à l'acte du travail est d'inspiration
nettement « spiritualiste », qui provient en ligne directe de
Hegel, d'ailleurs. Le marxisme authentique est une théorie
« anthropologiste », qui découvre dans l'homme un acte
spécifiquement humain, à savoir l'acte de travailler, qu'on ne
trouve nulle part ailleurs, et qui essaye d'expliquer en fonction de cet acte anthropogène tout ce qu'il y a d'humain dans
l'homme.

Or, en le faisant, Marx a eu tort de simplifier et de tronquer
la conception hégélienne. Pour Hegel, l'acte de travailler
en présuppose un autre, celui de la lutte de pur prestige, que
Marx ne juge pas à sa juste valeur. Or il n'y a pas de doute
que l'homme économique est toujours doublé d'un « homme
vaniteux », les intérêts duquel peuvent entrer en collision
avec ses intérêts économiques. Il suffit pour s'en convaincre
de penser à l'Esquimau qui échange contre des pacotilles
européennes les fourrures de sa demeure et souffre du froid
pour satisfaire sa vanité. Il est donc impossible de réduire

---

1. Cf. aussi Stammler, *Wirtschaft und Recht nach der materialistischen
Geschichtsauffassung,* 1896.

l'ensemble de l'existence humaine à l'activité économique, c'est-à-dire au Travail et à l'Échange.

Mais ne pourrait-on pas y réduire au moins le Droit?

L'économie est constituée par le Travail et l'Échange. Mais il est évident que le Travail en tant que tel ne peut pas être une source de Droit. Le Travail oppose l'homme à la Nature. Or les rapports entre l'homme et la Nature n'ont rien de juridique. Car aucun être humain ne peut jouer dans ce cas le rôle du « tiers impartial et désintéressé ». Personne ne voudra défendre sérieusement les intérêts de la Nature contre ceux de l'homme et dans le cas d'un conflit entre eux chacun se rangera automatiquement du côté de l'homme contre la Nature. Quant aux rapports sociaux engendrés par le travail, et notamment celui entre patron et ouvrier, ils n'ont rien d'économique dans leur fondement, et nous n'avons donc pas lieu d'en tenir compte pour le moment.

L'élément Échange du phénomène économique est par contre en connexion étroite avec le phénomène juridique. Dans l'immense majorité des cas, les règles de droit du Droit moderne ont en vue des échanges de nature économique, et on peut dire que presque tout notre Droit est un Droit commercial, au sens large du terme. Le développement de la vie économique, et notamment du commerce, a toujours provoqué un épanouissement de la vie juridique, une extension du Droit et une intensification de la jurisprudence. Enfin, l'idéologie du commerçant a toujours un caractère plus ou moins juridique : elle préconise le règne du Droit sur terre, elle aspire à un Droit universellement valable et toujours respecté.

Cette affinité entre le Droit et l'aspect commercial ou échangiste de la vie économique se conçoit facilement. Quand un commerçant calcule l'échange qu'il s'apprête à faire, il doit tenir compte non pas seulement de son propre intérêt mais encore de celui de son partenaire. Autrement dit il doit se placer au point de vue d'un « tiers impartial et désintéressé ». Il n'aura donc rien contre l'intervention d'un tel tiers dans ses interactions commerciales avec autrui. Au contraire, il fera volontiers appel aux bons offices de ce tiers. Le commerçant est naturellement porté à faire régler son activité commerciale par des Juges ou des Arbitres, c'est-à-dire en fin de compte par une législation juridique.

D'autre part tout échange a pour base le principe d'équivalence. Or nous verrons (dans la Deuxième Section) que l'équivalence constitue le deuxième type fondamental de l'idée de Justice (le premier étant celui de l'égalité). Et nous

verrons que ce deuxième type peut être appelé « servile »
ou « bourgeois », par opposition au premier, qui est essentiellement « aristocratique », étant à l'origine la Justice du
Maître. Le Bourgeois (avatar de l'Esclave), qui est avant
tout un Commerçant (par opposition à l'Esclave proprement
dit, qui est surtout Travailleur ou producteur), est naturellement enclin à adopter l'idéal d'une Justice d'équivalence
et de le faire triompher partout où c'est possible. C'est pourquoi il aura généralement parlant une idéologie « juridique » : il considérera toute l'existence humaine du point
de vue du Droit, ce Droit étant bien entendu fondé sur l'idée
de la Justice d'équivalence, et non sur celle de la Justice
d'égalité. Le Bourgeois-commerçant ne veut pas être l'égal,
même économiquement parlant, de son « client », ni même
de son « concurrent ». Et s'il le veut, ce n'est pas en sa qualité
d'homo œconomicus, de commerçant. En tant que commerçant il lui suffit que le profit du « client » soit *équivalent*
au sien, et que le « concurrent » soit placé dans des conditions *équivalentes* aux siennes. Par contre, toute infraction
au principe d'équivalence sera considérée comme une « injustice » : il y aura aux yeux du commerçant soit « hausse
illicite », soit « concurrence déloyale ».

Mais peut-on vraiment dire que l'idée ou l'idéal de la Justice d'équivalence, et par conséquent le Droit qui la réalise,
sont un simple épiphénomène de l'activité économique, voire
commerciale? Je ne le pense pas. Et non pas seulement parce
que de toute évidence le domaine de l'application de cette
Justice et du Droit correspondant déborde de beaucoup le
domaine proprement économique. Car il pourrait s'agir ici
d'un phénomène de « transfert » : l'idée spécifiquement économique pourrait s'appliquer à un domaine qui lui est en
principe étranger.

Je pense que la théorie économique de la Justice et du
Droit est insuffisante parce qu'elle n'explique pas la possibilité de l'existence du « tiers », sans lequel il n'y aurait pas
de Droit. Certes, en pratique, le Juge ou l'Arbitre se font
payer d'une façon ou d'une autre. On peut dire qu'eux aussi
« échangent » leur « travail » juridique contre des valeurs
économiques. Mais si le Juge n'était vraiment rien d'autre
qu'un commerçant agissant en pur et simple homo œconomicus, on aurait besoin d'un super-juge pour arbitrer les
conflits possibles entre lui et ses clients, pour fixer l'« équivalence » en question. Et ainsi de suite, à l'infini. Pour que
cette progression à l'infini s'arrête, c'est-à-dire pour que la
réalité du Droit devienne possible, il faut arriver à un Juge

(ou Législateur) vraiment « désintéressé », qui jugerait sans aucun intérêt économique de sa part. Sinon il y aurait peut-être des échanges économiques compliqués par des échanges « commerciaux » entre les Juges et les justiciables, mais il n'y aurait pas de *Droit* commercial proprement dit, c'est-à-dire de Droit fondé sur l'idée de Justice. La loi de l'offre et de la demande joue certes, quand il s'agit de fixer la rétribution des Juges, les frais de justice. Mais pour qu'il y ait Droit, cette loi ne doit pas influencer le contenu de la sentence judiciaire. Si le Juge se range automatiquement du côté du plus payant, il n'est plus Juge, mais partie, et toute la situation n'a plus rien de juridique.

Le Juge doit donc être « désintéressé » au sens courant du mot. Mais s'il l'est, c'est que son jugement n'est plus une fonction de son intérêt économique, ce n'est plus en homo œconomicus qu'il juge. Nous pouvons donc dire qu'il juge en homo juridicus, sans préciser pour le moment ce qu'est cet homme juridique : il nous suffit de savoir qu'il est autre chose que l'homme économique. Et nous appellerons le principe qui détermine son mode d'action idée de Justice.

Dans une société « bourgeoise » (c'est-à-dire non aristocratique et non civique), où prédomine l'activité économique dans son aspect commercial (échange et non production), l'idée de Justice sera (plus ou moins) conforme au principe d'équivalence, et le Droit en vigueur y réalisera la Justice sous cette forme. D'une part parce que les interactions commerciales se prêtent à l'application du principe d'équivalence, et non de l'égalité. Or le Droit n'est rien d'autre que l'application de l'idée de Justice aux interactions sociales données, qui sont ici commerciales. D'autre part parce que le Législateur juridique, ainsi que le Juge, sont eux-mêmes membres de cette société, c'est-à-dire des Bourgeois pour qui le « juste » est avant tout et surtout l'« équivalent ». Mais si la Justice de l'équivalence correspond à l'activité commerciale, on ne peut pas dire qu'elle en résulte. Le Juge et le Législateur sont économiquement « désintéressés » (en principe tout au moins) et ils savent néanmoins distinguer le juste de l'injuste. C'est que l'idée de Justice et le Droit qui la réalise ont une source autre que l'activité commerciale : ce sont des phénomènes autonomes par rapport à l'économie.

La Justice (même d'équivalence) et le Droit ne peuvent pas être obtenus à partir de l'économie par un simple processus d'abstraction ou de « déduction », voire d'« analyse ». On peut être commerçant et raisonner *en* commerçant. Et on peut aussi être un « savant » et raisonner *sur* le commerce, l'analyser ou le décrire, dégager ses lois ou ses principes par un processus d'abstraction et déduire les conséquences de ces principes. C'est ainsi que procède la science économique. Mais si cette science peut aboutir à des « lois » abstraites ou générales, telles que la loi de l'offre et de la demande, elle n'arrivera jamais à l'idée de Justice et ne pourra jamais fonder un Droit, même commercial. Ainsi par exemple le prix est déterminé pour le commerçant comme pour le théoricien du commerce par la loi de l'offre et de la demande. Et on le savait depuis toujours, en tout cas on le savait au Moyen Age. Ce qui n'a pas empêché ce même Moyen Age d'élaborer une théorie du « juste prix » (cf. par exemple saint Thomas). Ce n'est donc ni en commerçant ni en économiste que l'homme médiéval a élaboré cette théorie. Il l'a fait en juriste, à partir de l'idée de Justice (qui était pour lui un idéal d'équivalence). Et il opposait consciemment la notion juridique du « juste prix » à la notion économique du prix déterminé par l'offre et la demande.

En résumé on peut donc dire ceci.

Le Droit est l'application d'une certaine idée de Justice à des interactions sociales données. Or les échanges économiques, c'est-à-dire les interactions commerciales sont particulièrement aptes à servir de points d'application de la Justice d'équivalence. Il y a donc une affinité entre cette forme de Justice et l'activité commerciale. C'est pourquoi d'une part le Droit fondé sur cette Justice a un contenu surtout commercial (au sens large), visant les cas d'échanges de valeurs économiques. Et c'est pourquoi, d'autre part, l'activité économique (commerciale) stimule la vie juridique et fait prospérer tout ce qui a trait à l'idée de la Justice d'équivalence. D'une manière générale, dans la mesure où le Droit est déterminé par les interactions auxquelles il applique l'idée de Justice qui est à sa base, il sera largement déterminé par l'état économique, commercial notamment, de la Société où il est en vigueur. Il n'est donc nullement vain de parler avec les marxistes d'une « justice de classe ». Mais il ne faut pas oublier que le Droit est autre chose encore que les interactions économiques régies par le Droit. Il est une application à ces interactions d'une certaine idée de Justice. Et cette idée, tout en étant généralement en harmonie avec les conditions économiques, est autonome par rapport à eux. Elle y ajoute quelque chose de différent, et c'est parce qu'elle y ajoute quelque chose qu'elle crée à côté des situations économiques des situations juridiques, qui peuvent s'opposer à elles dans certains cas. Il se peut d'ailleurs (cf. Deuxième Section) qu'ici encore on doive parler d'une « justice de classe ». Mais la « classe » qui élabore une forme donnée de l'idée de Justice est autre chose qu'une « classe » économique. Il se peut que pour cette « classe » le juste se confonde avec l'« utile ». Mais il s'agit alors d'une « utilité » autre que l'utilité économique.

§ 29.

L'Utilitarisme juridique, en identifiant le « juste » ou le juridiquement « légal » avec l'utile n'a pas toujours en vue l'utilité purement économique. On parle souvent d'« utilité sociale » et de « raison d'État », en affirmant que la Société et l'État ont des intérêts spécifiques autres que les intérêts économiques ou commerciaux. Le Droit serait donc une fonction de ces intérêts spécifiquement « sociaux » ou « politiques ».

Il faut dire cependant que la nature de ces intérêts est généralement laissée dans le vague. Il s'agit donc de la préciser et de voir si effectivement le Droit et par suite l'idée de Justice peuvent être déduits des phénomènes sociaux (au sens étroit du mot) et politiques (au sens propre).

Pour l'Utilitarisme classique l'utilité sociale équivaut au plus grand bonheur du plus grand nombre. Mais il est faux que l'homme recherche avant tout le bonheur, que cette recherche du bonheur détermine la vie sociale. Hegel a montré que l'homme aspire à la satisfaction *(Befriedigung)* donnée par la reconnaissance *(Anerkennen)* universelle de sa valeur personnelle. On peut dire que tout homme, en fin de compte, voudrait être « unique au monde et universellement valable ». On veut autant que possible se distinguer des autres, on veut être « original », on est « individualiste », on cherche à faire valoir sa « personnalité », censée être unique en son genre. Ce que tout le monde fait, ce que tout le monde a, ce que tout le monde est, tout ceci est sans valeur véritable. L'homme recherche l'inédit et voudrait être « inédit ». C'est ce qu'a bien mis en valeur l'Individualisme des Temps modernes (à partir de la Renaissance). Mais les « individualistes » oublient d'ajouter que l'« inédit » n'a une valeur que dans la mesure où il est « reconnu » par la société, et – à la limite – par tous. Personne ne voudrait être pire que tous : l'homme le plus laid, le plus lâche, le plus bête du monde. C'est donc bien à la reconnaissance universelle de sa personnalité particulière que l'homme aspire en dernière analyse. C'est cette reconnaissance qui lui donne la satisfaction, et il est prêt à sacrifier à cette satisfaction son bonheur, s'il ne peut pas faire autrement. Ce n'est pas seulement pour être beau qu'il faut souffrir.

Nous verrons (dans la Deuxième Section) que le désir de la satisfaction par la reconnaissance est intimement lié à l'idée de Justice. Mais nous n'avons pas à en parler ici, car tout ceci n'a rien à voir avec l'Utilitarisme. Chercher la satisfaction « hégélienne » est tout autre chose que rechercher l'« utile » au sens courant du mot, c'est-à-dire tout ce qui est nécessaire au « bonheur » ou au « bien-être ». Si la Société naît du désir de reconnaissance, son but suprême, est la satisfaction et non le bonheur de ses membres. Non pas, certes, que la satisfaction soit incompatible avec le bonheur. Au contraire, à la limite, dans l'État idéal, l'homme satisfait socialement est aussi (en principe) heureux individuellement. Mais quand il faut choisir, c'est la satisfaction qui l'emporte. Et c'est le désir de satisfaction, non le besoin de bonheur, qui détermine la vie sociale dans son ensemble. Sinon on n'arrive pas à expliquer, voire à « justifier » le phénomène de la guerre. Or l'expérience montre qu'une Société saine ne refuse jamais la guerre quand celle-ci lui est imposée par les circonstances. Et ces « circonstances » impliquent le besoin de reconnaissance, c'est-à-dire le sentiment d'honneur, comme on l'appelle. C'est en fonction de ce besoin que la Société fait la guerre, et la guerre est certainement un sacrifice du bonheur, même si elle n'est pas un sacrifice de la vie [1].

Quoi qu'il en soit, il est vain de vouloir déduire la Justice et le Droit du seul besoin du bonheur (qui coïncide d'ailleurs, dans une vaste mesure avec l'intérêt économique, de l'aveu même des Utilitaristes). Il suffit pour le montrer de faire appel à la notion courante du « bonheur injuste ». Même l'heureux lui-même peut se rendre compte du fait qu'il l'est « injustement ». Et toutes choses égales, un bonheur « juste », c'est-à-dire universellement reconnu, a plus de valeur qu'un

1. Les Utilitaristes conséquents sont radicalement pacifistes. Et ils ont raison de leur point de vue, car rechercher le bonheur, c'est effectivement nier la guerre dans tous les cas. Mais puisque les Sociétés réelles (et saines) ne se refusent pas à la guerre, c'est qu'elles vivent en fonction d'autres principes que celui des Utilitaristes, c'est qu'elles ne recherchent pas le bonheur *à tout prix*. Je dis : les « Sociétés *saines* ». Car dans les conditions actuelles, une Société qui refuse la guerre est tôt ou tard absorbée par celles qui ne le font pas. Elle meurt donc. Et c'est pourquoi on peut dire qu'elle est « malade » quand elle se refuse à la guerre dans tous les cas.

bonheur « injuste », c'est-à-dire purement subjectif, personnel. De plus, quand un « tiers impartial et désintéressé » intervient en qualité de Juge dans une interaction sociale, ce n'est certainement pas au bonheur des agents en interaction qu'il pense et ce n'est pas l'idée de bonheur qui détermine la nature de son jugement. Et ce n'est pas son propre bonheur qu'il recherche en intervenant.

Peut-on dire que le « tiers » intervient pour une « raison d'État »? Autrement dit, peut-on réduire l'idée de Justice et le Droit qui la réalise au phénomène politique?

Dans la mesure où l'existence politique de l'homme est déterminée par son désir de reconnaissance, elle est intimement liée à sa vie juridique, comme nous le verrons encore (dans la Deuxième Section). Mais il serait tout aussi faux de vouloir réduire le juridique au politique que de déduire le politique (au sens propre) du juridique. L'idée de Justice, qui est à la base du Droit en tant que tel, est une catégorie spécifiquement juridique, en tout cas une catégorie irréductible aux catégories spécifiquement politiques.

Ces catégories politiques fondamentales sont celles d'Ami-Ennemi et de Gouvernant-Gouverné.

Il est évident que la catégorie politique d'Ennemi n'a rien à voir avec le Droit, ni avec la Justice. Ni l'idéal de Justice ni le fait du Droit n'implique l'existence d'ennemis politiques de la Société où le Droit est valable. Il est donc impossible de déduire le politique du juridique. Inversement, les rapports politiques avec l'ennemi n'ont rien à voir avec le Droit, étant la négation des relations juridiques. En fait il n'y a pas de « tiers désintéressé », il n'y a pas de Juge ou d'Arbitre lorsqu'il s'agit d'une interaction entre un État autonome et ses ennemis.

Quant à la catégorie politique d'Ami, nous avons vu qu'elle est liée aux catégories juridiques. Mais du moment que la catégorie politique d'Ami est déterminée (négativement) par la catégorie politique d'Ennemi, elle a un caractère spécifique, irréductible aux catégories juridiques. En tant que « non-Ennemi », l'Ami n'a rien à voir ni avec la Justice ni avec le Droit. Cependant les amis politiques sont liés entre eux par des liens qui sont aussi juridiques. Les amis étant égaux ou « équivalents » en tant qu'amis, leurs interactions se prêtent à l'intervention d'un tiers (ami) « impartial et désintéressé », étant ainsi susceptible d'engendrer des situations juridiques. Mais ce n'est pas en tant qu'amis politiques qu'ils sont dans cette situation juridique. D'abord, en principe, les amis sont censés ne pas avoir de litiges. Et puis, pour le tiers, qui crée la situation en tant que juridique, le fait qu'ils sont amis est sans importance puisqu'ils le sont tous les deux au même titre. Pour qu'il y ait possibilité de Droit, il suffit que les justiciables (ou l'un d'eux) ne soient pas ennemis. Politiquement cela signifie qu'ils sont amis (puisqu'il n'y a pas de neutres en politique). Mais juridiquement ils ne sont pas ennemis, et c'est tout. Pour le Juge ils sont politiquement neutres, c'est-à-dire qu'il ne les traite pas politiquement, il ne voit pas en eux des hommes politiques. Loin de naître de la politique, le Droit ne peut donc se développer que dans la neutralité politique, dans un domaine soustrait à la politique. En fait cette « neutralité » est purement fictive, et cette fiction ne peut être maintenue que parmi des amis politiques. Mais pour le Droit ce n'est là qu'une contingence et en principe le Droit peut se passer de l'opposition politique Ami-Ennemi. C'est pourquoi, loin de supprimer le Droit, la suppression des Ennemis dans et par l'État universel réalise au contraire le Droit dans sa plénitude.

Certes, l'État, en tant que Société d'Amis opposés aux Ennemis, ne peut pas se passer du Droit (à l'intérieur tout au moins). Mais le Droit peut fort bien se passer d'un État qui s'oppose à des Ennemis. Il peut prospérer là où il n'y a pas ou où il n'y a plus d'ennemis (extérieurs) du tout. L'idée de Justice est donc autonome par rapport à la catégorie politique fondamentale Ami-Ennemi. Et c'est pourquoi elle peut s'opposer dans certains cas à cette catégorie en engendrant (du moins en puissance) un Droit international, qui nie précisément l'opposition politiquement irréductible entre amis et ennemis, en ne voyant partout que des justiciables, égaux ou équivalents par définition « devant la Loi ». Aussi l'humanité connaît dans son aspect juridique la notion de « guerre injuste », ce qui est un non-sens, politiquement parlant.

Reste l'autre catégorie politique fondamentale, c'est-à-dire celle de Gouvernant-Gouverné.

Certes, en pratique et dans les Sociétés organisées en État, les Juges et Législateurs sont toujours (plus ou moins) des Gouvernants et les justiciables des Gouvernés. Et puisque l'intervention du Juge doit être irrésistible pour que le Droit existe en acte, la réalité actuelle du Droit et donc de la Justice présuppose l'existence d'un rapport de Gouvernant à Gouverné. Mais en puissance le Droit peut exister même là où ce rapport ne se trouve pas. Car l'arbitrage est un phénomène authentiquement juridique, basé sur une idée de Justice, et pourtant l'Arbitre n'est pas nécessairement un Gouvernant par rapport à ses justiciables. En effet, l'Autorité spécifiquement juridique du Juge n'a rien à voir avec l'Autorité spécifiquement politique du Maître ou du Chef, propre au Gouvernant en tant que tel.

Dans sa tendance à l'acte, le Droit stimule donc la création d'une relation politique de Gouvernant à Gouverné. Et il est tout naturel que les Gouvernants fassent office de Juges vis-à-vis des Gouvernés. Car pour les Gouvernants en tant que tels les Gouvernés sont censés être égaux ou équivalents en leur qualité de Gouvernés : les Gouvernants sont donc aptes à jouer le rôle du tiers impartial dans les interactions des Gouvernés entre eux. Et ils sont censés être « impartiaux » vis-à-vis de ces interactions, précisément parce qu'ils sont des Gouvernants qui ne dépendent pas de leurs Gouvernés. Inversement les Gouvernants ont intérêt à faire régner le Droit et la Justice parmi les Gouvernés, car c'est seulement ainsi qu'ils peuvent les maintenir en tant que société d'amis politiques dont ils sont les Gouvernants. Maintenir le Droit, c'est maintenir la Société gouvernée, c'est se maintenir en tant que Gouvernants. Mais cette affinité entre la vie juridique et la vie politique intérieure ne signifie nullement l'identité des deux domaines. On ne peut pas gouverner une Société ou un État sans y faire régner un Droit quelconque, qui réalise une certaine idée de Justice. Et on ne peut pas réaliser en acte l'idée de Justice par un Droit dans une Société qui ne serait pas gouvernée. Mais l'idée de Justice peut engendrer un Droit en puissance indépendamment de tout Gouvernement proprement dit, et ce Droit peut s'opposer à un Gouvernement politique donné. C'est ainsi qu'apparaît la notion juridique d'un « Gouvernement injuste ou (juridiquement) illégal », ce qui n'a aucun sens politique, la politique en tant que telle ne connaissant pas l'opposition entre le « *de facto* » et le « *de jure* ».

Quand on évoque l'« utilité sociale » ou la « raison d'État » en parlant du Droit, on a en vue le fait que d'une part le Droit est « utile » à la Société et à l'État et que, d'autre part, la Société et l'État sont « utiles » au Droit. Ainsi l'État élaborerait le Droit en poursuivant ses propres buts, de sorte qu'en fait le Droit défend avant tout les intérêts sociaux et politiques en tant que tels.

J'ai déjà dit (dans le chapitre II) ce qu'il faut en penser.

Il est tout à fait exact que l'État en tant qu'État poursuit des buts spécifiquement politiques et ne soutient le Droit que dans la mesure où c'est indispensable à la réalisation de ces buts. Il est vrai aussi que le Droit ne peut pas exister sans Société et qu'il ne peut pas s'actualiser dans un État sans être un Droit étatique. Le Droit doit donc faire siens les intérêts de la Société et de l'État. Il ne peut pas être tel que l'existence même de la Société et de l'État soit de ce fait impossible. On ne peut donc pas dire que la Société et l'État imposent leurs fins propres au Droit. Le Droit lui-même, en tendant à l'existence actuelle, se constitue de façon à ce que la Société et l'État puissent exister.

Mais cette *harmonie* en quelque sorte « préétablie » entre le Droit et l'État ne prouve pas leur *identité* foncière. Car cette harmonie peut se transformer en conflit aigu, comme le montre l'expérience historique. C'est que si la Société et l'État ont besoin du Droit pour exister, ils ne s'accommodent pas de n'importe quel Droit. De même, si le Droit a besoin d'une Société ou d'un État, il ne s'accommode pas de n'importe quels Société ou État. Dans certains cas la Société peut considérer un Droit donné comme étant « antisocial » et l'État peut trouver un Droit politiquement nuisible. Inversement un Droit donné peut qualifier d'« injuste » une certaine Société ou un certain État. Et dans ces cas la tendance à actualiser le Droit entrera en conflit avec la tendance à maintenir la Société et l'État dans l'existence, le Droit pouvant à la limite adopter le principe : *Fiat justicia, pereat mundus.* Ainsi, si l'État ne soutient que le Droit politiquement ou « socialement » utile, le Droit ne soutient que l'État juridiquement « juste » ou « légal », de même qu'il n'épousera que les buts d'une Société qui lui est conforme. Or tout ceci montre clairement que le domaine juridique et le domaine politique sont des domaines autonomes l'un vis-à-vis de l'autre. Le fait que dans les cas « normaux » le Droit est étatique et l'État légal ne prouve pas que le Droit et l'État sont une seule et même chose. Car s'ils l'étaient, ils ne pourraient jamais entrer en conflit l'un avec l'autre[1].

1. On pourrait objecter qu'une idée politique (ou juridique, etc.), qui entre en conflit avec une autre idée politique, est néanmoins une idée tout aussi politique (ou juridique, etc.) que l'autre. Le conflit semble donc être compatible avec l'identité foncière. C'est juste, et c'est là le principe même de la dialectique. Cependant, même dans ce cas il y a une « indépendance », le conflit étant l'expression d'une négation, il ne peut pas être « déduit » *a priori* : l'idée nouvelle ne « résulte » pas de l'idée ancienne niée; elle la nie spontanément dans et par un acte de liberté; elle est donc indépendante ou autonome par rapport à elle. Mais étant déterminée dans son contenu par le contenu de l'idée niée, elle lui reste foncièrement « identique » : la négation de l'ancienne idée engendre une nouvelle idée comme une synthèse de l'idée niée et de l'idée négatrice. Mais dans le cas d'un conflit entre deux entités différentes il n'y a pas de négation proprement dite de l'une par l'autre et par conséquent pas de synthèse, où la différence des deux entités serait supprimée. Le conflit actualise l'incompatibilité, c'est-

## § 30.

L'Utilitarisme juridique revêt souvent une forme religieuse, ou plus exactement théologique. On dit que le Droit et la Justice sont des institutions divines, et qu'il faut obéir aux lois juridiques et se conformer à l'idéal de Justice parce que c'est « utile » au salut de l'âme. Certes on ne parle pas d'« Utilitarisme » dans ce cas. Mais cet « Utilitarisme » religieux peut être assimilé à l'Utilitarisme proprement dit, car dans les deux cas le Droit est rapporté à des valeurs autres que les valeurs proprement juridiques, fondées en dernier lieu sur l'idée de Justice. On institue ici le Droit non pas tant

à-dire précisément la différence ou l'autonomie des deux entités, et cette incompatibilité provoque une transformation immanente de ces entités. Mais, en changeant, chacune reste ce qu'elle est, c'est-à-dire qu'elle reste différente de l'autre. Et c'est ce qui a lieu lors d'un conflit entre le Droit et l'État. Le Droit ne nie pas l'État, il ne veut pas se mettre à sa place, de même que l'État ne veut pas supprimer le Droit en tant que tel. Le Droit veut seulement supprimer une certaine forme de l'État et l'État veut supprimer une certaine forme du Droit. Le conflit aboutit ainsi à une transformation de l'État ou du Droit, ou des deux à la fois. Mais même après le conflit l'État reste État et le Droit reste Droit. Au contraire, quand deux idées politiques (ou juridiques, etc.) entrent en conflit, l'une veut remplacer l'autre. Elle veut donc la nier en tant que telle et s'affirmer à sa place. Et ceci n'est possible que parce qu'il s'agit d'une seule et même entité. Aussi le conflit se résout sans que les entités en conflit transcendent le domaine qui leur est propre. Mais quand le Droit entre en conflit avec l'État par exemple, le conflit ne peut pas être résolu si le Droit reste Droit, si l'on ne dépasse pas le domaine juridique. Le Droit peut condamner juridiquement un État qui est « injuste » ou « illégal » de son point de vue. Mais pour exécuter ce jugement il faut agir politiquement, effectuer une révolution politique par exemple. La modification de l'État reste donc un événement spécifiquement politique, même si cette modification a été suscitée par une transformation du Droit. De même, si l'État modifie un Droit, ce n'est pas politiquement, mais juridiquement qu'il agit. (Seulement dans ce cas la différence est moins apparente.) Même en changeant en fonction l'un de l'autre le Droit et l'État restent donc autonomes l'un par rapport à l'autre. Et c'est précisément le fait qu'ils ne peuvent pas se supprimer mutuellement même quand ils sont en conflit qui prouve qu'ils sont respectivement autonomes. Car s'ils étaient une seule et même chose et s'ils ne pouvaient pas se supprimer mutuellement, il n'y aurait jamais de conflit entre eux, comme il n'y a pas de conflit possible entre les idées politiques (ou juridiques, etc.) dont aucune n'a tendance à se mettre à la place de l'autre. Dans ce cas il y a simplement des aspects différents mais compatibles, voire complémentaires, d'une seule et même chose. Par contre, quand le Droit et l'État sont compatibles et complémentaires, ils sont néanmoins différents. Car ils peuvent entrer en conflit, tout en ne pouvant pas se supprimer mutuellement.

pour réaliser la Justice que pour obtenir le salut de son âme. De même, dans l'Utilitarisme proprement dit, le Droit est censé assurer le « salut public », la prospérité de l'État, de la Société et de ses membres, pris cette fois non pas en tant qu'« âmes », mais comme des êtres humains concrets.

Mais est-il bien vrai que le phénomène juridique puisse être réduit au phénomène religieux?

Pour répondre à cette question il faut tout d'abord distinguer entre le phénomène religieux proprement dit, authentique, et les phénomènes pseudo-religieux. Ainsi il ne faut pas confondre la Religion avec la Théologie. De même qu'une Religion authentique (comme par exemple le bouddhisme primitif) peut être rigoureusement athée, une Théologie (comme celle d'Aristote par exemple) peut être parfaitement areligieuse. Parler de Dieu en parlant du Droit, ce n'est donc pas nécessairement transformer le phénomène juridique en phénomène religieux. On peut introduire l'idée de Dieu dans une conception juridique sans que celle-ci cesse pour cela d'être juridiquement authentique.

Supposons qu'une situation soit conforme à notre définition générale de la situation juridique, sauf que le rôle du « tiers impartial et désintéressé » soit joué par un être divin. Dans ce cas Dieu pourra être considéré premièrement comme un Législateur juridique. On dira alors que le contenu du Droit est décrété par Dieu, qu'il est formé par l'ensemble des commandements divins. Deuxièmement, Dieu peut être considéré comme faisant fonction de Juge. On dira alors que les litiges entre les hommes sont définitivement tranchés par des jugements divins, énoncés soit directement (ordalies, duels judiciaires, etc.), soit par l'intermédiaire de représentants du Dieu sur terre (Église, État, etc.). Enfin, troisièmement, la divinité peut être censée faire fonction de Police judiciaire. On dira alors que les jugements sont en fin de compte exécutés par Dieu lui-même, soit dans l'ici-bas, soit dans l'au-delà, de sorte que l'intervention du « tiers » est toujours efficace, voire irrésistible. Et bien entendu on peut croire que la divinité cumule ces diverses fonctions juridiques.

Dans cette conception théologique, le Droit est censé se réaliser même si les justiciables s'y opposent. Le Droit se réalise par la toute-puissance de Dieu même contre la volonté des hommes. Mais il en est de même dans la conception athée, qui est la nôtre. Ici aussi le « tiers » est doué (en principe) d'une puissance irrésistible, et il peut user de contrainte pour réaliser le Droit, sans que la situation cesse d'être authentiquement juridique. L'authenticité du phénomène ne dépend pas de la nature de la contrainte utilisée.

Supposons maintenant que les justiciables se conforment volontairement au Droit. Le théologien dira généralement qu'il le faut pour des raisons d'« utilité religieuse ». Ils restent en accord avec le Droit parce qu'ils « craignent Dieu », parce qu'ils savent que c'est là une condition nécessaire (sinon toujours suffisante) du « salut de leurs âmes ». Mais les théologiens disent aussi parfois que le justiciable croyant reste dans la légalité juridique pour des motifs « désintéressés » : par respect pour la divinité ou par amour de Dieu. Or cette même dualité se retrouve dans l'interprétation athée. D'une part on dit que les hommes agissent en conformité avec le Droit pour des raisons purement utilitaires : soit par crainte des sanctions, soit parce que *honesty is the best policy* », soit enfin parce qu'ils veulent maintenir dans l'existence la Société ou l'État auxquels ils appartiennent. D'autre part on affirme que le Droit peut bénéficier d'une Autorité *sui generis*, qu'on peut se conformer au Droit tout simplement par « respect pour le Droit » (cf. la « *Achtung fürs Gesetz* » de Kant), parce qu'on veut la Justice que le Droit réalise. L'authenticité de la situation juridique ne dépend donc nullement des motifs constatés chez les justiciables. Peu importe qu'ils soient contre ou pour le Droit. Et peu importe, s'ils sont pour, que ce soit pour des motifs « utilitaires » quelconques, religieux ou laïques, ou d'une façon « désintéressée ». Et peu importe, dans ce dernier cas, que ce soit par respect pour le Droit en tant que tel et pour son principe, c'est-à-dire pour la Justice, qu'ils agissent, ou par respect pour la personne de celui ou de ceux qui promulguent le Droit, cette personne pouvant d'ailleurs être soit humaine, soit abstraite (telle que l'État par exemple), soit enfin divine.

Quand on affirme l'autonomie du Droit ce n'est pas aux motifs des justiciables que l'on pense, mais à ceux du « tiers désintéressé », du Législateur, du Juge ou de la Police. Et l'on affirme que ce « tiers » agit juridiquement en fonction d'une idée irréductible, *sui generis*, qui est celle de la Justice. Or quand les théologiens assignent le rôle de ce « tiers » à Dieu, ils disent eux aussi que Dieu agit en sa qualité de Juge ou de Législateur juridique, ainsi que d'exécutant de ses jugements, en fonction de l'idée de Justice. Et cette idée correspond à un aspect spécifique et autonome de la personne divine, d'après les théologiens eux-mêmes. Car non seulement ils distinguent la Justice des autres attributs divins, mais ils la leur opposent parfois, en admettant une espèce de conflit entre la Justice de Dieu et sa bonté ou sa puissance par exemple [1].

Tout en admettant l'existence de Dieu et en y rattachant le phénomène du Droit, les théologiens reconnaissent donc la spécificité et l'autonomie de ce phénomène, puisqu'ils le fondent sur une idée *sui generis* de Justice, irréductible à d'autres idées divines. La seule différence avec notre interprétation athée réside dans le fait que la source de l'idée autonome de Justice est placée en Dieu, c'est-à-dire au-delà du monde, et non dans l'homme lui-même.

Pour l'athée, cette transposition de l'idée de Justice en Dieu (qui devient par suite la source et le garant du Droit) n'est rien d'autre qu'une projection dans l'au-delà du phénomène humain juridique. C'est ainsi que pour Hegel, et après et d'après lui pour Feuerbach, comme plus tard encore pour Durkheim et les sociologues modernes, toute la théologie est formée par de telles projections de l'immanent dans le transcendant. Pour des raisons qu'on peut découvrir, l'homme théologique décrit d'une façon inadéquate des phénomènes humains authentiques, en introduisant des éléments de transcendance dans des rapports qui sont en réalité (et pour nous) purement immanents à l'homme. C'est ainsi que dans le phénomène juridique la transcendance est introduite pour rendre compte de certains aspects authentiques du Droit. On dit que le Droit est un commandement divin parce qu'on se rend obscurément compte du fait que le Droit et la Justice ne peuvent pas être déduits à partir de phénomènes biologiques et qu'ils s'opposent radicalement à eux, étant leur négation (sans substitution possible). On parle de jugements de Dieu parce qu'on sent que le Juge doit être absolument impartial et désintéressé. Et on imagine une exécution divine des jugements fondés sur l'idée de Justice parce qu'on comprend que cette exécution doit s'opérer en principe d'une façon irrésistible. Enfin on fait appel à Dieu parce qu'on a le juste sentiment que dans l'idéal le Droit doit se réaliser en fonction de son autorité et non par l'emploi de la seule contrainte [2].

---

1. C'est ainsi qu'avant la ruine de Sodome, Abraham va reprocher à Dieu (en termes très énergiques) l'*injustice* de l'action projetée, vu qu'elle pouvait atteindre aussi des innocents. Et c'est à la justice de Dieu, et non à sa bonté, qu'il fait appel contre la toute-puissance.

2. Je fais abstraction de l'aspect de la question sur lequel on a tant insisté aux temps de Voltaire. Mais c'est un fait indéniable qu'on a, surtout

Quand on fait intervenir Dieu dans des interactions entre des êtres humains en lui attribuant le rôle d'un « tiers impartial et désintéressé », jugeant l'interaction en question à partir d'une certaine idée de Justice, on ne fausse donc pas la nature juridique de la situation et on reconnaît implicitement sa spécificité et son autonomie. Mais si Dieu n'intervient que pour régler des différends humains et faire régner la Justice et le Droit *sur terre*, la situation n'a rien de spécifiquement *religieux* : elle est authentiquement juridique, mais elle n'est pas authentiquement religieuse. Car pour qu'une situation soit spécifiquement religieuse, il faut que l'homme y soit en rapport avec l'au-delà, et non pas seulement avec le monde ou ses semblables. Un homme n'est vraiment religieux que s'il poursuit un but *transcendant* par rapport au monde où il vit, que s'il recherche le « salut », comme on dit. Deux justiciables ont beau être jugés par Dieu ou subir un Droit divin, ils se trouveront dans une situation juridique, mais non religieuse, tant que, en plus de leurs rapports mutuels, ils ne se sauront pas être en rapport direct avec Dieu (pris en sa qualité de Juge, ou autrement). Chacun d'eux doit savoir que l'action qui le rapporte à son prochain le rapporte aussi à Dieu lui-même, et c'est seulement dans la mesure où il le sait qu'il est aussi (subjectivement) dans une situation que nous pouvons appeler religieuse[1].

Or les rapports de l'homme avec Dieu n'ont plus rien à voir avec le Droit, et dans la mesure où une situation devient authentiquement religieuse, elle cesse d'être juridique (et inversement). Tout d'abord, dans une situation religieuse, l'homme s'isole et reste seul à seul avec son Dieu. Certes, il continue à être en interaction avec le monde et avec ses semblables. Mais toutes ces interactions « mondaines » constituent en bloc l'un des termes du rapport avec Dieu, et Dieu se rapporte exclusivement à ce bloc des interactions « mondaines » de l'homme. Il est vrai que Dieu juge l'homme d'après ces interactions mondaines; il condamnera par exemple l'assassin ou le voleur. Mais dans ce « jugement » religieux l'assassiné ou le volé n'interviennent pas en tant

---

dans le passé, souvent attribué à Dieu l'origine de lois juridiques auxquelles les justiciables refuseraient de se conformer sans cette sanction théologique.

1. Pour un théiste, l'homme peut se trouver (objectivement) dans une situation religieuse, c'est-à-dire en rapport avec Dieu, même sans le savoir. Mais si Dieu n'existe pas, il n'y a situation religieuse que là où l'homme *se croit* être en rapport avec l'au-delà ou Dieu.

que tels. Ce n'est pas pour venger l'assassiné, ni pour protéger ou dédommager le dévalisé que Dieu va châtier le coupable. Il ne le fait qu'en vue du coupable lui-même, auquel il rattache pour ainsi dire les fils de ses actes, en coupant les bouts attachés aux autres : et c'est ce coupable ainsi isolé du reste du monde qui sera « jugé » religieusement. C'est pourquoi, au point de vue religieux, la simple intention équivaut à l'acte effectif. Si, dans le meurtre, on ne s'intéresse qu'à l'assassin et non à l'assassiné, peu importe en effet que le meurtre soit réduit à l'intention criminelle ou accompli effectivement. Et c'est pourquoi les commandements divins peuvent avoir un caractère asocial ou même antisocial, prescrivant le célibat par exemple. C'est que l'homme peut se trouver dans une situation religieuse même sur une île déserte, et quand il est dans une situation religieuse il est toujours comme dans un désert, même s'il vit parmi les hommes. Car le religieux en tant que tel est essentiellement et radicalement « égoïste ». Son but religieux est le salut de l'âme. Or il ne peut sauver que son âme propre, et il est seul à pouvoir le faire. Il s'isole donc du monde en se rapportant à Dieu, et c'est à cet homme isolé que Dieu se rapporte. Ainsi, dans la situation religieuse il n'y a pas, comme dans la situation juridique, deux êtres humains en interaction, mais un seul être replié sur lui-même. Cet être agit et est donc en interaction avec l'extérieur. Mais ce qui compte religieusement, c'est uniquement l'action elle-même et les effets qu'elle produit sur l'agent, tandis que ses effets sur l'extérieur n'entrent pas en ligne de compte [1]. Dans la situation religieuse authentique Dieu n'est donc pas — comme dans la situation juridique — un « *tiers* impartial et désintéressé », pour la simple raison qu'en dehors de Dieu il n'y a ici qu'une *seule* personne en cause : l'homme religieux isolé du monde et en rapport direct et exclusif avec Dieu.

Or là où il n'y a que deux êtres en rapport, ces êtres sont « parties », et il n'y a pas de « tiers désintéressé », c'est-à-dire d'Arbitre ou de Juge au sens juridique du mot. Et c'est ainsi que la situation est vue par le Religieux lui-même. Pour lui, commettre une « injustice » ce n'est pas tellement « offenser » des hommes qu'offenser Dieu. Inversement, le Religieux est « juste » avant tout parce qu'il « aime Dieu » et veut « lui plaire », et non pour être « juste » envers son

---

1. Pour beaucoup de théologiens l'effet extérieur de l'acte imputé n'est même pas l'œuvre de l'agent lui-même, mais une action de Dieu. Et l'état du monde et de la société dépend non pas des actes des hommes qui y vivent, mais de la providence divine.

prochain. Car même s'il aime ce prochain et agit envers lui en conséquence, il ne l'aime que d'un amour dérivé : il l'aime à travers, dans et par son amour pour Dieu et en fonction de son amour. (Cf. « La triple voie » de saint Bonaventure, par exemple.) Dieu n'est donc nullement un « tiers désintéressé » pour le Religieux : il est « partie » et le Religieux se croit en interaction avec *Dieu*, et non avec son semblable. Mais il est évident qu'une « partie » ne peut pas être Juge ou Arbitre au sens juridique de ces termes. Et c'est pourquoi il faut dire qu'une situation authentiquement religieuse n'a rien à voir avec une situation juridique.

On peut exprimer aussi cette constatation en disant que le Droit a pour but de réaliser la justice sur terre, dans et par une société purement humaine, tandis que la Religion a un but essentiellement transcendant. La règle de Droit règle une interaction entre deux êtres humains dans le plan même où elle s'effectue. Le commandement divin par contre a en vue le destin de l'homme dans l'au-delà. Ainsi quand un Religieux agit conformément à ce qui est pour lui la Justice (prescrite par Dieu), il le fait non pas en vue de ses prochains, ni même en vue de soi-même en tant que vivant dans le monde parmi ses prochains, mais uniquement de son âme, isolée du reste de l'univers et considérée comme faisant partie d'un « monde » situé dans l'au-delà et en rapport exclusif avec cet au-delà, personnifié ou non.

Dans ces conditions, il n'y a donc aucun sens d'appliquer des catégories juridiques à des situations spécifiquement religieuses. En particulier, il faudrait éviter de parler en termes juridiques des rapports entre l'homme et son Dieu.

Pourtant les confusions des domaines religieux et juridique sont très fréquentes et pour ainsi dire inévitables. Et l'analyse qui précède en donne la raison.

D'une part nous avons vu que le Droit a tendance à se théologiser, en divinisant la personne du « tiers ». Or, dans la mesure où la Religion est théiste, il y a nécessairement confusion entre Dieu pris en tant qu'entité religieuse et ce même Dieu faisant fonction de Juge, de Législateur ou de Police dans la vie juridique des hommes.

D'autre part la Religion elle-même a tendance à revêtir des formes juridiques. Car en se réalisant, la Religion se socialise sous forme d'une Église (au sens large). Or toute société a besoin d'un Droit pour exister, et ce Droit est rattaché au rapport entre Gouvernants et Gouvernés. Or dans l'Église le Gouvernant est en fin de compte Dieu lui-même. Il est donc tout naturel qu'il soit censé faire office de Juge au sens propre du terme (d'où l'idée d'un « Droit canon »). Mais il est facile de voir que dans ce cas la situation cesse d'être authentiquement religieuse. La Religion ne s'intéresse au Droit proprement dit que dans la mesure où elle se socialise en devenant Église, c'est-à-dire en se réalisant dans le monde. Mais une réalité mondaine n'est plus une entité religieuse. C'est une entité sociale ou politique comme toutes les autres. Rien d'étonnant donc qu'on y rencontre des phénomènes authentiquement juridiques. Le fait que ces phénomènes sont théologisés prouve seulement que pour des raisons fort compréhensibles le phénomène authentique n'est ici pas adéquat en ce sens qu'il est mal interprété par ceux qui le vivent.

On peut donc dire en définitive que non seulement le phénomène juridique ne peut pas être réduit au phénomène religieux, mais que ces deux phénomènes s'excluent mutuellement dès qu'ils sont authentiques et adéquats. Pour nous, c'est-à-dire en vérité, le Droit n'a rien à voir avec la Religion, parce que le Droit est une relation à trois membres, tandis que la Religion est une relation qui n'en a que deux.

§ 31.

Il n'y a pas de Religion sans transcendance, et l'homme n'est vraiment religieux que dans la mesure où il subordonne toutes les valeurs de l'ici-bas aux valeurs situées dans l'au-delà, où toute la vie sur terre n'est pour lui qu'un moyen d'atteindre une satisfaction (ou le bonheur) après sa mort, en tout cas dans un monde autre que le monde spatio-temporel matériel. Et c'est pourquoi la vie *religieuse* dans le monde et dans la Société est dénuée de tout caractère juridique. La relation religieuse est un rapport à deux termes seulement, dont l'un est nécessairement transcendant par rapport à l'autre, peu importe d'ailleurs que ce terme transcendant soit personnifié, voire anthropomorphisé (Religions théistes), ou impersonnel (Religions athées, telles que le bouddhisme primitif) — un « autre monde », un « au-delà » en général.

Mais il ne suffit pas de supprimer l'élément de transcendance pour que l'homme, qui vivait dans une situation religieuse, se trouve d'emblée dans une situation juridique. Dans la situation religieuse l'homme se désintéressait en quelque sorte de ses rapports avec autrui (et il pouvait même — à la limite — les supprimer complètement; cas du Religieux anachorète). Ces rapports ne l'intéressaient que dans la mesure où ils déterminaient son propre être, la valeur (religieuse) de sa propre personnalité, en fixant ainsi la nature de ses rapports avec Dieu, qui tenait compte de ces rapports quand il le « jugeait » (religieusement), c'est-à-dire le « sauvait » ou le « damnait ». Le Religieux adopte une certaine conduite vis-à-vis du monde et de la société en vue de réaliser une valeur positive (religieuse) dans son propre être, cette valeur étant censée devoir être reconnue et récompensée (religieusement) par Dieu ou en général dans l'au-delà. Or cet isolement, cet « égoïsme » (égotisme), individualisme ou solipsisme religieux peut être maintenu même après que le terme transcendant (personnifié ou non) de la relation religieuse eut été supprimé de sorte que l'homme reste seul à seul avec lui-même. Alors, en cessant d'être religieuse, la situation devient *morale* ou *éthique* au sens propre du terme [1].

Tout comme le Religieux, le Moraliste (en tant que Moraliste) n'entre en interaction avec le monde naturel et la Société de ses semblables que pour « perfectionner » sa personnalité. Autrui n'est jamais un but en soi pour lui, mais seulement un moyen pour atteindre sa propre « perfection » ou pour la maintenir [2]. Seulement, le Religieux recherche cette « perfection » (religieuse) pour plaire à Dieu, tandis que le Moraliste recherche la « perfection » (morale) pour se plaire à soi-même. En plus, le Religieux n'escompte sa perfection (agréée par Dieu) que dans l'au-delà, en tout cas dans une opposition radicale au monde empirique, tandis que le

---

1. La Morale est donc par définition areligieuse, voire athée. Certes, l'homme moral peut être *par ailleurs* religieux, tout comme il peut être encore citoyen, esthète, homme juridique, etc. Mais dans la mesure où l'homme se trouve dans une situation morale authentique, il est dans l'isolement absolu, il est seul au monde et ne se rapporte qu'à lui-même. Il n'est donc pas dans une situation religieuse : il s'isole de l'au-delà dans la même mesure qu'il s'isole du monde empirique. Et il est athée en ce sens que l'existence de Dieu ne joue aucun rôle dans son attitude : s'il est « moral », il l'est par amour pour la morale elle-même, mais non pas par amour de Dieu. Et c'est précisément ce qui le distingue de l'homme religieux, qui se conforme aux commandements divins, ceux-ci pouvant d'ailleurs avoir le même contenu que les « commandements » de la Morale.

2. Ceci semble être en contradiction avec ce que dit Kant : « L'homme ne doit jamais traiter l'homme en simple moyen. » Mais la contradiction n'est qu'apparente. Car chez Kant, il ne faut pas traiter l'homme en moyen parce que si on le fait on ne réalise pas sa propre perfection morale. Traiter autrui en « but en soi » est donc un *moyen* d'être soi-même moral. Ce n'est pas pour parfaire moralement mon prochain que je dois le traiter en « but en soi », c'est pour me parfaire moi-même. C'est pourquoi l'intention est la seule chose qui compte.

Moraliste en jouit dans l'ici-bas, en continuant de vivre au sein du monde naturel et social. Par sa perfection religieuse le Religieux diffère essentiellement de ses semblables « profanes », tandis que le Moraliste parfait n'est que « moralement » supérieur aux autres, sans s'en distinguer radicalement. (Aussi ce n'est que la conversion religieuse qui est une « seconde naissance », l'avènement d'un « homme nouveau » remplaçant le « vieil Adam ». La « conversion » morale par contre n'est qu'une amélioration : en se perfectionnant moralement on reste l'homme qu'on a été soi-même et que sont tous les autres. D'où l'absence de tous symboles rituels ou cultuels dans la Morale.)

Le Moraliste diffère donc du Religieux et se rapproche de l'homme juridique par le fait qu'il vit entièrement dans l'ici-bas, sans rapporter son être et ses actes à une entité transcendante quelconque par rapport à lui-même. Ce n'est pas pour quitter le monde ou la société qu'on est « moral » ou « juste » (juridiquement légal), et c'est dans l'ici-bas qu'on en « profite ». Mais tandis que le « juste » veut réaliser une valeur dans le monde, en dehors de lui-même, le « moral » n'a en vue qu'une réalisation purement interne : le « juste » veut réaliser la Justice (par le Droit) pour que le monde (la Société) devienne (juridiquement) parfait, tandis que le moraliste ne réalise la Morale que pour devenir (moralement) parfait lui-même. Et c'est cette différence fondamentale entre le Droit et la Morale qui commande et explique toutes les autres.

Nous avons vu que la situation juridique implique nécessairement *trois* termes : les deux « justiciables » en interaction et le « tiers » qui les juge. Certes, si les « justiciables » sont spontanément « justes », ils peuvent se passer du Juge. Mais dans ce cas le Juge reste virtuellement présent, car chacun des « justiciables » est alors non seulement « partie » mais encore « tiers impartial et désintéressé ». Il tient compte de son co-agent, il se place sur le même plan que lui et applique à l'interaction l'idée de Justice (égalitaire ou d'équivalence). Car cette idée implique et présuppose une interaction entre *deux* êtres humains (au moins) et elle perd tout son sens si l'on supprime l'un des deux. Réaliser la Justice, c'est appliquer une règle de droit, et cette règle vise non pas une seule personne isolée, mais toujours (au moins) deux personnes en interaction.

La situation religieuse par contre n'implique plus que *deux* termes qui comptent : le « justiciable » (religieusement parlant) et le « Juge » (divin), ou en tout cas l'« au-delà » auquel se rapporte le « justiciable ». Quant à l'autre, qui est en interaction avec le « justiciable », il est en dehors de la situation religieuse, et le « Juge » n'en tient pas compte dans son « jugement » (religieux). Aussi quand le « justiciable » fait lui-même fonction de Juge, il ne pense qu'à son propre rapport avec l'au-delà, en faisant abstraction de son co-agent. Et c'est pourquoi il peut se « juger » (religieuse-ment) et peut être « jugé » par Dieu même s'il n'est plus en interaction avec autrui, même s'il est seul sur terre.

Enfin, dans la situation morale, il n'y a plus qu'*un seul* terme : le « justiciable » (moralement parlant) lui-même. Tout comme dans la situation religieuse, il fait abstraction de l'autre terme de l'interaction. Mais comme il n'y a plus pour lui de Dieu, ni d'au-delà, il n'y a plus de Juge autre que lui-même. C'est lui qui se donne la Loi (morale), c'est lui qui se l'applique (par sa « conscience » morale), et c'est encore lui qui « exécute » son « jugement » (moral), soit en se for-çant d'exécuter la Loi, soit en se châtiant pour l'avoir trans-gressée (la « mauvaise conscience », le « repentir », etc.). Il se mesure à son idéal de perfection morale. Mais cet idéal n'est pas en dehors de lui : il est en lui en tant qu'idéal, il est encore en lui en tant que devoir (moral), et c'est en lui aussi qu'il est censé exister en tant que réalisé.

Quand dans une situation morale l'homme se « juge » moralement lui-même, il n'est donc nullement dans l'attitude d'un Juge au sens propre ou juridique du mot. Car il n'est nullement « impartial et désintéressé » vis-à-vis de soi-même, il ne se place nullement sur le même plan que l'autre, avec qui il est en interaction. Il ne s'intéresse (moralement) qu'à lui-même et se désintéresse (moralement) de l'autre. Il *se* juge lui-même dans son interaction avec l'autre : il ne juge ni l'autre ni l'interaction avec l'autre en tant que telle. Et c'est pourquoi le Moraliste n'a que faire d'un Juge (humain) proprement dit, d'un *tiers* « impartial et désintéressé », d'un homme vraiment autre que lui-même. L'homme juri-dique peut se passer d'un Juge effectif. Mais il joue alors lui-même le rôle de ce Juge, et toute situation juridique admet la présence d'un Juge effectif, d'un « *tiers* désintéressé » : quand un homme se juge juridiquement lui-même, il le fait exactement comme l'aurait fait un autre à sa place et l'autre peut toujours le juger comme il se juge lui-même. Mais ce n'est plus le cas lorsqu'il s'agit d'un « jugement » moral. Le tiers, c'est-à-dire le Juge juridique, prend le justiciable dans son interaction avec un autre, c'est-à-dire qu'il ne considère en lui que ce qui est extériorisé ou extériorisable, objectif ou objectivable. Le « Juge » moral par contre isole le « justiciable » et il ne considère de son interaction avec l'autre que ce qui est intériorisé ou intériorisable en lui, que ce qui est subjectif ou subjectivable : il ne se préoccupe que de l'*intention*. Or l'intention en tant que telle n'est pas accessible au Juge (humain) qui est autre que l'agent. L'homme ne peut donc pas être « jugé » moralement par un autre. Généralement parlant l'autre le « jugera » autrement qu'il ne se « juge » lui-même, car cet autre n'a pas en sa disposition les mêmes données. Certes le Moraliste peut tenir compte des « jugements » moraux que les autres émettent sur son compte. Mais il ne peut les accepter qu'après vérification, car ils peuvent toujours être faux. Mais s'il constate qu'ils sont vrais, c'est qu'il s'est « jugé » lui-même, et les « jugements » des autres n'ont donc plus d'intérêt pour lui. Ils servent tout au plus à attirer son attention sur certains aspects de ses actes : ils n'ont une valeur que comme stimulants de son propre « jugement », et non en tant que « jugements » définitifs.

À l'encontre de l'homme juridique, le Moraliste ne fera donc jamais appel à un « *tiers* impartial et désintéressé »; il n'a que faire d'un Juge ou Arbitre au sens juridique de ces mots. Inversement, en tant que Moraliste, il ne fera jamais office de Juge lui-même par rapport aux autres. Et non pas seulement parce qu'il sait qu'il ne peut pas le faire, puisque les données essentielles, c'est-à-dire les intentions du « justiciable », lui échappent. Il ne le fera pas parce qu'il n'a aucune raison de le faire. En tant que Moraliste il ne s'intéresse qu'à sa propre perfection morale, et celle d'autrui le laisse indifférent. Il n'a donc pas à la « juger ». Et c'est pourquoi la Morale prescrit généralement à ses adeptes de ne pas juger ses prochains [1]. Au contraire, l'idée de Justice incite l'homme à juger ses semblables, et le « déni de justice » est toujours considéré comme le plus grave délit judiciaire. Car réaliser la Justice, c'est actualiser le Droit, c'est-à-dire appliquer en tant que Juge (Législateur ou Police) le principe de Justice à des interactions données. Or être Juge, c'est être un « tiers désintéressé » : c'est donc « s'intéresser » à autre chose qu'à soi-même, c'est « s'intéresser » à autrui.

L'homme juridique est donc caractérisé par le fait qu'il

---

1. Le sens *religieux* de cette formule évangélique est le suivant : ne juge pas ton prochain, car c'est à Dieu et non à toi de le juger (« moralement » au sens de « religieusement »). Mais le sens *moral* est : ne t'occupe pas de ce qui ne te regarde pas. L'interprétation théorique donne : ne le fais pas parce que tu n'en es pas capable.

peut faire appel à un Juge autre que lui-même et qu'il ne doit pas refuser d'intervenir en qualité de Juge ou d'Arbitre dès que les autres font appel à lui. L'homme moral par contre ne peut pas se soumettre au « jugement » (moral) d'un autre et il doit s'abstenir de « juger » (moralement) autrui[1]. Mais l'homme moral peut se « juger » (moralement) lui-même là où l'homme juridique ne peut pas se juger (juridiquement). D'une part il peut « juger » les intentions pures, qui n'engendrent aucune interaction avec autrui et n'existent donc que pour lui-même. D'autre part il peut « juger » les actes et les comportements (même purement théoriques) qui n'impliquent pas l'existence d'autres hommes. Car puisqu'il ne s'agit que de sa propre perfection il peut en principe réaliser la Morale même s'il est seul au monde. Ainsi on peut imaginer des devoirs moraux vis-à-vis de la Nature : des animaux, des plantes, voire même des êtres inanimés (ce qui veut dire qu'on ne peut atteindre la perfection morale qu'à condition de se comporter d'une certaine manière vis-à-vis de ces êtres naturels). Et l'on peut prescrire des devoirs moraux vis-à-vis de soi-même : même dans l'isolement absolu il faut se comporter d'une certaine manière si l'on veut être moralement parfait. Mais tous ces devoirs n'ont aucune signification juridique, et c'est pourquoi on ne les trouve pas dans les systèmes *authentiques* du Droit[2]. Car il n'y a Droit que là où il y a une application de l'idée de Justice. Or cette idée (tant comme Justice égalitaire que comme Justice d'équivalence) implique la notion d'une interaction entre (au moins) *deux* êtres *humains*, qui sont censés être égaux ou équivalents. On ne peut pas être « juste » ou « injuste » vis-à-vis de la Nature, ni envers soi-même, si l'on prend les mots « juste » et « injuste » dans leur sens propre, c'est-à-dire juridique.

Réaliser la Justice, c'est appliquer ses principes à des interactions entre êtres humains. Le Droit, qui réalise la Justice, ne peut donc jamais vouloir supprimer ces interactions, il ne peut jamais devenir (consciemment) antisocial. La Morale par contre peut se réaliser dans et par des êtres

1. Bien entendu, l'homme qui est un « homme moral » peut fort bien juger juridiquement les autres dans sa qualité d'« homme juridique ». Ainsi l'Évangile interdit le « jugement » religieux (ou moral) des autres, mais non pas le Droit en tant que tel.

2. En fait on en trouve dans les codes écrits ou coutumiers. Mais s'il ne s'agit pas de simples erreurs, ces devoirs juridiques vis-à-vis de la Nature et de soi-même sont toujours en fin de compte des devoirs envers d'autres êtres humains, individuels ou collectifs. J'en ai déjà parlé, et j'en reparlerai encore un peu plus bas.

humains isolés. On peut donc imaginer des Morales qui font dépendre la perfection (morale) de l'isolement plus ou moins absolu de l'individu. Et c'est pourquoi il y a des Morales plus ou moins antisociales, tout comme il y a des Religions antisociales. Les devoirs envers soi-même peuvent absorber tous les devoirs moraux, de sorte qu'il n'y aura plus de devoirs moraux envers les autres, à moins qu'il n'y ait un devoir moral de nier ces autres (activement ou seulement en théorie). C'est ainsi que la Morale peut aboutir à un solipsisme rigoureux, plus rigoureux encore que le solipsisme religieux, qui implique toujours un dualisme de l'ici-bas et donc du Moi empirique et de l'au-delà. (Cf. la morale de Max Stirner.)

Tout ceci nous montre clairement que la Morale est tout autre chose que le Droit. Le Droit est dominé par un intérêt social, par la volonté de réaliser une valeur (la Justice) dans la Société, et son application présuppose (chez le Juge) une attitude essentiellement « impersonnelle ». La Morale par contre isole l'individu de la Société, étant la volonté de réaliser une valeur (la perfection morale) dans chaque individu pris isolément (la perfection morale de la Société n'étant que la somme des perfections de ses membres), et son application (par le « Juge » moral) est rigoureusement « personnelle ». Il est donc évidemment impossible de réduire le Droit à la Morale et inversement : la situation morale exclut le « tiers » sans lequel il n'y a pas de situation juridique, et cette dernière ne tient pas compte de la personnalité isolée, extraite de ses interactions, « profonde » ou « intime », dans laquelle sont censées se réaliser toutes les valeurs morales.

Pourquoi donc a-t-on si souvent confondu ces deux domaines et pourquoi leur délimitation concrète est si malaisée?

C'est que, généralement parlant, il n'y a aucun moyen de distinguer d'après le contenu d'une règle de conduite si c'est une règle de droit ou une règle purement morale. Certes, il y a des prescriptions morales qui n'ont rien de juridique (celles concernant les animaux par exemple) et des règles de droit qui n'ont vraiment rien à voir avec la morale. Mais l'immense majorité des règles de droit sont susceptibles d'avoir une interprétation morale, de même que la plupart des prescriptions morales peuvent être transformées en règles de droit authentiques.

Ainsi par exemple une Morale peut déclarer qu'il est impossible d'arriver à la perfection (morale) si l'on ne se conforme pas à un Droit donné. Du coup tout ce Droit sera, si l'on veut, un devoir moral. Mais même dans ce cas la Morale et le Droit resteront essentiellement distincts, tout en ayant un seul et même contenu. Car le « tiers désinté- ressé », c'est-à-dire le Juge juridique continuera à ne pou- voir juger que les interactions, tandis que le « Juge » moral se contentera d'apprécier les projections intrasubjectives de ces rapports objectifs, et ne pourra donc être que l'intéressé lui-même. Et si l'homme juridique élabore et applique ce Droit pour réaliser la Justice dans la Société, le Moraliste n'obéira à ses règles morales identiques à ce Droit que pour réaliser une valeur au fin fond de soi-même.

Inversement, presque toute règle morale peut être trans- formée en une règle de droit. Il suffit à cette fin de supposer une interaction appropriée, donnant prise au jugement (juridique) d'un « tiers désintéressé ». Ainsi la Société ou l'État peuvent décréter que l'application d'une certaine Morale est nécessaire à son existence. Du coup toute cette Morale devient un Droit. Mais ici encore le Droit et la Morale resteront distincts tout en ayant un seul et même contenu. Car le Moraliste continuera de ne penser qu'à sa propre perfection, et il n'aura que faire d'un Juge extérieur, tandis que l'homme juridique aura en vue la Société ou l'État et ne tiendra compte que des interactions objectives, contraires ou conformes aux principes de la Morale érigés en règles de droit : tout le contenu de la Morale qui ne sera pas traduit ou traduisible en interaction lui restera indifférent.

Bien entendu, pour que le Droit soit authentique, il faut qu'il soit une réalisation de l'idée de Justice dans une forme quelconque. Une situation morale qui n'implique aucune interaction à laquelle on puisse appliquer le principe de Jus- tice ne peut donc pas être transformée en une situation juri- dique authentique. Or certains Droits, surtout les Droits archaïques ou primitifs, impliquent parfois sous un faux revêtement juridique des règles spécifiquement morales, dont le Phénoménologue n'a pas à tenir compte et que le Législa- teur juridique aurait dû éliminer. D'ailleurs ces règles de pseudo-droit tendent de plus en plus à disparaître des légis- lations juridiques modernes. Mais la plupart des règles morales peuvent recevoir une interprétation juridique authen- tique et se transformer ainsi en de véritables règles de Droit. Il suffit pour cela que la règle morale qui a en vue le comportement d'un seul être humain soit transformée en une règle visant l'interaction entre deux êtres à laquelle puisse être appliquée l'idée de Justice. C'est ainsi que peuvent être interprétés par exemple beaucoup de devoirs moraux envers soi-même. La Morale peut interdire le suicide et cette interdiction n'a rien de juridique en elle-même. Mais on peut interpréter le suicide comme une inter-action entre le suicidé et la Société, et cette interaction peut faire l'objet d'une règle de droit interdisant le suicide, car on peut dire qu'il est « injuste » qu'un membre de la Société puisse se soustraire volontairement aux obligations qui incombent aux autres membres. Mais l'interdiction morale du simple désir de se suicider ne pourra pas devenir une règle de droit, car le désir non réalisé, c'est-à-dire non exté-riorisé d'une manière quelconque n'est pas une interaction et ne donne donc pas de prise au principe de Justice.

Inversement la Morale ne peut s'approprier un Droit en transformant ses règles juridiques en règles morales que si elle accepte comme principe moral l'idée de Justice qui est à la base du Droit en question. Ainsi une morale purement égoïste ou solipsiste par exemple ne pourra jamais assimiler un Droit quel qu'il soit; dans ce cas l'opposition entre le Droit et la Morale sera donc explicite et apparente. Mais comme les Morales modernes courantes ont toujours un caractère plus ou moins « social » et reconnaissent la valeur morale du principe de Justice, disant qu'on ne peut être moralement parfait qu'à condition d'être aussi juste, elles peuvent s'incorporer la majeure partie du Droit valable dans la Société où elles ont cours. Et c'est pourquoi il devient difficile de délimiter les domaines respectifs du Droit et de la Morale. Pour le faire il faut se rapporter non pas au contenu des règles juridiques et morales, qui peut être identique, mais à l'attitude que l'homme prend vis-à-vis de ces règles, au motif qui le fait agir conformément à elles. Là où l'attitude rendra impossible l'intervention d'un « tiers désintéressé », et où il ne sera question que de la « perfection » d'un agent isolé, détaché du résultat de ses actes, il y aura Morale, mais non pas Droit. Là par contre où il y aura une intervention de « tiers », et où il s'agira du destin d'au moins deux personnes distinctes mais liées par une interaction, il y aura Droit, mais non Morale proprement dite.

On dit généralement que l'idée de Justice est une catégorie *morale.* Et nous venons de voir qu'on peut le dire, à condi-tion de préciser que la Justice est — pour la Morale — l'*un* des *moyens* de devenir moralement parfait, tandis que pour le Droit la réalisation de la Justice est un *but* en soi et son but *unique :* en prescrivant la Justice, la Morale veut réaliser certaines valeurs (morales) dans chaque homme *pris isolé-ment,* tandis que le Droit qui réalise la Justice veut organiser d'une certaine manière les *rapports* entre les hommes, ces hommes étant quelconques en eux-mêmes. Il vaut donc mieux distinguer terminologiquement la Justice en tant que *principe* unique de Droit de la « Justice » en tant que l'*un* des *moyens* de la Morale, et dire que l'idée de Justice proprement dite est une catégorie juridique et non morale. Certes on peut dire que l'idée de Justice peut avoir une interprétation et une réalisation tant morales que juridiques. Mais s'il n'y a pas de Droits qui ne soient pas fondés sur une forme quelconque de l'idée de Justice, il y a des Morales ou tout au moins des règles morales qui n'ont rien à voir avec cette idée et qui lui sont même contraires [1]. De plus le Droit réalise la Justice d'une manière directe et nécessaire : il n'est là que pour la réaliser, et il la réalise dès qu'il est là. La Morale par contre ne réalise la Justice qu'indirectement et d'une manière en quelque sorte facultative : elle est là pour rendre les hommes moralement parfaits, et elle ne réalise la Justice que parce que les hommes deviennent parfaits et dans la mesure où ils le deviennent. Si une règle de Droit a été appliquée à une interaction donnée, celle-ci est devenue par cela même « juste » — ou il n'y a pas eu d'application juridique du tout. La Morale par contre est déjà réalisée si un seul des agents en interaction est moralement parfait. Mais si l'autre ne l'est pas, l'interaction pourra rester « injuste ». La Morale peut donc se réaliser (partiellement) dans une Société qui reste injuste, tandis que le Droit rend nécessairement juste la Société où ce Droit est réalisé. Et — encore une fois — il se peut fort bien qu'une Morale authentique nie simplement toute idée de Justice.

Disons donc que l'idée de Justice peut être utilisée pour des fins morales, mais que dans sa réalisation authentique elle engendre non pas une Morale mais un Droit. Et ce Droit en tant que tel n'a plus rien à voir avec la Morale proprement dite, car il peut réaliser la Justice même parmi des hommes profondément amoraux, voire immoraux, ce qui, bien entendu, n'intéresse nullement la Morale. Car la Morale n'a que faire d'une Justice même parfaitement réalisée par un Droit, si cette réalisation n'implique pas la perfection « intérieure » des hommes qui agissent conformément à ce Droit. Or, puisque la Justice tend à se réaliser dans et par

1. Ainsi par exemple faire l'aumône pour des motifs moraux n'a rien à voir avec la Justice, car l'acte ne profite moralement qu'à celui qui donne et nullement à celui qui reçoit. Et presque tous les actes spécifiquement moraux sont « injustes » du point de vue juridique, car ce sont des « devoirs » qui ne répondent pas à des « droits ».

un phénomène qu'on appelle Droit et qui n'a rien à voir avec la Morale, on peut dire qu'elle est une idée juridique *sui generis*, essentiellement distincte des idées spécifiquement morales.

On pourrait même dire que si — par impossible — on pouvait séparer l'homme moral de l'homme juridique, le premier n'aurait jamais introduit dans sa Morale des règles fondées sur l'idée de Justice, qu'il n'aurait même pas. Inversement, l'homme exclusivement juridique n'aurait jamais pensé que la Justice crée aussi une valeur strictement personnelle qu'on peut réaliser dans son for intérieur en plus et indépendamment de la valeur qu'on réalise dans et par, ou mieux encore en tant qu'interaction avec autrui : il ne saurait pas qu'il faut être « juste » soi-même pour réaliser la Justice et qu'en réalisant la Justice on la réalise non pas seulement dans la Société, mais encore dans chaque individu pris isolément. Et à vrai dire cette « Justice » morale personnelle n'a rien à voir avec l'idée juridique de la Justice, qui est l'idée ou l'idéal d'une relation, d'une interaction, c'est-à-dire d'une extériorisation. Il vaudrait donc mieux désigner cette vertu ou perfection morale par un autre mot, par celui d'amour, de charité ou de bonté par exemple, ou simplement d'altruisme.

Mais en fait l'homme concret est toujours homme moral et homme juridique à la fois (et beaucoup d'autres choses encore). Et c'est pourquoi sa Morale implique généralement des règles inspirées par l'idée de Justice, tandis que son Droit se présente à lui aussi sous forme de « devoirs » moraux. Mais le Phénoménologue doit savoir distinguer ces deux phénomènes différents, en attendant que l'homme qui les vit apprenne à le faire lui-même.

Il faut dire d'ailleurs qu'on a toujours senti que le Droit et la Morale constituaient deux phénomènes distincts, même si l'on n'arrivait pas toujours à formuler correctement leur différence.

On dit généralement que le Droit diffère de la Morale en ce qu'il ne tient pas compte des *intentions* et admet l'application de la *contrainte*. Telle quelle, cette affirmation n'est pas correcte. Car d'une part le Droit se préoccupe bel et bien des « intentions », vu qu'il peut distinguer un délit voluntaire d'un délit involontaire et peut punir une simple tentative de meurtre par exemple. De même, d'après le Droit moderne, le juge qui se prononce au sujet d'un contrat doit tenir compte de l'intention des parties contractantes. Et ainsi de suite. D'autre part la Morale n'exclut nullement la contrainte. On peut fort bien user de violence pour des raisons de péda-

gogie morale. Et une Société qui veut être moralement parfaite peut fort bien contraindre ses membres à se conformer
à l'idéal moral adopté par la Société. Certes la contrainte à
elle seule ne réalise pas la Morale, mais elle peut fort bien
contribuer à sa réalisation : un autre peut m'aider en me
violentant à me vaincre moi-même pour me conformer à
l'idéal moral.

Mais bien interprétée, la définition couramment admise
peut être maintenue par le Phénoménologue. Car si le Droit
peut s'intéresser à l' « intention », il ne le fait que dans la
mesure où cette intention s'extériorise ou s'objectivise d'une
manière quelconque, c'est-à-dire se manifeste à l'extérieur,
étant ainsi une interaction avec l'extérieur. Le Droit rapporte
toujours l'intention non pas à celui qui l'a, mais à un autre,
à son objet extérieur. Car c'est à l'interaction, et non aux
agents pris isolément, que se rapporte le Droit. Ainsi ce n'est
pas l'intention du meurtre en tant que telle qui est châtiée
par le Droit, mais uniquement l'intention *de tuer un autre*.
La Morale par contre peut interdire le simple désir qu'un
autre meure, sans volonté de le tuer. Quant à la contrainte,
sa fonction dans le Droit est, elle aussi, différente du rôle
qu'elle joue dans la Morale. La contrainte peut à elle seule
réaliser le Droit (c'est-à-dire la Justice) pleinement et parfaitement. Il importe peu pour le Droit que ses règles
soient appliquées volontairement ou sous la pression d'une
contrainte (physique ou morale), car le Droit s'intéresse à
l'interaction en tant que telle et non aux personnes des
agents. La Morale par contre ne peut se servir de la contrainte
que comme d'une mesure préliminaire, d'ailleurs purement
pédagogique. L'action imposée violemment à l'homme ne
réalise pas en lui la perfection morale. Elle peut seulement
l'aider à la réaliser. Car l'homme n'est moralement parfait
que dans la mesure où il se fait violence à lui-même, ou en
tout cas se solidarise avec la violence qu'on lui fait[1].

---

1. Dans une situation religieuse la violence est également admissible et
elle peut réaliser à elle seule une valeur religieuse dans l'homme violenté :
le rite religieux peut être efficace même s'il s'opère contre la volonté de
l'intéressé. Mais cette contrainte n'a cependant rien de juridique, parce
qu'elle ne s'opère pas pour réaliser l'idée de Justice dans une interaction
de l'intéressé avec autrui. Elle n'est faite que dans l'intérêt de celui à qui
elle s'applique et – peut être – dans l'intérêt de la divinité, tandis que la
contrainte judiciaire a en vue l'intérêt d'un *autre* que celui qu'on contraint,
cet autre étant situé sur le même plan existentiel que lui : elle a donc un
but social, elle veut réaliser la Justice dans une interaction entre des êtres
humains.

§ 32.

Les actions qui rapportent l'homme à son prochain sont généralement divisées en *actions égoïstes* et en *actions altruistes.* À première vue, il est facile de définir ces deux catégories. L'action est dite « égoïste » quand elle est déterminée exclusivement par l'intérêt propre de l'agent, par son désir de bonheur ou de satisfaction quel qu'il soit : elle n'est pas nécessairement nuisible à autrui, mais elle peut l'être, car elle ne tient aucun compte des intérêts, ni des désirs des autres. L'action « altruiste » par contre est déterminée, en partie tout au moins, par les intérêts et les désirs d'autrui : aussi dans certains cas elle peut être même nuisible à l'agent lui-même et aller à l'encontre de son propre désir de bonheur ou de satisfaction. Mais en y regardant de plus près on s'aperçoit que l'application de ces définitions aux actions humaines concrètes est loin d'être facile.

Il y a, certes, des cas très nets d'actions égoïstes. Le sadique qui assassine pour le plaisir de tuer avec l'intention de ne révéler son crime à personne agit certainement en égoïste. Mais peut-on le dire de quelqu'un qui nuit à l'un uniquement pour faire plaisir à un autre? Or l'immense majorité des actions humaines appartiennent à cette catégorie, et on éprouve toujours des difficultés lorsqu'il s'agit de qualifier « moralement » le fameux cas de la mère qui vole pour nourrir ses enfants. De plus, peut-on vraiment qualifier d'égoïste l'action effectuée en fonction du désir de reconnaissance *(Anerkennen)?* On peut dire, certes, que dans ces cas l'agent poursuit son propre intérêt, sans tenir compte de celui des autres. Mais son « intérêt » ne consiste en rien d'autre que dans le désir de provoquer un certain état d'esprit dans d'autres que lui, cet état d'esprit étant, il est vrai, la reconnaissance de sa propre valeur. Et les difficultés s'accroissent encore quand on prend le problème par l'autre bout, en essayant de définir les actions altruistes. Les moralistes ont depuis longtemps remarqué que n'importe quelle action, même celle d'apparence la plus altruiste, peut être ramenée au type de l'action égoïste, d'après le schéma : si je fais plaisir à autrui, c'est parce que faire plaisir à autrui me fait plaisir à moi-même.

Raisonner de la sorte, c'est-à-dire affirmer que toutes les actions humaines sont « égoïstes », c'est tout simplement nier l'opposition « égoïsme-altruisme », c'est supprimer ces deux catégories. Or ceci est visiblement impossible. Car s'il est difficile de saisir dans une définition rationnelle l'égoïsme et l'altruisme, on ne peut pas nier l'existence de ces deux phénomènes, ni leur distinction intuitive immédiate. Il est évident que le prétendu « égoïste », qui tire son plaisir du plaisir (vrai ou supposé) d'autrui diffère essentiellement de l'égoïste proprement dit, qui se désintéresse complètement des plaisirs ou déplaisirs des autres.

Il se peut que les actions concrètes aient généralement un caractère mixte. Ainsi la mère voleuse est certainement égoïste par rapport à celui qu'elle dévalise, mais elle est sans aucun doute altruiste par rapport à ses enfants. Il nous faudra donc en principe distinguer dans toute action humaine un *aspect* égoïste et un *aspect* altruiste, en laissant provisoirement de côté la question de savoir s'il y a des actions *concrètes* ne présentant qu'un seul de ces aspects. Dans l'aspect altruiste de son action concrète l'agent agira en fonction de ce qu'il croit être (à tort ou à raison) l'intérêt d'un autre que lui, le mot « intérêt » étant pris en son sens le plus large. Dans l'aspect égoïste de l'action par contre, l'agent n'agira qu'en fonction de son propre intérêt, sans tenir compte de ce que pourrait être selon lui l'intérêt d'autrui dans le cas en question.

Ceci posé, on peut se demander comment l'opposition « égoïsme-altruisme » se rapporte à l'action juridique en tant que telle.

Il faut remarquer tout d'abord qu'une action *concrète* n'est jamais purement et exclusivement juridique, le Droit et la Justice n'étant en fait jamais les seuls mobiles de l'agent réel. Mais de même qu'on peut former artificiellement la notion « abstraite » de l'homo juridicus (analogue à celle de l'homo œconomicus, religiosus, politicus, etc.), on peut isoler artificiellement l'élément spécifiquement juridique de l'action concrète. Et c'est à propos de cet élément « abstrait » qu'on se demandera s'il doit être qualifié d'égoïste ou d'altruiste.

Or nous avons vu qu'une situation juridique implique nécessairement *trois* éléments : les deux agents en interaction, c'est-à-dire les justiciables, et le Juge (ou le Législateur, ou la Police). Et nous avons vu que l'interaction des agents peut être quelconque, ainsi que les motifs qui les font agir et réagir. Ainsi, quoique l'existence des deux agents soit indispensable pour qu'il y ait Droit, c'est dans le « tiers » que se condense l'essence du phénomène juridique. C'est dans l'action de ce « tiers », agissant en tant que Législateur juridique, Juge ou

Police judiciaire, que se trouve l'élément spécifiquement et exclusivement juridique qui nous intéresse [1]. L'opposition « égoïsme-altruisme » devra donc être rapportée à l'action du « tiers » agissant en tant que « tiers ».

Or, dans ses trois avatars de Législateur, de Juge ou Arbitre, et de Police, ce « tiers » est caractérisé en tant que « tiers » par le fait d'être « impartial et désintéressé ». On peut donc dire que l' « impartialité » et le « désintéressement » caractérisent toute action spécifiquement juridique, qu'une action ne saurait être dite « juridique » si elle ne présente pas ces deux qualités.

Or, par définition, une action « désintéressée » ne peut pas être dite « égoïste ». Et en effet, il suffit de constater que l'action du Législateur, du Juge ou de la Police présente un aspect égoïste en s'effectuant en fonction de l'intérêt propre, pour que la valeur juridique de cette action devienne suspecte. D'une manière générale, personne ne voudra dire que le désir de légiférer juridiquement, de juger ou d'exécuter des jugements témoigne d'une attitude égoïste. Certes, l'homme peut avoir un intérêt égoïste à être Juge, etc. : il peut vouloir l'être pour gagner sa vie, ou pour occuper un certain rang social, etc. Mais quand il est Législateur, Juge ou Police, et quand il agit juridiquement en tant que tels, ce n'est certainement pas pour des motifs égoïstes qu'il le fait. Quand il énonce, applique ou exécute une règle de droit, il est censé ne tirer aucun profit de son acte. En tout cas il est censé devoir faire abstraction de son propre intérêt dans l'affaire.

L'action juridique en tant que telle n'est donc certainement pas égoïste. Voyons maintenant si elle peut être appelée altruiste.

On peut dire que toute action altruiste s'effectue dans une attitude d' « amour » (au sens le plus large du mot) : agir en fonction des intérêts d'un autre, tirer plaisir ou satisfaction de son plaisir ou des avantages qu'il tire de l'action, c'est « aimer » cet autre d'une manière quelconque. Et aimer, c'est attribuer une valeur positive à l'être même de celui qu'on aime, au simple fait qu'il existe, indépendamment de ses actes, en particulier indépendamment de ses actes visant celui qui l'aime, indépendamment de son comportement vis-à-vis de lui. (Cf. Goethe : « On aime quelqu'un pour ce qu'il *est*, et non pour ce qu'il *fait*. ») Or le « tiers » qui nous intéresse

1. Bien entendu, si les agents se conforment volontairement au Droit, leur action impliquera un élément juridique. Mais alors chacun d'eux agira ou pensera aussi en « tiers impartial et désintéressé », et c'est en tant que ce tiers qu'il agira juridiquement.

doit être non seulement « désintéressé », mais encore « impartial ». Il ne doit donc pas agir par amour pour l'un des deux agents justiciables, et s'il aime l'un d'eux, il doit faire abstraction de cet amour dans son action juridique. Ce qui veut dire que s'il aimait les deux, il devrait faire abstraction de ce double amour, s'il voulait intervenir juridiquement. Et en effet, les intérêts des justiciables étant par définition contraires, l'amour du Juge pour l'un neutraliserait son amour pour l'autre, et il les jugerait comme s'il ne les aimait pas du tout. L'action juridique n'a donc rien à voir avec l'amour individualisé. Mais elle n'a rien à voir non plus avec l'amour généralisé pour l'homme en tant que tel, avec l'amour dit « chrétien » de l'altruiste proprement dit. Car le Juge s'intéresse aux *actes* et non à l'*être* de ses justiciables. Détachés de leur interaction ils ne sont rien pour lui. Au contraire il détache d'eux leur interaction et il la juge sans tenir compte des agents pris isolément. La règle de droit qu'énonce, applique ou exécute le « tiers » dans son action juridique se rapporte à des interactions pour ainsi dire « abstraites », et non à des personnes concrètes. S'il poursuit un « intérêt », ce n'est ni le sien propre, ni celui d'autrui; il agit uniquement dans l'intérêt de la Justice, comme on dit. C'est ainsi qu'il peut interdire le meurtre et châtier le meurtrier, sans se préoccuper de la question de savoir si la victime a été ou non consentante, sans se demander si le meurtre a été ou non dans ses intérêts (comme dans le cas du meurtre d'un incurable qui souffre). Ainsi l'idée d'un jugement allant à l'encontre du désir et de l'intérêt des deux justiciables n'a-t-elle rien d'absurde. Et l'adage *Fiat justicia, pereat mundus* montre bien que l'action juridique ne peut être dite « altruiste » que si l'on appelle « altruiste » toute action qui n'est pas égoïste.

Or, en réalité, l'action juridique n'est ni égoïste, ni altruiste : elle est absolument neutre par rapport à cette opposition. Elle ne naît ni de l'intérêt de celui qui agit, ni de son amour pour les autres : elle est impartiale et désintéressée au sens le plus fort de ces termes. Et cette *neutralité* absolue de l'action juridique en tant que telle est un argument important en faveur de la thèse de la spécificité et de l'autonomie du Droit.

Si l'action juridique ne naît ni de l'intérêt propre de l'agent, ni de l'idée qu'il se fait des intérêts d'autrui, c'est qu'elle ressort d'un « intérêt » *sui generis*, et cet « intérêt » n'est rien d'autre que le désir qu'a l'homme de réaliser son idée de Justice. C'est dans l'atmosphère diaphane et glaciale de la *neutralité* absolue, de la parfaite « impartialité » et du « désintéressement » total, que s'effectue, dans et par le Droit ou mieux encore en tant que Droit, la réalisation de l'idée de Justice. Et c'est dans la même atmosphère que naît et se développe cette idée en tant que telle, l'idée *sui generis*, qui est la base et le fondement de tout Droit quel qu'il soit.

Il nous faut voir maintenant ce que sont l'origine et le développement autonomes de l'idée ou de l'idéal spécifiquement juridique de Justice.

*Deuxième Section*

# L'ORIGINE ET L'ÉVOLUTION
# DU DROIT

## § 34.

Le Droit est l'application d'une certaine idée de Justice à des interactions sociales données. Son contenu est donc déterminé tant par le caractère de l'idée de Justice qui est à sa base, que par la nature des interactions auxquelles cette idée est appliquée. Ainsi, étudier la genèse et l'évolution du Droit c'est étudier la genèse et l'évolution des interactions sociales en tant que telles, c'est étudier la naissance de l'histoire et le processus historique dans son ensemble. D'ailleurs, comme tout phénomène humain, le Droit est intimement lié à tous les autres phénomènes historiques, tels que la Religion, la Morale, la Politique, etc. Autrement dit le contenu d'un Droit donné sera codéterminé par les idées religieuses, morales, politiques, etc., de l'époque. De ce point de vue encore la genèse et l'évolution du Droit ne peuvent être étudiées isolément : c'est l'ensemble de la culture qu'il faut étudier en y plaçant le Droit en question.

On peut cependant isoler du Droit « positif » donné ses éléments spécifiquement juridiques, en éliminant tout ce qu'il y a en lui de religieux, de moral, de politique, etc. Et on peut encore faire abstraction de son contenu concret en ce sens qu'on peut se rapporter non pas aux interactions sociales auxquelles s'applique l'idée de Justice qui est à sa base, mais à cette idée elle-même. Autrement dit, on peut étudier l'idée de Justice, en tant que réalisée dans et par le Droit, en l'isolant de toutes les autres idées non spécifiquement juridiques.

Or l'expérience montre que l'idée de Justice, même prise

isolément dans sa spécificité juridique autonome, subit une évolution au cours du temps. Le principe même de la Justice, qui est à la base du Droit quel qu'il soit, n'est pas partout et toujours le même. Une seule et même interaction sociale peut engendrer, à des époques différentes ou chez des peuples différents, des règles de droit différentes uniquement parce qu'on lui applique des principes de Justice qui ne sont pas les mêmes.

On peut donc étudier l'*évolution* de l'idée de Justice en tant que telle. On peut encore se poser le problème de l'*origine* de cette idée. Enfin on peut se demander ce que sera la Justice de l'avenir, la Justice « absolue » en ce sens qu'elle sera universellement et éternellement valable, étant acceptée pour toujours par l'humanité tout entière.

C'est ce que j'ai l'intention d'essayer de faire dans cette Deuxième Section. Quant au Droit proprement dit, je n'en parlerai pas. Pour passer de l'étude de l'idée de Justice à celle du Droit, il faut d'une part étudier les relations sociales auxquelles s'applique l'idée de Justice à l'origine et au cours de son évolution, et d'autre part tenir compte des influences que subit cette application de la part des autres phénomènes historiques, tels que la Religion, la Morale, la Politique, etc. Or une telle étude m'entraînerait trop loin. D'ailleurs, c'est l'idée de Justice qui constitue l'élément juridique spécifique et autonome du Droit. L'évolution juridique spécifique et autonome de l'humanité n'est donc en dernière analyse rien d'autre que l'évolution de son idée de Justice.

Dire que l'idée de Justice est une idée *sui generis*, spécifique et autonome, c'est dire qu'elle est contemporaine à l'homme lui-même, étant directement ancrée dans l'être humain en tant que tel, indépendamment des autres phénomènes qui naissent de cet être. Étudier l'*origine* de l'idée de Justice c'est donc montrer pourquoi et comment elle est engendrée par l'acte anthropogène lui-même, c'est-à-dire par l'acte dans et par lequel l'être humain se crée à partir de l'animal homo sapiens qui lui sert toujours de support. Et étudier l'*évolution* de l'idée de Justice, c'est montrer comment et pourquoi cette idée se transforme en fonction des modifications que subit l'acte anthropogène au cours du temps, c'est-à-dire de l'histoire. Car l'homme se crée dans le temps et il se crée en tant qu'un être temporel. L'acte anthropogène est donc lui-même essentiellement temporel : il se réalise sous forme d'étapes successives, l'ensemble de ces étapes formant l'évolution historique de l'humanité. Et de même que l'homme « intégral », « parfait » ou « absolu » n'est rien d'autre que le résultat ou l'ensemble de ce processus historique, la Justice absolue est le résultat ou l'intégration de son évolution.

L'analyse de l'acte anthropogène est prise dans la *Phénoménologie de l'Esprit* de Hegel. Et je la suppose connue (cf. mon « Autonomie et dépendance de la conscience de soi », dans *Mesures*). Il s'agira tout simplement de rattacher à cette analyse celle du phénomène juridique. La présente Section n'est donc rien d'autre qu'une application des principes fondamentaux de l'anthropologie phénoménologique de Hegel au phénomène du Droit, plus exactement à l'idée de Justice qui constitue sa base. Je tâcherai par conséquent d'être aussi bref que possible.

Dans mon *premier chapitre*, je tâcherai de montrer comment le désir anthropogène de Reconnaissance *(Anerkennen)* peut être la source de l'idée de Justice en général, et par suite de tout ce qui est authentiquement un Droit. Dans le *deuxième chapitre* il faudra montrer comment et pourquoi l'idée de Justice (et donc le Droit) naît sous une forme double, voire antithétique, comme une Justice « aristocratique » du Maître et une Justice « bourgeoise » de l'Esclave, et il faudra analyser ces deux Justices en tant que bases de deux types de Droit. Enfin, dans le *troisième chapitre* on devra montrer que ces deux Justices antithétiques tendent à se compléter mutuellement pour former la Justice synthétique du Citoyen, cette synthèse, qui s'effectue dans le temps, n'étant rien d'autre que l'évolution historique de la Justice et du Droit proprement dit. Tout Droit concret ou « positif » a pour base une idée *synthétique* de Justice, et ces idées ne varient que par la variété de la proportion dans laquelle s'y trouvent les deux Justices antithétiques. Tout Droit réel est un Droit de citoyen, et ce n'est que dans un sens relatif qu'on peut opposer un Droit (plus ou moins) aristocratique à un Droit (plus ou moins) bourgeois. Et c'est encore ce Droit synthétique de citoyen qui sera le Droit « absolu » de l'avenir, ce Droit définitif étant caractérisé par l'équilibre absolu ou par la neutralisation parfaite de ses deux éléments constitutifs antithétiques.

# CHAPITRE I

## La source du Droit :
## le désir anthropogène
## de reconnaissance en tant que source
## de l'idée de Justice

§ 35.

L'être spécifiquement humain se crée à partir de l'animal Homo sapiens dans et par l'acte (libre par définition) qui satisfait un désir *(Begierde)*, portant sur un autre désir pris en tant que désir. Mieux encore, l'homme se crée en tant que cet acte, et son être spécifiquement humain n'est rien d'autre que cet acte même : l'*être* véritable de l'homme est son *action*.

Le désir qui porte sur un autre désir peut donc être appelé *désir anthropogène.* Dès qu'un tel désir apparaît (et nous admettons qu'il ne peut apparaître que dans un représentant de l'espèce animale Homo sapiens), l'homme existe en puissance. Ce désir *est* l'homme en puissance, et il est la puissance de l'homme. Car l'homme en acte n'est rien d'autre que la réalisation ou la satisfaction *(Befriedigung)* de ce désir, cette réalisation ou satisfaction s'effectuant dans et par l'action qui est engendrée par ce désir. C'est donc ce désir qui fait naître l'homme, et c'est lui encore qui le fait vivre et évoluer en tant qu'être humain par l'action qu'il engendre en vue de se satisfaire.

Tout désir animal ou « naturel » porte sur une entité réelle, censée être présente dans l'espace-temps hors de l'être désirant, mais absente dans cet être même. Le désir est donc la présence réelle d'une absence; c'est un vide qui se maintient dans le plein et qui y néantit en tendant à disparaître en tant que vide, c'est-à-dire à se remplir par l'action qui réalise ou satisfait le désir. Par conséquent, désirer un désir, c'est désirer une absence, une entité irréelle, un vide dans l'espace-temps rempli par la réalité (matérielle). Et réaliser ou satis-

faire ce désir, c'est-à-dire se réaliser soi-même en le satisfaisant, c'est « remplir » un vide par un autre vide, une
absence par une autre absence. Si donc l'être véritable de
l'être humain est l'action dans et par laquelle se satisfait ou
se réalise le désir d'un désir, cet être n'est qu'un vide dans
le monde naturel, c'est-à-dire dans l'espace-temps rempli
par la réalité matérielle, il est lui-même la présence d'une
absence. On peut dire si l'on veut que le vide créé dans le
monde naturel par le désir anthropogène est rempli par le
monde humain ou historique. Mais il ne faut pas oublier que
l'homme en tant que tel n'est qu'un vide dans le monde
naturel, un quelque chose où la nature n'existe pas. Il faut
dire, certes, que l'homme est présent dans la nature. Mais
il faut ajouter qu'il n'est que la présence d'une absence, de
l'absence en lui de la nature en général et, en particulier, de
l'animal Homo sapiens qu'il serait s'il ne s'était pas constitué en être humain par la satisfaction de son désir du désir.
C'est ainsi que l'homme est essentiellement et radicalement
autre chose que la nature, que l'animal qui lui sert de support : étant leur absence, leur néant, leur négation, il est
indépendant vis-à-vis d'eux, il est autonome ou libre. Et
c'est pourquoi j'ai dit que l'acte qui satisfait le désir d'un
désir est libre par définition.

L'animal satisfait son désir de la réalité naturelle ou
matérielle en se l'assimilant par son activité. Son être est
donc aussi, si l'on veut, son action. Mais en réalisant son
désir il l'anéantit en tant que désir : il remplit son vide, il
remplace l'absence par une présence. Il *est* donc l'être qu'il
désire, c'est-à-dire une réalité naturelle ou matérielle, et il
n'*est* rien d'autre : son désir, qui est l'absence de cette
réalité, ne naît que pour disparaître, pour devenir une présence de cette même réalité. L'animal a faim, il mange pour
satisfaire son désir, et il *est* ce qu'il mange : *« er ist was er
isst »*. Or l'homme en tant qu'homme se « nourrit » de désirs
(ainsi par exemple il ne s'accouple pas seulement en animal
avec la femme; il veut encore — en être humain — être aimé
d'elle). Et si lui aussi « *est* ce qu'il mange », il est et reste
désir en tant que tel, c'est-à-dire *absence* de la réalité proprement dite, de l'espace-temps matérialisé. Le désir, étant
absence et non présence, n'*est* pas au sens fort du mot, mais
*néantit* dans l'Être réel. Mais le désir animal s'*anéantit* en
néantissant et cède la place à l'*être* de l'Être, car sa tendance
à la satisfaction, c'est-à-dire son « actualisation », son passage à l'acte ou à l'action, le supprime en tant que tel. Le
désir humain par contre, étant le désir d'un désir, reste ce

qu'il est dans son actualisation même, car il se satisfait par ce qu'il est lui-même, par un désir, par une absence qui néantit. Le néantissement du désir humain dans l'Être réel est donc non pas un anéantissement, mais une permanence *(Bestehen) :* c'est un *Être* qui *existe* et non un Néant qui disparaît. Mais étant l'être d'un désir, cet Être est la négation ou l'absence de l'Être *réel :* c'est un Être irréel ou *idéel,* qui *existe* dans l'Être réel en ce sens qu'il y *néantit* sans s'*anéantir,* parce que son anéantissement est son existence même. C'est cet Être idéel qui est l'être humain — absence de l'Être réel ou naturel; et c'est l'existence de cet Être qui est l'existence humaine ou historique, voire libre — néantissement permanent dans le monde naturel, qui — étant le non du monde — ne se maintient dans ce monde que par sa négation. En tant qu'*être* ou existence permanente dans le monde, l'homme *est* dans ce monde comme y sont les choses, et il est ce monde. Il se nie donc soi-même en le niant : il n'y *est* donc pas, mais *néantit.* Seulement ce néantissement est son être même : il *est* ce qu'il est — être *humain* — en se niant par la négation du monde. L'homme nie le monde en satisfaisant par l'action son désir du désir, et il se nie soi-même en le faisant. Mais cette auto-*négation* est précisément son *existence* spécifiquement humaine.

Or qu'est-ce que ce désir anthropogène, ce désir du désir?

Tout désir tend à se satisfaire par une action qui *assimile* l'objet désiré. Il s'agit de le nier en tant qu'extérieur, de l'intérioriser; ou bien encore de le supprimer en tant qu'autre, de le faire sien. L'objet désiré est censé devenir partie intégrante du sujet qui le désire : d'objet qu'il était, il doit devenir sujet. C'est ainsi que l'aliment absorbé par l'animal s'assimile et devient (en partie tout au moins) un élément de cet animal lui-même.

Ce schéma s'applique aussi au désir du désir. Désirer un désir c'est vouloir se l'assimiler, le faire sien, le supprimer en tant qu'extérieur ou objectif, tout en le conservant en tant que désir. Autrement dit, c'est vouloir devenir soi-même l'objet du désir désiré. Je serai pleinement satisfait quand l'être dont je désire le désir n'aura aucun autre désir que le désir de moi. Son désir restera alors désir, mais il ne me sera plus extérieur, en étant désir de moi : il sera partie intégrante de mon être même, tout en étant le désir d'un autre. En me voulant, il veut tout ce que je veux, il s'identifie à moi, et devient moi, tout en restant soi-même.

On peut dire que désirer un désir, c'est vouloir être aimé. Mais ce terme est soit trop vague, soit trop étroit. D'une manière générale, celui qui désire le désir d'un autre veut jouer pour cet autre le rôle d'une valeur absolue, à laquelle sont subordonnées toutes les autres valeurs, et en particulier celle que représente cet autre lui-même et pour soi-même. Disons donc que désirer un désir c'est vouloir être « reconnu » *(anerkannt)*. Le désir du désir, c'est-à-dire le désir anthropogène est le désir de la « reconnaissance » *(Anerkennen)*. Par conséquent, si l'homme est l'acte par lequel il satisfait son désir du désir, il n'existe en tant qu'être humain que dans la mesure où il est *reconnu :* la reconnaissance d'un homme par un autre est son être même. (Comme dit Hegel : *« Der Mensch* ist *Anerkennen. »)*

Or l'homme est aussi un animal (de l'espèce Homo sapiens). Pour exister en tant qu'homme, il doit donc exister en homme au même titre qu'il existe en animal : il doit se réaliser en sa qualité d'homme sur le même plan ontologique sur lequel il existe en sa qualité d'animal. Or deux entités sont sur le même plan ontologique quand elles entrent en interaction, c'est-à-dire — à la limite — quand l'une peut annuler l'autre. L'homme qui est reconnaissance doit donc pouvoir s'annuler en tant qu'animal : son désir du désir doit pouvoir annuler son désir animal ou naturel. Le désir naturel étant en dernière analyse « instinct de conservation », le désir de conserver sa vie animale, le désir anthropogène doit pouvoir annuler cet « instinct ». Autrement dit, pour se *réaliser* en tant qu'être humain, l'homme doit pouvoir risquer sa vie pour la reconnaissance. C'est ce risque de la vie *(Wagen des Lebens)* qui est la naissance véritable de l'homme, s'il s'effectue en fonction du seul désir de reconnaissance.

Or ce désir donne nécessairement occasion à un tel risque. Car l'homme ne peut désirer que le désir d'un autre homme. Mais cet autre, étant homme, désire lui aussi le désir de celui qui désire son désir. Lui aussi désire être reconnu, et il est prêt à risquer sa vie pour l'être. C'est ainsi que le désir du désir ne peut se réaliser que dans et par une lutte à mort *(Kampf auf Leben und Tod)* en vue de la reconnaissance. Si le risque réalise l'homme, c'est parce qu'il ne peut se réaliser que par une lutte qui implique un tel risque.

Si le désir anthropogène est le même chez les deux, la lutte pour la reconnaissance ne peut aboutir qu'à la mort, soit des deux adversaires, soit de l'un d'eux. Et alors il n'y a pas de reconnaissance et — par suite — pas d'homme qui existerait réellement. Pour que l'homme puisse se réaliser, la lutte doit donc aboutir à une reconnaissance unilatérale du vainqueur par le vaincu. Mais pour que ceci soit possible, le désir anthropogène ne doit pas être le même chez les deux adversaires. Celui du futur vainqueur doit être plus fort que son désir naturel; celui du futur vaincu — plus faible. Pour céder en renonçant à la lutte, le vaincu doit avoir eu peur. Son désir de reconnaissance doit donc se subordonner à son désir naturel de conservation. L'homme en lui est et se révèle comme plus faible que l'animal qui lui sert de support : son humanité reste à l'état de puissance et ne s'actualise pas, n'atteint pas le plan de réalité déterminé par sa vie animale. Le vainqueur par contre a su subordonner son instinct animal de conservation à son désir humain de reconnaissance. Il a donc actualisé son humanité et il est homme tout aussi réellement qu'il est animal. Et c'est ce que révèle — ou, plus exactement, réalise — la reconnaissance unilatérale. Le vaincu reconnaît la réalité (ou la valeur, la dignité) humaine du vainqueur qui existe effectivement; le vainqueur ne reconnaît pas la réalité (ou la valeur, la dignité) humaine du vaincu, et celle-ci n'existe pas en fait. Et il est tout aussi vrai de dire que la réalité humaine est reconnue ou non selon qu'elle existe ou non, que d'affirmer qu'elle existe ou n'existe pas selon qu'elle est ou non reconnue.

Le vainqueur qui est reconnu par le vaincu sans qu'il le reconnaisse à son tour s'appelle Maître *(Herr);* le vaincu non reconnu qui reconnaît le vainqueur — Esclave *(Knecht).* Et l'on voit que l'homme ne peut se créer que dans cette antithèse de Maître et Esclave, c'est-à-dire d'homme existant en acte et d'homme existant en puissance, ce dernier tendant à s'actualiser et le premier à se maintenir dans l'existence actuelle.

Mais en y regardant de plus près on voit que l'actualité du Maître est une pure illusion. Certes, il n'existe pas *en puissance* parce qu'il n'a nulle tendance à changer, à devenir autre qu'il n'est, à être ce qu'il n'est pas : car l'autre de Maître est l'Esclave et un Maître n'a nulle envie de devenir Esclave. Mais il n'existe pas non plus en acte. Car l'actualité de l'homme est la reconnaissance. Or le Maître n'est pas reconnu. Il est « reconnu » par l'Esclave, mais l'Esclave est un animal, puisqu'il a refusé le risque anthropogène ayant opté pour sa vie animale. La « reconnaissance » par l'Esclave n'actualise donc pas l'humanité du Maître. Ce dernier n'est nullement satisfait par le fait d'être reconnu par un Esclave, qu'il ne reconnaît pas pour homme proprement dit. Et, étant Maître, il ne peut pas reconnaître l'Esclave, comme il ne peut pas non plus cesser d'être Maître. La situation est donc sans issue. Il n'obtient jamais la satisfaction de son désir de reconnaissance. Son désir anthropogène n'est donc pas satisfait ou réalisé. Autrement dit il ne s'est pas *réalisé* en tant qu'être humain. Et comme il ne l'est pas non plus *en puissance*, il ne l'est pas du tout. Il *n'existe* donc pas réellement en tant qu'être vraiment humain. Ce qui veut dire qu'on ne peut que *mourir* en Maître (dans une lutte pour la reconnaissance), mais qu'on ne peut pas *vivre* la maîtrise. Ou bien encore : le Maître n'apparaît dans l'histoire que pour disparaître. Il n'est là que pour qu'il y ait un Esclave.

Car l'Esclave, qui n'est humain qu'en puissance, peut et veut changer, et il peut se maintenir dans l'existence humaine dans et par ce changement. Il est humain dans la mesure où il reconnaît la réalité et la dignité (la valeur) humaines du Maître : il y a l'*idée* de l'humain en lui. Mais il n'*est* pas humain en acte parce qu'il n'est pas *reconnu* en tant que tel. Il a donc tendance à se faire reconnaître, à devenir autre qu'il n'est. Si le Maître ne peut pas vouloir devenir Esclave, l'Esclave peut vouloir devenir Maître, vouloir être reconnu comme est reconnu le Maître. Mais en fait, même s'il réussit (en reprenant la lutte, c'est-à-dire en acceptant le risque), il ne devient pas Maître. Car le Maître ne reconnaît pas celui qui le reconnaît, tandis que l'Esclave part de la reconnaissance de l'autre : il reconnaîtra donc celui qu'il obligera (par la lutte) de le reconnaître. Il deviendra et sera donc non pas Maître, mais — disons — Citoyen.

C'est ce Citoyen, et lui seulement, qui sera pleinement et définitivement satisfait *(befriedigt)*. Car lui seul sera reconnu par celui qu'il reconnaît lui-même et reconnaîtra celui qui le reconnaît. C'est donc lui seulement qui sera vraiment réalisé en acte en tant qu'être humain. Et c'est pourquoi on peut dire que le Maître n'est là que pour qu'il y ait l'Esclave. Car l'Esclave n'est que la puissance du Citoyen, qui est l'acte de la réalité humaine.

Par conséquent, si l'homme ne naît que dans l'antithèse du Maître et de l'Esclave, il ne se réalise pleinement et actuellement que dans la synthèse du Citoyen, qui est Maître dans la mesure où il est reconnu par les autres et Esclave dans la mesure où il les reconnaît lui-même. Ce qui veut dire qu'il n'est ni l'un ni l'autre : ni acte sans puissance, ni puissance sans acte, mais puissance actualisée [1].

---

1. L'acte qui réalise sa puissance l'épuise et s'annule par conséquence. C'est pourquoi l'homme est un être fini, même pris en tant que tel. L'humanité peut réaliser en acte la réalité humaine, mais elle ne peut pas être éternelle. S'il y a une fin de l'histoire, marquée par la perfection de

L'homme n'est donc *réel* que dans la mesure où il est Citoyen : le Maître et l'Esclave ne sont que des « principes » logiques, qui n'existent pas en fait à l'état pur. Mais le Citoyen est une synthèse de la maîtrise et de la servitude, et cette synthèse est un passage de la puissance à l'acte, c'est-à-dire une évolution. Cette évolution, qui n'est autre chose que l'histoire de l'humanité, mène à une neutralisation parfaite, à un équilibre définitif de la maîtrise et de la servitude, en passant par des stades intermédiaires, où prédomine l'un ou l'autre de ces deux éléments constitutifs. Et selon cette prédominance on peut parler soit de maîtrise aristocratique (relative), soit de servitude bourgeoise (relative).

Or cette dialectique de l'histoire universelle est aussi — entre autres — la dialectique du Droit et de l'idée de Justice. De même que la maîtrise fusionne avec la servitude dans la citoyenneté, la Justice (plus ou moins) aristocratique fusionnera un jour avec la Justice (plus ou moins) bourgeoise dans la Justice synthétique du Citoyen proprement dit, du citoyen de l'État universel et homogène.

§ 36.

La réalité humaine ou historique s'actualise dans et par la négation active de la réalité naturelle ou animale, dans et par le risque de la vie au cours de la lutte pour la reconnaissance. Ainsi ces deux réalités sont sur le même plan ontologique. Car ce n'est pas seulement l'animal qui peut annuler dans l'homme son être spécifiquement humain. Cet être peut aussi annuler l'animal, en poussant la lutte jusqu'au bout, c'est-à-dire jusqu'à la mort. Si l'homme ne peut pas exister en dehors de l'animal Homo sapiens, n'étant rien d'autre que la négation active ou actualisée de ce dernier, il est néanmoins essentiellement autre chose que lui, étant sa négation, et il est non moins réel ou actuel, étant négation active, voire en acte. Et l'homme n'existe pas moins « objectivement » que l'animal en lui et le monde hors de lui. Car l'être humain est l'acte de reconnaître et d'être reconnu. L'homme est toujours au moins deux, et il ne peut exister en acte qu'à deux, dans et par une relation de reconnaissance. L'homme n'existe donc en réalité ou en vérité

l'homme, il y a aussi une fin de l'humanité historique, marquée par sa disparition complète.

qu'en tant que reconnu par un autre, et c'est seulement par et dans la reconnaissance de cet autre qu'il existe aussi en soi et pour soi, qu'il se connaît et se reconnaît soi-même. Il n'est « sujet » que dans la mesure où il est « objet » : son être n'existe qu'en tant qu'un être *objectif*.

L'être humain est donc tout aussi *réel* et *objectif* que l'être naturel. Et il est tout aussi *actuel* (ou agissant) que ce dernier. On ne peut pas dire cependant qu'il y ait là un dualisme au sens courant du mot : l'homme n'est pas une *substance* opposée à la substance naturelle. Car l'homme n'est que la *négation* de la Nature : il est *Négativité*, et non *Identité* ou Substantialité. Si l'Univers est un anneau et si la Nature *est* comme est le métal dont est fait cet anneau, l'Homme n'*est* que comme est le trou de cet anneau. Pour que l'Univers soit anneau et non autre chose, il faut qu'il y ait un trou au même titre que le métal qui l'entoure. Mais le métal peut exister sans le trou, et l'Univers serait quelque chose sans être un anneau. Le trou par contre ne serait rien sans le métal, et il n'y a pas d'Univers qui ne serait que trou. Ainsi la Nature peut exister sans l'Homme et un Univers purement naturel est parfaitement concevable (bien que sa conception en acte présuppose en fait l'existence de l'homme qui le conçoit et que cet Univers implique). Un Univers purement humain est par contre inconcevable, car sans la Nature l'Homme est néant pur et simple.

Autrement dit, il ne suffit pas à l'homme de se maintenir dans l'identité avec soi-même pour exister réellement et actuellement. Pour s'actualiser, pour exister, pour se maintenir dans l'identité avec soi-même, c'est-à-dire pour être homme, l'homme doit être la négation de la Nature, il doit la nier réellement et activement. Aussi ne peut-il exister qu'aux dépens de la Nature : il la présuppose, tant dans sa naissance que dans son existence, car il ne naît et n'existe que dans la mesure où il la nie. Et c'est pourquoi la mort de l'animal dans l'homme est la mort de cet homme lui-même.

La négation de la Nature qui réalise l'Homme se réalise en puissance et se révèle comme puissance dans et par le risque et la mort, ou en tant que risque et mort, du Maître dans la Lutte. Mais cette réalité ne s'actualise et ne se révèle actuellement que dans et par le Travail de l'Esclave (et du Citoyen). C'est pourquoi on peut dire que l'Homme n'existe que dans la mesure où il travaille, que le Travail est l'essence même, ainsi que l'existence, de l'homme. C'est par le Travail que l'homme met à la place du monde naturel qui lui est hostile et qu'il nie (dans ce Travail même) un monde technique ou culturel (historique) où il peut vivre en homme.

Le désir et l'acte anthropogènes créent donc nécessairement, en créant le champ de l'existence humaine ou le monde historique (au sein du monde naturel), un domaine économique, fondé sur le Travail et issu de lui. Ce domaine économique est spécifiquement humain (ou historique), car il est la *négation* actuelle de l'existence purement animale. Et il est tout aussi réel et objectif que le monde naturel, précisément parce qu'il en est la négation *actualisée*, existant en acte dans le nié lui-même, ce nié ne pouvant exister qu'en se modifiant effectivement en fonction de sa négation. On peut dire que le domaine économique est tout aussi objectif et actuel que le monde naturel. Mais si l'on appelle ce dernier « réel », il faudra appeler « idéel » le domaine économique, pour montrer que l'un est la *négation* de l'autre. Ou bien si l'on appelle les deux « réels », il faudra distinguer la « réalité naturelle ou matérielle » du monde naturel de la « réalité historique ou idéelle » du domaine économique, comme du monde humain en général.

On peut donc parler d'un « dualisme » (dynamique) sans supposer l'existence (statique) de deux « substances » séparables ou séparées. L'acte anthropogène crée une existence humaine autonome *sui generis*, sans qu'on puisse dire qu'il y a un être humain (une « âme ») en dehors de l'être naturel (du « corps »). Et ce qui vaut de l'homme en tant que tel vaut de tout ce qui est humain. Les phénomènes humains sont spécifiques et autonomes vis-à-vis des phénomènes naturels. Mais ils n'existent pas en dehors de ces derniers, et sont néants à l'état pur ou isolé. Ils n'existent que dans et par leur *opposition* aux phénomènes naturels, car ils ne sont rien d'autre que leur *négation* en acte ou en puissance, et ils les présupposent par conséquent.

L'origine dernière de tous les phénomènes humains, culturels ou historiques, est le désir anthropogène et l'acte qui le réalise ou le satisfait, cet acte étant d'une part le Risque du Maître dans la lutte et d'autre part le Travail de l'Esclave qui en résulte. Autrement dit, tous les phénomènes humains ont pour base la Guerre et l'Économie, fondée sur le Travail. C'est l'économie et la guerre qui constituent l'*actualité* de la réalité humaine, de l'existence historique de l'humanité. Mais le dualisme dynamique de l'Homme et de la Nature peut se manifester sous d'autres formes encore, qui sont comme les sous-produits de la production de l'Homme (à partir de la Nature) par la Lutte (guerre) et le Travail (économie), sous-produits spécifiques et autonomes, irréductibles

ni les uns aux autres, ni au produit final, ni aux agents de
la production.

Ainsi l'Homme se crée en tant que Guerrier (Maître) et Travailleur (Esclave). Mais dans la plénitude de son actualité
(en tant que Citoyen) il n'est ni l'un ni l'autre, étant l'un et
l'autre à la fois. Et s'il est Homme, et non Animal, en tant que
Guerrier, Travailleur ou Citoyen, ce n'est pas seulement en
tant que tels qu'il l'est. Il est tout aussi humain en tant que
« sujet religieux », ou « sujet moral », etc., ou enfin en tant
que « sujet de droit ».

Dès que l'homme s'est constitué en tant qu'être humain
par opposition à l'animal qui est en lui et qu'il est − aussi −
lui-même, il oppose à l'intérieur de soi-même le spécifiquement humain au purement naturel ou animal. Car l'opposition existe non pas seulement objectivement, en réalité
ou en vérité, et pour nous, c'est-à-dire pour le Phénoménologue, mais encore − subjectivement − pour l'homme lui-
même. C'est que l'acte anthropogène est aussi l'acte qui
engendre la conscience de soi (*Selbstbewusstsein*, à partir
du sentiment de soi animal, du *Selbstgefühl*), la reconnaissance par autrui étant aussi la reconnaissance par soi-même,
la connaissance de soi ou la prise de conscience de soi-même
par soi-même. Ainsi, entre autres, l'homme peut s'opposer
à l'animal qu'il est aussi, en se considérant comme un *sujet
de droit*. Certes, l'Homme ne peut être sujet de droit que
parce qu'il est − ou a été − Guerrier ou Travailleur. Et c'est
parce qu'il est sujet de droit qu'il sera un jour Homme intégral ou Citoyen. Mais être sujet de droit est néanmoins autre
chose qu'être Guerrier, Travailleur ou Citoyen.

L'opposition réelle et actuelle, créée par la Lutte et le Travail, entre l'Homme et la Nature en général, et la nature ou
l'animal dans l'Homme en particulier, permet à l'Homme
d'opposer l'entité humaine qu'il appelle « sujet de droit »
à l'animal qui lui sert de support, et dont elle est la négation
« substantialisée ». D'une part tout animal anthropophore
Homo sapiens ne sera pas appelé partout et toujours « sujet
de droit » : on verra des limites tracées par l'âge, par le sexe,
par la santé physique ou psychique, par la race, ou par
des caractères sociaux, c'est-à-dire spécifiquement humains
(économiques, religieux, etc.). Ses restrictions sont des
« erreurs » juridiques, des phénomènes juridiquement
inadéquats. Mais elles ne sont possibles que parce qu'effectivement l'être humain est *autre chose* que l'être naturel
en général, et l'animal qui lui sert de support en particulier. Du moment que l'animal Homo sapiens n'est pas

par lui-même, pour ainsi dire automatiquement, un être humain, on peut affirmer de n'importe quel représentant de cette espèce qu'il n'est pas humanisé, et par suite qu'il n'est pas un sujet de droit [1]. D'autre part cette même opposition réelle entre l'Homme et l'animal permet de détacher l'entité humaine appelée « sujet de droit » de son support naturel. Il y a d'abord les cas juridiquement inauthentiques où le sujet de droit est censé avoir un support autre que l'animal Homo sapiens, étant un autre animal par exemple, ou une chose, ou une divinité, où il n'y a donc qu'une illusion d'humanité. Mais il y a aussi les cas authentiques où le sujet de droit est une « personne morale », individuelle, collective ou abstraite. Du moment que l'action spécifiquement humaine est autre chose que l'action purement animale, étant sa négation, on peut supposer que la première existe encore là où la dernière n'est plus, et on obtient ainsi la notion de la « Fondation », de la « personne morale abstraite ». De même on peut admettre qu'il y a action humaine là où son support animal n'existe pas comme un être réel individuel, et on aboutit ainsi à la notion de la « Société » ou de la « personne morale collective ». Enfin on peut dire que l'action humaine subsiste même là où l'animal correspondant n'est pas, n'est pas encore, ou n'est plus capable de l'effectuer réellement lui-même, et on a alors la notion de l'« incapable » (qui peut aussi être mort ou non encore né), c'est-à-dire de la « personne morale individuelle ».

L'opposition réelle et actuelle entre l'homme et l'animal dans l'homme justifie la notion de « sujet de droit » en général et en particulier celle de « personne morale ». Et c'est à cette opposition (issue du désir anthropogène) que doit faire appel en fin de compte toute théorie « réaliste » de la personne morale. Mais la théorie « fictionnaliste » peut se réclamer du fait que l'homme n'existe pas en dehors de l'animal qui lui sert de support. Autrement dit, la réalité idéelle de la « personne morale » doit toujours être ramenée en fin de compte à une réalité humaine opposée effectivement à un animal Homo sapiens concret lui servant de support : dans le passé, le présent ou l'avenir. Car étant une réalité spécifiquement humaine, la personne morale ne peut tirer son existence que

1. Le Guerrier, le Travailleur et le Citoyen sont humains par définition. Il est donc faux de dire qu'ils ne sont pas sujets de droit : c'est une inadéquation juridique. Mais ces erreurs sont assez fréquentes. Notamment la Société aristocratique (c'est-à-dire guerrière) tend à ne pas reconnaître le Travailleur (ou l'Esclave, le non-guerrier et la femme) comme sujet de droit.

d'un acte anthropogène réel. Seulement, cet acte étant une *négation* de l'animalité, la personnalité morale juridique est essentiellement autre chose que l'individualité physique. Et c'est pourquoi on peut la détacher de cette dernière, voire l'opposer à elle. Le sujet de droit n'est pas une « substance », une entité existant *per se*, séparable du monde naturel. Mais s'il n'existe qu'à l'intérieur de ce monde, le sujet de droit peut être opposé à tout ce qui y est purement naturel. Car si le « non-A » est néant pur si « A » n'existe pas, il est, dès qu'il est quelque chose, non pas « A », mais « B ».

L'homme peut être opposé à l'animal en tant qu'être et en tant qu'action, et cette opposition permet à l'homme de distinguer entre ce qui est et ce qui *devrait* être, entre ce qui se fait et ce qui *doit* se faire. Dans l'acte anthropogène de la Lutte pour la reconnaissance, le Risque va à l'encontre de l'instinct animal de conservation : l'homme qui se crée veut l'inverse de ce que veut l'animal qui risque de mourir en lui et par lui. L'animal *est* et il veut se maintenir dans l'existence. Mais selon l'homme il ne *doit* pas le faire et il ne *doit* pas être s'il ne veut être que ce qu'il est — un animal qui se refuse au risque. Quant à l'homme, il n'*est* pas encore. Mais s'il s'oppose à l'animal qui est, c'est qu'il *doit* être et parvenir à l'existence. En bref, la réalité humaine se crée par l'acte anthropogène non pas seulement en tant que *réalité*, et réalité consciente d'elle-même ou « réfléchie », mais encore en tant que *valeur* positive ou en tant que *devoir* être et faire. L'homme ne risque pas seulement sa vie : il sait encore qu'il *doit* le faire. Et il ne se contente pas de travailler : il sait que le travail est un *devoir*. Mais il n'y a aucun sens de dire que l'homme lutte ou travaille *parce que* c'est là (pour lui) son devoir. Au contraire il n'a une notion du devoir que parce qu'il lutte et travaille. Car ce sont cette lutte et ce travail qui le créent en tant qu'être humain *opposé* à l'être naturel. Et la notion de *devoir* n'est rien d'autre que la manifestation de cette opposition : c'est l'*être* même de l'homme qui est un *devoir-être*, et la notion de devoir ne fait qu'isoler dans et par la conscience de soi l'aspect « devoir » de l'être humain spécifique [1].

L'opposition réelle entre l'homme et l'animal dans l'homme

---

1. Le « devoir-être » est en fin de compte le « devoir-être-reconnu », qui n'est qu'une prise de conscience du « vouloir-être-reconnu », c'est-à-dire du désir anthropogène. L'aspect « devoir » révèle simplement le fait que le désir ou le vouloir anthropogène implique nécessairement une *négation* du donné naturel ou animal qui est la base de l'existence de celui qui désire ainsi.

permet donc à l'homme d'opposer ce qui est (et tout ce qui est) à ce qui *doit* ou *devrait* être. Seule la réalité spécifiquement humaine issue de l'acte anthropogène de la lutte pour la reconnaissance et du travail qui apparaît à la suite de cette lutte *est* et en même temps *doit être*. Quant à l'animalité, elle *est* certes; mais dans la mesure où elle s'*oppose* à l'humanité, elle ne *devrait* pas être, peu importe qu'elle *soit* en fait ou non.

Le mot « devoir » est pris ici dans son sens le plus large. Il signifie simplement que l'homme peut s'opposer — tant par ses actes que dans son jugement de valeur — à tout ce qui est, soit en lui, soit en dehors de lui, tout comme il peut constater que ce qui est ne donne pas lieu à une telle opposition. Dans le premier cas l'homme dira que la réalité donnée n'est pas telle qu'elle *devrait* être; dans le second — qu'elle est ce qu'elle *doit* être. Et d'une manière générale il essaiera de transformer la réalité de façon à ce qu'elle *soit* telle qu'elle *doit* être.

En particulier, l'homme pourra et devra distinguer entre la réalité et la *Justice :* il parlera d'une Justice irréelle et d'une réalité injuste, ainsi que d'une Justice réalisée ou d'une réalité juste ou justifiée. Reste à savoir à quel « devoir », c'est-à-dire à quel aspect du « devoir-être » humain, issu du désir anthropogène, correspond la notion juridique de Justice.

§ 37.

L'homme se crée dans et par la Lutte anthropogène pour la reconnaissance, où il risque sa vie en fonction d'un désir du désir. Ce risque nie l'animal dans l'homme, car il va à l'encontre de son instinct de conservation à tout prix. L'existence du risque est donc non seulement un *être*, mais encore un *devoir-être :* l'homme *doit* risquer sa vie dans certaines circonstances pour être vraiment humain, pour être un « homme ». D'ailleurs l'existence de ce risque est beaucoup moins « être » que « devoir ». Car c'est une pure négation de l'être animal, qui « *s'actualise* » en tant que néant, c'est-à-dire dans la mort. Ce n'est donc pas un *être* proprement dit : c'est la *puissance* d'un être idéel qui s'actualise par la négation active de l'être matériel. Le risque en tant que tel, étant une puissance qui s'actualise par la négation de ce qui est, est à proprement parler un « devoir » : c'est le *devoir* d'être humain, l'*être* de l'homme étant ce *devoir* même de l'être, ou — si l'on veut — l'être de ce devoir.

Or le risque anthropogène s'effectue par définition dans une lutte pour la reconnaissance. Il faut donc être deux pour pouvoir risquer sa vie animale de façon à engendrer une existence humaine. Celui qui risque sa vie met par cela même en péril la vie de l'autre, et la sienne n'est en péril que parce que l'autre a risqué sa vie. Il y a donc réciprocité absolue, et la situation est rigoureusement symétrique. Par ailleurs, le risque de l'un est provoqué, mais non déterminé, par le risque de l'autre. Car chacun risque sa vie librement, c'est-à-dire volontairement et consciemment, pouvant fort bien ne pas le faire. Ou, plus exactement, la liberté, c'est-à-dire la volonté consciente et la conscience agissante, n'est rien d'autre que ce risque lui-même, le risque qui apparaît en fonction d'un désir du désir, c'est-à-dire du désir de la reconnaissance. Et c'est cet aspect de la situation qui est la source dernière de l'*idée de Justice* [1].

L'un des deux adversaires, en mettant dans et par la Lutte la vie de l'autre en péril, lèse les intérêts « vitaux » ou naturels de cet autre. Mais il le fait en quelque sorte avec son consentement (tacitement exprimé par l'acceptation de la lutte). De même, c'est avec son propre consentement que l'autre met en péril sa vie à lui. Et c'est pourquoi on pourra dire que l'un lèse les intérêts de l'autre sans agir pour cela d'une manière *injuste* vis-à-vis de lui. C'est le *consentement mutuel* des parties qui exclut de la situation l'*injustice*, ce consentement précédant la Lutte, c'est-à-dire tout emploi de la force, toute « pression » de l'un sur l'autre.

Certes, l'absence d'Injustice n'est pas encore en elle-même Justice, et on ne peut pas dire que la situation est *juste* du seul fait de ne pas être *injuste* : elle peut être neutre au point de vue Justice. Mais il ne peut évidemment pas y avoir de Justice là où il y a Injustice. Ainsi, le consentement mutuel qui exclut l'Injustice laisse pour ainsi dire le champ libre à la Justice, qui peut s'y établir, ou non. Cette notion de *consentement* est juridiquement très importante. Car s'il n'y a pas

---

1. Certes, la Lutte anthropogène est une « construction » théorique, un phénomène hypothétique inobservable. Mais le phénomène du Duel en a conservé les traces. C'est donc en analysant ce phénomène du Duel que nous pouvons décrire l'aspect juridique de la Lutte anthropogène. Seulement, les Duels connus de nous présupposent toujours l'idée de Justice, et même sa réalisation dans le Droit, tandis que la Lutte anthropogène, étant la source de l'existence humaine en général, est la source de l'idée de Justice en tant que telle.

nécessairement justice là où il y a eu consentement, il n'y a certainement pas d'injustice. On ne peut pas déduire du seul fait du consentement le *contenu* de l'idée de Justice, puisque le consentement peut engendrer une situation juridiquement neutre, c'est-à-dire ni juste, ni injuste. Mais le consentement est l'indice de la *possibilité* de la Justice, puisqu'il supprime l'injustice qui exclut la Justice — à condition d'être libre, c'est-à-dire conscient et volontaire. Ce qui ne veut pas dire que le consentement est une condition *nécessaire* de la Justice. Car une situation peut être juste même sans impliquer un consentement. Mais elle ne peut pas être injuste si elle l'implique : un traitement ne peut pas être injuste vis-à-vis de celui qui consent à le subir. Le devoir-être homme, qui est l'être même de l'homme, n'est donc certainement pas *injuste* au point de vue juridique, puisqu'il implique et présuppose le consentement. Autrement dit l'acte anthropogène *peut* être juste, et l'homme qui se crée dans et par cet acte est donc susceptible d'être juste, d'entretenir des interactions juridiquement justes avec ses semblables.

Mais il n'y a pas que *consentement* dans l'acte anthropogène de la Lutte pour la reconnaissance : il y a encore consentement *mutuel*. Et ceci aussi est juridiquement important, car nous avons là la source dernière de tout ce qui sera plus tard *contrat* juridique. Certes, la Lutte n'est pas encore un « contrat » au sens propre ou juridique du terme. Car le contrat présuppose l'existence d'un « tiers », d'un arbitre, et dans la Lutte il n'y a que les « parties », les deux adversaires en présence. Et elle n'est pas non plus une « convention » proprement dite, car celle-ci implique l'idée d'un *échange*, tandis que la Lutte est l'expression d'une volonté d'*exclusion* mutuelle, c'est-à-dire — à la limite — l'anéantissement de l'un par l'autre. L'un veut se subordonner entièrement l'autre, c'est-à-dire tout lui prendre sans rien lui donner en échange. Et l'autre ne consent nullement à être traité de la sorte. Il veut lui-même traiter ainsi son adversaire, sans se préoccuper de son consentement à ce traitement. Il n'y a donc pas de « convention ». Mais il y a deux volontés indépendantes, deux consentements à l'action, qui rendent l'interaction possible. Il y a un consentement mutuel au risque, qui est *pour nous* (ou en vérité) — sinon pour les participants eux-mêmes — la raison d'être de toute l'interaction. Elle est donc — *pour nous* — le résultat d'une sorte de « convention » ou de « contrat », sans l'être pour les agents en interaction. Et c'est pourquoi *nous* pouvons dire dès maintenant que l'homme qui se crée dans une telle situation est *capable* de conclure des « conventions » avec ses semblables et de donner à ses interactions avec eux la forme d'un « contrat » juridique. De même que la présence du *consentement* dans la Lutte anthropogène rend possible la réalisation de la Justice dans le monde humain ou historique, la *mutualité* de ce *consentement* rend possible l'existence des contrats dans ce monde.

Laissons de côté les contrats. Ils présupposent une reconnaissance réciproque et non unilatérale. Ils n'apparaîtront donc que plus tard, car pour le moment — dans la Lutte — il ne s'agit que d'exclusion mutuelle, l'un cherchant à être reconnu par l'autre sans vouloir le reconnaître en retour. Mais occupons-nous de la *Justice*. Car si elle est un phénomène autonome et spécifiquement humain, c'est dans l'acte anthropogène qu'il faut chercher sa source. Et puisque le consentement est l'indice de sa possibilité, analysons les conditions de ce consentement pour trouver le contenu de l'idée de Justice.

Tout d'abord, le consentement de l'un présuppose celui de l'autre. Par définition, chacun n'engage la lutte que pour la reconnaissance par l'autre. Or l'autre n'est apte à reconnaître que dans la mesure où il est prêt lui aussi à lutter pour la reconnaissance. Et c'est parce qu'il y a *deux* consentements que la Lutte n'est pas injuste et peut être juste. Si les adversaires s'attaquaient sans qu'il y ait consentement de part et d'autre, la situation serait juridiquement neutre. Car dans ce cas elle n'aurait rien d'humain, ni d'anthropogène : ce serait une chose due au hasard ou une lutte entre animaux. Et si l'un attaquait volontairement l'autre sans le consentement de ce dernier de lutter, la situation serait injuste ou neutre, car elle ne serait pas non plus anthropogène : celui qui refuse la lutte a déjà reconnu celui qui la propose (attaque injuste) ou est en général incapable de le faire n'étant encore qu'un animal.

L'un des adversaires ne consent donc à lutter que parce qu'il suppose que l'autre consent également à le faire. Mais ceci ne suffit pas. Il suppose encore que l'autre risque effectivement sa vie au même titre qu'il le fait lui-même. S'il pensait que l'autre engage contre lui une lutte sans risque pour soi, il n'aurait pas consenti à l'engager. On peut donc dire qu'il ne donne son consentement à la lutte que parce qu'il suppose que le consentement de l'autre a *la même* nature que le sien, les deux consentements impliquant consciemment *le même* risque de la vie. Et c'est cet élément d'*égalité* dans l'interaction qui constitue l'aspect qui se révèle à la conscience humaine en tant qu'idée de Justice.

La Lutte anthropogène est donc *juste* parce qu'elle est par définition *égale*, parce qu'elle est engagée par les deux adversaires dans *les mêmes* conditions. Cette égalité se traduit dans la conscience d'un tiers par la *mutualité* du consentement, et elle existe dans la conscience du participant en tant que *consentement*. C'est ainsi que le consentement, et sa mutualité, sont des indices de la Justice. C'est en tant qu'*égale* que la Lutte est *juste* pour les participants, et c'est parce qu'elle est *égale* aussi pour le tiers — et pour nous, c'est-à-dire en vérité — qu'elle est juste objectivement. Elle est juste parce que — en principe — chacun des deux adversaires l'aurait engagée même s'il était à la place de l'autre. Et on peut dire que c'est parce qu'il en est ainsi, parce que la Lutte est juste, qu'elle s'engage avec un consentement mutuel. Aussi ce consentement mutuel permet au tiers de constater que la Lutte est juste. Or, par extension, toute interaction avec consentement mutuel sera dite *juste* dans la mesure où elle impliquera l'*égalité* des participants. Et tout ce qui est *égal* dans les relations sociales sera dit *juste*, même s'il n'y a pas de consentement. Car le consentement n'est que l'indice subjectif de la Justice, la Justice en tant que telle étant l'Égalité constatable objectivement [1].

L'idée de Justice apparaît donc au moment même de la Lutte anthropogène, et elle ne fait que révéler son aspect *égalitaire*. Dire qu'elle est *juste*, c'est affirmer que les adver-

---

1. La situation de la Lutte anthropogène se reproduit encore aujourd'hui dans les guerres entre États. Une guerre avec consentement mutuel libre ne sera jamais juridiquement injuste. Par contre toute attaque « non provoquée » sera dite injuste, précisément parce qu'elle exclut le consentement de l'attaqué. D'autre part on qualifie d'injuste l'attaque d'un faible par le fort. C'est parce que la lutte est alors objectivement *inégale*, parce que — à la limite — le risque n'est que *d'un seul* côté. Mais pratiquement le faible n'attaquera jamais volontairement le fort. On aura donc aussi l'indice subjectif de l'absence de consentement mutuel.

Le principe de l'*égalité* absolue de la situation des adversaires est aussi à la base du Duel (privé ou judiciaire). Et on ne parle d'assassinat que là où il n'y a pas d'*égalité* de situation, et — par conséquent — de consentement mutuel.

Quant au cas du meurtre avec consentement de la victime, il est complexe et compliqué.

Notons encore que si la guerre n'est pas un contrat ni une véritable convention, elle engendre des contrats (ou plus exactement des conventions, puisqu'il n'y a pas d'arbitre) — à savoir les traités de paix. Mais elle n'aboutit à la convention que s'il y a un consentement mutuel de faire la guerre.

saires l'engagent dans des conditions rigoureusement *égales :* objectivement et subjectivement [1]. Et si l'homme peut réaliser la Justice dans et par ses interactions sociales, c'est parce qu'il est né d'une Lutte anthropogène *juste* par définition, puisque essentiellement *égale.* En naissant par et dans l'égalité et de l'égalité il ne peut se réaliser pleinement que dans l'égalité sociale. Et c'est pourquoi on dit qu'il ne peut être vraiment humain qu'en étant juste.

Mais si l'homme naît dans l'égalité (ou la Justice) de la Lutte anthropogène (qui n'a rien à voir, soit dit en passant, avec l'égalité physiologique ou naturelle, étant seulement une égalité des conditions humaines), et s'il ne se réalise pleinement que dans l'égalité de l'existence pacifiée (dans l'État universel et homogène), ce n'est pas toujours en tant qu'égal qu'il existe dans son devenir historique. Et c'est pourquoi la Justice est autre chose encore que l'égalité.

En effet, si la Lutte anthropogène commence dans l'égalité, c'est dans l'injustice qu'elle s'achève. Or si le début de la Lutte est la puissance de l'homme, c'est seulement son achèvement qui actualise ce dernier. Et la Lutte s'achève par la reconnaissance unilatérale du Maître-vainqueur par l'Esclave-vaincu. Il y a donc à l'issue de la Lutte inégalité totale des participants. Mais du moment que la Lutte a été juste, son résultat doit l'être aussi. Il y a donc une inégalité juste. Et l'inégalité est *juste* dans la mesure où elle ressort de l'*égalité* primordiale.

Voyons ce qu'est cette Justice de l'inégalité qui ressort de la Justice égalitaire.

L'inégalité (la reconnaissance unilatérale) naît du fait que l'un des deux adversaires abandonne la lutte et se rend à l'autre, par crainte de la mort que l'autre a su surmonter jusqu'au bout. Cet abandon de la Lutte (cette reddition) est censé être tout aussi libre, c'est-à-dire conscient et volontaire, que son engagement : sinon il n'y aurait pas de « reconnaissance » et donc pas de création d'une réalité humaine actuelle. Et la reddition offerte librement est acceptée tout aussi librement. Il y a donc encore consentement mutuel. Et c'est pourquoi la situation ne devient pas

1. En principe l'égalité objective coïncide avec l'égalité subjective, c'est-à-dire avec le consentement, celui-ci étant censé être *conscient* et volontaire, c'est-à-dire correspondant à la réalité. Mais il arrive que les adversaires (ou en général les parties) se *croient* dans des conditions égales sans l'être réellement, ou le sont réellement sans s'en apercevoir. D'où une casuistique de la Justice. (Le principe : « Tu l'as voulu, George Dandin. »)

injuste et peut donc être juste, tout en étant désormais inégale. Mais ici encore le consentement n'est pas l'indice de la
possibilité de la Justice. Il faut de nouveau analyser les
conditions du consentement pour trouver le contenu de la
nouvelle idée de Justice qu'il révèle.

Ici encore il y a mutualité du consentement. L'un offre sa
soumission parce qu'il croit qu'elle sera librement acceptée,
et l'autre l'accepte parce qu'il suppose qu'elle est librement
proposée. Et c'est pourquoi la situation *peut* être juste. Et
voici pourquoi elle l'est effectivement. Le vaincu offre librement sa reconnaissance en échange de sa vie, le vainqueur
donne librement la vie en échange de la reconnaissance. On
peut donc dire qu'aux yeux de l'Esclave la sécurité dans la
servitude ou (par dérivation) la servitude dans la sécurité a
*la même* valeur qu'a pour le Maître la maîtrise dans le risque
ou (par dérivation) le risque dans la maîtrise. Il y a donc une
analogie avec l'égalité primitive (explicable par le fait que la
nouvelle situation ressort de la situation égalitaire du début).
Mais il n'y a plus d'égalité proprement dite : ni objectivement (la reconnaissance étant unilatérale), ni subjectivement.
Car l'un mis à la place de l'autre n'aurait plus agi comme
lui : le Maître à la place de l'Esclave ne se serait pas rendu,
et l'Esclave à la place du Maître n'aurait pas continué la
lutte jusqu'au bout. Et l'Esclave sait tout aussi bien que le
Maître qu'il n'y a pas d'égalité entre Maître et Esclave, entre
l'attitude de l'un et celle de l'autre. Mais s'il n'y a plus d'*égalité* de condition et d'attitude, il y a *équivalence*. L'avantage
que présente la sécurité *équivaut* aux yeux de l'Esclave à
celui de la maîtrise. Inversement, aux yeux du Maître, l'avantage de la maîtrise *équivaut* à celui que présente la sécurité.
Ou bien encore, le désavantage du risque *est compensé* pour
le Maître par l'avantage de la maîtrise, tandis que pour
l'Esclave l'avantage de la sécurité *compense* le désavantage
de la servitude. Et la situation est dite *juste* d'une part
parce que les conditions des participants sont *équivalentes*
et d'autre part parce que dans chaque condition le désavantage est rigoureusement *compensé* par l'avantage (ou inversement), de sorte que dans chaque cas on peut parler aussi
d'une *équivalence* de l'avantage et du désavantage. C'est
cette *équivalence* qui constitue le contenu de la nouvelle idée
de Justice. Et c'est cette Justice d'*équivalence* qui se manifeste dans et par le consentement mutuel qui met fin à la
Lutte engagée par un consentement mutuel qui manifestait
la Justice d'*égalité*. À la *Justice égalitaire* primordiale vient
s'ajouter ainsi une *Justice de l'équivalence*.

C'est cette Justice de l'équivalence et de la compensation qui va engendrer la notion du contrat juridique. Mais le rapport entre Maître et Esclave n'est pas encore un contrat. Car ce rapport est par définition unilatéral et non réciproque. Le Maître ne reconnaît pas l'Esclave, c'est-à-dire qu'il le considère et le traite en animal : l'Esclave est animal tant pour le Maître que pour l'Esclave lui-même. Le Maître est seul à être reconnu comme être humain, et il est seul à être un être humain tant à ses propres yeux qu'à ceux de son Esclave. Certes, *pour nous* ou en vérité, l'Esclave n'est pas un animal pur et simple. Il a engagé la Lutte anthropogène en fonction d'un désir du désir. Il est donc un être humain en puissance. Mais n'étant pas allé jusqu'au bout de cette lutte il n'a pas actualisé sa puissance : en acte il est effectivement l'animal qu'il est pour le Maître et à ses propres yeux. Mais du moment qu'il est un être humain ne serait-ce qu'en puissance, il y a − *pour nous* ou en vérité − une possibilité de rapport juridique entre lui et son Maître. Seulement ce rapport n'est pas celui du contrat, qui présuppose une reconnaissance réciproque, c'est-à-dire une humanité actuelle des deux participants. Le rapport juridique est ici celui de la propriété : l'Esclave est juridiquement la propriété du Maître, et une propriété justement acquise (comme le révèle le consentement mutuel dont elle résulte) [1]. Si l'on veut appeler « contrat » toute relation entre êtres humains issue d'un libre consentement mutuel, il faut appeler « contrat » le rapport entre le Maître et son Esclave. Mais c'est un « contrat » *sui generis,* où l'une des parties « contractantes » n'a que des droits sans devoirs ou obligations, et l'autre que des obligations ou devoirs sans aucun droit. Or un tel « contrat » n'est rien d'autre que le rapport qui unit le propriétaire (juridiquement légitime) à sa propriété.

Quoi qu'il en soit, l'analyse juridique de la lutte anthropogène montre que l'idée de Justice surgit sous la double forme d'une Justice d'égalité et d'une Justice d'équivalence. De même que l'homme se crée simultanément en tant que Maître et en tant qu'Esclave dans leur rapport antithétique, c'est sous une forme antithétique qu'il prend conscience dans une

---

1. Je parlerai plus bas de la propriété au sens moderne du mot, c'est-à-dire de la propriété d'un animal ou d'une chose.

La possession d'un être humain est le seul cas où l'on puisse parler d'un rapport *juridique* entre le possédant et le possédé. Dans tous les autres cas le rapport juridique de propriété est le rapport non pas entre le possesseur et le possédé, mais entre les possesseurs et les autres personnes, c'est-à-dire les non-possesseurs.

double idée de Justice de l'aspect juridique de sa propre origine. Et nous verrons que ces deux Justices s'opposent effectivement comme une Justice de Maître à une Justice d'Esclave. Mais étant né d'un acte unique (double, mais réciproque), l'homme ne peut s'actualiser complètement que dans son unité, par la synthèse de la maîtrise et de la servitude dans le Citoyen. De même, la Justice absolue, c'est-à-dire universellement et définitivement valable, ne peut être qu'une, étant une synthèse des deux Justices primitives. Et toute l'histoire de la Justice, toute son évolution historique, n'est rien d'autre que cette synthèse s'effectuant graduellement dans le temps. Et comme tout homme réel est dans une certaine mesure Citoyen, toute Justice effectivement admise est sinon une synthèse, du moins un certain compromis entre la *Justice aristocratique de l'égalité* et la *Justice bourgeoise de l'Équivalence* : c'est une *Justice de l'équité.*

§ 38.

Il nous reste à voir comment l'idée de Justice quelle qu'elle soit engendre le phénomène du *Droit* qui la réalise.

Nous avons vu que la situation juridique proprement dite implique nécessairement *trois* membres. On peut dire aussi que le Droit qui réalise la Justice s'incarne dans la personne du « tiers impartial et désintéressé », dans ses trois avatars de Législateur juridique, d'Arbitre ou de Juge et de Police judiciaire. C'est lui qui applique l'idée de Justice à une inter-action sociale donnée en la transformant par cette application en une situation juridique, en un rapport de droit entre deux sujets de droit. Et le Droit, en tant qu'application effective de l'idée de Justice à des interactions réelles, est la réalisation de cette idée. Si donc l'idée de Justice naît dans et de la Lutte anthropogène entre *deux* adversaires, elle se réalise et existe en tant que réalité actuelle grâce à son application à des interactions bipartites par un *tiers*, qui — par son intervention impartiale et désintéressée — rend les interactions en question conformes à l'idée ou à l'idéal de Justice, ou tout au moins constate leur conformité ou non-conformité à cet idéal. Quant à cet idéal lui-même, il peut être fondé soit sur le principe aristocratique de l'égalité, soit sur le principe bourgeois de l'équivalence, soit enfin sur une certaine synthèse de ces deux principes primordiaux effectuée par le Citoyen, et qu'on pourrait appeler le principe de l'équité.

Supposons donnée l'existence d'un tiers humain, c'est-

à-dire déjà humanisé, en plus des deux adversaires humanisés dans et par la Lutte anthropogène pour la reconnaissance, et admettons que ce tiers prenne conscience (étant
déjà un être humain, c'est-à-dire doué d'une conscience du
monde et de soi-même) de cette Lutte primordiale dans son
ensemble. Sa conscience impliquera entre autres le fait de
l'*égalité* des conditions des adversaires au début de la lutte,
et leur *équivalence* à la fin. Or, nous avons vu que la Lutte
dans son ensemble est non pas seulement un être, mais
encore un *devoir-être* ou un *devoir*. Car elle implique une
*négation* active du donné réel, ce donné étant considéré
comme naturel ou animal, tandis que sa négation est humaine
en ce sens qu'elle crée une réalité autre que la réalité naturelle niée. Le nié a une valeur négative par rapport à la
négation et donc à ce qui résulte de cette négation : le naturel
est une non-valeur pour l'homme, tandis que l'humain est en
tant que tel une valeur positive pour lui. Et on peut dire que
réaliser l'humain par une négation active du naturel est un
*devoir* pour l'homme, qui se *réalise* donc en tant qu'homme
en accomplissant son devoir. Autrement dit, dans la mesure
où l'homme est humain, il tâchera de réaliser la valeur qu'est
pour lui la réalité humaine par la négation active de la non-
valeur de la réalité naturelle (en lui ou en dehors de lui). Et
l'homme n'est ou ne devient humain que dans la mesure où
il tâche de réaliser ainsi cette valeur, c'est-à-dire dans la
mesure où il accomplit son *devoir*, le « devoir » étant précisément la réalisation d'une valeur par la négation active de la
non-valeur correspondante. Ainsi le tiers qui prend conscience
de la Lutte anthropogène prend conscience du fait qu'il
s'agit là d'un *devoir*, du devoir de réaliser l'humain par la
négation du naturel, c'est-à-dire du non-humain (l'humain
étant le non-naturel). Car la négation active du donné pour
la création d'une réalité nouvelle n'est rien d'autre que l'accomplissement d'un « devoir ». Aussi le tiers ne se contente-
t-il pas de constater que la Lutte présente un aspect d'égalité
à son début et un aspect d'équivalence à sa fin ou dans son
résultat. Ces deux aspects sont pour lui les aspects d'un
*devoir*. L'égalité (ou l'équivalence) n'*est* pas seulement, mais
*doit* encore être. Autrement dit, il faut réaliser l'égalité (ou
l'équivalence) par la négation active de l'inégalité (ou de la
non-équivalence). Et puisque l'égalité (ou l'équivalence) n'est
une valeur à réaliser par la négation d'une non-valeur, c'est-
à-dire un devoir, que parce qu'elle est la condition *sine qua
non* de la Lutte *anthropogène*, c'est-à-dire de la création ou
réalisation de l'être humain en tant que tel, la valeur de

l'égalité (ou de l'équivalence) peut être détachée du fait de la Lutte. L'égalité (ou l'équivalence) devra être réalisée par la négation active de l'inégalité (ou de la non-équivalence) *partout* où il s'agira d'interactions *humaines* ou humanisantes, *chaque fois* qu'on voudra créer ou affirmer une valeur et une réalité humaines dans et par une interaction entre deux êtres humains ou humanisables. D'une manière générale, l'égalité (ou l'équivalence) s'opposera à l'inégalité (ou à la non-équivalence) comme l'« humain » s'oppose à l'« inhumain » ou au simplement « naturel », voire au « bestial ».

Dans la mesure où le tiers est humain et où il prend conscience du fait de la Lutte anthropogène, il aura donc une idée ou un idéal de Justice (d'égalité ou d'équivalence). L'égalité (l'équivalence) lui apparaîtra comme une condition nécessaire de l'humanité ou de l'humanisation et — par suite — comme un devoir-être, comme une valeur à réaliser par la négation de la non-valeur correspondante, et c'est cette valeur qu'il appellera l'idée ou l'idéal de Justice, l'égal (ou l'équivalent) étant pour lui le juste à affirmer, et l'inégal (ou le non-équivalent) — l'injuste à supprimer. Dans la mesure où le tiers est humain, il ne se contentera pas d'avoir une idée ou un idéal de Justice. Il tâchera de *réaliser* cette Idée par la négation active de son contraire, car cette idée existe dans sa conscience sous la forme d'un *devoir*. Ou bien encore le tiers ne s'humanisera et ne sera humain que dans la mesure où il a une idée de Justice sous la forme d'un devoir et tâche d'accomplir ce devoir en réalisant la Justice par la négation active de son contraire. Quoi qu'il en soit, dès qu'il constatera une inégalité (ou une non-équivalence) dans une interaction censée être humaine, il essaiera — dans la mesure où il est humain lui-même — de la supprimer et de mettre à sa place une égalité (ou une équivalence). Il interviendra donc activement dans cette interaction avec le seul souci de la rendre « humaine », c'est-à-dire conforme à son idée de Justice. Il agira donc en fonction du devoir qu'il a de réaliser cette idée par la négation de son contraire. Et c'est dire qu'il interviendra et agira juridiquement, en Législateur, Juge ou Police [1].

1. On peut dire en effet qu'il y a Droit si un tiers intervient dans une interaction sociale *avec le seul souci* de la rendre conforme à un idéal de Justice. C'est l'équivalent « introspectif » de l'expression « impartial et désintéressé » dans la définition « behavioriste » du Droit. Si le tiers est « impartial et désintéressé » et s'il intervient quand même, c'est qu'il agit en fonction de son idéal de justice conçu comme le *devoir* de la réaliser en lui rendant conformes les interactions sociales données.

Il suffit donc que la conscience du tiers implique une idée de Justice pour qu'il l'applique d'emblée aux interactions sociales qui se présenteront à lui en essayant de les lui rendre conformes. Or une telle application n'est rien d'autre que le Droit. On peut donc dire que le phénomène de la Justice se transforme spontanément en phénomène du Droit dès qu'il est constitué dans la conscience d'un *tiers*. Pour qu'il y ait Droit il suffit qu'il y ait deux êtres humains en interaction et un tiers conscient de l'idée ou de l'idéal de Justice. Certes, cette idée existe déjà dans les consciences des deux adversaires de la Lutte anthropogène. Et c'est même dans ces consciences qu'elle apparaît pour la première fois sur terre, puisqu'elle est engendrée dans et par cette Lutte même. C'est pourquoi cette Lutte est « juste » non pas seulement « objectivement », c'est-à-dire pour *nous* et pour l'observateur extérieur en général, mais encore « subjectivement », c'est-à-dire pour les participants eux-mêmes. Elle réalise donc, si l'on veut, la Justice. Mais tant qu'il n'y a pas de *tiers*, cette réalisation ne peut pas être appelée *juridique*. La Lutte anthropogène est la source de l'idée de Justice et du Droit, et elle réalise la *Justice* dans la mesure où elle est juste. Mais elle ne réalise pas encore le *Droit*, elle n'est pas encore un rapport de droit, ses agents ne sont pas encore des sujets de droit, tant qu'il n'y a pas d'Arbitre, c'est-à-dire de tiers intervenant avec le seul souci de faire régner la Justice [1]. Mais dès que l'idée de Justice existera dans la conscience d'un *tiers*, celui-ci l'appliquera aux interactions sociales qui se présenteront à lui. Et dans et par cette application le phénomène de la Justice deviendra un phénomène de Droit.

La question de la source du Droit, c'est-à-dire de sa formation à partir de l'idée de Justice, se réduit donc à la question de savoir comment apparaît un tiers humain et comment l'idée de Justice pénètre dans sa conscience. La source dernière de l'*idée de Justice* est le désir anthropogène du désir, qui se réalise dans et par la Lutte pour la reconnaissance. Et cette idée se crée dans et par les consciences des deux adversaires qui s'affrontent dans cette Lutte. Quant à la source dernière du *Droit*, elle est la pénétration de cette idée de Justice dans la conscience d'un tiers, c'est-à-dire d'un homme autre que les deux adversaires en question. Car il

---

1. Ainsi une guerre peut être juste ou injuste, mais elle n'a rien de juridique au sens étroit du mot. Les rapports entre ennemis ne sont pas des rapports *de droit*, mais ils sont toujours conformes ou contraires à un certain idéal de Justice.

n'y aura Droit que quand ce tiers interviendra dans une interaction (dans une Lutte pour la reconnaissance par exemple) afin de la rendre conforme à l'idéal de Justice. Et il interviendra dès qu'il aura un idéal de Justice. Il s'agit donc de savoir d'où vient ce tiers et comment l'idée de Justice pénètre dans sa conscience.

Le tiers devant être humain, et l'homme ne se réalisant que dans la Lutte anthropogène, c'est encore à cette Lutte que nous devons avoir recours pour trouver l'origine du tiers en question. Supposons donc que nous avons deux Luttes simultanées, c'est-à-dire deux paires d'adversaires A-B et A'-B'. A et B, A' et B' sont des « ennemis » au sens politique de ce mot. Ils ne luttent pas pour des raisons d'animosité *personnelle*, mais pour se faire reconnaître par un être humain *quelconque* (qu'ils ne veulent pas reconnaître en retour). A aurait donc tout aussi bien lutté contre B' que contre B, et A' aurait tout aussi bien lutté contre B. Nous pouvons donc supposer qu'au cours des deux luttes simultanées A et A' échangent leurs adversaires, A luttant avec B' et A' avec B : la signification de la Lutte, c'est-à-dire sa valeur anthropogène, ne sera pas changée à cause de cela. Or on peut dire maintenant que B et B' sont les ennemis tant de A que de A'. A et A' ont des ennemis communs. Et on peut exprimer ce fait en disant que A et A' sont des « amis » au sens politique du terme. Enfin, en ajoutant une troisième paire A"-B", on peut constituer un groupe d'« amis » formé de A, A' et A", c'est-à-dire ayant *trois* membres, auquel s'oppose comme groupe « ennemi » un autre groupe de *trois* membres, formé par B, B' et B", qui sont également « amis » entre eux.

Aucun des six ne peut jouer le rôle de *« tiers »* impartial et désintéressé, c'est-à-dire mû par la seule idée de Justice, dans la Lutte elle-même, c'est-à-dire dans l'interaction entre « ennemis ». Car il est *« partie »* dans cette Lutte, voulant avant tout se faire reconnaître, et non pas seulement réaliser la Justice. S'il réalise la Justice dans et par son comportement, c'est pour pouvoir lutter de façon à se faire reconnaître. On ne peut pas dire qu'il lutte pour réaliser la Justice. Il n'y aura donc pas de rapports de droit entre les ennemis, et la Lutte même multiple ne sera pas une situation juridique. Une telle situation ne pourra se constituer qu'à l'intérieur d'un groupe d'amis. Et elle se constituera si A par exemple intervient dans une interaction entre A' et A" avec le seul but de la rendre conforme à son idée de Justice, laquelle idée sera formée en lui (comme dans tous les six adversaires) dans et par la Lutte anthropogène.

Voyons donc ce que sont les rapports des « amis » entre eux.

Chacun des trois « amis » est non seulement un *participant* à la Lutte, mais encore un *spectateur* de la Lutte des deux autres. En tant que participant il réalise sa propre humanité. En tant que spectateur il prend conscience de l'acte par lequel les deux autres réalisent leur humanité. On peut donc dire qu'il prend conscience non pas seulement de sa propre humanité, mais encore de celle de ses amis. Car il a changé de place avec eux au cours de la Lutte et il sait par conséquent qu'ils ont fait ce qu'il a fait lui-même, et qu'ils sont donc humanisés et humains au même titre que lui. Ils sont donc pour lui ses égaux, et ils sont égaux entre eux.

Il semble donc à première vue que les amis se « reconnaissent » mutuellement au sens technique du terme. Si le Maître n'est pas satisfait par sa reconnaissance par l'Esclave, qui n'est pas pour lui un être vraiment humain, son désir de reconnaissance semble être pleinement satisfait par sa reconnaissance par l'ami qu'il reconnaît lui-même en retour. Mais en fait il n'en est rien. Car l'homme désire être « reconnu » dans sa réalité strictement personnelle, c'est-à-dire dans sa *particularité* unique au monde et exclusivement sienne. L'ami par contre ne « reconnaît » en lui que l'homme (ou le Maître) en *général*, l'aspect *universel* de son être humain. L'amitié politique résulte de l'interchangeabilité des combattants et c'est donc le Combattant en général, et non tel ou tel individu, qui est reconnu par l'ami. Les amis ne « reconnaissent » que ce qu'ils ont de commun : l'aptitude au risque et à la maîtrise. Si l'on veut, ils reconnaissent la Maîtrise dans les individus, mais non les individus eux-mêmes. Étant reconnu par des amis l'homme est *un* Homme en général, mais non un être humain particulier. Et c'est pourquoi cette reconnaissance ne satisfait pas pleinement l'homme, tout comme ne le satisfait pas sa reconnaissance par l'Esclave. Le rapport entre Maître et Esclave est au plus haut point particularisé il est vrai : le Maître a tel ou tel Esclave et l'Esclave a tel ou tel Maître, le rapport de propriété étant strictement exclusif, c'est-à-dire individualisant. Mais ce particularisme n'implique pas la reconnaissance : l'Esclave n'est pas du tout reconnu par le Maître et le Maître n'est pas satisfait par la reconnaissance par l'Esclave qu'il ne reconnaît pas. Quant à la reconnaissance entre amis, elle est certes une reconnaissance en ce sens qu'elle est mutuelle, mais elle ne satisfait pas non plus l'homme parce qu'elle exclut l'individualité. Et c'est pourquoi l'homme ne s'arrête pas au stade « aristocratique » de la possession d'Esclaves et d'amitié politique entre Maîtres, mais continue à rechercher la reconnaissance authentique par une Lutte entre ennemis [1].

Mais peu importe pour le moment. Retenons seulement que la simple observation de la Lutte anthropogène peut engendrer dans le spectateur une « reconnaissance » de l'humanité du combattant [2]. Or cette humanité n'est reconnue que dans son universalité : les reconnus sont interchangeables pour celui qui les reconnaît; il reconnaît l'un au même titre que l'autre; ils sont égaux pour lui. Et c'est dire qu'il est *impartial* vis-à-vis d'eux. Ce qui le rend apte à être leur Arbitre, dès qu'il ne sera pas *intéressé* à leurs interactions. Or ils ne seront en conflit qu'en agissant en tant que particuliers, car leur universalité les oppose en commun à l'ennemi et les rend donc solidaires les uns des autres. Ce n'est donc qu'en tant que particuliers qu'ils auront besoin d'un Arbitre. Et cet Arbitre peut fort bien être *désintéressé* dans leurs conflits, puisque dans leur particularité ils sont tout autre chose que lui. Il ne sera « intéressé » qu'à l'affirmation de leur humanité (universelle) par la négation de leur animalité (particulière). Et c'est dire qu'il agira en fonction de son idée de Justice en intervenant comme Arbitre, voire comme Législateur, Juge ou Police, dans leurs conflits. Car dans leur humanité (de Maîtres) ils sont *égaux* pour lui, de sorte qu'affirmer leur humanité (ou maîtrise) équivaut à ses yeux

1. Si le Maître n'est *reconnu* que dans son universalité, c'est qu'il n'*existe* aussi qu'en tant qu'universel : il est *un* Maître ou *un* Guerrier, en tout semblable, en tant que Maître ou Guerrier, aux autres. Car son humanité n'a été réalisée que par la négation *globale* de la réalité animale dans le risque : elle est donc globale ou universelle elle-même. Quant à l'Esclave, il s'humanise par le Travail, qui est une négation différentielle de la nature et qui le particularise ainsi en l'humanisant. L'universalité reconnue du Maître doit donc se synthétiser avec la particularité non reconnue de l'Esclave pour donner la reconnaissance totale et absolue du Citoyen, où l'universalité fusionne avec la particularité de la reconnaissance mutuelle, donnant ainsi une satisfaction définitive au désir anthropogène de reconnaissance.

2. Dans beaucoup de sociétés aristocratiques primitives ou archaïques (chez les Aztèques par exemple), le jeune homme n'était reconnu comme citoyen (= Maître) qu'après avoir fait un prisonnier (= Esclave) à la guerre. Et les « rites de passage » ne sont rien d'autre qu'un symbole de la Lutte, le jeune homme devant nier sa nature animale (surmonter la douleur et la crainte de la mort) en fonction de son désir d'être « reconnu » comme citoyen (= Maître). Mais donnant le « spectacle » de la Lutte, le jeune homme n'est reconnu que comme *un* citoyen (= Maître), en tout semblable à tous les autres, et non pas dans son individualité unique au monde.

à affirmer leur *égalité* par la négation de leur inégalité naturelle. L'Arbitre interviendra donc dans les interactions de ses amis politiques d'une manière impartiale et désintéressée, avec le seul but de les rendre conformes au principe de l'égalité, c'est-à-dire à l'idéal de Justice qu'il accepte tout comme ils l'acceptent eux-mêmes. Son intervention transformera donc leurs interactions en situations juridiques, en rapports de droit[1].

Telle est la source et la genèse du Droit. Ou plus exactement d'*un* Droit, du Droit aristocratique fondé sur la Justice égalitaire du Maître. Car nous avons supposé dans notre déduction que le groupe d'amis sort vainqueur de la Lutte, que c'est un groupe de Maîtres, de frères d'armes. Mais le groupe vaincu, le groupe d'Esclaves a aussi été un groupe de frères d'armes dans la Lutte. C'est donc aussi un groupe d'amis — même vaincus. Et dans un tel groupe il y a place, comme nous avons vu, pour un « tiers » impartial et désintéressé intervenant dans les interactions entre amis pour les rendre conformes à l'idéal de Justice. Ici encore il y a donc une possibilité de Droit.

Certes, le combattant vaincu, l'Esclave qui a renoncé à la Lutte, n'est humain qu'en puissance, ne s'étant pas actualisé dans et par le risque. Mais en puissance la situation reste ici la même qu'elle est en acte dans le groupe des Maîtres. Les Esclaves se reconnaissent mutuellement en tant qu'Esclaves et un Esclave peut être « tiers » dans l'interaction entre deux autres Esclaves, en créant par son intervention impartiale et désintéressée une situation juridique. Il y aura donc Droit. Seulement ce Droit n'existera qu'en puissance, vu que l'humanité n'est pas actualisée dans ce groupe social. Et en effet l'arbitrage de l'Esclave n'aura pas force de loi tant que les Esclaves resteront Esclaves. Car leur loi est la loi du Maître : c'est lui qui tranchera leurs différends comme bon lui semble. Le Droit servile ne sera donc qu'une application virtuelle de l'idée servile de Justice aux interactions sociales, qui ne pourra s'actualiser qu'au moment où l'Esclave cessera d'être Esclave (moment auquel sa Justice cessera d'être une Justice servile, sans devenir pour cela une Justice de Maître). Mais ce Droit en puissance sera néanmoins un Droit.

1. Celui des « amis » qui agira envers les autres uniquement en fonction de sa reconnaissance de leur humanité universelle, c'est-à-dire celui qui les traitera effectivement en égaux interchangeables, bénéficiera d'une Autorité de Juge. C'est lui qu'on choisira pour Arbitre. C'est sa législation, ses jugements et son activité policière qui créeront le Droit « positif ».

Et ce Droit servile ou bourgeois sera autre que le Droit aristocratique. La Maîtrise se crée dans l'*égalité* de la Lutte, et c'est pourquoi la Justice qui forme la base du Droit aristocratique est égalitaire. La Servitude par contre naît du renoncement à la Lutte, motivé par le principe de l'*équivalence* des conditions, et c'est pourquoi la Justice qui engendre le Droit bourgeois est une Justice de l'équivalence. Et cette même différence se manifeste dans le comportement des Arbitres respectifs. Les Maîtres sont égaux et interchangeables, et l'Arbitre les traitera en tels. Les Esclaves par contre ne sont pas interchangeables. Si B est l'Esclave de A, il n'est pas l'Esclave de A′ ou de A″, et l'Esclave de A est B, et non pas B′ ou B″. Mais si les Esclaves ne sont pas interchangeables, ils sont équivalents en ce sens que la valeur de l'un peut être comparée à la valeur de l'autre ou mesurée par elle (l'Esclave a un prix). Si donc l'Arbitre-Maître est impartial en traitant les Maîtres en égaux interchangeables, l'Arbitre-Esclave le sera en traitant les Esclaves en personnes équivalentes. Et si les deux sont désintéressés dans la mesure où ils interviendront uniquement pour réaliser l'idéal de Justice, leur idéal ne sera pas le même, l'un voulant réaliser l'égalité dans les interactions sociales, et l'autre — l'équivalence.

Le Droit apparaît donc sous la forme double (et antithétique) du Droit aristocratique et du Droit bourgeois. Au début seul le premier existe en acte, l'autre n'étant qu'un Droit en puissance. Or toute puissance tend à s'actualiser. L'Esclave tâchera donc de réaliser son idéal de Justice dans et par un Droit existant en acte. Mais il ne pourra le faire qu'en l'étatisant, c'est-à-dire en s'emparant du pouvoir et en cessant ainsi d'être Esclave. Son Droit, en s'actualisant, cessera donc d'être un droit purement servile. De même que l'Esclave ne peut se libérer qu'en synthétisant la maîtrise avec sa servitude, son Droit ne peut s'actualiser qu'en se synthétisant avec le Droit du Maître. Et de même que l'Esclave libéré (par une reprise de la Lutte et une acceptation du risque) n'est ni Maître ni Esclave, mais Citoyen, le Droit servile actualisé n'est ni servile ni aristocratique : c'est le Droit synthétique du Citoyen fondé sur la Justice de l'équité.

L'évolution du Droit (c'est-à-dire l'évolution juridique de l'humanité, ou l'aspect juridique de son évolution historique) reflète donc l'évolution de l'homme en tant que tel : elle reflète la dialectique du Maître et de l'Esclave qui n'est rien d'autre que l'autocréation progressive du Citoyen dans le temps. En vérité, c'est-à-dire *pour nous*, l'homme est toujours Citoyen, c'est-à-dire à la fois Maître *et* Esclave (et donc ni Maître ni Esclave). Seulement au début le Maître est seul actualisé, l'Esclave (en tant qu'être humain) n'existant qu'en puissance. À la fin par contre les deux sont pleinement actualisés dans et par, ou mieux encore en tant que Citoyen. Et il en va de même pour le Droit. Dès son origine le Droit est double : un Droit aristocratique s'oppose à un Droit bourgeois, comme la Justice égalitaire s'oppose à la Justice de l'équité. Mais au début le Droit aristocratique existe seul en acte, l'autre Droit étant puissance pure. Mais petit à petit le Droit bourgeois s'actualise lui aussi. Et on peut dire que cette actualisation progressive du Droit bourgeois est sa synthèse avec le Droit aristocratique, cette synthèse qui s'effectue dans le temps n'étant rien d'autre que le devenir historique du Droit de Citoyen, fondé sur l'idée de la Justice de l'équité, sur la synthèse des Justices d'égalité et d'équivalence.

C'est ce caractère antithétique du Droit à son état naissant et le devenir de son état final synthétique, c'est-à-dire son évolution, que nous devons maintenant étudier.

# CHAPITRE II

## La naissance du Droit :
### les Justices antithétiques du Maître
### et de l'Esclave

§ 39.

Nous avons vu comment un « tiers » peut apparaître dans les interactions interhumaines ou sociales, comment il peut avoir une idée ou un idéal de Justice, et comment il peut intervenir dans ces interactions ayant pour seul motif la volonté de rendre ces interactions conformes à son idéal de Justice. Nous avons vu autrement dit comment le Droit peut apparaître sur terre. Car le Droit n'est rien d'autre que l'application d'un idéal de Justice à des interactions sociales données, cette application étant faite par un tiers impartial et désintéressé, c'est-à-dire agissant uniquement en fonction de son idéal de Justice.

Ce tiers peut être soit Maître, soit Esclave. Certes, dans une société aristocratique — et la Société est aristocratique à son état naissant, en tant que surgissant de la Lutte anthropogène — c'est dans le premier cas seulement que le Droit existera *en acte.* Car ce n'est qu'en étant Maître que le Tiers pourra faire partie du groupe exclusif politique et devenir ainsi un Gouvernement, ayant la possibilité d'imposer son intervention (son jugement) d'une façon *irrésistible* (en principe). L'intervention d'un Tiers-Esclave sera toujours (en principe) *facultative,* et le Droit créé par cette intervention n'existera donc qu'*en puissance,* l'Esclave étant par définition exclu du groupe exclusif politique et ne pouvant donc jamais être un Gouvernant capable d'imposer ses décisions par force irrésistible. Mais peu importe pour le moment, car dans les deux cas il y aura Droit : en acte ou en puissance. Le Tiers-Maître appliquera *actuellement* son idéal de Justice aux interactions données, tandis que le Tiers-

Esclave ne le fera que *virtuellement*. Mais les deux interviendront uniquement en fonction de leurs idées de Justice et créeront donc par leurs interventions impartiales et désintéressées des situations authentiquement juridiques.

Ce qui importe, c'est que le tiers peut appliquer aux interactions sociales données *deux* Justices différentes, basées sur *deux* principes distincts : sur celui de l'*égalité* ou sur celui de l'*équivalence*. Par conséquent le Droit naît sous une forme double. Il naît comme *Droit aristocratique* quand le Tiers applique la *Justice aristocratique* de l'égalité du Maître, et il naît comme *Droit bourgeois*, quand le Tiers applique la *Justice bourgeoise* de l'équivalence de l'Esclave. Mais à son état naissant le Droit ne s'*actualise* que dans sa forme aristocratique, le Droit bourgeois n'existant au début qu'*en puissance*.

Or nous savons (cf. Première Section) qu'il n'y a Droit en général (en puissance ou en acte) que si le Tiers est *impartial* et *désintéressé* dans son intervention. *Impartial* d'abord. Et « impartial » signifie que la qualité non juridique des justiciables n'influe pas sur la nature du jugement, que les justiciables sont interchangeables en tant que personnes non juridiques. Autrement dit les justiciables sont égaux devant la Loi judiciaire. Non pas certes au sens moderne de cette expression, qui signifie que *tout être humain* est par définition un sujet de droit ou une personne juridique, et que toutes les personnes juridiques ont les mêmes droits. L'égalité juridique au sens général du terme signifie seulement que tous les êtres humains *reconnus* par le Droit comme personnes juridiques ayant les mêmes droits sont égaux devant la Loi, c'est-à-dire interchangeables, indépendamment de leur nature personnelle. Et c'est *cette* « égalité juridique » qui est la condition *sine qua non* du Droit. Ainsi, un seul et même Droit s'appliquera aux Maîtres et aux Esclaves *si* — et dans la mesure où — la maîtrise et la servitude ne sont pas des qualités juridiques, si Maîtres et Esclaves sont tous personnes juridiques, ayant les mêmes droits ou non. Dans ce cas le Droit aristocratique s'appliquera aussi aux Esclaves, et le Droit bourgeois aux Maîtres.

Certes, là où le groupe exclusif politique et le groupe exclusif juridique sont formés par les Maîtres, c'est-à-dire dans une Société vraiment aristocratique, le Droit (aristocratique) en vigueur se refusera de considérer les Esclaves comme des sujets de droit. Ce Droit ne s'appliquera donc pas du tout aux Esclaves. Mais dans la mesure où un Droit aristocratique reconnaît quelques droits aux Esclaves, c'est-à-dire les

traite en personnes juridiques (ne serait-ce qu'en personnes
« incapables »), c'est en tant que Droit aristocratique qu'il
s'y appliquera : c'est d'après le principe de l'égalité que
seront traitées non pas seulement les interactions entre
Maîtres, mais encore celles entre Maîtres et Esclaves, ou
entre Esclaves seulement. Or les catégories Maître-Esclave
ne sont pas d'emblée des catégories juridiques. Ce sont des
catégories « sociales » au sens étroit du mot, qui ne deviennent
juridiques que dans la mesure où elles sont reconnues par le
Droit en vigueur. Et rien dans le Droit, même aristocratique,
n'impose absolument cette reconnaissance. En fait, c'est
l'État en tant que Gouvernement politique qui établit le statut
des gouvernés, en décidant qui sera personne juridique et
qui non, et en fixant les droits des diverses catégories de
personnes. Et ce statut ne devient juridique que dans la
mesure où un tiers désintéressé et impartial intervient pour
annuler les actes contraires au statut en question (dans la
mesure où ce statut est conforme à l'idée de Justice). Or
l'État peut fort bien attribuer certains droits aux Esclaves, et
rien n'empêche un Droit aristocratique de sanctionner ces
droits s'ils ne contredisent pas le principe de la Justice égalitaire qui est à sa base. Certes, l'État qui admet un statut
positif de l'Esclave ne sera pas purement aristocratique. Mais
peu nous importe. Ce qui importe, c'est que le Droit aristocratique peut fort bien s'appliquer aux interactions entre
Esclaves ou entre Maîtres et Esclaves, tout en restant purement aristocratique, c'est-à-dire en s'inspirant uniquement
de la Justice égalitaire. Autrement dit le groupe exclusif
juridique d'une société peut être purement aristocratique
même si son groupe exclusif politique ne l'est plus. Dans ce
cas le Droit sera strictement aristocratique, mais il s'appliquera — généralement parlant — tant aux Maîtres qu'aux
Esclaves (ce qui ne veut pas dire, d'ailleurs, que Maîtres et
Esclaves, étant sujets de droit, auront nécessairement *les
mêmes* droits) [1].

De même que le Droit aristocratique, le Droit bourgeois
peut lui aussi s'appliquer indifféremment tant aux Esclaves
qu'aux Maîtres. Certes au début ce Droit n'existe qu'en
puissance. Mais ce Droit virtuel a dès l'origine une tendance
à l'universalisme en ce sens qu'il tend à s'appliquer aux
Maîtres au même titre qu'il s'applique aux Esclaves. Car si

---

1. C'est d'ailleurs le Droit *aristocratique* qui tend à appliquer le principe de l'égalité juridique au sens moderne, car c'est lui qui est fondé
sur le principe d'égalité, et non le Droit bourgeois. J'en parlerai plus bas.

le Maître ne reconnaît pas la personnalité humaine de l'Esclave, celui-ci reconnaît dès le début celle du Maître. Le Droit bourgeois a donc d'emblée tendance à traiter les Maîtres en sujets de droit. Mais il faut souligner que l'implication des Maîtres dans le Droit bourgeois est tout aussi extra-juridique que l'implication des Esclaves dans le Droit aristocratique. C'est en tant qu'Esclave et non en tant que Tiers que le Tiers « reconnaît » le Maître, et c'est en tant que Maître et non en tant que Tiers qu'il se refuse à « reconnaître » l'Esclave. Dans la mesure où le Tiers est Tiers, c'est-à-dire dans la mesure où il agit en fonction de son idéal de Justice, il *peut* (sans y être obligé) appliquer cet idéal tant aux Maîtres qu'aux Esclaves, et ceci tant dans le cas où son idéal est égalitaire que dans celui où il est fondé sur le principe d'équivalence. En principe le Droit peut donc s'appliquer à *toutes* les interactions sociales quelles qu'elles soient, peu importe que ce Droit soit aristocratique ou bourgeois. Et sans cet *universalisme* le Droit ne serait pas ce qu'il est, c'est-à-dire un *Droit*, un phénomène *juridique.*

Le Droit n'est donc pas aristocratique ou bourgeois parce qu'il s'applique aux Maîtres ou aux Esclaves : tout Droit peut s'appliquer aux deux. Et il n'est pas non plus aristocratique ou bourgeois parce qu'il est appliqué par des Maîtres ou des Esclaves : un Maître peut tout aussi bien appliquer et faire sien le Droit bourgeois qu'un Esclave peut faire sien et appliquer le Droit aristocratique. En effet, le Droit n'est Droit qu'en tant qu'appliqué par le Tiers. Et ce Tiers doit être non seulement impartial, mais encore *désintéressé.* C'est-à-dire qu'il doit faire abstraction dans son activité juridique de ses intérêts, de la personne non juridique, tout comme il fait abstraction de la personne non juridique de ses justiciables. Or dans la mesure où la maîtrise et la servitude sont des phénomènes « sociaux » et non des phénomènes juridiques *primaires*, le Tiers en tant que Tiers peut fort bien faire abstraction du fait qu'il est Maître ou Esclave. Un Maître peut donc appliquer les principes de la Justice bourgeoise d'équivalence (à des interactions quelconques), de même qu'un Esclave peut appliquer les principes de la Justice aristocratique d'égalité, de sorte que des Maîtres peuvent réaliser le Droit bourgeois et des Esclaves — le Droit aristocratique. Certes, d'une manière générale, le Maître aura tendance à appliquer la Justice aristocratique. Aussi, dans une Société donnée ayant un groupe exclusif politique aristocratique, le groupe exclusif juridique sera généralement aristocratique lui aussi. Mais cette situation n'est pas juridiquement nécessaire, et il se peut que le groupe politique aristocratique vienne à coexister avec un groupe juridique bourgeois. Inversement, le groupe juridique aristocratique peut déborder le groupe aristocratique politique et impliquer en soi des Esclaves. Ainsi la théorie du Droit aristocratique a parfois été faite par des Esclaves. Et souvent le Droit bourgeois s'est actualisé parce que l'idéal de Justice d'équivalence qui est à sa base a pénétré dans le milieu des Maîtres qui l'ont alors étatisé. Certes, la dialectique sociale et politique de la Maîtrise et de la Servitude, qui aboutit à la Citoyenneté, coïncide en gros avec la dialectique juridique du Droit aristocratique et du Droit bourgeois, qui mène au Droit synthétique du Citoyen. Mais ces deux dialectiques ne coïncident pas absolument, précisément à cause de l'autonomie du phénomène juridique, c'est-à-dire si l'on veut à cause de l'impartialité et du désintéressement du Tiers qui crée le Droit. Aussi dans certains cas l'application plus étendue de la Justice d'équivalence, c'est-à-dire les progrès du Droit bourgeois, peuvent-ils précéder les progrès de l'émancipation politique et sociale des Esclaves, ou être en retard sur eux.

Le Droit n'est donc pas aristocratique ou bourgeois parce qu'il est appliqué à ou par des Maîtres ou des Esclaves. Ces Droits diffèrent uniquement parce que l'un réalise exclusivement la Justice égalitaire et l'autre celle de l'équivalence. Or nous avons vu que ces deux Justices ont deux sources distinctes, quoique conjuguées. L'une reflète l'aspect de la Lutte réalisé par le Maître, l'aspect de l'égalité du risque, c'est-à-dire de la condition des adversaires dans la Lutte. L'autre manifeste l'aspect réalisé par l'Esclave, l'aspect de l'équivalence des conditions au moment où la Lutte a pris fin. Et c'est pourquoi la Justice égalitaire peut être appelée « aristocratique », tandis que la Justice de l'équivalence mérite le nom de Justice « servile » ou « bourgeoise ».

Or il est facile de voir que ces deux sources de la Justice et du Droit sont rigoureusement indépendantes l'une de l'autre. Les deux adversaires peuvent adopter une fois pour toutes le point de vue du (futur) Maître et s'en tenir au principe de la seule égalité. La Lutte finira alors par la mort. Ou bien l'un des adversaires adopte le point de vue de l'Esclave et soumet sa conduite au seul principe de l'équivalence. La Lutte aboutit alors à la servitude[1]. Rien ne force donc

1. Les deux ne peuvent pas adopter d'emblée le point de vue servile, c'est-à-dire le principe de l'équivalence, car l'humanité de l'homme ne se

l'homme de passer du point de vue égalitaire à celui de l'équivalence. Et s'il accepte l'équivalence, il nie l'égalité. C'est donc dire que ces deux principes sont indépendants l'un de l'autre. Mais ils sont néanmoins compatibles, puisque leur maintien simultané par le Maître et l'Esclave engendre la relation dialectique, mais non contradictoire ou impossible, de la maîtrise et de la servitude. Seulement, en fait, l'Esclave renonce à l'égalité en acceptant l'équivalence, et le Maître ne tient pas compte de l'équivalence en maintenant l'égalité : car il est prêt à aller jusqu'à la mort, qui n'équivaut à rien (ou équivaut au rien) étant néant pur.

Et ce qui est vrai des principes qui sont à la base des deux Justices est vrai aussi des Justices elles-mêmes, ainsi que des Droits qui sont fondés sur elles. Ayant des sources indépendantes, ces Justices et ces Droits sont indépendants les uns des autres. Autrement dit, on peut réaliser un Droit égalitaire sans tenir compte de la Justice d'équivalence, et on peut réaliser un Droit d'équivalence en négligeant la Justice d'égalité. Car en effet on ne peut ni déduire l'égalité de l'équivalence ni celle-ci de l'égalité. Ainsi, de nos jours encore, nous appelons « juste » un partage en parts *égales,* qui ne tient aucun compte de ce que les parts distribuées signifient (ou « valent ») pour ceux qui les reçoivent. Mais nous appelons aussi « juste » l'impôt *progressif,* sans nous préoccuper de l'inégalité qu'il crée et sans nous laisser impressionner par l'égalité de l'impôt simplement proportionnel. En acceptant l'égalité dans le premier cas nous ne passons donc pas à l'équivalence, tout comme en acceptant l'équivalence dans le deuxième cas, nous ne passons pas à l'égalité. Il y a donc bien, à l'origine, *deux* Droits indépendants. Mais ces Droits ne sont pas incompatibles, et nous verrons qu'au contraire le Droit absolu ne peut être qu'une synthèse parfaite des deux. Mais — étant indépendants — ils *peuvent* entrer en conflit l'un avec l'autre, et c'est dans la mesure où ils le peuvent qu'ils sont *antithétiques.* Car le Droit aristocratique, étant indépendant du principe de l'équivalence, peut impliquer des règles de droit qui contredisent ce principe. Et le Droit bourgeois peut être en contradiction avec le principe d'égalité, étant indépendant de ce principe. Or dans ces cas il y aura un conflit entre ces Droits. Le Droit aristocratique combattra le Droit bourgeois dans la mesure où ce dernier

constitue que dans et par le risque, c'est-à-dire la Lutte et l'*égalité* de ses conditions. L'équivalence *présuppose* donc l'égalité, sans en découler nécessairement. Et elle la présuppose comme la négation présuppose le nié.

sanctionnera des inégalités, et le Droit bourgeois combattra le Droit aristocratique qui sanctionnera des non-équivalences. Et ceci d'autant plus que les deux Droits, étant des Droits authentiques, tâcheront de s'appliquer à *toutes* les interactions sociales quelles qu'elles soient, en essayant de leur appliquer le principe de Justice qui leur est propre, en niant celui qui leur est opposé.

Ce conflit des Droits, cette dialectique juridique mènera nécessairement à une synthèse, au Droit synthétique du Citoyen, fondé sur la Justice de l'équité qui unit le principe d'égalité avec celui d'équivalence. Car ces deux principes sont parfaitement compatibles, tout comme sont compatibles la Maîtrise et la Servitude. Le conflit, pour se résoudre, se contentera donc d'éliminer l'inégalité du Droit bourgeois et du Droit aristocratique – la non-équivalence. Ainsi, petit à petit, ces deux Droits ne feront qu'un, en cessant d'être ce qu'ils sont dans et par leur opposition : un Droit aristocratique sans équivalence et un Droit bourgeois sans égalité.

Comme je l'ai déjà dit plusieurs fois, le Droit réel en vigueur n'est jamais aristocratique ou bourgeois au sens propre de ces termes. Par définition il n'y a pas de Société ni de Gouvernements serviles. Le Droit bourgeois ne peut donc s'actualiser qu'en étant étatisé par ceux qui ne sont plus pleinement Esclaves. Il aura donc des chances d'impliquer des éléments aristocratiques en passant de la puissance à l'acte. D'autre part, l'homme n'est jamais que Maître (car il travaille toujours plus ou moins, impliquant ainsi un élément servile dans son être). En tout cas il ne saurait être un Gouverné, et donc un Gouvernant, s'il n'était que ça (car le Gouverné doit se soumettre). En tant qu'actuel, c'est-à-dire étatisé ou accepté par des Gouvernants, le Droit aristocratique a donc aussi des chances d'accaparer des éléments du Droit bourgeois. Tout Droit en vigueur est donc plus ou moins synthétique : un Droit du Citoyen, en état de devenir.

Mais il n'en reste pas moins que ce Droit réel du Citoyen est une *synthèse* de deux éléments autonomes, et une synthèse qui ne s'effectue que *progressivement*. C'est dire que le Droit *à son état naissant* est *double* et que son *unité* n'apparaît qu'à la fin, comme un *résultat*. En d'autres termes la nature du Droit est dialectique, son évolution allant de l'opposition antithétique à l'unité synthétique. Ainsi, même si l'antithèse pure de la naissance du Droit n'est qu'une construction théorique, il y a intérêt de la faire. En opposant à leurs états purs – et théoriques – le Droit aristocratique au Droit bourgeois, on comprend mieux leur enchevêtrement dans le Droit réel en évolution, ainsi que le sens de cette évolution. Et c'est pourquoi j'essayerai une construction sommaire des Droits aristocratique et bourgeois pris à leur état pur (d'ailleurs purement théorique), en commençant par le premier.

A : LA JUSTICE DE L'ÉGALITÉ
ET LE DROIT ARISTOCRATIQUE.

§ 40.

L'être humain se crée à partir de l'être animal dans et par la négation de ce dernier, c'est-à-dire dans et par le risque de la vie en fonction du désir du désir, qui est le désir de la reconnaissance par celui qui est prêt, lui aussi, à risquer la vie pour cette même reconnaissance. L'être humain se crée donc dans et par une interaction entre deux agents *égaux,* voire interchangeables, c'est-à-dire placés dans les mêmes conditions par rapport à la Lutte et au Risque. Et l'existence humaine qui se réalise ainsi est l'existence du Maître. En se plaçant au point de vue aristocratique, c'est-à-dire en admettant que l'existence vraiment humaine est celle du Maître et elle seulement, on doit donc admettre que l'existence humaine présuppose l'*égalité :* à savoir l'égalité du risque. L'être humain ne peut se constituer que dans et par une interaction entre deux êtres humains (qui s'humanisent dans et par cette interaction même) placés dans des conditions rigoureusement *égales* quant au risque qu'ils courent. Sans cette égalité primordiale il n'y aurait pas d'être humain : l'humanité se crée dans l'égalité.

Le risque de la vie s'*actualise* en tant que mort. On peut donc dire que l'homme n'est vraiment, pleinement et définitivement Maître que dans la mesure où il *meurt* sur le champ d'honneur au cours d'une Lutte de pur prestige. Or, la mort étant une négation globale de l'existence en tant que telle, tous sont rigoureusement *égaux* devant la mort : la mort est la même pour tous, indépendamment des conditions particulières de la vie d'un chacun. Autrement dit, la maîtrise aboutit à l'égalité (dans la mort) tout autant qu'elle la présuppose (dans le risque). Les Maîtres sont tout aussi égaux à leur état naissant, quand ils n'existent encore qu'en puissance, qu'ils le sont dans la plénitude de leur « être », dans leur « existence » pleinement actualisée (en tant que mort ou dans et par la mort). Et c'est pourquoi leurs existences réelles proprement dites, c'est-à-dire les actualisations de leurs puissances, sont elles aussi rigoureusement *égales* : les Maîtres, pris en tant que Maîtres, sont partout et toujours *égaux*. En effet, la Maîtrise consiste dans le risque de la vie pour la reconnaissance, pour l'honneur pur et simple. Or ce risque, étant total, nie le donné quel qu'il soit d'une façon identique. Le résultat de la négation ne dépend pas ici de la nature du nié. L'humain est ici la négation globale du naturel, de l'animal. C'est un être humain en général, qui ne dépend pas de son origine. Si l'on peut vivre de diverses façons, il n'y a qu'une seule manière de mourir sur le champ d'honneur et d'y risquer sa vie. Il n'y a qu'une seule façon d'être Maître, de réaliser la Maîtrise par et dans son existence.

Ainsi, en supposant qu'être homme c'est être Maître, et en admettant qu'être homme est non pas seulement un fait, mais encore un « devoir », il faut reconnaître que l'*égalité* est, elle aussi, un « devoir ». Et cette égalité comprise en tant qu'un devoir-être est la Justice au sens aristocratique de ce mot. Une interaction ne peut être humaine que si elle s'engendre dans l'égalité des participants : il n'y a d'interactions humaines qu'entre égaux. Et puisque les interactions *doivent* être humaines, puisqu'on *doit* les humaniser, il faut créer des conditions égales pour tous (s'entend pour tous les êtres *humains*, ce qui veut dire ici – pour tous les *Maîtres*). L'interaction ne sera « juste » que si elle s'engendre dans l'égalité des conditions. De même, une interaction vraiment humaine doit aboutir à l'égalité. C'est donc telle qu'elle *doit* être. Et c'est seulement en étant telle qu'elle sera « juste ». Or devant naître de l'égalité et aboutir à l'égalité, l'interaction vraiment humaine doit se développer et exister dans cette même égalité. L'interaction ne sera donc « juste » qu'à condition de maintenir et de réaffirmer à son issue l'égalité dont elle ressort. Si être homme c'est être Maître, et si être Maître c'est être égal aux autres (et risquer sa vie pour cette égalité, préférer la mort à l'inégalité, à la soumission), l'humanité ne peut se créer et se maintenir que dans l'égalité. Aussi l'égalité, en tant que condition *sine qua non* de l'humanité, est « juste » par définition. Et la Justice aristocratique n'est rien d'autre que l'*égalité* des conditions humaines, l'égalité dans la maîtrise.

De ce point de vue, une interaction sociale ne peut être parfaitement « juste », c'est-à-dire vraiment humaine ou humanisante, que si elle naît de l'égalité des agents en inter-action (tout au moins par rapport à l'interaction elle-même), maintient leur égalité dans et par son développement, et aboutit à leur égalité, c'est-à-dire la réaffirme, dans son résul-tat final. Inversement, toute interaction qui s'engendre, se développe et s'achève dans l'inégalité des co-agents, sera absolument « injuste ». Mais à ces cas francs peuvent s'op-poser des cas mixtes, qui donnent lieu à toute une casuistique de la Justice aristocratique de l'égalité. Une interaction peut encore être dite « juste » si elle s'effectue dans l'inégalité pour supprimer une inégalité préexistante des conditions. Et une interaction qui aboutit à l'inégalité peut être dite « injuste » même si elle est partie d'une égalité préexistante et s'est développée dans l'égalité des conditions. Etc.

Je n'ai pas à développer ici cette casuistique. Il suffit de signaler que du point de vue aristocratique la Justice est une fonction de la seule égalité. Dans les cas mixtes, la situation ou l'interaction seront dites « justes » ou « injustes », selon que prédominent les éléments d'égalité ou d'inégalité. L'éga-lité et l'inégalité peuvent, d'ailleurs, être soit statiques, soit dynamiques. Dans le premier cas il s'agira non pas d'inter-action ou d'action, mais d'un comportement inactif, d'une situation donnée. Cette situation sera « juste » si les parti-cipants à la situation sont dans des conditions égales, c'est-à-dire s'ils sont égaux par rapport à la situation, du point de vue dont on considère cette situation. Dans le deuxième cas il s'agira d'une interaction, et celle-ci sera « juste », si les participants sont placés dans les mêmes conditions par rap-port à cette interaction. Bref, dans les deux cas il y a « jus-tice » si les participants sont interchangeables en ce sens que la situation ou l'interaction ne changent pas du seul fait d'une permutation opérée parmi les participants. Enfin, par extension, un état de choses peut être dit « juste » même s'il n'y a qu'une seule personne en cause. Dans ce cas la « jus-tice » signifiera que ladite personne peut se maintenir dans l'égalité avec elle-même. Les conditions statiques ou dyna-miques dans lesquelles se trouve une personne sont « justes » si elles ne la forcent pas à devenir autre qu'elle n'est, à ces-ser d'être égale à elle-même. Et ici encore il y a des cas mixtes, par exemple le cas où des circonstances « injustes » (c'est-à-dire engendrant un changement essentiel) en elles-mêmes sont dites « justes » parce qu'elles suppriment des circons-tances « injustes » préexistantes. Etc. Or, ici encore, c'est le rapport de l'égalité et de l'inégalité qui déterminera la nature « juridique » du phénomène.

Il n'y a pas lieu d'insister sur tout ceci, car les jugements aristocratiques de valeur sont dans une large mesure encore les nôtres (dans la mesure où notre Justice synthétique du Citoyen implique des éléments aristocratiques). Ainsi, par rapport à la réalité sociale, les mots « égalité » et « justice » sont encore dans une large mesure synonymes. Un partage est dit « juste », si chacun des partageants a reçu une part *égale* à celle des autres. Et quand on parle d'« injustice sociale » on a surtout en vue l'*inégalité* de la répartition des biens, des situations, des conditions et des possibilités de l'existence. Enfin quand on dit par exemple qu'il est « injuste » qu'une épidémie emporte un jeune homme vigoureux ou qu'un commerçant honnête fasse faillite (pour des raisons qui ne dépendent pas de lui), on a le sentiment qu'une situation qui aurait pu se maintenir indéfiniment dans l'identité avec elle-même ne doit pas être modifiée de façon à ce que celui qui s'y trouve change radicalement l'état et ne reste pas égal à ce qu'il a été.

Si l'on étudie les sociétés à allures aristocratiques, on s'aperçoit qu'elles engendrent toujours des faits ou des idéologies égalitaires. Au point de vue politique l'aristocrate n'appellera « justes » que les institutions qui garantissent son *égalité* avec ses semblables (c'est-à-dire avec les autres aristocrates, les roturiers n'étant pas vraiment humains pour lui). C'est ainsi que les Spartiates s'appelaient les « égaux » et que le Roi féodal était un *« primus inter pares »*. Le suffrage universel (des aristocrates), l'égalité des voix dans l'assemblée (aristocratique), et — à la limite — le droit de veto absolu d'un chacun (comme dans l'ancienne Pologne), sont des notions et des revendications politiques aristocratiques. Socialement, l'aristocrate défend farouchement son égalité avec les autres se refusant à toute soumission, à toute tentative de l'abaisser d'une façon quelconque, de ne pas le traiter sur un pied d'égalité. Enfin, économiquement, la Justice de l'égalité aboutit à la limite au communisme intégral, que l'on trouve dans beaucoup d'utopies (mythologiques ou « scientifiques ») d'origine aristocratique. Et dans la mesure où l'on se heurte à un « communisme » primitif, on constate une structure aristocratique de la société en question. Enfin, les tendances communautaires se font jour dans l'armée, et surtout sur le champ de bataille, qui est précisément le lieu où le Maître vit vraiment en Maître. Bref, être « juste » pour un Maître, c'est traiter les Maîtres en Maîtres, c'est-à-dire en égaux.

Certes, une société vraiment aristocratique, un groupe de

Maîtres, n'est jamais égalitaire au sens moderne du mot puisqu'elle implique toujours des Esclaves. Mais il n'y a là aucune contradiction, car pour le Maître l'Esclave n'est pas un être humain et son rapport avec l'Esclave n'a rien à voir avec la Justice. C'est ainsi que chez nous les animaux domestiques ne sont pas sur un pied d'égalité avec nous-mêmes, sans que ceci soit considéré comme « injuste », même du point de vue de la Justice égalitaire. La contradiction n'apparaît qu'au moment où l'Esclave est considéré comme un être humain, humain au même titre que le Maître lui-même. Ou bien encore au moment où le Droit en vigueur traite l'Esclave (ne serait-ce que négativement) en sujet de droit, en personne juridique (qu'il châtie par exemple). Alors, du point de vue de la Justice aristocratique, toute injustice entre Maître et Esclave sera considérée comme injuste.

Or on constate effectivement que les aristocrates qui ne traitent plus leurs Esclaves en simples animaux sont prêts à reconnaître (du moins en principe) leur *égalité* absolue avec eux. (Cf. l'idée du « droit naturel » en Grèce et à Rome.) Et souvent les révolutions égalisatrices ont été amorcées par ces mêmes nobles contre qui elles étaient dirigées. Mais ceci ne sera vrai qu'à condition que l'aristocrate conserve l'idéal aristocratique de Justice. Or le Maître qui reconnaît l'humanité de son Esclave n'est plus un Maître intégral. Il implique un élément servile dans sa connaissance (puisqu'il peut se placer au point de vue de l'Esclave). Il synthétise donc sa maîtrise avec la servitude et est ainsi (plus ou moins) citoyen. Il peut donc facilement adopter l'idéal bourgeois de Justice. Or cette Justice de l'équivalence n'exige nullement l'égalité. On peut donc fort bien reconnaître l'humanité de l'Esclave sans affirmer son égalité avec le Maître (à condition d'exiger leur équivalence). Et c'est ainsi que les révolutions égalitaires, inspirées par la Justice aristocratique, aboutissent en s'embourgeoisant, c'est-à-dire en acceptant la Justice bourgeoise de l'équivalence, à une équivalence des conditions politiques, sociales et économiques qui impliquent une inégalité foncière (celle de la propriété par exemple). Au début de la révolution, l'inégalité donnée est considérée comme injuste parce que les révolutionnaires appliquent l'idéal de la Justice aristocratique. Mais si en s'imposant ils imposent aussi leur Justice bourgeoise, cette même inégalité peut cesser d'être considérée comme injuste après les révolutions.

Le Maître ne « reconnaît » pas l'Esclave parce que celui-

ci refuse de risquer sa vie dans une Lutte pour la reconnaissance. Mais si l'Esclave s'insurge contre son Maître, s'il
reprend la Lutte en acceptant le risque, il cesse d'être
Esclave (pour devenir Citoyen — en puissance). En luttant
contre lui le Maître le reconnaîtra implicitement (par son
risque) et la situation sera « juste » au point de vue aristocratique, car les conditions (du risque) seront de nouveau
égales. Et si la Société ou l'État soutient le Maître dans sa
lutte contre l'Esclave insurgé, l'État ne fait que ce qu'il fait
quand il soutient un « ami » (c'est-à-dire son citoyen) contre
un « ennemi » (un étranger), dans une guerre par exemple
(cf. l'épisode de Spartacus). La situation est alors politique
et non juridique. Et, encore une fois, elle est « juste » au
point de vue aristocratique, car il y a égalité des conditions
(du risque). Mais tant que l'Esclave ne s'insurge pas, il reste
Esclave — un animal à forme humaine. Aussi le rapport du
Maître avec son Esclave est tout aussi peu juridique, tout
aussi peu « juste » ou « injuste », que ses rapports avec les
choses et les animaux. Certes, l'État peut aider le Maître
à maîtriser ou à châtier son Esclave. Mais ceci sera une
intervention de simple police, comparable à l'intervention de
l'État dans les rapports entre les hommes et les bêtes. Il
n'y aura pas dans ce fait un rapport de *droit* entre le Maître
et son Esclave, et leur interaction ne donnera pas prise au
Droit, c'est-à-dire à une application de l'idéal de Justice
égalitaire. (Ainsi, le Droit romain ne châtiait pas l'Esclave
pour les délits commis dans la *domus*, comme il ne châtiait
pas le chien qui a mordu son maître.) Mais puisque l'Esclave
est un animal de l'espèce Homo sapiens, qui sert aussi de
base au Maître, il se produit facilement une confusion. Le
Droit peut s'appliquer aux interactions entre le Maître et
son Esclave, en châtiant par exemple ce dernier (non pas sur
la demande du Maître, ce qui serait une action de simple
Police non judiciaire, mais par décision du Tribunal). Dans
ce cas l'Esclave devient personne juridique au même titre
que le Maître. Et alors de deux choses l'une. Ou bien le Droit
reste fondé sur la Justice aristocratique, auquel cas il y aura
tendance à accorder à l'Esclave *les mêmes* droits qu'à son
Maître. Ou bien, en s'appliquant aux Esclaves, le Droit
s'inspirera (aussi) de l'idéal bourgeois de Justice, auquel
cas il pourra maintenir l'inégalité foncière entre le Maître
et l'Esclave, quitte à affirmer leur équivalence.

Quoi qu'il en soit, l'existence de l'Esclavage est compatible
avec l'idéal aristocratique de la Justice égalitaire, à condition que l'Esclave ne soit pas reconnu pour un être humain.

Par contre, toute inégalité entre des êtres humains sera considérée comme injuste du point de vue aristocratique, et il n'y aura que cette *inégalité* qui sera considérée comme une injustice.

On pourrait objecter que les sociétés aristocratiques sont hiérarchisées, impliquant des inégalités autres encore que celle entre Maître et Esclave. Le Roi féodal a beau être *primus* entre *pares* : il est *primus* quand même, et il n'y a donc pas d'égalité absolue. Et même à la guerre le chef reçoit une part plus grande de butin que le simple soldat, etc.

Ceci est indéniable. Mais c'est que nous ne connaissons pas de Sociétés purement aristocratiques. Pour qu'il y ait État, il faut qu'il y ait des citoyens. Or tout citoyen est aussi — plus ou moins — Citoyen au sens que nous attribuons à ce terme : une synthèse du Maître et de l'Esclave. Rien d'étonnant donc qu'il s'accommode — plus ou moins — d'une certaine inégalité, notamment de celle entre Gouvernants et Gouvernés (qui sont d'ailleurs souvent des vaincus, c'est-à-dire des quasi-Esclaves). Et s'ils ne considèrent pas ces inégalités comme injustes, c'est qu'ils les jugent d'après l'idéal bourgeois de la Justice d'équivalence, de sorte que leur Justice est synthétique comme eux-mêmes : une Justice de l'équité propre au Citoyen, une Justice qui réunit le principe de l'égalité avec celui de l'équivalence, sinon dans une synthèse, du moins dans un compromis (plus ou moins heureux, c'est-à-dire plus ou moins contradictoire, c'est-à-dire plus ou moins stable et viable).

Mais peu importe que tout idéal de Justice effectivement appliqué soit toujours plus ou moins synthétique. Ce qui compte, c'est qu'une situation peut être dite « juste » uniquement parce qu'elle est conforme au principe de l'égalité, sans égards pour celui de l'équivalence. Et que néanmoins une situation peut réaliser ces deux principes à la fois, étant ainsi « juste » tant au point de vue de la Justice égalitaire qu'à celui de la Justice de l'équivalence. En quel cas elle sera juste au point de vue de la Justice de l'équité.

Il y a donc — du moins en théorie — une Justice purement et exclusivement aristocratique, où « juste » est synonyme d'égal (dans les interactions humaines). Reste à voir ce que sera l'application de cette Justice par un Tiers à des interactions sociales données, c'est-à-dire le Droit aristocratique.

§ 41.

L'homme se constitue (à partir de l'animal) dans et par la Lutte pour la reconnaissance, qui en fait — à son issue — le Maître d'un Esclave. Ayant renoncé au risque, l'Esclave se rend à la merci du Maître et ne lui oppose plus aucune résistance, en échange de quoi il a la vie sauve. Désormais le Maître peut obtenir tout ce qu'il veut de son Esclave sans avoir besoin de faire des efforts, puisqu'il ne rencontre plus de résistance de sa part. La situation est donc semblable à une situation juridique : on pourrait dire que le Maître a des « droits » vis-à-vis de l'Esclave, puisqu'il ne rencontre pas de résistance de sa part en faisant ce qu'il fait (tout comme le créancier ne rencontre pas de résistance en reprenant son prêt au débiteur). Et la situation est « juste » du point de vue de la Justice aristocratique, car elle est née d'une égalité absolue des conditions (c'est-à-dire du risque). Certes, elle est foncièrement inégale. Mais ayant refusé le risque, l'Esclave a renoncé à l'humanité. Il n'y a donc plus de terme de comparaison entre lui et son Maître, de sorte que leur « inégalité » n'a rien d'humain, c'est-à-dire rien de « juste » ni d'« injuste ». Mais c'est précisément pourquoi le rapport entre le Maître et son Esclave n'est pas un rapport de droit. Et en effet l'absence de résistance de la part de l'Esclave, c'est-à-dire l'absence d'effort de la part du Maître, n'est pas due à l'intervention d'un *tiers* impartial et désintéressé. Il n'y a donc qu'une situation *quasi* juridique, et non une situation juridique au sens propre de ce terme. La situation est « juste », puisque conforme à l'idéal de Justice ou en tout cas non contraire à lui. Mais du moment qu'il n'y a pas eu d'application du principe de la Justice par un *tiers*, on ne peut pas dire qu'il y a Droit ou légalité juridique proprement dite.

Le Maître n'a donc que des quasi-droits vis-à-vis de l'Esclave. Mais il les a tous, sans restriction aucune. Car l'Esclave n'est censé résister à aucun de ses actes. Par contre il n'a nul devoir (juridique) envers l'Esclave, pouvant résister à n'importe quel acte de ce dernier. Si donc la Maîtrise est déterminée par ses rapports avec la Servitude, il faut dire qu'être Maître, c'est pouvoir tout faire sans rencontrer de résistance et pouvoir s'opposer à tout ce que font les autres. Or la Maîtrise se constitue comme une situation « juste » du point de vue de la Justice aristocratique de l'éga-

lité. Le Droit peut donc vouloir la sanctionner juridiquement, c'est-à-dire reconnaître dans la personne d'un tiers
qu'elle est conforme à l'idéal de Justice qui est à sa base. Le
Droit aristocratique devra dire alors que le Maître, en tant
que sujet de droit ou personne juridique, incarne *tous* les
droits subjectifs *(rights)* et n'a aucun devoir ou aucune obligation juridiques. Le Tiers devra donc — en principe — intervenir chaque fois qu'on réagira contre les actions du Maître
pour annuler ces réactions, de même qu'il annulera toutes
les actions contre lesquelles le Maître réagit.

Seulement l'application de cette règle de droit engendre
une dialectique. Du moment que chaque Maître (en tant que
Maître) possède la *plénitude* des droits n'ayant aucun devoir,
tous les Maîtres sont *égaux* au point de vue juridique et ont
tous les *mêmes* droits : le maximum exclut les différences.
Du moment que la Maîtrise est déterminée par ses rapports
avec la servitude, et qu'il n'y a qu'un seul type de rapport
entre Maître et Esclave, tous les Maîtres sont égaux dans
leur Maîtrise. En admettant la *plénitude* des Droits du
Maître et l'absence chez lui de tout devoir, le Droit doit donc
admettre l'égalité juridique de tous les Maîtres. Et il le fait
d'autant plus volontiers que cette égalité est conforme au
principe qui constitue la Justice qui est à sa base.

Le Droit aristocratique admet donc la règle fondamentale
suivante. Toute personne juridique, c'est-à-dire tout être
humain, c'est-à-dire tout Maître ou « aristocrate » (car seul
l'être humain est une personne juridique, et seul le Maître
est un être humain proprement dit), est douée de la plénitude
des droits subjectifs, et elle peut les exercer comme elle
l'entend — à condition de ne pas léser par ses actes son égalité juridique foncière avec les autres personnes juridiques.
Ou bien encore : chacun peut exercer ses droits à condition
de ne pas léser ceux des autres, qui sont d'ailleurs rigoureusement égaux aux siens. Ou bien enfin : un Maître a le
*droit* d'agir en Maître dans la mesure où il traite les autres
Maîtres en Maîtres, c'est-à-dire respecte leur égalité avec
lui. Dans le cas contraire le tiers interviendra pour rétablir
l'égalité et supprimer l'action ou la réaction qui lèse cette
égalité et qui est ainsi un *délit* juridique. Chaque Maître
a le *droit* de faire tout ce qui est compatible avec l'égalité
des autres avec lui, et il a le *droit* de s'opposer à tout ce qui
est incompatible avec son égalité avec les autres. Il a *droit*,
c'est-à-dire que le tiers agira à sa place le cas échéant et
annulera les réactions.

Ce principe fondamental du Maître aristocratique est clair,

mais son application est difficile, voire impossible. En fait, l'immense majorité des interactions sociales présuppose ou implique une inégalité ou y aboutit. L'idéal du Droit aristocratique est donc l'absence de toute interaction entre les Maîtres. Seulement le Droit n'existe que dans la mesure où il applique — par le Tiers — son idéal de Justice à des interactions sociales, c'est-à-dire ici à des interactions entre Maîtres. On peut donc dire que l'idéal du Droit aristocratique est de ne pas exister en acte, de ne pas s'appliquer. Or ceci n'a rien de paradoxal. Car le Droit aristocratique sera avant tout appelé à supprimer les actions ou réactions qui lèsent l'égalité. Ce sera donc surtout un Droit *criminel*. Or l'idéal du Droit criminel est évidemment de s'appliquer en acte le moins possible. Car s'il est bien d'annuler les actions délictueuses, il vaut mieux encore que ces actions ne se produisent pas du tout et que le Droit criminel ne s'exerce pas.

Le Droit aristocratique a tendance à se confondre avec le Droit criminel parce que pour lui toute interaction est au fond criminelle, étant toujours plus ou moins une infraction à l'égalité. À l'encontre du Droit bourgeois, fondé sur le principe d'équivalence (et donc du contrat), qui admet la validité juridique d'une masse pratiquement infinie d'interactions sociales et qui est ainsi surtout un Droit civil, le Droit aristocratique, fondé sur l'égalité (et donc sur le statut statique), ne connaît que peu d'interactions juridiquement valables, étant ainsi surtout un Droit criminel qui supprime les interactions au lieu de les sanctionner. Et l'expérience historique montre que le Droit archaïque ou primitif est avant tout *criminel* et non *civil*. Or ce Droit présente toujours un aspect aristocratique très prononcé. Dans les Sociétés « primitives », c'est-à-dire vraiment « aristocratiques » (sans être pour cela des groupes de Maîtres proprement dits), les interactions sociales sont surtout criminelles : les gens — étant égaux économiquement et socialement — y vivent en s'isolant, n'ayant pas besoin les uns des autres, et ils entrent en interaction surtout pour se léser mutuellement. Ainsi le vol ou le rapt y sont plus fréquents que l'échange commercial, et le meurtre — plus fréquent que le contrat de collaboration.

Pourtant une Société ne peut jamais — par définition — se passer de toute interaction sociale. Or, si dans ces interactions le Maître doit limiter ses droits afin de respecter ceux des autres, c'est qu'il a aussi des *devoirs* ou des *obligations* juridiques. Et ceci est contraire à son statut de Maître, qui est déterminé juridiquement par la plénitude des droits

et l'absence des devoirs. Le Maître et son Droit réagissent là
contre en limitant le nombre des interactions juridiquement
licites (en interdisant la vente des terres par exemple). Mais
ils n'arrivent pas à les supprimer complètement. Et dans la
mesure où ils les acceptent, ils acceptent aussi les *devoirs* qui
en résultent. Seulement ils essayent d'atténuer la contradiction avec le principe fondamental de l'absence de tout devoir,
en n'admettant que des devoirs purement *négatifs :* des obligations juridiques de s'*abstenir* de certains actes et non de
*faire* certaines choses. Le Maître continue donc de n'avoir
aucun devoir juridique *positif* (à l'encontre de l'Esclave, qui
a surtout des quasi-devoirs positifs). Et il a tous les droits
positifs qui ne sont pas en contradiction avec le devoir négatif de ne pas léser son égalité avec les autres [1].

Quoi qu'il en soit, l'existence de devoirs même négatifs est
en contradiction avec le principe fondamental du Droit aristocratique strict. Et en effet le Maître qui entre en interactions *pacifiques* (avec d'autres Maîtres) n'est pas un
Maître proprement dit : ce n'est pas en sa qualité de Maître
qu'il le fait. Certes, il peut — en le faisant — conserver son
idéal aristocratique de la Justice égalitaire. Et c'est pourquoi il ne consentira à limiter ses droits qu'en fonction de
l'idéal de l'égalité. Mais n'étant plus un Maître authentique,
il sera enclin à synthétiser son Droit aristocratique avec le
Droit bourgeois, fondé sur l'idéal de l'équivalence. Et c'est
ainsi que le Droit civil des sociétés (plus ou moins) aristocratiques présente généralement un caractère bourgeois. Il
sanctionne des interactions même contraires au principe de
l'égalité, si ces interactions répondent au principe d'équivalence. Et alors, la notion de personne juridique ne coïncidant
plus avec celle de Maître, le Droit pourra admettre même
l'existence de devoirs juridiques *positifs*, des obligations *de
faire.*

Dans son rapport avec l'Esclave le Maître a de son côté
tous les droits (ou quasi-droits, puisque ce rapport n'est pas
à proprement parler juridique) et il n'a aucun devoir (même
négatif). Et ses droits sont ici *exclusifs* en ce sens qu'il est seul
à pouvoir les exercer, l'Esclave étant *son* Esclave et le sien
seulement : nul autre n'a de droits sur son Esclave. En effet,

---

1. Notre Droit de citoyen (non encore parfait, d'ailleurs) se ressent
encore de ses origines aristocratiques. Nos obligations juridiques sont elles
aussi surtout de nature *négative.* Ainsi, si j'ai le devoir de respecter la vie
d'autrui, je n'ai pas le devoir de l'aider à vivre : mon prochain peut se
noyer devant moi, je n'ai nulle obligation juridique de lui sauver la vie.

avoir des droits sur son Esclave c'est limiter ses droits à lui, et ceux-ci sont illimités par définition.

Le rapport entre Maître et Esclave étant « juste », le Droit aristocratique peut le sanctionner. Et il le fait en disant que le Maître a un *droit de propriété* sur son Esclave. Ce droit du propriétaire sur sa propriété est *absolu* et *exclusif* en ce sens qu'il n'est limité ni par la propriété elle-même (qui n'a pour ainsi dire que des « devoirs » positifs et négatifs envers son propriétaire et aucun « droit ») ni par les autres personnes, qui elles non plus n'ont aucun droit sur la propriété du propriétaire, de sorte que celui-ci n'a aucun devoir vis-à-vis d'eux quant à sa propriété. Or ce rapport exclusif avec les autres est une interaction sociale, un rapport entre deux personnes juridiques. Vu de ce biais, le droit de propriété est donc un droit véritable. Et par extension il peut s'appliquer à tout ce qui est dans le même rapport avec le Maître que son Esclave : un animal ou une chose qui sont absolument et exclusivement « siens », comme est « sien » son Esclave, seront dits être sa *propriété* sanctionnée par le Droit, qui annulera toutes les actions qui la lèsent en limitant les droits du propriétaire.

Le droit de propriété est donc un droit essentiellement aristocratique, et le Droit aristocratique, dans la mesure où il est un Droit civil, est avant tout un *Droit de la propriété* (tandis que le Droit civil bourgeois est surtout un Droit du contrat et des obligations en général). Certes, l'idéal aristocratique de Justice exige une égalité économique (des Maîtres ou des « aristocrates »). D'où une tendance à la conception *communautaire* de la propriété. Car si chacun possède la même chose que les autres, rien ne s'oppose à la permutation des propriétés (ce qui est autre chose que l'échange commercial, où les choses échangées sont par définition différentes) et rien n'oblige à une séparation des parts d'un chacun. Aussi la propriété aristocratique est-elle souvent collective : familiale, tribale, communale, etc. Mais cette propriété « communautaire » n'a rien à voir avec le « communisme », et elle est bel et bien une propriété : absolue et exclusive. Car il importe peu d'avoir une propriété séparée ou une part à soi dans une propriété collective [1]. Personne ne peut empiéter

---

1. Le Communisme nie la propriété en tant que telle. Le paysan du kolkhoze ne tire ses revenus que de son travail, et il est tout aussi peu propriétaire de la terre qu'il travaille que l'ouvrier de « son » usine. S'il ne travaillait pas, il ne serait pas nourri, même si « sa » terre rapportait gros, et il est payé en proportion de son travail et non en proportion des revenus de la terre qu'il travaille. Le propriétaire communautaire béné-

sur la participation d'un autre, toutes les participations devant être égales, et ceci du seul fait de l'*existence* des participants et indépendamment de leurs actions (de leur travail en particulier). Or du moment que les raisons juridiques n'imposent pas le partage, les raisons économiques peuvent s'y opposer. Ce qui importe, c'est que la propriété aristocratique (c'est-à-dire la propriété en tant que droit, la « propriété » au sens fort et propre du terme) est non pas l'*équivalent* d'une action (du travail par exemple), mais l'appartenance à l'*être* du propriétaire, qui est propriétaire parce qu'il *est* et non en raison de ce qu'il *fait*. (D'où la possibilité juridique du métayage, etc.)

Certes, pratiquement, le Droit aristocratique se trouve en présence d'inégalités économiques, contraires à son idéal de Justice. Mais s'il les accepte — par un compromis avec soi-même ou en admettant l'idéal bourgeois d'équivalence, il tâchera de les maintenir. Car le Maître a le droit de se maintenir dans l'égalité avec soi-même, et toute action qui lèse cette égalité est illicite. (Car le Droit aristocratique suppose en théorie que les Maîtres *sont* égaux, de sorte que maintenir l'égalité de chacun avec lui-même équivaut au maintien de l'égalité entre tous.) Il sera donc illicite de diminuer ou d'augmenter la propriété. D'où l'interdiction non seulement du vol, mais encore de la vente et de l'achat. Dans la mesure où la propriété fait partie de la Maîtrise, elle doit être maintenue dans l'identité avec elle-même. Et si l'égalité des propriétés n'est qu'un idéal, il sera tout au moins interdit à l'un d'augmenter sa propriété en diminuant celle d'un autre : peu importe si c'est avec ou sans son consentement qu'il le fait. Ces actes seront interdits parce que si l'égalité idéale était réalisée ils n'auraient pu que l'abolir, de même qu'ils ne peuvent pas l'augmenter si elle existe déjà [1].

Or la propriété est effectivement un élément intégrant de la Maîtrise, et la Lutte pour la reconnaissance peut aussi être interprétée comme une lutte pour la propriété, pour le droit absolu et exclusif à une chose (qui peut être aussi un animal, même de l'espèce Homo sapiens : l'Esclave). Les

---

ficie par contre (en proportion de sa part) des avantages qui tiennent à la nature de sa terre, même si ces avantages sont indépendants du travail.

1. La casuistique du Droit aristocratique admet des modifications ayant pour but l'égalisation économique. Mais pratiquement seul l'État peut le faire, car celui qui a plus ne voudra rien céder spontanément à celui qui a moins. Or une action étatique n'a rien de juridique. Seulement, dans ce cas elle n'est pas contraire au principe du Droit en question, puisqu'elle est en accord avec l'idéal de Justice.

animaux luttent entre eux pour la possession d'une chose. Les hommes luttent aussi pour qu'une chose soit *reconnue* comme exclusivement leur par un autre (même si cette chose n'a aucune valeur en elle-même). Et c'est seulement dans la mesure où il en est ainsi que la Lutte est humaine et anthropogène. Aussi la Lutte pour la reconnaissance peut-elle s'engager autour d'une chose (qui peut être une femme par exemple). Seulement si l'adversaire renonce au risque, il ne reconnaît pas seulement que la chose est la propriété exclusive de l'autre : il se reconnaît encore soi-même comme une telle propriété en devenant l'Esclave, c'est-à-dire la « chose », de l'autre. Et c'est pourquoi il n'y a pas de rapports de droit relatifs à la propriété (de l'Esclave ou d'autre chose) entre le Maître et son Esclave. Mais tout non-propriétaire, même s'il n'est pas l'Esclave du propriétaire, même s'il est lui aussi un Maître, est dans la même situation que l'Esclave vis-à-vis de la propriété d'autrui : il n'a aucun droit sur elle (en ayant le devoir négatif de la respecter). On peut donc dire qu'au point de vue juridique tout Maître est assimilable à l'Esclave quand il s'agit de ses rapports avec la propriété d'autrui. Seulement il est Maître par ailleurs, et c'est pourquoi ses rapports avec le propriétaire relatifs à la propriété de ce dernier sont un rapport de droit, le propriétaire ayant maintenant un *droit* à sa propriété. Or la similitude des situations juridiques s'explique ici par la similitude de leur origine. L'Esclave est Esclave parce qu'il a refusé toute espèce de risque. Le Maître non propriétaire par contre ne se refuse pas à une Lutte pour la reconnaissance en général. Il refuse seulement de risquer sa vie dans une Lutte pour la reconnaissance de la propriété exclusive d'une chose donnée. C'est par ce refus qu'il reconnaît la propriété de l'autre, qui est prêt à risquer sa vie pour la chose, et c'est cette reconnaissance par le refus du risque que sanctionne le Droit aristocratique. Dès qu'il n'y a pas de guerre pour une possession (auquel cas le rapport cesse d'être juridique), la possession non contestée les armes à la main est une propriété au sens juridique du terme : c'est le Tiers qui se charge de la défendre contre les lésions « pacifiques » (par un voleur ou un acheteur par exemple). Mais il faut bien dire que la « reconnaissance » unilatérale (par refus du risque) même partielle a toujours le caractère de la Servitude. Et c'est pourquoi on peut dire, en jouant sur les mots, que toute propriété signifie une « servitude » pour les propriétés des autres : chacun doit désormais user de sa propriété de façon à ce que l'autre puisse user de la sienne;

chacun doit donc limiter ses droits de propriété afin de permettre aux autres d'exercer les leurs. Or toute obligation juridique, même purement négative, est contraire au principe fondamental du Droit aristocratique, selon lequel le sujet juridique est un sujet de droits illimités sans devoir aucun. C'est pourquoi le Droit aristocratique s'oppose aux échanges économiques, c'est-à-dire aux interactions entre les propriétés ou entre les Maîtres pris en tant que propriétaires. Car c'est seulement là où les propriétés sont rigoureusement isolées les unes des autres que les « servitudes » qu'elles imposent mutuellement se réduisent pratiquement à zéro : ces « servitudes » — et la Servitude — croissent avec la croissance des interactions entre les propriétés (avec le commerce en particulier). Or le Maître qui ne se contente pas de l'interaction de la Lutte (de la guerre), mais entre en interaction avec ses pairs en qualité de propriétaire (devenant un « commerçant » au sens large du mot), n'est plus exclusivement un Maître, mais un Citoyen impliquant ainsi un élément (plus ou moins étendu) de Servitude. Il sera donc enclin à appliquer à ces interactions économiques les principes du Droit bourgeois, qui — étant fondé sur l'équivalence et non sur l'égalité, admet l'existence des « servitudes » économiques, c'est-à-dire des obligations juridiques même positives.

J'ai dit que le Droit aristocratique est avant tout un Droit des *statuts* et non des *contrats* (comme le Droit bourgeois). Or, à première vue, la Lutte anthropogène et le rapport de Maître à Esclave semblent être assimilables à un contrat, vu qu'il s'agit d'un consentement mutuel libre, c'est-à-dire conscient et volontaire. Seulement, le pseudo-contrat de la Servitude annule la personnalité juridique de l'Esclave. Ce n'est donc pas un contrat au sens juridique du mot, mais tout au plus une convention (encore qu'une convention suppose une reconnaissance *bilatérale*). Certes, il n'y a pas de Maîtrise sans Servitude et le Maître n'est Maître que dans la mesure où il a un Esclave qui se reconnaît comme tel. Mais du moment que l'humanité se confond avec la Maîtrise, seul le Maître peut être un sujet de droit, et il n'y a de situation juridique que là où il y a interaction entre deux Maîtres (dont chacun fait juridiquement bloc avec son Esclave, la personne juridique étant « Maître + Esclave »). Or la Maîtrise ne naît pas d'une interaction entre Maîtres et elle n'est donc pas le résultat d'un contrat. La Maîtrise est un *statut* de la personne juridique, qui est universellement reconnu en tant que statut. Les autres Maîtres se contentent de constater le risque accepté par un Maître donné sans que ce risque soit subi dans une Lutte entre eux et lui. Ils se contentent donc de constater un *état* qui ne dépend pas d'eux, et c'est cette constatation que sanctionne le droit dans le *statut* du Maître. c'est-à-dire de la personne juridique. Autrement dit le Droit exige que les Maîtres traitent les Maîtres en Maîtres, et le Tiers annule toute action contraire à cette règle de droit. Mais traiter un Maître en Maître c'est en dernière analyse le laisser agir à sa guise, sans entrer en interaction avec lui, sans réagir contre ses actes. Pour qu'il en soit ainsi (plus ou moins, bien entendu, car en fait il n'y a pas de maîtres purs et l'idéal du Droit aristocratique n'est jamais pleinement réalisé), il faut qu'il y ait si l'on veut un « contrat social », où chacun s'engage à traiter les autres comme ils le traitent lui-même, c'est-à-dire en Maître. Mais cette convention (tacite) n'est pas un contrat au sens juridique du mot, car elle exclut les interactions bien plus qu'elle ne les présuppose. C'est simplement une coexistence de volontés (ou d'« intérêts ») en équilibre statique ou en « harmonie préétablie », sans que cet équilibre soit dynamique même à son origine, c'est-à-dire sans qu'il repose sur une interaction et un contrat [1]. La Société aristocratique est foncièrement *statique :* elle repose sur le *statut* de ses membres, lequel statut exclut en principe leurs interactions, c'est-à-dire précisément tout rapport contractuel entre eux : quand on est Maître, on l'est pour le rester, et on reste Maître en ne « faisant rien » en temps de paix, parmi ses pairs ou ses amis politiques, la seule activité digne d'un Maître étant la guerre (qui n'a rien de juridique, vu qu'il n'y a pas là de Tiers possible). Tout contrat présuppose d'ailleurs l'inégalité des conditions, car si deux personnes sont rigoureusement égales, elles n'ont rien à échanger, à donner l'une à l'autre. Le contrat ne peut donc se justifier juridiquement que si le Droit est fondé sur la Justice de l'équivalence. Et c'est pourquoi le Droit aristocratique, qui ne connaît que l'idéal de l'égalité, est hostile aux contrats quels qu'ils soient. Ainsi par exemple, le commerçant est toujours plus ou moins assimilé par ce Droit au voleur et le statut du Maître

1. C'est ici qu'apparaît l'erreur de la théorie du « *contrat* social ». Dans la Société aristocratique (qui est la « première » Société humaine) l'équilibre social repose sur une coexistence statique, c'est-à-dire sur un statut, et sur une convention qui implique et présuppose des interactions (comme c'est le cas dans les Sociétés bourgeoises). D'ailleurs, même là où il y a une « convention » sociale, on ne peut pas parler de « contrat » *juridique,* puisque cette convention crée le Droit, qui n'existe pas avant elle.

exclut généralement la possibilité de faire du commerce[1].

Quoi qu'il en soit, le statut du Maître, c'est-à-dire de la personne juridique du Droit aristocratique, est fondé sur le principe de l'égalité : avec soi-même et avec les autres. Aussi ce Droit appellera-t-il juridiquement illicite toute action tendant à supprimer cette égalité. Et le châtiment, qui a toujours pour but d'annuler l'action illicite, impliquera toujours la restitution de l'égalité supprimée dans et par le crime. Si le crime n'est rien d'autre que la création d'une inégalité (là où elle n'existait pas, disons), le châtiment sera surtout une restitution de l'égalité.

Ce châtiment (prononcé et exécuté par le Tiers) sera accepté par le Maître parce qu'il ne contredit pas le principe de la Maîtrise, c'est-à-dire de l'autonomie absolue. En effet si le Maître agit en tant que Maître, il n'entrera pas en interaction avec ses pairs, ses amis politiques, et ne pourra donc pas les léser en détruisant leur égalité avec lui. S'il le fait, c'est qu'il agit en non-Maître, c'est-à-dire en Esclave, voire en animal. Or la Maîtrise consiste précisément dans la maîtrise de soi, c'est-à-dire dans la négation en soi de l'animal et du servile. En subissant le châtiment qui restitue l'égalité, le Maître restitue donc sa propre Maîtrise lésée par son crime. Et c'est pourquoi, en tant que Maître, il accepte le châtiment imposé par le Droit aristocratique, c'est-à-dire le châtiment fondé sur l'idéal de l'égalité.

Étant fondée sur le principe de l'égalité (et non sur celui de l'équivalence), la théorie aristocratique du châtiment sera celle du *talion*. Pour rétablir l'égalité, le Tiers infligera au criminel exactement le même traitement que celui-ci a infligé à la victime du crime : s'il a fait un manchot, il sera manchot lui-même. Et puisque la lésion a été « objective », le châtiment le sera aussi. Ce qui est criminel, c'est l'introduction d'une inégalité, et il importe peu qu'elle ait été volontaire, préméditée ou accidentelle. Il s'agit de restituer objectivement l'égalité en appliquant le principe du talion. On l'appliquera donc sans égard pour les motifs du crime, sans penser à l'*équivalence* entre le crime *du criminel* et le châtiment subi par lui. Il suffit que le châtiment soit *égal* à ce qu'est objec-

---

1. Le seul « contrat » admis est celui du mariage. Mais cette question est trop compliquée pour être discutée ici. De toute façon il y a là une *différence* de sexe, qui rend le contrat possible et que l'idéologie aristocratique ne peut pas nier. Encore faut-il signaler que la femme n'est pas – au début – une personne juridique au même titre que l'homme. Il se peut que l'interdiction de l'inceste et de l'endogamie en général soit la source principale de la pénétration de l'idée du contrat dans le Droit aristocratique.

tivement le crime. Or, s'il en est ainsi, peu importe même si c'est vraiment le criminel qui est châtié. Il suffit qu'une lésion de l'égalité soit compensée par une autre en sens inverse : si *on* a fait un manchot, il faut qu'*il* y en ait un autre. D'où le caractère « collectif » et « substitutif » du châtiment aristo-cratique (soutenu encore par l'*égalité* présumée des Maîtres : on arrive au même résultat en agissant sur n'importe qui d'entre eux) : on peut répartir la peine du crime commis par un seul sur plusieurs, et on peut châtier un autre à la place du criminel. Or l'expérience historique montre que le Droit aristocratique (c'est-à-dire archaïque ou primitif) agit sou-vent de la sorte [1].

### B : LA JUSTICE DE L'ÉQUIVALENCE ET LE DROIT BOURGEOIS

### § 42.

Tout comme la Justice aristocratique, la Justice bour-geoise reflète la Lutte anthropogène. Seulement cette Lutte se reflète cette fois non pas dans la conscience du Maître, mais dans celle de l'Esclave. Si la Justice aristocratique cor-respond au point de vue du Maître, la Justice bourgeoise reflète la Lutte du point de vue de l'Esclave. Or la Maîtrise se constitue dans et par le risque, c'est-à-dire dans et par la Lutte en tant que telle, tandis que la Servitude est le résultat de cette Lutte, déterminé par la négation du risque et de la Lutte, par le refus de la continuer (jusqu'à la mort). Aussi la Justice aristocratique correspond-elle à la Lutte propre-ment dite, tandis que la Justice bourgeoise correspond à son issue, à son résultat. Or si la Lutte s'effectue dans l'*égalité* absolue des conditions (c'est-à-dire du risque), le résultat est une négation totale de cette égalité, l'Esclave étant ce que

1. Fauconnet (*La responsabilité*) montre que le Droit évolue de l'objec-tivité et du collectivisme de la peine à sa subjectivité et son individualité de plus en plus strictes.
Piaget (*Le Jugement moral chez l'enfant*) montre que l'enfant passe de la justice de l'égalité à celle de l'équité (c'est-à-dire de l'équivalence). L'enfant semble donc refaire l'évolution historique du Droit, qui débute elle aussi par l'application de la Justice aristocratique de l'Égalité, pour la continuer petit à petit avec la Justice bourgeoise de l'équivalence dans la synthèse de la Justice de l'équité du Citoyen.

le Maître n'est pas, et inversement. À l'issue de la Lutte, l'humanité exclut l'égalité, puisqu'elle implique la différence tranchée de la Maîtrise et de la Servitude. Pour le Maître, l'Esclave n'est pas humain, il est vrai, et c'est pourquoi il peut maintenir son idéal d'égalité, voyant dans l'égalité la condition nécessaire de l'humanité. Mais si l'humanité est considérée du point de vue de l'Esclave, elle implique les *deux* éléments de la Maîtrise *et* de la Servitude, et elle implique ainsi nécessairement l'*inégalité*. L'Esclave qui renonce consciemment et volontairement à l'égalité avec le Maître ne peut pas voir dans l'égalité une condition *sine qua non* de l'humanité. L'égalité n'est donc pas pour lui un « devoir-être », elle n'est pas à ses yeux « juste » en tant que telle. En tout cas la Justice vue par l'Esclave ne présuppose pas l'égalité, et l'inégal n'est pas « injuste » du seul fait d'être inégal. Une inégalité peut être « juste », comme est « juste » l'inégalité du Maître et de l'Esclave (pour l'Esclave, car pour le Maître elle n'est ni juste ni injuste, l'Esclave n'étant pas un être humain comparable au Maître sous un rapport quelconque).

L'Esclave « justifie » l'inégalité entre lui et le Maître par le fait qu'elle a été acceptée librement, c'est-à-dire volontairement et consciemment. L'Esclave a renoncé au risque de la Lutte et s'est soumis au Maître parce qu'à ses yeux les désagréments de la Lutte *équivalent* à ceux de la Servitude, parce que les avantages de la sécurité *compensent* les désavantages de la Servitude. Ou bien encore la Servitude est « juste » parce qu'en elle les avantages et les inconvénients s'*équilibrent* mutuellement. La Servitude est née de ce jugement d'équivalence, qui est sa condition *sine qua non* (et celle de la Maîtrise, du moins du point de vue de l'Esclave, puisqu'il n'y a pas de Maîtrise sans Servitude). Or pour l'Esclave la Servitude est une forme d'humanité (ne serait-ce qu'en tant que condition *sine qua non* de la Maîtrise), même si cette forme ne réalise l'humanité qu'en puissance, virtuellement, et non en acte. En effet, l'Esclave n'est ce qu'il est, c'est-à-dire Esclave, que dans la mesure où il se *reconnaît* comme tel, s'il « consent » à l'être (par l'acte libre de la reddition) [1]. Il adopte le point de vue de son Maître et reconnaît qu'il n'est qu'un animal, « la chose » de son propriétaire. Mais

---

1. Un homme fait prisonnier à son insu, sans lutte (dans son sommeil par exemple), et privé de la possibilité de se suicider, n'est pas un Esclave dans son existence. La Servitude, en tant qu'attitude existentielle spécifique, implique la volonté d'être Esclave par l'abandon de la Lutte ou le refus du risque.

le fait même qu'il le *reconnaît*, qu'il se *connaît* comme animal, le distingue essentiellement de l'animal proprement dit, qui ne *sait* pas qu'il est un animal, qui ne l'est pas *devenu* par un acte de sa liberté. Autrement dit, l'Esclave est un animal *pour lui*, mais non *pour nous*, c'est-à-dire en vérité, et il n'est pas un animal, il est un être humain *pour nous* précisément parce qu'il est un animal *pour lui*, et non seulement *en soi*, en fait : parce qu'il *sait* qu'il est un animal, c'est-à-dire parce qu'il *croit* l'être. Mais s'il n'est un être humain que *pour nous*, c'est-à-dire *en soi*, et non *pour lui-même*, s'il ne *croit* pas à son humanité et ne se *sait* pas être homme, c'est qu'il ne l'est – pour nous ou en vérité – qu'*en puissance :* il l'est « en soi », c'est-à-dire virtuellement, et non « pour soi » ou en acte. Il *est* humain parce qu'il a risqué sa vie en acceptant d'abord la Lutte (ou tout au moins, s'il a refusé la Lutte dès le début, il a évoqué l'idée du risque et de la mort pour la reconnaissance). Mais ne l'ayant pas menée jusqu'au bout, ayant refusé de prolonger le risque et de l'actualiser dans et par la mort (sur le champ d'honneur), il n'a pas actualisé son humanité. Et c'est pourquoi il n'est un être humain qu'en puissance. Ce qui veut dire qu'il doit *changer* pour s'actualiser, qu'il doit cesser d'être Esclave (et devenir Citoyen) pour exister en acte en tant qu'être humain. Et ceci non pas seulement *pour nous*, mais aussi pour lui-même, dans la mesure où il prend conscience de son humanité. Pour lui l'être humain est tout autant un « *devoir*-être » que pour le Maître. Mais tandis que ce dernier accomplit ce « devoir » en restant ce qu'il est – un Maître – en se maintenant dans l'identité ou l'égalité avec soi-même, l'Esclave n'accomplit le devoir-être homme, tel qu'il le comprend, qu'en changeant, qu'en devenant autre. Seulement il ne peut devenir autre qu'en niant ce qu'il est, qu'en se niant en tant qu'Esclave. Son humanité actuelle (de Citoyen) présuppose son humanité virtuelle d'Esclave. Et cette dernière implique l'inégalité et présuppose l'équivalence. Pour l'Esclave, le « devoir-être » est donc fondé sur l'équivalence, et non sur l'égalité. Et son idée ou son idéal de Justice est ainsi fondé sur le principe d'équivalence, qui admet l'inégalité (sans l'exiger nécessairement). L'égal n'est pas le « juste » et l'inégal n'est pas l'« injuste ». Le « juste » est l'équivalent et l'équivalent est « juste », même s'il y a inégalité. Et le non-équivalent est « injuste », qu'il soit inégal ou non. Pour l'Esclave il n'y a pas d'humanité ou d'humanisation possibles sans *équivalence* préalable (car sans cette équivalence, pas de reddition, et sans reddition il n'y a que la mort, comme le pense l'Esclave tout au moins, qui ne croit pas à sa victoire, c'est-à-dire à la mort de l'autre). L'équivalence est donc un « devoir-être », et le « devoir-être » en tant qu'équivalence est « juste », même s'il implique l'inégalité. La Justice bourgeoise de l'Esclave est une Justice d'équivalence.

C'est du point de vue de cette Justice d'équivalence que l'Esclave juge et justifie sa propre condition. Il l'accepte comme juste parce qu'en elle l'avantage de la sécurité équivaut à l'inconvénient de la condition servile (du travail pour autrui avant tout). Et c'est du même point de vue qu'il juge et justifie la condition du Maître. Elle aussi est « juste » parce qu'en elle l'avantage de la Maîtrise équivaut au désavantage du risque, du danger perpétuel de mort. Seulement l'Esclave sait fort bien qu'il n'y a pas d'*égalité* entre lui et son Maître, ni en général entre la Maîtrise et la Servitude. Il les « justifie » cependant parce qu'il les considère comme *équivalentes*. L'Esclave sait que *pour le Maître* la sécurité ne compense pas la servitude, puisque le Maître, qui est prêt à aller jusqu'au bout dans la Lutte, préfère la mort à la servitude. Et il sait que *pour lui* la maîtrise ne compense pas le risque de la vie, puisque par l'abandon de la Lutte et la soumission il prouve qu'il préfère l'esclavage à la mort. Si donc l'Esclave « justifie » tant la Maîtrise que la Servitude, s'il les « justifie » dans leur coexistence et dans leurs rapports mutuels, c'est qu'il constate l'équivalence ou l'équilibre *internes* des deux conditions. Il est « juste » que *le Maître* soit Maître, parce que *pour lui* la maîtrise contrebalance le risque, de même qu'il est « juste » que *l'Esclave* soit Esclave, parce que *pour lui* la sécurité contrebalance la servitude. On peut donc dire que les deux conditions, tout en n'étant pas *égales* entre elles sont *équivalentes* : la Maîtrise est *pour le Maître* ce que la Servitude est *pour l'Esclave.* Deux conditions humaines (égales ou non), ainsi que leurs rapports mutuels, sont « justes », c'est-à-dire équivalentes, si dans chacune d'elles il y a une équivalence des éléments constitutifs, des avantages et des inconvénients, du point de vue de celui qui se trouve dans la condition en question.

Du seul fait qu'elle remplace l'égalité par l'équivalence, la Justice bourgeoise cesse donc d'être objective et absolue, comme l'était la Justice aristocratique, pour devenir subjective et relative. Si le « juste » est l'*égal*, on peut le constater objectivement, sans tenir compte du point de vue des personnes en question. Mais si le « juste » est l'*équivalent*, on ne peut le constater qu'en tenant compte du point de vue des intéressés (à moins de supposer leur *égalité* foncière,

ce qui n'est nullement exigé par l'idéal de la Justice bourgeoise, tout en étant compatible avec lui) : ce qui est équivalent, c'est-à-dire « juste », pour l'un, peut ne pas l'être
pour l'autre. Certes, dans la mesure où les différences entre
les personnes sont constatables objectivement, par un tiers,
on peut en principe calculer objectivement les équivalences
pour chacune d'elles. Mais en fait et en dernier ressort l'intéressé est seul juge de ce qui est équivalent par rapport à
lui : l'équivalent *par rapport à lui* est ce qui est équivalent
*pour lui.* Car s'il faut juger du point de vue de l'intéressé
il est difficile de négliger son propre point de vue sur la
question à résoudre. Aussi, à l'encontre de la Justice aristocratique, la Justice bourgeoise a toujours tendance à
appeler « juste » ce que les intéressés eux-mêmes considèrent
comme tel. Et s'il est possible d'obliger les gens à être égaux,
il est pratiquement impossible de les forcer à considérer
comme équivalent ce qui à leurs yeux ne l'est pas. Or sans
ce consentement il n'y a pas d'équivalence, puisque l'équivalent est équivalent non pas en général et chez tout le monde,
mais uniquement par rapport à ceux qui sont censés réaliser
en eux les conditions de cette équivalence, leur reconnaissance de l'équivalence étant l'une de ces conditions[1].

L'idéal bourgeois ou servile de la Justice d'équivalence, qui
admet l'inégalité, vit encore à nos jours dans notre Justice
plus ou moins synthétique de l'équité, où il coexiste (avec
plus ou moins d'harmonie) avec l'idéal de la Justice aristocratique égalitaire. Et il y a des cas où l'idéal bourgeois de
l'équivalence apparaît à son état pur en s'opposant à l'idéal
aristocratique de l'égalité.

S'il s'agit de partager des provisions pour le dîner entre
deux personnes, dont l'une a déjeuné et l'autre non, nous
dirons que le partage sera juste si la dernière reçoit davantage. Et nous dirons qu'il est juste de donner à un enfant une
tranche de gâteau qui sera plus grande que les tranches des
adultes. Il est juste aussi que le faible porte moins que le
fort, et c'est d'un idéal de Justice qu'est née la pratique du
handicap sportif. De tout ceci il n'y a qu'un pas à faire pour
pouvoir affirmer qu'il serait juste de donner une chose à celui
qui la désire le plus. Et on dit couramment qu'il est juste
de la donner à celui qui en a le plus besoin. (Cf. le principe
de la Société « communiste » : à chacun selon ses besoins.)
Ou bien encore on dira qu'il est juste de donner la chose à

---

1. On voit ainsi le lien qui rattache l'idéal bourgeois de Justice avec
le principe de la « Démocratie ».

celui qui a fait le plus d'efforts pour l'avoir. (Cf. le principe de la Société « socialiste » : à chacun selon ses mérites.) Etc.

Dans tous ces cas un Maître serait frappé par l'injustice de l'inégalité du point de départ. Ainsi un homme pauvre mais fier pourra cacher le fait qu'il n'a pas déjeuné pour se voir appliquer la seule Justice de l'égalité. Et un faible peut par fierté ou amour-propre (par vanité dira le Bourgeois) porter le même poids que les forts. De même, un enfant peut être vexé par le partage avantageux pour lui, s'il veut avant tout être traité « en grande personne ». Et il y a des sportifs qui préfèrent renoncer au match où la Justice d'équivalence exige que les autres soient handicapés. Bref le Maître peut exiger l'égalité sans tenir compte de l'équivalence, de la compensation de son inégalité avec les autres. Le Bourgeois par contre, ou l'Esclave, sera satisfait par l'équivalence des conditions, sans tenir compte de leurs inégalités. Là où le Maître dira que le partage est injuste parce qu'inégal, le Bourgeois le considérera comme juste parce qu'équivalent.

Or l'histoire nous transmet des systèmes sociaux et juridiques fondés expressément sur le principe d'équivalence coexistant avec le fait d'une inégalité reconnue et justifiée. Tel est le système chrétien d'un saint Thomas d'Aquin [1]. D'après cette théorie la Justice sociale et juridique consiste dans la possibilité pour un chacun de vivre *« selon son rang »*. Et la différence des « rangs » est acceptée et justifiée par l'équivalence des conditions, qui découle de ce que dans chaque condition les charges sont équivalentes aux bénéfices. Ainsi l'oisiveté des nobles est « justifiée », c'est-à-dire compensée, par leur obligation de faire la guerre et de défendre les roturiers, chez qui la sécurité compense, c'est-à-dire « justifie », le travail (et la pauvreté!).

Or notre monde contemporain est dans une vaste mesure fondé sur l'idéal de la Justice bourgeoise d'équivalence, et s'il admet l'inégalité (économique par exemple), c'est par l'équivalence qu'il essaye de la justifier. Ainsi, le salaire d'un directeur d'usine est censé être équivalent (quoique fort inégal) au salaire de l'ouvrier : soit parce qu'il exige

---

1. D'après Hegel, l'Esclave passe par le christianisme avant de devenir Bourgeois. Le christianisme égalise l'Esclave avec son Maître. Seulement il ne les égalise que dans la *servitude*. (Cf. la Règle de saint Benoît : « Nous sommes tous égaux dans la servitude.») En se christianisant l'Esclave ne devient pas Maître (Citoyen), ne se libère pas; mais le Maître cesse d'être Maître. Or le Bourgeois est précisément un Esclave sans Maître ou — ce qui est la même chose — un Maître sans Esclave. D'où recherche d'un Maître fictif : Dieu et le Capital.

plus d'effort (s'entend : intellectuel ou moral — la « responsabilité »), soit parce qu'il a un plus grand rendement (au point de vue des bénéfices du propriétaire). Et même l'idée thomiste de « rang » est loin d'être morte (cf. les « frais de représentation », etc.).

C'est encore de l'idéal d'équivalence qu'est née l'idée de l'impôt progressif sur le revenu. Il paraît juste que celui qui gagne davantage que les autres paye plus qu'eux non pas seulement absolument parlant, mais relativement : les 20 % chez l'un sont équivalents aux 10 % chez l'autre. Et le même Bourgeois, qui reconnaît que ce système d'impôt est juste, se refuse absolument à admettre qu'il serait juste d'égaliser les fortunes, en refusant même le projet d'un impôt sur le capital.

Bien entendu la Justice de l'équivalence n'exclut pas l'égalité et est compatible avec elle, de même que la Justice de l'égalité est compatible avec l'équivalence. Et en fait l'idée admise de Justice implique toujours les deux principes à la fois (dans des proportions variables), étant une Justice de l'équité, une Justice du Citoyen (plus ou moins actualisé). Et c'est en tant que telle qu'elle évolue dans le temps. Mais l'analyse qui précède montre qu'il s'agit là d'une *synthèse* véritable, c'est-à-dire de la fusion de deux éléments indépendants, sinon contradictoires en eux-mêmes. Car l'égalité pure se réalise sans qu'il y ait équivalence, et l'équivalence sans qu'il y ait égalité. Ce n'est donc pas en développant la Justice de l'égalité qu'on arrive à la Justice d'équivalence, ni inversement. On arrive à la Justice de l'équité en adoptant simultanément les deux Justices, qui naissent séparément et indépendamment l'une de l'autre, et que nous avons analysées en tant que séparées et indépendantes.

Mais avant de nous occuper de cette Justice synthétique du Citoyen, voyons comment la Justice de l'équivalence se réalise dans et par le Droit bourgeois, en étant appliquée par un Tiers impartial et désintéressé à des interactions sociales données, ces interactions étant d'ailleurs codéterminées par cette Justice même, ayant lieu dans la Société où est valable le Droit en question.

§ 43.

À proprement parler le Droit aristocratique ne s'applique pas au rapport entre le Maître et l'Esclave, vu que ce dernier n'est pas considéré comme une personne juridique. Mais si l'on veut parler de ce rapport en termes juridiques, il faut dire que le Maître bénéficie de la plénitude des (quasi-) droits sans avoir un seul devoir, tandis que l'Esclave n'a que des (quasi-) devoirs, sans avoir aucun droit. Mais ceci n'est vrai que du point de vue du Maître. Du point de vue de l'Esclave son rapport avec le Maître présente un autre aspect. Si l'Esclave accomplit son devoir ou son obligation (quasi juridique) envers le Maître, s'il exécute son ordre, en travaillant par exemple pour lui. et si quelqu'un essaye de l'empêcher de le faire, il n'aura pas (en principe) besoin de réagir lui-même. Le Tiers impartial et désintéressé interviendra en sa triple qualité de Législateur, de Juge et de Police, pour annuler l'empêchement, qui sera donc criminel. Il y aura en d'autres termes une situation juridique, un rapport de droit. Certes, du point de vue du Maître (et du Droit aristocratique), ce rapport n'existera qu'entre les Maîtres, le Maître propriétaire de l'Esclave et le Maître qui n'est pas son propriétaire, et non entre un Maître et l'Esclave. L'Esclave n'est pas dans le cas considéré un sujet de droit. Car la Loi ne protège pas l'Esclave en tant que tel. Elle ne le protège qu'en tant que propriété du Maître : l'empêcher de travailler pour son Maître, c'est léser son Maître, et c'est seulement cette lésion du Maître qui est annulée par le Tiers. Mais les choses apparaissent autrement du point de vue de l'Esclave. Il constate que si son action (le travail pour le Maître par exemple) provoque une réaction qui la contrecarre, un Tiers vient annuler cette réaction. Il peut donc dire qu'il a *le droit* de faire ce qu'il fait. Bien entendu, il sait que le Tiers n'interviendra que dans les cas où ses actions se font sur l'ordre de son Maître. Autrement dit, le Tiers n'intervient que si l'Esclave exécute ses obligations envers son Maître, s'il accomplit son devoir vis-à-vis de lui. L'Esclave n'a donc un *droit* que dans la mesure où il a un *devoir*. S'il considère son obligation envers le Maître comme son *devoir* juridique, il peut dire que ce *devoir* est aussi son *droit (right)*.

Certes, si l'Esclave reconnaît qu'il a des *devoirs* (envers son Maître) au sens juridique du mot, il se considère déjà comme une personne juridique, comme un sujet de droit, au même titre que le Maître. Par cela même, il se reconnaît comme humain, tout comme le Maître (sans qu'il ait la *même* humanité que ce dernier, les *mêmes* « droits » que lui). Il n'est donc plus à proprement parler Esclave, car ce dernier se traite en animal, en simple chose de son Maître, qui est seul censé être humain et avoir des « droits ». L'Esclave qui se reconnaît comme personne juridique est déjà — plus ou

moins – Citoyen. C'est pourquoi il aura généralement parlant tendance à élaborer un Droit synthétique en combinant
le principe de l'équivalence avec celui de l'égalité. Mais ceci
veut dire tout simplement que le Droit bourgeois est un Droit
en puissance, c'est-à-dire un Droit qui doit *changer* pour
s'actualiser, qui doit devenir *autre* qu'il n'est. Or le Droit
*autre* que le Droit bourgeois est le Droit aristocratique. Le
Droit bourgeois tendra donc en s'actualisant ou pour s'actualiser à se transformer en Droit aristocratique. Mais dans
ce processus de transformation ou d'actualisation il sera
bourgeois et aristocratique simultanément. Il ne sera donc
ni l'un ni l'autre : il sera un Droit synthétique du Citoyen,
et c'est en tant que tel qu'il sera finalement actuel. Seulement, au début, à son état naissant, en tant que puissance
pure, ce Droit ne sera pas encore synthétique, il n'impliquera
pas encore d'éléments aristocratiques fondés sur le principe
d'égalité. Ou si l'on veut l'égalité n'y sera pas encore réelle
en acte : elle sera idéelle, abstraite, « formelle ». L'Esclave
ne sera l'« égal » du Maître que dans la mesure où les deux
seront des sujets de droit, des personnes juridiques. Mais
leurs droits ne seront pas égaux. Et il y aura plus encore.
Chez le Maître, la donnée juridique primordiale est son
*droit (right)* positif. Chez l'Esclave par contre cette donnée
première et irréductible est son *devoir :* s'il a des *droits*
(positifs), c'est uniquement parce qu'il a des *devoirs* ou des
obligations, et ses droits ont exactement la même extension
que ses devoirs. L'Esclave a le droit de faire son devoir. C'est
tout.

Dès son origine le Droit bourgeois reconnaît donc une
stricte égalité entre les devoirs de l'Esclave (envers son
Maître) et ses droits (vis-à-vis des autres, quels qu'ils soient).
Ou plus exactement, puisque les rapports de l'Esclave avec
son Maître sont tout de même *autre chose* que ses rapports
avec les autres, il vaut mieux dire que le Droit bourgeois
reconnaît dès le début une stricte *équivalence* entre les devoirs
et les droits. Chaque devoir équivaut donc à un droit. Or si
A équivaut à B, B équivaut à A. On peut donc dire que tout
droit équivaut à un devoir. Autrement dit, si les devoirs de
l'Esclave sont compensés par ses droits, les droits du Maître
doivent être compensés par ses devoirs. Ainsi par exemple,
si l'Esclave a le droit (et le devoir) de travailler, le Maître a
le devoir (et le droit) de faire la guerre [1].

---

1. C'est sur ce principe qu'est censé être fondé le rapport entre le
seigneur et ses serfs au Moyen Age. Et on nous dit que ce rapport a

Certes, en complétant l'équivalence des devoirs et des droits par celle des droits et des devoirs, le Droit bourgeois fait un pas en avant dans l'égalisation juridique du Maître et de l'Esclave. Mais nous avons déjà vu que ce Droit se transforme en Droit du citoyen en s'actualisant (c'est-à-dire en évoluant), lequel Droit implique le principe aristocratique de l'égalité. Mais cette égalisation reste abstraite ou formelle : elle est purement juridique, comme on dit. De plus, même dans le domaine juridique il n'y a pas d'égalité. Car si l'Esclave n'a de droits que parce qu'il a des devoirs, le Maître n'a des devoirs que parce qu'il a des droits. De plus, les droits du Maître ne sont nullement *égaux* à ceux de l'Esclave, tout comme ne sont pas *égaux* leurs devoirs respectifs.

Le principe fondamental du Droit bourgeois est l'*équivalence des droits et des devoirs* chez chaque personne juridique. Tout sujet de droit a des droits qui sont rigoureusement équivalents à ses devoirs, ou — ce qui revient pratiquement au même — des devoirs rigoureusement équivalents à ses droits. Les droits et les devoirs peuvent être quelconques, et ils peuvent varier comme on veut d'une personne à une autre. Toutes les conditions seront néanmoins juridiquement *équivalentes*, puisque dans chacune d'elles les droits *équivalent* aux devoirs et inversement.

On voit ainsi toute la différence qui sépare le Droit bourgeois du Droit aristocratique. Ce dernier attribue à chaque personne juridique la plénitude des droits sans aucun devoir; d'où la conséquence que toutes les personnes juridiques ont exactement les mêmes droits. Le Droit bourgeois par contre ne connaît pas de droits sans devoirs (ni de devoirs sans droits), et il exige une équivalence rigoureuse entre les deux; ce qui est parfaitement compatible avec le fait que diverses catégories de personnes juridiques ont des droits (et des devoirs) différents.

Si l'on applique le principe juridique bourgeois au phénomène de la propriété, on aboutit à une interprétation « fonctionnelle » de cette dernière. La propriété n'est plus seulement un droit; c'est aussi un devoir, et un devoir équivalent au droit lui-même. Or il est facile de voir qu'une propriété ainsi conçue n'est plus une propriété au sens propre (c'est-

commencé d'être considéré comme injuste à partir du moment où les nobles n'avaient plus l'occasion d'accomplir leur devoir envers les serfs en les défendant les armes à la main. C'est qu'il n'y avait plus ainsi d'*équivalence* entre les droits et les devoirs de la noblesse, tandis que cette équivalence continuait d'exister chez les serfs.

à-dire aristocratique) du terme : elle n'est plus un droit exclusif et absolu. Car si le droit de propriété se réduit en fin de compte à l'exclusion de cette propriété de tous les non-propriétaires, le devoir « équivalent » ne peut être qu'une obligation envers ces derniers relative à cette propriété même : le fait d'avoir une propriété m'impose des devoirs envers la société qui me reconnaît comme propriétaire. Mais le dire, c'est dire que je ne suis pas propriétaire exclusif : je suis tout au plus copropriétaire; ou mieux encore, c'est la Société qui est propriétaire [1].

On constate donc qu'à l'encontre du Droit aristocratique, le Droit bourgeois est en principe hostile à la propriété (au sens propre et fort du terme) (tout comme le Droit aristocratique est en principe hostile au contrat). La réalisation idéale du droit *exclusif* de la propriété est l'absence de toute interaction entre les propriétés, c'est leur isolement rigoureux. Or les *devoirs* du propriétaire ne peuvent se réaliser que par une interaction de sa propriété avec celles des autres. Et nous avons vu que toute interaction entre les propriétés leur impose des « servitudes », qui sont précisément les devoirs venant se greffer sur les droits de propriété. Si donc ces devoirs sont rigoureusement équivalents aux droits, il ne reste pour ainsi dire plus rien de la notion primitive de propriété. De statique elle devient dynamique : elle devient un perpétuel *échange*. Contrairement au principe aristocratique, la propriété ne se maintient donc pas dans son *égalité* ou identité avec elle-même. Elle reste tout au plus *équivalente* à elle-même, tout en changeant de nature. Et on peut dire aussi que du point de vue du Droit bourgeois la propriété n'est plus un « statut » éternel et immuable, mais une simple « fonction » [2].

1. Le droit de propriété n'est même plus « absolu ». Certes, il n'y a pas de rapport juridique entre le propriétaire et sa propriété, et il n'a donc nul droit ou devoir envers elle. Mais si sa propriété doit servir aussi aux autres, le propriétaire doit agir envers elle en conséquence : il ne peut pas faire « ce qu'il veut » avec elle. Ainsi le Droit bourgeois peut obliger le propriétaire d'une terre à la travailler. Ce sera un devoir envers la Société. Mais on peut dire si l'on veut que c'est un quasi-devoir envers la terre elle-même. En ce sens le droit de propriété cesse d'être « absolu » en cessant d'être « exclusif ».

2. On pourrait dire aussi que le Droit bourgeois tend à remplacer la propriété par le *travail,* ou par l'effort en général, la propriété n'étant juridiquement valable (ou « juste ») qu'en tant que fonction de cet effort. Tout d'abord, si le Maître crée son humanité par la Lutte, l'Esclave ne l'engendre que par le Travail. Constatant que l'être humain est un résultat ou une « fonction » du Travail, l'Esclave conçoit ce dernier comme un « devoir-être », et il considère toute valeur humaine comme résultant du

D'une manière générale, le Droit bourgeois tend à remplacer la notion aristocratique de « statut » par celle de la

Travail ou de l'effort (négateur du donné) en général (sauf celui de la Lutte, où ce n'est pas l'effort, mais le seul risque qui compte). En particulier c'est par le Travail qu'il « justifie » la propriété. Mais il y a plus. L'Équivalence des droits et des devoirs doit avoir lieu non pas seulement entre des sujets différents, mais encore à l'intérieur de chaque sujet pris isolément. La condition (ou le « statut ») d'un sujet est dite « juste », si les droits qu'elle implique équivalent aux devoirs qui lui sont propres. En fin de compte, et au stade préjuridique de la Justice, cette équivalence n'est rien d'autre que l'équivalence des avantages (objectifs et subjectifs) et des inconvénients (objectifs et subjectifs). Or la jouissance d'une chose qu'on possède et que sanctionne le droit de propriété est un avantage. Si on veut le compenser à l'intérieur même du sujet, il faut lui rattacher un inconvénient, celui-ci devant faire bloc avec l'avantage. Or c'est ce qui a lieu quand la chose possédée est un produit de l'effort négateur de celui qui la possède, tout d'abord de son Travail. Une possession ne sera donc dite « juste » que si elle résulte d'un effort (négateur), fait en vue de l'obtenir. En particulier, il sera « juste » que le producteur d'une chose en soit aussi le propriétaire, et le propriétaire oisif sera toujours suspect. La catégorie fondamentale sera donc dans le système de la Justice bourgeoise non pas la propriété, mais le travail, ou l'effort en général. La propriété sera une simple résultante, voire une « fonction » de l'effort et du Travail, qui s'annule avec l'annulation de ce dernier et qui varie avec lui. Seulement, il n'y a pas de rapport *de droit* à l'intérieur d'une seule et même personne. Aussi le rapport entre la propriété et le travail ou l'effort du propriétaire peut être dit « juste » ou « injuste », mais il n'a rien de *juridique*. Pour qu'il y ait Droit, il faut qu'il y ait une interaction entre deux personnes différentes. Donc, dans notre cas, il faut que l'effort (ou le travail) soit fourni par A par exemple, et la chose censée être possédée en fonction du travail — par B. Dans ce cas il y aura un *échange* entre le travail de A et une propriété de B, qui devient la propriété de A, B bénéficiant de l'effort produit par le travail de A. Or un échange est juridiquement sanctionné sous la forme d'un contrat, dit contrat de travail ou de salaire (au sens le plus large). La propriété de A sera donc une fonction de son travail et le résultat d'un *contrat*. Or la propriété de B, pour être juridiquement valable, doit aussi être une fonction de son travail et résulter d'un contrat. En fin de compte tout échange de propriété se réduira à un échange de travail. Le Droit de propriété sera donc remplacé par un Droit du contrat, qui réglera les échanges de travail ou d'effort. La propriété cesse donc d'être un « statut » pour devenir un simple terme de *contrat*. Et nous verrons tout de suite que la substitution de la notion de contrat à la notion aristocratique du statut caractérise en général le Droit bourgeois. J'ai parlé du Travail. Mais il s'agit de l'effort en général, c'est-à-dire de l'acte négateur, qui nie le donné naturel. Or, par extension (d'ailleurs phénoménologiquement inadéquate) on peut appliquer la notion de l'effort à la Lutte, au risque du Maître, à son « effort guerrier » ou « travail militaire ». C'est ainsi que le Droit bourgeois justifie la propriété qui naît de la guerre : le butin. Ici encore la propriété est censée être « *fonctionnelle* ». Et elle est encore conçue comme résultat d'un *contrat* d'échange entre le travail de l'ouvrier exempt de service militaire et l'« effort » du noble qui se consacre au « métier des armes ». (C'est cette conception qui est à la base de la notion du fief.)

« fonction ». C'est pourquoi ce droit est avant tout un Droit du *contrat*.

Le contrat juridique sanctionne (dans la personne du Tiers) des *échanges* de propriétés ou de prestations. Et l'échange présuppose l'inégalité, c'est-à-dire le fait que les uns n'ont pas ou ne font pas ce qu'ont et font les autres. Or si le Droit aristocratique condamne toute inégalité, le Droit bourgeois la reconnaît sans difficulté. Il n'est donc pas hostile aux contrats par principe. De plus le principe qui régit les contrats est celui de l'équivalence des choses et des actes échangés, et ce principe est celui même qui est à la base du Droit bourgeois. D'autre part, nous avons vu que l'équivalence des avantages et des inconvénients, c'est-à-dire — juridiquement parlant — des droits et des devoirs ou des obligations ne peut être établie que relativement, c'est-à-dire par rapport au sujet du droit en question, et qu'elle implique le fait que le sujet intéressé la reconnaît comme telle, librement, c'est-à-dire volontairement et en connaissance de cause. Il intervient donc cet élément d'appréciation personnelle et de libre consentement qui est aussi à la base de tout contrat véritable.

De ce point de vue bourgeois, même le rapport entre Maître et Esclave peut être interprété comme résultant d'un contrat et étant ainsi un contrat. L'Esclave échange librement sa liberté contre la sécurité parce qu'il croit que les deux choses sont équivalentes, et il suppose que le Maître lui donne la sécurité en échange de la servitude parce qu'il admet l'équivalence de ces choses. Ainsi les « statuts » du Maître et de l'Esclave naissent d'un contrat et ne sont que l'aspect statique de ce dernier [1]. Le statut est ici justifié juridiquement par le contrat, tandis que dans le Droit aristocratique le statut exclut le contrat.

Or justifier le statut par le contrat, c'est en fin de compte le nier en tant que statut proprement dit, c'est-à-dire en tant qu'état statique des choses, en tant qu'immuable et éternel. Le statut n'est maintenant juridiquement valable que s'il y a équivalence entre les droits et les devoirs qu'il implique. Et cette équivalence ne peut être constatée que du point de vue de l'intéressé. Mais alors, du point de vue de A, les droits et les devoirs de B peuvent paraître non équivalents, même s'ils paraissent être tels à B lui-même. Et inversement. Le seul moyen objectif de contrôle est une interaction entre A

---

1. C'est ce point de vue qui est à la base de la Théorie du « contrat social ». On voit donc que c'est une théorie profondément « bourgeoise ».

et B, ayant le type de l'interaction entre le Maître et l'Esclave. Si les devoirs de B sont les droits de A, et les droits de B les devoirs de A, et si A reconnaît l'équivalence de ses propres droits et devoirs, il ne peut plus nier l'équivalence des devoirs et des droits de B. Or, s'il en est ainsi, c'est qu'il y a entre A et B un échange, c'est-à-dire des rapports contractuels, ou tout au moins des rapports qui peuvent être formulés dans un contrat juridique. Mais si les statuts de A et de B sont justifiés par ce contrat, ils ne sont juridiquement valables que tant que reste valable ce dernier. Or si la condition de A change il se peut que — pour lui — ses droits ne soient plus équivalents à ses devoirs, ni par conséquent les droits et les devoirs de B, même si la condition de B reste la même. Pour que le statut de B reste valable, il faudra donc le changer, en fonction du changement du statut de B, conditionné par le changement de la condition de celui-ci. Et le dire, c'est dire qu'il n'y a pas en réalité de statut immuable et éternel, qu'il n'y a qu'un contrat variable par définition puisque fondé sur un échange, c'est-à-dire sur un changement. Autrement dit les statuts se conditionnent mutuellement et dépendent les uns des autres : chaque statut est, si l'on veut, une fonction du « contrat social », car c'est l'ensemble des contrats existant au sein d'une Société donnée qui fixe les statuts de ses membres.

En remplaçant le principe du statut par celui du contrat, le Droit bourgeois se déclare hostile au principe de l'hérédité juridique. Et en ceci encore il s'oppose au Droit aristocratique. Ce Droit, étant fondé sur l'idéal de l'égalité, tend à maintenir à tout prix l'égalité de la personne juridique avec elle-même. D'où l'idée d'un statut immuable, qui reste identique à lui-même en dépit même de la *mort* de l'intéressé. En niant tout changement, le Droit aristocratique voudrait même nier les changements biologiques, celui introduit par la mort en premier lieu. Le statut aristocratique (qui implique le droit de propriété) est donc censé être continu, et il l'est dans la mesure où l'héritier succède au mort sans que cette succession modifie en quoi que ce soit le statut. Pour le Droit bourgeois, par contre, c'est la seule équivalence des conditions qui compte. Or l'équivalence n'implique pas l'égalité et admet donc le changement. Rien n'oblige donc le Droit de maintenir un statut après la mort de la personne qui en bénéficie. Au contraire, il aura tendance à la supprimer en fonction de cette mort. Car si le statut de A est fonction d'un contrat avec B, il doit pouvoir changer si ce contrat change, et le contrat doit changer même si ce n'est que la condition de B qui est modifiée [1]. Or, par définition, le mort ne peut pas changer et il ne peut rien changer. L'idée d'un contrat conclu avec quelqu'un après sa mort étant absurde, le statut d'un mort est lui aussi un non-sens juridique du point de vue du Droit bourgeois. Or le statut hérité n'est rien d'autre que le statut d'un mort.

Le principe de l'équivalence est aussi à la base du *Droit pénal* bourgeois.

Le crime est maintenant non plus la négation de l'égalité, mais celle de l'équivalence des conditions. Par conséquent, annuler le crime, c'est rétablir l'équivalence lésée. Et si cette annulation s'effectue par le châtiment, c'est encore le principe de l'équivalence qui va déterminer ce dernier.

Or l'équivalence est toujours subjective et relative. Le crime lèse l'équivalence des conditions entre le criminel et la victime parce qu'il supprime l'équivalence des droits ou avantages et des devoirs ou inconvénients tant chez la victime que chez le criminel. Il ne suffit donc pas de rétablir cette équivalence dans la personne de la victime. Il faut encore la rétablir dans la personne du criminel. Autrement dit, la peine doit « compenser » le crime : les inconvénients du châtiment doivent contrebalancer les avantages que le crime était censé produire.

Puisqu'il ne s'agit plus de restituer l'égalité, le principe du talion n'a plus de sens. Par rapport à la victime la simple compensation équivalente (le « *Wergeld* ») suffit pour satisfaire le Droit. Et par rapport au criminel c'est l'équivalence de ses propres droits et devoirs qui doit être rétablie. Mais rien ne dit que ses droits et devoirs doivent rester les mêmes. Après son crime il peut avoir d'autres droits et devoirs qu'avant. Ce qui importe, c'est que ces nouveaux droits et devoirs soient équivalents entre eux. Et c'est ce qui est assuré par la proportionnalité entre le crime et le châtiment.

Or il est évident que ce principe pénal est incompatible avec le caractère objectif et collectif du Droit criminel aristocratique. D'une part, pour pouvoir compenser le crime par le châtiment, il faut tenir compte de l'*intention* du criminel,

---

1. Ainsi le « contrat » entre le seigneur et ses serfs a changé du seul fait que ces derniers n'avaient plus besoin d'être protégés militairement. Le « statut » du seigneur a été modifié en raison de ce changement de l'état des serfs. Et il importe peu que le seigneur continuât à être prêt à les défendre le cas échéant.

de l'aspect *subjectif* du crime. D'autre part il faut tenir compte de l'*individualité* du criminel. Car on ne peut évidemment pas établir une équivalence entre la peine et le crime en punissant quelqu'un qui ne l'a pas commis et qui n'a donc pas profité de lui.

# CHAPITRE III

## L'évolution du Droit :
## la Justice synthétique du Citoyen
## (Justice de l'équité)

### § 44.

Nous avons vu que la Justice et le Droit naissent sous deux formes autonomes : comme Justice d'égalité et Justice d'équivalence. Ces deux Justices naissent simultanément, à partir de la même source, qui est la Lutte anthropogène, aboutissant au rapport entre Maître et Esclave. La Justice et le Droit aristocratiques de l'égalité reflètent cette Lutte et son résultat du point de vue du Maître, tandis que la Justice et le Droit bourgeois de l'équivalence les reflètent du point de vue de l'Esclave. Ou bien encore le Droit bourgeois correspond à l'*équivalence* des conditions à l'issue de la Lutte, tandis que le Droit aristocratique correspond à l'*égalité* du risque dans la Lutte elle-même. On peut donc dire que le dualisme juridique primordial est un aspect du dualisme de l'être humain lui-même à son état naissant : de même que l'homme est à son origine Maître *et* Esclave, le Droit naissant est aristocratique *et* bourgeois. Et on peut en conclure que l'évolution juridique sera un aspect de l'évolution de l'être humain en tant que tel. Si cette évolution va de la dualité à l'unité, il en sera de même de l'évolution juridique. De même que les existences du Maître et de l'Esclave se synthétisent petit à petit dans l'existence unique du Citoyen, les Droits aristocratique et bourgeois vont fusionner progressivement en un seul Droit du citoyen. Et de même que l'existence réelle de l'homme n'est rien d'autre que le devenir du Citoyen (ce devenir étant l'Histoire de l'humanité), le Droit réel ne sera rien d'autre que le Droit du Citoyen en voie de devenir (ce devenir étant l'histoire du Droit en tant que tel). Il s'agit de voir maintenant ce qu'est le sens général de cette évolution du Droit et de l'idée de Justice qu'il réalise.

Les deux Justices du début de la vie juridique de l'humanité sont autonomes ou indépendantes l'une de l'autre en ce sens qu'on peut chercher à réaliser l'égalité sans tenir compte du principe de l'équivalence, de même qu'il est possible d'affirmer ce principe sans penser à l'égalité. Mais on ne peut pas dire que ces deux Justices se contredisent en ce sens qu'elles s'excluent mutuellement. Car l'égalité s'accommode fort bien de l'équivalence et celle-ci ne s'oppose nullement à l'égalité. On peut dire seulement que pour qu'il y ait Justice et Droit quels qu'ils soient, il faut soit admettre au moins le principe de l'équivalence si l'on nie celui de l'égalité en acceptant des inégalités entre les sujets de droit, soit postuler l'égalité si l'on ne veut pas tenir compte de l'équivalence. Mais on peut fort bien admettre les deux principes à la fois, sans se contredire. Et c'est ce que fait le Citoyen dans sa Justice de l'équité et dans le Droit qui la réalise.

À dire vrai l'égalité parfaite implique l'équivalence. Si deux situations différentes *peuvent* être équivalentes, les situations rigoureusement égales *sont* équivalentes par définition. On ne peut donc pas dire qu'on *passe* de l'égalité à l'équité. Il n'y a *passage* à l'équité qu'à partir de l'équivalence. Car celle-ci peut être *complétée* petit à petit par l'égalité, qui peut lui manquer à l'origine. L'*évolution* du Droit en général débute donc par le Droit bourgeois et elle n'est si l'on veut qu'une évolution de ce dernier.

On peut dire aussi que le Droit aristocratique atteint d'emblée sa perfection. Car à l'origine (d'ailleurs purement théorique) le Droit ne considère l'homme qu'en tant que Maître : les notions « Maître » et « personne juridique » coïncident. Or tous les Maîtres sont effectivement égaux en tant que Maîtres. Il n'y a donc aucune contradiction interne dans le Droit, c'est-à-dire aucune imperfection, aucune cause d'un changement, d'une évolution, d'un progrès. Si l'on ne considère comme personne juridique que ceux qui sont effectivement égaux, les personnes juridiques seront égales, c'est-à-dire conformes au principe fondamental de Justice. Seulement tous les êtres humains ne peuvent pas être des Maîtres. Par définition, puisqu'il n'y a pas de Maîtrise sans Servitude, de sorte que la Société aristocratique doit impliquer des Esclaves. Et pour des raisons biologiques, puisque cette Société — pour pouvoir durer — doit impliquer des femmes et des enfants inaptes à la Lutte, c'est-à-dire à la Maîtrise [1]. Certes, le juriste aristocratique peut simplement ne pas les reconnaître comme sujets de droit. Et alors il n'y aura aucune évolution du Droit. Mais s'il les reconnaît, il doit postuler leur égalité avec les Maîtres. L'évolution du Droit aristocratique ne peut donc consister que dans une extension progressive de l'égalité. Seulement, un Maître qui « reconnaît » un non-Maître, qui « reconnaît » donc sans Lutte, n'est plus un Maître véritable et n'agit pas en Maître en le faisant. Il n'y a donc aucune raison qu'il applique à cette « reconnaissance » le Droit aristocratique. Généralement parlant il appliquera le Droit bourgeois et n'admettra que l'*équivalence* juridique des Maîtres avec les non-Maîtres, et non leur égalité. Il reconnaîtra leurs *droits,* mais il n'admettra pas l'égalité de leurs droits avec les siens, se contentant de postuler leur équivalence. Et alors il n'y aura pas une évolution du Droit aristocratique, mais passage au Droit bourgeois (voire au Droit du Citoyen, dans la mesure où le Droit bourgeois nouvellement admis forme un tout plus ou moins cohérent avec l'ancien Droit aristo-cratique).

Mais il faut souligner qu'il n'y a aucune raison *juridique* de compléter le Droit aristocratique par le Droit bourgeois. Car il n'y a pas de raisons *juridiques* pour reconnaître comme sujet de droit tout animal de l'espèce Homo sapiens. La reconnaissance des nouvelles personnes juridiques devra se faire pour des raisons extra-juridiques, et le Droit se contentera d'appliquer son principe d'égalité à tous les sujets de droit. Le Droit reconnaît l'égalité juridique de toutes les personnes juridiques, ce qui veut dire — du point de vue du Droit — de tous les êtres reconnus comme humains. Mais il n'appartient pas au Droit de déterminer quel être réel (de l'espèce Homo sapiens) sera reconnu comme humain ou non. Or il n'y a pas non plus de raisons extra-juridiques pour que le Maître reconnaisse l'humanité d'un non-Maître (Esclave, femme ou enfant). Le non-Maître est — pour le Maître — l'Esclave (ou l'adversaire tué, si l'on veut), et il n'a nul désir d'être Esclave. Ne voulant pas *être* non-Maître *réellement,* il ne voudra pas non plus l'être *idéellement,* c'est-à-dire dans sa conscience, en se plaçant au « point de vue » du non-Maître, en se mettant *mentalement* « à sa

---

1. En fait, une Société de Maîtres (une bande de « brigands » par exemple) peut être exclusivement masculine, et une Société *purement* aris-tocratique doit même l'être. Car les rapports intrafamiliaux n'ont rien à voir avec la Maîtrise. Mais en fait les Maîtres se marient. Le problème ardu de la Famille devra d'ailleurs être traité à part.

place ». Comme il n'y a pas de raison que le Maître véritable devienne *réellement* un non-Maître (puisqu'il préfère *mourir*), il n'y aura pas non plus de raison pour qu'il accepte le point de vue du non-Maître, et en particulier son Droit bourgeois. Et c'est pourquoi il n'y a aucune raison pour que le Droit aristocratique *évolue* d'une façon quelconque : ni par extension de son propre principe égalitaire, ni par une synthèse avec le principe d'équivalence du Droit bourgeois. On peut donc dire si l'on veut qu'il est « parfait » d'emblée.

Tout autre est la situation de l'Esclave et de son Droit bourgeois. L'Esclave reconnaît dès le début l'humanité du Maître. Si donc il élabore un Droit en se considérant soi-même comme une personne juridique, c'est-à-dire comme un être humain, il ne peut pas ne pas reconnaître le Maître comme une personne juridique. Et c'est pourquoi, en admettant son inégalité avec le Maître, il ne peut créer un Droit qu'en le basant sur le principe de l'équivalence. Or si l'Esclave se dit être personne juridique, c'est-à-dire être humain, c'est qu'il n'est plus vraiment ou seulement Esclave. Il est aussi non-Esclave, c'est-à-dire Maître, dans la mesure où il le fait. Il se place au point de vue d'un Maître, il se met mentalement à sa place. Il est donc naturel qu'il accepte aussi le principe fondamental de la Justice et du Droit aristocratiques. Il y aura donc une *évolution* du Droit bourgeois non pas seulement par une extension de son propre principe d'équivalence (qui est ici naturelle, puisque l'Esclave « reconnaît » l'autre avant et plutôt que soi-même), mais encore par une synthèse avec le principe du Droit aristocratique.

Or il y a une raison *juridique* immanente de cette évolution du Droit bourgeois. Car en reconnaissant l'équivalence juridique de deux êtres, il les reconnaît nécessairement tous deux comme sujets de droit. Il reconnaît donc leur *égalité* en tant que personnes juridiques : les deux sont égaux en ce sens qu'ils sont tous deux des sujets de droit. Certes cette égalité est purement « formelle » ou « abstraite » : le « contenu », c'est-à-dire les « droits » respectifs de ces sujets pouvant être différents. Mais vu que toute « forme » tend à « former » son contenu pour se le rendre semblable, on peut dire que toute égalité « formelle » tend à se transformer en une égalité du contenu. Autrement dit la Justice et le Droit de l'équivalence ont une tendance immanente à devenir une Justice et un Droit de l'égalité. Et ceci d'autant plus que l'Esclave est aussi poussé vers l'égalité par des raisons extra-juridiques (« sociales »). Car si le Maître n'a nulle envie de devenir Esclave, l'Esclave veut toujours devenir Maître (dans la mesure où il n'est pas Esclave pur; mais il ne l'est plus s'il élabore un Droit en se reconnaissant comme personne juridique). Pour des raisons tant « sociales » que spécifiquement juridiques, l'Esclave ne voudra donc pas réaliser son Droit bourgeois à l'état pur, mais tendra à le fusionner avec le Droit aristocratique dans un Droit de l'équité.

Ce n'est donc pas l'évolution du Droit aristocratique qui engendre le Droit du citoyen. Ce Droit résulte de l'évolution du Droit bourgeois. Certes, pour que ce Droit évolue, pour qu'il adopte le principe aristocratique d'égalité, l'Esclave doit aspirer à l'égalité avec le Maître, il doit vouloir devenir Maître. Il doit donc cesser — du moins en puissance — d'être Esclave (qui est pleinement satisfait par la seule équivalence). Il doit donc être un Révolutionnaire. Mais l'Esclave qui cesse d'être Esclave ne devient pas un Maître. La Révolution est autre chose que la Maîtrise, et l'Esclave qui se libère dans et par une lutte révolutionnaire pour la « reconnaissance » devient autre chose qu'un Maître. Le « Maître » qui est *devenu* « Maître » est tout autre chose que le Maître véritable, qui est né tel (ou qui s'est constitué tel à partir de l'animal) : il est Citoyen. Si donc l'évolution du Droit bourgeois implique et présuppose (voire engendre) une Révolution égalitaire, ce n'est pas au Droit aristocratique de la simple égalité qu'elle aboutit. Le Droit qui *devient* égalitaire diffère de celui qu'il a été *dès le début :* il est un Droit du citoyen, où l'égalité fusionne avec l'équivalence dans l'équité.

Le Droit bourgeois n'existe pas *en acte*, et c'est pourquoi il *évolue*. Pour *actualiser* son Droit bourgeois l'Esclave doit l'étatiser. Il doit donc devenir Gouvernant et cesser d'être Esclave. Mais on ne *devient* Gouvernant (sans l'avoir été dès le début) qu'en étant *Citoyen*. *Son* Droit ne sera donc plus le Droit bourgeois de l'Esclave, mais celui du Citoyen. Au moment où l'Esclave pourra actualiser son Droit, il ne sera plus Esclave et *son* Droit sera un Droit du citoyen. On peut donc dire que le Droit bourgeois s'actualise en tant que Droit du citoyen. L'évolution juridique n'est ni une évolution du Droit bourgeois proprement dit, ni un retour au Droit aristocratique à partir d'un Droit bourgeois.

Quant au Droit aristocratique, il est actualisé dès le début (et c'est pourquoi il n'évolue pas, ou est « parfait »). Changer signifie donc pour lui s'annuler, disparaître. On peut donc dire que dans le plan de l'existence actuelle le Droit du citoyen *remplace* le Droit aristocratique. Mais le Droit du

citoyen est une synthèse du Droit bourgeois et du Droit aristocratique. Celui-ci est donc aussi *conservé (aufgehoben)* en
tant que Droit du citoyen. Ou bien encore on peut dire que le
Droit du citoyen est une actualisation du Droit bourgeois,
puisque celui-ci n'existe en acte qu'à l'intérieur de celui-là.
Mais en réalité le Droit du citoyen n'est ni bourgeois ni
aristocratique. Étant la synthèse du Droit aristocratique et
du Droit bourgeois, il n'est ni l'un ni l'autre. Et cette synthèse
existe dès le début, car dès le début le Droit aristocratique
en acte coexiste avec le Droit bourgeois en puissance. Dès
l'origine le Droit est donc un Droit du citoyen, et son évolution n'est autre chose que l'actualisation progressive de son
élément intégrant bourgeois, cette actualisation étant en
même temps une fusion progressive avec l'élément aristocratique toujours actuel. En évoluant, le Droit du Citoyen,
c'est-à-dire le Droit en tant que tel, reste donc ce qu'il est :
un Droit fondé sur la Justice de l'équité, c'est-à-dire sur
une synthèse (plus ou moins complète) du principe bourgeois
de l'équivalence avec le principe aristocratique de l'égalité.

Un phénomène n'évolue que dans la mesure où il implique
une contradiction immanente. Et il en va de même du Droit,
ainsi que de l'idée de Justice qu'il réalise.

Or si l'on prend le Droit dans son ensemble, il implique dès
le début les deux principes juridiques : celui de l'égalité (en
acte) et celui de l'équivalence (en puissance). Et en tant que
coexistant dans un seul et même système juridique, ces principes sont contradictoires. Ou plus exactement, ils rendent
ce système contradictoire. Certes, l'égalité et l'équivalence
sont parfaitement compatibles. Mais un système fondé sur
l'équivalence peut admettre l'inégalité. Et s'il le fait, il est
en contradiction avec le principe de l'égalité, c'est-à-dire
avec soi-même, s'il implique aussi ce principe. De même, le
Droit fonde que l'égalité peut ne tenir aucun compte de
l'équivalence en tant que telle. Si donc on applique le seul
principe d'égalité juridique aux sujets en fait inégaux reconnus par le Droit d'équivalence, on peut entrer en conflit avec
le principe qui est à la base de ce dernier. Il y aura donc de
nouveau conflit interne et, par conséquent, évolution, l'évolution n'étant rien d'autre que l'élimination progressive de la
contradiction interne.

Or, du moins à l'origine, l'application simultanée du Droit
aristocratique et du Droit bourgeois, c'est-à-dire la première
réalisation du Droit du citoyen, est nécessairement contradictoire au sens indiqué. Le Droit bourgeois n'a nulle raison
de ne pas reconnaître la personnalité juridique des personnes

dont les conditions humaines (« sociales ») sont inégales. Et dans la mesure où ce Droit est appliqué par l'Esclave (ou l'ex-Esclave), il reconnaît nécessairement des sujets inégaux, et il rend juridiquement compte de cette inégalité reconnue des personnes en leur assignant des droits et des devoirs différents. Or, en le faisant, il entre en conflit avec le Droit aristocratique, qui doit d'autre part être maintenu au même titre que le Droit bourgeois. De son côté, mis en présence des personnes inégales, reconnues comme sujets de droit, le Droit aristocratique leur appliquera son principe d'égalité juridique. Or les mêmes « droits » n'ont pas la même valeur lorsqu'on les rapporte à des sujets différents : étant égaux au point de vue formel, ils peuvent ne pas être équivalents en fait. D'où conflit avec le Droit bourgeois qui est également censé être valable. Ce Droit modifiera donc l'égalité formelle pour la rendre conforme à l'équivalence effective. Ce qui ne sera pas reconnu par le Droit aristocratique, qui voudra éliminer les inégalités juridiques ainsi introduites. Et ainsi de suite.

Ce conflit permanent des tendances bourgeoises et aristo-cratiques à l'intérieur du Droit aura pour résultat d'éliminer peu à peu les non-équivalences introduites par la première de ces tendances ainsi que les inégalités introduites par la seconde. Et c'est cette élimination réciproque et complé-mentaire qui constitue l'évolution historique du Droit, qui est – encore une fois – l'évolution du Droit synthétique du citoyen.

Par définition, cette évolution ne sera pas indéfinie. Elle ne durera que le temps que subsistera un conflit interne dans le Droit en vigueur, c'est-à-dire tant que la tendance bour-geoise n'aura pas éliminé du Droit toutes les non-équivalences et la tendance aristocratique – toutes les inégalités. Et d'ailleurs l'égalité vraiment absolue et universelle coïncide avec l'équivalence, de même que l'équivalence vraiment rigoureuse et objective (c'est-à-dire contrôlée par les inter-actions, par le croisement des droits et des devoirs) aboutit à l'égalité. Ce stade une fois atteint, c'est-à-dire tout conflit éliminé, l'évolution du Droit s'arrête. Et on peut dire que dans sa dernière forme le Droit (du citoyen) est un Droit *absolu.* Étant le seul et ne changeant plus, il est universel-lement et définitivement valable : il est « parfait », car il ne peut plus être amélioré, ne pouvant plus changer.

Or ce Droit absolu, où l'équivalence des droits et des devoirs de chacun se double d'une égalité des droits et des devoirs de tous, ne peut être actuel que là où tous sont égaux et équivalents non pas seulement juridiquement, « devant la loi », mais aussi politiquement et « socialement », c'est-à-dire en fait. Autrement dit, le Droit absolu ne peut exister que dans l'État universel et homogène. Inversement, le Droit de cet État sera un Droit absolu. Car l'État ne pouvant — par définition — ni changer ni périr (les guerres extérieures et civiles étant exclues), son Droit ne changera pas non plus : il sera éternellement et universellement valable. Et il sera égalitaire et équivalent à la fois, étant la sanction de l'égalité et de l'équivalence politiques et sociales de ses justiciables.

Ainsi, tout en admettant que la Justice apparaît sur terre sous une forme double et qu'il est impossible de dire que l'égalité est plus « juste » que l'équivalence ou inversement, tout en constatant que le Droit évolue nécessairement, on n'arrive pas au relativisme juridique. On peut maintenir l'idée d'un Droit et d'une Justice uniques, universellement et éternellement valables. Seulement ce Droit et cette Justice ne sont pas donnés dès le début, ils ne sont pas *a priori* en dehors du temps et de l'histoire. C'est au contraire dans et par l'histoire qu'ils se constituent. Le Droit absolu est le *résultat* de l'évolution juridique ou — ce qui est la même chose — l'intégration de cette évolution, c'est-à-dire la synthèse de tous les éléments constitutifs juridiques, qui sont autant d'étapes de l'évolution historique du Droit, pris dans son ensemble.

Certes, cette évolution n'est pas encore achevée et le Droit absolu ne nous est donc pas encore connu, quant à son contenu positif. Mais nous pouvons connaître le sens général de l'évolution qui y mène et le caractère de la synthèse qui le constitue. Or comme nous venons d'indiquer le sens général de l'évolution juridique de l'humanité, il nous reste à analyser brièvement le caractère global (et formel) de la Justice synthétique de l'équité (§ 45) et du Droit synthétique du citoyen (§ 46) qui la réalise en l'appliquant par un Tiers impartial et désintéressé à des interactions sociales données.


§ 45.


Il n'y a pas grand-chose à dire de la Justice de l'équité, qui implique les deux principes fondamentaux de l'égalité et de l'équivalence, sinon que ces deux principes antithétiques se stimulent mutuellement dans la mesure où ils se contredisent et s'opposent l'un à l'autre, et qu'ils tendent ainsi à fusionner en un seul tout synthétique, où l'un ne se réalise que dans la mesure où se réalise l'autre. Dans l'interaction des deux principes, celui de l'équivalence élimine toutes les non-équivalences introduites par l'application du principe de l'égalité, tandis que ce dernier supprime les inégalités qu'engendre la réalisation du principe de l'équivalence. Ainsi, la synthèse des deux principes supprime tout ce qu'ils ont d'unilatéral, c'est-à-dire de particulier et de limité. Elle les réalise donc dans leur plénitude et dans ce qu'ils ont d'universel, c'est-à-dire de vraiment essentiel. Or dans leurs plénitudes, dans la réalisation complète et parfaite de leurs essences, ils coïncident entre eux. Car s'il y a une *équivalence* parfaite des avantages et des inconvénients à l'intérieur d'un chacun, dans chaque condition particulière, celle-ci reste identique ou *égale* à elle-même, de même qu'inversement une *égalité* immuable avec soi engendre l'*équivalence* des aspects positifs et négatifs de l'existence. Ainsi l'*équivalence* de toutes les conditions, qui résulte de leurs équivalences internes, n'est autre chose que leur *égalité*, résultant de leurs égalités avec eux-mêmes.

Reprenons l'exemple du partage d'une nourriture pour le dîner. Le principe d'égalité exigera un partage en parts égales entre les ayants droit, et il ne se préoccupera plus de rien. Mais le principe de l'équivalence se demandera si les parts égales sont vraiment équivalentes. Si l'on constate que les uns ont plus faim que les autres, on verra qu'il n'en est rien. On partagera alors autrement, rendant les parts proportionnelles au besoin de nourriture d'un chacun. Le principe étant ainsi satisfait on s'en tiendra là. Mais l'autre principe sera choqué par l'inégalité du partage et il essayera de l'éliminer. Seulement, pour ne pas choquer le principe de l'équivalence il faudra éliminer l'inégalité des participants. On se demandera donc pourquoi les uns ont plus faim que les autres. Et si l'on constate que cette différence résulte du fait que les uns ont déjeuné et les autres non, on veillera à ce que dorénavant tous puissent déjeuner. Le principe de l'équivalence aura donc incité celui de l'égalité à se réaliser plus parfaitement. Et en devenant parfaite l'égalité coïncide avec l'équivalence. Car si les ayants droit sont vraiment égaux, l'égalité de leurs parts ne diffère plus de leur équivalence, leur équivalence n'est autre chose que leur égalité.

Admettons d'une manière générale que la Justice de l'équité s'applique au sein d'une Société donnée qui n'est pas encore absolument conforme à l'idéal de cette Justice. Et admettons qu'à un moment donné un être agissant d'une certaine manière soit considéré comme un être humain : le guerrier par exemple, oisif en temps de paix. En s'appuyant sur le principe de l'égalité, on considérera comme humains tous les êtres qui agissent de la même manière, et eux seulement. Mais en s'appuyant sur le principe de l'équivalence on pourra constater qu'une action différente de l'action en question peut lui être équivalente et qu'il y aura donc lieu de considérer comme humain l'être qui l'exécute. Ainsi par exemple le fait de travailler pour la Société peut être équivalent au point de vue social et politique au fait de défendre la Société les armes à la main, et l'acte de donner à la Société des enfants, c'est-à-dire de futurs citoyens peut être équivalent à l'acte de travailler ou de faire la guerre. On reconnaîtra donc les ouvriers et les femmes comme êtres humains, au même titre que les guerriers. Mais en tenant compte de la différence de leurs actions on leur attribuera des « statuts » différents. Mais mis en présence d'êtres humains reconnus, et en acceptant le principe de l'égalité, on essayera de les égaliser, c'est-à-dire d'égaliser leurs actions. On exigera par exemple que les guerriers travaillent en temps de paix et que les ouvriers prennent part aux guerres. Mais dans le cas des femmes on se heurte à une différence irréductible : l'homme ne peut pas mettre des enfants au monde. Force est donc de maintenir le principe de l'équivalence, en essayant de supprimer le plus possible les conséquences humaines (« sociales ») des différences biologiques irréductibles. Pratiquement on essayera d'établir une équivalence parfaite entre la maternité et le service militaire, en mettant partout ailleurs les hommes et les femmes sur un pied d'égalité.

Prenons un autre exemple. Le principe d'équivalence permet de considérer comme humains les êtres qui n'agiront humainement que dans l'avenir, c'est-à-dire les enfants en bas âge. Car si une action au moment $t^1$ n'est pas égale à une action au moment $t^2$, elle peut lui être équivalente. Le principe d'égalité attribuera alors les mêmes droits aux enfants et aux adultes. Mais cette égalité formelle sera inacceptable du point de vue de l'équivalence. Par exemple le droit de conclure des contrats et d'agir personnellement en justice sera sans valeur pour l'enfant. Pour établir l'équivalence on assignera aux enfants des tuteurs. Mais il n'y aura plus alors d'égalité entre l'action libre de l'adulte et l'action contrôlée de l'enfant. Ne pouvant pas supprimer le contrôle de l'action enfantine, on introduira donc un contrôle de l'action adulte. Seulement si l'on assignait des tuteurs privés aux adultes on changerait de nouveau le principe de l'équivalence. D'où une tendance de soumettre les deux à un régime équivalent, en introduisant par exemple un contrôle de toute activité par l'État (l'économie dirigée). Or ce contrôle aboutira tôt ou tard (dans la Société socialiste) à une égalisation des situations des enfants et des adultes, les adultes cessant dans une Société sans propriété privée d'exercer la plupart des droits que les enfants sont incapables d'exercer eux-mêmes.

Et ainsi de suite.

D'une manière générale, la Justice de l'équité ne sera satisfaite que là où règne la plus grande *égalité* possible. Mais la réalisation de l'égalité ne supprimera pas l'*équivalence*. Une condition sera dite « juste » non pas seulement parce qu'elle est *égale* à toutes les autres conditions, et non pas seulement parce qu'elle est « *égale* » à elle-même, c'est-à-dire parce qu'elle peut durer indéfiniment sans devoir changer du seul fait qu'elle dure (comme doit par exemple changer l'état de santé de l'homme sous-alimenté), mais encore parce qu'il y a en elle une *équivalence* entre les avantages et les inconvénients (en particulier entre ceux qui sont fixés juridiquement sous forme de droits et de devoirs). Une condition quelle qu'elle soit sera considérée comme « injuste » du seul fait que les avantages n'y sont pas contrebalancés par les inconvénients, ou inversement — ce qui n'a aucun sens du point de vue de la seule Justice égalitaire. Seulement, comme je l'ai déjà dit, l'équivalence interne ne pourra être constatée et fixée objectivement, c'est-à-dire qu'elle ne pourra être vraiment réelle, que s'il y a croisement des avantages et des inconvénients, si les inconvénients des uns sont des avantages des autres. Or, dans ce cas, l'évolution ira nécessairement vers une égalisation. Car le croisement des intérêts stimule les échanges, et les échanges qui sont vraiment équivalents établissent l'égalité.

Mais, encore une fois, l'égalité de tous n'est qu'une idée limite. Car les différences biologiques irréductibles (telles que les différences entre malade et sain, homme et femme, adulte et enfant) rendront toujours nécessaire l'application du principe de l'équivalence à côté de celui de l'égalité. Mais tant que la limite imposée par le donné naturel ou animal ne sera pas atteinte, il y aura une évolution sociale ou historique en fonction de l'idéal de la Justice de l'équité et par suite une évolution de cette Justice elle-même, qui ne fait que refléter l'évolution historique. Car toute prépondérance de l'équivalence suscitera une extension de l'égalité, et *vice versa*.

À chaque étape de son évolution l'idée de Justice est caractérisée d'une part par l'extension de ses deux principes, et d'autre part par leur rapport mutuel. D'une part la Justice va évoluer parce qu'on découvrira peu à peu l'injustice de *toutes* les inégalités ou non-équivalences de ce qui *peut* être égal et équivalent. Ainsi par exemple après avoir découvert l'injustice de l'inégalité politique des hommes on a découvert l'injustice de l'inégalité politique entre les hommes et les femmes, et après avoir découvert l'injustice de l'inégalité politique, on découvre celle de l'inégalité sociale ou économique. D'autre part la Justice évoluera parce que l'égalité n'ira pas de pair avec l'équivalence. Ainsi par exemple après avoir découvert qu'il est injuste de priver les ouvriers des congés accordés aux autres, on a compris qu'il est juste de leur accorder des billets à prix réduit. Tant que l'égalité et l'équivalence ne se seront pas étendues à *tout* le domaine de ce qui peut être égal ou équivalent, leur équilibre ne sera pas stable. Car l'un pourra s'étendre au-delà de l'autre et engendrer ainsi un déséquilibre. Et ce déséquilibre sera équilibré par une extension correspondante de l'autre. Mais elle pourra de son côté dépasser les limites de la première, en créant un nouveau déséquilibre. Etc.

La Justice de l'équité pourra à un moment donné simplement refléter les égalités et les équivalences réalisées au sein de la Société qui adopte cette Justice. Mais on pourra aussi constater des décalages. Par exemple la Société pourra être plus égalitaire ou moins égalitaire que sa Justice. Ici encore le déséquilibre entre la Justice et la réalité sociale ne sera que temporaire. Mais dans le premier cas c'est l'idée de Justice qui va évoluer en fonction de la réalité sociale, et il y aura le cas échéant une révolution juridique, tandis que dans le second cas c'est la réalité qui évoluera en fonction de l'idée de Justice et il y aura le cas échéant une révolution politique ou sociale [1].

Quoi qu'il en soit, si la Justice ne reflète pas déjà un état de choses réel, elle tendra à se le rendre conforme. Et de toute

---

1. Généralement parlant on aura le rythme suivant. Si l'évolution politico-sociale introduit une nouvelle égalité, celle-ci va pénétrer de là dans l'idée de Justice. Là elle engendrera une exigence d'équivalence appropriée. Et cette équivalence conçue comme juste sera introduite tôt ou tard dans la réalité sociale. Ou bien l'évolution sociale introduit une nouvelle équivalence, qui se complète dans la Justice par l'égalité, celle-ci s'introduisant dans la réalité sociale.

façon elle ne voudra pas qu'il y ait des interactions contraires à ses principes, c'est-à-dire impliquant des inégalités ou des non-équivalences là où elle ne les admet pas — au stade donné de son évolution. Or l'application de l'idée de Justice aux interactions sociales données n'est rien d'autre que le Droit. La Justice de l'équité se réalisera donc elle aussi en tant qu'un Droit. Et le contenu de ce Droit du Citoyen sera déterminé à chaque étape par le contenu de l'idée de Justice qu'il réalise. D'une manière générale le Droit à une époque donnée sera en accord avec l'idée de Justice de cette même époque. Mais ici encore on peut rencontrer des décalages et des stimulations soit de la Justice par le Droit, soit du Droit par la Justice. Et dans tous les cas le Droit sera un intermédiaire entre l'idée de Justice et son évolution et l'évolution de la réalité sociale, car le Droit applique cette idée à cette réalité.

Voyons donc quels sont les caractères généraux du Droit du citoyen, qui réalise la Justice de l'équité.

## § 46.

À son état pur (d'ailleurs purement théorique), le Droit aristocratique est caractérisé par le fait que la personne juridique possède la plénitude des droits, sans avoir aucun devoir. D'où l'égalité de toutes les personnes juridiques et de leurs droits. Le Droit bourgeois par contre pose à son état pur (tout aussi théorique) le principe de l'équivalence des droits et des devoirs par rapport à chaque personne juridique. Ce qui est parfaitement compatible avec l'inégalité de ces personnes, c'est-à-dire avec des différences entre les droits et les devoirs d'une personne et ceux d'une autre.

Or le Droit du citoyen (c'est-à-dire tout Droit réel en général), étant fondé sur la Justice de l'équité, qui synthétise l'égalité et l'équivalence, doit être par définition une synthèse des Droits aristocratique et bourgeois. À son état pur (non encore réalisé, d'ailleurs), ce Droit doit donc combiner dans un équilibre parfait l'égalité des droits et des devoirs de toutes les personnes juridiques avec l'équivalence des droits et des devoirs dans chacune de ces personnes. À l'encontre du Droit aristocratique, le Droit du citoyen n'admettra pas l'existence de droits non compensés par des devoirs, ni de devoirs sans droits correspondants. Mais en accord avec le Droit aristocratique, ce Droit va postuler l'égalité de tous les droits, et par conséquent, de tous les devoirs juridiques. D'où une communauté des droits et des devoirs, les droits et les devoirs de l'un étant aussi les droits et les devoirs de tous, et inversement, les droits et les devoirs de la communauté étant aussi les droits et les devoirs de chacun de ses membres. De cette façon aux droits de quelqu'un vont correspondre non seulement ses propres devoirs, mais encore ceux des autres, et inversement : il y aura un intercroisement des droits et des devoirs.

Ici encore il y aura donc une synthèse de l'universalisme (ou du collectivisme) du Droit aristocratique et du particularisme (ou de l'individualisme) du Droit bourgeois. Tout comme le Maître, le Citoyen aura des droits (et des devoirs) *universaux*. Les droits de tous étant égaux, ils découleront de l'appartenance d'un chacun au tout, à la Société en tant que telle ou à l'État. Et les devoirs seront des devoirs envers tous, c'est-à-dire envers la Société prise dans son ensemble ou envers l'État. Mais du moment que l'État est universel et la Société homogène, les droits et les devoirs appartiendront non pas seulement aux groupes, mais à un chacun pris isolément. Ce n'est pas en tant que citoyen de tel État national, ou membre d'une telle famille (aristocratique par exemple) ou de tel groupement social (classe) que l'homme aura des droits et des devoirs, mais en tant qu'individu. Poussés à leurs maxima respectifs, l'individualisme et l'universalisme juridiques vont coïncider : les droits et les devoirs les plus personnels, qui ne peuvent être exercés que par l'individu en question, seront les droits et les devoirs les plus universels, c'est-à-dire ceux du citoyen pris en tant que citoyen, ou ceux de tous et d'un chacun.

Quoi qu'il en soit, le Droit du citoyen sanctionnera toutes les interactions sociales compatibles avec les principes de l'égalité et de l'équivalence. Autrement dit, si un citoyen agit de façon à ne dérégler ni l'équilibre entre ses droits et ses devoirs, ni l'égalité de ses droits et devoirs avec ceux des autres, et s'il rencontre néanmoins des résistances de la part d'autrui, celles-ci seront annulées par l'intervention désintéressée d'un Tiers impartial, de sorte que le citoyen en question n'aura pas besoin de faire des efforts lui-même pour vaincre ces résistances. Inversement, ce même Tiers annulera toute action tendant à déséquilibrer un rapport donné de droits et de devoirs ou l'égalité entre les droits ou les devoirs.

La *liberté* juridique consistera donc dans la possibilité pour chacun de faire tout ce qu'il veut à condition de rester en accord avec l'égalité des droits et des devoirs et leur équivalence respective. Et l'*égalité* juridique sera garantie par le fait que la valeur juridique d'une interaction ne sera pas modifiée si l'on intervertit ses membres.

Du moment que le Droit du citoyen reconnaît l'intercroisement des droits et des devoirs, qui fait que les droits des uns sont les devoirs des autres et inversement, ce Droit doit admettre les interactions sociales : c'est dans et par ces interactions qu'on exerce ses droits et accomplit ses devoirs. En ceci le Droit du citoyen est donc conforme au Droit bourgeois et contraire au Droit aristocratique, qui admet le statut et exclut le contrat. Tout comme le Droit bourgeois, le Droit du citoyen admet le contrat comme une catégorie juridique fondamentale. Mais étant synthétique, il conçoit le contrat, qui est la catégorie juridique bourgeoise fondamentale, comme le Droit aristocratique sa propre catégorie fondamentale, c'est-à-dire le statut. Ce qui caractérise le « statut », c'est qu'il est censé pouvoir se réaliser dans l'isolement, sans interaction avec les autres, et qu'il reste indéfiniment identique à lui-même, n'étant pas une fonction de circonstances variables. Or le contrat du citoyen réalise ce second caractère essentiel du statut aristocratique. Étant fondés sur l'égalité et l'équivalence, les contrats ne modifieront pas les conditions des contractants et ils resteront donc eux-mêmes stationnaires. Pratiquement il s'agira de contrats avec la Société en tant que telle ou avec l'État, et ce seront des contrats collectifs. On pourra donc dire d'eux qu'ils fixent le « statut » des personnes juridiques. Mais ce statut du citoyen différera du statut aristocratique en ceci qu'il sera le résultat ou l'expression (fixée juridiquement) d'*interactions* sociales. Le statut sera donc un contrat, et le contrat un statut. Et c'est ainsi qu'il n'y aura plus ni statuts au sens aristocratique du terme, ni contrats au sens bourgeois [1].

Si l'on considère le rapport de l'individu avec l'État on peut dire que l'évolution du Droit du citoyen révèle une prépondérance croissante du principe bourgeois du contrat sur le principe aristocratique du statut. En effet, l'État reconnaît juridiquement de moins en moins l'existence de statuts éternels et immuables. D'une part les statuts cessent d'être

---

1. D'après Sumner-Maine (« *Ancient Law* », 15e éd., p. 168) l'évolution et le progrès du Droit consistent dans le remplacement progressif des statuts par les contrats. On lui objecte que de nos jours on assiste à un mouvement inverse, les contrats tendant à devenir des statuts. En réalité il y a passage du statut aristocratique (ou proprement dit) au contrat proprement dit (ou bourgeois), et de là au statut-contrat ou contrat-statut du Droit synthétique du citoyen.

héréditaires. D'autre part ils ne sont plus fixés même à vie : on peut à volonté changer de métier, de classe sociale, de famille, et même de nationalité. Et chaque appartenance est une fonction de l'*activité* consciente et volontaire, d'une *interaction* avec l'État ou la Société, c'est-à-dire avec ses membres : on est ce qu'on fait; l'activité n'est pas fixée par l'être. Mais si l'on considère les rapports des individus entre eux, on peut dire que l'évolution du Droit du citoyen consiste dans le remplacement progressif des contrats bourgeois par des statuts aristocratiques. Car la liberté des contrats diminue de plus en plus. L'État impose des types de contrat que l'individu n'a qu'à accepter ou refuser. Et les contrats entre particuliers doivent être en accord avec les statuts de ces particuliers fixés par l'État (par ses contrats collectifs). Ainsi par exemple les contrats que peuvent conclure des ouvriers sont déterminés par leur statut.

Cette même dialectique se reproduit dans l'évolution de la notion juridique de la *propriété.*

Dans son aspect bourgeois le Droit du citoyen adopte la conception « fonctionnelle » de la propriété. Elle est le résultat et l'expression fixée juridiquement d'un effort fourni, avant tout d'un travail effectué en vue de l'obtenir. Elle a donc toujours pour dernière source une interaction, c'est-à-dire un contrat. Car on ne crée rien à partir du néant, mais on transforme seulement une donnée, une « matière première ». Or si celles-ci sont « premières », c'est qu'elles n'ont été faites par personne. Elles n'appartiennent donc à personne. C'est-à-dire à personne en particulier, mais à tous, à la Société en tant que telle ou à l'État. Toute propriété présuppose donc une interaction avec l'État, fixée juridiquement sous forme d'un contrat.

Mais dans son aspect aristocratique, le Droit du citoyen postule l'égalité des propriétés. En dernière analyse la propriété est donc censée être une fonction de l'être même de l'homme : on a une propriété parce qu'on est un être humain, et on a la même propriété que les autres parce qu'on est humain au même titre qu'eux. Le Citoyen a donc une propriété parce qu'il est homme et citoyen et il ne l'a que dans la mesure où il l'est, tout comme le Maître possède sa propriété parce qu'il est Maître ou en tant qu'il est Maître. La propriété fait donc partie du *statut* du Citoyen, tout comme elle faisait partie du statut de la Maîtrise. Seulement le statut de la Citoyenneté est tout autant statut que *contrat.* Et il en va donc de même de la propriété juridique dans le Droit du citoyen.

Et ce qui est vrai du droit de propriété vaut aussi pour le principe de l'*hérédité* en tant que tel. Car ces deux principes sont effectivement solidaires l'un de l'autre. S'il n'y a pas de propriété véritable, sans hérédité, il n'y a pas non plus d'hérédité qui compte si elle ne s'accompagne pas de propriété (héréditaire).

Or le Droit du citoyen est d'une part semblable au Droit bourgeois en ce sens qu'il est hostile à l'hérédité. Ce Droit limite ou nie la tansmission héréditaire de la propriété et la fixation héréditaire des fonctions et des activités des individus. Mais d'autre part, en veillant à l'égalité de tous, le Droit du citoyen affirme si l'on veut le caractère permanent, c'est-à-dire héréditaire de la condition humaine : cette condition se transmet de père en fils en restant toujours égale à elle-même. Le fils du Citoyen est Citoyen, et il est le même Citoyen que son père, tout comme le fils du Maître est Maître et le même Maître. On peut donc dire que le Droit du citoyen affirme le principe de l'hérédité tout autant qu'il le nie. C'est qu'il nie l'hérédité du particulier, des « caractères acquis » individuels ou personnels, mais affirme l'hérédité éternelle de l'universel, des caractères génériques communs à tous.

*Le Droit criminel* du citoyen est tout aussi synthétique que son Droit civil et son Droit public proprement dit. Si le Droit public est tout autant un Droit du statut qu'un Droit du contrat, et si le Droit civil est un Droit de propriété au même titre qu'il est un Droit du travail (contractuel) ou de l'effort en général, le Droit pénal réunit lui aussi les principes fondamentaux des Droits criminels aristocratique et bourgeois.

La justice pénale aristocratique tend à supprimer tous les actes qui suppriment l'égalité des personnes juridiques et elle essaye de rétablir cette égalité dans et par le châtiment. Quant à la justice criminelle bourgeoise, elle réprime les dérogations à l'équivalence des droits et des devoirs, ainsi qu'à celle des personnes juridiques entre elles, et elle tend à restituer cette équivalence dans et par la peine. Le Droit criminel du citoyen, qui combine (plus ou moins parfaitement) ces deux principes, verra donc un crime ou un délit dans toute action qui détruit soit l'égalité des personnes juridiques, soit l'équivalence des droits et des devoirs, soit les deux choses à la fois. Et le châtiment devra poursuivre un double but. D'une part il devra égaliser le criminel avec les autres citoyens et avec sa victime, en rétablissant (dans la mesure du possible) le *statu quo ante*, ou tout au moins rétablir leur équivalence. D'autre part le châtiment devra restituer l'équivalence entre les droits et les devoirs, voire entre les avantages et les inconvénients de la personne même du criminel, cette équivalence ayant été détruite par le crime.

Or nous avons vu que l'application exclusive du principe pénal aristocratique aboutit à la théorie du talion et à une conception objectiviste et collectiviste de la peine. Quant à l'application exclusive du principe pénal bourgeois, elle mène à une théorie de la compensation et à la conception subjectiviste et individualiste du châtiment. Le Droit criminel du citoyen doit donc combiner, ou plus exactement synthétiser, ces deux théories et ces deux conceptions antithétiques. Il s'agit de les affirmer simultanément dans ce qu'elles ont d'essentiel, en supprimant leurs particularités, c'est-à-dire tout ce par quoi elles se contredisent et s'excluent mutuellement.

En ce qui concerne le talion et la compensation, leur différence radicale disparaît à mesure que s'égalisent les conditions de l'existence, et que ces conditions sont des fonctions plus que des états. La loi du talion exige qu'on fasse au criminel *la même chose* qu'il a faite à sa victime, tandis que le principe de compensation se contente de la seule équivalence entre le fait criminel et le châtiment subi. Or si l'état n'est autre chose qu'une fonction, léser l'état de la victime (et c'est là le contenu du crime) n'est rien d'autre que l'empêcher d'exercer normalement sa fonction. Si donc le châtiment, conformément au principe de la seule compensation, ne porte pas atteinte à l'état du criminel et ne touche que son fonctionnement, il fera néanmoins subir au criminel la même chose qu'il a infligée à la victime, ce qui sera conforme au principe du talion.

En outre, la justice pénale du citoyen devra combiner l'objectivisme avec le subjectivisme. On tiendra donc compte de l'intention, des motifs du crime, etc. Mais on essayera en même temps de supprimer les causes objectives des motifs criminels. En justifiant le criminel, on ne justifiera donc pas le crime, et on traitera celui-ci tout aussi objectivement que ne l'a fait la justice pénale aristocratique.

Or supprimer les causes des crimes, c'est effectuer des réformes sociales, qui touchent tout autant les non-criminels que les criminels. Il y aura donc si l'on veut une « responsabilité collective », tout comme dans l'ancien Droit aristocratique. Mais tout comme dans le Droit bourgeois, la répercussion *individuelle* du crime ne pourra toucher que la personne du criminel lui-même et non celle d'un autre[1].

---

1. C'est Fauconnet qui a insisté sur le caractère collectiviste du Droit criminel moderne, notamment sur le Droit tel qu'il apparaît dans les théories de l'école italienne. (Cf. *La Responsabilité*, p. 339 sq.)

*Troisième Section*

# LE SYSTÈME DU DROIT

## § 47.

L'évolution juridique de l'humanité n'étant pas encore achevée, il serait vain d'essayer d'établir un Système du Droit parfait, c'est-à-dire complet et définitif. Mais on peut admettre que cette évolution a progressé suffisamment pour qu'il soit possible de fixer dès maintenant les *cadres* du Système définitif. Autrement dit, nous connaissons tous les grands types ou genres possibles d'interactions sociales (dont beaucoup ne sont plus ou pas encore réalisées) et tous les modes d'application de l'idée de Justice à ces interactions, ainsi que toutes les variantes possibles de cette idée. Mais si nous pouvons construire dès maintenant, et — si l'on veut — *a priori*, ces variantes et ces modes, et si nous connaissons déjà tous les *types* ou *genres* d'interactions sociales, nous ne connaissons pas toutes les interactions concrètes possibles, ni même toutes leurs espèces. Or une règle de droit est avant tout l'application d'une certaine idée de Justice à une interaction concrète, ou à une espèce concrète de ces interactions. Nous ne connaissons donc pas toutes les règles du droit possibles. Et c'est pourquoi nous ne pouvons pas encore *remplir* les cadres construits du Système du Droit avec un contenu juridique [1].

1. Bien entendu, la construction *a priori* n'est possible qu'après coup. Si nous pouvons construire les variantes de l'idée de Justice et les modes de son application, ainsi que les grands types d'interactions sociales, c'est uniquement parce que toutes ces variantes, toutes ces applications et tous ces types ont déjà été réalisés au cours de l'histoire, ou tout au moins y sont devenus réalisables. De plus, on ne peut *construire* qu'un Droit en puissance, puisque le Droit en acte est le Droit effectivement appliqué. On ne peut donc que *constater* le Droit actuel.

Dans la Deuxième Section, j'ai indiqué les trois grandes variantes de l'idée de Justice, en signalant que la troisième (et la seule réelle) admet une infinité de degrés en quelque sorte. On pourrait donc construire les cadres (purement théoriques) d'un Système du Droit aristocratique pur, ainsi que ceux d'un Système pur du Droit bourgeois. Et on pourrait construire les cadres des principaux Systèmes du Droit du citoyen, ces Systèmes correspondant aux étapes marquantes de l'évolution historique de ce Droit.

D'autre part on peut déterminer les divers modes d'application d'une idée donnée de Justice aux interactions sociales. On peut distinguer par exemple l'application en acte de l'application en puissance. Et ces divers modes d'application nous donneront une première division du Système du Droit que nous considérons.

Enfin, on peut répartir toutes les interactions sociales connues (à l'époque où est valable le Système qui nous intéresse) entre divers types ou genres. Et l'on répartit ensuite entre ces types toutes les règles de droit possibles, c'est-à-dire toutes les applications possibles de l'idée de Justice aux interactions sociales données. On obtient ainsi une nouvelle division du Système du Droit, qui va d'ailleurs s'entrecroiser avec la première.

Ayant obtenu ainsi un Système rationnel complet du Droit en question, c'est-à-dire le Système de toutes les applications possibles d'une certaine idée de Justice à un ensemble donné d'interactions sociales, on peut le comparer au Système admis dans la société où ce Droit est en vigueur. D'une part on verra si ce dernier Système est rationnel au point de vue de la forme, c'est-à-dire si la répartition admise des règles de droit entre les rubriques du Système est bien faite, et si ces rubriques elles-mêmes sont bien choisies. D'autre part on pourra se rendre compte de la perfection du système quant à son contenu, c'est-à-dire voir si les règles existantes épuisent ou non toutes les possibilités juridiques du Droit en question, et si elles sont correctes ou non [1].

Dans le chapitre I je déterminerai brièvement les grandes rubriques du Système rationnel du Droit adapté à la limite supérieure atteinte actuellement par l'évolution politique. sociale et juridique de l'humanité. En admettant qu'une

---

1. Si une soi-disant règle de droit admise ne correspond pas à la définition générale de la règle de droit, elle devra être exclue du Système rationnel comme juridiquement inauthentique. Si une règle admise naît de l'application d'une idée de Justice autre que celle qui est à la base du Système, elle devra en être exclue comme juridiquement inadéquate.

certaine variante de l'idée de Justice (du citoyen) s'applique à un ensemble donné d'interactions sociales, je me demanderai comment doivent être classées — en gros — les règles de droit qui formulent cette application.

Dans le chapitre ii j'analyserai brièvement le caractère du contenu de chacune des grandes rubriques du Système. Il ne s'agira pas de formuler des règles de droit. Je me contenterai d'indiquer les traits communs aux règles groupées dans une seule rubrique, qui les distinguent des règles groupées dans les autres rubriques.

L'exposé sera d'ailleurs incomplet et fragmentaire. Incomplet en ce sens qu'il s'arrêtera aux grandes rubriques et négligera leurs subdivisions. Et fragmentaire, parce que je n'insisterai que sur certains aspects du contenu de ces grandes rubriques, en traitant les unes moins complètement que les autres.

# CHAPITRE I

*Classification des phénomènes juridiques*

§ 48.

Après avoir introduit la notion de la Justice dans l'analyse du Droit, il est inutile d'avoir recours à la définition behavioriste de ce phénomène, formulée dans la Première Section. On peut la remplacer par une

*Définition introspective du Droit.*

Le « Droit positif », ou le « Système » d'un Droit donné, est l'ensemble de toutes les « règles de droit », c'est-à-dire des règles qui déterminent le comportement d'un tiers intervenant à l'occasion d'interactions données entre des personnes « physiques » ou « morales » (individuelles, collectives ou abstraites), cette intervention ayant pour seul but ou motif soit de constater simplement la conformité entre les interactions et un certain idéal de Justice (n'existant que dans la conscience du tiers ou fixé aussi objectivement, oralement ou par écrit), soit de rendre les interactions conformes à cet idéal si elles ne le sont pas d'emblée; cette intervention peut être irrésistible ou non, et dans les deux cas elle peut s'effectuer soit spontanément, soit à la demande de l'un au moins des agents en interaction [1].

1. L'idéal de Justice est rarement donné sous une forme explicite; il est généralement donné implicitement, dans quelques règles de droit à valeur axiomatique, que les autres règles ne doivent pas contredire; autrement dit l'application des nouvelles règles ne doit jamais aboutir à des situations incompatibles avec celles auxquelles aboutit l'application des règles axiomatiques.

Un Droit quelconque ne peut contenir que des règles de droit conformes à cette définition. Si une société donnée fait passer pour des règles de droit des phénomènes qui sont en désaccord avec notre définition, le phénoménologue du Droit n'a pas à en tenir compte et il doit les exclure du Système du Droit en question, comme n'ayant rien à voir avec le Droit en général.

D'autre part il ne faut inclure dans un Système que les règles qui correspondent à l'application d'un seul et même idéal de Justice. À chaque idéal donné correspond donc un seul Système ou un seul Droit positif. Il se peut qu'en fait le Droit en vigueur ne soit pas homogène en ce sens qu'il implique des règles qui présupposent deux ou plusieurs idées de Justice différentes. Le phénoménologue devra alors séparer ces règles en deux ou plusieurs Systèmes différents, quitte à compléter chacun de ces Systèmes afin que chacun contienne toutes les règles possibles. Mais pratiquement le Droit tant soit peu stabilisé et stable n'est jamais contradictoire en ce sens. Les contradictions entre les diverses règles de droit en vigueur ne se manifestent qu'à des époques de transition, quand un Système est en train de céder la place à un autre. D'ailleurs, la présence simultanée de règles conformes à la Justice de l'égalité et à la Justice de l'équivalence ne signifie nullement que le Droit soit contradictoire. Cette présence prouve seulement qu'il s'agit d'un Droit du citoyen. Mais pour que ce Droit ne soit pas contradictoire, il faut que la proportion adoptée entre l'égalité et l'équivalence soit la même dans toutes les règles de ce Droit. Ce qu'il est, d'ailleurs, plus facile d'exprimer comme principe général que de vérifier pour chaque règle en particulier. Pratiquement il suffit que l'application d'une règle donnée n'introduise jamais des égalités ou des équivalences incompatibles avec celles qui résultent de l'application de l'ensemble des autres règles.

Si le Système (rationnel) exclut tout ce qui n'est pas juridique, ainsi que toutes les règles incompatibles avec l'idée de Justice qui est à sa base, il implique par contre *toutes* les règles résultant de l'application de cette idée à des interactions sociales. Une règle peut être formulée dans un code par exemple, et ne jamais être appliquée parce que les interactions qu'elle vise n'ont pas lieu. Ou bien une interaction peut se produire et un tiers peut y intervenir sans qu'il y ait auparavant une règle appropriée : le tiers la créera alors *ad hoc*. Ou bien encore une règle possible ne sera pas formulée et l'interaction qui lui correspond ne s'effectuera pas. Enfin des règles formulées seront appliquées à des interactions correspondantes réelles. Or le phénoménologue qui établit un Système du droit n'a pas à tenir compte de ces différences. Autrement dit le « Système » ou le « Droit positif » implique tous ces cas à la fois : tant les règles formulées effectivement, appliquées ou non, que les règles non encore formulées, mais compatibles avec l'idéal donné de Justice et s'appliquant à des interactions sociales possibles. En effet, si l'on ne tient compte que des règles formulées ou appliquées effectivement, il faudra dire qu'un « Droit positif » est toujours en voie d'évolution. Car le nombre des règles de droit augmente sans cesse. Et on peut dire que les nouvelles règles formulées ou appliquées sont puisées dans le réservoir des règles « possibles », c'est-à-dire compatibles avec l'idéal de Justice qui est à la base du Droit positif en question. Le Système complet et stable de ce Droit implique donc tant les règles effectives que les règles non encore exprimées, mais possibles.

Reste à voir comment l'ensemble des règles formant un Système donné peut être subdivisé rationnellement.

Si les règles ne font partie du Système qu'à condition d'être conformes à la définition qui vient d'en être donnée, c'est dans cette définition qu'il faut chercher le principe de classement des règles de droit, c'est-à-dire les divisions du Système qui les implique. Or cette définition admet les variétés suivantes de règles de droit qui lui sont conformes :

1) on peut distinguer les règles de droit qui donnent lieu à une intervention *irrésistible* du tiers de celles qui ne provoquent qu'une intervention pouvant être inefficace, c'est-à-dire une intervention à laquelle les justiciables peuvent se soustraire (§ 49);

2) on peut distinguer les règles qui correspondent à des interventions *spontanées* du tiers des règles selon lesquelles le tiers n'est censé intervenir que sur la demande expresse de l'un au moins des justiciables (§ 50);

3) on peut distinguer les règles de droit d'après le caractère des *personnes* des justiciables (§ 51);

4) on peut distinguer les règles de droit selon la nature des *interactions* auxquelles les règles s'appliquent (§ 51).

Quant à la distinction des cas où le tiers se contente de constater le caractère juridiquement légal d'une interaction de ceux où il modifie l'interaction pour la rendre conforme à la loi juridique, elle ne donne rien pour le classement des règles de droit elles-mêmes. Car dans les deux cas il s'agit d'une seule et même règle de droit. Dans le premier cas le tiers constate que l'interaction donnée est conforme à la règle de droit qu'il a en vue. Dans le second cas il constate la non-conformité de l'interaction avec cette même règle et la modifie pour rendre celle-là conforme à celle-ci.

Il nous faut donc voir (§ 49-51) ce que signifient les quatre types de distinctions possibles entre les règles de droit. Après quoi il faudra en déduire la structure du Système rationnel du Droit, c'est-à-dire déterminer les grandes rubriques entre lesquelles il faut répartir l'ensemble des règles qui constituent un « Droit positif » donné (§ 52).

## § 49.

Voyons d'abord ce que signifie la distinction entre les règles de droit correspondant à une intervention *irrésistible* du tiers et celles qui correspondent à une intervention n'ayant pas ce caractère de nécessité absolue par rapport aux justiciables, c'est-à-dire aux agents en interaction.

Tout d'abord l'intervention peut être dite « irrésistible » même dans les cas où le jugement n'a pas eu lieu pour une raison quelconque, ainsi que dans les cas où le jugement n'a pas été exécuté par hasard. Ce sont là des contingences empiriques qui ne donnent aucune subdivision rationnelle des règles de droit. Pour que l'intervention du tiers soit irrésistible il suffit qu'*en principe* toute interaction non conforme à la règle de droit en question soit rendue conforme à cette règle par l'intervention d'un tiers, sans que les agents en interaction puissent s'y opposer. Par contre, l'intervention ne sera pas irrésistible, elle sera « facultative », si, le jugement ayant eu lieu, son exécution dépend du consentement des justiciables, qui peuvent s'y soustraire si bon leur semble. C'est le cas dans l'arbitrage proprement dit, où le tiers impartial et désintéressé jouant le rôle de l'arbitre n'a aucun moyen d'*imposer* son arbitrage à la volonté des intéressés. À l'autre extrême on a le cas du jugement d'un malfaiteur qui se trouve déjà entre les mains de la justice et qui n'a nul moyen de résister à l'exécution du jugement.

Entre ces deux cas extrêmes on peut situer un cas intermédiaire. Le jugement a lieu au sein d'une société quelconque, les justiciables étant des membres de cette société. S'ils veulent rester membres de cette société, ils doivent exécuter le jugement qui les concerne. Mais ils peuvent s'y soustraire, à condition de quitter définitivement la société, celle-ci ne pouvant pas s'y opposer. Or, dans ce cas encore nous dirons que l'intervention n'est pas irrésistible, qu'elle est « facultative ». Car si elle est irrésistible au sein de la société donnée, elle ne l'est pas absolument, vu que les justiciables peuvent s'y soustraire. Ici encore l'exécution dépend donc de la bonne volonté des justiciables [1].

Quand l'exécution du jugement du tiers est *irrésistible*, nous dirons que la règle de droit existe *en acte*. Dans le cas où l'exécution est *facultative* la règle n'existera qu'*en puissance*. L'ensemble des règles du premier type est le Droit en acte, l'ensemble des règles du second type le Droit en puissance. Dans les deux cas il s'agit du Droit, car il y a intervention d'un tiers qui n'intervient que pour appliquer un idéal donné de Justice à des interactions sociales données. Mais ce Droit n'existera pas *en acte* dans le second cas parce que l'interaction n'y sera pas nécessairement rendue conforme à l'idéal de Justice. Elle pourra rester à jamais juridiquement illégitime ou illégale : elle sera une réalité non juridique. Et même si l'interaction devient ou est conforme à l'idéal de Justice, c'est grâce à la volonté des parties, et non pas grâce à celle du tiers. Sa *réalité actuelle* est donc toujours non juridique, peu importe qu'elle soit illégale ou légale. Dans ce dernier cas le tiers constate, certes, l'accord de l'interaction avec l'idéal de Justice. Mais l'interaction n'est pas ce qu'elle est en fonction de cette constatation. Car elle reste (ou peut rester) ce qu'elle est même si cette constatation n'a pas lieu, si le tiers constate un désaccord entre l'interaction et l'idéal de Justice.

Cette distinction entre le Droit en acte et le Droit en puissance ne doit pas être confondue avec la distinction entre les cas où l'intervention du tiers est spontanée et ceux où elle se fait à la demande de l'un au moins des justiciables. En effet une intervention peut être « spontanée » tout en étant « facultative ». Ainsi par exemple une société peut ne pas tolérer certaines interactions entre ses membres et intervenir donc spontanément pour les supprimer, mais elle peut en même temps être incapable d'empêcher les agents en interaction de cesser d'être membres de ladite Société et de maintenir leur interaction « illicite ». D'autre part une intervention « provoquée » peut être « irrésistible » : les intéressés

---

1. Il ne faut pas confondre avec ce cas celui où le juge donne à choisir au condamné entre l'exil et une peine au sein de la société. Car dans ce cas l'exil est aussi une exécution du jugement, qui est ainsi irrésistible. Dans l'autre cas par contre l'exil (qui est volontaire) est un moyen de rendre l'exécution impossible.

qui ont demandé l'intervention du tiers ne peuvent plus l'arrêter et doivent la subir jusqu'au bout sans pouvoir lui opposer une résistance quelconque. Autrement dit l'intervention du tiers peut être « spontanée » ou « provoquée » tant dans le Droit en acte que dans le Droit en puissance.

Quand une société est organisée en État, seul le Droit étatique existe en acte. Ce droit est alors formé par l'ensemble des règles qui correspondent aux jugements dont l'exécution est garantie par l'État. En effet seul l'État peut interdire à ses citoyens de cesser d'être citoyens sans son consentement. Un citoyen ne peut donc pas — en principe — se soustraire à l'application du Droit étatique. L'intervention du tiers est donc dans ce cas irrésistible.

Dans le Droit étatique le tiers représente l'État : il est « Gouvernant » au sens large du mot, ou « Fonctionnaire ». Il peut l'être dans tous ses trois avatars de Législateur juridique, de Juge et de Police judiciaire. Mais il se peut aussi que dans l'un des deux premiers aspects ou même dans les deux à la fois le tiers soit une « personne privée ». Le Droit sera étatique et existera donc en acte dès que le tiers sera « Fonctionnaire » en sa qualité de Police judiciaire, chargée d'exécuter les Jugements conformes aux Lois juridiques. On peut dire dans ce cas que le tiers légifère et juge par délégation, l'État exécutant automatiquement les jugements de son délégué. Or même en sa qualité de Police le tiers peut être « Fonctionnaire » au sens très large du mot. Car ici encore il peut y avoir délégation par l'État. L'exécution peut se faire par une « personne privée », l'État n'intervenant qu'au cas d'une résistance que le délégué n'arrive pas à vaincre. Mais du moment que la résistance finira par être vaincue (en principe), on peut dire que le Droit existe en acte, c'est-à-dire que l'intervention du tiers est « irrésistible ».

Le Droit existera encore « en acte » s'il s'applique au sein d'un groupement qui jouit d'une autonomie juridique à l'intérieur de l'État, à condition que cette autonomie soit sanctionnée par l'État. Autrement dit l'État doit interdire aux membres du groupe de le quitter, tout au moins de le quitter pour se soustraire à l'exécution d'un jugement fait au sein du groupe, conformément à la loi juridique qui y est en vigueur. Ainsi par exemple, si l'État rend obligatoire pour certains de ses citoyens l'appartenance à un « syndicat » professionnel, le Droit que ce syndicat appliquera à ses membres sera un Droit en acte. Et ce Droit sera en dernière analyse étatique, puisque l'État le fait (tacitement) sien, vu qu'il garantit son exécution, c'est-à-dire sa réalité actuelle, en s'opposant à ce que les justiciables de ce Droit échappent à son action. (L'appartenance au syndicat fait partie du statut du citoyen, au même titre que la nationalité.) Et ce Droit n'existera en acte que dans la mesure où il sera étatique.

Le Droit en puissance ne peut donc être qu'un Droit qui s'applique dans des Sociétés non organisées en État, c'est-à-dire trans- ou cis-étatiques, auxquelles l'appartenance est purement facultative. Dans le second cas les membres de la Société sont tous citoyens d'un seul et même État. Dans le premier, la Société se compose de citoyens d'États différents. Mais dans aucun cas l'appartenance à la Société en question n'est obligatoire : elle ne fait pas partie du statut du citoyen fixé par son État. Le membre de la Société peut cesser d'être son membre sans que cela change en quoi que ce soit sa situation de citoyen de son État. En tout cas le fait de s'être soustrait à un jugement de la Société (en la quittant) ne modifie en rien sa qualité de citoyen. Son État ne fera donc rien pour imposer l'exécution du jugement. Et comme d'autre part l'État défendra son citoyen contre toute tentative de modifier l'état de ce dernier, si cet état est resté le même aux yeux de l'État (c'est-à-dire si ce dernier n'a rien fait d'incompatible avec son statut de citoyen), il s'opposera en fait à l'exécution du jugement de la Société. Tout au moins si le citoyen fait appel à l'État pour le soustraire à cette exécution. L'exécution dépendra donc du bon plaisir du justiciable (puisque par définition la Société ne peut pas exécuter son jugement contre la volonté de l'État, qui se solidarise dans ce cas avec la volonté du justiciable). Autrement dit le Droit de la Société cis- ou trans-étatique n'existera qu'en puissance. C'est ainsi que le « Droit canon » d'une religion d'État existe en acte, tandis que le « Droit canon » d'une Église « séparée » de l'État n'est qu'un Droit en puissance.

Certes, les citoyens d'un État peuvent se désolidariser du Droit étatique en vigueur, en y voyant un « Droit injuste ». Ils peuvent dans ce cas opposer à ce Droit étatique un autre Droit, le « Droit juste », qui n'existera qu'en puissance tant que l'État ne le fera pas sien (en abandonnant son Droit « injuste »). Mais ce Droit en puissance sera *un autre* Droit que le Droit en acte, puisqu'il aura pour base un autre idéal de Justice. Dans ce cas il y aura une opposition entre *deux* Systèmes, dont l'un voudra s'actualiser aux dépens de l'autre, et non pas une opposition ou distinction à l'intérieur d'un seul et même Système de Droit. Si l'on veut diviser un

Système donné de Droit, c'est-à-dire un « Droit positif », en deux parties, dont l'une comprend le Droit en acte et l'autre le Droit en puissance, il faut que ces deux Droits aient pour base *le même* idéal de Justice. Autrement dit, l'État peut se désintéresser de l'exécution des jugements émis par les Sociétés cis- ou trans-étatiques, mais il ne doit pas les considérer comme juridiquement « illégitimes », c'est-à-dire en fin de compte comme « injustes ». S'il se désintéresse ou s'oppose à leurs exécutions, c'est uniquement parce qu'il considère qu'un certain degré d'« injustice » est compatible avec l'état de citoyen, à savoir l'« injustice » qui résulte de la non-conformité des interactions entre ses citoyens et les règles de droit valables dans les Sociétés cis- ou trans-étatiques en question. Inversement, si ces Sociétés peuvent se « désintéresser » de certaines interactions en abandonnant leurs jugements à l'État, elles ne doivent pas considérer ces jugements comme « injustes », c'est-à-dire incompatibles avec leurs propres jugements, relatifs à d'autres interactions.

Or si l'on peut maintenir les aspects actuels d'une réalité en négligeant ses aspects virtuels, on ne peut pas y maintenir ce qui n'existe qu'en puissance en négligeant ce qui y existe en acte, puisque l'acte ne fait qu'actualiser la puissance, de sorte que nier l'acte c'est nier la puissance elle-même. Aussi, du moment que le Droit étatique actualise le même idéal de Justice qui existe en puissance dans les Droits des Sociétés cis- et trans-étatiques, celles-ci ne peuvent pas se désintéresser du Droit étatique comme l'État se désintéresse de leurs Droits. Ils ne peuvent pas dire qu'on peut être « injuste » en tant que citoyen et néanmoins rester « juste » en qualité de membre de la Société. Si la Société abandonne certains jugements à l'État, elle doit néanmoins se solidariser avec eux. Autrement dit, les Sociétés doivent voir dans le Droit étatique une actualisation de leurs propres Droits et se comporter en conséquence. Elles ne doivent se réserver que la partie non étatisée de leurs Droits, et c'est précisément cette partie qui est le Droit en puissance. Sinon il y aura deux Droits différents : d'une part le Droit étatique existant en acte, et de l'autre un autre Droit, qui existe — en puissance — au sein des Sociétés en question et qui voudra s'actualiser aux dépens du Droit étatique. D'où un conflit inévitable entre ces deux Droits.

D'une manière générale une essence est déterminée par son actualisation, et la puissance n'est déterminée qu'en tant que puissance de son acte. C'est donc le Droit étatique qui détermine l'unité d'un Système de Droit, qui fixe le caractère d'un « Droit positif » donné. Ce Droit étatique constitue la partie du Système qui s'appelle « Droit en acte ». Quant à l'autre partie, appelée « Droit en puissance », elle est constituée par l'ensemble des règles de droit valables dans les différentes Sociétés cis- ou trans-étatiques, à condition que ces règles soient fondées sur le même idéal de Justice que les règles du Droit étatique. Ces Sociétés réalisent en puissance la même Justice et par conséquent le même Droit que l'État, qui les réalise en acte. D'où il s'ensuit que les frontières entre les deux Droits sont toujours mobiles, une règle de droit pouvant passer d'un domaine à l'autre.

Par ailleurs les deux parties du Système auront les mêmes subdivisions. Nous avons déjà vu que dans les deux cas l'intervention peut être soit « spontanée », soit « provoquée ». De plus, on peut diviser les deux Droits en fonction des personnes en cause. Et enfin on peut les subdiviser d'après les interactions visées par les règles de droit. Car si le Droit en acte ne fait qu'actualiser le Droit en puissance, toute règle de droit actualisée a pu exister ou pourra exister à l'état de simple puissance, de même que toute règle en puissance peut s'actualiser ou provenir d'une règle actuelle.

Pratiquement le Droit en puissance ne présente de nos jours un intérêt que dans le cas où les personnes en jeu sont des États (c'est-à-dire des « personnes morales collectives ») et les interactions sont des interactions où ces États interviennent en tant qu'États, c'est-à-dire des interactions « politiques », régies par les catégories politiques d'Ami (ou « allié ») et Ennemi [1]. Autrement dit le Droit en puissance n'est vraiment intéressant que dans la mesure où il est un « Droit international public » (la Société trans-étatique en question étant l'Humanité, la S.D.N., le Concert européen, le Monde civilisé, la Chrétienté, ou autre chose du même genre).

J'analyserai l'idée de ce « Droit international » plus tard (chapitre II, A). Pour le moment il suffira de dire qu'il est loin d'être le seul Droit existant en puissance, même de nos jours. On pourrait lui coordonner dans la même partie du Système non seulement le « Droit canon » (catholique par exemple), ou le Droit qui régit la vie interne de la Franc-Maçonnerie, du Pen-Club, etc., mais encore les Droits d'innombrables

---

1. Il y a aussi des interactions où deux États ne se traitent pas en États. C'est quand ils se reconnaissent mutuellement comme « neutres ». Mais alors ces deux États (ou tout au moins l'un d'eux) a encore d'autres interactions, qui sont « politiques ». Sinon il n'y aurait pas d'État du tout, c'est-à-dire pas de « Droit international public ».

Sociétés cis-étatiques, telles que les associations nationales
« libres » sportives ou professionnelles par exemple. Ce ne
sont que les personnes en jeu et les interactions visées qui
distinguent ces divers types de Droit en puissance (en supposant qu'ils correspondent tous à un seul et même idéal de
Justice). Si donc les juristes se contentent de s'occuper du
Droit international public (et parfois encore du Droit canon),
en laissant aux sociologues le soin d'étudier les autres Droits
virtuels, c'est pour des raisons purement pratiques, pour des
raisons d'intérêt politique et social, qu'ils le font, et non pour
des raisons de théorie juridique. Dans les Encyclopédies juridiques courantes la Partie du Système intitulée « Droit en
puissance » est laissée en bloc, sauf les deux rubriques qui
correspondent au « Droit international public » et au « Droit
canon ». Mais en fait il existe un grand nombre d'autres
Droits en puissance et le phénoménologue doit en tenir
compte s'il veut établir un Système complet du Droit, en
formulant et classant aussi toutes les règles (possibles ou
réelles) de droit qui n'existent qu'en puissance (à un moment
donné de l'évolution du Droit qu'on systématise). Mais je
dois me contenter de signaler ce problème en indiquant le
cadre où viendront se ranger tous ces Droits virtuels [1].

§ 50.

On distingue couramment le « Droit civil », qui n'implique
pas l'idée de peine ou de châtiment proprement dits, du
« Droit criminel ou pénal », qui est fondé sur cette idée de
châtiment. Par ailleurs le « Droit civil » est opposé, en tant
que « Droit privé », au « Droit public », qui implique le
« Droit criminel » à côté du « Droit constitutionnel » et du
« Droit administratif », ces deux derniers formant le « Droit
public » au sens étroit du mot. Il nous faut voir quel est le

1. Notons qu'on ne peut pas diviser le « Droit public » en « Droit
public international » et en « Droit public interne », et opposer ces deux
Droits en bloc au « Droit privé ». C'est au contraire le « Droit public
interne » qui fait bloc avec le « Droit privé ». Car les deux ne sont que des
types du Droit que j'ai appelé « Droit en acte ». Il faut donc opposer le
« Droit interne » (c'est-à-dire le Droit étatique ou Droit en acte) au « Droit
international ». Mais il ne faut pas oublier qu'on ne peut pas les coordonner. Car si le « Droit interne » est un tout, la totalité du Droit en acte, le
« Droit international » n'est qu'une (infime) partie du Droit en puissance.
Il faut donc opposer le Droit interne ou étatique ou actuel au Droit en puissance ou virtuel, qui implique — entre autres — le « Droit international
public ».

rapport de ces deux distinctions courantes avec notre distinction des interventions du Tiers en « spontanées » et « provoquées ».

Discutons d'abord le *cas du Droit en acte,* c'est-à-dire du Droit étatique où le Tiers est un représentant de l'État. L'application ultérieure au Droit en puissance sera facile.

Il est clair dès le début que les règles de droit avec interventions *spontanées* du Tiers donnent les règles du Droit *criminel,* les règles avec interventions *provoquées* donnent les règles du Droit *civil,* où le Tiers n'intervient effectivement qu'à la demande de l'un au moins des justiciables, c'est-à-dire des deux agents de l'interaction à laquelle est censée s'appliquer la règle de droit.

Mais il faut commencer par écarter un malentendu possible. Il ne faut pas penser que dans le Droit civil le Tiers tolère une interaction « injuste » ou juridiquement illégale et n'essaye de la rendre conforme à l'idéal de Justice que dans le cas où l'un des agents l'y incite. En réalité la situation est tout autre. L'interaction est telle qu'elle devient « injuste » par le fait même de l'appel de l'un (au moins) des agents au Tiers. Cet appel, qui « provoque » l'intervention du Tiers, révèle le fait que l'un des agents n'accepte pas la façon d'agir de l'autre. Et c'est seulement à cause de ce désaccord que l'intervention est « injuste » ou peut être telle. Si la même interaction s'effectuait dans l'accord mutuel des agents, elle n'aurait rien d'injuste et le Tiers n'aurait donc nulle raison d'intervenir. Ainsi par exemple le non-payement d'une dette n'a en soi rien d'injuste ou de juridiquement illégal, tant que le créditeur ne proteste pas : il y a simple transformation d'un prêt en cadeau. L'interaction n'est injuste que si le débiteur ne rend pas la dette qu'*exige* le créditeur. Or dans ce cas ce dernier est censé faire appel au Tiers. Ce dernier n'intervient donc, si l'on veut, que s'il est « provoqué ». Mais tant qu'il ne l'est pas, il n'a aucune raison juridique d'intervenir, vu que l'interaction n'a rien d'illégal ou d'injuste [1].

Pratiquement cette situation se rencontrera surtout là où il s'agira d'appliquer le principe de l'équivalence. Car comme je l'ai déjà dit, il faut tenir compte du point de vue du sujet pour établir l'équivalence de ses avantages (droits) et inconvénients (devoirs). On peut donc supposer qu'il y a équiva-

---

1. La situation est d'ailleurs conforme à notre définition behavioriste : il n'y a Droit que là où B réagit ou peut réagir de façon à annuler l'action de A, le Tiers annulant cette réaction de B. Tant que A et B sont d'accord, le Tiers n'a donc pas à intervenir. La situation n'est juridique que dans la mesure où il *peut* y avoir un désaccord entre A et B.

lence tant que le sujet ne proteste pas, que toute interaction où les agents sont d'accord est « juste » au point de vue de la Justice de l'équivalence. C'est pourquoi le Droit civil est surtout un phénomène « bourgeois », et c'est aussi pourquoi il est avant tout un Droit de l'équivalence ou du « contrat » (au sens le plus large du terme, ou si l'on préfère — de l'« obligation »)[1].

Quoi qu'il en soit, le Tiers (qui est en principe omniscient) n'intervient pas tant qu'il n'y a pas d'injustice. Ce qui veut dire dans les cas considérés : tant qu'on ne fait pas appel à lui, cet appel étant censé être l'indice du désaccord, c'est-à-dire de l'injustice (ou de sa possibilité). Mais dès qu'il y a appel, c'est-à-dire dès qu'il y a injustice, le Tiers intervient nécessairement. On peut donc dire que partout où il y a Droit, le Tiers intervient toujours *« spontanément »*, dès qu'il se trouve en présence d'une interaction non conforme à l'idéal de Justice, ou supposée être telle (et — en principe — aucune de ces interactions ne lui échappe). Il semble donc qu'il n'y ait pas d'interventions « provoquées ».

Il semble cependant qu'il y ait des cas d'intervention « spontanée » qui diffèrent radicalement des cas où l'intervention paraît être « provoquée ». Ce sont les cas où le Tiers intervient non pas seulement sans attendre l'appel des justiciables, mais encore malgré l'opposition que les justiciables font à son intervention. Et dans ces cas d'intervention spontanée, celle-ci aboutit généralement à un châtiment du ou des justiciables, ce qui n'a pas lieu dans les cas d'une intervention provoquée.

Prenons quelques exemples concrets.

Tout d'abord le cas du vol. Certes le vol implique le non-consentement du volé, car autrement il y aurait cadeau, et non pas vol. Et puisque le non-consentement équivaut à l'appel au Tiers, on peut dire qu'ici encore l'intervention de ce dernier est « provoquée ». Mais il y a néanmoins une dif-

---

1. Là où il s'agit d'*égalité* l'intervention du Tiers peut être « spontanée », car l'égalité est constatable objectivement. Ainsi par exemple un contrat peut être annulé par le Tiers en dépit du consentement mutuel, c'est-à-dire malgré sa conformité au principe d'équivalence, simplement parce qu'il n'est pas *égal* aux autres contrats du même genre. C'est ce qui a lieu quand l'État fixe un salaire minimal et que le contrat prévoit un salaire inférieur (même librement consenti). Mais dans ce cas il y a interaction non pas entre les deux contractants, mais entre eux et l'ensemble de la Société économique. Aussi l'intervention du Tiers peut-elle aboutir non seulement à la rectification du contrat, mais encore à un châtiment des contractants. Il y aura donc Droit criminel, et non plus Droit civil. (Voir plus bas.)

férence essentielle avec le cas du non-payement d'une dette par exemple, où l'intervention est « provoquée » au sens propre du terme. D'une part, si je dénonce le non-payement d'une dette, l'appareil judiciaire ne sera pas mis en branle tant que le créditeur lui-même n'aura pas déposé une plainte. Par contre, si je dénonce un vol, l'État interviendra même s'il n'a reçu aucune plainte du volé. On pourrait dire il est vrai que le volé est censé faire appel au Tiers dès qu'il prendra connaissance du fait, de sorte que le Tiers est « provoqué » (par anticipation)[1]. Mais il se peut que pour une raison quelconque le volé ne veuille pas que le Tiers intervienne et annule l'acte « injuste ». Celui-ci le fera néanmoins. Et, d'autre part, dans le cas de la dette, l'intervention du Tiers n'aura pour conséquence que la restitution du dû (avec, le cas échéant, de simples dommages-intérêts), tandis que dans le cas du vol il y aura, en plus de la restitution du bien volé, un châtiment du voleur.

Le cas du viol peut être assimilé à celui du vol. Certes, en dénonçant le viol en tant que viol, on révèle par cela même la *résistance* de la victime. Mais le Tiers interviendra ici encore même si la victime ne désire pas son intervention. Et il y aura punition du coupable, indépendamment des dommages-intérêts (exigés ou non).

Le cas du meurtre avec consentement de la victime est encore plus net. Le Tiers intervient même en sachant que la « victime » a été d'accord avec le meurtrier. On ne peut donc pas dire que le meurtre est interdit parce que dans tout meurtre il y aurait eu appel de la victime au tiers, si celle-ci n'en avait pas été empêchée. Et le meurtrier pourra être puni même dans le cas où l'on refuserait à la « victime » échappée à la mort une réparation quelconque de la part du meurtrier.

Enfin, dans les cas où le Tiers punit l'homosexualité, par exemple, il intervient non seulement contre la volonté des intéressés, mais encore en sachant que l'interaction a été conforme au principe de l'équivalence (des plaisirs par exemple). Il y a plus qu'une simple *supposition* de l'équivalence, fondée sur le fait du non-appel des intéressés au Tiers. Et néanmoins il y a intervention suivie d'une punition.

Or l'analyse de ce dernier cas permet de résoudre le pro-

---

1. Dans le cas du vol, la non-équivalence de l'interaction semble pouvoir se constater objectivement, vu que le voleur prend sans rien donner en échange. Mais même ici ce n'est pas toujours vrai. Supposons qu'on me vole un chien dont je voulais me débarrasser, sans avoir le courage de le tuer et sans trouver quelqu'un à qui le donner. Subjectivement il s'agirait donc d'un cadeau. Néanmoins l'État peut punir le voleur.

blème. De toute évidence il n'y a rien d'« injuste » dans l'interaction homosexuelle librement consentie, ni du point de vue de l'égalité ni de celui de l'équivalence. Le Tiers n'a donc aucune raison juridique d'intervenir. S'il intervient juridiquement, c'est qu'il s'agit d'une autre interaction, qui n'est pas conforme à l'idéal donné de Justice. Il s'agit de l'interaction entre les participants à l'acte homosexuel d'une part, et l'ensemble de la Société d'autre part, qui se dit être lésée par cette action. Quand le Tiers intervient pour annuler l'acte homosexuel, cela signifie simplement que la Société a le *droit* de supprimer l'homosexualité chez ses membres, qu'elle peut le faire sans rencontrer de résistance, celle-ci étant annulée par le Tiers. Certes, pour que l'intervention du Tiers soit juridique il faut que l'interaction en question entre les homosexuels et la Société implique un élément d'injustice, qui sera supprimé par la suppression de l'action homosexuelle. Mais il est facile d'indiquer plusieurs façons de trouver une injustice dans le cas en question. On peut en donner une interprétation « magique », en supposant que l'acte homosexuel attirera une punition « céleste » qui touchera toute la Société. Dans ce cas il est injuste que les uns éprouvent du plaisir aux dépens des autres, que les uns aient des avantages tandis que les autres n'ont de ce fait que des inconvénients. Ou bien on peut proposer une interprétation « rationaliste » : il est injuste que les uns n'éprouvent que du plaisir là où les autres ont aussi des inconvénients liés à la paternité; il est injuste de faire aux jeunes filles une « concurrence déloyale », etc. De toute façon, le Tiers punit l'homosexualité tout comme il punit la « bestialité » par exemple, ou comme il aurait en principe pu punir la masturbation, où il n'y a a d'*inter*-action qu'entre le coupable et la Société.

Il en va de même pour le meurtre consenti. Ici encore l'injustice n'apparaît qu'au moment où on rapporte l'acte du meurtrier non pas à sa victime, mais à la Société prise dans son ensemble. Car on peut dire dans ce cas qu'il est injuste que l'un déserte la vie que les autres supportent jusqu'au bout — et dans ce cas on punira aussi la victime, comme on punit le suicide, ou bien encore qu'il est injuste de priver la Société de l'un de ses membres sans rien lui donner en échange. Etc.

Même remarque pour le viol. Si on le punit sans tenir compte de la volonté de la victime, c'est parce qu'on admet qu'il lèse la Société tout entière. On le punit comme on punit le « détournement de mineurs », où le consentement de la

« victime » n'empêche ni l'intervention du Tiers ni le châtiment du coupable. Et en acceptant une certaine conception de la vie familiale, le Droit pourrait punir le commerce sexuel (consenti ou non) avec une jeune fille au même titre qu'il punirait l'adultère.

Enfin, dans le cas du vol c'est encore d'une interaction entre le voleur et la Société prise dans son ensemble qu'il s'agit. C'est à *cette* interaction qu'est appliquée l'idée de Justice qui justifie l'intervention « spontanée » du Tiers et la punition du coupable, même si la « victime » est d'accord avec le criminel. Et c'est ainsi aussi qu'un contrat librement consenti peut être annulé par le Tiers (et les contractants punis) si on le rapporte non pas seulement aux contractants, mais encore à la Société tout entière.

Pratiquement le Droit moderne n'admet comme sujets de droit que deux Sociétés : la Société économique (la *Bürgerliche Gesellschaft* des anciens auteurs allemands) et la Société familiale. Ainsi le vol et le meurtre seront rapportés à la première, tandis que le viol et l'homosexualité seront rapportés à la seconde. Mais comme il y a encore beaucoup d'autres Sociétés cis-étatiques, l'État peut en principe intervenir dans beaucoup d'autres cas. Ainsi pendant longtemps l'État a transformé certaines actions en interactions entre les participants à ces actions et la Société religieuse. Quoi qu'il en soit, dans tous ces cas le Tiers intervient uniquement parce que la Société en question se croit être lésée par l'action en cause et fait − d'une façon quelconque − appel à l'intervention du Tiers. Celui-ci intervient donc pour modifier une interaction non conforme à un idéal donné de Justice, et il le fait parce qu'il est « provoqué ». Ainsi par exemple le Tiers n'interviendrait pas si la Société (familiale ou autre) ne protestait pas contre l'homosexualité de ses membres. Car s'il n'y avait pas eu cette protestation, qui se réalise et se révèle par l'appel au Tiers, il n'y aurait rien d'injuste dans le fait que certains membres de la Société sont homosexuels. Et on comprend aussi pourquoi le Tiers est « provoqué » dans ces cas par une « dénonciation » venant d'un témoin « désintéressé ». C'est que ce témoin dénonciateur n'est pas désintéressé. Il est membre de la Société qui se croit lésée par l'action qu'il dénonce; il est donc lésé lui-même. On peut donc dire que c'est un cas de *pars pro toto :* c'est la Société lésée tout entière qui fait appel au Tiers par la bouche du dénonciateur. Un témoin a beau ne pas être lésé directement par le vol ou le viol qu'il dénonce, il est lésé en tant que « bourgeois-propriétaire » ou « père de famille » par exemple, et cela suffit pour provoquer l'intervention du Tiers qui reconnaît comme sujets de droit les Sociétés économique et familiale du type donné.

Vu par ce biais, toute intervention juridique du Tiers semble donc être « *provoquée* »[1]. D'autre part, comme nous l'avons vu. toute intervention peut être dite « *spontanée* », vu qu'elle a lieu chaque fois qu'il y a injustice (celle-ci se révélant au Tiers par un appel à son intervention).

Pourtant la distinction entre l'intervention spontanée et l'intervention provoquée a un sens juridique, d'autant plus que la première s'accompagne de l'application d'une peine qui n'a pas lieu lors de l'autre intervention. Il y a donc intérêt à la maintenir à l'intérieur du Système rationnel du Droit.

On ne peut dire qu'il y a « intervention *spontanée* » là où une seule et même action fait partie de deux interactions distinctes. Si l'action d'un membre A (individuel ou collectif) d'une Société le met en interaction non pas seulement avec un autre membre B (individuel ou collectif), mais encore avec la Société B tout entière, de sorte que l'intervention de l'une de ces interactions implique l'intervention de l'autre, le Tiers peut intervenir dans l'interaction entre A et B sans être « provoqué » par eux, et même contre leur volonté (à condition qu'il soit « provoqué » par S afin d'intervenir dans l'interaction entre A et S). Ainsi par exemple si A vole quelque chose à B, il lèse aussi par son acte la propriété privée en tant que telle, c'est-à-dire toute la Société économique S fondée sur cette propriété. C'est pourquoi n'importe quel membre de cette Société peut faire appel au Tiers. C'est pourquoi celui-ci interviendra (en fonction de l'appel de S) même si B ne fait pas appel à lui et ne se croit pas lésé pour des raisons quelconques. Et c'est pourquoi enfin en plus du dédommagement (éventuel) de B (restitution plus dommages-intérêts par exemple), il y aura encore un dédommagement de S, et c'est ce dernier qui sera appelé « châtiment » ou « peine ». Dans le cas de la dette, par contre, que A ne rend pas à B, la Société S se croit être hors de cause. C'est pourquoi il n'y a d'interaction qu'entre A et B, de sorte que le Tiers n'intervient pas tant que ni A ni B ne le « provoquent », et c'est pourquoi rien ne vient s'ajouter au simple dédommagement de B par A. Or, du

---

1. Conformément à notre définition behavioriste du Droit en général, en admettant que la « réaction de B » provoque automatiquement l'appel de A au Tiers censé annuler cette réaction.

moment que l'acte en question n'a pas été une interaction entre A et S, les rapports entre eux ne peuvent pas être modifiés du seul fait d'une interaction entre A et B. Ils ne doivent donc pas non plus être modifiés par le résultat de cette interaction, c'est-à-dire par le dédommagement de B par A : ce dédommagement doit rétablir la justice dans les rapports entre A et B, sans que soient modifiés les rapports de A et de B avec S. Or c'est là précisément ce qui caractérise l'intervention « civile » (ou « provoquée ») du Tiers par opposition à son intervention « pénale » (ou « spontanée ») [1].

On peut donc dire que la distinction entre le Droit civil à intervention provoquée et sans châtiment et le Droit criminel à intervention spontanée et avec peine, repose sur une différence des *personnes* juridiques en cause. Il y a Droit criminel ou pénal quand une partie quelconque d'une Société est en interaction injuste (ou pouvant être telle) avec cette Société dans son ensemble. Il y a par contre Droit civil là où l'interaction injuste (ou pouvant être telle) n'a lieu qu'entre deux parties quelconques de cette Société. Mais, bien entendu, pour qu'il y ait Droit il faut qu'il y ait dans les deux cas un *Tiers*, et pour que ce Droit existe en acte (dans une Société organisée en État) il faut que ce Tiers représente l'État. Autrement dit l'État doit reconnaître comme sujets de droit ou justiciables tant la Société en tant que telle que ses diverses parties, celles-ci étant en dernière analyse des individus.

Or l'histoire du Droit semble confirmer cette façon de voir les choses. Prenons par exemple le cas du meurtre (non consenti). On est d'accord pour dire que la peine (et la règle

1. Je ne parle ici que des *cadres* du Système du droit, en faisant abstraction de leur contenu. Je ne me demande donc pas pourquoi une Société donnée se considère comme lésée dans certains cas et non dans d'autres. (De toute façon il n'est question ici que des raisons *juridiques*, c'est-à-dire déduites de l'idéal de Justice, qui varie de Société à Société et selon les époques.) Or s'il est difficile de se représenter une Société économique qui ne se croirait pas lésée par le vol, on peut fort bien imaginer une Société économique qui se croirait lésée par le non-payement des dettes. Dans ce cas, le non-payement pourrait avoir pour conséquence une modification du rapport du coupable avec la Société en tant que telle : il y aurait donc peine, par exemple emprisonnement. D'ailleurs la prison pour dettes ne doit être abolie que dans la Société qui reconnaît la liberté de mouvement de ses membres (si cette Société ne se croit pas lésée par le non-payement des dettes). Une Société qui ne reconnaît pas cette liberté peut fort bien admettre l'emprisonnement du débiteur insolvable même si elle considère que dans ce cas le créancier est seul à être lésé. Dans ce cas l'emprisonnement ne serait pas une peine, mais un simple dédommagement de l'intéressé. Il y aurait donc Droit civil et non Droit criminel.

de droit correspondante) est née de la vendetta. Or la vendetta n'a rien à voir avec le Droit, puisqu'il n'y a pas là de Tiers[1]. Si l'État (quel qu'il soit) consent à jouer le rôle de ce Tiers (désintéressé et impartial, c'est-à-dire agissant uniquement en vue de réaliser l'idéal de Justice, en supprimant — dans ce cas — l'injustice du meurtre), la vendetta non juridique est remplacée par un procès juridique, c'est-à-dire par un Droit. Or au début le Tiers a affaire non pas à des individus, mais à des familles, dont l'une fait corps avec la victime et l'autre avec le meurtrier. Quant aux autres familles, elles se désintéressent de la chose. On peut donc dire soit que la Société (formée par l'ensemble des familles) ne se sent pas lésée par le meurtre de l'un de ses membres (qui n'est d'ailleurs pas directement son membre, étant membre d'une famille qui elle est membre de la Société), soit que cette Société n'existe pas encore en tant que telle. De toute façon il n'y a donc pas d'interaction entre une partie et un tout. D'où le caractère « civil » du Droit en question : intervention « provoquée » (l'État n'intervient que si la famille de la victime fait appel à lui) et absence de peine proprement dite (le procès aboutissant au simple dédommagement de la victime ou, plus exactement, de sa famille — d'où la pratique du *Wergeld*). Or il arrive un moment où la famille du criminel se désolidarise de lui[2]. La famille de la victime continue par contre de se solidariser avec elle. Mais il y a plus : même la famille du coupable se solidarise avec la famille de la victime (ou, plus exactement, avec la victime prise isolément). Pourquoi le fait-elle? C'est qu'entre-temps les familles participent à une vie économique interfamiliale et deviennent ainsi membres d'une Société économique, qui a pour membres non pas seulement (et non pas tant) les familles, mais encore (et surtout) leurs membres, c'est-à-dire les individus. Or la Société économique est lésée dans son ensemble par le meurtre de l'un de ses membres. Elle se solidarise donc avec la victime contre le criminel. Et dans la mesure où la famille de ce dernier est membre de la Société économique, elle en fait autant. Du coup il y a donc non pas

---

1. Il y a tout au plus un Droit en puissance, qui ne diffère en rien de notre Droit international public.
2. On peut dire qu'elle pratique un « abandon noxal » : en livrant le coupable elle échappe à la peine et au dédommagement. Seulement -- et c'est là la différence avec l'abandon noxal proprement dit — elle l'abandonne non pas à la famille lésée, mais à l'État (qui représente ici — en tant que Tiers — les intérêts de l'ensemble des familles, c'est-à-dire ceux de la Société familiale en tant que telle).

seulement une interaction entre le criminel (ou sa famille) et la victime (ou sa famille), mais encore une interaction entre le criminel (pris isolément) et l'ensemble des autres membres (individus ou familles) de la Société économique (dont la victime et le meurtrier sont également membres). Il y a ainsi une interaction entre la partie d'un tout et ce tout lui-même. D'où le caractère pénal ou criminel du nouveau Droit : intervention spontanée (même si la victime ne proteste pas et si sa famille veut étouffer l'affaire) et peine ou châtiment en plus du dédommagement (de la victime ou de sa famille)[1].

Le Droit est donc pénal ou criminel quand le Tiers intervient pour rendre conforme à l'idéal de Justice une interaction entre la Société (économique, familiale, etc.) en tant que telle et l'une quelconque de ses parties, l'injustice ayant été introduite par l'action de cette dernière. Or l'injustice n'existe que dans la mesure où la Société se croit lésée. Dans ce cas elle est censée faire appel au Tiers. Mais la Société en tant que telle ne peut pas agir : elle ne peut ni se déclarer lésée ni « provoquer » l'intervention du Tiers. Certes l'un de ses membres peut le faire, comme nous l'avons vu : le Tiers intervient si le crime est « dénoncé ». Mais cet expédient n'est qu'un pis-aller. Car le Tiers ne sait jamais si le dénonciateur agit vraiment en tant que membre de la Société, c'est-à-dire au nom de celle-ci, comme son représentant ou mandataire. C'est pourquoi on a songé à émettre des *lois* juridiques (et les fixer finalement dans un Code). Ces lois fixent une fois pour toutes les réactions de la Société. Si une action est contraire à ces lois, c'est que la Société se sent lésée par elle. La non-conformité à la loi équivaut à un appel de la Société au tiers : elle « provoque » donc l'intervention de ce dernier[2]. D'où le principe : *Nulla poena sine lege.* Car si l'action n'est pas contraire à une loi, le Tiers admet qu'elle ne lèse pas la Société, qui ne « provoque » donc pas le Tiers, lequel Tiers n'a pas à intervenir par conséquent.

On peut dire aussi que les Lois juridiques fixent le « statut »

---

1. Dans le cas du *Wergeld* le surplus pénal est perçu par le Tiers, c'est-à-dire par l'État, qui agit peut-on dire en représentant de la Société en question.
2. L'existence de la Loi n'empêche pas qu'il y ait un « accusateur public », un « procureur ». Celui-ci représente la Société. Et on peut dire que le Tiers, c'est-à-dire le Juge, intervient (dans le procès) dans l'interaction entre l'inculpé et le procureur (qui représente l'autre partie, c'est-à-dire la Société), pour dire si ce dernier a le *droit* d'agir avec le coupable comme il a l'intention de le faire. Je parlerai du Procès dans le chapitre II.

des Sociétés cis-étatiques (économique, familiale, etc.). Or
la Société étant une personne collective, son statut contient
aussi les statuts de ses éléments constitutifs, c'est-à-dire
en fin de compte aussi les statuts des individus, pris en tant
que membres de la Société en question. Si l'action individuelle est conforme au statut de l'individu, elle est automatiquement conforme au statut de la Société : il n'y a donc
pas de lésion de la Société, donc pas de « provocation » du
Tiers ni d'intervention de sa part — bref pas d'« injustice ».
Au contraire toute dérogation au statut individuel équivaut
à une « provocation », qui entraîne une intervention du Tiers,
celui-ci supprimant l'injustice en question. Dans la mesure
où le statut individuel est ainsi déterminé par le statut de la
Société, de sorte que toute dérogation à ce statut équivaut
à un conflit entre l'individu et la Société, ce statut est donné
par l'ensemble des Lois pénales ou criminelles. Mais le statut de la Société laisse une certaine marge aux statuts individuels : dans une certaine mesure les individus peuvent
varier, c'est-à-dire entrer en interactions, sans entrer en
conflit avec la Société. Et cette sphère de l'activité individuelle (c'est-à-dire de l'activité de tout ce qui est une *partie*
quelconque de la Société) qui n'est pas fixée par le statut
de la Société en tant que telle, est régie par la Loi civile. Ici
l'action d'un individu ne lèse pas la Société par définition.
Cette action ne peut donc être injuste que si elle lèse un autre
individu. Le Tiers n'interviendra donc que s'il est provoqué
par ce dernier. Et son intervention, en restituant la justice
dans les rapports entre ces deux individus, doit laisser
intacts leurs rapports avec la Société dans son ensemble [1].

Si une Société (économique par exemple, ou familiale, etc.)
fixe elle-même son statut, cet acte n'a rien de juridique
(comme n'a rien de juridique l'acte par lequel l'État fixe son
propre statut, c'est-à-dire la Constitution, qui implique
aussi le statut des citoyens). Mais ce statut une fois fixé
et la marge libre des actions individuelles une fois établie,

---

1. Ne m'occupant que des cadres, je n'ai pas à me demander pourquoi
telle Société a tel statut, et pourquoi ce statut laisse à l'individu telle marge
et non une autre. Je dirai seulement que ce statut juridique ne diffère pas
du statut politique de l'État et du citoyen, fixé dans la Constitution. Seulement, puisque les actions de l'État et du citoyen agissant en tant que
citoyen sont très limitées en nombre, le statut politique est surtout positif : il indique ce que l'État et le citoyen peuvent ou doivent faire. Par contre
les actes individuels qui lèsent la Société sont beaucoup moins nombreux
que les actes qui ne touchent pas cette dernière. D'où le caractère négatif
du statut de cette Société : ce statut indique surtout ce que la Société et
ses membres ne doivent pas faire.

la Société peut jouer le rôle du Tiers vis-à-vis des interactions individuelles qui s'effectuent à l'intérieur de la marge. Là, par contre, où il s'agit d'une action individuelle non conforme au statut de la Société, c'est-à-dire lésant cette dernière, la Société peut certes intervenir, mais elle sera alors partie et non pas Tiers : il n'y aura donc pas de Droit. Autrement dit le Droit d'une Société autonome ne peut être que celui que nous avons appelé « civil ». Ce que nous avons appelé « Droit criminel » ne serait pas dans ce cas un Droit. Si maintenant cette Société cesse d'être autonome en devenant partie intégrante d'un État (en devenant une Société cis-étatique), diverses possibilités juridiques peuvent se réaliser. L'État peut se désintéresser des interactions entre les membres de la Société qui sont en marge du statut de cette dernière. La Société continuera alors de faire fonction du Tiers : elle maintiendra son « Droit civil » propre. Mais ce Droit ne sera plus qu'un Droit en puissance. Ou bien l'État peut s'approprier ce Droit et faire lui-même fonction du Tiers (peu importe que ce Tiers soit un fonctionnaire de l'État au sens étroit du terme, ou la Société jugeant maintenant par délégation, au nom de l'État). Le Droit civil deviendra alors un Droit étatique, c'est-à-dire un Droit en acte. Mais l'État peut être « impartial et désintéressé » non pas seulement vis-à-vis des interactions individuelles des membres de la Société, mais encore par rapport à cette Société elle-même, c'est-à-dire aussi par rapport aux inter-actions entre cette dernière et ses parties. Si l'État intervient en qualité d'un tel Tiers dans ces interactions, il y aura un Droit étatique, c'est-à-dire actuel, pénal ou criminel. Les réactions de la Société, qui n'avaient auparavant rien de juridique, seront maintenant faites de plein *droit,* puisqu'un tiers les fera désormais à sa place : les principes d'action non juridiques deviennent ainsi des règles de droit — le Droit pénal.

Le Droit pénal ne peut donc exister que là où une Société $S^1$ est emboîtée dans une Société $S^2$, celle-ci intervenant comme Tiers dans les interactions entre $S^1$ et les membres de $S^1$. Tant que $S^1$ existe seule, son Droit ne peut être que civil. Si la Société globale est organisée en État, $S^2$ doit être l'État lui-même pour que le Droit pénal existe en acte. Quant au Droit civil de $S^1$, il n'existera qu'en puissance tant que $S^2$, c'est-à-dire l'État, ne le fera pas sien. Autrement dit, pour qu'il y ait en acte un Droit pénal et un Droit civil, il faut que l'État se rapporte non seulement à $S^1$, mais encore directe-ment aux membres de $S^1$, en considérant comme ses justiciables non seulement la Société S¹ en tant que telle, mais encore les membres de cette Société, pris indépendamment de leurs interactions avec cette Société. Il faut que l'État consente à appliquer une idée donnée de Justice tant aux interactions des parties de la Société en question entre elles qu'aux interactions entre ces parties et la Société elle-même. Mais l'État peut se contenter de faire sien le Droit civil de la Société et de transformer en Droit pénal les règles non juridiques qui déterminent la réaction de la Société à certaines actions de ses membres, tout comme il peut fixer un nouveau statut de la Société avec d'autres marges pour l'activité individuelle. Pour qu'il y ait *Droit* (civil et criminel) il suffit que l'État soit un Tiers impartial et désintéressé tant vis-à-vis de la Société que vis-à-vis de ses membres : il suffit en d'autres termes que l'État intervienne avec le seul souci d'appliquer une certaine idée de Justice aux interactions des individus entre eux et avec la Société ¹.

1. L'État peut faire passer une partie du statut de la Société dans son propre statut et donc dans celui du citoyen. On peut dire par exemple qu'un voleur, un meurtrier, un homosexuel ou un bigame lèse non seulement les Sociétés économique et familiale, mais encore l'État lui-même, de sorte qu'on ne peut pas être à la fois voleur ou bigame et citoyen. Mais dans ce cas l'État sera partie et non pas Tiers, et il ne s'agira donc plus d'un Droit pénal, puisqu'il n'y aura pas de Droit du tout, mais seulement une action politique ou sociale non juridique de l'État. On dit souvent que l'État intervient quand il y a meurtre par exemple parce qu'il est lésé lui-même, ayant perdu un citoyen. S'il en était ainsi son intervention n'aurait rien de juridique. En fait il y a *Droit* (pénal) parce que l'État intervient en tiers *désintéressé*. En effet, si le meurtrier (vulgaire) supprime aussi un citoyen, ce n'est pas en tant que citoyen qu'il le tue, mais en tant que membre de la Société économique (assassinat pour vol) ou familiale (crime passionnel) par exemple. Si l'État ne considère que cet aspect de l'action, il peut être Tiers. Mais si le meurtrier vise le citoyen en tant que citoyen, comme c'est le cas lors d'un meurtre politique ou « terroriste », l'État est nécessairement partie, et il n'y a plus d'application du *Droit* (pénal). On a en effet le sentiment que dans ces cas les tribunaux ordinaires sont incompétents et le Code pénal inapplicable. Il y a aussi des pays qui n'admettent pas la peine de mort pour les crimes vulgaires, mais l'appliquent aux crimes politiques. On peut trouver des raisons extra-juridiques pour l'activité juridique de l'État, tout comme on peut dire que quelqu'un devient juge pour gagner de l'argent. Mais le Juge n'est pas juge dans la mesure où il gagne de l'argent; il l'est seulement dans la mesure où il gagne de l'argent en appliquant la loi, c'est-à-dire un certain idéal de Justice, à des inter-actions vis-à-vis desquelles il est impartial et désintéressé. Et il en est de même pour l'État. Il se peut fort bien que l'État fonctionne comme juge pour faire régner la paix intérieure. Ce qui compte, c'est qu'en le faisant il fait régner la paix par la réalisation d'un certain idéal de Justice. Étant une entité humaine, l'État est d'ailleurs spontanément porté à faire office de Juge ou d'Arbitre. Car, comme j'ai essayé de le montrer, le « besoin » de réaliser la Justice a sa source dans l'acte

Voyons maintenant ce que signifie la distinction entre le Droit civil conçu comme « *Droit privé* » et le « *Droit public* »,

anthropogène lui-même, de sorte que tout homme l'éprouve dans la mesure où il est humain. Tout État agit donc comme Juge aussi pour des motifs purement juridiques, c'est-à-dire en fonction de sa volonté de réaliser son idéal de Justice. Et l'activité de l'État n'est juridique que dans la mesure où elle est fonction de cette volonté de Justice. Ne m'occupant que des cadres je n'ai pas à me demander pourquoi l'État accepte ou non un individu ou une Société comme justiciables et pourquoi, s'il le fait, il leur applique tel Droit plutôt qu'un autre. Le choix des justiciables est arbitraire (et il n'y a pas de sens à dire qu'on a *droit* à être un justiciable ou qu'on a *droit* à se voir appliquer un Droit donné) et il peut avoir des motifs extra-juridiques. Mais si l'État reconnaît une personne comme son justiciable, il n'opère juridiquement envers elle qu'à condition d'agir en Tiers *désintéressé*, c'est-à-dire avec le seul motif de lui appliquer l'idéal donné de Justice. Les personnes et les interactions justiciables une fois choisies, le contenu du Droit résulte donc de l'application à ces interactions entre ces personnes de l'idéal de Justice admis par l'État. Un exemple fera voir les variantes possibles. L'État peut inclure le statut de la Société familiale, formée par des familles monogames, dans son propre statut politique, en déclarant par exemple qu'un bigame ne peut pas être citoyen. S'il agit contre la bigamie il agira alors d'après une règle politique, qui ne sera pas une règle *de droit*, ni par conséquent une règle de droit pénal ou civil. Mais l'État peut aussi se « désintéresser » de ce statut en ce sens qu'il admette qu'un bigame peut être citoyen. En même temps il peut faire « sien » le statut de la Société en ce sens qu'il reconnaisse que la bigamie lèse cette Société dans son ensemble. S'il reconnaît cette Société comme son justiciable, il interviendra en tiers désintéressé pour supprimer la bigamie. Il agira alors conformément à une règle de *droit*, à savoir de droit *pénal.* Mais si l'État ne reconnaît pas la Société en question, il se « désintéressera » de la bigamie en ce sens qu'il n'interviendra pas pour la supprimer. Celle-ci ne sera pas alors un crime au sens juridique du mot, et si la Société la réprime, cette répression n'aura rien de juridique (l'État pouvant d'ailleurs s'y opposer). Or l'État peut prendre une autre attitude encore. Il peut admettre la bigamie en tant que telle (ne croyant pas que la Société des familles monogames doit être maintenue en tant que telle), mais il peut exiger que les deux femmes doivent être d'accord pour avoir un même mari. Autrement dit, l'État s'intéressera non pas au rapport entre la famille bigame et la Société des familles (monogames), mais au rapport des membres de la famille bigame. Ou bien encore : l'État établira un statut de la Société familiale selon lequel les familles qui la composent peuvent être tant monogames que bigames, à condition qu'il y ait consentement des intéressés. Dans ce cas il y aura de nouveau des règles de *droit* relatives à la bigamie, mais il s'agira de règles de droit *civil.* Il se peut enfin que l'État se désintéresse complètement de la question et n'intervienne pas, par exemple même si la première femme proteste contre le second mariage de son mari. Dans ce cas la règle de droit civil en question n'existera plus *en acte.* Mais si la Société (des familles monogames et bigames) applique elle-même cette règle (sans pouvoir le faire d'une façon « irrésistible » bien entendu), le Droit civil relatif à la bigamie existera, mais seulement *en puissance.* Or on ne peut pas dire que la Société monogame par exemple ait *droit* à être reconnue comme telle par l'État. Mais *si* elle est reconnue, elle a *droit* à la monogamie, puisque le Tiers étatique qui est censé contenir entre autres le Droit pénal ou criminel.

J'ai dit et je dirai encore (cf. chapitre II, B) que les inter-actions entre l'État et ses citoyens n'ont rien de juridique, vu que l'État ne peut pas être partie et Tiers à la fois. Or il est ici nécessairement partie. Il n'y a donc pas de Tiers, ni par conséquent de Droit en général. L'État fixe son statut (qui implique celui de ses citoyens) par un acte politique qui n'a rien de juridique. La Constitution en tant que telle (et au sens le plus large du mot, qui implique aussi la notion de l'Administration) n'a donc rien à voir avec le Droit quel qu'il soit : du fait de la Constitution, les citoyens n'ont aucun *droit* vis-à-vis de l'État, tout comme celui-ci n'a aucun *droit* vis-à-vis des citoyens; leurs rapports sont purement *poli-tiques,* et ce n'est qu'au sens *politique* qu'ils peuvent être légaux ou illégaux. Si donc le soi-disant « Droit » public (constitutionnel et administratif) fixe les rapports entre les citoyens pris en tant que citoyens et l'État en tant que tel, il n'est pas un Droit du tout. De même que le Droit pénal ne serait pas un Droit s'il réprimait des actes lésant l'État lui-même en tant qu'État. Or, nous avons vu que ce dernier Droit vise les interactions entre les Sociétés cis-étatiques et leurs membres, où l'État peut intervenir en guise de Tiers. Ainsi interprété, le Droit criminel est donc effectivement un

interviendra dans ce cas pour supprimer la bigamie (c'est-à-dire la néga-tion de la monogamie). De même si l'État reconnaît une Société familiale, il ne s'ensuit nullement que celle-ci doive être reconnue par lui comme monogame. Il se peut cependant que l'État donne à la Société familiale un statut polygame, tandis qu'elle-même croit « juste » le statut monogame. Dans ces cas on ne peut pas dire que la Société a *droit* à la monogamie. Il y a tout simplement un conflit entre deux Droits, l'un monogame et l'autre polygame, dont aucun n'a le *droit* de supplanter l'autre. La Société peut lutter afin de faire accepter par l'État le Droit qui lui est propre et qui n'existe qu'en puissance tant que l'État ne le fait pas sien. Mais cette lutte pour le Droit n'a elle-même rien de juridique : c'est une lutte sociale ou politique. La Société a tout aussi peu le *droit* d'appliquer son Droit virtuel monogame que l'État a le *droit* de lui appliquer son Droit actuel polygame. C'est une simple question de *fait*. Mais quel que soit le droit appliqué, son application signifiera toujours l'application d'un certain idéal de Justice. Et la différence peut tenir soit au fait que la Société applique un autre idéal que l'État, soit au fait qu'un même idéal est appliqué à des personnes ou à des interactions différentes : dans un cas à la famille par exemple, dans l'autre à l'individu; ou bien dans un cas au simple fait de rapports sexuels entre un homme et deux femmes, dans l'autre aux attitudes men-tales qu'ont vis-à-vis de ce fait ceux qui y participent. (Par exemple, on peut condamner la bigamie du point de vue de la Justice égalitaire : si certains ont deux femmes, d'autres n'en auront aucune. Mais on peut la justifier du point de vue de la Justice d'équivalence : il est juste que celui qui a réussi à séduire deux femmes en profite, comme il est juste que reste célibataire celui qui n'en a séduit aucune.)

Droit. Et en interprétant convenablement le Droit public (constitutionnel et administratif) on peut également constater qu'il s'agit là de Droit.

L'État ne peut pas agir lui-même. Il agit dans et par les personnes de ses Fonctionnaires (au sens le plus large du mot), qui, en agissant au nom de l'État, agissent en tant que citoyens, plus spécialement en tant que Fonctionnaires. Et tant qu'il en est ainsi, il n'y a rien de juridique dans leurs actes. Mais un Fonctionnaire est encore autre chose que Fonctionnaire ou citoyen : il est animal Homo sapiens d'une part, et de l'autre membre de diverses Sociétés cis- et trans-étatiques, et il peut agir en tant que tel tout en étant citoyen et fonctionnaire. On dira dans ce cas qu'il agit en « personne privée ». En agissant de la sorte il peut entrer en conflit soit avec d'autres individus, soit avec une Société quelconque. L'État lui appliquera alors le Droit civil ou criminel ordinaire, c'est-à-dire le « Droit privé ». Si par exemple un fonctionnaire ne paye pas sa dette privée ou commet un vol chez un particulier, il sera jugé non pas en tant que fonctionnaire, mais comme toute autre personne privée. Mais il se peut aussi que le fonctionnaire agisse comme une personne privée tout en croyant et en faisant croire qu'il agit en fonctionnaire, c'est-à-dire au nom de l'État. Si en agissant ainsi il entre en conflit avec des Sociétés ou des membres de Sociétés, l'État pourra intervenir en guise de Tiers, puisqu'il s'agit d'inter-action entre « personnes privées ». Il y aura donc Droit. Mais il s'agira d'un cas très spécial, puisque l'un des agents prétend agir au nom de l'État. En raison de l'importance pratique de ces cas, ils ont été réunis dans un Droit spécial. Et ce Droit est précisément le « Droit public », constitutionnel ou administratif.

Le Droit public est donc si l'on veut un « Droit de l'imposture ». Certes si quelqu'un commet des délits en se faisant passer pour un fonctionnaire tout en ne l'étant pas, l'État appliquera à *cet* imposteur le Droit privé (civil ou criminel, selon le cas). Mais si le délinquant est effectivement fonctionnaire et fait croire qu'il agit en tant que tel (en pouvant même y croire lui-même), tandis qu'en réalité c'est en personne privée qu'il agit, c'est-à-dire non pas au nom de l'État, mais en son propre nom, alors l'État appliquera à cet « imposteur » le Droit public (constitutionnel ou administratif, selon le cas). C'est en tel « imposteur » qu'agira par exemple un préfet qui nommera quelqu'un à un poste non pas parce qu'il répond aux conditions exigées par l'État, mais parce qu'il est un membre de la famille du préfet, ou parce que celui-ci

tire un avantage économique personnel de cette nomination
(« pots-de-vin »). Et c'est le Droit public (administratif) qui
sera alors appliqué.

Mais comment savoir si un fonctionnaire agit en fonctionnaire ou en « imposteur ». Agir en fonctionnaire, c'est agir
au nom de l'État : c'est l'État qui agit par le fonctionnaire
agissant en tant que fonctionnaire. Si donc l'État désavoue
l'acte du fonctionnaire, c'est que celui-ci n'a pas agi au nom
de l'État, mais en « personne privée », c'est-à-dire en « imposteur ». Il suffit donc que l'État désavoue son fonctionnaire
pour qu'il puisse lui appliquer un *Droit*, à savoir le Droit
public. Car désavouer le fonctionnaire c'est constater qu'il a
agi en personne privée (envers d'autres personnes privées),
et c'est donc pouvoir appliquer le Droit en intervenant en
guise de Tiers. Or l'État peut en quelque sorte désavouer par
avance ses fonctionnaires. Il peut énumérer les cas dans
lesquels on peut être sûr que le fonctionnaire n'a pas agi au
nom de l'État, mais en « imposteur ». Ce sont les cas où le
fonctionnaire agit contrairement à la Loi (cette Loi fixant
soit le statut de l'État et de ses Administrations, soit celui
des fonctionnaires, soit enfin le fonctionnement de l'État, des
Administrations et des fonctionnaires). Cette Loi est fixée
dans le « Code » (qui peut être « coutumier ») constitutionnel
et administratif. Ce « Code » permet donc de savoir quand
l'État peut intervenir *en Tiers* à l'occasion des actions de
ses fonctionnaires, c'est-à-dire quand il peut appliquer le
Droit, à savoir le Droit public. En ce sens ce « Code » fait
donc partie de ce Droit, ou est, si l'on veut, ce Droit [1].

Le Droit public contient donc lui-même le critère de son
applicabilité. Si l'action d'un fonctionnaire est contraire
aux règles de ce Droit, l'État le désavoue et intervient en
Tiers désintéressé, c'est-à-dire applique ce Droit public.
Autrement dit, si une « personne privée » (qui peut être aussi
une Société reconnue comme justiciable par l'État) est lésée
par cette action du fonctionnaire et « réagit » contre elle,
l'État supprimera la résistance du fonctionnaire. On peut
donc dire que la personne en question avait le *droit* de réagir
contre l'action du fonctionnaire. Et c'est en ce sens, mais en
ce sens seulement, qu'on peut dire qu'il y a un *Droit* public,
que les « personnes privées » ont des *droits* vis-à-vis des

---

1. Il ne s'agit donc pas de supprimer le Droit public. On peut le laisser
intact, mais il faut l'interpréter autrement qu'on ne le fait d'habitude.
Mais la nouvelle interprétation peut avoir pour conséquence une modification du contenu même du Droit public, notamment de la forme dans
laquelle ses règles de droit sont exprimées.

« personnes publiques » : non pas vis-à-vis de l'État, certes, ni de ses Administrations et de leurs Fonctionnaires agissant en tant que tels, mais vis-à-vis des Fonctionnaires qui agissent en personnes privées, tout en croyant et en faisant croire qu'ils agissent au nom de l'État.

D'une manière générale il suffira d'annuler l'acte illicite, c'est-à-dire l'action du fonctionnaire « imposteur ». Mais on peut aussi le rendre personnellement responsable vis-à-vis de la personne lésée. Et ceci encore sera du Droit (public). Là par contre où l'État voudra punir le fonctionnaire parce qu'il a lésé les intérêts de l'État en agissant de la sorte, il n'y aura plus rien de juridique, l'État étant alors partie et non plus Tiers. De même, la personne lésée n'a aucun *droit* de demander une réparation de la part de l'État, car ici encore l'État est partie. L'État peut l'accorder (et même sans désavouer le fonctionnaire), certes, mais cet acte n'aura rien de juridique. Il ne sera juridique que dans la mesure où il permet de constater si le fonctionnaire chargé de l'exécution — de dédommager l'intéressé — agit en fonctionnaire ou en « imposteur ». L'intéressé n'a pas un *droit* à l'indemnité du fait de la lésion; mais il a *droit* à l'indemnité *accordée* par l'État (l'acte d'accorder n'ayant lui-même rien de juridique).

Quoi qu'il en soit il n'y a un *Droit* public que là où un fonctionnaire agit en « imposteur », c'est-à-dire en « personne privée » et non en citoyen. Si ce fonctionnaire agit au nom de l'État, c'est l'État qui agit par lui, et l'action n'a donc rien de juridique, puisque dans ce cas il n'y a plus de Tiers. Or en agissant en fonctionnaire au nom de l'État le fonctionnaire agit non pas en « personne privée », mais en citoyen. Et agir en citoyen, c'est se rapporter à des citoyens pris en tant que tels, et non en tant que « personnes privées » (animaux ou membres de Sociétés quelconques autres que l'État). Le fonctionnaire qui agit en citoyen est donc ou bien en rapport avec l'État, ou bien c'est l'État qui est en rapport — à travers lui — avec les citoyens en tant que tels. Or dans aucun de ces cas il n'y a Droit quel qu'il soit. Certes, en agissant en citoyen le fonctionnaire peut léser l'État, voire entrer en conflit conscient et volontaire avec lui. Il y aura alors crime ou conflit *politiques*, qui n'auront rien de juridique. Car l'État réagira alors en partie, et non en Tiers. Ainsi par exemple si le préfet opère des nominations illégales pour préparer un coup d'État. Dès que le fonctionnaire agit en citoyen, ou — ce qui est la même chose — dès qu'il se rapporte dans ses actes à des citoyens pris en tant que citoyens, l'État sera toujours *partie :* ou bien l'État se solidarisera avec le fonctionnaire, agira lui-même en lui, ou bien il entrera en conflit (politique) avec ce fonctionnaire. Il n'y aura donc pas de Tiers, c'est-à-dire pas de Droit, et en particulier pas de Droit public [1].

Pour qu'il y ait Droit public le fonctionnaire doit donc agir en « personne privée ». Or, ce qui est la même chose, il doit se rapporter dans son acte à une « personne privée » en tant que telle. Il s'agit donc d'une interaction entre « personnes privées », et on retombe ainsi dans le cas du « Droit privé », sauf que l'un des agents est un « imposteur » croyant ou prétendant agir au nom de l'État. Par conséquent on pourra distinguer à l'intérieur du Droit public les mêmes deux cas que nous avons distingués dans le Droit privé. L'interaction entre le fonctionnaire (agissant en tant que membre d'une Société) et sa « victime » (prise aussi en tant que membre de la même Société) peut ne pas léser la Société (à laquelle les deux appartiennent). Si l'État reconnaît les membres de cette Société comme ses justiciables, même si la Société elle-même est hors de cause, c'est-à-dire si l'État se rapporte directement à eux dans son aspect juridique, il appliquera le Droit *civil,* c'est-à-dire dans ce cas le Droit civil *public.* Mais l'interaction considérée peut être aussi une interaction entre le fonctionnaire et la Société en question prise dans son ensemble, qui sera lésée en tant que telle. Si l'État le recon-

---

1. Si quelqu'un entre en conflit avec l'État tout en agissant en tant que citoyen, c'est-à-dire en se rapportant soit à l'État en tant que tel, soit aux citoyens en tant que citoyens, il agit toujours politiquement et plus ou moins en révolutionnaire. Et c'est précisément pourquoi son action est criminelle *politiquement,* mais non au sens *juridique* du terme. En effet le révolutionnaire veut par son action transformer le *Droit* en vigueur, au moins en ce sens que le nouveau Droit justifie son acte révolutionnaire. Il s'agit donc d'un conflit entre deux Droits (ou deux conceptions de la Justice dans son application concrète). Or, comme il n'y a pas un troisième Droit qui les englobe tous les deux, ce conflit de Droits n'a lui-même rien de juridique. L'acte révolutionnaire qui remplace un Droit par un autre est politique ou social, mais non juridique : juridiquement parlant il n'est ni illégal, ni légal (tout en étant *politiquement* illégal). Un criminel vulgaire par contre laisse intact dans son acte le Droit en vigueur, qui condamne cet acte. Il reste donc à l'intérieur du Droit donné et c'est pourquoi son acte est criminel au sens juridique du mot. Le révolutionnaire qui « réussit » n'est criminel ni politiquement, ni juridiquement. S'il « échoue », il est un criminel politique, mais il n'a pas commis de crime au sens juridique du mot. Le malfaiteur vulgaire est par contre toujours juridiquement criminel : même s'il « réussit ». Car « réussir » ne signifie pour lui que « ne pas se faire prendre ». Or le criminel est criminel même si la justice n'a pas pu mettre la main sur lui, et même si — par hasard — elle n'a pas été saisie du crime même.

naît comme son justiciable, il appliquera alors le Droit *pénal,* c'est-à-dire dans ce cas le Droit pénal *public.* Dans le premier cas l'État n'interviendra que s'il est « provoqué » par la personne qui se dit lésée par l'acte du fonctionnaire. (Ainsi, dans notre exemple : par un candidat au poste, qui aurait dû, ou, tout au moins, aurait pu être nommé à la place de celui qui a été nommé illégalement.) Et il n'y aura pas de peine, l'intervention de l'État se contentant pratiquement d'annuler l'acte du fonctionnaire et de rétablir le *statu quo ante.* Dans le second cas l'État interviendra « spontanément » (ou bien en réponse à une « dénonciation » faite par un membre quelconque de la Société lésée, même si celui-ci n'est pas touché directement par l'acte incriminé). Et en principe il pourra y avoir un châtiment infligé au coupable, en plus des mesures qui doivent satisfaire celui qui a été directement lésé[1].

La division en Droit public et privé se recoupe donc avec celle en Droit civil et criminel. On peut soit diviser le Droit (actuel) en Droit privé et en Droit public, et subdiviser *chacun* de ces Droits en civil et criminel, soit diviser d'abord en civil et criminel et subdiviser ensuite *chacune* de ces divisions en Droit public et en Droit privé. Et puisque le Droit public ne traite que de cas très spéciaux, à savoir de ceux où l'un des agents en interaction est un fonctionnaire − « imposteur » −, il serait plus logique d'admettre cette deuxième division. Mais l'importance pratique du Droit public parle en faveur de la première. Quoi qu'il en soit, on ne peut pas grouper dans le Droit public le Droit constitutionnel et administratif (c'est-à-dire le « Droit public » au sens étroit) et le Droit criminel, en lui opposant le Droit civil comme Droit privé.

Voyons enfin comment les raisonnements qui précèdent peuvent être appliqués au *Droit en puissance* et en particulier au Droit dit « Droit international public ».

D'une manière générale il y a Droit *pénal* quand une Société $S^2$, qui englobe une autre Société $S^1$, intervient en qualité de Tiers dans les interactions entre $S^1$ et l'une quelconque des parties de $S^1$. Or il se peut fort bien que l'intervention de $S^2$ ne soit pas « irrésistible » (si par exemple $S^2$ est elle aussi une Société cis-étatique, le Droit de laquelle n'a pas été fait sien par l'État). Il peut donc y avoir un Droit pénal en puissance. Là par contre où une Société intervient

---

1. Pratiquement ces cas sont rares. Car il est difficile d'agir contre le statut d'une Société reconnu par l'État en croyant agir au nom de l'État ou en faisant croire qu'on le fait. C'est pourquoi le Droit public est généralement parlant un Droit *civil,* et non *pénal.*

en guise de Tiers dans des interactions entre ses parties, il y aura Droit *civil*. Et il est évident qu'un Droit civil peut fort bien n'exister qu'en puissance, si l'intervention de la Société en question n'est pas « irrésistible ».

Le Droit en puissance peut donc être tant civil que pénal ou criminel. Mais en ce qui concerne le « Droit international public », c'est de toute évidence un Droit civil, et non pénal. Car les interactions entre les États autonomes ne peuvent être « jugées » que par la « Société » formée par ces États, c'est-à-dire par la « Société des Nations » qui implique — en principe — l'humanité tout entière. Si donc l'action d'un État (dans son interaction avec un autre État) lèse la Société tout entière, et si cette Société réagit, elle sera partie et il ne pourra pas y avoir de Tiers. Autrement dit il n'y aura plus de Droit, la réaction ne sera pas juridique. Et c'est pourquoi l'intervention du Tiers ne peut ici être que « provoquée ». Et c'est pourquoi aussi il n'y a pas ici de châtiment ou de peine dépassant le simple dédommagement de l'État qui a lésé dans l'interaction soumise au jugement du Tiers.

D'autre part il est clair que le Droit en puissance peut lui aussi être soit privé, soit public (en prenant ce terme dans un sens large). Il sera *public* si une Société intervient en qualité de Tiers à l'occasion d'une interaction entre deux de ses parties, l'une d'elles étant qualifiée pour agir au nom de la Société en tant que telle et prétendant le faire, mais agissant en fait comme « personne privée ». Dans tous les autres cas le Droit en puissance sera *privé*. Et il est facile de voir que les deux Droits en puissance peuvent être tant civil que pénal.

Quant au « Droit international public », il est en fait bien plus un Droit privé qu'un Droit public. Certes un État prétend souvent agir au nom de l'humanité ou de la « Société des Nations », en ne poursuivant en fait que ses intérêts « privés ». Si l'humanité lui avait donc donné le mandat d'agir en son nom, il y aurait un cas de Droit public (d'ailleurs civil, et en puissance). Mais en fait ces mandats n'existent pas. L'État qui prétend agir en fonction d'un tel mandat est donc comparable à l'imposteur qui se fait passer pour un fonctionnaire, tout en ne l'étant pas en réalité. Or c'est là un cas de Droit privé. Et il s'agit bien de ce même Droit privé quand les États agissent ouvertement pour défendre leurs intérêts « nationaux », c'est-à-dire particuliers ou privés. En fait, dans la mesure où le « Droit international public » est un Droit, il s'agit d'un Droit international *privé* (civil, et n'existant qu'en puissance). Il vaudrait donc mieux l'appeler « Droit international » tout court (d'autant plus que tout le monde est d'accord pour dire que le Droit qu'on appelle « Droit international privé » est en fait un Droit *interne* et non international, c'est-à-dire existant en acte et non en puissance).

## § 51.

Nous avons vu que la distinction des règles de droit d'après le mode de l'intervention du Tiers, qui peut être soit « provoquée » soit « spontanée », se ramène en fin de compte à une distinction d'après les *personnes* en interaction, c'est-à-dire à une distinction des justiciables. C'est donc selon les personnes en jeu que le Droit est soit « civil », soit « criminel » ou « pénal » : l'intervention du Tiers est la même dans les deux cas. De même, la distinction entre le « Droit privé » et le « Droit public » tient, elle aussi, à une distinction des personnes, ou — si l'on veut — à une différence de la nature des interactions en cause. Mais ici encore l'intervention du Tiers reste la même dans les deux cas. Et il est évident qu'il en sera de même pour toutes les subdivisions à introduire ultérieurement dans les grandes divisions déjà établies.

Or nous savons que l'essence du phénomène juridique est impliquée dans le Tiers et en son intervention dans certaines interactions entre des personnes données. Les distinctions spécifiquement juridiques du Droit ne peuvent donc être que de deux sortes. L'une tient aux différences entre les idées de Justice que le Tiers applique dans et par son intervention et qui déterminent cette dernière. C'est la distinction entre les divers Systèmes de droit ou les divers « Droits positifs ». L'autre distinction, qui s'effectue à l'intérieur de chaque Système donné, est déterminée par le fait que dans certains cas l'intervention du Tiers est irrésistible, et dans d'autres non (le Tiers appliquant dans les deux cas une seule et même idée de Justice). C'est ainsi que tout Système de droit implique un « Droit en acte » et un « Droit en puissance ». Toutes les autres distinctions au sein d'un Système donné n'ont plus rien à voir avec l'intervention du Tiers, qui reste toujours la même (ainsi que reste la même idée de Justice qui détermine cette intervention). Les règles de droit ne diffèrent donc qu'en fonction des *personnes* et des *interactions* en cause. Le Tiers peut appliquer de la même manière une seule et même idée de Justice à des personnes et à des interactions différentes. Si les personnes en cause restent les mêmes, les règles de droit vont se distinguer les unes des autres selon la différence qu'elles ont en vue. Et si l'interaction visée reste la même, c'est la différence des personnes en cause qui diversifiera les règles de droit.

Si l'on veut, ce sont là encore des distinctions *juridiques,* puisque le Droit est l'application de l'idée de Justice à des interactions données entre certaines personnes humaines, ces interactions n'ayant en elles-mêmes rien de juridique. Mais ces distinctions ne proviennent pas de l'idée même de Justice, dans laquelle se condense l'essence juridique du phénomène « Droit ». Elles proviennent exclusivement de l'élément non juridique de ce phénomène. Elles sont déterminées par la réalité sociale et politique à laquelle l'idée donnée de Justice s'applique dans et par le Droit, ou — mieux encore — en tant que Droit — s'entend le « Droit positif » en question ou le « Système de droit ». C'est cette réalité qui déterminera la structure interne du Système, dans la mesure bien entendu où cette réalité pénètre dans le Système, c'est-à-dire dans la mesure où l'idée donnée de Justice lui est appliquée.

Voyons donc ce que donnent pour la structure du Système ces différences entre les *personnes* et les *interactions* qu'ont en vue les règles de droit qui constituent ce Système.

Nous avons vu que si l'une des deux personnes en interaction est la partie d'un tout, ce tout étant l'autre personne, la règle de droit correspondante fait partie du Droit criminel. Si par contre les deux personnes sont des parties d'un seul et même tout, la règle de droit appartient au Droit civil [1]. Or cette distinction, fondée sur la différence « formelle »

---

1. Il n'y a pas d'interaction entre des parties appartenant à des ensembles différents. Si, dans son interaction avec B, A se rapporte à B comme à un membre de la Société économique, par exemple, ou familiale, il agit lui-même en membre de la Société économique ou familiale. De même, la Société économique par exemple ne peut entrer en interaction avec la Société disons familiale que si elles font toutes deux parties d'une Société plus vaste qui les englobe. Et elles agiront alors en membres de cette Société intégrale, et non en tant que Société familiale et Société économique. Pratiquement, la Société intégrale est l'État. Aussi l'État devient-il indispensable dès qu'il y a nécessité d'interaction entre deux Sociétés « qualitativement » distinctes : la Société familiale et la Société économique par exemple. Une Société familiale qui se suffit à elle-même peut se passer de l'État et n'a pas besoin d'être étatisée. Mais si ses membres sont en même temps membres d'une Société économique, par exemple, des interactions entre ces deux Sociétés et entre leurs membres deviennent inévitables. C'est alors qu'apparaît l'État. Un membre de la Société familiale entre en interaction avec un membre de la Société économique dans la mesure où les deux sont citoyens. Et les deux Sociétés entrent en interaction dans la mesure où les deux sont des Sociétés cis-

ou « quantitative » des personnes en cause, est elle-même une différence « formelle », ayant trait à la forme des règles de droit et non à leur contenu. Mais les personnes diffèrent aussi « matériellement » ou « qualitativement » entre elles, et cette différence donne une distinction des règles d'après leur contenu. Ainsi, nous avons vu qu'on peut grouper ensemble toutes les règles qui s'appliquent à des interactions où l'un des deux agents est un fonctionnaire-« imposteur », au sens indiqué plus haut. Mais c'est là une différence qualitative très spéciale. Or il y a des différences beaucoup plus générales, qui sont néanmoins qualitatives et non formelles [1].

Les personnes (dans les interactions desquelles intervient le Tiers) peuvent être distinguées selon les Sociétés auxquelles elles appartiennent ou qu'elles sont. Et cette distinction, nettement « qualitative » et néanmoins très générale, donnera de grandes rubriques « qualitatives » ou « matérielles » du Système du droit. Dans chacune de ces rubriques les personnes visées par les règles de droit appartiendront à une seule et même Société, celle-ci étant d'ailleurs elle-même une personne à laquelle peuvent s'appliquer des règles de droit de la rubrique en question.

Je n'ai pas à énumérer ici toutes les Sociétés susceptibles de faire figure de personnes juridiques, ou tout au moins d'impliquer en guise de membres de telles personnes. En principe il n'y a ici aucune restriction. Pour qu'une Société quelconque ou ses membres soient des personnes juridiques, il faut et il suffit que l'État intervienne en guise de Tiers dans l'interaction où la Société en question ou son membre est l'un des agents. Et ceci vaut tant pour les Sociétés cis-étatiques que pour les Sociétés trans-étatiques. Seulement, dans ce dernier cas, l'État n'interviendra que dans la mesure où la Société et ses membres se trouvent sur le territoire national ou sont

étatiques. Du coup, le Droit de la Société familiale et le Droit de la Société économique n'existent en acte que dans la mesure où ils sont appliqués par l'État. Le Droit étatique actuel a donc deux parties : le Droit familial et le Droit économique. C'est la cohérence juridique de ces deux parties qui sont la base juridique des interactions entre les deux Sociétés et entre leurs membres respectifs.

1. On pourrait dire, d'ailleurs, que le fonctionnaire-« imposteur » est une « partie », qui est censée être un « tout » (ou agir au nom de ce tout, en tant que ce tout), mais qui en fait reste « partie » (ou agit au nom d'une partie, ou en tant que cette partie). Vu de ce biais, la différence entre le Droit public et le Droit privé (où la « partie » est censée être « partie » et agit effectivement en tant que telle) serait elle aussi « formelle » et non « qualitative ».

soumis d'une façon quelconque à la puissance de l'État[1].

Je n'ai pas à me demander non plus quelles sont à un moment donné les Sociétés qui coexistent avec un État, soit en lui restant intérieures, soit en le débordant. L'ensemble de ces Sociétés constitue ce qu'on pourrait appeler la « Société civile » (la *bürgerliche Gesellschaft* des anciens auteurs allemands). Et cette Société civile s'interpose entre l'État et l'individu, pris en tant qu'animal Homo sapiens. Car l'homme n'est pas seulement cet animal, et il n'est pas seulement un citoyen. Il est encore membre de diverses Sociétés cis- et trans-étatiques, qui constituent dans leur ensemble la « Société civile ».

Or toutes ces diverses Sociétés impliquées dans la Société civile, ainsi que les membres de ces Sociétés, ne sont pas reconnus par l'État comme personnes juridiques. Sans me demander pourquoi un État à un moment donné reconnaît comme telle une Société plutôt qu'une autre, je me contenterai de signaler qu'à l'heure actuelle les États (disons les États « civilisés ») ne reconnaissent pratiquement comme sujets de droit que deux, ou à la rigueur trois Sociétés faisant partie de la Société civile. C'est d'abord la Société familiale, ensuite la Société économique et, enfin, la Société tout court, la Société proprement dite, la « Société sociale » pour ainsi dire, que, faute de mieux, j'appellerai la « Société mondaine ». (Mais il fut un temps où tous les États reconnaissaient encore la Société religieuse comme personne juridique du Droit étatique. Et certains États le font encore.)

La Société familiale est formée par l'ensemble des familles. C'est donc la famille, et non l'individu, qui est son unité spécifique. L'individu est en rapport direct avec sa propre famille, et ce n'est que par l'intermédiaire de cette dernière qu'il est en rapport avec la Société familiale en tant que telle. Quant à l'État, il peut reconnaître comme personnes juridiques soit seulement la Société familiale elle-même, soit celle-ci et ses unités intégrantes, c'est-à-dire les familles,

---

1. C'est ainsi par exemple que le « Droit international privé » s'applique à des membres de la Société économique trans-étatique. Seulement dans ce cas l'État national n'applique pas le Droit (international) de cette Société elle-même, car ce Droit n'existe pas. Il applique les divers Droits nationaux relatifs à cette Société, celle-ci étant répartie entre divers États, dont chacun applique à la partie de la Société qui lui est soumise un Droit qui lui est propre. Ainsi un État A peut appliquer la loi de l'État B, si le justiciable — membre de la Société économique trans-étatique — est citoyen de B. C'est pourquoi les questions de nationalités, qui déterminent l'application de tel ou de tel autre Droit, font partie du « Droit international privé ».

soit enfin ces deux et en plus chaque membre de chaque famille pris isolément (mais, bien entendu, en tant que membre de la Société familiale, et non en tant qu'animal, citoyen ou membre d'une autre Société quelconque). C'est la dernière possibilité qui est réalisée dans l'État moderne. L'État peut donc intervenir en qualité de Tiers dans les inter-actions familiales suivantes : *a)* entre la Société familiale et les familles; *b)* entre la Société familiale et les membres des familles; *c)* entre les familles; *d)* entre les familles et leurs membres; *e)* entre les membres des familles. (Et, bien entendu : *f)* entre la Société familiale et les autres Sociétés. Quant aux interactions entre la Société familiale et l'État, elles n'ont rien de juridique.)

La Société économique a pour unité spécifique l'individu (pris en tant qu'Homo œconomicus). Mais ces individus peuvent former des associations économiques diverses (des « Sociétés » par exemple, « par action » ou autres). Et la Société peut être en interaction tant avec les individus qu'avec ces associations. Or, ici encore, l'État est en pré-sence de diverses possibilités juridiques : reconnaître par exemple comme personnes juridiques certaines associations (et non les autres), sans reconnaître comme telles leurs membres, etc. Mais l'État moderne prend ici la même atti-tude que dans le cas de la Société familiale. Il reconnaît comme justiciables tant la Société que ses membres, tant les diverses associations que leurs membres.

Quant à la « Société mondaine », elle est plus difficile à définir et à analyser. Elle est constituée par les classes sociales et par les individus en tant qu'occupant une certaine place dans la hiérarchie sociale. Il suffira ici de dire que cette Société implique tout ce qui est social, tout en n'étant ni familial, ni économique (ce qui est, certes, une définition trop large). Car l'État en général, et surtout l'État moderne, n'intervient que rarement en guise de Tiers dans les inter-actions qui ne sont ni familiales, ni économiques. Pratique-ment il n'y a donc aucun intérêt de subdiviser les règles de droit qui ont trait à ces interactions en distinguant divers types de personnes, c'est-à-dire de Sociétés, non économiques ou familiales. D'autant plus que les Codes traditionnels ne groupent même pas ces règles dans une rubrique coordonnée aux rubriques qui contiennent les règles se rapportant aux interactions des personnes économiques et familiales [1].

1. Ces règles existent cependant. Par exemple les règles du Droit civil relatives aux « Associations » avec but non lucratif; ou les règles du Droit

Quoi qu'il en soit, la division classique des droits en « droits du patrimoine » et « droits de la famille » repose sur une différence qualitative des personnes qui sont les sujets de ces droits, c'est-à-dire des personnes à l'occasion des interactions desquelles l'État intervient en guise de Tiers. Cette distinction entre le « Droit familial » et le « Droit économique » s'effectue généralement à l'intérieur du Droit civil[1]. Mais on peut la faire aussi au sein du Droit pénal. Ainsi, par exemple, les règles pénales relatives à la bigamie, à l'adultère, à l'inceste, à l'homosexualité, etc., seront classées dans le Droit criminel familial, tandis que les règles relatives au vol par exemple feront partie du Droit criminel économique. Enfin, cette même distinction pourrait être faite également dans le Droit public, quoique pratiquement la rubrique du Droit public familial (civil ou criminel) restera en blanc. Et il va de soi que toutes ces distinctions peuvent se rencontrer dans le domaine du Droit en puissance.

Je ne pousserai pas plus avant l'analyse qualitative des différentes personnes juridiques possibles. Et je ne m'occuperai pas non plus des distinctions entre les règles de droit qui proviennent des différences entre les interactions auxquelles peut participer une seule et même personne. Je me contente de répéter que toutes les subdivisions du Système du droit sont fonction des différences entre les personnes en cause et les interactions en question. Mais je voudrais dire quelques mots d'une subdivision « formelle » du Système du droit, qui provient de la distinction entre la « personne » et l'« interaction » en tant que telles.

À la notion de « personne » correspond la notion juridique de *« statut »*, à laquelle on peut opposer la notion de *« fonction »*, qui correspondrait ainsi aux « interactions » entre les personnes. Il y aurait donc au sein du Système un *« Droit du statut »* et un *« Droit de la fonction »*.

pénal relatives à la diffamation (qui sont un résidu des anciennes règles relatives à la sauvegarde du « rang social », du noble par exemple), etc. On pourrait y ranger aussi les règles relatives à la propriété intellectuelle et artistique (interdiction du plagiat, par exemple), dans la mesure où celle-ci n'a pas pris une valeur économique ou est censée ne pas en avoir. Les règles de ce groupe sont souvent classées parmi les règles du Droit public (les « droits de la personnalité »). Les Codes ne distinguent pas non plus les règles relatives aux interactions où figure l'animal Homo sapiens en tant que tel (coups et blessures, meurtre, etc.). Mais l'animal sert de support commun à toutes les personnes juridiques, de sorte qu'en lésant l'animal on les lèse toutes (notamment quand la lésion entraîne la mort). On peut donc ranger ces règles dans n'importe quelle rubrique. Mais un Système rationnel devrait peut-être les grouper ensemble et à part.

1. Cf. par exemple Capitant, *Introduction...*, 5ᵉ éd., p. 107.

La personne est juridiquement définie par son statut juridique, qui n'est rien d'autre que l'ensemble de ses droits subjectifs *(rights)*. Or ces droits ne peuvent être définis que par rapport à des interactions, où la personne se comporte, c'est-à-dire « fonctionne », d'une certaine manière. « Fonction » et « statut » sont donc strictement parlant inséparables. Mais il est néanmoins utile de les distinguer. Car si le statut n'a de sens que par rapport à la fonction, et s'il ne s'actualise que dans et par cette dernière, il a néanmoins une existence juridique même là où la fonction n'a pas lieu en fait : il suffit qu'elle soit possible. En ce sens on peut dire que la personne a des droits « indépendamment » de ses interactions avec les autres personnes : s'entend, elle les a même si les interactions (possibles) n'ont pas lieu en fait. D'autre part il y a ces interactions elles-mêmes, où figurent nécessairement *deux* statuts à la fois, et où ils sont considérés dans leurs rapports mutuels. Ainsi par exemple la possibilité juridique pour A de conclure un contrat d'un type donné fait partie de son « statut » (« capacité juridique »), tandis que le fait de conclure un contrat de ce type avec B et de ne pas l'exécuter par exemple fait partie de la « fonction » de A (et de B). Or un acte peut être légal ou illégal uniquement parce qu'il est conforme ou non au statut de celui qui l'exécute. Ainsi le contrat conclu avec un « incapable » est nul même s'il est correctement exécuté. Mais il se peut aussi qu'un acte légal en ce sens que conforme au statut soit illégal en tant qu'acte. Par exemple si un contrat légal n'est pas exécuté. L'illégalité provient donc ici non plus du statut des intéressés, mais de leur fonctionnement, c'est-à-dire de leurs interactions.

Or cette distinction formelle entre le Droit du statut et le Droit de la fonction donne une division intéressante du Droit économique. Car le statut implique ici la notion de propriété. En effet, le propriétaire est propriétaire de la chose même s'il ne « fonctionne » pas, même s'il n'entre pas en interactions avec les autres : il suffit que ces interactions soient possibles. La propriété est donc bien un « statut » au sens indiqué du mot. Une obligation par contre, et en particulier un contrat, ne sont rien d'autre que des interactions effectives, c'est-à-dire des « fonctions »[1]. La division classique

---

1. Bien entendu, la *faculté* de conclure des contrats fait partie du statut. Mais pratiquement il s'agit de « capacité juridique » en général, et non pas de la « capacité » de conclure tel ou tel contrat. Le Droit du statut se subdivisera donc en un Droit de la capacité et en un Droit de la propriété. Mais le Droit du contrat ou de l'obligation sera un Droit de la fonction.

des Droits du patrimoine en « Droits réels » et en « Droits de créance » (obligation) équivaut donc pratiquement à une distinction — dans ce domaine — entre le Droit du statut et le Droit de la fonction. (Seulement le premier implique aussi le « Droit des personnes », dans la mesure où il traite de la personne en tant que membre de la Société économique, en fixant sa « capacité » par exemple.)

Une distinction analogue pourrait se faire aussi dans le Droit familial (ainsi que dans le « Droit social » — qui correspond à la « Société mondaine », si on le distingue des deux autres). Et elle vaut non seulement pour le Droit privé, mais encore pour le Droit public. Ainsi, si la distinction entre le Droit constitutionnel et le Droit administratif a un sens précis, elle ne peut l'avoir que si l'on oppose le premier au second comme un Droit du statut au Droit de la fonction. Le « Droit constitutionnel » impliquera alors les statuts non pas seulement de l'État proprement dit, mais encore des Administrations et des Citoyens en tant que tels. Le Droit administratif se rapportera par contre au « fonctionnement » de l'État *stricto sensu*, ainsi que des Administrations et des Citoyens.

D'autre part la distinction en question n'est pas limitée au Droit civil. On peut la faire aussi à l'intérieur du Droit pénal ou criminel. Car l'action d'un individu (ou, en général, de la partie d'une Société) peut léser soit le statut de la Société correspondante prise dans son ensemble, soit son fonctionnement légitime. Tout comme une action « civile » peut être incompatible soit avec le statut de l'agent, soit avec le fonctionnement légitime des agents en interaction.

Il va de soi, enfin, que la distinction entre le Droit du statut et le Droit de la fonction reste valable pour le Droit en puissance.

§ 52.

Classer les phénomènes juridiques c'est en fin de compte classer les règles de droit, c'est-à-dire subdiviser le Système du droit formé par l'ensemble de ces règles. Car un phénomène humain n'est juridique que s'il implique l'intervention d'un Tiers impartial et désintéressé, qui intervient dans une interaction sociale afin de la rendre conforme à un certain idéal de Justice. Dans tout phénomène juridique le Tiers applique donc une idée ou un principe de Justice à une interaction sociale donnée. Or cette application peut toujours être exprimée sous la forme d'une règle de droit. Et on peut dire que l'intervention du Tiers, c'est-à-dire le phénomène juridique lui-même, est déterminée par cette règle de droit. Le Tiers n'agit que pour rendre la réalité donnée conforme à une règle de droit, et le phénomène juridique n'est rien d'autre que la mise en rapport par le Tiers de la règle et de la réalité.

Or nous avons vu que les règles de droit peuvent être classées d'après divers principes et que ces divers classements s'entrecroisent. On n'arrive donc pas à une structure rationnelle univoque du Système du droit. Ainsi, par exemple, on peut *commencer* par distinguer un Droit en acte et un Droit en puissance, et introduire ensuite dans ces deux grandes rubriques des subdivisions (qui seront d'ailleurs les mêmes pour les deux Droits). Mais on peut aussi subdiviser d'abord le Droit en tant que tel, sans poser la question de son existence, et subdiviser chacune des *dernières* rubriques ainsi obtenues en deux parties, l'une comprenant les règles existant en acte, l'autre celles qui n'existent qu'en puissance. Et il en va de même pour les autres subdivisions que nous avons discutées dans les paragraphes précédents. On peut déterminer comme on veut l'*ordre* des divisions en Droit civil et Droit pénal, en Droit public et Droit privé, en Droit familial, Droit social, Droit économique, etc., et en Droit du statut et Droit de la fonction. Et il est impossible de choisir *a priori* entre ces diverses possibilités de classement.

À dire vrai, il est impossible d'établir un classement rationnel sans tenir compte du *contenu* des règles à classer, qui est déterminé par les interactions concrètes auxquelles ces règles sont censées s'appliquer. Or ces interactions sont des données extra-juridiques, sociales ou politiques. Elles sont fixées dans leurs natures et dans leurs importances relatives par l'état historique général de la société dans laquelle elles ont lieu. Par conséquent la structure rationnelle du Système de droit doit varier selon les lieux et les époques. Car elle doit tenir compte du fait que l'importance des règles contenues dans une rubrique donnée n'est pas partout et toujours la même. Ainsi, par exemple, un Droit historique donné peut être presque exclusivement un Droit du statut, tandis que dans un autre les règles relatives aux statuts peuvent avoir à peu près la même importance (qualitativement et quantitativement) que celles relatives aux fonctions. Et il peut en être de même pour l'importance relative des règles civiles et criminelles. Etc. Certes, il y a une division rationnelle privilégiée du Système, qui peut être appelée « rationnelle » au sens propre du mot. C'est la division imposée par le contenu

du Système du Droit absolu, c'est-à-dire universel et définitif.
Mais ce Droit de l'État universel et homogène de la fin de
l'histoire n'existe pas encore. Nous ne pouvons donc pas
savoir quelle sera la structure rationnelle de son Système.

En classant les phénomènes juridiques, c'est-à-dire en sub-
divisant le Système du droit, il faut s'adapter aux exigences
du Droit qu'on a en vue. On classera un Droit primitif ou
archaïque autrement qu'un Droit moderne par exemple. Et
le classement que je propose ici n'a en vue que ce Droit
moderne des États occidentaux.

Ce classement ne diffère pas beaucoup, en fait, des divisions traditionnelles et généralement admises aujourd'hui
dans les codes juridiques. Rien d'étonnant d'ailleurs, puisque
mon classement veut tenir compte du contenu concret du
Droit, tout comme le fait le classement traditionnel. Mais il
s'en écarte cependant. Car le classement courant s'inspire
beaucoup des exigences de l'utilité, de la pratique judiciaire,
tandis que mon classement n'en tient pas compte du tout, en
ne se préoccupant que du problème logique. Le Code réunit
surtout tout ce que le juge ou l'avocat voudrait voir groupé
ensemble. Quant à moi, je ne voudrais grouper que ce qui
s'apparente logiquement. C'est pourquoi il ne s'agit nullement de vouloir introduire le classement proposé dans les
codes. D'ailleurs je me contente d'indiquer les grandes
rubriques, sans les remplir d'un contenu concret. Je laisse
donc de côté toute la question épineuse de la répartition des
diverses règles de droit données entre les rubriques indiquées du Système. Je dirai seulement que cette question est
très importante. Car la place qu'on assigne à une règle dans
le Système doit déterminer la manière dont cette règle est
formulée, interprétée et appliquée.

Ceci dit, voici ce que je propose comme

### Structure du Système du Droit :

Le « Droit positif », c'est-à-dire la totalité des règles de
droit dans et par lesquelles on applique un certain idéal de
Justice à un ensemble donné d'interactions sociales, se divise
d'abord en un

*Droit en puissance* et en un *Droit en acte,*
ce dernier étant le Droit étatique, réalisé par un Tiers qui
est mandataire de l'État ou son fonctionnaire.

Le Droit en puissance aura la même structure que le Droit
en acte, qui se subdivise comme suit :

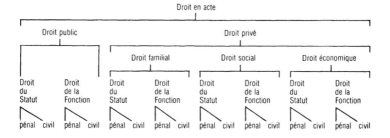

On aurait pu subdiviser le Droit public comme on subdivise le Droit privé, c'est-à-dire y introduire aussi une distinction entre les règles à contenu familial, social et économique. Mais ceci ne présente que peu d'intérêt, vu que la presque totalité des règles de Droit y aura un contenu économique. De plus ce Droit a un caractère spécial. Il a surtout pour mission de fixer d'avance les cas où le fonctionnaire (quel qu'il soit) n'agit pas au nom de l'État. Et pour le faire, ce Droit fixe le caractère fondamental du statut et du fonctionnement de l'État (au sens large) ainsi que du Citoyen. Bien entendu, ce « statut » de l'État et du Citoyen n'a rien de juridique en lui-même. Il n'a une valeur juridique et n'intervient dans le *Droit* public que dans la mesure où le fonctionnaire (que l'État désavoue) entre en interaction avec des personnes privées, qui appartiennent aux Sociétés familiale, « mondaine », économique, etc. On pourrait donc classer les règles du Droit public d'après ces Sociétés. Mais en fait ce n'est pas l'agent-personne privée, mais l'agent de l'interaction qui est fonctionnaire (désavoué) qui compte ici. Son « statut » importe donc plus que celui de l'agent privé. Or ce « statut » est fixé par le « statut » de l'État et du Citoyen. Il vaut donc mieux classer les règles du Droit public en les rapportant à l'État, sans tenir compte des distinctions apportées par l'interaction du fonctionnaire avec diverses catégories de personnes privées. C'est ainsi que ce Droit n'aura pas de subdivisions du « premier degré », à l'encontre du Droit privé. Et c'est pourquoi il vaut mieux le coordonner à ce dernier, au lieu de diviser le Droit d'abord en familial, etc., et puis subdiviser chaque division (à un niveau quelconque) en « public » et « privé ». Quant à la division du Droit public en Droit du statut et Droit de la fonction, elle correspond *grosso modo* à la distinction entre le Droit constitutionnel et le Droit administratif. Le Droit processoral, qui, de l'aveu de tous, fait partie du Droit public (dans la mesure où il permet de savoir quand le Tiers n'agit pas en mandataire de l'État, ce qui a lieu précisément lorsque le Tiers ne se conforme pas au Droit processoral), doit lui aussi être divisé en Droit du statut et Droit de la fonction, l'un ayant trait à la structure de l'appareil judiciaire, l'autre à son fonctionnement.

Dans le domaine du Droit privé (qui implique aussi le « Droit international privé »), le Droit familial et le Droit social correspondent à peu près au « Droit des personnes » de nos codes, tandis que le Droit économique correspond au « Droit du patrimoine ». À l'intérieur du Droit économique le Droit du statut traite surtout des « Droits réels », c'est-à-dire avant tout de la Propriété. Quant au Droit de la fonction, il correspond ici *grosso modo* au « Droit des obligations » traditionnel, impliquant ainsi le Droit des contrats.

J'ai mis la distinction entre le Droit pénal (ou criminel) et le Droit civil comme *dernière* grande division du Système, parce qu'au point de vue strictement juridique cette distinction n'a qu'une faible importance. Aussi les limites entre ces deux Droits ont-elles beaucoup varié selon les lieux et les époques. Mais il va de soi que la *pratique* judiciaire exige une distinction tranchée entre le *Code* civil et le *Code* pénal. Rien ne semble justifier par contre le rattachement du Droit pénal au Droit public, par opposition au Droit civil qui est censé coïncider avec le Droit privé.

# CHAPITRE II

## Étude sommaire de quelques types
## de phénomènes juridiques

### § 53.

Il s'agit dans ce chapitre d'analyser quelques types fondamentaux de phénomènes juridiques. Une Phénoménologie complète du Droit devrait contenir l'analyse de tous les types juridiques possibles et ceci du point de vue de toutes les idées possibles de Justice. Mais il n'est pas question de le faire ici.

Mon exposé sera d'une part fragmentaire. Car je ne discuterai que les questions sur lesquelles je crois avoir à dire quelque chose de nouveau. D'autre part, l'exposé sera toujours très sommaire. Et de toute façon il ne sera pas question de phénomènes juridiques concrets, ayant tel contenu déterminé. Ainsi, par exemple, j'analyserai non pas tel ou tel Droit pénal, mais le Droit pénal en tant que tel : il s'agira de voir ce qu'ont en commun tous les Droits criminels quels qu'ils soient, et ce qui les distingue de toutes les autres formes juridiques.

Dans ces conditions l'ordre de l'exposé importe peu. Voici celui que j'ai adopté.

Je parlerai d'abord du « Droit international public » et de ses rapports avec le Droit interne, ainsi que du fait qu'il y a plusieurs Droits internes coexistants (A). Ensuite j'étudierai les grandes divisions du Droit interne. Je commencerai par le « Droit public » au sens étroit du mot, c'est-à-dire le « Droit constitutionnel » et le « Droit administratif », et je dirai quelques mots du « Droit processoral » (B). Ensuite je parlerai du « Droit pénal » et de la notion de la peine (C). Et je terminerai par une étude du « Droit privé » dans ses deux branches principales, qui sont le « Droit privé de la

Société familiale » (D, *a*) et le « Droit privé de la Société économique » (D, *b*). C'est en parlant de ce dernier que j'analyserai les notions juridiques de la propriété et de l'obligation (avant tout du contrat).

## A. LE DROIT INTERNATIONAL, LE DROIT INTERNE ET LA PLURALITÉ DES SYSTÈMES JURIDIQUES NATIONAUX.

### § 54.

Pour que le « Droit international public » soit un Droit, il faut que notre définition puisse s'y appliquer. Autrement dit il faut qu'il y ait d'une part une inter-action entre deux êtres humains ou deux « personnes ». D'autre part il doit y avoir une intervention du « tiers impartial et désintéressé », annulant la réaction de B à l'action de A. C'est dans ce cas seulement qu'on pourra dire que A avait le *droit* d'agir comme il l'a fait.

Dans le cas en question les deux personnes en interaction sont des États souverains, c'est-à-dire des « personnes morales collectives ». Et rien n'empêche d'assimiler l'État à un individu humain agissant. De ce point de vue l'idée d'un Droit international public n'est donc nullement absurde. L'État A peut agir et l'État B peut réagir exactement comme agissent et réagissent des individus en inter-action sociale. Mais la personne du Tiers est ici moins bien définie. Ce Tiers doit-il être lui aussi un État souverain, ou peut-il être un individu ou un collectif quelconque? Et, dans ce cas, quels sont ses rapports avec les États justiciables? Jusqu'à présent le Tiers en Droit international a toujours été un simple Arbitre, choisi *ad hoc*, pour un arbitrage donné. Ce fut souvent un dieu (un « oracle »); au Moyen Âge il y a eu des arbitrages du pape; c'est généralement un souverain, c'est-à-dire un État, qui a arbitré des cas du Droit international. Mais des personnes privées ont écrit des traités du Droit international; et il y a une « opinion mondiale » juridique, qui est autre chose encore que les points de vue des différents États. Et pour l'avenir on a proposé soit un aréopage, où siégeraient les États eux-mêmes, soit un tribunal inter-étatique formé de juges « privés ». Bref, on ne voit pas très bien ce que serait le Tiers en Droit international, le jour où ce Droit s'actualiserait, le Tiers devenant une institution bien définie et permanente.

On dit souvent que par rapport au Droit international la situation est analogue à celle qui devait régner à l'aube de l'histoire relativement au Droit en général, au règlement juridique des interactions entre individus. Là aussi il devait s'agir d'arbitrages sans sanctions véritables et sans Tiers permanent. Et ceci est certainement vrai dans une certaine mesure : les États souverains actuels sont assimilables à des individus qui ne sont pas encore des citoyens d'un État juridiquement organisé. Mais l'analogie n'est juste que dans une certaine mesure seulement. L'homme pré-étatique pouvait ignorer tout du Droit, et le Droit se créait dans et par les premières interactions arbitrées par le Tiers. Un État par contre ne peut pas exister en tant qu'État sans réaliser dans son sein une certaine organisation juridique. Il est donc nécessairement en possession non pas seulement d'un certain idéal de Justice, mais encore d'un certain système du droit, qui applique cet idéal aux interactions sociales intra-étatiques. Ayant affaire à des individus-États, le Droit international a donc affaire à un Droit (interne) préexistant, dominé par un idéal donné de Justice. Le Droit international qui se crée doit donc être en accord avec cet idéal. Il ne peut être rien d'autre qu'une extension aux interactions entre États du Droit (interne) qui régit les interactions sociales à l'intérieur des États en question. Le Tiers sans lequel il n'y a pas de Droit en général et qui crée le Droit international ne le crée donc pas de toutes pièces. Il part d'une donnée juridique, qui est le Droit interne.

Il faut donc distinguer deux points de vue quand on étudie le Droit international. D'une part il faut se demander comment se crée ce Droit à partir des interactions non juridiques entre États souverains : il faut voir comment et pourquoi le simple *fait* d'agir d'une certaine façon devient pour l'État un *droit* d'agir de la sorte (s'entend : vis-à-vis d'un autre État). D'autre part il faut se demander comment et pourquoi des principes donnés du Droit interne commencent à s'appliquer aux interactions entre États souverains. En d'autres termes, on peut se demander d'une part dans quelle mesure le Droit international aurait pu se constituer même s'il n'y avait aucun autre Droit (interne) sur terre, et d'autre part on peut chercher à préciser les conditions nécessaires à l'application du Droit interne aux interactions inter-étatiques.

Quoi qu'il en soit, une chose est bien certaine. Jusqu'à présent le Droit international n'a encore jamais été un Droit *en acte*. Par définition ce Droit se rapporte aux interactions entre États *souverains*. Or la notion même de souveraineté exclut la possibilité d'une contrainte irrésistible venant du dehors. Le Tiers en Droit international n'a donc aucun moyen d'*imposer* son intervention aux justiciables, qui peuvent toujours s'y soustraire. Si le Droit international est un Droit, il ne peut donc être qu'un Droit *en puissance*.

Or toute puissance tend à l'acte. Si le Droit international est un Droit, il doit donc nécessairement vouloir s'actualiser en tant que tel. Autrement dit il y aura tendance à rendre l'intervention du Tiers irrésistible. Mais il se peut que ceci soit incompatible avec la souveraineté des États soumis à ce Droit, c'est-à-dire avec le caractère « international » de ce dernier. Il se peut donc qu'en s'actualisant le Droit international cesse d'être ce qu'il est en tant que Droit en puissance.

De toute façon il faut se poser deux questions lorsqu'on étudie le Droit international. Premièrement, il faut se demander ce qu'est ce Droit en tant que Droit en puissance : est-ce vraiment un Droit, et si oui, quels sont ses rapports avec les autres phénomènes juridiques? Deuxièmement, il faut voir comment ce Droit peut s'actualiser et s'il reste un phénomène juridique *sui generis* une fois réalisé en acte.

Or, de nos jours tout au moins, le Droit en acte n'est rien d'autre que le Droit étatique ou « interne ». Discuter l'actualisation du Droit international c'est donc étudier ses rapports avec le Droit interne. J'ai déjà dit que même en existant en puissance le Droit international présuppose l'existence actuelle du Droit interne : sans Droit interne, pas d'État, et sans États pas de Droit international. Et il se peut que ce dernier ne puisse s'actualiser sans cesser d'être « international ». Il s'agira alors de savoir s'il doit devenir un Droit « interne » au sens propre du mot.

Or j'ai déjà signalé que jusqu'à nos jours le Droit interne lui-même n'est pas parfaitement actualisé. Il y a en fait une pluralité de Droits nationaux. L'individu, même citoyen, n'est donc pas astreint d'une manière absolue à subir l'intervention du Tiers, s'entend d'un Tiers donné, lié à un Droit interne particulier. Il peut changer de nationalité et échapper ainsi à l'emprise du Droit qui ne lui convient pas. Dans une certaine mesure tout Droit interne n'est donc qu'un Droit en puissance. Et en tant que tel il a tendance à s'actualiser, à parfaire son actualité. Mais s'actualiser signifie éliminer la pluralité des Droits internes : c'est, si l'on veut, s'« internationaliser ». L'actualisation du Droit interne ne peut donc se faire que dans et par une interaction juridique entre États souverains, ayant pour but l'unification de leurs Droits internes respectifs. Si donc le Droit international ne semble pouvoir s'actualiser qu'en cessant d'être « international » et en devenant une sorte de Droit « interne », le Droit interne ne semble pouvoir parfaire son actualité qu'en devenant « international », qu'en cessant d'être « interne » au sens propre du mot.

Tout ceci montre clairement qu'on ne peut étudier le Droit international que dans ses rapports avec le Droit interne et qu'il faut, en le faisant, tenir compte du fait que ce dernier existe en tant qu'une pluralité de Droits nationaux.

## § 55.

Admettons — par impossible — qu'il n'y ait pas encore de Droit sur terre, mais qu'il y ait néanmoins des États souverains et des interactions spécifiquement politiques (c'est-à-dire, par définition, essentiellement humaines) entre eux. Peut-on déduire de ces interactions un Droit international public? Autrement dit, ces interactions peuvent-elles recevoir une signification juridique en plus de leur signification purement politique?

L'État est constitué par un groupe d'amis politiques ayant un ennemi politique commun. Et ils ne sont amis que parce qu'ils ont un ennemi commun. Il en résulte que, par définition, tout État étranger est l'ennemi politique d'un État donné. Les interactions entre États pris en tant qu'États, c'est-à-dire les interactions politiques, s'actualisent donc sous forme de guerre. Une Société s'organise en État parce qu'elle est en guerre et pour être en guerre. L'existence *politique* de l'État pendant la paix n'est qu'une préparation à la guerre. On peut dire aussi que lorsque l'État se comporte en tant qu'État, c'est-à-dire politiquement, il se comporte comme le fait un Maître. Il s'agit pour lui de vaincre ou de périr. Et vaincre signifie asservir l'État ennemi, c'est-à-dire l'annuler en tant qu'État, c'est-à-dire se l'assimiler politiquement, se faire « reconnaître » par lui sans le « reconnaître » en retour [1].

---

1. Les États primitifs ou archaïques, c'est-à-dire vraiment aristocratiques ou guerriers, ne connaissent pas la paix comme institution poli-

Or la guerre n'est pas à proprement parler une inter-action, puisqu'elle est une relation d'*exclusion* mutuelle et se termine en principe par la suppression de l'un des deux agents. Dans une guerre et par rapport à la guerre il n'y a donc pas de *Tiers* possible. La guerre finie, le Tiers serait le deuxième, et en tant que tel l'ennemi, c'est-à-dire partie et non plus tiers. Étant donné que toute entité tend à se maintenir dans l'identité avec soi-même, le Tiers a tendance à rester un Tiers, c'est-à-dire à sauvegarder la dualité des agents auxquels il se rapporte. Mais la guerre tend à supprimer l'un de ces agents. Le Tiers devra donc nier la guerre en tant que telle et la guerre ne pourra ni engendrer, ni tolérer, un tiers. Autrement dit aucun Droit ne peut reconnaître la guerre comme une situation *juridique*, et aucune guerre ne peut engendrer un Droit en se transformant en situation juridique. La guerre est donc essentiellement un phénomène a-juridique, puisqu'il n'y a pas de Droit sans Tiers [1].

Cependant les interactions spécifiquement politiques peuvent aboutir à l'existence d'un Tiers politique, qui a certaines analogies avec le tiers juridique. Et cette situation peut engendrer un pseudo-droit.

Tout comme les individus (les Maîtres), les États peuvent avoir un État-ennemi commun et être de ce fait des États-amis, ou des *Alliés*. Supposons pour simplifier que deux États s'allient contre un troisième. L'ennemi est alors un tiers par rapport aux interactions entre les deux amis ou alliés. Les alliés ne veulent pas s'entre-détruire : ils maintiennent donc le Tiers en tant que tiers. Et ce dernier ne veut pas que l'un des alliés supprime l'autre : il se maintient donc en tant que tiers. Et ce Tiers est certainement « impartial » : les alliés — ses ennemis — sont pour lui interchangeables dans leurs relations mutuelles; il n'a aucune préférence pour l'un d'eux, vu qu'ils sont tous les deux ses ennemis, et ceci au même titre. Mais est-il aussi « désintéressé », comme est désintéressé le Tiers juridique? En un certain sens oui, car les affaires

tique permanente. Les Grecs, encore, ne connaissaient pas de traités de *paix*, mais seulement des armistices ou des trêves. Les Romains, par contre, aimaient signer des traités de « paix éternelle ». Mais ce sont eux qui ont développé le Droit civil *bourgeois*.

Il y a une dialectique politique analogue à celle de la Maîtrise. Elle aboutit à l'« Empire », c'est-à-dire à la « Fédération » où le vainqueur « reconnaît » le vaincu qui le « reconnaît » : les deux fusionnent dans une unité supérieure, de sorte qu'il n'y a ni vainqueur ni vaincu au sens propre des mots.

1. C'est pourquoi on ne peut pas dire que la guerre est un *crime* au sens juridique du mot. Elle est simplement *en dehors* du Droit.

internes de ses ennemis ne sont pas « ses affaires » : il n'en profite pas personnellement, vu qu'il est exclu de la vie interne des alliés, étant leur ennemi. Mais en un autre sens il ne l'est pas, car il est « intéressé » à la discorde des alliés, à la suppression de leur alliance, et — par conséquent — de sa propre situation de tiers. Et c'est ce qui distingue le Tiers politique du Tiers juridique. Car ce dernier n'a pas à souffrir de l'accord entre ses justiciables, comme il n'a pas à souffrir de leur désaccord[1]. Mais vouloir le désaccord des alliés, c'est avant tout vouloir éviter leur union complète. C'est-à-dire aussi l'absorption de l'un par l'autre. Le Tiers veut donc maintenir le *statu quo,* il veut maintenir chacun des deux alliés dans son identité avec soi-même et dans le même rapport avec l'autre. On peut donc dire que le Tiers est intéressé à l'*égalité* des deux alliés, à une situation telle qu'aucun des deux ne puisse absorber l'autre. Bref, le Tiers politique a intérêt à faire régner chez ses ennemis alliés une Justice et un Droit égalitaires ou aristocratiques. Or, étant donné que les États se comportent politiquement en Maîtres, cette attitude du Tiers est conforme à leur idéal de Justice. Et on a ainsi l'illusion d'un *Droit* politique, d'un *Droit* international public, réglant les rapports des États entre eux, tout au moins des États *alliés,* qui sont par définition *en paix* entre eux.

Mais ce n'est là qu'une illusion, due à la simple coïncidence de deux attitudes essentiellement différentes : de l'attitude politique et de l'attitude juridique. Sans doute, si le plus fort des deux « alliés » attaque le plus faible, le Tiers « ennemi » peut intervenir pour soutenir activement le faible contre le fort. Et il se peut que la seule possibilité d'une telle intervention du Tiers puisse arrêter la guerre entre les « alliés » : le conflit peut être soumis à l'arbitrage du tiers. Il peut donc sembler qu'il y a une situation juridique, une application du *Droit* international public. Mais en réalité le Tiers intervient pour des raisons purement politiques (d'ail-

1. Quand, dans le Droit interne, l'État joue le rôle du Tiers vis-à-vis de ses citoyens, il est intéressé à leur accord, et non à leur désaccord. C'est pourquoi il consent à être un Tiers *juridique :* en tant que Juge, il applique le Droit qui met ses citoyens en accord; or il y est intéressé en tant qu'État; il a donc un intérêt *politique* à agir aussi *juridiquement* en tant qu'État, c'est-à-dire à étatiser le Droit. Mais dans son aspect *juridique,* c'est-à-dire en tant que Tiers-Juge, l'État n'est intéressé ni à l'accord, ni au désaccord des justiciables : ce n'est pas parce qu'il veut les mettre d'accord qu'il leur applique le Droit; c'est parce qu'il leur applique le Droit qu'il les met d'accord. Quant au Tiers politique, il ne veut pas appliquer un *Droit* quel qu'il soit. Car tout Droit met par définition d'accord, tandis que le Tiers politique tient au désaccord des deux autres.

leurs « égoïstes »), conformément au principe *« divide et impera »*, et nullement en fonction d'une règle de Droit quelconque, ni d'un idéal de Justice. C'est pour ainsi dire par hasard que l'intervention politique coïncide ici avec une intervention juridique, basée sur le principe de l'égalité et du maintien du statut. C'est un cas d'application de la loi *politique*, et non pas de la loi *juridique*. Or dans le domaine des interactions politiques entre États les interventions d'un Tiers ou les arbitrages sont généralement du type indiqué : en arbitrant, le Tiers poursuit son propre intérêt politique, il agit et arbitre en *ennemi* (actuel ou éventuel) de ses « justiciables ». Car c'est seulement l'agissement politique de l'ennemi qui coïncide avec le comportement juridique d'un Tiers (tout en étant essentiellement autre chose). Le comportement politique de l'ami ou allié ne donne pas lieu à des agissements quasi juridiques. En effet s'il y a trois alliés par exemple, et si l'un d'eux en attaque un autre pour l'absorber, le troisième n'aura aucune raison *politique* d'intervenir. Car il a intérêt à ce que ses alliés soient les plus forts possibles. Or deux États séparés sont moins forts à eux deux que ces mêmes États réunis en un seul. Mais admettre que l'un des agents en interaction peut supprimer l'autre, c'est précisément renoncer à toute intervention, c'est-à-dire ne pas reconnaître la situation comme juridique.

Certes, il y a des traités d'alliance entre alliés qui règlent leurs interactions mutuelles. Mais une alliance politique est toujours conclue contre un ennemi (effectif ou éventuel), et les rapports entre les alliés sont une fonction de leurs rapports avec l'ennemi. Même un traité de paix conclu avec l'ex-ennemi à la fin d'une guerre (ou sans guerre) est en fin de compte une alliance contre un nouvel ennemi commun. Les rapports politiques entre les États sont donc toujours projetés sur un tiers, qui est l'ennemi commun des États en question. Et c'est cette relation avec le Tiers, cette « intervention » du tiers qui donne aux inter-actions politiques « pacifiques » entre États l'apparence de relations juridiques (conformes à l'idéal aristocratique de la Justice égalitaire). Mais ce n'est là qu'une apparence, parce que le Tiers est par définition un *ennemi* (tout au moins éventuel), qui est *intéressé* aux interactions en question. C'est précisément parce que l'alliance (et les interactions qu'elle implique) est dirigée contre lui qu'il a un intérêt politique à ce qu'elle ne devienne pas une union véritable mais se maintienne en tant que contrat entre États indépendants. Le « tiers » est donc en réalité partie. Il n'y a pas de tiers véritable dans les inter-

actions *politiques* entre les États. Et c'est pourquoi ces interactions n'ont rien de juridique.

Un troisième *allié* n'a aucune raison politique de jouer le
rôle d'un Tiers juridique envers ses alliés. Quant au Tiers
*ennemi*, il est politiquement porté à jouer ce rôle. Mais c'est
précisément pourquoi il n'est pas un Tiers véritable au sens
juridique du mot. L'allié n'intervient pas, et l'intervention
de l'ennemi n'a rien de juridique. Pour que les interactions
politiques aient un caractère juridique il faut donc qu'elles
soient rapportées à un tiers politiquement *neutre*. Mais
« politiquement neutre » signifie autant qu'apolitique. On voit
donc que le *Droit* international public ne peut pas naître
d'interactions *politiques* entre les États. Même si le Droit
peut s'appliquer à la politique, ce n'est pas la politique qui
peut l'engendrer : il doit pénétrer du dehors dans le domaine
politique [1].

Voyons ce que c'est qu'un État *neutre*. Il ne faut pas
confondre la neutralité avec la « non-belligérance ». Le non-
belligérant, n'étant pas ami ou allié, est par définition un
ennemi. Mais c'est un ennemi éventuel, un ennemi en puissance, par opposition aux ennemis effectifs, en acte. Cela
suffit cependant pour qu'il ne puisse pas être un Tiers
vraiment « désintéressé », c'est-à-dire juridique. Quant à
l'État neutre, qui peut jouer ce rôle, il est censé ne jamais
pouvoir s'actualiser en tant qu'ennemi. Or, strictement
parlant, ceci n'est vrai que pour les États sans interaction
possible. C'est ainsi que l'Amérique était « neutre » par rapport à l'ancien monde avant sa « découverte » par Colomb.
Et, pratiquement, c'est ainsi qu'a été « neutre » la Chine par
rapport à l'Europe du Moyen Âge. Mais alors le neutre ne
peut pas jouer le rôle du Tiers. Pour pouvoir le faire il doit
être en interaction avec les « justiciables ». Seulement cette
interaction ne doit pas être politique au sens propre du mot.
C'est-à-dire elle ne doit pas pouvoir s'actualiser sous forme

---

1. Nous avons déduit la Justice et le Droit de la dialectique de la Maîtrise (cf. Deuxième Section). Or la dialectique politique des interactions
entre États est analogue à celle de la Maîtrise. Il semblerait donc qu'on
peut en déduire un Droit politique *sui generis*. Mais il n'en est rien, parce
qu'il y a une différence entre les deux dialectiques. Le Maître se *crée* en
tant qu'être humain dans et par la Lutte pour la reconnaissance. Quant à
l'État, il *est* déjà humain dans la mesure où il existe (son humanité résultant de celle de ses citoyens). Ses interactions (ses luttes ou guerres pour
la reconnaissance) avec les autres États n'ont donc pas de valeur anthropogène, et c'est pourquoi on ne peut pas en déduire un idéal de Justice, ni
par suite une notion du Droit.

d'une guerre. Or ceci n'est possible que si le tiers neutre n'est pas un État proprement dit.

Le « Tiers » neutre doit donc appartenir avec ses « justiciables » à une même Société non politique : religieuse, culturelle, économique ou autre. Les membres de cette Société sont répartis entre différents États : ils sont en même temps membres de la Société et citoyens d'un État donné. Mais l'« État » neutre n'est pas un État véritable. Autrement dit ses « citoyens » ne sont rien de plus que des membres de la Société en question. Si nous symbolisons la Société non politique par une feuille et la Société politique par une autre feuille superposée, l'« État » neutre sera symbolisé par un trou dans cette deuxième feuille. Cet « État » n'a l'aspect d'un État que parce qu'il a des *frontières* politiques, parce que la masse restante de la Société non politique est étatisée. Mais en réalité le neutre n'est pas un État : c'est un fragment de la Société non politique resté à son état pur. C'est ainsi qu'est neutre (en principe tout au moins) l'Église catholique par rapport aux États catholiques. Ou bien encore c'est en ce sens qu'on peut parler de la « neutralité » des foires (et des marchands en général) dans l'Europe médiévale. Et c'est encore dans le même sens qu'il faut interpréter la « neutralité » des grandes fêtes religieuses reconnues par les États grecs.

Rapporter une interaction politique à un Neutre, c'est donc la situer dans une Société non politique quelconque, dont font partie tant le Neutre que les agents en interaction. Les États en interaction sont alors assimilés à des membres (collectifs) de la Société en question, à des sous-groupes de cette Société. Et il est tout naturel de faire jouer au Neutre le rôle du Tiers, vu qu'il représente la Société non politique à son état pur, tandis que les États en interaction sont non seulement membres de cette Société, mais autre chose encore, à savoir des États, c'est-à-dire des entités politiques. Par rapport au Tiers neutre, c'est-à-dire du point de vue juridique, les États en interaction politique sont considérés comme des membres de la Société non politique. Ils sont donc soumis au Droit qui règne au sein de cette Société et leurs actions politiques ne sont juridiquement valables que dans la mesure où elles sont conformes à ce Droit, qui est incarné dans la personne du Tiers neutre, intervenant au nom de la Société en question. C'est ainsi qu'au Moyen Âge le « droit des gens » s'incarnait dans l'Église et l'arbitrage politique était souvent confié au pape.

Il n'y a donc pas de genèse autonome du Droit international

public. Ce Droit (dans la mesure où c'est un Droit, et non pas seulement un aspect des interactions *politiques*) est l'application à des États en interaction d'un Droit propre à une Société non politique quelconque, dont ces États font partie. Et il est appliqué par un représentant qualifié de cette Société en tant que telle. Il s'agit donc d'un Droit « interne » d'une Société : c'est le Droit, tel que nous l'avons étudié jusqu'ici. On peut donc en dire tout ce que nous avons dit du Droit en général.

Or, s'il en est ainsi, le Tiers qui applique et incarne le Droit international et sans qui ce Droit n'existerait pas en tant que Droit, n'a nul intérêt à maintenir les États en tant qu'entités politiques autonomes, c'est-à-dire en tant qu'États proprement dits. Il a intérêt à étatiser le Droit de la Société non politique (cf. l'analyse des rapports entre le Droit et l'État dans le chapitre ɪɪ de la Première Section), c'est-à-dire d'organiser cette Société en État, ce qui signifie la suppression des États qui sont ses membres, leur transformation en groupes cis-étatiques. Car si la Société a pour membres des États autonomes et n'est pas elle-même un État, elle ne peut pas empêcher ses membres de la quitter. Son Droit n'existe donc qu'en puissance. Or tout Droit a tendance à s'actualiser. Et dans notre cas l'actualisation du Droit international signifie la suppression des États auxquels il s'applique, c'est-à-dire sa suppression en tant que Droit *international,* sa transformation en Droit *interne.* Le Droit *international* ne peut donc être un Droit que dans la mesure où il n'existe qu'en puissance. C'est le Droit virtuel interne d'une Société non politique appliqué à ses membres organisés en États autonomes.

Or si le « Droit international public » est le Droit d'une Société non politique, il n'est pas nécessairement aristocratique. Il ne le serait que s'il naissait des interactions spécifiquement politiques, qui ont toujours un caractère aristocratique. Le « Droit international » peut donc en principe revêtir un caractère bourgeois, étant fondé non pas sur la Justice égalitaire, mais sur la Justice de l'équivalence. Seulement il entrerait alors immédiatement en conflit avec les États auxquels il est censé s'appliquer, qui adoptent nécessairement, en tant qu'États, le point de vue aristocratique. Ce Droit ne peut donc exister réellement que comme un Droit du citoyen, qui synthétise les deux Justices antithétiques. Et ceci confirme l'idée que ce Droit n'a rien de spécifique, puisque nous avons vu que tout Droit réel est toujours — plus ou moins parfaitement — un Droit du citoyen.

## § 56.

Supposons l'existence d'une Société non politique, économique, culturelle, religieuse ou autre, où règne un Droit donné, c'est-à-dire où un certain idéal de Justice détermine l'intervention d'un Tiers dans certaines inter-actions entre les membres de la Société. Et supposons que cette Société est répartie entre plusieurs États autonomes, de sorte que tout membre de la Société est en même temps citoyen d'un de ces États. Supposons enfin qu'à l'origine les États n'appliquent pas eux-mêmes ce Droit à leurs citoyens. Le Droit en question n'existera alors qu'en puissance. Autrement dit l'intervention du Tiers ne sera pas irrésistible. Les justiciables pourront toujours se soustraire à son jugement en cessant d'être membres de la Société et en se contentant d'être citoyens de leurs États respectifs.

Or tout Droit existant en puissance tend à s'actualiser. Dans les conditions admises le Droit en question ne peut s'actualiser qu'à condition d'être adopté par les États entre lesquels est répartie la Société considérée. Un État peut appliquer lui-même le Droit en intervenant en guise de Tiers. Ou bien il peut confier cette application à la Société, le Tiers étant un représentant qualifié de cette dernière. Mais dans ce cas l'État doit sanctionner l'intervention du Tiers, ou — ce qui est la même chose — le Tiers doit agir au nom de l'État. Autrement dit, se soustraire au jugement du Tiers doit signifier non pas seulement cesser d'être un membre de la Société, mais encore cesser d'être citoyen d'un des États. Or l'État enlève au citoyen la possibilité de cesser d'être citoyen (sans le consentement de l'État). Dans ces conditions l'intervention du Tiers devient donc « irrésistible » et le Droit en question existe en acte : il existe sous la forme d'une pluralité de Droits internes étatiques.

Supposons maintenant que pour des raisons quelconques les différents États appliquent le Droit en question (disons le Droit économique, pour fixer les idées) sous des formes différentes. Il se peut par exemple qu'un seul et même idéal de Justice s'applique à des ensembles différents d'inter-actions sociales selon les différents États. Mais il se peut aussi que tous les États n'appliquent pas le même idéal de Justice : les uns peuvent appliquer l'idéal admis par le groupe exclusif juridique de la Société en question, les autres — la ou les idées admises par les groupes juridiques exclus.

Dans tous ces cas il y aura un conflit entre le « Droit territorial » et le « Droit personnel ». Un État A pourra appliquer
à un citoyen de l'État B soit son propre Droit, soit le Droit
de B.

Si la Société en question n'a elle-même rien de territorial,
c'est-à-dire si le fait de lui appartenir ne fixe pas géogra-
phiquement celui qui y appartient, il est naturel d'appliquer
le « Droit personnel ». Si pour un membre donné de la Société,
citoyen de l'État A, le Droit de la Société s'actualise sous la
forme du Droit interne de l'État A, c'est ce Droit qui doit
lui être appliqué partout et toujours. Et si un État B applique
(sur son territoire) le Droit de l'État A à un citoyen de cet
État, il ne s'agit que d'un cas du Droit interne de l'État A,
ce dernier se faisant seulement représenter par l'État B.
L'État B agit ici pour ainsi dire en fonctionnaire de l'État A.
Ou bien encore le territoire juridique de A déborde son territoire politique et s'étend sur tout le territoire occupé par la
Société en question, c'est-à-dire par l'ensemble des États
entre lesquels sont répartis ses membres. Bien entendu cette
extension du « territoire juridique » n'est possible que là où
les États en cause reconnaissent juridiquement la Société
en question, c'est-à-dire traitent leurs citoyens non pas
seulement en citoyens, mais encore en membres de cette
Société. Dans le cas contraire l'étranger ne serait pas aux
yeux de l'État un sujet de droit, une personne juridique. Mais
du moment que tous les États appliquent le Droit de la
Société à tous ses membres, ce Droit existe en acte, même si
un État donné applique le Droit en question (tel qu'il le
comprend) à ses citoyens en dehors de son territoire politique, c'est-à-dire par l'intermédiaire d'un autre État.

Mais la question se complique si l'État A a à trancher
(sur son territoire) un différend entre un citoyen de l'État B
et son propre citoyen ou un citoyen d'un État C. Comme c'est
A qui décide de la façon dont il va agir, on peut dire qu'il y
a cette fois un cas de Droit interne de A, et non de B ou de C.
Si on appelle « Droit international privé » le Droit étranger
qui est appliqué par un État à des étrangers (sur son territoire), il faut dire de toute façon que c'est un Droit *interne*,
c'est-à-dire soit le Droit de l'État qui applique le Droit, soit
le Droit de l'État dont le Droit est appliqué. C'est donc un
Droit en acte, qui actualise le Droit de la Société en question,
étant appliqué d'une façon « irrésistible » à tous ses membres,
par les États entre lesquels cette Société est répartie. Grâce
au « Droit international privé », un membre de la Société ne
pourra jamais échapper à son Droit : ce Droit lui sera tou-

jours appliqué d'une manière irrésistible sous l'une des formes qu'il prend dans les États membres de la Société.

Or nous avons vu que le Droit ne peut exister dans une Société qu'à condition d'être un et unique. Autrement dit le Tiers doit toujours appartenir au groupe exclusif juridique. Les États qui actualisent le Droit de la Société doivent donc admettre un seul et même idéal de Justice. Et en effet un État A n'applique (sur son territoire) le Droit d'un État B que si ce Droit n'est pas en contradiction avec les principes fondamentaux de son propre Droit. Autrement dit les différences des Droits internes ne se justifient juridiquement que par les différences territoriales des interactions sociales auxquelles s'applique le Droit en question. Mais puisqu'un système de droit implique en principe tous les cas possibles, on peut dire que tous les États doivent appliquer un seul et même Droit, qui n'est rien d'autre que le Droit admis par le groupe exclusif juridique de la Société en question. Une Société donnée cherchera donc toujours à unifier les Droits des États entre lesquels sont répartis ses membres. Et c'est dire que du point de vue *juridique* de cette Société l'existence en son sein d'une pluralité d'États autonomes n'est nullement justifiée. Certes, si tous ces États appliquent un seul et même Droit, à savoir le Droit de la Société en question, celle-ci n'aura rien à objecter juridiquement à l'existence de ces États, vu que son Droit sera actualisé par eux. Le « Droit territorial » coïncidera alors avec le « Droit personnel » et un membre de la Société ne pourra jamais se soustraire à son Droit, partout et toujours le même. Mais ce résultat serait aussi atteint dans le cas où les membres de la Société seraient citoyens d'un seul État universel, qui aurait absorbé tous les autres tout en conservant leur Droit commun. La Société ne s'oppose donc pas juridiquement à ce que son Droit s'actualise dans et par un Droit interne proprement dit et unique, au lieu de s'actualiser par un « Droit international privé ».

Ce raisonnement n'est cependant valable que là où il s'agit d'appliquer le Droit de la Société à ses membres *individuels*, ou à des collectifs autres que les *États* qui en font partie. Or ces États, étant des groupes de membres de la Société, sont eux-mêmes des membres de cette dernière. Et s'ils entrent en interaction en tant que tels, ils sont censés provoquer l'intervention du Tiers, qui leur appliquerait le Droit général de la Société. Un représentant qualifié quelconque du groupe exclusif juridique de cette Société peut jouer le rôle de ce Tiers. Il existe donc toujours, ne serait-ce que sous la forme de l'« opinion publique » juridique de la

Société en question. Et il peut aussi exister sous la forme d'une institution permanente, d'un « Tribunal international » (s'entend : intrasociétaire). Mais tant que les États seront des États souverains, c'est-à-dire des États au sens propre et fort du terme, l'intervention du Tiers ne pourra pas être irrésistible, car l'État pourra toujours se soustraire à son jugement en quittant la Société en question. L'intervention du Tiers ne peut être irrésistible que s'il se rapporte aux justiciables comme un gouvernant aux gouvernés [1]. Tant que les États restent « autonomes », c'est-à-dire précisément tant qu'ils sont gouvernants sans être à leur tour gouvernés, l'intervention du Tiers ne sera pas irrésistible et le Droit n'existera donc qu'en puissance par rapport aux justi-ciables-États, c'est-à-dire en tant que « Droit international public ». Or tout Droit tend à s'actualiser pleinement et complètement. Le Droit de la Société voudra donc être irré-sistible même là où il s'applique aux interactions entre les États que la Société considère comme ses membres. Il voudra s'actualiser aussi en tant que « Droit international public ». La Société dans son aspect juridique voudra donc supprimer la souveraineté de ses membres quels qu'ils soient et essayera de donner à ses relations juridiques (c'est-à-dire de justi-cier) avec eux la forme d'un rapport entre gouvernants et gouvernés.

Ceci ne veut pas dire nécessairement que la Société en question veuille se constituer elle-même en État proprement dit. L'État est défini par deux qualités : d'une part c'est un groupe d'amis ayant un ennemi commun; d'autre part c'est un groupe de gouvernés gouvernés par des gouvernants. Or la Société supposée non politique n'a pas d'ennemis par défi-nition : elle n'est donc pas un groupe d'amis, elle n'est pas un État au sens plein du mot. Mais si elle ne l'est pas elle-même, elle ne peut pas non plus admettre que ses membres soient des États au sens propre du terme, c'est-à-dire qu'ils aient des ennemis politiques. Car nous avons vu que les rapports entre ennemis excluent l'intervention d'un Tiers. Or la Société tient à jouer le rôle du Tiers juridique dans les rapports entre ses membres. Aucun de ses membres ne doit donc être l'ennemi d'un autre [2]. Il ne devra donc pas y avoir

---

1. Ce rapport est défini par le fait que le gouverné ne peut pas refuser d'être gouverné, tandis que le gouvernant peut refuser de gouverner le gouverné (qui est alors exclu de la Société).
2. En principe la Société peut admettre qu'un membre soit l'ennemi d'un autre membre, à condition qu'ils soient ennemis dans leur aspect autre que celui de membre, qu'ils restent « amis » en tant que membres de

de rapports politiques à l'intérieur de la Société, de sorte qu'en son sein les membres ne pourront pas entrer en interaction en qualité d'États souverains. À première vue, l'État membre de la Société pourrait avoir des ennemis en dehors de la Société en question et être donc un État proprement dit. Mais si la Société n'est pas *universelle*, c'est-à-dire si elle n'englobe pas *tous* ceux qui sont susceptibles d'être ses membres, elle aura tendance à s'étendre au-delà de ses frontières : ainsi la Société religieuse qu'est l'Église catholique veut englober l'humanité tout entière. C'est donc elle qui fixera ses rapports avec l'extérieur, et par suite les rapports avec cet extérieur de tous ses membres. Ces derniers ne pourront donc pas être à leur gré ennemis ou amis de ceux qui ne font pas partie de la Société, tout comme ils ne peuvent pas être ennemis des membres de la Société. Et c'est dire qu'ils ne peuvent pas être des États souverains [1].

Pratiquement la Société ne pourra d'ailleurs être apolitique que si elle est universelle. Et alors tous les rapports de ses membres seront internes. C'est-à-dire aucun d'eux ne pourra être un rapport entre ennemis, ou un rapport proprement politique. Elle n'implique donc pas d'États proprement dits. Si la Société n'est pas universelle, elle devra se défendre contre l'extérieur éventuellement ennemi, c'est-à-dire s'organiser en État. Et dans ce cas encore elle ne pourra pas tolérer en son sein des États autonomes. Ses membres ne pourront donc être des « États » qu'en ce sens qu'il y aura à l'intérieur d'eux des rapports de gouvernants à gouvernés. On peut les appeler « États », mais ce ne sont pas des États proprement dits ou « souverains ». Ils seront si l'on veut des États par rapport à leurs citoyens, mais ils ne le seront pas par rapport à l'extérieur. Encore devront-ils appliquer en tant que gouvernants à leurs citoyens-gouvernés le Droit commun de la Société à laquelle ils

---

la Société, tout en étant ennemis en tant que citoyens de leurs États respectifs. Mais c'est pratiquement impossible. Et c'est pourquoi, en fait, le Droit d'une Société non politique tend à supprimer le caractère politique de ses membres. En particulier ce Droit sera essentiellement « pacifiste ».

1. Un État, membre d'une Société donnée, pourrait cependant librement fixer ses rapports avec des groupes qui ne sont pas susceptibles de devenir des membres de ladite Société. Mais puisque, en fait, toute Société tend à englober l'humanité entière, la liberté en question ne peut être que provisoire. D'ailleurs, une Société non universaliste s'organise nécessairement elle-même en État, ce qui rend impossible que ses membres soient des États autonomes. Car si une Société exclut *en principe* une partie de l'humanité, c'est qu'elle la traite en *ennemi*, c'est-à-dire se rapporte à elle *politiquement* ou en tant qu'État.

appartiennent. Il y aura donc *Fédération juridique*. Et si la Société est elle-même organisée en État, il y aura *Fédération* au sens propre du mot, c'est-à-dire Fédération politique, État fédéré [1]. On peut donc dire que si le Droit international public tend à s'actualiser, il ne peut le faire qu'en devenant un *Droit fédéral*, c'est-à-dire le Droit *interne* « public », c'est-à-dire « constitutionnel » et « administratif » d'un État fédéré. En tant que Droit il est imposé par la Fédération à ses membres, tout comme un Droit interne est imposé par les gouvernants aux gouvernés. Et ce Droit n'est « fédéral » qu'en ce sens que certains justiciables, à savoir les « États » fédérés, ne se contentent pas de le subir, mais l'appliquent eux-mêmes en qualité de gouvernants à leurs propres gouvernés. Si la Société est un État proprement dit, elle sera un *État* fédéral, et ses membres seront des *États* : non « souverains » certes, mais « autonomes » si l'on veut (tout en ne l'étant pas par rapport au *Droit* qu'ils appliquent, car ce Droit leur sera imposé comme à des gouvernés). Mais si la Société (étant universelle, en acte ou en puissance) n'est pas une Société politique ou un État, ses membres ne le seront pas non plus : il y aura une simple « Confédération », « Ligue » ou « Union », etc., de groupements apolitiques, qui actualisent dans leur ensemble un Droit donné, qui n'aura rien à voir avec ce qu'on appelle aujourd'hui le « Droit international public [2] ».

§ 57.

Supposons un État où se réalise un Droit quelconque (interne). Pour que ce Droit existe en acte, c'est-à-dire pour que l'intervention de l'État en sa qualité de Tiers juridique soit irrésistible, il faut que ses citoyens-justiciables ne puissent pas quitter l'État sans son consentement et qu'aucune puissance ne vienne s'interposer au sein de l'État entre lui et ses citoyens. En bref, pour que le Droit interne existe en acte, il faut que l'État qui le réalise soit « souverain ». Mais s'il y a des États souverains en dehors de lui, qui

1. Une « Fédération » diffère d'une « Alliance » en ce qu'elle est censée être permanente : les États fédérés ne peuvent avoir qu'un ennemi commun avec lequel ils ne peuvent se réconcilier qu'en commun.

2. On pourrait dire que le Droit en acte ne peut être « public » qu'en n'étant pas « international » et « international » qu'en n'étant pas « public ». Le Droit public « international » n'existe *en acte* que comme un Droit public *interne*, à l'intérieur d'un État *fédéré*.

réalisent des Droits autres que le sien, il y aura toujours une possibilité pour ses justiciables de se soustraire à ses jugements, en passant dans les autres États. Or, comme tout Droit et comme toute entité en général, le Droit interne considéré aura tendance à s'actualiser complètement. Il semble à première vue que l'État a trois moyens d'actualiser son Droit. Premièrement il peut s'isoler absolument de tout ce qui est en dehors de lui, se renfermer en lui-même. Deuxièmement il peut conclure des traités juridiques avec l'étranger, qui garantiront soit l'extradition de ses justiciables, soit leur jugement à l'étranger d'après le Droit de leur État d'origine. Troisièmement enfin l'État peut imposer son Droit à l'étranger. Certes, si l'État réussit à s'isoler complètement du reste du monde, on peut dire que son Droit existe en acte. Car ses justiciables ne pourront effectivement pas se soustraire à son jugement dans ces conditions. Mais même sans parler du fait qu'un tel isolement (préconisé par Platon par exemple) est irréalisable en pratique, il faut rejeter cette solution. Car elle est contradictoire en elle-même. En effet, comme toute entité tendant à l'acte, le Droit veut se propager le plus possible et s'appliquer à tout ce qui est susceptible d'être transformé en situation juridique. Or s'isoler c'est renoncer à l'expansion juridique. La solution de l'autarcie, ici comme ailleurs, n'est donc qu'un pis-aller. Quant à la deuxième solution, elle n'est pas non plus satisfaisante. L'adopter, c'est interposer entre l'État et ses justiciables les autres États, leur consentement à appliquer le Droit en question. Le Droit interne devient ainsi une fonction du Droit international : les rapports juridiques entre l'État et ses justiciables impliquent et présupposent des rapports juridiques entre cet État et les autres États souverains. Or par définition ces rapports ne peuvent exister qu'en puissance, sans intervention irrésistible d'un Tiers. La prétendue actualité du Droit reposerait donc sur un Droit en puissance. Par conséquent le Droit en question n'existerait lui-même qu'en puissance. Reste donc la troisième solution : l'État, pour actualiser son Droit interne, doit vouloir l'imposer à tous les autres États, le Droit interne en question doit devenir le Droit interne de tous les États susceptibles d'entrer en interaction avec l'État donné, c'est-à-dire en dernière analyse de tous les États en général [1].

1. Le fait que le Droit n'est pas pleinement actualisé apparaît clairement dans certaines législations archaïques, qui permettent au justiciable condamné ou en instance de jugement de se soustraire à ce dernier ou à l'exécution d'un jugement par l'exil : au lieu de subir la peine le condamné

En tant qu'entité politique, l'État tend à se propager par la conquête, il essaye d'absorber purement et simplement les États étrangers. Mais en tant qu'entité juridique l'État se contente d'imposer à l'étranger son Droit interne. Autrement dit, il tend à créer une *Fédération* d'États ou un État fédéral, en devenant lui-même un des États fédérés, la Fédération ayant pour base et pour résultat l'existence d'un Droit unique, commun à tous les États fédérés, et impliquant — dans son aspect de « Droit public » — un élément de « Droit fédéral », réglant les rapports des États fédérés entre eux, en particulier l'organisation fédérale de la justice. Si la Fédération n'est pas universelle, si elle a des États-ennemis à l'extérieur, elle devra s'organiser elle-même en État proprement dit (fédéral). Ses éléments intégrants — les États fédérés — auront eux aussi des ennemis; ils seront donc des *États*. Mais ils auront toujours des ennemis communs et ne pourront se réconcilier avec eux qu'en commun : ils seront donc non pas des États souverains, mais des États fédérés. Seulement la Fédération aura tendance à se propager le plus possible. À la limite elle englobera l'ensemble de l'humanité. Alors elle cessera d'être un État au sens propre du mot, n'ayant plus d'ennemi au-dehors. Et les États fédérés cesseront par suite, eux aussi, d'être des États véritables. La Fédération deviendra alors une simple Union juridique

peut s'expatrier (cf. l'ancien Droit romain par exemple). Il y a bien Droit dans ce cas. Car il y a un Droit véritable dans une Société donnée si son membre ne peut pas agir contrairement à ce Droit sans cesser par cela même d'être membre de ladite Société. (Ainsi il y avait un Droit au sein de la Société des Nations, du moment que l'État ne pouvait pas rester membre de la S.D.N. et agir contrairement à son Droit. Mais du moment qu'il pouvait quitter librement la S.D.N., le Droit n'y existait qu'en puissance.) Il y a donc Droit là où il faut soit se conformer à la loi ou au jugement au cas où on a enfreint la Loi, soit quitter la Société. Mais si le justiciable a le *choix* entre ces deux possibilités, le Droit n'existe qu'en puissance : en tout cas il n'est pas *pleinement* actualisé. Car il ne faut pas confondre cet exil *volontaire* avec l'exil obligatoire, imposé par le jugement. Cet exil est une véritable peine, compatible avec l'actualité du Droit. Mais là où l'exil est *volontaire*, il n'est plus un phénomène purement juridique. Car c'est alors le justiciable qui détermine (en partie) la peine, c'est-à-dire le Jugement : ce dernier n'est donc pas entièrement l'œuvre du *Tiers*, il est codéterminé par une des *parties*, et dans la mesure où il l'est, il n'est pas juridique. L'État qui laisse ce choix à son justiciable n'agit donc pas non plus en tant que Tiers, dans la mesure où il le fait : il agit en partie, en s'inspirant de la « raison d'État » ou de l'utilité sociale, et non pas du seul désir de réaliser le Droit, c'est-à-dire de faire valoir un certain idéal de Justice. On peut donc dire que dans ce cas seulement le Droit n'est pas pleinement actualisé *en fait*, mais que l'*idée* même du Droit pleinement actuel n'est pas encore formée au sein de l'État.

mondiale (du moins dans son aspect juridique, qui n'est pas le seul).

Nous voyons ainsi qu'on aboutit au même résultat soit en partant du Droit international (public), soit en prenant pour point de départ le Droit interne. En *s'actualisant* pleinement et complètement, les deux Droits aboutissent au Droit fédéral, c'est-à-dire au Droit *interne* d'un État fédéral ou d'une Fédération mondiale. Le Droit interne existant en acte implique dans son aspect « public » un Droit fédéral, qui n'est rien d'autre que le « Droit international » (public) actualisé. Inversement, le Droit international actualisé est un Droit fédéral, qui fait nécessairement partie d'un système complet de droit interne. Le « Droit international public » n'est donc pas un Droit *sui generis*. Il n'y a qu'un seul Droit, qui est le Droit interne, car le Droit n'existe *en acte* qu'en tant que Droit interne (la Société qui le réalise étant à la limite l'Humanité). Mais dans la mesure où le Droit n'existe qu'en puissance et s'applique aux interactions entre États souverains, on peut l'appeler « Droit international public ». Seulement ce Droit n'existe par définition qu'en puissance et il se transforme en Droit interne (fédéral) en s'actualisant. C'est pourquoi il tend à se supprimer soi-même en tant qu'international.

### B. LE DROIT PUBLIC.

### § 58.

Le Droit public au sens propre du mot (c'est-à-dire à l'exclusion du Droit pénal) embrasse le Droit constitutionnel et le Droit administratif. Et l'on dit généralement que le premier fixe surtout la structure de l'État en tant que tel, tandis que le second détermine avant tout les rapports entre l'État et les « individus », voire les « particuliers ».

Or en fait la Constitution (au sens large du mot) n'est rien d'autre que la *description* pure et simple de la structure de l'État, ou de son « statut », de son organisation. Et il est évident qu'une telle description, peu importe qu'elle soit orale ou écrite, n'a rien à voir avec le Droit. Elle est tout aussi peu un Droit qu'est un Droit par exemple la description du corps humain par l'anatomie. Il y a simplement une constatation de ce qui *est*, et non pas une affirmation de ce qui *doit* être, étant conforme à un certain idéal de Justice. Prises en elles-mêmes, la structure d'un État et la Constitution qui l'exprime ne sont ni justes ni injustes. Du point de vue de la Justice, toutes les lois constitutionnelles sont tout aussi neutres que la loi qui fixe par exemple les « couleurs nationales » de l'État, ou son nom. Car par définition l'État (autonome ou souverain) est isolé et ne se rapporte qu'à lui-même dans et par sa Constitution. Ses interactions avec les autres États sont réglées par le Droit *international* public. Quant au « Droit public *interne* » (qui est seul à nous occuper ici), il considère l'État en lui-même. Or là où il n'y a pas d'interaction, ni en général de rapports entre deux entités au moins, il n'y a ni Justice ni, *a fortiori*, Droit. La Constitution, telle que la conçoit le « Droit public » (interne) n'est donc pas un Droit du tout. La Constitution est une Loi ou un ensemble (oral ou écrit) de Lois *politiques*, dans et par lesquelles l'État déclare à tout le monde ce qu'il est et la façon dont il fonctionne. Il le « notifie » simplement aux autres, comme on notifie un état de guerre par exemple, c'est-à-dire par un acte unilatéral, qui exclut l'idée même d'un Tiers et de l'intervention d'un Tiers, pouvant sanctionner ou annuler la réalité « notifiée ». Si l'on dit que la Constitution est une *Loi*, il faut souligner qu'il s'agit là d'une Loi *politique*, et non *juridique*.

L'existence d'une Constitution et d'une *légalité* politique en général a une très grande importance (politique). On a constaté depuis longtemps (par exemple Montesquieu) que l'absence de Lois politiques caractérise le « Despotisme ». L'État est « despotique » quand les gouvernants traitent les gouvernés « selon leur bon plaisir » et non pas conformément à des Lois fixes et connues de tous. Mais cette différence importante est une différence de degré et non de principe. Car tout État peut changer n'importe laquelle de ses Lois politiques, c'est-à-dire aussi modifier sa Constitution dans son ensemble. L'État agit donc toujours, « selon son bon plaisir ». La différence entre l'État « légal » et l'État despotique est donc comparable à celle entre un homme pondéré et un capricieux, qui change tout le temps d'avis et le fait sans motifs apparents, c'est-à-dire prévisibles pour les autres. Dans l'État « légal » la situation est tout aussi peu *juridique* que dans l'État « despotique » : la Loi constitutionnelle est tout aussi peu un « droit » ou une Loi *juridique* que la décision « arbitraire » du « despote ». Et c'est pourquoi une révolution, qui est par définition politiquement *illégale,* ne peut pas être condamnée *juridiquement.* L'action révolutionnaire est en contradiction avec la Loi constitutionnelle. Mais cette Loi n'étant pas juridique, l'action révolutionnaire est juridiquement neutre, et non criminelle. Si la révolution réussit, c'est-à-dire si elle remplace les Lois politiques qu'elle abolit par d'autres Lois politiques, il n'y a rien à redire : ni politiquement, ni juridiquement. Quand les révolutionnaires « réussissent », ils deviennent l'État, c'est-à-dire ils se maintiennent comme autonomes vis-à-vis de l'étranger (des ennemis) et comme gouvernants vis-à-vis des concitoyens (des amis). Ils incarnent donc l'État « souverain ». Or cet État peut changer sa Constitution comme il veut. Si la révolution a réussi, on peut dire que l'État lui-même a changé sa Constitution, et il n'y a rien à y objecter.

On ne peut pas condamner la nouvelle Constitution en faisant appel à l'ancienne. Car celle-ci tirait sa réalité de la volonté de l'État. Or c'est le même État qui réalise maintenant par sa volonté modifiée la nouvelle constitution. Si l'ancienne était valable, la nouvelle l'est donc aussi, et pour la même raison. Et même si l'on voulait opposer l'ancien État au nouveau, en niant leur identité, il n'y aurait pas de *Tiers* dans cette interaction entre les deux États (c'est-à-dire entre les deux formes consécutives du même État). La situation n'aurait donc rien de juridique : il y aurait une Lutte politique, c'est tout. Pour qu'il y ait un Tiers il faudrait faire appel à un autre État. Mais si un autre État est censé pouvoir modifier à son gré (même en guise de Tiers) la Constitution d'un État donné, celui-ci n'est pas un État « souverain », c'est-à-dire un État proprement dit, et sa structure n'est pas une Constitution au sens propre du terme. Dans la mesure où une « Constitution » est « justiciable » ou « sujet de droit », elle n'est pas une Constitution véritable. Là où il y a un Droit, il n'y a pas de Droit *public* au sens de *constitutionnel.* La Loi constitutionnelle qui fixe la structure d'un État proprement dit n'a rien à voir avec une Loi juridique. Ou bien encore : les rapports de l'État avec lui-même sont en dehors du domaine du Droit et même de la Justice [1].

---

1. Il arrive qu'un État A fasse la guerre à un État B parce qu'à son avis la constitution de B est injuste, voire juridiquement illégale ou illégitime. Mais alors A ne reconnaît pas B comme État (souverain). Il considère les gouvernants et les gouvernés de B comme deux groupes « privés », dont l'un agit contrairement à son « droit ». A intervient alors en qualité de Tiers et annule l'action « illégale » du groupe gouvernant. Autrement dit A considère les citoyens de B comme ses justiciables. Il doit donc leur appliquer son Droit en acte. Donc A tend à absorber politiquement B, de

Certes, on peut critiquer une Loi constitutionnelle ou même une Constitution dans son ensemble. Ainsi une bonne Constitution doit être en accord avec la réalité politique. Mais si elle ne l'est pas, on ne peut l'améliorer qu'en la rendant conforme à la réalité de l'État, et il n'y a aucun sens de vouloir changer cette réalité sous le seul prétexte qu'elle n'est pas conforme à la Constitution. Bien entendu on peut aussi critiquer la réalité politique elle-même, c'est-à-dire la structure donnée d'un État. Autrement dit on peut critiquer une constitution même si elle est conforme à la réalité qu'elle est censée exprimer. Mais cette critique n'a de sens que si elle est strictement *politique*. Toute Constitution, toute structure politique d'un État est politiquement bonne, si elle permet à l'État de se maintenir indéfiniment dans l'identité avec soi-même, tant extérieurement qu'intérieurement, et ceci sans devoir changer de structure et donc de Constitution : extérieurement, c'est-à-dire par rapport à ses ennemis; intérieurement, c'est-à-dire en maintenant indéfiniment l'équilibre entre les Gouvernants et les Gouvernés.

Si donc la Loi constitutionnelle est rapportée à l'État lui-même, si elle est considérée comme une Loi réglant la structure de l'État en tant que tel, elle n'est certainement pas un Droit, car elle ne laisse aucune place pour l'existence d'un Tiers. Et on ne peut même pas dire qu'elle est juste ou injuste, car il s'agit là d'une entité isolée, ou de rapports d'une entité avec elle-même, et non pas d'inter-action entre deux entités distinctes. Les notions d'égalité ou d'équivalence n'ont donc aucune prise sur la Loi constitutionnelle rapportée à l'État. Et c'est dire qu'elle est en dehors du domaine de la Justice.

Or on parle souvent de Constitution ou de structures politiques « justes » et « injustes ». Si ces expressions ont un sens, il faut donc rapporter la Loi constitutionnelle non pas à l'État en tant que tel, mais aux « particuliers » ou aux

---

façon à ce que celui-ci soit un groupe cis-étatique à l'intérieur de A. La structure de ce groupe n'est donc pas une Constitution au sens propre du terme. Dans la mesure donc où une Constitution est soumise à un *Droit* et peut être dite *juridiquement* légale ou illégale, elle n'est pas une véritable Constitution, c'est-à-dire la Constitution d'un État souverain. Le Droit en question n'est donc pas un Droit *public* ou « constitutionnel ». De même, si A est d'avis que la Constitution de B est injuste ou juridiquement illégale vis-à-vis d'un autre État C (par exemple parce qu'elle implique dans le territoire de B une portion de territoire de C), et si A intervient pour modifier les Constitutions de B et de C afin de « rendre justice » à C, A ne traite pas B et C en États souverains, et il ne s'agit donc pas de Constitutions véritables dans la mesure où il y a Droit : le Droit n'existe que par rapport à deux groupes cis-étatiques B et C à l'intérieur de l'État A.

« individus ». Et en effet le « Droit public » (surtout en tant que « Droit administratif ») est censé régir tant les rapports entre l'État et les « individus » que les interactions entre les « individus » eux-mêmes, du moins entre les « individus » pris en tant que citoyens. Il faut donc voir dans quelle mesure le « Droit public » est un Droit lorsqu'on le prend dans l'aspect indiqué.

Pour résoudre ce problème il faut commencer par introduire une distinction qu'on oublie souvent de faire. On dit indifféremment que l'État se rapporte à des « individus » ou « particuliers ». Or en fait le « particulier » n'est pas nécessairement un individu : il peut être aussi un groupe, un collectif quelconque. Inversement, un « individu » n'est pas seulement un particulier, c'est-à-dire un non-citoyen, mais encore un être politique, un citoyen au sens fort du terme. Il faudra donc distinguer entre les citoyens (individuels ou collectifs, tels que les Partis politiques par exemple) et les particuliers (individuels ou collectifs, tels qu'une Famille, une Église, un groupement économique, etc.). L'homme sera un « particulier » et agira en tant que tel quand il n'agira pas politiquement, c'est-à-dire en sa qualité de citoyen, peu importe qu'il agisse en animal, en membre d'une famille, ou d'une société économique, religieuse, culturelle ou autre. Et il sera « citoyen » s'il agit pour des motifs purement politiques, c'est-à-dire en tant qu'élément intégrant de son État. Il faut donc distinguer : 1) les rapports entre l'État et les citoyens; 2) les rapports entre l'État et les particuliers; 3 ) les interactions des citoyens entre eux; 4) les interactions des particuliers entre eux; 5) les interactions entre citoyens et particuliers. Et il faut voir dans quelle mesure le « Droit public » a trait à ces cinq types de relations, et dans quelle mesure, y ayant trait, il est vraiment un Droit.

Or il est facile de voir du point de vue qui nous intéresse, le cas 3 se réduit au cas 1 et le cas 5 au cas 2, de sorte qu'il ne reste que les cas 1, 2 et 4.

Par définition il ne peut pas y avoir de conflits entre les citoyens en tant que tels. Si deux citoyens agissent en citoyens, ils ne peuvent pas entrer en conflit l'un avec l'autre. Les interactions entre citoyens agissant en citoyens sont déterminées par la structure même de l'État et inversement cette structure se réalise dans et par les interactions civiques des citoyens. Celles-ci sont donc réglées par la Constitution (au sens large). Si les citoyens entraient en conflit les uns avec les autres tout en se conformant tous à la Constitution, l'État ne pourrait pas exister. Une Constitution viable doit exclure toute possibilité de conflit entre citoyens agissant en tant que citoyens. Or là où il n'y a pas de conflits possibles, il n'y a pas de place pour l'intervention d'un Tiers, c'est-à-dire qu'il n'y a pas de place pour un Droit. Et du moment qu'il n'y a pas de conflit possible, il n'y a pas non plus de place pour une injustice quelconque. On pourrait dire que les rapports civiques entre citoyens sont « justes » par définition. Mais là où la *possibilité* même de l'injustice n'existe pas, il n'y a pas non plus de justice (en acte) [1]. Dans la mesure où la Constitution règle les interactions civiques des citoyens de façon à exclure tout conflit entre eux elle n'est donc pas un Droit et elle est en dehors du domaine de la Justice [2].

Si donc un citoyen agissant en tant que citoyen entre en conflit civique avec un autre citoyen, c'est qu'il entre en conflit avec la Constitution, c'est-à-dire avec l'État lui-même. Là donc où il y a conflit, c'est-à-dire possibilité d'un Droit, il s'agit en dernière analyse d'une relation non pas entre deux citoyens, mais entre un citoyen et l'État. On retombe donc bien dans notre cas 1 (l'action du citoyen étant cette fois politiquement illégale, c'est-à-dire révolutionnaire).

Supposons maintenant qu'un homme agissant en non-citoyen entre en conflit avec un citoyen qui agit en citoyen, c'est-à-dire conformément à la Constitution, c'est-à-dire de façon à ce que l'État ne soit pas menacé dans son être par cette action. Le conflit du non-citoyen avec le citoyen sera donc un conflit avec l'État lui-même, qui défendra ses propres intérêts en défendant son citoyen. D'une manière générale, l'État n'étant rien d'autre que l'ensemble de ses citoyens pris en tant que citoyens, il doit nécessairement défendre ses citoyens contre tout non-citoyen. Tout d'abord contre le non-citoyen au sens fort du mot, c'est-à-dire contre l'étranger ou l'ennemi. Mais aussi contre le concitoyen qui agirait en non-citoyen. Et enfin contre le non-citoyen qui agirait à l'intérieur du citoyen lui-même. Dans tous ces cas, par une nécessité politique, le conflit entre non-citoyen et citoyen devient un conflit entre le non-citoyen et l'État. On retombe donc effectivement dans le cas 2.

---

1. Là où une entité existe en acte son contraire existe nécessairement aussi, mais en puissance, c'est-à-dire en tant que pure possibilité. Là où une entité est *impossible,* son contraire l'est aussi.

2. Une Constitution qui n'exclut pas les conflits civiques ne peut exister que momentanément, car l'État doté d'une telle Constitution doit périr tôt ou tard dans l'anarchie. Pour que l'État subsiste, la Constitution doit être changée de façon à exclure toute possibilité de conflits civiques. C'est une nécessité *politique,* mais non juridique.

Quant aux interactions entre non-citoyens (cas 4), elles donnent certes lieu à des conflits où l'État peut intervenir en guise de Tiers impartial et désintéressé. C'est donc bien un domaine où peuvent régner la Justice et le Droit. Mais ce Droit est le Droit privé, et il semble que le Droit public (au sens propre) n'a rien à voir avec les interactions entre les non-citoyens agissant en non-citoyens, c'est-à-dire entre les « particuliers ». Il en est bien ainsi en effet si on prend les termes au sens strict. Mais on peut aussi raisonner autrement.

En fait le citoyen est toujours en même temps un non-citoyen : tout d'abord un animal Homo sapiens, puis membre d'une Famille, d'une Société économique, etc. L'action qu'il effectue en tant que citoyen affecte donc nécessairement aussi le non-citoyen en lui, et par conséquent les autres non-citoyens avec lesquels il est en interaction. Supposons maintenant qu'un citoyen A agisse civiquement d'une façon légale, c'est-à-dire conforme à la Constitution, et qu'il retire de cette action un certain avantage en tant que non-citoyen, c'est-à-dire un avantage « privé » ou « particulier ». Supposons que cet avantage particulier lèse les intérêts particuliers d'un citoyen B, et admettons que B soit « dans son droit » du point de vue du Droit privé en vigueur, c'est-à-dire que l'action *particulière* de A ne soit pas conforme à un idéal donné de Justice. L'action particulière de A sera donc injuste. L'action civique qui la provoque le sera donc aussi. Et puisque cette action est conforme à la Constitution, c'est-à-dire politiquement légale, cette Constitution elle-même, la légalité politique en général sera dite « injuste ». (Elle pourra dans le même sens être dite « juste », si elle exclut la possibilité de cas analogues au cas considéré.) C'est ainsi et ainsi seulement qu'une Constitution, qui n'est en elle-même ni juste ni injuste, peut être « injuste » ou « juste » : la catégorie juridique de la Justice pourra s'appliquer au domaine du « Droit public ». (Seulement l'idée de Justice n'engendrera pas ici un *Droit,* car elle ne pourra pas être appliquée par un Tiers impartial et désintéressé : il n'y aura que les parties en cause, à savoir l'État et son « Droit public » et la Société non civique et son Droit privé.)

Certes, en principe, c'est un seul et même État qui d'une part élabore sa Constitution, c'est-à-dire le « Droit public » en général, et de l'autre applique le Droit privé. Autrement dit, en principe, le groupe politique exclusif coïncide avec le groupe juridique exclusif. Dans ces conditions le cas mentionné ne peut pas se produire. S'il se produisait l'État devrait — par nécessité *politique,* afin d'éliminer les conflits entre ses citoyens — soit modifier la Constitution, soit changer le Droit privé, de façon à ce qu'il n'y ait plus entre eux de contradiction possible. Mais nous avons vu (Première Section, chapitre II) qu'il n'en est pas toujours ainsi en fait, et que — temporairement — les deux groupes exclusifs peuvent se dissocier. Dans ce cas le Droit privé étatique sera un « Droit injuste ». Et puisque le « Droit public » est solidaire de ce Droit, il sera dit « injuste » lui aussi. Il y aura donc si l'on veut un « conflit de droits », un conflit entre le Droit privé « juste », c'est-à-dire conforme à l'idéal de Justice admis dans le groupe juridique exclusif, et le « Droit public » définissant l'État conforme aux idées du groupe exclusif politique. Or nous avons vu que dans ce cas il y aura une lutte entre les deux groupes, le groupe juridique tendant soit à imposer son Droit à l'État, soit à devenir lui-même un groupe exclusif politique. Dans le premier cas le groupe agira en « particulier », dans le second en citoyen (révolutionnaire ou légal). Et nous avons vu que cette lutte n'a elle-même rien de juridique, étant donné qu'il n'y a pas de Tiers entre les parties en cause. Le « conflit des Droits » n'est pas lui-même un Droit : un Droit donné n'a aucun « droit » *(right)* vis-à-vis d'un autre. De toute façon il s'agit de rapports entre l'État et soit un citoyen, soit un particulier, de sorte que nous retombons dans les cas 1 et 2. Là où le « Droit public » peut être « juste » ou « injuste », il se rapporte aux relations soit entre l'État et les citoyens, soit entre l'État et les particuliers. Il nous reste donc à voir si dans ces deux cas ce prétendu « Droit public » est vraiment un *Droit* au sens propre du terme.

Considérons d'abord le cas où le « Droit public » règle les rapports entre l'État et ses citoyens agissant en citoyens. Les rapports entre l'État et le citoyen sont alors purement politiques. Par exemple l'État interdit aux citoyens d'une certaine catégorie certains postes dans le gouvernement, l'armée ou l'administration (un officier devant être noble par exemple), contre quoi les citoyens visés protestent. Ou bien un citoyen veut obtenir le droit de vote que l'État lui refuse. Etc. Alors de deux choses l'une. Ou bien le citoyen restera en accord avec la Constitution tout en défendant ses intérêts politiques. Par exemple, dans une Démocratie, il pourra essayer de faire voter une loi appropriée par le Parlement. Ou bien il entrera en conflit avec l'État en tant que tel et tentera une révolution, devant modifier l'État de façon à ce que celui-ci réponde à ses aspirations politiques. Or il est évident que dans aucun des deux cas la situation n'est juridique. Car il n'y a pas et il ne peut pas y avoir de Tiers entre l'État et le citoyen qui veut le modifier, soit légalement, soit par voie révolutionnaire. Et si la situation n'est pas juridique en cas de conflit entre le citoyen et son État, elle ne l'est pas non plus en cas de leur accord. Le « Droit public » qui règle les rapports entre l'État et ses citoyens qui agissent politiquement, c'est-à-dire en tant que citoyens, n'est donc pas un Droit véritable. L'État et le citoyen se meuvent ici sur le même plan (politique), mais sur ce plan il n'y a pas de place pour un *Tiers* impartial et désintéressé, c'est-à-dire qu'il n'y a pas de place pour un *Droit* quel qu'il soit (précisément parce qu'il n'y a pas de « neutres » en politique).

Or quand l'État est en interaction avec un non-citoyen ou un « particulier » il n'y a pas de Tiers non plus, parce que dans ce cas les deux agents sont placés sur des plans essentiellement différents. Dans le cas d'un *conflit* entre l'État et le particulier, c'est-à-dire entre le politique et le privé, il ne peut donc s'agir que d'une exclusion mutuelle, et non de compromis. Tout arbitrage, tout compromis est donc impossible, et c'est dire que le Droit n'a que faire de cette situation. En particulier l'État est politiquement astreint à la *suppression* pure et simple de l'élément « privé » qui s'oppose à lui et tend ainsi à le supprimer. Car la réalité de l'entité politique n'est rien d'autre que la *négation* de l'entité « privée » (comme on le voit nettement en cas de guerre, la guerre actualisant l'entité politique ou l'État et annihilant ou pouvant annihiler l'homme « privé » en tant que tel, par exemple en tant qu'animal).

Le rapport entre le politique et le privé est analogue au rapport entre l'humain et l'animal (le bestial) dans l'homme. L'interaction quelle qu'elle soit présuppose une similitude ontologique : on ne peut agir que sur ce qui est sur le même plan de l'être. Ainsi l'homme ne peut agir sur l'animal et la Nature en général, il ne peut être en inter-action avec elle, que parce qu'il est lui-même un animal, parce qu'il y a en lui aussi une réalité naturelle. Or si l'homme *peut* agir sur l'animal hors de lui parce qu'il y a un animal en lui, il *doit* aussi le faire pour la même raison : l'animal en lui (et donc lui-même) ne peut vivre qu'à condition d'être en interaction avec l'animal hors de lui. L'homme doit donc se *servir* de l'animal, de la Nature en général par et pour l'animal qui est en lui. Mais si l'animal — hors de l'homme ou dans l'homme — s'oppose à l'homme, c'est-à-dire à l'humain dans l'homme, l'homme ne peut que le supprimer, et c'est cette *suppression* de l'animal hostile qui est sa *réalité* humaine. Et il en va de même pour l'État et le non-citoyen. L'État n'est réel que dans et par ses citoyens. Or ces citoyens sont des hommes et en tant que tels ils sont aussi des animaux, c'est-à-dire des êtres non humains et partant non politiques, des non-citoyens, des particuliers. C'est pourquoi l'État a besoin de valeurs non politiques pour exister en tant qu'État : avant tout de valeurs biologiques et économiques, c'est-à-dire en fin de compte d'enfants et d'argent. L'État en tant qu'entité politique doit donc se *servir* de la Famille et de la Société économique, et il doit par suite être en interactions avec eux. Mais si la Famille et la Société privée *s'opposent* à l'État, celui-ci doit les anéantir (dans la mesure où elles s'opposent à lui) s'il ne veut pas être anéanti lui-même. Et on voit bien que cette « lutte à mort » n'a rien à voir avec une situation juridique. Car il n'y a pas de Tiers qui serait à la fois ni politique ni privé (à moins d'être Dieu). Tout être humain est nécessairement *partie* lors d'un conflit entre le politique et le privé. Et c'est pourquoi le soi-disant « Droit public » n'est pas un Droit du tout dans la mesure où il a trait aux rapports entre l'État et les non-citoyens quels qu'ils soient.

Et c'est ce qu'on a toujours admis plus ou moins consciemment. Quand un homme déserte l'armée afin de se conserver comme animal ou comme membre d'une famille, ou s'il trahit l'État pour sauvegarder ses intérêts économiques ou ceux de sa « classe », voire ceux de la Société économique en tant que telle, on parle de « crime politique » qu'on ne soumet pas aux Tribunaux ordinaires, c'est-à-dire vraiment juridiques. Dans ces cas, l'État agit par l'intermédiaire de la Police politique, des Tribunaux politiques (« Haute cour »), des Tribunaux militaires, etc., et ne s'adresse pas aux Juges proprement dits. Et il fait voir ainsi que dans ces cas il ne s'agit pas de Droit. Or le cas où l'État entre en rapport avec la Société économique, par exemple, ou l'un de ses membres (en concluant par exemple un « contrat » d'achat) ne diffère pas essentiellement des cas considérés. Un « contrat » économique entre un particulier et l'État n'a rien de commun avec un contrat analogue entre deux particuliers. Vouloir dans ces cas assimiler l'État à un particulier c'est vouloir supprimer l'État en tant que tel en ne laissant subsister à sa place que la Société économique (qui peut être « policée » et simuler ainsi l'État, tout en restant essentiellement apolitique, c'est-à-dire tout autre chose qu'un État véritable). Et on l'a toujours senti, car en temps de guerre (qui *actualise* l'État en tant qu'État, c'est-à-dire en tant qu'entité *poli-*

*tique*) on reconnaît à l'État le « droit » de ne pas exécuter ses « contrats » économiques. Mais si l'État n'est pas lié par ses « contrats » avec les particuliers en temps de guerre, il ne l'est pas non plus en temps de paix. Et il ne l'est pas en effet, car il peut toujours — pour des raisons politiques — supprimer la Société elle-même avec laquelle — ou avec un membre de laquelle — il a conclu un « contrat ». En tout cas aucun *Tiers* ne pourra venir s'y opposer et trancher le conflit des deux parties en cause. Les rapports entre les particuliers et l'État agissant en tant qu'État n'ont donc rien de juridique, et dans la mesure où ils sont réglés par un « Droit public » ce prétendu « Droit » n'est nullement un Droit, mais une Loi politique que l'État peut changer quand et comme bon lui semble [1].

Là où le particulier entre en inter-action avec l'État il doit soit se soumettre absolument à l'État, soit chercher à supprimer l'État en tant que tel. Or là où il s'agit d'exclusion mutuelle (comme dans une guerre par exemple), il n'y a pas de place pour un Tiers ni pour un arbitrage. Et il n'y a pas non plus de Tiers ni d'arbitrage là où l'une des parties se soumet absolument à l'autre, en acceptant d'avance n'importe quelle de ses actions. Là où il y a une *inter-action* entre l'État et les particuliers il n'y a donc pas de Droit possible. Certes le particulier peut être indépendant de l'État. Mais il ne peut l'être que là où il n'entre pas en interaction avec lui, comme dans le domaine esthétique par exemple. L'artiste en tant qu'artiste peut ne pas se soumettre à l'État parce que l'État n'a pas besoin de lui et dans la mesure où lui-même n'a pas besoin de l'État (ce qui n'est rigoureusement vrai que là où l'artiste crée uniquement pour lui-même, sans communiquer ses œuvres à personne). Mais alors il n'y a pas d'interaction entre le particulier et l'État, et il n'y a donc pas non plus de Droit possible (puisque le Droit est une application de l'idéal de Justice à des *interactions*). Dans aucun cas donc il n'y a un « *Droit* public » réglant les rapports entre l'État et les particuliers [2].

1. Si l'État conclut un « contrat » avec un particulier à l'étranger, il n'y aura pas de Tiers non plus. Car en cas de conflit le particulier en question ne pourra agir contre l'État que par l'intermédiaire de son propre État. Or celui-ci se solidarisera par définition avec lui contre l'étranger; il sera donc partie et non pas Tiers. Et si un État B se mêle des interactions entre l'État A et un citoyen de A, l'État A n'est plus un État « souverain », c'est-à-dire un État proprement dit, mais un groupement cisétatique dans l'État B : il y aura alors Droit, mais ce Droit ne sera pas un « Droit *public* ».

2. Le progrès consiste dans la délimitation correcte des domaines, en

Dans la mesure où l'État est pris en tant qu'État il n'y a donc pas de *Droit* public, peu importe que l'État se rapporte à lui-même (« Droit constitutionnel ») ou à des citoyens ou à des particuliers (« Droit administratif »). D'une manière générale il n'y a Droit que là où il s'agit de rapports entre particuliers. Si donc le Droit public est vraiment un Droit, l'État lui-même doit y figurer non pas en tant qu'État, mais en tant que « particulier ». En tant qu'État il ne doit y jouer que le rôle de Tiers. Voyons donc ce que peut signifier cette situation paradoxale.

Certes, l'État est une « personne morale ». Il n'a pas lui-même de corps animal. D'une manière générale il n'y a rien de non étatique, de non politique, de « privé » ou de « particulier » en lui. Mais l'État ne peut exister en acte que dans et par ses citoyens, qui eux sont non seulement des citoyens, mais encore des non-citoyens, des particuliers. L'État n'agit en eux et par eux que dans la mesure où ils agissent en citoyens. Ainsi l'État est l'ensemble de tous ses citoyens *pris en tant que citoyens* et agissant en tant que tels. Plus particulièrement l'État s'incarne dans le Groupe politique exclusif : la volonté de ce groupe est la volonté de l'État. Et au sens étroit du mot l'État se confond avec le collectif des Gouvernants, recrutés parmi le Groupe exclusif : l'action de ce collectif est l'action de l'État (l'activité des autres citoyens n'étant que le *moyen* de cette activité). Par définition, les Gouvernants bénéficient d'une Autorité politique au sein du Groupe exclusif, et dominent les autres citoyens par la contrainte. S'ils agissent politiquement, c'est-à-dire en tant que citoyens, c'est-à-dire en tant que membres du Groupe exclusif *politique* et en fonction de l'Autorité politique dont ils y bénéficient, ils agissent au nom de l'État, celui-ci ne faisant qu'un avec eux. Ce sont eux qui fixent alors la structure de l'État et le mode de son fonctionnement. En particulier ils déterminent la Constitution de l'État et le statut des citoyens, ainsi que la nature des rapports des citoyens avec l'État et de l'État avec les non-citoyens et aussi les rapports entre citoyens et non-citoyens et des non-citoyens entre eux

particulier des domaines politique et privé. L'État doit se désintéresser de tout ce qui n'est pas nécessaire à son existence politique, de même que les entités apolitiques doivent se désintéresser de l'État. (C'est ici que se pose le problème des rapports entre l'État et la Religion, voire l'Église.) Mais ce processus de délimitation n'a évidemment rien de juridique, car il s'effectue par les parties en cause et non par un Tiers. Et il aboutit à une absence d'interaction, et non à un *Droit* réglant les rapports entre l'État et les particuliers.

et des citoyens entre eux. Et l'ensemble des Lois politiques (orales ou écrites) qui fixent tout ceci, c'est-à-dire le « Droit public », n'est pas un Droit, comme nous venons de le voir.

Mais ceci n'est vrai que tant que l'État agit en tant qu'État, c'est-à-dire tant que les Gouvernants agissent en tant que tels, c'est-à-dire en tant que citoyens. Or ils sont aussi nécessairement des personnes privées, des particuliers, et ils agissent en tant que tels. Et il se peut qu'ils agissent en particuliers tout en exerçant leur fonction de Gouvernants, c'est-à-dire en croyant et en faisant croire aux autres qu'ils agissent en citoyens, au nom de l'État. Alors on peut dire par métaphore que l'État lui-même agit non pas en tant qu'État, mais en qualité de particulier, non en citoyen, mais en élément de la Société familiale économique, religieuse ou autre. L'État proprement dit devra donc être distingué de ce pseudo-État. Et si ce dernier entre en interaction avec des gouvernés, l'État véritable pourra jouer le rôle d'un Tiers impartial et désintéressé. Il y aura donc un Droit et ce Droit n'est rien d'autre que ce qu'on appelle le « Droit public ». C'est donc si l'on veut un Droit relatif à l'imposture politique. Il empêche (en principe) les particuliers d'utiliser l'État pour leurs buts privés, d'agir en particuliers envers les Gouvernés tout en faisant croire qu'ils agissent en citoyens, au nom de l'État, en qualité de Gouvernants (qu'ils sont d'ailleurs effectivement).

Tant que l'humanité n'est pas organisée en un État universel et homogène, il y a toujours des groupes non politiques, familiaux, économiques, religieux ou autres, qui ont des intérêts « particuliers » divergents, voire incompatibles, et qui luttent entre eux en fonction de ces intérêts. Supposons maintenant que l'un de ces groupes devient un groupe politique. Ses membres agissent alors non pas seulement en membres du groupe non politique (familial, etc.), mais encore politiquement, en membres du groupe politique superposé. Ce groupe aura pour but la formation d'un État. Il s'agira soit de créer un État nouveau, soit de s'emparer du pouvoir dans un État préexistant. Autrement dit le groupe en question devra devenir un Groupe politique exclusif. Et — par définition — les membres du Groupe devront *risquer leurs vies* pour le devenir (ou tout au moins ils devront être prêts à le faire, en menaçant d'une *lutte à mort* ceux qui voudront s'opposer à eux). Admettons qu'ils réussissent (à la suite d'une victoire effective ou parce que les adversaires refusent le combat). Autrement dit nous supposons que le Groupe réussit d'une part à se maintenir vis-à-vis de l'étranger, en faisant la guerre ou en étant prêt à la faire, et d'autre part conserve cette possibilité de se maintenir vis-à-vis de l'étranger tout en excluant du pouvoir un certain nombre d'hommes qu'il utilise néanmoins pour se maintenir (en usant de contrainte), ces hommes formant le Groupe politique exclu [1]. Le groupe exclusif ne peut y réussir qu'en sécrétant un collectif de Gouvernants, bénéficiant d'une Autorité politique au sein du groupe exclusif, celle-ci leur permettant d'user de violence vis-à-vis du groupe exclu. Dans ce cas, il y aura un État, et l'action de cet État ne sera rien d'autre que l'action des Gouvernants en question. Certes, ceux-ci agiront non pas seulement en fonction de leurs intérêts politiques (c'est-à-dire en vue de se maintenir en tant que gouvernants d'un certain groupe politique exclusif tant vis-à-vis de l'étranger que vis-à-vis du groupe exclu), mais encore afin de réaliser les intérêts non politiques du groupe par exemple familial, ou autre, auquel ils appartiennent aussi (puisqu'ils ont créé l'État ou se sont emparés du pouvoir afin de défendre ces intérêts « particuliers »). Mais il n'y aura aucun sens à dire que les Gouvernants agissent en particuliers, qu'ils défendent des intérêts privés. Dans l'hypothèse admise les intérêts du groupe sont devenus les intérêts de l'État, et les Gouvernants peuvent défendre ces intérêts tout en agissant en tant que Gouvernants. C'est ainsi par exemple que peut s'étatiser une famille (celle des rois francs par exemple) et devenir un *État* monarchique. En défendant les intérêts de sa famille (de sa « dynastie ») le roi agit non pas en particulier, mais en roi, c'est-à-dire en tant que Gouvernant : c'est l'État qui agit en et par lui. De même, quand un groupe familial, économique ou religieux, etc., forme un État aristocratique, les Gouvernants agissent au nom de l'État en défendant les intérêts de l'aristocratie, c'est-à-dire du groupe en question. Et il en va de même dans une oligarchie. Etc. Dans tous ces cas les Gouvernants fixent comme ils veulent le statut de l'État et des citoyens, des Gouvernants et des Gouvernés, et les rapports des Gouvernants avec les Gouvernés n'ont rien de juridique, vu qu'il n'y a pas là de Tiers possible. Si les Gouvernés se croient lésés par les actes des Gouvernants, ils n'ont qu'à les supprimer en tant que Gouvernants et se mettre à leur place. De même, si le groupe exclu se croit lésé par le groupe exclusif, il n'a qu'à le remplacer dans l'État. (Et si l'étranger se croit lésé

---

1. Pour simplifier je suppose que le groupe exclusif est homogène en lui même, ainsi que le groupe exclu. En réalité les choses sont beaucoup plus compliquées.

par l'État en question, il n'a qu'à le modifier ou l'absorber.) Or pour le faire il faut agir *politiquement* : soit légalement, soit par voie révolutionnaire (ou par une guerre). Et toutes ces interactions politiques n'ont rien à voir avec le Droit, vu qu'ils excluent tout Tiers.

Supposons maintenant qu'un Gouvernant (ou un collectif de Gouvernants) agisse non pas en Gouvernant, c'est-à-dire en citoyen ou en représentant de l'État, c'est-à-dire du Groupe *politique* exclusif, mais en fonction d'intérêts privés, particuliers (qui peuvent être soit les intérêts d'un groupe quelconque, soit ses intérêts strictement personnels). Ce Gouvernant agira en particulier. S'il entre en interaction avec les Gouvernés, s'il lèse leurs intérêts quels qu'ils soient, il n'y aura pas un rapport entre Gouvernant et Gouvernés, mais entre des particuliers, dont l'un est imposteur puisqu'il prétend agir en Gouvernant, tandis qu'en fait, tout en étant Gouvernant, il agit en qualité de particulier, en fonction d'intérêts privés. Ces intérêts sont privés parce que l'État ne les a pas faits siens, parce qu'il ne les a pas imposés à l'État, ni par voie légale, ni en risquant sa vie dans une révolution (ou une guerre). Les Gouvernés lésés n'ont donc pas besoin d'agir *politiquement* contre lui, ni légalement ni en risquant leur vie dans une lutte révolutionnaire (ou guerrière). Le Gouvernant agissant en réalité en particulier, les Gouvernés peuvent faire appel à l'État (c'est-à-dire aux Gouvernants agissant en tant que Gouvernants) contre lui. L'État sera dans ce cas un Tiers. Il interviendra en tant que Tiers et son intervention révélera si le Gouvernant avait *le droit* d'agir comme il l'a fait ou si les Gouvernés avaient *le droit* de s'opposer à son action. Et l'ensemble des règles de droit appliquées par le Tiers dans les cas en question va former le Droit public de l'État donné (à un moment donné).

Quand l'État intervient en qualité de Tiers dans les cas en question, il doit statuer sur deux points. Premièrement il doit constater que le Gouvernant a agi en particulier et non en Gouvernant. Car dans le second cas il aurait agi au nom de l'État : l'État se solidariserait alors avec lui, serait donc partie et non pas Tiers, et il n'y aurait pas de situation juridique, de règle de droit applicable. Deuxièmement l'État doit constater que le Gouverné a été lésé par l'acte du Gouvernant-imposteur (sinon il n'y aurait pas de réaction, c'est-à-dire pas d'interaction à laquelle une règle de droit conforme à un idéal de Justice soit applicable) et il doit fixer la manière dont l'acte criminel ou juridiquement illégal doit être annulé. Le Droit public aura donc, si l'on veut, deux parties.

Or il est évident qu'on ne peut pas statuer sur le premier point en scrutant l'intention du Gouvernant. Ne serait-ce que parce que celui-ci peut être « de bonne foi », c'est-à-dire qu'il peut se tromper sur ses intentions et croire agir en citoyen, au nom de l'État. Il faut avoir un critère objectif. Et ce critère est donné par la Constitution (au sens large), par l'ensemble des lois (politiques) qui fixent la structure et le fonctionnement de l'État. Si le Gouvernant a agi en désaccord avec la Constitution, c'est qu'il a agi en imposteur, en fonction d'intérêts particuliers, et l'État peut intervenir en guise de Tiers et annuler éventuellement l'acte du Gouvernant-imposteur. En elles-mêmes les Lois constitutionnelles et administratives n'ont rien de juridique. Mais dans la mesure où elles permettent de constater qu'un Gouvernant agit en imposteur, elles font partie du Droit public, tel que nous l'avons défini. Si l'on veut, elles constituent la première partie de ce Droit − le *Droit constitutionnel.*

Quant à la deuxième partie de ce Droit, elle est formée par le *Droit administratif.* Ce Droit énumère les cas dans lesquels les Gouvernés peuvent se considérer comme lésés par les actes des Gouvernants-imposteurs, et il fixe la façon dont ces actes juridiquement illégaux doivent être annulés. Ainsi l'État n'aura pas besoin d'être « provoqué » par le Gouverné lésé : il pourra intervenir spontanément pour annuler l'acte illégal du Gouvernant-imposteur [1]. Pratiquement tout acte anticonstitutionnel lèse l'intérêt de quelqu'un. Mais si un tel acte ne lésait l'intérêt de personne, il n'y aurait pas d'interaction entre *deux* agents, et par conséquent il n'y aurait pas de *Tiers.* Il n'y aurait donc pas de Droit, et si l'État annulait quand même l'acte anticonstitutionnel, cette annulation serait purement politique, et non juridique. Le Droit administratif (et le Droit public en général) n'est donc un Droit que dans la mesure où des actes de Gouvernants-imposteurs lèsent des Gouvernés. Et c'est en ce sens qu'on peut dire que le Droit public fixe les droits *(rights)* des Gouvernés.

Mais il serait faux de dire que les Gouvernés ont des droits vis-à-vis de l'État, c'est-à-dire vis-à-vis des Gouvernants agissant en tant que tels. Car l'État peut à son gré modifier le Droit public, en modifiant par exemple sa Constitution. Or lorsqu'il s'agit d'une modification de la Constitution

---

1. En pratique l'État n'intervient dans certains cas que s'il est provoqué par un Gouverné. Parfois le Gouverné doit être lésé personnellement pour pouvoir intervenir. Mais toutes ces variantes n'ont qu'un intérêt pratique.

(c'est-à-dire aussi du Droit public qui implique cette dernière) le Droit n'a plus rien à dire puisqu'il n'y a plus de Tiers possible. Seulement la Constitution ne peut être modifiée que par l'État lui-même, c'est-à-dire par des citoyens agissant en citoyens et non en particuliers. Les citoyens qui modifient la Constitution doivent agir en Gouvernants, c'est-à-dire en représentants du Groupe politique exclusif à l'intérieur duquel ils bénéficient d'une Autorité politique. Sinon ils agiront en imposteurs, en personnes privées, et tomberont sous le coup du Droit public, l'État intervenant en guise de Tiers pour annuler leurs actes juridiquement illégaux. Et la Constitution, c'est-à-dire le Droit public (en tant que Droit constitutionnel), permet de constater si l'on modifie la Constitution en citoyen ou non : on ne peut la modifier en citoyen, c'est-à-dire légalement, qu'en utilisant les voies prévues par la Constitution elle-même. Et bien entendu, si on utilise ces voies, on agit politiquement et non juridiquement : car ici encore il n'y a plus de Tiers. Mais si on essaye de modifier la Constitution par des voies illégales, on agit en personne privée, en particulier, et alors on commet un crime de Droit public, qui sera annulé par l'État en sa qualité de Tiers.

À moins qu'on n'agisse en révolutionnaire contre l'État (c'est-à-dire les Gouvernants munis de l'Autorité octroyée par le Groupe politique exclusif). Dans ce cas encore il n'y aura pas de Tiers. C'est-à-dire que le Droit public ne pourra plus s'appliquer. Car, par définition, le révolutionnaire n'agira pas en personne privée, en particulier. Il agira politiquement, en citoyen (de l'État futur, post-révolutionnaire). Or nous avons vu que les rapports quels qu'ils soient entre l'État et les citoyens agissant en citoyens (légalement ou par voie révolutionnaire, voire guerrière) n'ont rien de juridique. Et le fait que le révolutionnaire agit politiquement, c'est-à-dire en citoyen, est attesté objectivement (car ici encore l'intention ne compte pas, chacun pouvant se tromper sur soi-même) : par *le risque de la vie* en vue de s'emparer du pouvoir, c'est-à-dire de constituer un Groupe politique exclusif (sécrétant un collectif de Gouvernants munis d'Autorité politique) qui arrive à se maintenir tant vis-à-vis de l'étranger que vis-à-vis du groupe politique exclu interne. Si le révolutionnaire échoue, il périt ; s'il réussit, il devient Gouvernant. Et ni son échec et sa ruine, ni sa réussite n'ont rien de juridique. C'est pourquoi d'ailleurs les auteurs d'une révolution avortée ou en voie de devenir sont rarement jugés par des Tribunaux ordinaires.

En fait on ne peut leur appliquer aucun Droit. On ne peut que les éliminer politiquement, par une mesure de simple police ou par un Tribunal politique, qui n'aura d'un Tribunal juridique que le nom. Tout comme n'aura rien de juridique le Tribunal révolutionnaire qui supprimera les agents de l'ancien régime.

En bref, le Droit public ne peut être appliqué par un État qu'à ceux qui se reconnaissent ses citoyens, qui ne veulent pas changer l'État en tant que tel. Ce Droit permet de constater dans quels cas les Gouvernants agissent en imposteurs (c'est-à-dire contrairement à la structure de l'État, mais sans vouloir la modifier) et lèsent en le faisant les Gouvernés; et il détermine la façon dont les intérêts ainsi lésés doivent être restitués, c'est-à-dire la façon dont doivent être annulés les actes en question desdits Gouvernants.

## § 59.

Le Droit public est tout d'abord un Droit constitutionnel et en tant que tel il implique la Constitution de l'État. Or cette Constitution doit avant tout régler la manière dont elle peut être changée (car tant que l'État n'est pas universel et homogène il serait vain de croire qu'il ne changera pas). Autrement dit, la Constitution doit permettre de constater si celui (ou ceux) qui change l'État agit en tant que citoyen ou en personne privée, et ceci sans qu'il ait besoin de risquer sa vie pour le faire. S'il agit en tant que citoyen, on peut dire que c'est l'État qui se change lui-même. Ainsi par exemple sous la IIIe République la majorité des Sénateurs et des Députés réunis était censée agir en tant que citoyen : si cette majorité modifiait l'État, c'est-à-dire sa Constitution, on disait que l'État a changé lui-même, qu'il a changé « légalement ». Mais il s'agit de légalité politique, et non pas juridique. L'État se changeant lui-même, il n'y a pas de Tiers par définition, c'est-à-dire pas de Droit. Mais dans la mesure où la Constitution permet de savoir dans quel cas les hommes qui changent l'État agissent en personnes privées, c'est-à-dire en imposteurs, contre qui on peut faire appel à l'État, la Constitution est un Droit, qui fixe le droit des Gouvernés de s'opposer à tout changement de leur statut fait par des imposteurs, c'est-à-dire par des particuliers faisant à tort figure d'assemblée constituante. Ce Droit est un Droit public. En ce sens et en ce sens seulement la Constitution fait donc partie de ce Droit, plus exactement du Droit constitutionnel. Mais puisque ce Droit prévoit que l'État peut le changer comme bon lui semble (par l'action de citoyens agissant en citoyens, c'est-à-dire dans des conditions déterminées), on ne peut pas dire que le Droit constitutionnel donne des droits *(rights)* aux Gouvernés par rapport à l'État. Inversement, l'État ne peut pas dire qu'il a des droits *(rights)* sur les Gouvernés. Car si ceux-ci changent l'État par voie illégale, c'est-à-dire révolutionnaire, c'est-à-dire en agissant politiquement (en citoyens de l'État futur) — donc en risquant leur vie pour prendre le pouvoir et changer l'État — leur action ne pourra pas être dite criminelle au sens juridique du mot. Il y aura simplement lutte politique, sans Tiers possible.

Au Droit constitutionnel on oppose généralement le Droit administratif. Mais on est d'accord pour dire que les limites entre ces deux Droits sont arbitraires. On pourrait dire que le Droit constitutionnel fixe le statut (et les fonctions) des Gouvernants qui ne sont pas en même temps des Gouvernés, tandis que le Droit administratif se rapporte aux Gouvernants qui sont aussi des Gouvernés, c'est-à-dire aux « Fonctionnaires » au sens étroit du mot. Mais cette distinction est assez artificielle. Dans la mesure où un Fonctionnaire, c'est-à-dire un Gouvernant, est un Gouverné, il ne diffère pas des autres Gouvernés, qui ne sont pas Gouvernants. Le Fonctionnaire n'a lui aussi des droits que vis-à-vis des Gouvernants-imposteurs, et non pas vis-à-vis de l'État, c'est-à-dire des Gouvernants qui agissent en tant que tels, donc conformément aux lois constitutionnelles et administratives. Les Tribunaux administratifs se distinguent des simples Tribunaux par le seul fait qu'ils statuent sur les cas où l'un des agents est un Gouvernant : l'autre peut être un simple Gouverné, ou un Gouverné-Gouvernant, c'est-à-dire un Fonctionnaire. Et il n'y a aucune raison théorique pour créer des Cours spéciales pour les cas où le Gouvernant en cause ne serait pas en même temps un Gouverné : un seul et même Tribunal administratif peut juger le ministre et le plus humble fonctionnaire, pour voir s'ils agissent en Gouvernants-imposteurs ou non.

On pourrait distinguer ainsi un Droit public de la structure (de l'État et des Administrations) et un Droit public de la fonction, comme on distingue l'anatomie de la physiologie. Mais comme dans le cas de l'organisme, ces deux aspects ne font qu'un en réalité. Car l'organe n'est là qu'en vue de la fonction, et la fonction est déterminée par la structure de l'organe. Certes l'imposture ne se présente pratiquement que là où il y a fonctionnement. Mais pour dépister l'imposture il faut généralement se référer non pas seulement aux déterminations légales des fonctions, mais encore des structures administratives.

Ce qui est plus important, c'est que le Droit public doit régler non seulement les structures et les fonctions de l'État et des Administrations, c'est-à-dire des Gouvernants, mais encore celles des citoyens pris en tant que citoyens, c'est-à-dire des Gouvernés en tant que Gouvernés. Car l'État lui-même n'est rien d'autre que l'ensemble des citoyens, ceux-ci étant pris dans leur être et leurs fonctions *politiques*. Fixer le statut et le fonctionnement des citoyens, c'est fixer le statut et le fonctionnement de l'État, et inversement.

Le statut des citoyens est librement fixé par l'État, c'est-à-dire par les Gouvernants agissant en tant que tels, ou si l'on veut par les citoyens eux-mêmes dans certains de leurs aspects politiques (en tant qu'Assemblée constituante par exemple). Ce statut n'est donc pas un Droit en lui-même, puisque ce n'est pas un Tiers qui le fixe et le sanctionne. Mais il est impliqué dans le Droit public et est ainsi un Droit dans la mesure où il permet de voir quand un homme agit en citoyen ou en particulier, c'est-à-dire aussi quand un Gouvernant agit en imposteur. Car le Gouvernant agit par définition en imposteur non seulement quand il est en désaccord avec son propre statut politique, mais encore quand il est en désaccord avec le statut politique d'un Gouverné quelconque.

Ainsi par exemple le statut du citoyen d'un État européen moderne exclut la bigamie. Un bigame ne peut donc pas être citoyen, ni agir en tant que tel. Si donc un bigame voulait changer la Constitution de façon à ce que l'État reconnaisse la bigamie, c'est-à-dire s'il voulait que l'État serve ses intérêts particuliers de bigame, il ne pourrait pas le faire (légalement). Car par définition un bigame ne peut pas agir en citoyen, c'est-à-dire, en particulier, qu'il ne peut pas modifier la Constitution de l'État sans agir en imposteur. Certes, l'État peut reconnaître la bigamie. Mais il ne peut le faire (légalement) que par une action des citoyens agissant en citoyens, c'est-à-dire de non-bigames. Et c'est là – en principe tout au moins – la garantie du fait que la bigamie a été reconnue pour des « raisons d'État », et non pas par intérêt privé. Bien entendu les bigames peuvent eux aussi faire accepter la bigamie par l'État. Mais alors ils devront agir en révolutionnaires, illégalement : ils devront attaquer l'État lui-même, et ils ne pourront le faire qu'en risquant leur vie – ce qui sera la garantie du fait qu'ils agissent non

seulement en particuliers-bigames, mais encore politiquement, en *citoyens*-révolutionnaires. Et c'est ce qui justifie le
fait que le Droit ne s'appliquera pas dans ce cas, que la
bigamie sera, s'ils réussissent, un statut politique tout aussi
légal que la monogamie, qui pourra lui aussi être impliqué
dans le nouveau Droit public.

Or le cas fictif de la bigamie attire notre attention sur un
point très important. Tout citoyen réel étant un homme
vivant, c'est-à-dire aussi un non-citoyen, le statut politique
doit se rapporter aussi à l'être et au fonctionnement non
politique des citoyens. Le statut du citoyen doit déterminer
quels fonctionnements non politiques sont compatibles ou
non avec le fonctionnement politique. Autrement dit, l'État
doit fixer les normes des rapports entre le citoyen et le non-
citoyen, tant en dehors du citoyen qu'à l'intérieur du citoyen
lui-même. Ainsi par exemple la bigamie appartient en propre
au statut d'un membre de la Société familiale. Mais l'État
peut déclarer que la bigamie est incompatible avec la
citoyenneté. Or l'homme est tout d'abord un animal. L'État
doit donc dire quel animal (Homo sapiens) peut être citoyen
ou exercer tout « droit » de citoyen. Par exemple l'État
peut enlever le droit de vote aux enfants, aux fous, aux
femmes, etc. De plus l'homme est membre de la Société
familiale, et ici encore certaines relations familiales peuvent
être incompatibles avec la citoyenneté (inceste, bigamie, etc.).
De même, pour les Sociétés économique, religieuse ou autres :
la citoyenneté peut être incompatible avec le non-payement
des dettes, avec une certaine croyance religieuse, etc. L'État
peut de même déclarer qu'un citoyen ne peut pas faire partie
d'une Société politique cis- ou trans-étatique : être citoyen
d'un autre État par exemple, ou membre de l'Internationale
communiste, etc.

Toutes les variantes sont ici possibles, et l'État décide
souverainement. Mais aucun État ne peut se passer d'englober dans le statut politique du citoyen certains aspects
non politiques de son être et de son fonctionnement. Et,
comme nous le verrons (en C), ceci est très important pour le
Droit pénal. Car si une action non politique est compatible
avec la citoyenneté tout en étant contraire au Droit privé
(pénal), la peine ne peut pas toucher le citoyen en tant que
citoyen. Si par exemple le citoyen en tant que tel a le droit
de circuler, la peine ne peut pas le priver de cette liberté de
déplacement. Si donc une action entraîne une peine qui lèse
un citoyen en tant que citoyen, c'est-à-dire dans son être et
son fonctionnement politiques (en tant qu'électeur par

exemple), c'est que l'action lèse non seulement une Société non politique donnée (la Société économique par exemple), mais encore l'État lui-même. Dans la mesure donc où la peine touche le citoyen politiquement, elle est prononcée par l'État non pas en guise de Tiers, mais en tant que partie. Autrement dit dans cet aspect la peine n'est pas juridique et n'a pas pour base un Droit. Mais dans la mesure où le statut du citoyen permet de constater qu'un Gouvernant (qui est en désaccord avec lui) agit en imposteur, ce qui permet à l'État d'appliquer le Droit public, ce statut fait partie de ce Droit et est lui-même un Droit. En tant que Droit, le statut du citoyen fixe les droits *(rights)* des Gouvernés vis-à-vis des Gouvernants-imposteurs, mais non pas vis-à-vis de l'État. De même, lorsqu'un citoyen agit contrairement à son statut de citoyen, il lèse l'État en tant que tel : il n'est donc pas criminel au sens juridique du mot, l'État étant partie et non pas Tiers; il est un criminel politique contre qui l'État agit politiquement et non juridiquement.

Le Droit public implique donc nécessairement des lois fixant la structure et le fonctionnement non seulement de l'État et des Administrations, c'est-à-dire des Gouvernants, mais encore ceux des Gouvernés, pris en tant que Gouvernés par l'État, c'est-à-dire en tant que citoyens. Pour reprendre notre image, l'anatomie doit être complétée par une histologie, et la physiologie organique par une physiologie cellulaire. Quant au statut des Gouvernés pris en tant que non-citoyens, c'est-à-dire personnes privées (animaux Homo sapiens et membres de Sociétés familiale, économique et autres), il fait partie du Droit privé (civil et pénal). Mais du moment que le Droit privé est étatisé, c'est le même État qui applique en sa qualité de Tiers tant le Droit privé que le Droit public. C'est pourquoi le statut privé doit être en accord avec le statut politique. Par conséquent, si un Gouvernant lèse le statut privé du Gouverné, il agit par définition en imposteur, tout comme s'il lésait le statut politique. En ce sens on pourrait donc dire que le statut privé fait aussi partie du Droit public. Ce qui montre que la division entre le Droit public et le Droit privé est dans une certaine mesure artificielle : il n'y a au fond qu'un seul Droit (appliqué par l'État). Mais on peut néanmoins réunir sous la rubrique « Droit privé » toutes les règles de droit qui se rapportent aux interactions politiquement « neutres », c'est-à-dire compatibles avec la citoyenneté même si elles sont juridiquement illégales du point de vue du Droit d'une Société apolitique (reconnue juridiquement par l'État) que l'État applique en guise de Tiers. Dans ce cas le Droit privé se réduirait d'ailleurs au Droit civil, conformément à la division classique du Droit.

Quoi qu'il en soit, le Droit public n'est un *Droit* que dans la mesure où il se rapporte aux interactions entre les Gouvernés et les Gouvernants-imposteurs. C'est seulement vis-à-vis de ces derniers que le Gouverné a des *droits (rights)*, et non pas vis-à-vis de l'État, car celui-ci peut changer à sa guise tous les statuts, sans qu'il y ait un Tiers possible pouvant s'y opposer ou sanctionner le changement, ni — par conséquent — l'absence de changement, c'est-à-dire le statut lui-même. Cela ne veut pas dire que le Gouverné lésé ne peut s'en prendre qu'au Gouvernant-imposteur. L'État peut le dédommager. Mais il s'agira alors d'une décision libre de l'État, qui n'aura rien de juridique. Le *Droit* public permet seulement d'*annuler* l'acte du Gouvernant-imposteur (d'une façon fixée par ce Droit, qui peut impliquer des dommages-intérêts). Si l'État veut en plus punir le Gouvernant coupable, il sera alors partie et la punition n'aura rien de juridique. De même, si l'État se solidarise avec le Gouvernant, le *Droit* public ne pourra pas prescrire un dédommagement du Gouverné lésé : du moment que le Gouvernant a effectivement agi au nom de l'État, il n'y a plus de Droit possible et le Gouverné n'a aucun droit *(right)*. L'État peut certes le dédommager quand même, mais l'acte n'aura alors rien de juridique en lui-même. Mais il pourra néanmoins être impliqué dans le Droit public et être ainsi un Droit, une règle de droit. Car la loi sur le dédommagement permettra de constater que le Gouvernant qui refuserait de dédommager le Gouverné agirait en imposteur. En bref, le Droit public peut contenir tout ce qu'il contient traditionnellement. Seulement ce contenu doit être interprété de la façon dont je viens de le faire.

§ 60.

Si le Droit *naît* de l'intervention d'un Tiers impartial et désintéressé dans une interaction (sociale) entre deux agents, les rapports entre ces agents et le Tiers n'ont rien de juridique et ne peuvent pas donner lieu à l'application d'une règle de droit. Ces rapports peuvent être réglés par des Lois (orales ou écrites), mais ces Lois processorales ne seront pas des lois juridiques. En ce sens le « Droit processoral » qui règle le statut du Tiers et son fonctionnement par rapport aux justiciables n'est pas un *Droit* véritable. C'est une déclaration unilatérale du Tiers, une « notification » de son agissement, et aucun autre « Tiers » (qui serait un « quatrième ») ne peut ni annuler ni sanctionner cette déclaration. Là où le Droit est étatisé, le Tiers est l'État (ou son représentant) et c'est donc en fin de compte l'État qui édicte la Loi processorale. C'est donc, si l'on veut, une Loi politique, et non juridique. Seulement ici encore le Tiers peut être un imposteur. Étant censé agir d'une manière impartiale et désintéressée, il peut en fait être intéressé et partial. Dans ce cas, par définition, il ne sera pas Tiers, mais partie, et ne pourra faire appel contre lui à un Tiers. Dans le cas du Droit étatisé il ne sera pas un représentant de l'État, le Juge-fonctionnaire, mais un particulier (imposteur), contre qui on peut faire appel à l'État jouant le rôle du Tiers authentique. Toute la question est donc de savoir si la personne qui joue le rôle du Tiers est vraiment un Tiers, c'est-à-dire s'il agit en tant que tel, d'une manière impartiale et désintéressée, ou s'il fait seulement semblant de l'être, en trompant les autres, notamment les justiciables, voire en se trompant soi-même sur son propre compte.

Quand le Tiers est un Arbitre librement choisi par les parties, ce choix même est censé être une garantie de son authenticité, c'est-à-dire de son impartialité et désintéressement (son intervention n'étant d'ailleurs pas irrésistible et le droit qu'il dit n'existant donc qu'en puissance). Mais si le Droit (en acte) est étatisé, c'est-à-dire quand le Tiers est imposé aux parties par l'État et représente celui-ci en qualité de Fonctionnaire (proprement dit ou en ce sens que son intervention est sanctionnée par l'État), alors se pose le problème de l'authenticité du Tiers ou de l'imposture. C'est le même problème que celui qui se pose pour les Fonctionnaires non juridiques dans le Droit public, plus précisément dans le Droit administratif. En ce sens la Loi processorale fait donc partie de ce dernier (en y formant un chapitre spécial). La Loi processorale est ainsi un Droit. Elle permet de constater l'authenticité du Tiers. Car si le Tiers agit en désaccord avec cette Loi, il est par définition un imposteur : dans sa fonction de Tiers il agit en réalité en tant que particulier. L'État intervient donc comme Tiers dans les rapports du « Tiers »-imposteur avec les justiciables, et « casse » son jugement, c'est-à-dire annule son intervention, qui – du coup – est *juridiquement* illégale. Le Droit processoral crée donc des droits *(rights)* des justiciables vis-à-vis de l'État, c'est-à-dire vis-à-vis du Tiers authentique, c'est-à-dire du Tiers qui se conforme au Droit processoral (qui, dans ce cas, n'est plus un Droit, mais une Loi non juridique).

Le Droit processoral n'est donc un Droit que dans la mesure où il permet de constater l'imposture du Tiers, c'est-à-dire le fait que celui-ci n'agit pas au nom de l'État, en fonctionnaire ou en citoyen, mais en qualité de personne privée. Ce Droit est, si l'on veut, la garantie de l'impartialité et du désintéressement du Tiers (c'est-à-dire de son identité avec l'État, qui est par définition désintéressé et impartial vis-à-vis de ses justiciables [1]).

Le contenu du Droit processoral (au sens étroit) est une fonction de son but, qui est celui de garantir l'impartialité et le désintéressement du Tiers, c'est-à-dire son authenticité. Et c'est de ce point de vue qu'il faut interpréter la réglementation (étatique) de la justice.

Tout d'abord l'institution de l'*Appel*. Mais il faut distinguer ici deux cas. *Premièrement :* Les deux parties ou l'une d'elles peuvent contester l'authenticité du Tiers et donc la validité de son jugement. Il y a alors un nouveau procès : non plus entre les deux parties, mais entre les parties et le Tiers (suspecté d'inauthenticité). L'État (dans la personne du Tiers d'Appel) doit voir alors si le Tiers a vraiment agi en Tiers ou non. Sinon l'instance d'appel casse le jugement, qui n'est plus qu'une action (juridiquement illégale) d'un particulier, c'est-à-dire d'un Tiers-imposteur. C'est un cas de Droit administratif. Et le Tribunal d'Appel est alors un Tribunal administratif, semblable aux autres Tribunaux administratifs, et différent des Tribunaux juridiques. Il ne statue pas sur le procès lui-même, c'est-à-dire n'intervient pas comme Tiers dans l'interaction des justiciables entre eux. Il renvoie le procès au Tribunal de la « première instance », où le cas est jugé de nouveau, mais avec un autre Tiers. Et ceci nous mène au deuxième cas. *Deuxièmement :* L'impartialité et le désintéressement, c'est-à-dire l'authenticité du Tiers, peuvent être garantis non pas seulement par la conformité de son

1. Le Tiers, et l'État en tant que Tiers, est Législateur juridique, Juge et Police judiciaire. Là où la législation juridique est l'œuvre du Gouvernement politique (monarque, parlement, etc.), les Lois qui s'y rapportent ne font pas partie du Droit processoral : elles sont impliquées dans le Droit constitutionnel. Mais là où les Lois juridiques s'élaborent par les Tribunaux (comme par exemple en Angleterre), on peut dire que le Droit processoral qui règle le fonctionnement des Tribunaux garantit aussi l'authenticité du Tiers dans sa qualité de Législateur. En ce qui concerne la Police judiciaire, son règlement peut être impliqué soit dans le Droit processoral, soit dans le Droit administratif au sens étroit. Dans tous les cas, le Droit processoral garantit l'authenticité du Tiers pris en tant que Juge. Et c'est là le sens étroit de ce terme.

agissement au Droit processoral, mais encore par le fait que le jugement ne change pas quand on change de Tiers. Dans ce cas l'Appel (et le renvoi à la première instance) n'est rien d'autre qu'un changement de Tiers. Il n'y a donc pas à proprement parler de hiérarchie entre les « instances », qui sont toutes sur le même plan : il y a un seul et même Tiers (l'État) et seuls ses « supports » changent pour garantir leur authenticité. Seulement en cas de désaccord entre deux jugements consécutifs il faut avoir recours à un troisième, les deux jugements concordants étant par définition authentiques. Il faut donc avoir au moins trois instances. Mais il se peut que les trois soient en désaccord. Ce qui compliquerait terriblement les choses. C'est pourquoi, pour les commodités de la pratique, on introduit l'idée d'une hiérarchie des instances : la supérieure est censée être plus authentique que l'inférieure, et la dernière est authentique par définition. Alors, par définition, on peut arrêter un procès à une instance quelconque, qui sera dans ce cas déclarée authentique d'office, c'est-à-dire vraiment impartiale et désintéressée : l'État se solidarise alors avec elle automatiquement et sanctionne son jugement. Notons d'ailleurs que dans aucun des deux cas considérés l'imposture du Tiers n'est nécessairement une fraude de sa part. Il peut être de bonne foi, c'est-à-dire croire qu'il est impartial et désintéressé. Car il peut se tromper. Et, par définition, si son jugement est erroné, c'est qu'il a été soit intéressé, soit partial, soit les deux choses à la fois. (Et en effet on peut facilement être partial sans s'en rendre compte.) Car un jugement « correct » n'est rien d'autre que l'intervention d'un Tiers impartial et désintéressé. L'erreur du jugement ne peut donc être attribuée qu'à l'absence de ces qualités. Or on n'est pas seulement « partial » quand on a des « préférences » pour l'une des parties. On l'est aussi quand on connaît le cas de l'un mieux que celui de l'autre. Une erreur au sens propre du mot est donc bien une « partialité » en justice. De même, si le Tiers n'applique pas correctement la Loi au cas donné (correctement établi), c'est qu'il est « intéressé » : il agit en fonction d'un motif autre que celui d'appliquer l'idéal de Justice, c'est-à-dire précisément — par définition — la Loi en question. Or, par définition également, là où il y a une hiérarchie juridique, l'instance supérieure est censée être plus « impartiale » et « désintéressée » que l'instance inférieure. C'est pourquoi, en cas de désaccord, la décision « en appel » peut être considérée comme la seule bonne et définitive. Là d'ailleurs où les parties ne font pas appel, on peut dire qu'il y a un arbitrage : les parties sont tombées d'accord sur le choix du Tiers et cet accord est la garantie (par définition) de son authenticité. Mais pratiquement l'État (c'est-à-dire la cour d'appel) peut intervenir quand même, si elle constate l'inauthenticité du Tiers (par le fait qu'il a agi contrairement au Droit processoral).

Cette théorie de l'Appel s'applique aussi à l'institution de la *grâce*. Par définition le chef de l'État incarne l'État et ne peut pas être un imposteur (tant qu'il reste chef). Il peut donc jouer le rôle du Tiers suprême et « casser » n'importe quel jugement : soit en renvoyant le procès à une instance inférieure, soit en statuant lui-même d'une manière définitive. Mais s'il laisse le jugement intact, sa « grâce » n'a rien de juridique. Car il n'agit plus en qualité de *Tiers :* il n'a plus affaire aux *deux* parties, il ne se rapporte qu'à l'*une*, à la partie perdante, au condamné. Sa grâce est alors une Loi (individuelle) politique, et n'a rien à voir avec le Droit. Sauf en ce sens que le gracié a *droit* à sa grâce, ce qui veut dire que tout Gouvernant qui agirait contrairement au fait qu'il a été gracié, agirait par définition en imposteur, et le gracié pourrait faire appel contre lui à l'État, ce dernier annulant alors l'action du Gouvernant.

C'est la même idée de garantie de l'authenticité du Tiers qui est à la base de l'institution du *Jury*. Par définition le Jury est impartial et désintéressé. Il n'y a donc pas d'appel possible. C'est l'État qui agit par le Jury. Et le Jury est un Tiers authentique, parce que ses membres (son « support ») sont « quelconques » (cf. Première Section, chap. 1). Or en fait cette garantie est très précaire. Il y a certes de grandes chances pour que le Jury soit « désintéressé » au sens vulgaire du mot. Cette institution exclut la corruption et l'influence des Gouvernants-imposteurs, qui voudraient que le jugement se fasse en fonction de leurs intérêts qui sont autres que ceux de la Justice. Mais dans un autre sens le Jury peut être très facilement « partial » et « intéressé ». Un Jury masculin peut être « partial » vis-à-vis d'une justiciable jeune et jolie; un Jury « bourgeois » peut être « intéressé » dans un procès où le criminel porte atteinte à la Société économique (vol), etc. Il semble donc que la solution essayée en Allemagne soit la meilleure. Un Tiers mi-Juge professionnel mi-Jury semble donner le maximum de garantie sur l'authenticité : l'élément Jury le rend « incorruptible » (« désintéressé ») et l'élément professionnel « objectif » (« impartial »). Mais bien entendu l'idéal ne peut être approché de près que dans un État universel et homogène.

On peut interpréter du même point de vue les institutions

du Procureur et de l'Avocat. On peut dire en effet que la personne du Tiers authentique réunit toujours en elle un Procureur, un Avocat et un Juge-Arbitre. Cette triplicité n'est qu'une conséquence du principe « *audiatur et altera pars* ». Quant à la question de savoir si ces trois éléments doivent être réunis en une seule personne ou répartis entre trois personnes distinctes et « indépendantes », c'est une question purement pratique. Seulement si dans cette interprétation on crée l'institution du Procureur, il faut la compléter par celle de l'Avocat étatique. Et dans la plupart des cas un avocat est nommé même si le justiciable ne l'engage pas personnellement. Mais généralement ce dernier peut refuser l'aide de l'avocat. Il semble que dans ce cas il faudrait également supprimer le Procureur. Ou bien, si celui-ci est indispensable, l'avocat devrait l'être aussi et représenter l'État au même titre que le Procureur.

Mais on peut donner de cette double institution une interprétation différente. Dans un procès civil le Tiers a généralement affaire à deux avocats, dont chacun représente l'une des parties. Cette « représentation » a certes une utilité pratique (à laquelle a dû se plier le Droit romain, qui n'admettait pas la « représentation » à l'origine). Mais elle n'a aucun intérêt théorique. L'avocat fait ici corps avec la partie qu'il représente. Or dans le Procès criminel la partie en cause, c'est-à-dire l'inculpé, est aussi généralement « représenté » par un avocat, qui fait corps avec lui. Et cet avocat s'oppose à un procureur. On pourrait donc dire que le procureur est l'avocat de la partie adverse, qui fait lui aussi corps avec la partie qu'il représente. Or nous verrons (en C) que dans un procès criminel il y a effectivement toujours une « *altera pars* ». Car le Droit pénal n'est rien d'autre que l'intervention d'un Tiers (de l'État) dans une interaction entre une Société (juridiquement reconnue par l'État mais différente de lui) et l'un de ses membres (individuel ou collectif). On peut donc dire que le Procureur représente la Société en cause, qui — évidemment — étant un collectif, une personne morale, ne peut pas agir en personne. D'une manière générale, le Procureur représenterait tous ceux qui ne peuvent pas — en principe — agir en justice : les incapables, par exemple, et notamment les mineurs. Il serait alors bien entendu partie, et non pas Tiers, tout comme l'Avocat. Mais il faut dire que théoriquement cette institution ainsi conçue n'est pas nécessaire (quoiqu'elle puisse être pratiquement très utile). Car la Loi remplit en quelque sorte l'office du Procureur. La Société est lésée par définition quand l'un de ses membres agit contrairement au Droit de cette Société (reconnue par l'État). La Société n'a donc pas besoin d'être « représentée » dans le procès criminel, puisque c'est la loi appliquée par le Tiers qui la « représente ». Tout comme l'Avocat, le Procureur est donc une institution pratiquement utile, mais sans intérêt théorique; et ceci dans les deux interprétations possibles.

## C. LE DROIT PÉNAL.

### § 61.

Généralement on implique le Droit pénal ou criminel dans le Droit public et on l'oppose au Droit privé, qui coïncide alors avec le Droit civil (au sens de non pénal). On peut se demander s'il en est vraiment ainsi. Et la réponse dépendra de la façon dont on interprète le Droit pénal.

D'habitude, on implique le Droit pénal dans le Droit public sous prétexte que le crime lèse l'État en tant que tel, qu'il s'agit donc d'une interaction entre le criminel et l'État. Or les rapports entre l'individu et l'État seraient du ressort du Droit public. Mais nous avons vu que dans les cas où l'État est lésé en tant que tel, il est partie et non plus Tiers, de sorte qu'il n'y a plus de Droit du tout. Dans la mesure où le criminel lèse l'État, la loi qui lui est appliquée est donc bien « publique » si l'on veut (c'est-à-dire politique ou sociale), mais elle n'a rien de juridique. Interprété ainsi, le Droit pénal ne serait pas un Droit du tout (sauf dans la mesure où il permet de constater qu'un Gouvernant agit en imposteur, car alors il ferait effectivement partie du Droit public).

Pour que le Droit pénal (étatisé) soit un Droit, il faut que l'État intervienne en guise de Tiers. Autrement dit, le criminel doit être en interaction (dans son crime) non pas avec l'État mais avec un particulier (individuel ou collectif). Comme tout Droit en général, le Droit pénal est donc un Droit « privé ». Et il ne se distingue du Droit (privé) civil que par les deux points suivants : premièrement, l'État annule l'action contraire au Droit pénal d'une façon « spontanée », tandis que dans le Droit civil il doit être « provoqué » par l'agent lésé dans l'interaction contraire au Droit civil; deuxièmement, l'action contraire au Droit pénal a pour conséquence une « peine » ou un « châtiment », tandis que l'action contraire au Droit civil est annulée par le Tiers sans que son agent soit en plus puni. Or, nous avons vu que la « spontanéité » du Droit pénal n'est qu'apparente. En fait, l'État est ici aussi « provoqué » par la partie lésée. Seulement dans ce cas celle-ci est non pas un membre (individuel ou collectif) d'une Société (non politique, mais juridiquement reconnue par l'État), mais cette Société prise dans son ensemble. Celle-ci ne pouvant pas « provoquer » le Tiers en fait, l'État introduit une convention : il fixe les cas où la Société est censée être lésée et provoque l'intervention du Tiers, dans un Code pénal (écrit ou oral), et il intervient « spontanément » chaque fois que quelqu'un agit contrairement à ce Code, dans l'idée que la Société le « provoque », étant lésée par l'action en question[1]. Ce qui caractérise le Droit pénal, ce n'est donc pas la « spontanéité » de l'intervention du Tiers, mais le fait que l'acte annulé par le Tiers (c'est-à-dire le crime) se rapporte à l'ensemble d'une Société juridiquement reconnue par l'État (mais autre que l'État lui-même). Or la Société prise dans son ensemble peut être en principe lésée (juridiquement) non seulement par un « particulier » (individuel ou collectif), mais encore par un Gouvernant (individuel ou collectif, non gouverné ou gouverné, c'est-à-dire par un Fonctionnaire), qui dans ce cas sera par définition un « imposteur »[2]. Autrement dit le Droit pénal peut faire partie non pas seulement du Droit privé, mais encore

---

1. Le principe du Droit pénal « *Nulla poena nisi lege* » ne signifie rien d'autre que le fait qu'il n'y a pas de *crime* (et par suite pas de châtiment, ni de jugement) là où l'acte n'est pas contraire au Code pénal. Car, dans ce cas, par définition, la Société n'a pas « provoqué » l'État, qui n'a donc pas à intervenir en guise de Tiers. Et la Société ne le « provoque » pas parce qu'elle est censée ne pas avoir été lésée par l'inter-action donc fait partie l'acte prétendu « criminel » (qui en fait ne l'est pas). Du moins n'est-elle pas lésée juridiquement, c'est-à-dire d'une façon telle que le Tiers consente à intervenir pour annuler l'acte qui l'a lésée.

2. On dit généralement que la peine ne s'applique pas aux collectifs. Mais ce sont des arguments plutôt pratiques que théoriques qu'on invoque. Car si l'on reconnaît des personnes juridiques « morales », on ne voit pas pourquoi on ne peut pas leur appliquer aussi le Droit pénal, au cas où elles lèsent une Société dans son ensemble : même si cette personne est un collectif (« Société » ou « Association ») ou une « Fondation ». Quant à la personne morale individuelle (le mineur par exemple), ce sont encore des raisons extra-juridiques qui la rendent irresponsable au point de vue pénal. Mais c'est une question compliquée que je ne veux pas traiter ici.

Pratiquement un Gouvernant lèse rarement les intérêts d'une Société prise dans son ensemble : l'« imposture » serait ici par trop évidente. Mais en principe le cas est possible.

du Droit public, tel que nous l'avons défini plus haut : il y a un Droit public pénal et civil, tout comme il y a un Droit privé pénal et civil.

Si le Droit pénal se rapporte aux actes qui lèsent une Société prise dans son ensemble, il y a autant d'espèces de ce Droit qu'il y a de Sociétés autres que l'État, mais reconnues juridiquement par l'État, c'est-à-dire de Sociétés telles que l'État intervient en guise de Tiers lors de leurs interactions avec leurs membres (individuels ou collectifs) [1]. La nature et le nombre de ces Sociétés varient selon les lieux et les époques, et avec eux, le contenu du Droit pénal d'un État. Il est généralement question de Sociétés familiale, économique, « mondaine » et religieuse. Mais généralement les États modernes ne reconnaissent pas juridiquement cette dernière et limitent de plus en plus leur intervention aux interactions entre la Société « mondaine » et ses membres. Mais il ne semble pas que l'État puisse ignorer juridiquement l'existence des deux premières Sociétés. Il y aura donc toujours un Droit pénal de la Société familiale et un Droit pénal de la Société économique. D'une manière générale il y aura autant d'espèces de Droit pénal que d'espèces de Droit civil. Car il n'est pas concevable que l'État intervienne juridiquement, c'est-à-dire en qualité de Tiers, dans les interactions entre les membres d'une Société (c'est-à-dire en appliquant le Droit civil de cette Société) sans intervenir dans les interactions entre la Société en tant que telle et ses membres (c'est-à-dire en appliquant le Droit pénal correspondant). Mais il se peut que l'État se réserve cette dernière intervention en faisant intervenir la Société elle-même en qualité de Tiers dans les interactions entre ses membres. Dans ce cas seul le Droit pénal sera pleinement étatisé. Mais cette distinction n'a pas d'importance théorique, car le Droit sanctionné par l'État est un Droit étatique, même s'il est appliqué par des délégués qui ne sont pas des fonctionnaires proprement dits.

Or nous avons vu que l'État en tant qu'État, c'est-à-dire en tant qu'entité politique, se rapporte lui-même aux membres de certaines Sociétés non politiques, puisque le citoyen qui

---

1. Par définition les membres de deux Sociétés distinctes ne peuvent pas entrer en inter-action en tant que membres de ces Sociétés : la Société religieuse, par exemple, n'a pas de terrain commun avec la Société économique, etc. Mais bien entendu un membre de la Société A peut être en même temps membre de la Société B et la léser par conséquent : mais il le fera en tant que membre de la Société B. C'est pourquoi on peut dire que le Droit pénal ne se rapporte qu'aux interactions entre une Société connée et ses membres (individuels ou collectifs).

réalise l'État est nécessairement en même temps membre de ces Sociétés : notamment les Sociétés familiale et économique. C'est pourquoi le statut (politique) du citoyen implique nécessairement certains éléments des statuts (non politiques) des membres de ces Sociétés (et — dans le passé — aussi des Sociétés religieuse et « mondaine »). Agir contrairement à ces éléments de statuts non politiques c'est donc agir aussi contrairement au statut politique du citoyen, ce qui est vrai surtout pour les actes qui, étant contraires au statut de membre de la Société donnée, lèsent cette Société en tant que telle, prise dans son ensemble. Autrement dit, beaucoup d'actes contraires au Droit pénal seront aussi contraires au statut politique du citoyen. Ou bien encore ils léseront non pas seulement la Société en question, mais encore l'État lui-même. Et c'est ce qui a fait croire et dire que le Droit pénal (étatique) se rapporte aux interactions entre l'« individu » et l'État, qui est lésé par lui. Mais encore une fois, dans la mesure où il en est vraiment ainsi, la Loi pénale n'a plus rien de juridique et n'est aucunement un Droit. L'État intervient alors politiquement (ou « socialement ») en tant que partie, et non pas juridiquement, en tant que Tiers impartial et désintéressé. Pratiquement, les deux interventions sont intimement liées l'une à l'autre, vu que c'est le même État (et généralement en la personne du même Fonctionnaire) qui intervient d'une part en tant qu'État, c'est-à-dire politiquement, et de l'autre en tant que Tiers, c'est-à-dire juridiquement. Mais théoriquement les deux interventions sont essentiellement différentes, et il n'y a *Droit* (pénal) que dans la mesure où il s'agit de la deuxième intervention. Et il est même peut-être préférable que les deux interventions soient séparées l'une de l'autre et s'opèrent par deux Fonctionnaires ou deux Tribunaux différents, dont l'un seulement serait dit être juridique. J'aurai d'ailleurs l'occasion de revenir à cette question des aspects ou « annexes » non juridiques du Droit pénal historique (§ 63).

Quoi qu'il en soit, posons que le Droit pénal se rapporte aux interactions entre une Société (non politique) donnée et ses membres quels qu'ils soient, cette interaction donnant lieu à l'intervention d'un Tiers impartial et désintéressé (c'est-à-dire autre que la Société en question elle-même), et que l'action annulée par ce Tiers est « criminelle » par définition [1]. Du moment que la Société, étant une personne morale,

---

1. Il semble que le Tiers peut annuler non seulement l'action du membre de la Société mais aussi celle de la Société elle-même. Autrement dit il y

ne peut pas faire effectivement appel au Tiers (à moins d'avoir
à cette fin un représentant authentique), celui-ci intervient
« spontanément ». Ce qui veut dire que le Tiers intervient
chaque fois que l'acte d'un membre de la Société est contraire
à un Code (oral ou écrit) où sont fixés tous les cas où un acte
lèse la Société de façon à ce que celle-ci soit censée faire
appel au Tiers, qui est alors obligé d'intervenir et d'annuler
l'acte s'il est réellement tel qu'il semble être (c'est-à-dire
« criminel »). Ce Code est le Code pénal (sans lequel il n'y a
ni crime, ni peine, ni intervention du Tiers). Si le Tiers qui
crée et réalise le Code pénal dans et par son intervention
(qui le crée en intervenant en tant que Législateur juridique
et qui le réalise en intervenant en tant que Juge et Police
judiciaire) est l'État lui-même (agissant non pas politiquement, mais en tant que Tiers impartial et désintéressé,
c'est-à-dire avec le seul souci de réaliser un idéal donné de
Justice), le Droit pénal est un Droit étatique, existant en
acte. Si maintenant nous réunissons toutes les Sociétés non
politiques juridiquement reconnues par l'État en une seule
Société non politique, que nous appellerons la « Société »
tout court (la *« Bürgerliche Gesellschaft »* des auteurs allemands, par opposition à la Société politique, appelée « État »),
nous pouvons dire que le Droit pénal étatique est créé et réalisé par l'intervention de l'État (agissant en qualité de Tiers)
dans les interactions entre la Société en tant que telle et ses
membres (individuels ou collectifs), afin d'annuler les actes
de ces derniers dans la mesure où ils lèsent effectivement
la Société prise dans son ensemble.

aurait non pas seulement des actes « criminels » d'un membre d'une Société
lésant cette Société, mais encore des actes « criminels » de la Société lésant
son membre. Mais cette façon de parler n'a pas de sens. Si la Société pouvait léser ses membres, elle se désagrégerait tôt ou tard : son statut, étant
par définition transitoire, ne saurait donc être un Droit, qui est par définition « éternel », c'est-à-dire pouvant — en principe — se maintenir indéfiniment dans l'identité avec soi-même. (Voir mon étude sur l'Autorité, où
l'autorité du Juge, et la Justice en tant que telle, sont rapportées à l'éternité, c'est-à-dire à l'ensemble du temps. Mais cette question devrait être
approfondie.) Par définition l'action de la Société en tant que telle profite
à la Société, donc aussi à ses membres pris en tant que membres de la
Société. Mais étant une personne morale, la Société ne peut agir que par
l'intermédiaire de ses membres. Or eux peuvent nuire à d'autres membres,
même en agissant soi-disant au nom de la Société. Mais alors ils sont des
« imposteurs », dont l'action peut être annulée par le Tiers, même si ce
Tiers est la Société elle-même, et non l'État (la Société agissant alors par
des représentants authentiques). En bref nous avons là un cas de quasi-
« Droit public », se rapportant toutefois à des représentants d'une Société
non politique, et non à des Fonctionnaires d'un État.

Ceci revient à dire que, quand l'État applique le Droit pénal, il intervient « spontanément », c'est-à-dire sans être effectivement « provoqué » par la partie lésée, c'est-à-dire par la Société : il est « provoqué » par le Code ou le Droit pénal, qui fixe les intérêts de la Société, ces intérêts et donc ce Code ou ce Droit étant établi par l'État lui-même en sa qualité de Tiers (dans son aspect de Législateur juridique) [1]. Nous rejoignons ainsi la conception classique selon laquelle c'est la « spontanéité » de l'intervention de l'État qui distingue le Droit pénal du Droit civil. Mais comme l'indique son nom même, le Droit pénal est aussi et surtout caractérisé par le fait qu'il implique l'idée de la peine ou du châtiment. Et c'est ainsi qu'il est généralement caractérisé. Il s'agit donc de voir si les deux (ou trois) caractères distinctifs du Droit pénal coïncident. Autrement dit, il faut voir si, chaque fois que l'État intervient *« spontanément »*, il intervient dans une interaction entre la *Société* et son membre, et si dans ce cas son intervention a toujours pour résultat (soit l'acquittement, soit) un *« châtiment »* du membre en question, et si inversement il n'y a « peine » que là où l'État intervient dans une interaction d'un membre de la Société avec cette Société elle-même, l'État intervenant alors « spontanément ».

C'est seulement après avoir montré qu'intervention « spontanée » de l'État, interaction entre la Société et son membre et peine accompagnant l'annulation de l'acte juridiquement illégal sont effectivement trois phénomènes inséparables, la présence de l'un entraînant celle des deux autres, que nous pourrons dire que le caractère juridique *essentiel* du Droit pénal tient au fait qu'il se rapporte aux interactions entre la Société en tant que telle et l'un quelconque de ses membres (tandis que le Droit civil se rapporte aux interactions entre deux membres de la Société). Et c'est ce que je voudrais essayer de faire dans le § suivant (62). Or, pour arriver à cette fin, il faut partir du fait incontesté du caractère *pénal* du Droit criminel. Seulement, si la peine caractérise un *Droit,* il faut que ce soit un phénomène vraiment et authentiquement *juridique.* Il faut donc tout d'abord l'établir et l'analyser en tant que tel. La théorie du Droit pénal se réduit donc en fin de compte à une théorie essentiellement et spécifiquement

1. Il n'y a *Droit* que dans la mesure où il s'agit d'intérêt reconnu *juridiquement* par le Tiers (c'est-à-dire ici par l'État). La Société a beau être lésée, si l'État n'annule pas l'acte qui la lèse, cet acte n'est pas criminel. La Société a été lésée « matériellement » mais non juridiquement. Si elle a réagi en annulant elle-même l'acte qui l'a lésée, elle n'avait pas *le droit* de le faire.

*juridique* de la peine. C'est cette théorie que je veux maintenant tenter d'esquisser.

§ 62.

D'après notre définition « behavioriste », il n'y a Droit que
là où un Tiers (impartial et désintéressé) intervient dans une
interaction (sociale) entre A et B, pour annuler la réaction
de B à l'action de A. A a alors un *droit (right)* à son action,
et l'action de B, c'est-à-dire sa réaction à l'acte de A, est juridiquement illicite ou illégale; c'est une « contravention »,
un « délit » ou un « crime ». Nous retiendrons cette dernière
appellation, quand nous parlerons du Droit pénal. Toute
action juridiquement illégale est donc une négation (ou une
tentative de négation) d'un droit subjectif *(right)* : elle lèse
quelqu'un *juridiquement,* c'est-à-dire elle lèse le *droit (right)*
de quelqu'un. Annuler l'action criminelle c'est donc annuler
la lésion juridique, c'est restituer ou confirmer un droit subjectif, c'est permettre à la personne lésée d'exercer un droit,
c'est-à-dire de se comporter conformément à ce droit sans
rencontrer de résistance. Et la définition « introspective »
nous dit que la lésion juridique, ou le crime, n'est rien d'autre
que la négation soit d'une égalité entre A et B, soit de leur
équivalence, soit enfin d'une synthèse quelconque de ces
deux éléments, c'est-à-dire de l'équité dans leurs interactions.
En bref, l'action criminelle est contraire à un idéal de Justice
donné, et le Tiers a pour seul but de rendre les interactions
entre A et B de nouveau conformes à cet idéal. Si les droits
subjectifs de A sont fixés dans un Code (ou dans un Droit
objectif — oral ou écrit), on peut définir l'action juridiquement
illégale comme l'action contraire à ce Code, et l'on peut alors
faire abstraction de la personne de A et de son action. Étant
donné que prise en elle-même toute ré-action est une action,
on peut faire abstraction du fait que l'action illicite est une
réaction à une action juridiquement légale de A, tendant à
l'annuler. On peut la considérer comme une *action,* qui est
contraire au Code ou au Droit (objectif), c'est-à-dire — par
définition — incompatible avec les droits subjectifs de quelqu'un. Si le Code fixe les droits subjectifs d'un A qui est
une Société (non politique) prise dans son ensemble, il s'agit
d'un Code ou d'un Droit *pénal.* Et l'action contraire à ce
Code ou à ce Droit est un *crime,* une action *criminelle.* L'intervention du Tiers (qui est « spontanée ») a alors pour but

de supprimer ou d'annuler cette action criminelle (cette suppression impliquant une « peine »).

Or, comme toute action en général, l'action criminelle est formée de trois éléments constitutifs essentiels. L'action est premièrement « intention » : dans cet aspect elle est le « motif » qui fait agir l'agent, elle est le « but » qu'il se pose ou se propose. (Dans l'action de boire par exemple l'intention est le désir de se désaltérer, c'est-à-dire en fin de compte d'éprouver un certain contentement en se désaltérant.) Deuxièmement, l'action est « volonté d'agir » : dans cet aspect elle est la décision de faire effectivement telle ou telle chose. (Dans notre exemple : la décision de se procurer un verre d'eau.) Enfin, troisièmement, l'action est « acte » : c'est dans cet aspect qu'elle s'effectue ou se réalise, voire s'actualise. (L'acte de boire le verre d'eau, dans notre exemple.) L'annulation d'une action a donc, elle aussi, trois éléments ou aspects. On annule l'action en tant qu'« intention », en tant que « volonté » (d'agir) et en tant qu'« acte » effectif. Or l'intention s'actualise dans et par la volonté, et celle-ci — dans et par l'acte. C'est donc en tant qu'acte que l'action est pleinement et parfaitement actualisée. L'action qui n'est pas parvenue au stade de l'acte reste à l'état de puissance, et l'action annulée dans son aspect acte est annulée dans son ensemble en tant qu'existant actuellement. C'est seulement en tant qu'acte qu'une action peut faire partie d'une inter-action *actuelle*. Autrement dit, c'est seulement en tant qu'acte qu'elle peut annuler une autre action *actuelle*, c'est-à-dire léser *actuellement* un agent. C'est l'acte seulement qui peut supprimer une égalité ou une équivalence (et donc leur synthèse) existant en acte. Aussi, en annulant l'acte qui les supprime, on restitue leur *actualité*. En intervenant dans une inter-action *actuelle*, le Tiers ne se rapporte donc qu'aux actes, et c'est un acte qu'il annule le cas échéant.

Posons maintenant une définition. Si le Tiers annule l'action (qui est alors par définition juridiquement illicite) dans son aspect « acte », cette annulation ne sera pas une « peine » ou un « châtiment » au sens propre du mot : on ne dira pas que l'agent a été « puni » par l'annulation de son action (en tant qu'acte), ni que celle-ci a été « criminelle ». Il n'y aura « peine » proprement dite que là où le Tiers supprime l'action (qui sera alors « criminelle » au sens propre) soit en tant qu'« intention », soit en tant que « volonté », soit enfin en tant qu'« intention » et « volonté » à la fois. Or ici trois cas sont à envisager. Premièrement, le Tiers peut annuler l'action en tant qu'intention ou volonté parce qu'elle n'a jamais existé en tant qu'acte. Deuxièmement, il peut le faire parce que l'action n'est pas annulable en tant qu'acte (cet acte ayant eu lieu). Enfin, troisièmement, le Tiers peut annuler l'action en tant qu'intention et volonté bien qu'il l'ait annulée en tant qu'acte. C'est dans ce dernier cas que la peine est particulièrement apparente. Mais en vérité il n'y a pas de différence entre les peines de ces trois cas. Notons d'ailleurs qu'au point de vue *juridique* la peine, c'est-à-dire l'annulation d'une « intention » ou d'une « volonté », n'est pas essentiellement autre chose que l'annulation juridique non pénale (ou « civile ») d'un « acte ». Dans les deux cas il s'agit d'annuler une action juridiquement illicite, c'est-à-dire en dernière analyse de rétablir l'égalité ou l'équivalence entre deux agents en interaction par la suppression de l'action (c'est-à-dire de la ré-action) de l'un tendant à annuler l'action de l'autre. Mais du point de vue *ontologique* la peine diffère essentiellement de l'annulation non pénale, car l'intention et la volonté, étant de simples puissances d'une action, diffèrent essentiellement de l'*acte*, qui est l'actualité de cette même action. Et puisque le Droit est une *réalisation* de la Justice, déterminée en tant que telle non pas seulement par l'*idéal* de Justice, mais encore par la *réalité* des interactions auxquelles cet idéal est appliqué, il faut tenir compte dans la subdivision du Droit des distinctions *ontologiques*. Aussi faut-il distinguer le Droit *pénal* du Droit qui ne l'est pas.

Essayons maintenant de justifier notre définition par une analyse de quelques exemples. Le Tiers intervient pour annuler la réaction du débiteur B qui s'oppose à l'action du créditeur A pour reprendre son dû. Disons pour simplifier que le Tiers annule l'action illicite de B en le forçant de payer sa dette, mettons 100 F. Le fait que B paye les 100 F n'est certainement pas une peine. Et c'est certainement l'« acte » de B qui est annulé, car le Tiers (ni A) ne se préoccupe pas de l'intention ou de la volonté de B. L'*acte* du non-payement est annulé par l'*acte* du payement et non pas l'intention ou la volonté de payer. L'acte du *non*-payement est annulé par l'annulation de son essence, c'est-à-dire du « non » : il est ainsi transformé en acte de payement. D'une manière générale un acte est annulé par le même acte exécuté pour ainsi dire en sens inverse : un acte « non-a » par un acte « a », et un acte « a » par un acte « non-a », l'acte de ne pas faire par l'acte de faire et l'acte de faire par l'acte de ne pas faire. Ainsi, par exemple, B brise une vitre de A et le Tiers intervient pour forcer B de payer la somme que coûte la restitution de la vitre : mettons 10 F. L'acte de briser la vitre est donc annulé par l'acte de ne pas la briser, c'est-à-dire – ici – de la rendre non brisée, de la remettre dans son état primitif, de façon à ce que tout se passe comme si elle n'a jamais été brisée. Ici encore le fait de payer 10 F n'est pas une peine infligée à B. Et ici non plus il n'est pas question d'intention ni de volonté. On dira que les deux cas sont des cas de Droit civil et non de Droit pénal. Supposons maintenant que B vole 100 F à A, c'est-à-dire s'empare de la propriété juridiquement de A sans son consentement. Et admettons que dans un Droit donné le Tiers intervient dans ce cas uniquement pour forcer B de restituer à A ses 100 F. Il n'y aura pas non plus de peine et dans ce Droit, le vol sera un cas de Droit civil. Or, si toute l'intervention du Tiers se réduit à la restitution, le Tiers ne pourra pas intervenir là où rien n'a été dérobé. L'intention et la volonté de voler ne provoqueront donc aucune intervention du Tiers, tant qu'il n'y aura pas un acte de vol. C'est dire qu'il n'y aura pas d'annulation de la seule intention ou volonté. Supposons, par contre, que (dans un autre Droit) le Tiers ne se contente pas de forcer B de restituer les 100 F à A, mais « annule » son acte de voler en lui faisant faire ou en l'empêchant de faire – en plus – autre chose encore : en le tuant, en molestant son corps, en l'emprisonnant, en le faisant payer une amende (encaissée par le Tiers), etc. [1]. Dans ce cas l'annulation impliquera incontestablement une peine; il y aura un cas de Droit pénal [2]. Peut-on dire alors que la peine annule l'intention ou la volonté (en plus de l'annulation non pénale de l'acte)? Il semble bien que oui.

1. Il ne faut pas confondre l'amende-peine, avec les « dommages-intérêts », qui sont une annulation non pénale (civile) de l'acte illicite. Si B a volé à A 100 F, mais doit lui en rendre 200, ce peut être une simple restitution. Par exemple on peut raisonner ainsi : B a privé A de 100 F pendant un temps X; il doit donc restituer 100 F et l'équivalent de la privation de 100 F pendant le temps X, ce qui peut faire encore 100 F; ou bien B doit dédommager A des pertes que celui-ci a subies du fait qu'il a été privé des 100 F à un moment donné, etc. Ainsi les condamnations au « payement de doubles » peuvent être des condamnations de Droit civil. De même, si le débiteur est emprisonné (après jugement) par le créditeur, ce n'est pas une peine : c'est une autre forme de la restitution du dû, une simple annulation (civile) de l'*acte* illicite du non-payement par un *acte* exécuté en sens inverse.

2. En principe, on pourrait dire que la restitution de l'argent volé fait partie du Droit civil, la peine seule étant du ressort du Droit pénal. Et effectivement la victime peut « se porter partie civile » dans un procès criminel. Mais pratiquement, là où l'acte est annulable, l'annulation civile (de l'acte) est associée à l'annulation pénale (de l'intention-volonté) dans une seule intervention du Tiers, dans un même procès dit « criminel ».

Du moment que B a rendu la somme volée à A, le *statu quo
ante* a été rétabli, l'acte criminel a été annulé par sa répétition en sens inverse et on pourrait dire, comme dans le cas
de la vitre brisée, qu'il n'a pas eu lieu. Si donc le Tiers intervient encore pour annuler l'action de B, c'est qu'il veut
l'annuler aussi dans ses aspects autres que celui de l'« acte » :
c'est-à-dire soit en tant que « volonté », soit en tant qu'« intention », soit enfin dans ces deux aspects à la fois. Or il est
évident tout d'abord que la peine se rapporte à l'action criminelle prise en tant que « volonté » (d'agir). En effet, si B
avait pris les 100 F de A sans son consentement, mais par
pure mégarde (en les emportant par exemple à son insu dans
le tiroir d'un meuble acheté à A), le Tiers n'infligerait pas
de peine à B, quoique les 100 F eussent dû être restitués à A.
Le vol en tant que crime n'est donc pas le fait de s'emparer
d'une propriété sans (ou même contre) le consentement du
propriétaire : c'est la volonté (consciente et libre) de le faire
à bon escient. Et la peine se rapporte donc non pas à
l'« acte », mais à la « volonté » du vol. Si l'« acte » est annulé
par la restitution de l'objet volé à son propriétaire, la peine
est censée annuler la « volonté » de voler. Or, s'il en est ainsi,
le Tiers peut intervenir et infliger un châtiment au voleur
même si l'action criminelle n'a pas dépassé le stade de la
« volonté », même s'il n'y a eu qu'une tentative de vol (avortée pour une raison quelconque). Et en effet on constate que
le Droit (pénal) qui annule une action (criminelle) par une
peine, inflige cette peine même si l'action en question n'existe
que sous la forme d'une « volonté » non actualisée dans un
« acte ». Et le Tiers (dans son aspect de Police judiciaire)
interviendra même de façon à ce que la volonté ne puisse pas
s'actualiser dans un acte. Mais, en présence d'une tentative
de vol, il empêchera le vol de s'accomplir, mais punira néanmoins le voleur. Le Tiers du Droit pénal se rapporte donc
bien à l'action prise en tant que « volonté ». Là, par contre,
où le Tiers applique (ou crée) le Droit civil, la simple
« volonté » d'agir (illicite) ne le fera pas intervenir : il n'arrêtera pas une simple tentative de délit civil et n'annulera
l'action délictuelle que si elle est parvenue au stade de
l'« acte ». Et quand il intervient pour annuler l'« acte »,
il ne se préoccupe pas de la « volonté » qui l'a fait naître.
Qu'il s'agisse de *dolus* ou de *culpa*, le résultat sera le même :
l'acte seul sera annulé par sa répétition à rebours et il le
sera dans les deux cas, sans aucune peine supplémentaire.

On peut donc interpréter le *châtiment* du voleur comme
une annulation de sa « volonté » criminelle, de sa décision

d'agir d'une façon criminelle. Ainsi, si le voleur pris sur le fait (avant d'avoir pu dérober effectivement la chose) est mis en prison, c'est pour qu'il lui soit impossible d'avoir même une « volonté » de voler (car là où l'« acte » est matériellement impossible il n'y a pas non plus de « volonté » possible, par définition, puisque la « volonté » est la puissance de l'« acte »). Or nous avons vu que la « volonté » peut être annulée, c'est-à-dire châtiée, même si elle n'est pas suivie de l'acte. Elle peut donc en être détachée. Mais détachée de l'acte, qui est nécessairement concret, c'est-à-dire *hic et nunc,* la volonté (étant puissance) a un caractère général : c'est la volonté de voler en général. Elle peut donc être annulée en tant que générale, même si elle a été actualisée dans un « acte » et même si cet acte a été annulé (d'une façon non pénale). On peut donc emprisonner le voleur non pas seulement pour l'empêcher de vouloir commettre tel vol déterminé, mais pour l'empêcher de vouloir voler en général. C'est ainsi qu'on peut interpréter la peine de mort pour le voleur ou un emprisonnement à perpétuité ou une autre forme quelconque de son élimination du domaine des interactions économiques pouvant prendre la forme d'un vol. (La mutilation du bras droit peut, elle aussi, être interprétée comme un empêchement de la volonté criminelle de voler.) Quant aux peines temporaires, telles que le châtiment corporel, la prison à temps, l'amende, la peine purement infamante, etc., on peut en donner une interprétation psychologique ou pédagogique : la peine est censée « réformer » le criminel, annuler en lui la volonté criminelle en la remplaçant par une volonté licite. Mais dans ce cas il faut souligner que le sens *juridique* de la peine réside non pas dans le « redressement moral » du coupable, mais uniquement dans l'annulation de la volonté criminelle en question, qui a provoqué l'intervention du Tiers. Le Tiers se contente d'annuler par la peine la volonté de voler. Tout ce qui sera fait pour modifier la personne du criminel dans ses autres aspects n'aura rien de juridique. En particulier le Droit n'a pas à se préoccuper de l'amendement d'un voleur condamné à une peine perpétuelle, puisque la volonté de voler est alors annulée d'office.

La peine est donc bien l'annulation de la « volonté » et non de l'acte. Mais est-elle aussi une annulation de l'« intention » ? Pour pouvoir répondre à cette question il faut d'abord écarter un malentendu. On dit généralement que l'intention ne peut pas être châtiée, et qu'elle n'a même rien de juridique, parce qu'elle est inaccessible au Tiers. Mais d'abord ce n'est pas toujours exact. Et puis là n'est pas la question. La volonté et même l'acte peuvent aussi dans certains cas être inaccessibles au Tiers : beaucoup de crimes ne sont pas découverts et beaucoup de criminels actuels échappent à la peine. Il s'agit de savoir si le Tiers peut vouloir annuler l'intention en tant que telle au cas où elle lui est connue et où il peut l'annuler. Et je crois qu'il faut répondre par l'affirmative. Certes, dans le cas du vol, l'intention n'est généralement pas annulée, c'est-à-dire châtiée, en tant que telle si elle ne s'actualise ni dans un acte, ni même dans une volonté. Mais c'est que dans ce cas il n'y a pas d'interaction entre l'intention de A et B telle que B soit juridiquement lésé par elle : autrement dit la seule intention de A ne supprime ni l'égalité ni l'équivalence dans les interactions entre A et B, si ces interactions sont telles qu'elles puissent prendre l'aspect du vol (B étant, d'ailleurs, la Société, puisqu'il doit s'agir de crime et de peine). Mais on peut imaginer une Société qui serait (ou se croirait être) lésée par la seule « intention » de son membre, et si elle était juridiquement reconnue par l'État, ce dernier pourrait annuler en guise de Tiers cette intention, qui serait alors criminelle, et son annulation une peine. Ce cas se produit dans les Sociétés religieuses par exemple. Et le Droit pénal des États qui ont reconnu juridiquement une Société religieuse a annulé par des peines appropriées l'action criminelle même dans son aspect « intention », et ceci même dans le cas où l'intention ne s'est actualisée ni dans un acte ni dans une volonté. Mais l'aspect « intention » de l'action criminelle intervient aussi dans le Droit pénal moderne, là où il s'agit du Droit pénal des Sociétés économique ou familiale, notamment dans la notion des « circonstances atténuantes » ou « aggravantes ». Supposons, par exemple, que A vole à B son revolver avec l'intention d'empêcher B de s'en servir, soit pour se suicider, soit pour tuer quelqu'un. Il y a eu acte de vol et donc volonté de voler. Le Tiers, en intervenant, annulera l'acte (par une annulation non pénale) : le revolver (ou son équivalent) pourra être rendu à B, il sera certainement enlevé à A. Mais le voleur pourra bénéficier des circonstances atténuantes et ne pas être puni. Or la volonté étant manifeste, seule l'intention a pu supprimer l'annulation par le Tiers. C'est donc que cette annulation, c'est-à-dire la peine, se rapportait dans ce cas non pas à la volonté, mais à l'intention. (La volonté n'ayant pour objet qu'un vol déterminé, qui a été commis, n'est pas annulable dans ce cas.) Et il en va de même pour les circonstances aggravantes. Le Tiers annule un acte d'une façon non pénale et il annule aussi par une peine la volonté correspondante. Mais, en raison des circonstances aggravantes, il augmente la peine. Le surplus de la peine ne peut se rapporter qu'à l'intention : c'est elle que ce surplus annule, la volonté ayant déjà été annulée par la peine « normale »[1]. Le cas classique de la mère volant pour nourrir ses enfants ne présenterait aucune difficulté juridique si le Tiers n'annulait pas par la peine l'intention criminelle en plus de la volonté. Cette annulation de l'intention est d'ailleurs nettement apparente là où, pour une raison quelconque, la volonté et l'acte ne sont pas annulables. Supposons que A assassine son rival B. L'acte criminel ne peut pas être annulé (du moins dans la conception moderne), mais peu importe, puisque son annulation n'est pas pénale par définition (le meurtre involontaire ne serait pas puni)[2]. Quant à la volonté, elle s'est épuisée dans l'acte qui l'a actualisée : A a voulu tuer B et il ne voudra pas tuer d'autres personnes (si oui — un autre rival par exemple —, on pourra interpréter sa peine aussi comme une annulation de sa volonté criminelle). La volonté, s'étant actualisée, est donc inannulable. Le Tiers serait par suite impuissant et la Justice irréalisable si l'action ne pouvait pas être annulée en tant qu'intention par une peine appropriée. Or, elle l'est. Car l'intention de A a été, en dernière analyse, de retirer un certain contentement de son action : de *vivre* sans B et en le sachant mort, de vivre dans une *Société* dont B est exclu, de *rétablir* un *statu quo ante* perturbé par B, etc. Or si le Tiers *tue* A, ou l'exclut de la *Société*, ou *modifie* d'une certaine façon son état ou statut, etc., il annule l'intention en question. Et c'est ainsi qu'il faut interpréter une peine qui se rapporte à l'action criminelle prise en tant qu'intention. Certes, le contentement que A a tiré du fait même de tuer B

[1]. Toutes les circonstances aggravantes ne se rapportent pas à l'intention. Ainsi la récidive se rapporte à la volonté : le récidiviste est puni davantage parce que sa volonté criminelle est censée être plus générale. Il y aurait intérêt à fixer terminologiquement les phénomènes juridiques en rapport avec l'intention et les distinguer de ceux qui se rapportent à la volonté (ou à l'acte).

[2]. En fait, on punit parfois les meurtres involontaires. Mais dans l'ancien Droit il ne s'agissait pas de peine (voir plus bas) : c'était un cas de Droit civil. Quant au Droit moderne, on châtie non pas le meurtre (la peine étant incomparable à celle infligée à un assassin), c'est-à-dire l'acte de l'action, mais la négligence, l'imprudence, etc., c'est-à-dire un vice de la volonté. Et c'est alors bien un cas de Droit pénal, du même type que l'amende pour excès de vitesse, etc. Il faut dire cependant que les phénomènes juridiques en question ne sont pas toujours adéquats, ni même authentiques.

est inannulable, et si toute son intention s'épuise dans ce contentement, la peine n'a plus de sens lorsqu'elle est rapportée à l'intention. Ainsi, par exemple, si A tue B pour lui épargner des souffrances inutiles. Mais c'est précisément dans ce cas qu'on « acquitte » le coupable. Or le sens juridique de l'acquittement (l'acte criminel et la volonté étant établis) n'est rien d'autre que l'inannulabilité de l'intention : c'est dans ce cas que la peine serait dite être « injuste ». De même, un assassin sadique pourrait ne pas subir de peine comme malade irresponsable parce que son intention (le plaisir causé par l'acte de tuer) est inannulable. Et s'il est puni, la peine n'annulera que sa volonté de tuer en général. Et il en va de même dans les crimes dits passionnels. Etc. D'une manière générale, l'intention d'un crime dit « désintéressé » ne peut pas être annulée, et c'est pourquoi ces criminels sont souvent acquittés, c'est-à-dire ne subissent pas de peine. Si oui, la peine annule leur volonté généralisée, c'est-à-dire la volonté de recommencer. Mais partout où le criminel « profite » du crime, il semble « juste » que la peine soit telle qu'elle annule aussi ce « profit », c'est-à-dire l'action criminelle en tant qu'intention, but ou motif.

Il semble donc que la peine proprement dite, dans son contenu *juridique*, annule non pas l'acte, mais soit la volonté, soit l'intention, soit les deux à la fois. Mais peut-on dire que le Tiers intervient « spontanément » chaque fois qu'il applique une peine ou pose la question de son application? Et une intervention « spontanée » est-elle nécessairement un cas de Droit *pénal?* Ici encore l'analyse des exemples semble suggérer une réponse affirmative. L'intervention est dite « provoquée » quand le Tiers n'intervient que là où il est sollicité par l'agent lésé (ou se croyant tel) par l'interaction, cet agent étant par définition un être réel concret, c'est-à-dire existant en acte : un membre individuel ou collectif d'une Société, et non pas cette Société en tant que telle [1]. Or l'agent

1. J'ai montré plus haut (Première Section) qu'un collectif peut être considéré comme un agent réel en acte. Quant à la Société (non politique) prise dans son ensemble (Société économique, familiale ou autre), elle n'existe qu'en puissance. Par définition elle n'existe en acte qu'en tant que Société *autonome*. Mais alors elle est *partie* dans ses rapports avec ses membres, qui n'ont donc rien de juridique. Pour qu'il y ait Droit un Tiers doit intervenir dans ses rapports. Mais alors la Société n'est plus autonome : elle est gouvernée par la Société qui est représentée par le Tiers. En fait cette Société est l'État. La volonté collective de la Société ne s'actualise donc que dans et par la volonté de l'État (qui la reconnaît juridiquement). Prise isolément elle n'existe donc qu'en puissance : elle ne peut

réel en acte ne peut être lésé en tant que tel (c'est-à-dire en tant qu'existant *en acte*) que par une action actuelle, c'est-à-dire par un « acte ». Dans la mesure où le Tiers est « provoqué », il se rapporte donc à l'« acte » et non pas à la volonté, ni à l'intention. Inversement, en se rapportant à l'« acte », le Tiers ne peut pas intervenir « spontanément ». Car l'acte n'est juridique, c'est-à-dire en particulier susceptible d'être annulé au cas où il se révèle illicite, que là où il lèse effectivement un droit subjectif en supprimant soit l'égalité, soit l'équivalence des agents en interaction. Or dans un agent réel en acte la lésion doit-elle aussi exister en acte, et l'actualité de la lésion implique la *conscience* qu'a le lésé de sa lésion. S'il ne se *déclare* pas lésé, il est présumé ne pas se *savoir* être lésé, et alors il ne l'est pas *en acte*. Le Tiers n'a donc pas à intervenir tant qu'il n'est pas « provoqué » par une déclaration explicite de la lésion par le lésé. Si un débiteur ne tient pas à être remboursé, le Tiers n'a pas à annuler l'acte du non-paiement du débiteur. L'annulation de l'action illicite en tant qu'« acte » présuppose donc nécessairement une « provocation » du Tiers par celui que l'action a lésé, et une « provocation » du Tiers ne peut le rapporter qu'à un « acte », qui seul pourra être annulé par lui, à l'exclusion de la volonté et partant de l'intention. Ni la volonté, ni l'intention ne peuvent léser à eux seuls actuellement un agent existant en acte. Ce dernier ne peut donc pas constater une lésion par l'intention ou la volonté seules, ni par conséquent « provoquer » le Tiers à leur sujet. Si donc pour une raison quelconque le Tiers veut annuler une action criminelle en tant que volonté ou intention, il doit le faire « spontanément ». Inversement, s'il intervient « spontanément », c'est qu'il se rapporte soit à l'intention, soit à l'acte, soit aux deux à la fois, et son annulation sera alors une peine. Car une action qui n'est pas criminelle en tant qu'intention et volonté ne doit être annulée qu'en tant qu'acte, c'est-à-dire seulement dans le cas où elle lèse actuellement un intérêt actuel (juridiquement reconnu, c'est-à-dire un droit subjectif). Or la lésion *actuelle* implique nécessairement la conscience de la lésion, c'est-à-dire la « provocation » du Tiers par le lésé. Le Tiers qui annulerait un *acte* sans être provoqué pourrait donc annuler un acte juridiquement légal, c'est-à-dire un acte qui ne léserait personne actuellement, en ne supprimant ni une égalité ni une équivalence en acte.

---

pas *agir* en tant que telle, dans son ensemble, ni par conséquent être actuellement lésée dans une inter-action.

Le Tiers censé être infaillible ne peut donc se rapporter « spontanément » qu'à une volonté ou à une intention, ou aux deux à la fois.

« Intervention spontanée du Tiers » et « Droit pénal » sont donc bien une seule et même chose. Et ce Droit se rapporte nécessairement à l'action prise non pas en tant qu'acte, mais comme volonté ou intention : c'est en tant que telle qu'elle est annulée dans et par la peine. Mais est-ce bien vrai que le Droit pénal se rapporte nécessairement à des interactions entre une Société prise dans son ensemble et l'un de ses membres (individuel ou collectif), et que toute interaction de ce genre, dans la mesure où elle a pour suite l'intervention du Tiers, est un cas de Droit *pénal?* L'analyse des exemples donne aussi une réponse affirmative à cette dernière question. D'une part, par définition, le Tiers n'intervient que là où il y a une inter-action entre *deux* agents, pour annuler l'action de l'un, qui lèse le droit subjectif de l'autre, c'est-à-dire qui supprime soit l'égalité, soit l'équivalence, soit la synthèse des deux, entre ces agents. D'autre part nous venons de voir qu'un agent réel en acte n'est en inter-action ni avec la volonté ni avec l'intention et ne peut donc être lésé par elles. Pour qu'il y ait Droit pénal, il faut donc que l'action criminelle lèse le droit subjectif d'un agent qui n'existe qu'en puissance. Inversement, si un agent n'existe qu'en puissance, l'action ne peut pas le léser en tant qu'acte, mais seulement en tant que volonté ou intention (qui sont l'action en puissance, l'acte étant cette action en acte). Si donc le Tiers intervient dans une interaction où l'un des agents n'existe qu'en puissance, il ne peut se rapporter à l'action que dans ses aspects de volonté et d'intention [1]. Notre affirmation sera donc démontrée si nous montrons que le co-agent qui n'existe qu'en puissance est nécessairement la Société prise dans son ensemble et non pas un de ses membres (individuels ou collectifs).

Montrons d'abord qu'une Société qui est sujet *de droit,* étant prise *dans son ensemble,* ne peut exister qu'en puissance.

La Société est un collectif. En un sens un collectif n'est pas autre chose que l'ensemble ou la « somme » de ses membres, c'est-à-dire des individus qui la constituent. Eux

---

1. L'interaction détermine le plan ontologique. Se rapporter dans une interaction à un acte, c'est agir en acte. Or agir en acte c'est exister en acte. L'agent qui n'existe qu'en puissance agit donc virtuellement et se rapporte dans l'interaction à l'aspect virtuel de l'action de l'autre agent. c'est-à-dire quand il s'agit d'une interaction sociale, voire humaine. à l'intention et à la volonté seules.

seuls existent en acte en dehors du collectif et indépendamment de lui [1]. L'existence du collectif dépend par contre
de celle de ses membres individuels : les supprimer, c'est
supprimer le collectif; et il suffit de les supprimer en tant que
membres du collectif pour que ce dernier cesse d'exister.
Mais en un autre sens le collectif est plus et autre chose
que la « somme » de ses membres. Voici en quel sens. Si le
collectif n'est pas l'Humanité, l'être de l'individu n'est pas
épuisé par sa qualité de membre d'un collectif : il est ceci,
et encore autre chose; membre d'un autre collectif par
exemple. Ainsi l'individu n'est pas seulement homo œconomicus, c'est-à-dire membre d'un collectif économique, mais
encore animal, homo religiosus, etc. Le collectif, en tant
qu'ensemble *de ses membres*, c'est-à-dire des individus pris
dans leur qualité de membres du collectif en question, est
donc autre chose que la « somme » des individus pris dans la
plénitude de leur réalité actuelle. Mais ce n'est pas tout.
Même en tant que membres d'un collectif les individus diffèrent les uns des autres [2]. Soit un collectif de propriétaires
fonciers. Non seulement ses membres sont autre chose encore
que des propriétaires. Ils diffèrent entre eux même en tant
que tels : l'un a 20 hectares, l'autre 40, l'un a ses terres ici,
l'autre là, etc. Quand un individu agit (c'est-à-dire s'actualise) en sa qualité de non-propriétaire, cette action (et cette
réalité actuelle) n'a rien à voir avec le collectif. Quand il agit
en propriétaire, c'est en membre du collectif qu'il agit. Mais
s'il agit en fonction de sa propriété personnelle, du *hic et*

---

1. Une entité existe (ou est réelle) *en acte* quand elle peut entrer en
inter-action avec une autre entité existant en acte, l'inter-action pouvant
aller à la limite jusqu'à l'anéantissement de l'une par l'autre. Par définition une entité matérielle — un arbre ou un animal par exemple — existe
en acte. L'entité humaine qui peut anéantir un animal ou être anéantie
par lui existe donc en acte.
2. L'existence *en acte* est une existence *hic et nunc*. Les individus, existant par définition en acte, diffèrent donc nécessairement les uns des
autres, ne serait-ce que par leurs *hic et nunc* respectifs. L'entité *détachée*
de son *hic et nunc* n'existe qu'en puissance. C'est l'*action* qui rattache au
*hic et nunc* : c'est donc elle qui actualise la puissance. L'entité détachée du
*hic et nunc* doit avoir un support non matériel. Ce support est le mot ou le
langage (au sens très large de phénomène physique doué de « sens » ou
de « signification »). L'acte qui détache du *hic et nunc* est l'acte de penser
ou de « parler » *(Logos)*. Seul l'individu parlant (ou « doué de raison » —
*Logos*) peut donc *exister* en puissance en dehors de son existence actuelle
ou plus exactement « à côté » d'elle : il existe et est réel : *en acte* dans le
monde matériel spatio-temporel (du *hic et nunc*) et *en puissance* dans l'univers du discours (où l'espace est « représenté » par la pluralité des mots —
et des langues —, et le temps — par l'unité de leur sens).

*nunc* de sa possession, il s'actualise en tant que *membre* individuel du collectif, différent de tous les autres et opposé à eux (d'où possibilité de conflits). Il peut cependant agir en sa qualité de propriétaire foncier, en faisant abstraction des particularités de sa propriété, en se détachant de son *hic et nunc*. Autrement dit, il peut agir en membre « quelconque » du collectif : un autre, s'il agit en fonction de sa seule qualité de propriétaire foncier « en général », agira exactement comme lui. On pourra dire dans ce cas que l'individu agit au nom du collectif, qu'il le « représente ». En d'autres termes, le collectif sera l'ensemble ou la « somme » des individus agissant en tant que ses membres, en faisant abstraction de la différence entre eux et les autres membres. Ainsi le collectif est *autre chose*, non pas seulement que la « somme » des individus qui le composent, mais même que la « somme » de ces individus pris en tant que membres du collectif, mais dans leurs différences spécifiques, c'est-à-dire en tant qu'individus. Il sera *autre chose* parce que l'action du membre agissant en tant que « quelconque », c'est-à-dire au nom du collectif, peut entrer en conflit avec sa propre action effectuée en tant que membre individuel, différent des autres. L'unité spécifique de la volonté et de l'action du collectif, c'est-à-dire de la volonté et de l'action collectives, n'est rien d'autre que la volonté et l'action de l'individu-membre du collectif, pris en tant que « quelconque ». Par définition, en tant que « quelconque », chaque individu coïncide dans sa volonté et son action avec tous les autres. Or l'individu existe en acte et peut s'actualiser par une action proprement dite (pouvant aboutir à l'anéantissement d'une entité existant en acte, d'une entité matérielle par exemple). On peut donc dire qu'en agissant en fonction de sa qualité de membre « quelconque » du collectif, l'individu actualise ce collectif en tant que tel. Et cette action actuelle du collectif (c'est-à-dire sa réalité en acte) sera autre chose que l'action de l'individu prise isolément du collectif ou comme un membre du collectif différent des autres membres, c'est-à-dire en tant qu'individu au sens propre du mot. Or n'importe qui peut agir en tant que membre « quelconque » sans que l'action soit modifiée de ce fait. D'où la possibilité d'une « représentation » du collectif. On fixe l'individu qui est censé agir en tant que « quelconque », c'est-à-dire « représenter » le collectif et l'actualiser dans et par ses actes : son acte sera par définition l'acte du collectif qui l'actualise en tant que tel.

Or il se peut qu'un collectif soit membre d'un autre collectif. Par exemple le collectif A des propriétaires de moins de 20 hectares et le collectif B des propriétaires de 20 à 40 hectares, peuvent être des membres du collectif C de tous les propriétaires fonciers. Si quelqu'un agit en membre « quelconque » de A, c'est-à-dire le « représente », il n'agit pas en membre « quelconque » de C, et il peut entrer en conflit avec un membre « quelconque » de B, qui le « représente ». L'individu qui agit en membre « quelconque » de C fait abstraction des différences qui séparent les membres « quelconques » de A et de B. Il « représente » C et C est par définition « désintéressé » en ce qui concerne les conflits entre A et B. L'individu qui « représente » C peut donc intervenir en qualité de Tiers dans les inter-actions entre A et B, tout comme un « représentant » de A (ou de B) peut intervenir comme Tiers dans les conflits entre les membres de A (ou de B), qui agissent en tant que membres individuels, en fonction du *hic et nunc* de leurs propriétés. (*A fortiori* C peut être Tiers dans ces conflits intestins de A et de B.) Or nous avons vu que l'action d'un membre individuel de A (ou de B) peut entrer en conflit avec l'action d'un membre « quelconque » de A (ou de B), c'est-à-dire avec A (ou B) lui-même. Et ici encore C peut intervenir en guise de Tiers. C peut d'ailleurs être membre d'un autre collectif D. Etc. Le collectif D peut être Tiers dans les conflits entre C et ses membres (ainsi qu'entre les membres de C eux-mêmes).

Supposons maintenant qu'un collectif (englobant peut-être d'autres collectifs) ne soit plus membre d'un collectif « de degré supérieur », appartenant au même « domaine », disons au « domaine » économique pour fixer les idées [1]. Et supposons que le collectif considéré ne soit pas « universel », c'est-à-dire qu'il n'implique pas la totalité de son « domaine ». Il y aura donc plusieurs collectifs « indépendants » du même « domaine », de sorte que les membres de l'un ne seront pas membres des autres [2]. Nous appellerons un tel collectif

1. Deux collectifs « appartiennent » au même « domaine » quand ils *peuvent* entrer en inter-action l'un avec l'autre, c'est-à-dire quand un membre « quelconque » de l'un peut inter-agir avec un membre « quelconque » de l'autre. Par définition il n'y a pas d'interaction possible entre collectifs de « domaines » différents : un homo religiosus en tant que tel n'entre pas en inter-action avec un homo œconomicus en tant que tel par exemple. Mais puisqu'un homo religiosus peut en même temps être aussi un homo œconomicus, il y aura en fait des inter-actions : mais pour la théorie elles auront lieu au sein du même « domaine ».

2. On peut dire que le « domaine » est un collectif. Mais il n'existe que *pour nous,* et non pour lui-même. Autrement dit il n'est pas actualisé. Car il n'y a pas de membre individuel « quelconque » du « domaine », pouvant

« indépendant » qui n'est plus membre d'un collectif de même « domaine », et qui est coordonné à d'autres collectifs indépendants ou autonomes du même « domaine » — une « Société » prise dans son ensemble : une Société économique, pour fixer les idées [1]. Dans un conflit entre la Société et ses membres il n'y a donc pas de Tiers possible, et par conséquent pas de *Droit* (pénal) s'y rapportant. S'il y a Droit, c'est que la Société est englobée dans un collectif (ou une Société) appartenant à un *autre* « domaine » qu'elle. L'individu qui la « représente » n'est donc pas son membre (« quelconque »). Et c'est dire que l'action (actuelle) de cet individu n'actualise pas la Société en question en tant que telle. Cette Société n'existe donc qu'en puissance. C'est bien une Société, c'est-à-dire un collectif, du moment qu'elle a des membres « quelconques » (une intention ou une volonté — une « idée » — communes). Mais ces membres n'agissent pas en acte en tant que tels, c'est-à-dire ne peuvent pas pousser l'interaction jusqu'à l'anéantissement du co-agent existant en acte. Une telle action actuelle s'effectue par un individu qui représente l'acte collectif, et n'actualise donc que ce dernier.

Il pourrait sembler que ce raisonnement ne vaut que pour la Société prise en tant que *sujet de droit*. Tout sujet de droit s'actualise en tant que tel dans et par l'action du Tiers, c'est-à-dire d'un autre. Mais l'entité qui est sujet de droit peut exister en acte dans un autre aspect. Ainsi l'individu existe en acte en tant qu'animal par exemple indépendamment de toute action du Tiers. De même un collectif A, membre d'un collectif B (du même domaine) ne s'actualise en tant que sujet de droit, dans son interaction avec ses membres, que dans et par B. Mais A peut être par ailleurs une réalité actuelle. A *peut* anéantir son membre individuel (ou un collectif A' coordonné). S'il n'y a Droit que là où A renonce à

agir en tant que tel et actualiser ainsi le « domaine » en tant que tel ou en tant que collectif. Le « domaine » est un collectif « idéal » ou « abstrait », qui n'existe que dans, par et pour la pensée, et non dans, par et pour l'action.

1. Nous devons faire cette supposition. Car si la Société est *universelle*, la distinction entre le Droit civil et le Droit pénal perd son sens. En effet, une Société *universelle* doit être *homogène* (puisque le manque d'homogénéité s'actualise sous forme de morcellement spatial, c'est-à-dire territorial, donc par l'absence d'universalité). Et là où la Société est homogène, les membres sont toujours « quelconques ». Il n'y a donc pas de conflit possible entre la Société en tant que telle et ses membres, c'est-à-dire pas de cas de Droit pénal. Ou si l'on veut, tout conflit entre membres est un conflit avec la Société et inversement. Le Droit civil coïncide donc avec le Droit pénal.

cette possibilité de l'action directe et fait appel au Tiers, il y a des actes non juridiques de A qui l'actualisent. Mais dans le cas que nous considérons, c'est-à-dire là où A est une « Société » au sens indiqué, il n'y a pas d'acte possible dans et par lequel A puisse anéantir son membre individuel, ou un collectif coordonné A', supposé exister en acte. En effet, anéantir A', c'est se comporter en « Ennemi » vis-à-vis de lui, et anéantir un membre individuel, c'est se comporter à son égard en « Gouvernant ». En s'actualisant, A actualiserait donc simultanément la catégorie Ami-Ennemi et celle de Gouvernant-Gouverné. A serait donc une Société *politique* ou un *État* dans la mesure où elle serait *actuelle* [1]. Si donc A fait partie d'un État (qui joue entre autres le rôle du Tiers dans les conflits entre A et les membres de A), l'État ne peut pas tolérer que A existe en acte, car dans ce cas il y aurait un État dans un État, ce qui est absurde et contradictoire dans les termes. Et si A ne fait pas partie d'un État, A devient lui-même un État dans la mesure où il s'actualise. La Société non politique (disons économique) n'existe donc en acte qu'en tant que Société politique ou État. En tant que Société, elle n'existe qu'en puissance. Donc là où il y a un Droit pénal actuel ou étatique, c'est-à-dire intervention d'un Tiers dans les interactions entre une Société et ses membres, la Société n'existe nécessairement qu'en puissance. L'interaction juridique de Droit pénal (c'est-à-dire avec la Société en tant que telle) est nécessairement une interaction d'un agent existant en acte (le criminel présomptif) avec un agent qui n'existe qu'en puissance et qui ne peut pas s'actualiser. Et la Société peut être un tel agent puisqu'elle n'existe jamais en acte dans les conflits considérés, c'est-à-dire là où elle est sujet de Droit (pénal).

Reste à montrer que tout rapport de Droit pénal à une entité qui ne peut exister qu'en puissance est un rapport avec une Société (ou la « Société » au sens technique indiqué plus haut) prise en tant que telle. Or nous avons vu que la Société ne peut pas s'actualiser en tant que telle (c'est-à-dire comme « Société » non politique) parce qu'elle se transforme

---

1. Il n'y a Gouvernant au sens propre que là où le Gouverné ne peut pas se soustraire à l'action du Gouvernant. Or ceci signifie que l'extérieur de la Société est Ennemi. Et là où il y a Ennemi, il y a État. La catégorie Gouvernant-Gouverné ne s'actualise donc que de concert avec celle d'Ami-Ennemi. C'est-à-dire qu'il n'y a de Gouvernants proprement dits que dans un État (proprement dit). (L'État universel, c'est-à-dire sans Ennemi, étant nécessairement homogène, le Gouvernant y coïncide avec le Gouverné, de sorte qu'on peut dire qu'il n'y a plus de Gouvernants.)

en État en s'actualisant, ou bien — ce qui revient au même — parce que l'État préexistant s'oppose à ce qu'elle s'actualise. Mais ce raisonnement ne s'applique plus à un membre (individuel ou collectif) de la Société. Il ne se politise pas en s'actualisant et l'État n'a donc aucune raison de s'opposer à son actualité. La Société joue en quelque sorte le rôle d'écran entre l'État et les membres de la Société. Pour l'individu et le collectif A, membre d'un collectif B, l'extérieur n'est pas Ennemi, puisque cet extérieur est B et en fin de compte la Société correspondante. En voulant s'affirmer, l'individu et le collectif A ne peuvent le faire qu'en tenant compte du fait qu'ils sont aussi membres de C et de la Société. L'individu et A vont donc s'actualiser de façon à maintenir la Société dans l'existence. Si donc l'État est en équilibre avec la Société, il n'a pas besoin d'équilibrer ses rapports avec les membres de cette Société, cet équilibre étant impliqué dans l'existence même de la Société [1]. L'actualité des membres de la Société, compatible avec l'être de cette dernière, pourra donc coexister avec l'actualité de l'État. Le membre d'une Société *peut* donc exister en acte. Seule la Société en tant que telle existe seulement en puissance, non pas « par hasard » ou accidentellement, mais « en principe » ou nécessairement. Se rapporter à un agent qui ne peut exister qu'en puissance c'est donc bien se rapporter à la Société en tant que telle.

Le Droit pénal, qui se rapporte à une action lésant un agent n'existant qu'en puissance est donc un Droit qui règle les rapports entre la Société prise dans son ensemble et ses membres individuels et collectifs. Et on voit que l'action visée par le Droit pénal est bien une action prise dans ses aspects « intention » et « volonté ». En effet la Société n'est rien d'autre que l'être et l'action de son membre (individuel en fin de compte) « quelconque », c'est-à-dire détaché de son *hic et nunc.* Or l'action d'un agent détaché de son *hic et nunc* est elle aussi détachée du *hic et nunc.* Elle n'existe donc pas en acte, elle n'est pas un « acte » : elle ne dépasse pas le stade de son existence en puissance, c'est-à-dire elle reste au

1. Bien entendu, l'État se rapporte directement à l'individu pris en tant que citoyen, c'est-à-dire membre de l'État en tant que Société politique. Mais il peut se rapporter à l'individu pris en tant que membre d'une Société non politique par l'intermédiaire de cette Société. Seulement, dans la mesure où le statut de membre de cette Société est impliqué dans le statut de citoyen, l'État doit se rapporter directement à ce dernier (ou par l'intermédiaire de sous-collectifs *politiques*, c'est-à-dire par l'intermédiaire de l'Administration de l'État). Toute la question est donc de savoir ce qui doit être impliqué dans le statut de citoyen.

stade « volonté » (ou puissance de l'« acte ») et « intention » (ou puissance de la « volonté », c'est-à-dire puissance de la puissance de l'« acte » ou puissance de « second degré »). L'action de la Société en tant que telle n'est rien de plus que son « intention » ou sa « volonté » d'agir, c'est-à-dire l'intention et la volonté de son membre « quelconque ». L'action de la Société prise dans son ensemble est son « idéal » ou son « idée directrice ». Cette idée est fixée dans son Statut, c'est-à-dire en particulier dans le Code pénal. Et c'est l'État qui *actualise* cette idée, en transformant en un « acte » la « volonté » et l'« intention » de la Société. Plus exactement, c'est un membre individuel « quelconque » de la Société politique ou de l'État qui actualise par des « actes » l'action d'un membre « quelconque » de la Société non politique, qui ne dépasse pas le stade de l'intention et de la volonté en tant qu'action du membre de la Société. L'acte conforme à cette volonté ou intention est effectué par un membre quelconque de l'État, c'est-à-dire par l'État en tant que tel; seules la volonté et l'intention appartiennent en propre au membre quelconque de la Société, c'est-à-dire à cette Société en tant que telle. Or un acte ne peut pas léser une intention ou une volonté. Plus exactement l'acte ne lèse ces dernières que dans la mesure où il actualise une volonté et une intention : c'est la volonté et l'intention qui lèsent une volonté et une intention. Seules la volonté et l'intention d'un membre de la Société peuvent donc léser cette Société dans son ensemble (l'acte correspondant lèse l'État, de sorte que son annulation n'a rien de juridique). En annulant l'action qui lèse la Société le Droit pénal annule donc l'action non pas en tant qu'acte, mais comme intention et volonté. Or l'acte, existant en acte, lèse aussi un être actuel, c'est-à-dire un membre individuel et collectif de la Société. Mais dans la mesure où l'on détache l'intention et la volonté de l'acte, celles-ci le dépassent : l'acte lèse un membre de la Société, l'intention et la volonté peuvent léser la Société dans son ensemble. Ou bien encore : l'acte lèse le membre de la Société pris dans sa spécificité, c'est-à-dire en tant que différent des autres membres, dans le *hic et nunc* qui lui est propre. La volonté et l'intention lèsent ce même membre pris en tant que « quelconque », c'est-à-dire en tant qu'identique aux autres membres. Admettons que l'action d'un individu (ou d'un collectif existant en acte) lèse en tant qu'acte un autre individu (ou collectif) pris dans sa particularité; si elle lèse en même temps ce même individu (ou collectif) pris en tant que membre « quelconque » de la Société, elle lèse la Société, c'est-à-dire la volonté et l'intention de la Société ou du membre « quelconque », et elle le fait dans son aspect volonté et intention.

En bref, le Droit pénal se rapporte à l'action d'un membre individuel ou collectif de la Société dans la mesure où cette action lèse ce membre en tant que membre « quelconque », et c'est dans cette mesure seulement que l'action sera éventuellement annulée par le Tiers du Droit pénal, cette annulation étant alors une « peine ». L'action criminelle est donc l'action d'un membre « spécifique » de la Société qui lèse son membre « quelconque », cette lésion étant celle d'un *droit* subjectif reconnu par l'État.

Or pour que le Droit criminel soit un *Droit,* pour qu'il y ait lésion d'un *droit (right)* du membre « quelconque », il faut que l'action criminelle (annulée par la peine) soit en désaccord avec un idéal donné *de Justice.* Autrement dit elle doit être contraire soit au principe de l'*égalité,* soit à celui de l'*équivalence,* soit enfin à une synthèse quelconque de ces deux principes. Il nous reste donc à voir dans quelle mesure ceci peut avoir lieu là où l'action est rapportée à un membre *« quelconque »* de la Société (c'est-à-dire à cette Société prise dans son ensemble), c'est-à-dire là où elle est prise non pas en tant qu'acte, mais en tant que volonté et intention rapportée à une autre volonté et intention.

Avant de discuter cette question, il faut insister sur le fait que le phénomène de la peine a beaucoup varié au cours du temps et selon les lieux. Non seulement le contenu du Droit en général n'a pas toujours et partout été le même, la répartition de ce contenu entre le Droit pénal et le Droit civil a varié elle-même.

Et tout d'abord, en dépit des apparences, le Droit pénal est un phénomène relativement tardif, postérieur au Droit civil. Voici pourquoi. On peut se demander si la Société non politique a jamais existé à l'état pur, en dehors de toute organisation étatique. En tout cas, dès qu'elle s'est organisée en État, c'est en tant qu'État, en tant que Société *politique,* qu'elle existe *en acte.* On pouvait donc avoir l'impression que la Société non politique en tant que telle n'existe pas du tout. Elle s'est pour ainsi dire décomposée en ses éléments : ses membres individuels et collectifs, les familles, les classes sociales, les corporations religieuses, etc., semblaient n'avoir aucun lien réel entre eux, sauf le lien politique qui les unissait en tant que citoyens ou membres de la Société politique de l'État. Les rapports de ces membres avec l'ensemble de la Société semblaient donc être des rapports avec l'État, qui donnait ainsi l'impression d'être partie dans ces rapports, et non pas Tiers. On a donc l'impression qu'il n'y a pas de Droit pénal proprement dit. Ce n'est qu'au terme d'une longue évolution qu'on a pu découvrir le fait que la Société non politique existait quand même — *en puissance*. C'est alors seulement qu'on a compris que les membres de la Société en tant que tels pouvaient entrer en interaction avec la Société elle-même, et non pas seulement avec l'État. C'est alors seulement que ce dernier a pu intervenir en guise de Tiers dans ces rapports. C'est alors que s'est constitué le Droit pénal, que se sont élaborés les Codes correspondants. Cette constitution a été tardive parce qu'il est long et difficile de découvrir une réalité qui n'existe qu'en puissance, surtout quand elle est encore recouverte par une réalité en acte, comme la Société non politique est recouverte par l'État. A l'origine, l'action que *nous* appelons criminelle a été annulée par l'État soit dans la mesure où elle lésait un membre de la Société qui existait en acte, et alors il s'agissait d'un cas de Droit civil et non de peine, soit parce que cette action lésait l'État lui-même, et alors il n'y avait pas de Droit du tout. Tant que les choses en étaient là, il n'y avait donc pas de « crime » proprement dit, ni par conséquent de « peine » ni de Droit pénal : il y avait soit Droit civil, soit action non juridique de l'État [1].

A première vue le Droit archaïque semble il est vrai être surtout pénal. Mais le fait qu'il s'occupait des cas que *nous* assignons au Droit pénal et qu'il annulait les actions illicites par ce que *nous* appelons des peines, doit ne pas induire en erreur. Du point de vue *de ce Droit* il ne s'agissait ni de peine ni de crime au sens propre du mot, c'est-à-dire au sens que *nous* attribuons à ces termes et qui est le sens vrai ou adéquat au phénomène. Car une seule et même action peut être un cas de Droit pénal ou de Droit civil selon le système de droit qu'on considère. Et une seule et même façon d'annuler l'action illicite peut être juridique ou non, et dans ce dernier cas — pénale ou civile. Quand l'État met à mort son ennemi, extérieur ou intérieur, cet acte d'annulation, n'étant pas exécuté par un *Tiers,* n'a rien de juridique. Mais même une mise à mort *juridique* peut ne pas être une *peine* proprement dite, n'étant qu'une annulation civile de l'action juridiquement illicite (et alors non *criminelle*). Si la mise à mort est censée annuler l'action illicite *en tant qu'acte*, elle est une annulation non pénale ou civile. Prenons un exemple histo-

---

1. Ainsi s'explique le fait que le Droit pénal romain est tellement en retard sur le Droit civil.

rique. Il fut un temps où l'entité actuelle juridiquement reconnue par l'État, c'est-à-dire le sujet de droit, fut non pas l'individu, mais la Famille. Le meurtre lésait alors juridiquement non pas l'individu assassiné, mais sa famille dans son ensemble. Le meurtrier supprimait le *statu quo* qui était censé avoir été conforme au principe d'égalité (par exemple), en privant la famille de la victime d'un de ses membres. Pour rétablir l'égalité il fallait donc priver d'un membre la famille du criminel. C'est ainsi que procédait la vendetta familiale. Quand l'État s'en chargeait en qualité de Tiers impartial et désintéressé, l'annulation devenait *juridique*. Mais elle n'était pas *pénale*. Un *acte* était annulé par sa répétition en sens inverse : la famille B a privé la famille A d'un membre; le Tiers prive d'un membre la famille B et rétablit ainsi l'égalité de leurs interactions, qui a été détruite par le meurtre. Or c'est là un cas de Droit civil. Et c'est pourquoi le membre de B que le Tiers met à mort n'est pas nécessairement l'assassin physique : il ne s'agit pas de le châtier, il s'agit de rétablir l'équilibre entre les familles A et B. Ce qui compte, c'est l'acte, et peu importent l'intention et la volonté d'agir. Et il n'y a que les familles A et B qui sont en cause, non la Société dans son ensemble. C'est pourquoi l'intervention du Tiers n'est pas dans ce cas « spontanée ». Or si la mise à mort n'est pas une peine, rien d'étonnant qu'elle ait pu être remplacée par une « amende ». Et quand on considère le Droit du *wergeld* on voit très bien qu'il ne s'agit pas de Droit pénal. Le *wergeld* n'est pas une « peine », ce n'est même pas une « amende » au sens moderne du mot : c'est un simple payement de « dommages-intérêts », c'est-à-dire l'annulation « *civile* » d'un acte illicite. Pratiquement ce n'est pas le « criminel » lui-même qui paye le *wergeld* : en tout cas le Tiers ne se préoccupe pas de la question de savoir qui le paye. Et ce n'est pas la Société dans son ensemble qui profite du *wergeld*. C'est uniquement la famille de la victime. Ainsi le Tiers n'intervient-il que s'il est « provoqué » par cette famille. Donc : ni peine, ni intervention « spontanée », ni considération de l'intention ou de la volonté, ni rapport avec la Société dans son ensemble. C'est bien un cas de Droit civil, malgré les apparences [1]. La situation a changé lorsque

---

1. Dans certains cas, l'État encaisse une partie du *wergeld*. Mais c'est parce qu'il se sent lésé par le meurtre d'un de ses citoyens. (Ou bien ce sont des « frais de justice ».) Ce n'est donc pas en qualité de Tiers qu'il touche le *wergeld*. Cette partie est bien une « amende », mais elle n'est pas juridique, c'est-à-dire pas une « peine ». Il est vrai cependant que l'idée de la peine s'est développée à partir de cette amende non juridique. Elle a

l'*individu* fut reconnu comme sujet de droit. Certes le talion (fondé sur le principe pur de l'égalité) est encore un Droit *civil*. Si le Tiers casse le bras de A parce que A a cassé le bras de B, c'est un *acte* qu'il annule en le faisant refaire à rebours (afin de rétablir l'égalité entre A et B). Ainsi l'intention et la volonté de A importent peu au Tiers : l'annulation sera la même, même si l'acte de A a été involontaire ou a eu des motifs « justifiables ». Et ce sont toujours seulement A et B qui sont en cause. La Société en tant que telle n'est pas prise en considération par le Tiers. Aussi n'intervient-il pas encore « spontanément ». L'annulation par le talion n'est donc pas une véritable peine. Seulement on a dû finir par s'apercevoir que dans le cas du *meurtre* le talion n'avait plus de sens, A ayant tué B, B n'existe plus en acte. On ne peut pas rétablir l'égalité en ressuscitant B, et en tuant A on ne rétablit l'égalité que dans le néant, ce qui n'a pas de sens [1]. L'*acte* de A est donc inannulable par le Tiers. Or le Tiers doit annuler l'action qui est visiblement illégitime, puisqu'elle a détruit une égalité. Il essayera donc de l'annuler en tant que volonté ou intention. C'est alors que le Tiers recherchera la volonté et l'intention criminelles, et son annulation sera une peine, qui ne pourra être appliquée qu'au criminel lui-même, et qui pourra s'ajouter à l'annulation civile sous forme d'indemnité payée à la famille de la victime par exemple (ou à la victime, si elle survit à l'attentat). Mais du moment que B est mort, il ne profite pas de la peine infligée à A. Si elle annule une lésion c'est donc qu'il y a eu un lésé autre que B. Or on finit par comprendre que c'était la Société en tant que telle. Ainsi le Tiers inflige la peine « spontanément », en fonction

déterminé l'intervention « spontanée » de l'État, qui a fini par intervenir en tant que *Tiers*.

1. Car $a.0 = b.0$, a et b étant quelconques. L'égalité est donc purement abstraite. Il y a eu certes une période intermédiaire. On a admis que le mort ne disparaissait pas, que son « âme » survivait à la mort du corps. Alors on a pu penser à rétablir l'égalité détruite par le meurtre en mettant à mort le coupable : âme de B assassiné par A = âme de A mis à mort par le Tiers. Dans ce cas la mise à mort n'est pas une peine : c'est une « compensation civile », l'annulation d'un *acte*. Mais on a dû vite comprendre que l'« âme » est sur un autre plan ontologique que le corps, de sorte qu'il n'y avait pas de sens de parler d'une égalité entre les deux : une action du Tiers dans l'ici-bas ne peut pas égaliser une entité dans l'au-delà. Aussi le Tiers juridique a assez tôt raisonné comme si l'homme était absolument mortel : l'« âme » du mort n'est pas un sujet de droit même là où on croit par ailleurs à la survie. (Il ne faut pas confondre l'« âme » immortelle avec la « survie » purement juridique. telle qu'on la trouve dans le droit de tester par exemple. C'est l'action juridiquement légale (du vivant) qui est censée être « éternelle ».)

du Code pénal (écrit ou oral) qui fixe le statut de la Société et détermine ainsi la lésion. C'est alors qu'il y a un Droit pénal véritable : la peine s'ajoute à la compensation civile (éventuelle), elle se rapporte à l'intention et à la volonté du criminel, le crime est rapporté à la Société et le Tiers intervient spontanément. Et l'on voit ainsi pourquoi la peine et le Droit pénal, en devenant authentiques, s'inspirent du principe « personnaliste » et « subjectiviste ». Le Droit civil annule l'action en tant qu'*acte*. Or l'acte est une entité existant en acte, elle peut être atteinte en tant que telle, elle peut être détachée de son auteur : on peut l'annuler en tant qu'acte agissant ou en tant qu'acte agi, c'est-à-dire dans ses conséquences. C'est pourquoi le délit civil est transmissible : l'acte peut être annulé soit par son auteur, soit par l'héritier, par exemple, qui est censé se solidariser avec l'acte dans ses conséquences. Le crime est par contre l'action prise en tant que volonté et intention, c'est-à-dire en tant que puissance. Or la puissance se réduit à néant une fois détachée de son support actuel, c'est-à-dire ici de l'auteur de l'action. C'est en lui seulement qu'elle peut être actuellement atteinte et donc annulée. La peine est donc nécessairement *personnelle :* on ne peut pas annuler une volonté criminelle dans la personne de l'héritier par exemple. Et la peine est par définition *subjective,* puisque c'est la volonté et l'intention de l'agent qu'elle annule, et non pas l'acte détaché de sa puissance « subjective » [1]. Le Droit pénal, étant « personnel » et « subjectif », s'oppose donc au Droit civil, qui est « impersonnel » et « objectif ». Là donc où la « peine » est « impersonnelle » et « objective », il n'y a pas de peine proprement dite : ce que *nous* appelons « peine » est pour le Droit en question une simple « compensation civile », même si l'acte d'annulation par le Tiers est le même dans les deux cas.

Quoi qu'il en soit — et nous revenons ainsi à notre dernière question, le Droit pénal n'est un *Droit* authentique que si le Tiers annule l'action criminelle afin de rétablir soit l'égalité, soit l'équivalence, soit une synthèse quelconque des deux éléments, l'agent criminel les ayant détruites dans son interaction (sociale) avec la victime [2]. Et nous affirmons que là où il y a Droit pénal et peine proprement dite, la « victime » en

1. Les Romains ont très bien vu la différence. Cf. Giffard, *Précis de droit romain*, 2e éd., vol. II, p. 169, 213, 327.

2. Bien entendu, le Tiers n'annule pas *toutes* les inégalités, etc. Il ne le fait que pour celles qu'il reconnaît juridiquement comme telles. Mais *si* le Tiers annule une action, c'est uniquement parce qu'elle est (selon lui) contraire au principe d'égalité ou d'équivalence.

cause est uniquement la Société prise dans son ensemble, et que dans ce cas l'égalité et l'équivalence sont détruites par la seule volonté ou même par la seule intention du criminel, de sorte qu'elles ne seront et ne pourront être rétablies que par une annulation (pénale) de cette volonté ou de cette intention prises en tant que telles.

Certes, l'action criminelle lèse aussi la victime proprement dite, c'est-à-dire une entité existant en acte, qui est par définition un *membre* (individuel ou collectif) de la Société. Mais l'être en acte, disons l'individu, ne peut être lésé qu'actuellement, c'est-à-dire par l'action actuelle, ou prise en tant qu'acte. La volonté et l'intention du criminel ne lèsent la victime actuelle que dans la mesure où elles sont actualisées dans et par l'acte. En annulant l'acte on les annule donc dans la mesure où elles ont lésé la victime. Or c'est le Droit civil qui annule l'acte. Si l'action n'est rapportée qu'à la victime actuelle, il n'y a donc pas de Droit pénal : le Droit civil annule l'acte et en lui la volonté et l'intention qui ont lésé la victime actuelle. Si donc il y a eu peine, c'est-à-dire une annulation autre que celle de l'acte, c'est qu'il y a eu une autre « victime » (puisqu'il n'y a pas de crime sans victime), une victime « virtuelle ». Et nous avons vu que cette victime virtuelle (par essence et non par accident) ne peut être que la Société prise dans son ensemble, ou ce qui est la même chose, son membre « quelconque » pris en tant que « quelconque ». Le Droit civil a rétabli l'égalité ou l'équivalence en ce qui concerne la victime actuelle. Si le Tiers intervient quand même, c'est qu'il y a encore une égalité ou équivalence à rétablir, à savoir en ce qui concerne la Société ou son membre « quelconque ». Et c'est uniquement cette « victime » virtuelle qu'a en vue le Droit pénal. Or il est évident que la Société ne peut pas être lésée par l'*acte :* du moment qu'elle n'existe (essentiellement) qu'en puissance, seule une action en puissance peut être une inter-action avec elle. Et l'action en puissance est précisément l'intention ou la volonté. Quand il s'agit d'un assassinat par exemple ce n'est pas l'*acte* de tuer qui lèse la Société (ou son membre « quelconque »). Et ça n'a aucun sens de dire que la Société est lésée par le fait qu'on a tué l'un de ses membres. Car alors il serait absurde de vouloir rétablir l'égalité en mettant à mort le criminel, c'est-à-dire en privant la Société d'un autre membre. Ce qui la lèse, c'est la volonté ou l'intention meurtrières. Et c'est pourquoi la peine ne s'applique pas au meurtrier involontaire (ou éventuellement au meurtrier avec une intention

« justifiable », c'est-à-dire qui ne lèse pas la Société) [1]. Si donc la victime qu'a en vue le Droit pénal est la Société dans son ensemble, le crime n'est rien d'autre que la volonté et l'intention. C'est la volonté et l'intention criminelles qui ont supprimé l'égalité ou l'équivalence dans les interactions entre le criminel et la Société, voire son membre « quelconque ».

C'est pourquoi le Droit pénal apparaît là où l'acte est inannulable pour une raison quelconque (ou censé être tel). Soit parce qu'il n'y a pas eu d'acte, l'action n'ayant pas dépassé le stade de la volonté ou de l'intention. Aucun membre de la Société n'a alors été lésé. Si le Tiers intervient, c'est donc qu'il a en vue la Société en tant que telle. Et dans ce cas elle n'a évidemment été lésée que par la volonté ou l'intention. Soit parce que l'acte effectué ne peut plus être supprimé, comme dans le cas du meurtre, de l'injure, du viol, etc [2]. Le Tiers ne peut alors annuler que la volonté ou l'intention. Mais en le faisant il ne donne aucune « satisfaction » à la victime actuelle. C'est donc qu'il a en vue une autre « victime », la victime virtuelle, c'est-à-dire la Société ou son membre « quelconque ». Certes, même si l'acte est annulable et même annulé, il peut encore y avoir peine. Mais c'est qu'alors elle se rapporte non plus à l'acte, qui est déjà annulé, mais à la volonté ou à l'intention. Et elle donne satisfaction non plus à la victime actuelle, qui est déjà satisfaite, mais à la victime virtuelle. Dans tous les cas du Droit pénal, il y a donc restitution d'un équilibre détruit par la seule volonté ou intention, c'est-à-dire d'un équilibre entre un agent actuel, un membre « spécifique » de la Société, différent de tous les autres, et cette Société elle-même, c'est-à-dire son membre « quelconque ».

Voyons donc dans quel sens on peut dire qu'une volonté ou une intention détruit l'égalité ou l'équivalence entre un membre « spécifique » et un membre « quelconque » de la Société.

---

1. Il n'y a pas d'inter-action possible entre un *acte* et la Société. L'acte est toujours l'acte d'un individu. Or l'individu ne peut jamais anéantir la Société par son acte. (Car s'il le faisait il s'anéantirait lui-même.) Et là où il n'y a pas d'anéantissement possible il n'y a pas d'inter-action véritable. L'action de l'individu ne peut donc atteindre la Société que dans sa volonté ou dans l'intention. L'interaction n'existe donc qu'entre la Société et la volonté et l'intention criminelles.

2. Il ne faut pas confondre l'inannulabilité de principe avec le fait contingent que le criminel ne peut pas être châtié, parce qu'il est en fuite par exemple. En Droit civil, l'annulation est aussi parfois impossible en fait : le débiteur condamné au payement peut être insolvable. J'ai en vue l'acte qui ne *peut* pas être annulé, ou qui est censé être tel pour le Tiers.

Mais rappelons d'abord (cf. Deuxième Section) que le caractère général du Droit pénal sera différent selon qu'il s'inspire du seul principe d'égalité ou du seul principe d'équivalence, ou d'une synthèse quelconque des deux principes. Et la notion de la peine va varier en conséquence.

Nous avons vu (Deuxième Section) que l'application exclusive du principe aristocratique de l'égalité donne un Droit pénal du *talion*. Le crime consiste alors dans la suppression (par le criminel) de l'égalité entre lui et sa victime (dans leurs interactions sociales). La peine a pour unique but la restitution de cette égalité. La peine, ou l'annulation de l'action criminelle par le Tiers, se réduit alors à une restitution d'équilibre entre le criminel et la victime. La « quantité » qui est passée de la victime au criminel à la suite du crime doit être restituée à la victime. Ou bien, si cela est impossible, il faut enlever au criminel autant qu'il a été enlevé à la victime, de façon à rétablir un équilibre entre les deux « quantités », qui cette fois seront toutes deux diminuées. Dans le Droit pénal du talion il s'agit donc d'une comparaison entre le criminel et la victime. Les deux sont censés avoir été égaux avant le crime et doivent le redevenir après et par la peine. La peine égalise les membres de la Société, et ne s'applique donc que là où l'égalité a été détruite.

L'application exclusive du principe bourgeois de l'équivalence aboutit à un Droit pénal différent (cf. Deuxième Section). Les membres de la Société ne sont plus censés être égaux. Ils ne sont qu'équivalents, se trouvant dans des conditions non pas égales, mais équivalentes. Le crime ne détruit donc que l'équivalence, et la peine restitue seulement l'équivalence, et non l'égalité. Il suffit donc que le Tiers fasse au criminel l'*équivalent* de ce que celui-ci a fait à la victime : nul besoin de lui faire *la même chose*. Or, nous avons vu que l'estimation de l'équivalence est nécessairement « subjectiviste ». Pour constater l'équivalence de la condition $a$ dans laquelle se trouve A et de la condition $b$ de B, il ne suffit pas de comparer $a$ et $b$, ni A et B. Il faut rapporter $a$ à A et $b$ à B. On arrive ainsi à la définition suivante : A et B sont équivalents, si à l'intérieur de A et de B il y a équivalence entre les « droits » et les « devoirs » respectifs, c'est-à-dire en fin de compte entre les « avantages » et les « inconvénients ». Et puisque l'avantage de A est l'inconvénient de B et inversement, il suffit de constater l'équivalence dans A seul ou dans B seul. Si dans un membre quelconque les droits ou avantages et les devoirs ou inconvénients sont équivalents, l'idéal de la Justice d'équivalence est satisfait et le

Tiers n'a pas à intervenir. Ceci permet au Droit pénal de faire en quelque sorte abstraction de la victime et de ne considérer que le criminel. Le crime est une action qui donne au criminel un avantage sans inconvénient équivalent (ce qui ne peut avoir lieu que si il y a une victime, chez qui le crime a produit un inconvénient sans avantage équivalent). La peine aura alors pour but de rétablir l'équivalence. Elle est par définition un inconvénient. Il s'agit de rendre cet inconvénient tel qu'il soit équivalent à l'avantage criminel. Le Droit pénal a donc pour mission d'établir l'équivalence entre le crime et le châtiment : la condition du criminel châtié doit être équivalente (mais non nécessairement égale) à celle de tout autre membre de la Société; l'équivalence des membres de la Société, momentanément détruite par le crime, sera ainsi rétablie et le Tiers n'aura plus à intervenir. On peut donc dire que le crime est rapporté d'une manière immédiate au criminel et non à la victime (quoique indirectement il lui est rapporté aussi). La peine est déterminée non pas tant par l'inconvénient causé à la victime que par l'avantage qu'il apporte au criminel et qui n'est pas compensé en lui par un inconvénient. (Ainsi une action « désintéressée » pourra ne pas être châtiée, même si elle ne diffère pas d'une action criminelle quand on la rapporte à la victime.)

D'une manière générale le Droit de l'équivalence est « subjectiviste » : il a trait aux rapports qui ont lieu à l'intérieur d'un individu, du sujet de droit. Inversement tout Droit « subjectiviste » aura donc tendance à appliquer le principe de l'équivalence plutôt que celui de l'égalité. Or le Droit pénal se rapporte toujours à l'intention et à la volonté. Un acte n'est criminel que s'il actualise une intention ou une volonté criminelles. Il s'agit donc de rapporter l'acte à la volonté, il s'agit de rapports internes du sujet de droit. Le Droit pénal aura donc tendance à être un Droit de l'équivalence. Le Droit pénal est un phénomène beaucoup plus « bourgeois » qu'« aristocratique ». Ou plus exactement, puisque le Droit réel est toujours plus ou moins synthétique – un Droit de l'équité ou un Droit du citoyen, caractérisé par une prédominance relative du principe de l'équivalence. Ou bien encore le Droit pénal sera relativement d'autant plus étendu que le système du Droit impliquera plus d'éléments « bourgeois » d'équivalence. D'une manière générale le Droit pénal du talion cédera la place au Droit pénal de l'équivalence entre le crime et le châtiment[1].

1. En fait dans les sociétés aristocratiques le Droit pénal est peu développé. Ou bien on y a recours à la « vengeance privée », c'est-à-dire à une

Mais qu'il s'agisse d'égalité ou d'équivalence en Droit pénal, c'est toujours de la seule intention ou volonté qu'il s'agit, et de rapports entre le criminel et la Société en tant que telle, c'est-à-dire son membre « quelconque ». Il nous reste donc à voir en quel sens la volonté et l'intention d'un membre « spécifique », différent dans son *hic et nunc* de tous les autres, peut supprimer son égalité ou son équivalence avec le membre « quelconque » de la Société, et en quel sens la peine peut rétablir cette égalité ou équivalence, ou leur synthèse considérée comme « juste » par le Droit, c'est-à-dire par le Tiers, en question.

Prenons d'abord le cas de l'*égalité*. Les membres de la Société sont tous censés être égaux entre eux. Mais, bien entendu, cette égalité ne peut pas être absolue. Dans son *hic et nunc*, A diffère nécessairement de B dans le *hic et nunc* qui lui est propre. Aussi, quand A est en interaction avec B, ce n'est pas la même chose que quand il est en interaction avec C, ou quand B est en interaction avec C, etc. [1]. Les membres de la Société sont rigoureusement égaux en tant que membres « quelconques » (c'est la Société elle-même qui est égalitaire). Ou, si l'on veut, on est membre « quelconque » dans la mesure où l'on est *égal* aux autres membres (tandis que dans la Société d'équivalence on est membre « quelconque » dans la mesure où l'on est *équivalent* à tous les autres). L'action « spécifique » de A, faite à partir de son *hic et nunc* ne doit jamais supprimer son égalité avec un membre *quelconque*, c'est-à-dire lui créer une situation telle que les autres n'auraient pas pu avoir, ou obtenir par des actions « spécifiques » à partir de leurs *hic et nunc* respectifs. Si A se crée une certaine situation, il faut qu'elle soit telle que — en principe — tous les membres de la Société puissent se trouver dans la même situation. Ou bien encore, puisque l'être du membre quelconque est fixé dans et par le « statut » des membres de la Société, « statut » par définition égalitaire, per-

---

annulation non juridique du crime par la *partie* lésée, ou bien on applique le Droit *civil* du talion en se contentant de l'annulation juridique par « compensation civile » (ce qui aboutit généralement au Droit civil du *wergeld*. D'une manière générale le principe de l'égalité s'appliquera donc surtout dans le Droit civil. Mais nous verrons (en D, *a*) que dans le domaine du Droit civil de la Société économique cela n'est vrai que pour le Droit de la propriété et non pour celui du contrat.

1. Rappelons d'ailleurs (cf. Deuxième Section) que rigoureusement parlant l'égalité des membres exclut l'inter-action entre eux (qui serait sans objet). C'est pourquoi il n'y a jamais eu, en fait, de Justice d'égalité pure.

sonne n'a le Droit d'agir de façon à ce que son action « spécifique » soit incompatible avec ce « statut », en modifiant l'être fixé par lui. Et les cas où l'action spécifique le fait sont fixés dans le Code pénal. Or ce n'est pas un acte de A rapporté à B qui peut être en tant qu'acte contraire à ce statut. Pour supprimer l'égalité avec un membre *quelconque*, l'action de A doit se rapporter non pas à un membre spécifique B, mais à un membre quelconque. Or l'acte ne peut se rapporter qu'à son membre spécifique. C'est donc dans son intention et dans sa volonté que l'action se rapporte au membre quelconque. L'acte est *criminel* non pas parce qu'il établit une inégalité entre A et B, mais parce qu'il a pour but d'établir une inégalité entre A et un membre *quelconque*, c'est-à-dire entre A et tous les autres membres (ou tout au moins entre un groupe de membres semblables ou égaux à A et tous les autres), c'est-à-dire aussi entre A tel qu'il est censé être en tant que membre quelconque et tel qu'il est par suite de son action. La volonté et l'intention doivent donc déborder l'acte qui les actualise. Cet acte n'est que le premier d'une série d'autres actes semblables, la volonté et l'intention n'étant pleinement actualisées que par cette *série*. L'acte n'est donc criminel que comme élément de cette *série*. Et si la série n'existe pas encore, l'action criminelle se réduit à la seule intention ou volonté de réaliser cette série. C'est donc bien la volonté qui détruit l'égalité entre le criminel et la Société, c'est-à-dire entre le criminel et le membre quelconque, donc aussi entre le criminel en tant que criminel et lui-même en tant que membre quelconque, puisque le membre « quelconque » est en particulier aussi le criminel.

En bref c'est l'intention et la volonté de se *distinguer* de tous les autres membres de la Société, c'est-à-dire d'un membre « quelconque », d'occuper une place « unique » ou « privilégiée » au sein de la Société qui est criminelle. Et l'acte n'est criminel que dans la mesure où il actualise cette intention et cette volonté. Mais l'intention seule suffit pour faire de son rapport (individuel ou collectif) un criminel. On le voit bien dans le phénomène de l'ostracisme athénien [1].

---

1. La « démocratie » n'est pas nécessairement « bourgeoise ». À Athènes, il y a eu encore une lutte entre le principe aristocratique égalitaire et le principe bourgeois d'équivalence. L'ostracisme est une réaction aristocratique à l'inégalité introduite par l'équivalence bourgeoise des citoyens. Mais ce phénomène n'est pas juridiquement adéquat, car la peine ne rétablit pas l'égalité, vu qu'elle exclut le criminel de la Société. D'une manière générale l'exil et la peine de mort (ce qui revient au même) sont souvent des mesures dictées par la pratique : il est plus simple d'arracher un arbre qui dépasse les autres que de le couper à la taille. La peine de mort

Et il en va de même dans tous les cas de Droit pénal égalitaire. Supposons que A commette un vol chez B. Ce n'est pas l'acte d'enlever quelque chose à B qui est criminel. C'est l'intention de le faire quel que soit B, c'est-à-dire l'intention d'être un voleur en général. Car seule cette intention touche un membre « quelconque », c'est-à-dire la Société dans son ensemble. Or par définition *tous* ne peuvent pas devenir voleurs : il faut qu'il y ait des propriétaires qui puissent être dévalisés. Vouloir être voleur c'est donc, pour le moins, vouloir que la Société se divise en deux groupes irréductibles : en voleurs et en volés. Dans ce cas il n'y aurait plus de membre « quelconque » : on serait soit un voleur quelconque soit un volé quelconque. L'ancienne Société n'existerait donc plus : il y aurait deux Sociétés nouvelles (qui seraient probablement en guerre, c'est-à-dire se constitueraient en deux États souverains). On peut donc bien dire que le vol (en tant que *vol* et non pas en tant que simple appropriation par A d'une propriété de B) lèse la Société dans son ensemble. Et il la lèse parce qu'il détruit l'égalité entre ses membres : le voleur n'est pas égal au volé, et c'est pourquoi le vol est incompatible avec le statut (égalitaire) du membre « quelconque » de la Société. Or la peine peut et doit restituer l'égalité en annulant le vol en tant que vol, c'est-à-dire en tant qu'intention et volonté de voler. Admettons que le Tiers mette le voleur en prison. On ne peut pas dire que son but est d'annuler (de prévenir) le vol chez un membre spécifique donné : le voleur n'a peut-être encore personne en vue. La peine annule (prévient) le vol chez un membre « quelconque », c'est-à-dire elle annule la volonté et l'intention de voler. Le voleur en prison est redevenu égal au membre honnête en liberté : aucun des deux ne peut avoir la volonté de voler [1]. La Société composée de membres honnêtes en liberté et de voleurs en prison est donc égalitaire et le Tiers n'y a plus occasion d'intervenir. Et peu importe qu'il s'agisse de prison ou d'autre chose. L'essentiel, c'est que l'égalité soit établie ou maintenue. Le Tiers doit veiller à ce que A dans la condition *a* soit égal à B dans la condition *b*, *a* et *b* étant le *hic et nunc*

a par contre une valeur non juridique et s'impose pour les « crimes » politiques, comme nous le verrons dans le paragraphe suivant.

1. L'honnêteté juridique n'est pas l'honnêteté « morale ». Il se peut que l'honnête ne vole pas par crainte de la prison, de même que le voleur ne vole pas parce que la prison l'empêche « matériellement » de le faire. Par « intention » et « volonté » il faut entendre non pas un « rêve » ni un vague « désir », mais une intention « raisonnable », c'est-à-dire *susceptible* de s'actualiser dans et par un acte effectif.

de A et de B : en dépit de la différence du *hic et nunc*, A et B doivent être égaux en tant que membres quelconques de la Société, et ceci est vrai tant si A et B sont honnêtes que si l'un d'eux est voleur. Et il en va de même pour tous les crimes et toutes les peines. Qu'il s'agisse par exemple de meurtre. Si l'intention de A s'épuise dans l'acte de tuer B, le Tiers du Droit *pénal* peut ne pas intervenir : la Société n'est pas lésée. Mais si A est un assassin « professionnel », c'est un membre quelconque qu'il a en vue, il lèse la Société dans son ensemble. Et il le fait par et dans son intention, qui déborde tout *acte* concret de meurtre. Or ici encore cette intention détruit l'égalité de l'assassin avec le membre quelconque : comme dans le cas du vol, et beaucoup plus encore, tous ne peuvent pas être assassins. Et ici encore la peine doit rétablir l'égalité. Cette égalité une fois rétablie, la peine n'a plus de raison d'être. C'est ainsi qu'un châtiment peut être temporaire : s'il suffit à supprimer l'intention ou la volonté qui détruisent l'égalité, le Tiers peut s'en contenter. Si par exemple le fait que A a payé une amende suffit pour que son intention devienne « honnête », l'amende sera une peine suffisante pour son crime : « A qui a payé une amende » sera égal à « B qui n'a pas payé d'amende »; il sera donc un membre « quelconque », conforme au « statut » et par définition égal à tous les autres [1].

Passons maintenant au Droit pénal d'*équivalence*. Ici, le crime signifie un avantage obtenu sans inconvénient équivalent, ce qui implique une négation de l'équivalence avec un autre membre de la Société. La peine qui doit restituer cette équivalence le fait en restituant l'équivalence entre l'avantage et l'inconvénient dans le criminel lui-même. Et, ici encore, la seule intention suffit pour supprimer l'équivalence. Prenons le cas du vol. Le voleur n'est pas *égal* au membre honnête. Car le voleur dispose dans son intention de la propriété de tous les membres de la Société, tandis que l'honnête homme ne dispose que de sa propriété personnelle. Mais le voleur n'est pas non plus *équivalent* à l'honnête

---

1. La valeur « égalisante » de la peine peut aussi être interprétée dans le sens du *talion*. Le fait qu'il y a un voleur dans la Société limite la liberté de ses membres honnêtes en ce sens par exemple qu'ils doivent garder leurs biens, ne peuvent pas s'absenter, ont des frais de garde, etc. Or le voleur n'est pas limité dans sa liberté puisqu'il est le seul voleur et ne peut pas se voler lui-même. L'égalité sera donc rétablie si on lui « rend la pareille », par exemple en limitant sa liberté de se mouvoir (prison) ou en prélevant une part de sa propriété égale à celle que les autres dépensent pour garder leurs biens (amende).

homme. Car ce dernier a payé sa propriété, soit avec de l'argent soit avec son travail, tandis que le voleur a obtenu ce qu'il a sans faire d'efforts équivalents (l'effort qu'exige le vol étant sans rapport avec la valeur de ce qu'on vole, il ne peut pas être l'inconvénient « équivalent » de l'avantage que procure le vol au voleur). Pour rétablir l'équivalence, le Tiers doit donc introduire un inconvénient dans l'existence du voleur censé être équivalent à l'avantage de la condition de voleur. Alors l'équivalence sera rétablie et il n'y aura aucune raison de vouloir être voleur plutôt qu'autre chose, plutôt qu'honnête homme en particulier. Le crime est donc si l'on veut un « enrichissement sans cause », mais non pas aux dépens d'un membre « spécifique » (ce qui serait un cas de Droit civil), mais aux dépens d'un membre « quelconque », c'est-à-dire l'intention et la volonté d'agir ainsi en général. On peut dire aussi que le criminel profite de la Société (puisque le membre « quelconque » auquel se rapporte la volonté criminelle est la Société dans son ensemble) sans lui rendre de services « équivalents », comme le font ses membres honnêtes. La peine peut donc consister aussi en ce que le Tiers force le criminel à rendre à la Société des services sans en retirer des avantages. D'où l'idée des « travaux forcés » par exemple : dans son ensemble la condition de « A qui a commis un crime et qui travaille gratuitement pour la Société » est « équivalente » à la condition d'un membre honnête quelconque de cette Société. La Société reste donc une Société d'équivalence même si elle implique des criminels, à condition que ceux-ci soient châtiés en conséquence, par exemple condamnés à des travaux forcés. Mais si l'agent ne retire aucun avantage de son action et agit sans l'intention d'en tirer des avantages, son action peut ne pas être annulée en tant que volonté ou intention par le Tiers, c'est-à-dire elle peut ne pas être criminelle en dépit des apparences. Inversement une action d'apparence légale d'un agent peut être criminelle si dans son intention elle n'est pas équivalente à l'action d'un membre quelconque en interaction avec cet agent. Ainsi un Droit pénal d'équivalence (bourgeois) peut condamner le vagabondage ou la mendicité. L'acte de mendier ne lèse (du moins en apparence) aucun membre « spécifique » de la Société, vu que la cession de la propriété s'effectue avec le consentement du propriétaire (et du point de vue de la Justice égalitaire l'acte est même « juste » vu qu'il tend à égaliser les conditions). Mais on peut dire que le mendiant vit sans travailler (en supposant que l'acte de mendier n'est pas un travail), tandis que le membre quelconque doit travailler pour vivre. L'intention et la volonté de vivre sans travailler peuvent donc être dites criminelles et annulées par un travail forcé [1]. Dans le viol, également, il y a manque évident d'équivalence entre la condition du criminel et celle de la victime : l'un n'a que des avantages sans inconvénients, l'autre, des inconvénients sans avantages. De même pour l'adultère : le mari paye l'avantage des rapports sexuels avec sa femme tandis que le criminel a le même avantage sans contrepartie [2]. Là où il y a faux témoignage, tromperie, escroquerie, etc., l'équivalence est également supprimée : le membre quelconque a le désavantage de devoir lutter avec la réalité (toujours plus ou moins rebelle) pour arriver à ses fins, tandis que le criminel réussit en s'appuyant sur des fictions avantageuses qu'il crée sans faire d'effort (l'acte de mentir et d'imaginer le mensonge n'étant pas considéré comme un effort équivalent au résultat obtenu) [3]. Enfin le sacrilège (et l'inceste) est, lui aussi, contraire au principe d'équivalence. Car le courroux divin touche aussi le membre quelconque de la Société, qui n'a retiré aucun avantage de l'action sacrilège, tandis que le criminel est présumé avoir commis le sacrilège en vue d'obtenir un avantage [4]. Mais si celui qui commet un sacrilège et en retire un avantage a des inconvénients spéciaux, équivalents aux avantages que donne le sacrilège, celui-ci peut ne pas être annulé par le Tiers, c'est-à-dire il ne sera pas criminel, ce ne sera pas un « sacrilège » au sens pénal du mot. Ainsi un prêtre peut commettre des actes qui seraient sacrilèges si un laïque les commettait. C'est que le prêtre a des inconvénients spéciaux, que le laïque n'a pas [5]. Etc.

1. Bien entendu, il faut que la volonté criminelle s'actualise dans un acte pour être châtiée. Mais l'acte n'est alors que l'indice de la volonté et la peine annule cette dernière et non pas l'acte. Ainsi le mendiant n'est même pas tenu à restituer ce qu'il a reçu : l'acte reste donc non annulé, et la peine n'annule que la volonté et l'intention.

2. C'est ainsi que Locke justifie l'interdiction de l'adultère : le mari doit payer pour l'enfant qui n'est pas de lui.

3. Le mensonge lucratif est également contraire au principe de l'égalité. Le menteur a à sa disposition le monde réel et le monde imaginaire, tandis que l'honnête homme, c'est-à-dire le membre quelconque, se limite à la réalité. L'un a donc *plus* que l'autre.

4. Ici encore il y a une négation de l'égalité : le domaine d'action de l'homme décidé à commettre des sacrilèges est plus vaste que celui du membre « quelconque ».

5. Certes, dans ce cas la divinité accepte l'action en apparence sacrilège, qui ne l'est pas en réalité. Ainsi la Société n'en éprouvera aucun inconvénient. Mais c'est que la divinité adopte le point de vue de la Justice d'équivalence : elle permet au prêtre de commettre des actes interdits aux

Une action peut donc être criminelle soit du point de vue du Droit pénal d'égalité, soit de celui du Droit pénal d'équivalence. Ou bien elle peut être condamnée par les deux Droits à la fois. Mais il se peut aussi que ces Droits entrent en conflit, qu'une action légitime du point de vue de l'un soit criminelle du point de vue de l'autre. Or en fait tout Droit pénal réel est synthétique, un Droit de l'équité. La criminalité d'une action et le sens et la nature de la peine dépendront donc de la nature de la synthèse que réalise le Droit en question. Et c'est pourquoi l'analyse d'un Droit pénal concret est si difficile.

## § 63.

Sans aucun doute il est toujours très difficile de « doser » les peines. Quel châtiment doit-on infliger au criminel pour annuler l'action criminelle, c'est-à-dire rétablir l'égalité, l'équivalence ou les deux à la fois? Il ne semble pas qu'on puisse supprimer ici tout élément d'arbitraire. Mais cette question — importante entre toutes dans la *pratique* du Droit pénal — ne nous intéresse pas ici. Nous nous contentons d'avoir défini le but que se propose le Tiers du Droit pénal. Et nous ne nous occupons pas de la question de savoir comment il s'y prend, dans la *pratique,* pour atteindre ce but.

Inversement, la pratique peut se désintéresser de nos questions purement théoriques. Peu importe au criminel d'être châtié au sens propre du terme ou subir une simple « compensation civile », quand on lui coupe le bras par exemple. Et peu importe en pratique que la peine restitue l'égalité ou l'équivalence, ou les deux à la fois. Cependant nos distinctions, à première vue artificielles et subtiles, ne sont pas sans intérêt même pour la pratique. Car elles permettent d'épurer le phénomène pénal de ses éléments non juridiques et de le rendre ainsi authentique et adéquat, c'est-à-dire vraiment « juste » au sens juridique du mot (du point de vue d'un idéal donné de Justice, bien entendu, tant que l'évolution juridique n'est pas achevée).

Du point de vue théorique, nos distinctions permettent, je crois, de voir clair dans beaucoup de questions épineuses relatives au Droit pénal, et de mieux comprendre l'évolution

laïques parce que le prêtre fait des efforts pieux que le laïque ne fait pas.

historique de ce Droit. En particulier on peut élucider la question des rapports entre la notion juridique de peine et les notions de *vengeance* (vendetta) et d'*expiation* (rétribution).

En tant que « privée » la *vengeance* (la vendetta) n'a certes rien de juridique, puisque c'est une des parties en cause qui l'effectue. Mais elle est ressentie comme un *devoir* par la famille lésée. Et elle est censée être *juste,* et non pas seulement avantageuse. Elle semble donc être un phénomène quasi juridique, elle semble contenir un élément juridique ne serait-ce qu'en germe. En effet la vengeance est fondée sur l'idée du talion, c'est-à-dire en fin de compte sur l'idéal juridique de l'égalité : il s'agit de faire au criminel (ou à sa famille) ce qu'il a fait à la victime (ou à sa famille) afin de rétablir l'égalité entre eux, qui a été détruite par le crime. Il suffit donc que la vengeance soit exécutée non pas par la partie lésée, mais par un Tiers impartial et désintéressé, pour qu'elle devienne un phénomène juridique authentique. Seulement nous avons vu que si l'égalité n'est rétablie qu'entre le criminel et sa victime concrète (ou sa famille), il s'agit de Droit civil. Et en effet la vengeance « étatisée » devient généralement un Droit du *wergeld,* une « composition », c'est-à-dire une « compensation civile » [1]. Mais nous avons vu aussi que le crime peut détruire l'égalité entre le criminel et un membre « quelconque » de la Société. Un membre *quelconque* peut donc aussi vouloir se *venger* du criminel. Et en effet le crime engendre l'« instinct de vengeance » dans d'autres membres encore de la Société que ceux qui ont effectivement été lésés par le crime. Certes, ici encore, il n'y aura aucun *Droit* tant que le membre quelconque effectuera sa vengeance lui-même. Mais nous avons vu que cette vengeance peut, elle aussi, être exécutée par un Tiers, par l'État notamment. Et on aura alors un cas authentique de Droit pénal : l'action criminelle sera rapportée à un membre quelconque de la Société, c'est-à-dire à cette Société elle-même, et elle sera annulée en tant que volonté et intention. En ce sens, on peut affirmer que la vengeance privée, ou vendetta, est l'une des sources du Droit pénal. Et il n'est pas faux de dire que la peine est une « vengeance » de la Société, ou « vindicte publique ». Seulement il faut souligner que la vengeance n'est une source du Droit pénal que dans la mesure où elle implique l'idée d'un rétablisse-

---

1. Certains auteurs voient dans la « composition » l'une des origines du contrat. Cf. Decugis, *Les Étapes du Droit,* p. 191.

ment de l'égalité détruite par le crime, et qu'elle ne devient une peine authentique que là où elle est appliquée par un *Tiers* et où l'égalité est détruite entre le criminel et un membre *quelconque* de la Société [1].

Quant à l'*expiation* on n'a pas tort non plus de lui assimiler la peine. L'expression « le criminel a expié son crime » est trop universellement répandue pour qu'elle ne renferme pas au moins une part de vérité juridique. Et, en effet, on peut dire que la notion d'expiation est basée sur l'idée juridique de l'*équivalence*. Le criminel a « expié » son crime quand le châtiment a été « équivalent » à ce crime. Et c'est alors qu'on dira que la peine a été « juste ». Peu importe d'ailleurs la façon dont cette « équivalence » a été calculée. Du moment qu'il y a eu une notion d'équivalence, le phénomène peut être juridique. Mais il ne le sera authentiquement, il n'y aura *Droit*, que si l'équivalence entre le crime et le châtiment a été établie par un Tiers impartial et désintéressé (ce Tiers pouvant d'ailleurs être conçu comme un être divin). Et il n'y aura Droit *pénal* que si cette équivalence entre le crime et le châtiment a rétabli l'équivalence entre le criminel et le membre *quelconque* de la Société, et non pas seulement entre lui et la victime proprement dite.

On peut donc dire si l'on veut que la peine est tant une « vengeance » publique qu'une « expiation » du crime. Mais elle n'est un phénomène juridique que là où l'action criminelle détruit l'égalité ou l'équivalence entre le criminel et un membre quelconque de la Société, et où elle est annulée par un Tiers, étant annulée non pas en tant qu'acte, mais en tant qu'intention et volonté.

On ne peut donc pas dire que la « vengeance privée »,

---

1. Fauconnet *(La Responsabilité)* insiste sur le fait que le crime provoque une forte « émotion collective ». C'est que le crime lèse non pas seulement la victime proprement dite, mais encore le membre « quelconque » de la Société. Mais ce n'est pas cette « émotion » qui fonde le *Droit* pénal : c'est l'intervention d'un Tiers *désintéressé* (en principe nullement « *ému* »). Seulement le Droit appliqué ou créé par le Tiers n'est ressenti comme « juste » que s'il est conforme à l'« émotion », si le Tiers fait au criminel ce que lui aurait fait le membre « ému » de la Société. Cette « émotion » n'est cependant (quasi) « juridique » ou « juste » que dans la mesure où elle veut supprimer une inégalité ou une non-équivalence produites par le crime.

On parle d'« *instinct* de vengeance ». Mais nul animal ne possède cet « instinct ». L'animal va se défendre, mais il n'ira jamais se venger : ni sur l'agresseur *après* l'agression, ni sur les « proches » de l'agresseur. La vengeance est donc un phénomène spécifiquement humain (qui implique l'aptitude de faire abstraction du *hic et nunc*, c'est-à-dire la « faculté » de penser et de parler). Et l'humain coïncide ici avec le « juridique » : c'est l'idée de l'*égalité* impliquée dans le phénomène de la vengeance.

qu'une vengeance quelle qu'elle soit, soit un phénomène juridique authentique. Et la notion courante de l'expiation n'est pas non plus une notion juridique au sens strict du mot. Mais il y a un élément juridique dans ces deux phénomènes que l'analyse peut et doit dégager. Or le Droit pénal étatique, même moderne, n'est pas non plus exempt d'éléments non juridiques, et l'analyse phénoménologique a pour but d'éliminer toutes ces impuretés. J'ai essayé d'esquisser dans le paragraphe précédent une théorie purement juridique de la peine et par suite du Droit pénal en général. Dans ce paragraphe, je voudrais discuter la question des éléments non juridiques qu'on trouve dans le Droit pénal et dans son interprétation.

J'ai commencé par discuter les théories de la « vengeance » et de l'« expiation » parce qu'elles ont été souvent dénoncées comme antijuridiques dans les temps modernes. Et j'ai dit dans quel sens elles me paraissent acceptables du point de vue strictement juridique. Mais il me semble que les théories qu'on leur oppose de nos jours (tant dans la théorie que dans les Codes et donc dans la pratique) ne sont pas purement juridiques elles non plus. C'est pourquoi je voudrais discuter brièvement la Théorie dite « sociologique » (mais en réalité « médicale ») de l'« hygiène sociale » et de la « défense de la Société » sous ses diverses formes, et la théorie « politique » de la « raison d'État », ce qui me donnera l'occasion de reparler des « crimes » politiques. Et c'est en discutant ces théories que j'essayerai de résoudre le problème de la peine de mort.

Commençons par la *théorie de l'« hygiène sociale »*.

Le but de la peine est la « défense de la Société », d'après cette théorie. La peine doit donc d'une part rendre le criminel inoffensif et d'autre part prévenir les crimes, les rendre impossibles. Le premier but est atteint soit par l'élimination du criminel, en l'empêchant physiquement de nuire, soit en améliorant le coupable, en l'empêchant psychiquement de commettre des crimes. Quant au second but, on peut lui donner également deux interprétations. Ou bien la peine doit être sévère pour ne pas devoir être appliquée : elle doit effrayer le criminel et l'arrêter dans son intention criminelle. Ou bien, si on l'applique au criminel, elle doit arrêter les autres, servir d'exemple terrifiant.

Si c'est la Société elle-même qui se défend en appliquant la peine ou en agissant d'une autre manière quelconque contre le criminel, il n'y a pas de Droit : il n'y a que des parties, il n'y a pas de Tiers. Mais on peut dire que c'est un

Tiers (l'État) qui défend la Société contre le criminel. Certes. Seulement l'État ne sera un Tiers *juridique*, et il n'y aura *Droit* (pénal) que là où l'intervention du Tiers aura pour but de restituer soit l'égalité soit l'équivalence détruites par le crime. Sinon le Tiers ne s'inspirera pas de l'idéal de Justice et il ne sera pas un Tiers *juridique*. L'État défendra alors la Société contre les « criminels » (ce mot n'ayant d'ailleurs plus de sens juridique) comme il la défend contre n'importe quels autres « malfaiteurs », contre les moustiques à germes de malaria par exemple. Et ce n'est pas par hasard que la théorie de la « défense de la Société » parle d'« *hygiène* sociale » et ne veut voir dans les criminels que des *malades*. Or on a fort justement remarqué que le crime est tout autre chose que la maladie, et on distingue nettement le malfaiteur malade, le fou « irresponsable », du criminel proprement dit, censé avoir une volonté libre et consciente quoique criminelle. Mettre le fou dangereux dans un asile et condamner un criminel « normal » à la prison sont deux choses essentiellement différentes. Quoi qu'il en soit, si l'État traite les criminels en simples malades (dangereux socialement), il n'y aura pas de *Droit* pénal, ni de *peine* au sens juridique de ce mot. Les mesures prises contre le crime seront de simples « mesures administratives ». C'est à des médecins ou à d'autres fonctionnaires d'en décider, et non pas à des Juges proprement dits.

D'une manière générale, le Droit n'existe que là où un *Tiers* intervient dans l'interaction entre *deux* êtres humains juridiquement reconnus, c'est-à-dire qui existent tous les deux pour le Tiers pris en tant que Tiers. Il n'y aura Droit pénal que là où le criminel est une personne juridique ou un sujet de droit au même titre que la victime. Et on peut dire que le criminel a *droit* à la peine, de même que la victime a *droit* à la réparation [1]. Il a *droit* à la peine, car si quelqu'un essayait d'empêcher l'accomplissement de cette peine, le criminel n'aurait pas besoin de faire des efforts pour supprimer cet empêchement : le Tiers se chargerait de l'anéantir [2]. Le but du Tiers ne peut jamais consister dans l'annulation du criminel en tant que personne juridique. Car si le Tiers annulait l'un des deux agents, il cesserait d'être *Tiers* : il deviendrait *deuxième* agent, c'est-à-dire partie. Le simple fait d'éliminer de la Société l'un de ses membres n'a donc rien de juridique, et le but du Tiers, en tant que Tiers, ne

---

1. Kant a beaucoup insisté sur cet aspect de la question.
2. On peut même dire que le Tiers défend le criminel, pris en tant que sujet de droit ou personne juridique, contre lui-même, pris comme animal ou en général comme entité non juridique, n'ayant pas de droits.

peut pas consister dans une telle élimination. Le but du Tiers consiste *uniquement* dans la restitution de l'égalité ou de l'équivalence (ou des deux) entre le criminel et le membre quelconque, c'est-à-dire si l'on veut, la Société. Il doit donc non pas *éliminer* le criminel de la Société, mais au contraire l'y réintroduire et en tout cas l'y maintenir et conserver. Mais il doit aussi maintenir la Société dans son identité avec elle-même et dans sa conformité (postulée) à l'idéal donné de Justice. Et c'est la peine qui permet de résoudre ce problème. Le criminel *châtié* est si l'on veut assimilable au membre « quelconque » de la Société : il lui est égal ou équivalent dans son être et dans son comportement actif[1]. Le criminel *châtié*, même pendant le temps qu'il subit sa peine, reste membre de la Société au point de vue juridique. Il est en inter-action juridiquement reconnue avec elle, c'est-à-dire avec le membre quelconque, et le Tiers continue à jouer le rôle du *Tiers* dans cette interaction entre *deux* personnes juridiques, censées alors être égales ou équivalentes. Ainsi la Société qui implique des criminels *châtiés* reste conforme à l'idéal de Justice qui lui est propre. On peut donc dire, si l'on veut, que le Tiers « défend » la Société en châtiant le criminel : il empêche ainsi le criminel de rendre cette Société non conforme à l'idéal de Justice qu'elle admet. Mais c'est là une « défense » *juridique*, qui n'a rien à voir avec la défense de la Société contre les animaux malfaisants, la maladie, les malades, etc. La peine est si l'on veut une « élimination ». Mais c'est une élimination de l'injustice, c'est-à-dire de l'inégalité ou de la non-équivalence. Et elle n'a une signification *juridique* que dans la mesure où elle rétablit l'égalité ou l'équivalence au sein de la Société. Et elle ne peut le faire qu'en annulant l'*intention* et la *volonté* du criminel, supposées « normales » et non « malades ». L'action contre le *corps* du criminel, contre le criminel pris en tant qu'animal, n'est que le *moyen* d'arriver à ce but juridique. Et il n'est juridiquement valable que dans la mesure où il est censé y arriver.

Quant à la théorie de l'« amendement » du criminel, elle est juridiquement valable, à condition d'être correctement interprétée. Le but de la peine étant l'annulation du crime,

---

1. Le Droit se rapporte non pas au *hic et nunc*, mais à l'« éternité », c'est-à-dire à la *totalité* du temps. Aussi c'est la vie *entière* du criminel qui est juridiquement assimilable à la vie *entière* du membre quelconque. Un voleur qui a commis tels vols et qui a subi telle peine (prison par exemple) est dans l'ensemble de son existence égal ou équivalent à l'honnête homme qui a tout le temps été en liberté.

c'est-à-dire de l'*intention* et de la *volonté* criminelles, ce but est atteint, si celles-ci sont remplacées dans le criminel par une intention et une volonté « honnêtes ». On peut donc dire que la peine a pour but le « redressement moral » ou l'« amendement » du criminel. C'est même là l'idéal de la peine. Mais il serait faux de dire qu'elle n'a pas d'autre but que cet amendement. En réalité ici encore l'amendement est moyen, et non but. Le but est l'annulation de l'injustice qui réside dans la volonté criminelle, et l'amendement n'a une valeur juridique que dans la mesure où il est cette annulation. Mais rien ne dit que le Tiers ne peut pas annuler la volonté autrement que par l'amendement. Et s'il y arrive, il n'a que faire de cet amendement. Certes, du point de vue de la Justice *égalitaire*, l'annulation du crime par l'amendement du criminel est supérieure à toutes les autres formes d'annulation, car elle garantit un maximum d'égalité entre les membres de la Société. En effet, l'« égalité » entre l'honnête homme *en liberté* et le criminel *en prison* est toute relative. Mais du point de vue de la Justice d'équivalence, ce raisonnement ne s'impose pas. Il suffit que la peine soit équivalente au crime, et peu importe qu'elle améliore ou non le coupable. En tout cas, l'amendement n'est une notion *juridique* que dans la mesure où il annule la volonté qui a été taxée de criminelle par le Tiers. Tout ce qui dépasse cette annulation n'a plus rien de juridique et le Tiers se désintéresse (en tant que Tiers) d'une amélioration générale de la « moralité » du criminel.

Les théories des peines « sévères » n'ont aucun sens *juridique*. Si les peines sévères sont édictées pour ne pas être appliquées ce ne sont pas des peines proprement dites. Ce sont si l'on veut des mesures préventives d'hygiène sociale, mais elles n'ont rien de juridique. Et si la peine est une véritable peine, censée être appliquée, tout au moins en principe, elle n'est juridiquement correcte qu'à condition soit d'être *équivalente* au crime, soit de rétablir l'*égalité* entre le criminel et le citoyen quelconque (c'est-à-dire la Société, qui est sa victime). Il serait donc *injuste* et antijuridique d'appliquer au criminel une peine plus forte pour effrayer les autres. Ce serait enfreindre le *droit* du criminel à la peine « juste », et le Tiers ne peut pas le faire par définition. Il n'y a donc pas d'autres mesures *juridiques* de la peine que celles déterminées par les principes de l'équivalence ou de l'égalité [1].

---

1. Kant a insisté sur ce point de vue de la « morale » générale. En réalité c'est une simple conséquence « analytique » de la notion *juridique* même de la peine. Mais il ne faut pas oublier (comme le fait Kant et beaucoup d'autres) que le point de vue de l'*équivalence* entre la peine et le crime

Quant à la question si discutée de la peine de mort en général, elle est effectivement compliquée. Il semble que nous l'avons résolue négativement en disant que le Tiers ne peut pas *annihiler* le criminel sans cesser d'être Tiers. Mais ce que le Tiers ne peut faire, c'est supprimer le criminel en tant que *personne juridique*. Or rien ne dit que la mise à mort du criminel est une telle suppression. C'est la « mort civile » (prise au sens absolu) ou l'exil (au sens antique) qui seraient antijuridiques, et non la peine de mort proprement dite, c'est-à-dire l'annihilation du criminel dans son corps, en tant qu'animal. Si le membre quelconque continue à être membre juridique de la Société même après sa mort, le criminel peut le faire lui aussi. Et alors il n'y a plus d'objections *juridiques* contre la peine de mort (sauf celle qu'on peut faire à toute peine qui n'a pas pour but l'amendement du criminel et qui le rend impossible). Le criminel *exécuté* peut — dans l'ensemble de son existence — être égal ou équivalent à l'honnête homme mort dans son lit[1]. Une Société qui reconnaît la « survie » juridique peut donc admettre juridiquement la peine de mort (à condition de ne pas annihiler le criminel en tant que personne juridique). Or le Droit, se rapportant à l'« éternité », c'est-à-dire à la *totalité* du temps, a tendance à admettre cette survie juridique (en principe indéfinie, mais en fait prescriptible). Et c'est pourquoi le Droit pénal a généralement accepté l'idée de la peine de mort. Seulement si cette attitude est *juridiquement* authentique elle repose néanmoins sur une *erreur* théorique (ontologique). En fait il n'y a pas de survie de l'homme (même — *et surtout* — dans son humanité), qui est un être *essentiellement* fini (et *conscient* de sa finitude lorsqu'il est *pleinement* humanisé, c'est-à-dire pleinement conscient de soi). Par rapport à l'être *humain*, l'éternité n'est donc rien d'autre que la totalité du temps humain, historique, c'est-à-dire constitué par l'ensemble des *actions* humaines effectives, conscientes et libres. Par rapport à l'individu la *totalité* du temps est donc limitée par sa naissance et sa mort. Or du moment que le Droit est un phénomène humain, relatif à l'être humain, il doit reposer sur la notion anthropologique, et non pas théologique, c'est-à-dire en fait cosmologique (« naturaliste ») du Temps, sur

n'est pas le seul juridiquement possible. Il y a encore celui de l'*égalité* entre le criminel châtié et le membre quelconque. Bien entendu, le dosage concret des peines est une question difficile. Mais c'est là une *autre* question.

1. L'acte d'abréger la vie du criminel peut d'ailleurs servir à rétablir l'équivalence ou l'égalité avec le membre quelconque.

la notion de temps *fini,* de l'« éternité » fermée sur elle-même, de la totalité non ouverte. Autrement dit le Droit doit limiter l'être juridique du sujet de droit à la vie effective (c'est-à-dire active) de son support. Alors il faudra nier la survie juridique et par conséquent renoncer aussi à la peine de mort comme à un moyen *juridique* d'annuler le crime. Si le Droit pénal moderne a tendance à renoncer à la peine de mort, c'est que le Droit moderne en général tend à éliminer de plus en plus la notion de la survie juridique ou de l'hérédité légale. Mais ce n'est pas là une évolution purement juridique. Le Droit évolue parce que l'homme reconnaît de mieux en mieux sa finitude et en tire toutes les conséquences. Le Droit de l'homme qui se *sait* être mortel doit bien entendu exclure la notion de survie juridique. Mais tant que les hommes croient à leur immortalité le Droit peut la reconnaître juridiquement tout en restant un Droit authentique. Et, à l'intérieur de *ce* Droit, l'authenticité juridique de la peine de mort ne peut pas être contestée [1].

Tout ce que je viens de dire ne signifie nullement que la Société n'a pas le *droit* de se défendre autrement qu'en appliquant des peines juridiques. En laissant de côté l'aspect « moral » de la question, on peut dire que la Société et l'État peuvent faire ce que bon leur semble (du moment qu'ils arrivent, en le faisant, à se maintenir dans l'existence). Ainsi l'État peut « défendre » la Société par des mesures préventives, par des « peines » exemplaires, en essayant de « redresser moralement » les criminels, etc. Dire qu'un fou n'est pas un *sujet de droit* et que son internement n'est pas une peine *juridique,* ne signifie pas que l'État n'a pas le *droit* de l'enfermer, ou de le tuer, etc. Dans ces cas, l'acte de l'État sera *hors* du Droit (pénal) : il ne sera donc ni conforme ni contraire au Droit; ce sera un simple acte administratif, qui n'aura rien de juridique. Et rien n'empêche l'État de traiter

1. À moins de supposer qu'il n'y a pas de crime « équivalent » à cette peine ou de dire que le fait de tuer le criminel contredit toujours le principe de son égalité avec le membre quelconque. Mais c'est là une autre question : la question « insoluble » du dosage de la peine.

Il ne faut pas confondre avec le problème de la peine de mort un autre phénomène juridique. Si A ne peut exercer son droit *(right)* qu'à condition que B soit tué, il a le *droit* de tuer B. C'est-à-dire que le Tiers doit en principe le tuer à sa place. Ainsi par exemple : A a *droit* à la vie; B veut l'assassiner; A tue B pour se défendre; ou bien la Police intervient et tue B pour défendre A, c'est-à-dire lui épargner l'effort nécessaire pour annuler la réaction de B à l'action « légale » de A (c'est-à-dire à son acte de vivre). Dans ce cas le Tiers doit tuer B. Mais ceci n'a rien à voir avec une *peine :* il s'agit simplement de réaliser un droit *(right)* de A.

les criminels en fous. Seulement dans ce cas il n'y aura pas de *Droit* pénal.

Il y aurait donc intérêt à séparer l'acte juridique de l'État agissant en qualité de Tiers du Droit pénal, de son acte administratif non juridique. En ce qui concerne le fou, le Tribunal juridique n'a qu'à se déclarer incompétent, vu qu'il n'y a pas les *deux* personnes juridiques nécessaires à un procès. Alors une administration quelconque pourra s'occuper de l'animal Homo sapiens en question et en faire ce que bon lui semble. Quant au criminel « normal », le Tribunal doit se contenter de prononcer la peine qu'il considère être juste et de l'exécuter. Mais rien n'empêche que parallèlement (ou après coup) une administration prenne une autre mesure, administrative et non juridique, contre le criminel. Et cette mesure peut même être prise automatiquement : à telle peine juridique correspond telle ou telle mesure administrative, qui vient s'ajouter à la peine, sans être une peine elle-même. Mais en pratique cette distinction est difficile à faire, vu que le dosage juridique de la peine est dans une large mesure indéterminé. On pourra difficilement savoir dans quelle mesure la peine est juridique, c'est-à-dire destinée à annuler le crime, et dans quelle mesure elle poursuit un but utilitaire, étant ainsi une mesure administrative non juridique. Et en fait des considérations non juridiques sont toujours mêlées aux raisonnements qui fixent les peines concrètes en Droit pénal.

En particulier ce sont souvent des raisons utilitaires, « pratiques », et non juridiques qui aboutissent à la peine de mort. Il semble que dans les sociétés archaïques la peine « universelle » consistait à l'origine dans une mise « hors la loi ». Ceci équivaut à l'annihilation du criminel comme sujet de droit, ce qui est inadmissible juridiquement. Mais le Tiers n'ayant pas les moyens physiques d'appliquer une peine, la mise hors la loi était *pratiquement* inévitable. Par une fiction (justifiable d'ailleurs) la mise hors la loi était considérée comme une peine. Or, en pratique, la mise hors la loi aboutissait soit à la « peine » de mort, soit à la fuite du criminel, c'est-à-dire à l'exil définitif : ce qui revenait au même pour la Société, du point de vue utilitaire. C'est pourquoi, quand le Tiers commença à appliquer des peines lui-même, celles-ci furent d'abord soit une peine de mort, soit l'exil (le criminel pouvant parfois choisir entre les deux). Le criminel une fois tué ou exilé, la Société redevenait -- par élimination -- égalitaire ou équivalente (selon le cas). Le Tiers n'avait donc plus à intervenir, et il pouvait sembler qu'il y avait eu peine véritable, c'est-à-dire restitution de l'égalité ou de l'équivalence par la peine de mort ou l'exil. Mais en réalité la suppression d'un membre de la Société est tout autre chose qu'une *restitution* de l'égalité supprimée par le crime. En fait il n'y avait pas eu de peine. Celle-ci n'a vraiment existé qu'à partir du moment où le Tiers annulait le crime en conservant le criminel dans la Société comme personne juridique (vivante ou morte). Mais, la fiction de la survie juridique aidant, la tradition de la peine de mort s'est maintenue (tout en devenant une véritable peine). Et l'exil a suggéré l'idée d'un emprisonnement *perpétuel* (qui peut également être une peine authentique). Et c'est d'un point de vue utilitaire qu'on discutait les avantages de la peine de mort et de la prison perpétuelle, des considérations « morales » venant s'y ajouter. Il ne semble donc pas que ce soit des raisons vraiment *juridiques* qui ont engendré l'institution de la peine de mort et de la prison à perpétuité, quoiqu'on ait pu donner à ces deux peines une forme juridique authentique. Et il semble qu'en évoluant le Droit pénal trouve moyen d'annuler le crime autrement qu'en mettant le criminel à mort ou en le privant définitivement de sa liberté. Et il semble que le Droit pénal synthétique de l'équité cherche de plus en plus à annuler le crime par un amendement du criminel. En tout cas cette forme d'annulation pénale est la plus conforme avec le principe de l'égalité des membres de la Société. Mais, encore une fois, la question de la détermination juridique de la peine est extrêmement compliquée.

Reste à discuter *la théorie de la « raison d'État »*.

J'ai déjà discuté le cas où l'État intervient pour défendre la Société, et j'ai dit en quel sens cette « défense » peut être juridique : elle ne l'est que dans la mesure où l'État, en qualité de Tiers impartial et désintéressé, rétablit par la peine soit l'égalité, soit l'équivalence, soit les deux, entre le criminel et la Société, c'est-à-dire son membre « quelconque », en annulant l'intention et la volonté criminelles. Mais l'État peut aussi se défendre lui-même en tant qu'État. Dans ce cas il s'agit de « crime » politique. Et nous devons en dire quelques mots.

Bien entendu, là où l'État se défend lui-même, où le citoyen est en interaction (politique) avec l'État en tant que tel, celui-ci ne peut pas être un Tiers désintéressé et il n'y a donc pas de place pour un Droit quelconque. Ce qu'on appelle « crime politique » n'est donc pas un *crime* au sens juridique du mot et la réaction de l'État n'a rien à voir avec une *peine* proprement dite. On ne peut donc dire ni que l'État a un *droit* de réagir contre le délinquant politique, ni qu'il n'a pas le *droit* de le faire. Les rapports politiques entre l'État et le citoyen sont hors du domaine du Droit en général. Au point de vue *juridique,* l'État peut donc agir envers le délinquant politique comme bon lui semble [1].

Or l'analyse des rapports politiques entre l'État (pris en tant que tel) et les citoyens (pris en tant que citoyens) montre que dans certains cas la réaction de l'État contre le délinquant politique doit prendre la forme d'une mise à mort de ce dernier (ce qui n'a rien à voir avec la *peine* de mort) [2]. C'est le cas de la « trahison d'État » (« haute trahison »). Nous avons vu (*sub* B) que le Droit public fixe les cas où un citoyen agit en tant que citoyen au nom de l'État, soit pour le maintenir dans l'identité avec lui-même, soit pour le changer. C'est ce qui a lieu quand le citoyen agit « légalement » (au point de vue politique), c'est-à-dire conformément à la Constitution. Et nous avons vu que le citoyen peut aussi changer l'État et sa Constitution par des voies non constitutionnelles, c'est-à-dire politiquement illégales ou révolutionnaires. Dans ce cas le fait que le citoyen agit politiquement, c'est-à-dire en citoyen et non en personne privée (en animal ou en membre de la Société), est garanti par le risque de la vie du citoyen : par définition, l'homme qui risque sa vie pour agir sur l'État en tant qu'État, agit en citoyen, c'est-à-dire politiquement, en révolutionnaire. L'État doit donc essayer de tuer celui qui agit sur lui d'une façon illégale. Autrement l'État serait à la merci d'actions non politiques, commises par des non-citoyens (ou par des citoyens agissant en qualité de non-citoyens). Seul le risque de la vie justifie politiquement le révolutionnaire, ou plus exactement transforme le délinquant politique en révolutionnaire. Et la légalité politique du révolutionnaire victorieux (et de l'État qu'il

1. Par définition, en cas de conflit, le non-citoyen doit céder le pas au citoyen. Par conséquent l'État n'a pas à se préoccuper du statut du membre de la Société. S'il veut agir contre un délinquant politique, il peut le faire même si son action est contraire au statut du citoyen pris en tant que membre de la Société. Cependant, vu que c'est le même État qui intervient en qualité de Tiers dans les rapports de la Société avec ses membres et sanctionne ainsi leur statut, il y aura lieu d'éviter autant que possible les conflits entre l'État en tant que tel, agissant politiquement, et cet État pris en tant que Tiers juridique. Les « mesures d'exception » sont admissibles au point de vue juridique, vu qu'elles sont hors du domaine du Droit. Mais l'équilibre de l'État exige qu'elles soient réduites au minimum.

2. Hegel a insisté sur ce point. Ce qui suit est un exposé de la théorie hégélienne. Seulement Hegel parle de peine et de Droit pénal. En réalité il a en vue le délit purement politique.

crée par son acte révolutionnaire) tient au risque qu'il a couru pendant la révolution. Or, même au cas d'un échec, ce risque caractérise le révolutionnaire : en cas d'échec il est un *délinquant* politique, coupable de « haute trahison », mais il est un délinquant *politique* et non un *criminel* au sens pénal du mot, un « criminel vulgaire »; il agit en citoyen rebelle, mais quand même en citoyen. L'État doit donc le traiter comme tel. Et c'est pourquoi il doit le mettre à mort. Du point de vue de l'État, il est « Ennemi » au sens politique du mot : il est un citoyen qui n'est pas citoyen de l'État (conforme à son statut politique) et qui veut le changer; il est donc assimilable à l'Ennemi extérieur. Or l'interaction de l'État avec l'Ennemi en tant qu'Ennemi est une relation d'exclusion mutuelle (de guerre). Si l'État n'est pas anéanti par l'Ennemi, il doit l'anéantir. Dans ce cas, il doit mettre à mort le citoyen rebelle. Et du point de vue de ce citoyen la mise à mort par l'État s'impose également. Si le citoyen agit politiquement (en révolutionnaire) contre l'État, c'est qu'il aspire à la « reconnaissance universelle » *(an Anerkennen)*. Il est (à la limite) seul à penser autrement que l'État (c'est-à-dire le citoyen « quelconque »), à agir contrairement au statut de citoyen. Et il veut que ce statut soit changé pour devenir conforme à sa façon de penser et d'agir, il veut que l'État (c'est-à-dire le citoyen quelconque et − à la limite − tous les citoyens) change pour qu'il puisse y être légal, pour qu'il y soit « reconnu » dans son unicité. Il y arrive en cas de réussite : l'État post-révolutionnaire le « reconnaît » comme héros, comme « homme d'État ». Mais il doit y arriver aussi en cas d'échec (du moment qu'il a risqué sa vie pour cette « reconnaissance »). Et c'est sa mise à mort par l'État qui lui permet d'y arriver. Car c'est encore une « reconnaissance universelle » : l'État dans son ensemble se rapporte à lui dans son unicité, dans et par un acte effectif politique. Si l'État l'élimine autrement, il ne le « reconnaît » pas comme révolutionnaire, comme citoyen. Il le traite en fou, en enfant, en animal, en non-citoyen. La réaction de l'État n'est plus adéquate, n'est plus conforme à l'action. Le révolutionnaire a politiquement « droit » à être supprimé *politiquement,* et cette suppression ne peut être que la mise à mort[1]. Par

1. Encore une fois, cette mise à mort politique n'a rien à voir avec la « peine de mort » du Droit pénal. Et cette distinction est souvent faite : le criminel vulgaire sera par exemple pendu, le révolutionnaire fusillé, etc. La différence entre une mise à mort « honorable » et une peine de mort infamante a toujours été clairement ressentie. Dans la peine de mort on supprime l'animal (ou le non-citoyen) et le citoyen n'est supprimé pour

conséquent l'État doit dans certains cas mettre à mort les délinquants *politiques,* même si le Droit *pénal* de cet État ne connaît pas de peine de mort[1].

Or le criminel « vulgaire » est lui aussi citoyen, quoiqu'il n'agisse pas en citoyen quand il commet son crime. Et si la peine se rapporte au non-citoyen, elle affecte aussi dans une certaine mesure le citoyen, puisque la peine touchera en fin de compte l'animal qui sert aussi de support au citoyen. D'où un conflit possible entre l'État pris en tant que Tiers juridique (de Droit pénal) et ce même État en tant que tel, qui se rapporte à ses citoyens en tant que citoyens. Et pour que l'État soit viable, ce conflit doit être résolu.

J'ai déjà eu l'occasion de dire que la peine ne peut pas être contraire au statut de citoyen du criminel, étant donné que du point de vue de l'État (qui applique le Droit) le non-citoyen doit être subordonné au citoyen. Si donc le criminel n'a commis aucun délit politique, la peine ne peut pas annuler son statut politique. Par exemple, si ce statut implique la liberté de se déplacer, la peine ne peut pas consister dans un emprisonnement. Mais nous avons vu aussi que l'État, pour pouvoir exister, doit impliquer dans le statut politique du citoyen certains éléments du statut non politique de membre de la Société. Un crime, c'est-à-dire une action contraire au statut « civil » ou « social », peut donc être en même temps un délit politique, une action contraire au statut « civique » ou « politique ». Dans ce cas, l'action peut avoir pour conséquence de modifier le statut politique de l'agent (par exemple celui-ci peut être privé du droit de vote, etc.), et la peine pourra s'appliquer à lui dans la mesure où elle est compatible avec son nouveau statut. Par exemple, tout en restant citoyen, le voleur peut ne pas jouir de la liberté de déplacement; il pourra donc être mis en prison. Dans ce cas il y aura un simple « laisser faire » : l'État en tant que tel « laisse faire » l'État en tant que Tiers de Droit pénal (ou civil). Et ce « laisser faire » n'a rien de juridique.

ainsi dire que par accident. Dans le cas de la mise à mort politique, c'est au contraire le citoyen qui est supprimé en tant que citoyen, et c'est pour ainsi dire par accident qu'on le supprime en tuant l'animal qui lui sert de support. Politiquement la seule « mort civique » pourrait suffire à première vue : le non-citoyen ou l'animal qui reste pouvant être conservé vivant. Mais ce raisonnement est faux, vu que le citoyen ne se crée que dans et par le *risque* de la vie. Si le révolutionnaire ne courait pas le risque d'être mis à mort par l'État (en cas d'échec), il n'agirait pas en révolutionnaire, c'est-à-dire en citoyen. Sa « mort civique » n'aurait alors aucun sens.

1. Ce point de vue a été adopté en Russie avant 1917.

Théoriquement le criminel devrait donc se présenter devant deux Administrations distinctes : devant le Tribunal juridique qui le condamne à une peine, et devant une Administration politique, qui constate que son statut politique a été modifié par son action de façon à ce que la peine puisse lui être appliquée. Mais pratiquement la liaison peut s'établir automatiquement. Telle action établie par le Tribunal entraîne automatiquement tel changement de statut, et ce changement est fait de façon à ce que la peine infligée par le Tribunal puisse s'accomplir. Dans ce cas une simple Loi (politique) suffirait et on n'aurait pas besoin d'un second « Tribunal » politique. Et il n'y aura pas de conflit, tant que le groupe juridique exclusif coïncide avec le groupe politique exclusif, tant qu'un seul et même groupe exclusif (dirigeant) élabore tant le Droit pénal que la Loi politique en question.

Mais l'État peut ne pas se contenter du simple « laisser faire ». Du moment que le criminel a agi contrairement à son statut politique, l'État peut intervenir politiquement contre lui. Il agira alors comme partie, c'est-à-dire d'une manière non juridique. Et dans ce cas un « Tribunal » politique distinct du Tribunal juridique s'impose. Par ailleurs le Tribunal politique pourra agir comme bon lui semble envers le criminel, sans se préoccuper des « *droits* » de ce dernier. Car ces droits lui appartiennent en tant que membre de la Société, c'est-à-dire en tant que non-citoyen, et celui-ci doit s'effacer devant le citoyen et l'État en cas d'un conflit entre eux. Seulement pour que la Justice soit réalisée (et l'État y tient en sa qualité de Tiers), la peine proprement dite doit être exécutée. Les mesures politiques (« administratives ») ne peuvent donc que s'ajouter à la peine et ne peuvent pas la supprimer. Cette suppression n'est juridiquement admissible que dans un seul cas : dans le cas où la mesure politique est une mise à mort du criminel. Car dans ce cas le criminel est éliminé de la Société, qui redevient ainsi égalitaire ou équivalente, de sorte que le Tiers n'a plus à intervenir [1].

---

1. Nous avons vu que cette solution n'est pas parfaite au point de vue juridique, puisqu'elle *supprime* l'une des deux parties. C'est pourquoi le Tiers ne doit pas y avoir recours en sa qualité de Tiers. Mais si l'État le fait pour des raisons politiques, le Tiers n'a pas à protester, puisque le résultat final et principal — le caractère « juste » de la Société — est atteint.

Le même raisonnement s'applique au cas où l'État agit (non juridiquement) en fonction de l'« utilité publique », pour la « défense de la Société ». Si la mesure utilitaire n'est pas une mise à mort, elle ne peut que s'ajouter à la peine, sans jamais pouvoir la supprimer.

D'une part, les mesures non juridiques (« administratives ») prises par l'État ont pour but de défendre l'État en tant que tel. D'autre part elles ont pour but de défendre le citoyen contre le non-citoyen, même là où ce non-citoyen agit dans le citoyen lui-même. C'est donc ce double but qui détermine la nature de la mesure « administrative ». Si l'État est d'avis que la peine juridique est insuffisante pour la défense politique de l'État, il peut y ajouter une mesure « administrative » allant éventuellement jusqu'à la mise à mort (qui, bien entendu, ne sera pas une *peine* de mort »). Il se peut aussi que l'État soit d'avis que la peine (« juste »), en raison de sa nature « infamante » ou pour d'autres raisons quelconques (rendant par exemple impossible la vie *civique* du condamné), est *absolument* incompatible avec un statut quel qu'il soit (même réduit à son minimum) de citoyen, incompatible avec sa « dignité » si l'on veut. Dans ce cas encore l'État peut soustraire le citoyen à cette peine par une mise à mort. En mettant à mort l'animal en lui, l'État défend le citoyen contre cet animal. Or cette défense peut être préventive : la mesure administrative (et même la mise à mort) peut être prise avant que l'action délictuelle ait été effectuée. Mais d'une manière générale l'État aura intérêt à conserver son citoyen en tant que citoyen. Aussi, dans la mesure où ce sera compatible avec la sécurité de l'État, la mesure administrative aura pour but l'amendement civique du délinquant (effectif ou présumé). De toute façon, la mesure administrative prise contre celui-ci permet de le réintégrer en tant que citoyen (ne serait-ce que comme citoyen amoindri) dans l'État. Et c'est là la « justification » politique de ces mesures. Seulement, encore une fois, ces mesures politiques n'ont rien de juridique. On ne peut pas dire que l'État *n'a pas le droit* de les prendre. Mais on ne peut pas dire non plus qu'il *a le droit* de le faire. Ces mesures n'ont rien à voir avec le Droit en général, ni par conséquent avec le Droit pénal : elles ne sont donc pas des *peines,* et la mise à mort elle-même n'est ici qu'une « mesure suprême de défense politique » (ou « sociale », s'il s'agit de défendre non pas l'État en tant que tel, c'est-à-dire en tant qu'entité politique, en tant que collectif d'Amis opposés à un Ennemi commun, mais la Société non politique ou civile, prise dans son ensemble).

### D. LE DROIT PRIVÉ.

### § 64.

Nous avons vu (chapitre I) que le Droit qui existe en acte, étant réalisé par un État, peut être divisé en Droit public et en Droit privé. Il s'agit de Droit privé là où aucune des deux parties en cause ne prétend agir au nom de l'État, où il n'y a pas de Fonctionnaire-imposteur ou présumé tel. Dans le Droit privé il s'agit donc de relations qui se déroulent au sein de la Société non politique. Or, tout comme le Droit public, le Droit privé peut être soit pénal, soit civil. Il est *pénal* lorsque l'une des parties est la Société en tant que telle, c'est-à-dire un membre « quelconque » de la Société. Il est *civil* quand les deux parties sont des membres de la Société, pris dans leur spécificité, en tant que différents de tous les autres membres.

Dans la présente Section je ne traiterai que du *Droit privé civil,* c'est-à-dire du Droit qu'on appelle généralement « Droit civil » ou « Droit privé » tout court, ces deux termes étant équivalents.

Le Droit pénal est caractérisé par le fait que l'intervention du Tiers, si elle n'aboutit pas à un acquittement, a pour conséquence une peine, ce qui veut dire que le Tiers annule l'action en tant que volonté et intention, ainsi que par le fait que le Tiers intervient spontanément, ce qui veut dire que l'action criminelle est rapportée à un membre quelconque de la Société, c'est-à-dire à la Société en tant que telle. Par opposition, le Droit civil est caractérisé premièrement par l'absence de peine, ce qui veut dire que le Tiers se contente d'annuler l'action illicite en tant qu'acte et non en tant que volonté ou intention, et deuxièmement par le caractère « provoqué » de l'intervention du Tiers, ce qui veut dire que celui-ci rapporte l'action illicite non pas à la Société en tant que telle, c'est-à-dire à son membre quelconque, mais à un membre de la Société pris dans sa spécificité.

Par définition le Droit civil ne connaît donc pas de peine proprement dite. Il y a tout au plus une « réparation des dommages » causés par l'action illicite, ces « dommages » ayant été subis par le membre de la Société juridiquement lésé. Par ailleurs l'intervention du Tiers se réduit à l'annulation pure et simple de l'acte illicite, strictement délimité.

Si A a le droit subjectif *(right)* civil d'agir ou de se comporter d'une certaine façon, il l'a vis-à-vis d'un B déterminé. Seul B peut léser ce droit de A par son action ou son comportement. Car si n'importe qui peut léser le droit de A, ce droit n'est pas spécifique à A : n'importe qui peut avoir le même Droit. Si le droit de A peut être lésé par n'importe qui, c'est que ce droit met A en rapport (effectif ou virtuel) avec un « membre quelconque » de la Société. Or par définition le membre *quelconque* n'a aucun rapport *spécifique* avec A, il n'a aucune raison de léser le droit de A plutôt que celui de n'importe qui d'autre. C'est dire qu'en lésant ce droit de A on se rapporte non pas à A exclusivement, mais à un membre quelconque (sujet de ce droit). Autrement dit on lèse le membre quelconque ou, ce qui est la même chose, la Société dans son ensemble. Il y a donc un cas de Droit *pénal* et non de Droit *civil*. Ainsi, par exemple, n'importe qui peut voler la propriété de A : et c'est un cas de Droit pénal. Mais seul le débiteur B de A peut ne pas lui rendre sa dette, et il ne peut ne pas la rendre qu'à A : et c'est un cas de Droit civil [1]. A n'a de droits subjectifs civils que par rapport à B (A et B pouvant être un ou plusieurs). Si A a le droit (civil) d'agir ou de se comporter vis-à-vis de B d'une certaine façon, et si B agit ou se comporte de façon à ce que A ne puisse pas le faire, le Tiers interviendra pour annuler la réaction de B et permettre ainsi à A ne pas faire d'efforts pour vaincre la résistance de B. Ceci fait, le Tiers se retire de l'interaction entre A et B, et il ne se préoccupe pas des interactions entre B et les

---

1. Bien entendu, cela ne veut pas dire que B est unique dans la Société : A peut avoir plusieurs débiteurs; « B » sera alors leur ensemble. Ce qui importe, c'est que B a des rapports spécifiques avec A, qu'il n'a pas avec les autres. Mais A et B peuvent être des « collectifs », caractérisés précisément par la spécificité de leurs rapports mutuels. Il se peut certes que B veuille voler un objet déterminé (un tableau par exemple) que A est seul à posséder. Mais ce qui est ici spécifique, c'est l'objet et non pas le propriétaire : le propriétaire A de l'objet en question peut être quelconque, l'action du vol n'en sera pas modifiée (du moins en son intention). Et c'est pourquoi c'est un cas de Droit pénal. A peut être seul à bénéficier d'un certain droit : celui par exemple de recevoir certains signes de respect de tous les autres membres. Alors un membre quelconque peut léser ce droit de A, qui n'appartient qu'à lui. Mais si B lèse ce droit en agissant en tant qu'un membre quelconque, c'est au droit qu'il en voudra et non à la personne de A. Il en voudra donc à la Société qui reconnaît ce droit à A. Il lésera par son action cette Société en tant que telle, et il y aura un cas de Droit pénal. Dans la mesure où B lèse A personnellement, il n'agit plus (seulement) en membre quelconque, et son acte donnera un cas de Droit civil. Dans cet aspect *civil*, B devra des « dommages-intérêts » à A, et rien d'autre.

membres de la Société autres que A. Les rapports entre B et les autres membres de la Société ne sont donc pas affectés par ses rapports avec A. Et c'est dire que ces derniers rapports, même s'ils impliquent l'intervention du Tiers, n'amènent aucune *peine* infligée à B.

Le Tiers ne se rapporte donc à B que dans la mesure où B se rapporte à A. Dans ses rapports avec A, contrôlés par le Tiers, B est censé être purement passif, c'est-à-dire qu'il doit se comporter et agir de façon à ne pas entraver l'action et le comportement de A vis-à-vis de lui, dans la mesure où A a le *droit* (civil) de le faire. Si B réagit, le Tiers annule sa réaction. Et c'est là toute l'intervention civile du Tiers. Le Droit civil permet à A d'agir d'une certaine façon vis-à-vis de B sans devoir faire des efforts pour vaincre la résistance de B. Si une telle résistance a lieu, le Tiers se contente de la supprimer, et cette suppression suffit pour rétablir le *statu quo ante* entre A et B, qui ne donnait pas lieu au Tiers d'intervenir. Quant aux interactions entre A, B et les autres membres de la Société, elles ne sont affectées ni par l'interaction entre A et B, ni par l'intervention du Tiers dans cette interaction entre A et B.

Or s'il s'agit de A et non d'un autre membre quelconque de la Société, c'est que A est pris dans sa spécificité, dans son *hic et nunc*, c'est-à-dire dans son existence *actuelle* (et non virtuelle). Et cette existence *actuelle* se manifeste dans et par des *actes*. C'est dans et par ses *actes* que A diffère de tous les autres membres de la Société, car ce sont ses actes qui *actualisent* sa puissance d'être en la transformant en un *hic et nunc*, par définition différent de tous les autres. Or l'*acte* ne peut être entravé que par un autre *acte*, qui, par définition, actualise et spécifie un B. Le Tiers ne peut donc annuler par son intervention que l'*acte* de B, c'est-à-dire l'acte d'un B déterminé et une action déterminée de ce B. Le Tiers du Droit civil ne se rapporte donc à l'action de B que dans la mesure où elle est actualisée dans et par un *acte*, et il ignore l'action prise en tant que volonté ou intention. Certes, le droit civil de A envers B peut naître d'une convention (contrat) entre A et B, c'est-à-dire de l'intention et de la volonté de B. Mais quand le Tiers du Droit civil intervient, la convention est déjà actuelle, elle est transformée par un acte en un *hic et nunc* spécifique. Et le Droit civil n'a trait qu'à cet acte : le contrat n'existe juridiquement qu'à partir du moment où il est un « acte » conclu entre un A et un B spécifiques et actuels : la simple intention, ou volonté, de contracter n'existe pas pour le Tiers. Certes, le Tiers peut rechercher la volonté ou l'intention des contractants lors de son intervention. Mais la volonté et l'intention ne l'intéressent que dans la mesure où elles se sont actualisées dans l'acte correspondant : ce qui compte, ce n'est pas la volonté ou l'intention de réaliser ou de ne pas réaliser un contrat : c'est l'acte de le faire ou de ne pas le faire. La volonté et l'intention déterminent la nature de cet acte, mais elles n'interviennent que dans la mesure où elles y sont impliquées : sans l'acte, au-delà de l'acte, elles ne sont rien pour le Droit civil. Dès que le Tiers tient compte de la volonté et de l'intention indépendamment ou en plus de leurs réalisations dans et par l'acte, il intervient (aussi) en Tiers de Droit pénal. Car si la volonté de B dépasse son acte, elle dépasse aussi la personne de B et les rapports entre A et B : elle se rapporte à un membre quelconque de la Société et elle est ainsi du ressort du Droit pénal. Or, si le Droit civil ne se rapporte à la volonté et à l'intention que dans la mesure où celles-ci sont impliquées dans l'acte, il peut se rapporter à l'acte sans tenir compte d'elles. C'est ce qui a lieu lorsque le Droit civil de A envers B naît non pas d'un contrat entre eux, mais de leur statut, c'est-à-dire non pas de leurs volontés ou intentions, mais de leur être même. Ainsi par exemple quand le père a un droit au contrôle de certains agissements de son fils, ou quand le fils a un droit à l'héritage de son père. Dans ces cas le Tiers ne se préoccupe que de l'acte (ou de l'être actuel en général) et n'a que faire de l'intention ou de la volonté des parties en cause. Et bien entendu, ici encore, il ne s'agit que d'une interaction entre A et B, et non pas d'interactions entre A, B et les autres membres de la Société. Le Tiers se contente d'annuler les réactions illicites de B aux actions de A, les actions et les réactions étant prises en tant qu'*actes,* et non en tant que volontés ou intentions.

Seulement, pour que l'intervention du Tiers soit une manifestation authentique du *Droit* (civil), il faut qu'elle ait pour but le maintien ou la restitution soit de l'égalité, soit de l'équivalence, soit des deux à la fois, entre A et B. A a un *droit* (civil) à son action ou comportement vis-à-vis de B, si cette action ou ce comportement maintiennent l'égalité ou l'équivalence entre A et B. Et l'acte de B est illicite s'il détruit cette égalité ou équivalence entre lui et A. Ainsi l'acte de refuser la restitution de la dette supprime l'égalité ou l'équivalence qui est censée avoir existé entre A et B avant le prêt et entre A — créditeur de B et B — débiteur de A. De même la désobéissance du fils supprime l'équivalence qui est censée avoir existé entre le père et le fils obéissant, et la tentative du père de déshériter son fils supprime l'équivalence entre la situation du père et du fils attendant un héritage de son père. Or il se peut que la restitution de l'équivalence ou de l'égalité détruites par l'acte illicite ne puisse pas se faire par la seule suppression de cet acte. Il ne suffit pas par exemple que le débiteur finisse par payer sa dette; il se peut que l'équivalence ou l'égalité des situations respectives ne sera rétablie que si le débiteur dédommage le créditeur du retard (ou annule l'avantage qu'il a eu de retarder le paiement). Dans ce cas l'intervention du Tiers aura pour conséquence le paiement (sous une forme quelconque) de « dommages-intérêts » à la partie dont les droits civils ont été lésés. Mais l'acte de payer ces « dommages-intérêts » fait partie de l'annulation de *l'acte* illicite, et ceci n'a rien à voir avec une *peine* au sens propre du mot. L'acte de ne pas avoir payé le jour même de l'échéance peut être annulé par le seul acte de payer le dû. Mais l'acte de ne pas avoir payé pendant un an peut exiger, pour son annulation, le paiement de « dommages-intérêts » en plus de la dette.

Le Droit civil se rapporte donc à l'action prise en tant qu'*acte*. Et l'acte étant un *hic et nunc,* il doit être accompli par un être actuel et se rapporter à un tel être. Mais A et B ne sont pris que dans leur interaction actuelle : A en tant que se rapportant d'une certaine manière à B, et B en tant que se rapportant d'une certaine manière à A. Aussi peut-on substituer C à A et D à B, si C et D existent en acte, et si C et D s'approprient respectivement les actes en question de A et de B. C'est pourquoi on peut céder une créance et hériter d'une dette par exemple, ou vendre un contrat. Car l'*acte,* existant en acte, est détaché de sa puissance, c'est-à-dire ici de la volonté et de l'intention (qui, elles, sont solidaires de leurs rapports actuels, c'est-à-dire de la personne existant en acte, qui les a). L'acte peut donc être rattaché à une autre volonté ou intention, à la volonté ou intention d'un autre. Mais le droit (civil) n'est pas affecté par cette substitution des personnes : il reste une relation déterminée entre A et B exclusivement, qui reste la même, si A est remplacée par C et B par D. De toute façon le Droit civil n'a affaire qu'à des êtres pouvant créer ou adopter des *actes,* c'est-à-dire à des êtres existant en acte, à des êtres spécifiques, actualisés dans un *hic et nunc.* Autrement dit le Droit civil se rapporte à des interactions entre des membres de la Société, et non pas à des interactions avec cette Société elle-même, c'est-à-dire avec son membre quelconque, sans *hic et nunc* spécifique. Mais, bien entendu, ce membre actuel de la Société n'est pas nécessairement une « personne physique ». Ce peut être tout aussi bien une « personne morale » : individuelle, collective ou idéelle.

Or s'il s'agit de relations entre les *membres* de la Société, la Société n'est pas en interaction en tant que telle. Elle n'est donc pas partie, et elle peut être Tiers. La Société peut créer et appliquer elle-même un Droit civil. Mais si la Société est étatisée, le Droit (civil) n'existera en acte que s'il est appliqué par l'État. Dans ce cas l'État agira au nom de la Société prise non pas en tant que partie, mais en tant que Tiers impartial et désintéressé. L'État fera sien le Droit civil de la Société, et il suffit, pour qu'il en soit ainsi, qu'il sanctionne les décisions de la Société intervenant comme Tiers, en les rendant « irrésistibles ».

Mais que ce soit l'État ou la Société qui interviennent, ils ne peuvent intervenir que sur une « provocation » des intéressés. En effet, si le droit subjectif civil de A est le droit de A et non d'un membre quelconque, c'est que ce droit n'est pas en même temps son devoir. Il peut donc l'exercer ou non, selon son bon plaisir. S'il ne veut pas l'exercer, le Tiers n'a pas à intervenir. Et le Tiers peut admettre que A ne veut pas exercer son droit tant qu'il ne fait pas appel au Tiers. La spécificité de A est son actualité, et son actualité est son *acte.* C'est donc l'*acte* de l'appel au Tiers, c'est-à-dire la « provocation » de son intervention, qui actualise et spécifie A en tant que sujet de droit civil. Si le Tiers intervenait « spontanément », il aurait traité A non pas en membre spécifique de la Société, pouvant être différent de tous les autres, mais en membre quelconque, agissant comme tous sont censés agir. Dans ce cas le Tiers interviendrait au nom du Droit pénal, et non du Droit civil. Et comme j'ai déjà eu l'occasion de le dire, la non-intervention du Tiers ne signifie pas ici un renoncement de rétablir l'égalité ou l'équivalence supprimées. Si A ne fait pas appel au Tiers, c'est qu'il ne se considère pas comme lésé par l'action de B (du moins c'est ce qu'on admet). Et dans ce cas il n'est pas lésé effectivement. Car c'est dans sa *spécificité* qu'il est censé être lésé lorsqu'il s'agit du Droit *civil.* Et le croire lésé en dépit de son opinion *personnelle,* c'est le traiter en membre *quelconque,* c'est donc défendre autre chose que son droit *civil.* Le Droit civil veille à l'égalité ou à l'équivalence non pas entre des membres quelconques, mais entre A et B. Et c'est dire qu'il ne considère l'égalité et l'équivalence que du point de vue de A ou de B. L'égalité ou l'équivalence entre A et B pris en tant que tels ne peuvent être lésées par B que si A est d'avis qu'elles le sont. Et la « provocation » du Tiers n'est rien d'autre que cet « avis » de A.

Le Droit civil se rapporte donc aux interactions qui ont lieu *au sein* de la Société, entre ses membres (individuels ou collectifs). Mais il faut bien que ces interactions aient lieu au sein d'une *Société* pour qu'il y ait Droit (civil). En effet, les interactions entre animaux n'ont rien de juridique. Or A ou B n'est plus et autre chose qu'un animal, il n'est un être vraiment humain, que dans la mesure où il est membre de la Société. L'interaction à laquelle se rapporte le Droit *civil* n'a lieu qu'entre A et B, mais pour que ce Droit soit vraiment un *Droit* l'interaction à laquelle il se rapporte doit être une interaction *sociale :* A et B doivent être des membres de la Société et agir en tant que tels, tout en agissant en tant que membres *spécifiques* de cette Société, et non en tant que membres quelconques [1]. Le Droit civil n'existe donc qu'au sein de la Société, et il se rapporte aux interactions sociales entre les membres de la Société.

Or nous savons qu'il y a plusieurs types de Sociétés (englobés dans *la* « Société » au sens technique du terme) : familiale, économique, mondaine, religieuse, culturelle, etc. Un membre d'une Société donnée ne peut entrer en interaction sociale qu'avec un membre de la même Société, pris en tant que tel. Bien entendu, un seul et même individu (ou collectif) peut faire simultanément partie de plusieurs Sociétés différentes. Mais s'il agit en tant que membre d'une Société, son action sociale ne peut affecter qu'un membre de cette même Société (ou cette Société elle-même). Il y a donc autant de types d'interactions sociales entre A et B qu'il y a de types de Sociétés dont A et B sont membres. En particulier, il y a autant de Droits *civils* que de Sociétés. Si A, pris en tant que membre (spécifique) d'une Société donnée, a le droit d'agir d'une certaine façon envers B, et si B s'y oppose, la Société en question va intervenir en guise de Tiers pour annuler la réaction de B : le Tiers appliquera ou créera alors une règle de Droit civil de la Société en ques-

---

1. La Société est censée être essentiellement autre chose qu'une association animale : troupeau, ruche, etc. Je ne peux pas indiquer ici en quoi consiste la différence. Il suffit de dire que les relations animales sont *muettes* et que les relations exprimables en paroles *par les agents en relation* sont spécifiquement humaines. Il n'y a donc Droit que là où l'interaction est présentée au Tiers par les intéressés (ou leurs représentants) sous forme *verbale*. (Le « représentant » est censé avoir reçu — ou avoir *pu* recevoir — des instructions *verbales* de la part des intéressés qu'il représente.)

tion. Et l'ensemble de telles règles formera le Droit civil de cette Société.

Or rien ne dit que les différentes Sociétés doivent avoir un seul et même Droit, c'est-à-dire appliquer un seul et même idéal de Justice. Car l'être humain qui s'actualise au sein d'une Société donnée n'est pas le même être que celui qui s'actualise dans une autre Société, même si ces deux êtres ont un seul et même animal Homo sapiens pour support. S'actualiser par l'action comme membre de la Société familiale par exemple est autre chose que s'actualiser en agissant dans la Société économique. Il se peut donc qu'une Société familiale donnée applique un idéal de Justice égalitaire, tandis que la Société économique s'inspire de l'idéal de la Justice d'équivalence. Etc. Certes, le Droit réel est toujours synthétique, fondé sur l'idéal de la Justice de l'équité. Mais la nature de cette synthèse peut être différente. Rien ne dit donc que tous les Droits civils de la Société à un moment donné appartiennent à un seul système de droit. Mais si la Société est étatisée, toutes les Sociétés qui en font partie n'auront un Droit (civil) en acte que dans la mesure où ce Droit sera étatique. Un seul et même État, agissant en guise de Tiers, appliquera donc tous les Droits civils particuliers. Pour rester en accord avec lui-même, l'État devra donc les unifier, c'est-à-dire les fonder sur un même idéal de Justice. Alors les divers Droits civils seront des rubriques d'un seul et même Système de Droit, des subdivisions du Droit civil de ce Système. Mais en fait l'État adopte généralement les Droits élaborés par les Sociétés. L'unité du Droit civil sera donc en général toute relative. Le Droit civil un et unique. c'est-à-dire le Système vraiment cohérent, n'existera que dans l'État où toutes les Sociétés auront atteint le même stade évolutif. Et ceci n'aura lieu que dans une Société, et par conséquent dans un État, *homogène.* C'est-à-dire dans l'État universel de l'avenir définitif.

Dans les pages qui vont suivre je me contenterai de dire quelques mots de deux seulement des différents types possibles de Droit civil, qui sont actuellement les plus importants. Je parlerai d'abord *(a)* du *Droit de la Société familiale* et ensuite *(b)* du *Droit de la Société économique.*

## a. *Le Droit de la Société familiale.*

### § 65.

Il ne s'agit pas ici de discuter la question de savoir si c'est l'État qui présuppose la Famille, ou si c'est la Famille qui présuppose l'État (au sens large d'organisation sociale autre que familiale). Il suffit de constater que, du moins de nos jours, la Famille et l'État coexistent : d'une part la Famille moderne vit au sein d'un État, dont ses membres sont, en général, citoyens; d'autre part l'État moderne n'a pas supprimé la Famille, et ses citoyens sont, en général, membres de Familles. Et l'on peut constater une certaine autonomie ou indépendance réciproque de la Famille et de l'État. Leur autonomie est révélée par le fait qu'ils peuvent entrer en conflit[1]. La Famille est donc *essentiellement* autre chose que l'État, les relations familiales diffèrent *essentiellement* des relations politiques, et l'homme pris en tant que membre d'une Famille et par suite d'une Société familiale, est autre chose que ce même homme pris en tant que membre de la Société politique ou de l'État, c'est-à-dire en tant que citoyen. C'est pourquoi l'État « représenté » par l'homme pris en tant que citoyen peut intervenir en guise de Tiers impartial et désintéressé non seulement dans les interactions entre les membres d'une Famille ou entre les Familles, mais encore dans les interactions entre les membres d'une Famille ou une Famille et la Société familiale en tant que telle, prise dans son ensemble, « représentée » par son membre « quelconque » pris en tant que membre de cette Société. D'où la possibilité d'un Droit de la Société familiale, civil et pénal, existant *en acte* au sein d'une Société étatisée.

Mais si, d'une part, étant autre chose que la Famille, l'État peut être désintéressé vis-à-vis d'elle, il en a d'autre part besoin et il est « intéressé » à son existence : en un certain sens, l'État « présuppose » la Famille. En effet, les citoyens étant mortels, l'État a besoin de les remplacer. Or, jusqu'à présent tout au moins, l'État ne produisait pas

---

1. Le conflit entre la Famille et l'État est le thème principal de la Tragédie antique, comme l'a montré Hegel (cf. *L'Orestie* d'Eschyle et l'*Antigone* de Sophocle, par exemple). D'autre part, le « Féodalisme » est une manifestation de ce conflit.

lui-même ses citoyens. Ils lui étaient livrés par les Familles, c'est-à-dire par la Société familiale. L'État est donc « intéressé » à la conservation de cette Société. Il a intérêt à ce que chaque citoyen soit aussi membre de la Société familiale. C'est pourquoi le statut de membre de cette Société est, dans une certaine mesure, impliqué par l'État dans le statut de citoyen. Dans la mesure où l'État intervient pour maintenir le statut familial impliqué dans le statut du citoyen, il intervient en partie intéressée et non en Tiers : son intervention n'a donc rien de juridique. Mais l'État n'est pas « intéressé » à *tous* les éléments du statut familial et dans la mesure où il est « désintéressé » son intervention peut engendrer ou actualiser un Droit familial authentique, s'il intervient afin de faire régner la Justice au sein de la Société familiale. Son intervention sera d'ailleurs juridique même là où il est « intéressé », s'il intervient non pas en tant que partie intéressée, mais comme Tiers désintéressé, en faisant en quelque sorte abstraction de son propre intérêt dans l'affaire. Ainsi, un seul et même acte peut être annulé par l'État d'une manière non juridique comme contraire au statut du citoyen, et juridiquement comme contraire au statut familial, même si les deux statuts ont en commun l'élément en question [1]. Certes, en réalisant la Justice au sein de la Société familiale, l'État la maintient dans l'existence. On peut donc dire qu'il applique la Justice parce qu'il est intéressé à la conservation de la Société. Mais ce qui importe, c'est que l'État conserve la Société *en y réalisant la Justice* et ne peut pas la conserver autrement. Le statut familial n'est pas « juste » parce qu'il conserve la Société familiale : il la conserve parce qu'il est « juste » — s'entend, du point de vue de cette Société, c'est-à-dire de son membre quelconque (ou, plus exactement, du membre quelconque de son groupe juridique exclusif). Si l'État appliquait aux membres de la Société un statut « injuste », la Société finirait par se désagréger. L'État ne conserve cette Société que parce qu'il y réalise l'idéal de Justice valable en elle. Qu'elle soit « intéressée » ou non, l'intervention de l'État réalise donc dans la Société familiale l'idéal de Justice de cette Société; on peut donc dire qu'il actualise le Droit (pénal et civil) de cette Société. Et dans la

---

1. Bien entendu il sera alors difficile de *constater en fait* si l'État agit en Tiers, c'est-à-dire juridiquement, ou en Partie, c'est-à-dire politiquement. C'est pourquoi le Droit familial réel implique souvent des éléments juridiquement inauthentiques. Mais c'est là une autre question. *En principe* la distinction proposée a un sens.

mesure où la Société familiale est une Société humaine *sui generis*, l'application (par l'État) d'un idéal donné de Justice aux interactions sociales caractéristiques pour cette Société donne un Droit (pénal et civil) *sui generis :* le Droit familial.

Le Droit familial a pour mission de rendre la Société familiale conforme à un certain idéal de Justice : d'égalité, d'équivalence ou d'équité. Quand l'idéal de Justice sera appliqué aux interactions entre les membres de la Société familiale, c'est-à-dire les membres (individuels ou collectifs) d'une famille ou une famille, ou un groupe de familles, et cette Société prise dans son ensemble, c'est-à-dire son membre « quelconque », on aura un cas de Droit familial pénal. Quant au Droit familial civil, il aura pour but d'établir ou de rétablir l'égalité, l'équivalence ou l'équité dans les interactions sociales entre les membres de la Société familiale, pris en tant que membres de cette Société. C'est-à-dire d'abord entre les membres ou les groupes de membres d'une seule et même famille, puis entre une famille et ses membres, ensuite entre les membres d'une famille et ceux d'une autre, ou entre les membres d'une famille et une autre famille prise dans son ensemble, et enfin entre deux familles ou deux groupes de familles, les membres des familles et les familles étant toujours pris dans leur spécificité, dans ce qui les distingue des autres membres et familles.

La spécificité du Droit familial tient à la spécificité de la Société familiale. Un idéal de Justice engendre un Droit *familial* quand il est appliqué à des interactions *familiales.* Il nous faut donc voir ce qu'est la Société familiale en tant que telle.

Sans aucun doute les interactions familiales sont fondées en dernière analyse sur la sexualité, qui aboutit à la mise au monde d'enfants. En tant que telle la sexualité est un phénomène biologique qui n'a rien de spécifiquement humain. Pris en lui-même, le couple animal est tout aussi peu une Famille qu'une association animale (troupeau, ruche, etc.) est un État. Mais si l'Homme s'est constitué par ailleurs en être humain, ses relations biologiques sexuelles prennent elles aussi une valeur humaine et deviennent des relations familiales, tout comme l'association d'êtres humanisés devient par cela même que ces êtres sont humains, une association humaine : une Société ou un État. Du moment que le mâle et la femelle sont des êtres humains, ils sont « mari » et « femme », s'ils forment un « couple », et ce couple est déjà une « famille »[1]. Or l'homme s'est humanisé par la Lutte et le Travail, en tant que Maître et Esclave. Le « couple » formé de Maîtres ou d'Esclaves, ou — plus exactement -- par un Maître ou Esclave et sa compagne (avec ses enfants), n'est plus un couple animal : c'est une Famille humaine. Or la Maîtrise et la Servitude engendrent et impliquent des rapports entre Amis-Ennemis. Et si l'homme s'humanise en acte tout d'abord comme Maître, une association de Maîtres est tout d'abord une Société (humaine) politique, c'est-à-dire un État (au sens large). On peut donc dire que la Famille présuppose l'État : c'est au sein de l'État que le couple animal

1. D'une manière générale presque tout le contenu de la vie humaine est une humanisation de la vie animale. Ce qui est spécifiquement humain, humain d'une manière *primaire* (non dérivée), c'est le Désir du désir, c'est-à-dire le Désir de reconnaissance, la Lutte qui en résulte et le Travail qui naît de la Lutte, avec le langage (ou la pensée : Logos) que ce travail engendre. Tout le reste est formé par la vie animale (« psychique » : sensation, perception, émotion, désir, etc.), qui prend une valeur humaine du fait qu'elle se joue au sein d'une vie humanisée (par la Lutte et le Travail), étant ainsi « consciente de soi » et par suite exprimable en paroles. Mais le contenu en tant que conscient de soi s'oppose au contenu immédiat ou brut (animal au sens propre), puisque la conscience de soi présuppose — et par conséquent — implique une *négation* du donné brut (de l'« instinct de conservation »). D'où une transformation réelle de la vie animale en fonction de la conscience de soi (ou du langage, c'est-à-dire de la pensée). La vie « animale » d'un être *humain* devient ainsi une vie *humaine*, réellement autre que la vie de l'animal proprement dit. La famille, étant un « couple » animal *conscient de soi* (se révélant par le langage), est donc *réellement* autre chose que le couple proprement dit, formé par des animaux privés de conscience de soi (de langage ou de pensée). Aussi la différence peut-elle être constatée même par une méthode « behavioriste ». Seulement cette transformation est dérivée et non primaire. La Famille diffère du couple parce que l'homme diffère déjà de l'animal, s'étant humanisé en dehors du couple par la Lutte et le Travail. La Famille est une « négation dialectique » *(Aufhebung)* du couple. Mais ce n'est pas en « niant » le couple (la sexualité animale) que l'homme s'humanise. C'est parce qu'il s'est déjà humanisé (par la négation de la nature animale dans et par la Lutte et le Travail) que l'homme « nie » (aussi) la vie sexuelle animale et transforme ainsi le couple en Famille. C'est parce qu'il est déjà Maître (d'un Esclave) ou Esclave (d'un Maître) que l'homme se comporte autrement vis-à-vis de sa femme que le mâle vis-à-vis de sa femelle et devient « mari » d'une « épouse ». Ayant « nié » sa nature animale dans la Lutte et le Travail, l'homme doit la « nier » aussi dans la sexualité (qui est solidaire de la nature animale qu'il a niée), et c'est cette « négation » (secondaire ou dérivée) qui humanise la sexualité, la transformant en interaction familiale. (La « négation » de la sexualité animale se réalise et se révèle par les « tabous » sexuels. Mais ce n'est pas en « inventant » ces tabous, c'est-à-dire en humanisant la vie sexuelle animale, que l'homme s'humanise. C'est parce qu'il s'est déjà humanisé par la Lutte et le Travail qu'il introduit les « tabous » sexuels et humanise ainsi la vie sexuelle — en s'humanisant aussi en tant que mâle et femelle.)

se transforme en Famille. Mais d'autre part le Maître et l'Esclave doivent naître en tant qu'animaux pour exister, et ils naissent dans et par le couple animal. On peut donc dire aussi que l'État présuppose le couple, qu'il n'existe que dans la mesure où existent des couples. L'État présuppose donc le couple (comme en général l'homme « présuppose » l'animal Homo sapiens), mais la Famille présuppose l'État (comme la vie humaine en général, c'est-à-dire l'existence consciente de soi ou ce qui est la même chose révélée dans et par le langage ou la pensée, présuppose le Travail, qui présuppose la Maîtrise et la Lutte pour la reconnaissance). On pourrait dire aussi qu'il y a humanisation simultanée et parallèle du couple en Famille et du troupeau en État. La Lutte du Maître humanise les combats animaux en les transformant en interactions politiques, l'association animale, le troupeau, devenant ainsi Société politique et finalement État. Au sein de cette Société le Travail de l'Esclave humanise la vie alimentaire et crée la Société économique. Et à l'intérieur de l'État et de la Société économique se constitue la Société familiale par humanisation de la vie sexuelle. Si l'on veut, on peut dire avec Aristote, que la Famille se compose des parents, des enfants *et des Esclaves*. C'est parce que le père de famille est un Maître possédant des Esclaves, qu'il est mari et père *de famille* et non un mâle animal avec une femelle et des petits. Étant humain dans son être, c'est-à-dire dans son action, l'homme l'est aussi dans son activité sexuelle : en devenant des relations entre des êtres *humains* les rapports sexuels (au sens large) deviennent des relations *humaines*, familiales : un couple d'êtres *humains* est non pas un « couple » animal, mais une Famille.

Au prime abord le « mari » est seul à être humanisé (en devenant – dans et par la Lutte – Maître ou Esclave) : la femme (qui par définition ne participe pas à la Lutte) reste femelle, un animal Homo sapiens. Et du point de vue du mari humanisé elle peut rester dans son animalité, pourvu qu'elle lui procure des enfants (mâles) qui deviendront humains [1].

1. En réalité la compagne du mari est nécessairement « femme », épouse, et non femelle. Mais elle s'humanise par l'intermédiaire du mari (déjà humanisé hors de la Famille et indépendamment de ses interactions avec sa femme). Le mari, ayant nié son animalité dans la Lutte, nie aussi l'aspect sexuel de cette animalité, en se conformant à des tabous sexuels qu'il imagine (notamment en connexion avec la Lutte : le tabou sexuel a surtout pour mission de préserver la puissance guerrière de l'homme). Or, la femme subit le tabou imposé par le mari : elle nie donc elle aussi sa sexualité animale et l'humanise par conséquent, en s'humanisant soi-même (dans son aspect féminin, c'est-à-dire sexuel, tout au moins). Cette huma-

Car le Maître (et l'homme en général) tient à avoir un « héritier », c'est-à-dire un enfant *humain*, donc assimilable à son père (humanisé) [1]. Le but de la Famille (du point de vue de son « chef » humanisé) est donc non pas tant la progéniture que l'*éducation*, c'est-à-dire la transformation d'un jeune animal en être humain, censé pouvoir prolonger l'*action*, c'est-à-dire l'être même, de son père, qui « survit » ainsi dans son héritier, et le « défend » donc « comme soi-même »[2]. L'éducation, comme toute humanisation, se réalise et se révèle dans et par des « négations dialectiques » de l'animalité innée : règles de propreté, tabous sexuels et alimentaires, transformations du corps par incisions, couleurs, vêtements, etc., rites de passage, et ainsi de suite. C'est la Famille qui impose à l'enfant cette « négation » de sa nature animale et qui l'humanise par cette négation [3].

Bien entendu, la Famille ne réalise pas *toutes* les « négations » qui créent l'homme à partir de l'animal. Ainsi, par définition, la négation qui se réalise et se révèle dans et par le Risque de la vie dans une Lutte pour la reconnaissance (tout d'abord du Maître) s'effectue en dehors de la Famille, dans la Société politique ou dans l'État : l'homme l'effectue non pas en tant que « fils de famille », mais en sa qualité de citoyen [4]. De même, l'humanisation par le Travail (de l'Es-

nisation de la femme est médiatisée par l'homme (son mari), tout comme l'humanisation de l'Esclave (par le Travail) est médiatisée par le Maître (et la Lutte). D'où une certaine analogie entre la Femme et l'Esclave. Mais le fait de ne pas avoir lutté est autre chose que le fait d'avoir abandonné la Lutte (par crainte de la mort). D'où une différence essentielle entre la Femme et l'Esclave. Mais je ne peux pas insister ici sur ce point.

1. L'« héritier » est un *Erzatz* de l'immortalité. L'homme est le seul être qui *se sait* être fini, c'est-à-dire mortel. Or *connaître* sa fin, c'est la transcender, la dépasser « mentalement ». D'où le désir de la dépasser réellement, d'être immortel. L'homme est donc le seul être qui *veut* être immortel. D'où le « mythe » (l'erreur) de l'immortalité de son « âme » (distinguée du corps su comme mortel), et la Religion (le Théisme). (Le terme de l'évolution est l'acceptation par l'homme de sa finitude : athéisme irréligieux.) Et la transposition ici-bas de l'immortalité dans l'au-delà est l'idée de la pérennité de l'« âme » immanente au Monde, l'éternité du « nom », de la « famille » : l'idée de l'héritier (mâle), identifié à son père à cause du fait qu'il prolonge l'*action* de son père, l'action étant l'être même de l'homme. D'où la nécessité non pas seulement d'un jeune animal, mais d'un enfant *humain*, c'est-à-dire *humanisé* dans et par la Famille.

2. D'où l'idée de l'adoption d'une part et de la « reconnaissance » du nouveau-né par le père de l'autre. Le nouveau-né présumé incapable de s'humaniser (et de « prolonger » le père) peut être tué comme n'importe quel animal (et la fille, si elle est censée ne pas pouvoir être humanisée, l'humanité étant refusée aux femmes).

3. Ici encore : analogie et différence entre l'Enfant et l'Esclave.

4. Or seul le Risque *actualise* vraiment l'humanité de l'homme. L'homme

clave tout d'abord) s'effectue à proprement parler dans la Société *économique*. L'Esclave travaille (au début) dans et pour la Famille : mais il se rapporte à la Famille prise comme unité économique et non familiale. De même, les travaux des membres de la Famille ne sont « familiaux » que par accident : on peut travailler sans être membre d'une Famille, et on peut être membre d'une Famille sans y travailler. Même les « tabous » négateurs de l'animalité ne sont pas tous familiaux. Les Sociétés religieuse (rites) et mondaine (« politesse », etc.) édictent elles aussi des tabous et participent ainsi à l'humanisation de l'enfant. Mais il y a aussi des tabous sexuels (l'inceste, par exemple) propres à la Famille, et il y a donc une humanisation de l'enfant spécifiquement familiale. Et c'est dans cette éducation négatrice spécifique que réside la raison d'être humaine de la Famille. Certes (au début tout au moins), la Famille éduque aussi le futur citoyen ainsi que le futur membre des Sociétés économique, religieuse, mondaine et autres : elle applique à l'enfant les « tabous » propres à ces Sociétés et à l'État. Mais l'État et ces Sociétés auraient pu s'en charger eux-mêmes. D'où des conflits fréquents entre la Famille d'une part et d'autre part l'État et les diverses Sociétés, lorsqu'il s'agit d'éducation des jeunes : éducation familiale (libre ou contrôlée) ou éducation religieuse, étatique, etc. En principe, l'éducation familiale a une raison d'être si la Famille a une raison d'être, et elle consiste dans la préparation – à partir de l'animal nouveau-né – d'un membre humain de la Famille humaine (d'un type donné). Or tant que la sexualité sera humanisée, c'est-à-dire niée dans son immédiateté animale, il y aura toujours une Famille quelconque, c'est-à-dire autre chose encore qu'un couple d'animaux mâle et femelle. Et tant qu'il en sera ainsi, il faudra créer de (futurs) membres de Familles à partir des nouveau-nés animaux. Cette création négatrice devra nécessairement s'effectuer au sein même de la Famille. Quoi qu'il en soit le sens humain de la Famille n'est pas tant la production d'enfants que leur *éducation*, leur transformation

n'est donc vraiment humain *en acte* que dans l'État, en tant que membre de la Société politique ou citoyen. L'homme éduqué au sein de la Famille est un citoyen *en puissance*, qui s'*actualise* dans et par l'État. En ce sens la Famille est humainement « subordonnée » à l'État. Une Société familiale non étatisée ne peut pas humaniser l'homme intégralement et en acte. Mais dans la mesure où l'État est un groupe d'Amis, qui coexistent sans Lutte intestine, il a besoin d'une humanisation « pacifique » de ses citoyens. Il a donc besoin de la Famille, dans la mesure où l'humanisation sans Lutte s'effectue dans son sein.

en êtres humains (ne serait-ce qu'en puissance) par la négation de leur animalité innée : tout d'abord (et c'est là le « domaine » propre de l'éducation familiale) de leur animalité sexuelle, qui transforme l'animal nouveau-né en fils, frère, cousin, etc., ainsi qu'en futur père, grand-père, etc., cette transformation étant d'ailleurs valable pour les deux sexes. Certes, la Famille produit des enfants, mais elle ne le fait que pour les éduquer, pour en faire des hommes.

Or, comme tout être fini en général, l'homme n'est réel en acte qu'à l'intérieur de la totalité dont il est un élément intégrant. Cette totalité est l'Univers spatio-temporel et — en tant que phénomène — le Monde où vit et agit l'être en question. L'homme n'est réel en acte que dans son interaction avec son Monde : son être est l'être-dans-le-Monde (l'*In-der-Welt-sein* de Heidegger). En tant qu'animal l'homme vit dans le Monde naturel, et sa nature animale innée est déterminée par son *topos*, par la place qu'il occupe dans le Monde naturel. Or l'homme s'humanise dans et par la « négation dialectique » de sa nature animale innée, c'est-à-dire de sa place fixe dans le Monde ou le Cosmos. Mais l'être humain qu'il crée par cette négation (et qui n'est rien d'autre que l'*acte* même de la négation du donné naturel) n'est lui aussi réel en acte que dans un Monde : dans un Monde humain ou historique, créé à partir du Monde naturel par l'action négatrice de la Lutte et du Travail. Et l'être humain de l'homme est déterminé par le *topos*, par la place qu'il occupe dans le Monde humain, historique, social. Certes, étant libre, l'homme peut « nier » le *topos* social tout comme il peut nier le *topos* naturel. En niant le *topos* naturel il devient autre chose que l'être naturel qu'il était : il devient autre chose qu'un animal, il devient un être humain. Et en niant le *topos* social ou historique donné il *devient* un autre homme. Mais dans la mesure où il *est,* il est dans un *topos* social et historique donné, et il agit à partir de ce *hic et nunc* social et historique. Se créer en tant qu'homme et exister en tant qu'homme c'est créer un Monde humain et vivre dans ce Monde, en y occupant une « place » déterminée.

Si donc la Famille a pour but de créer un homme à partir de l'animal nouveau-né (que, d'une manière générale, elle produit elle-même), elle doit créer aussi le *topos* social de cet homme, le Monde où il va vivre et agir. Ce Monde est tout d'abord le Monde familial. C'est la Famille qui a engendré l'enfant et qui l'éduque. Cette Famille doit être un Monde pour l'enfant, un « Univers » qui suffit pour le faire vivre. La Famille doit donc créer un *topos* pour l'enfant qui y naît, elle doit lui assigner une « place » dans son sein. Mais la Famille n'est un « Univers » que pour l'enfant. En fait elle fait partie d'un Monde plus vaste, formé d'autres familles. Elle doit donc se créer un *topos* dans le Monde des Familles, dans la Société familiale, l'enfant ayant un *topos* bien défini à l'intérieur de ce *topos*.

Le *topos* d'une Famille dans la Société familiale est le « patrimoine » (héréditaire) de cette Famille, le mot patrimoine étant pris au sens le plus large. Et le *topos* de l'enfant au sein de la Famille est la « place » qu'il occupe par rapport à ce patrimoine, tant en ce qui concerne sa création qu'en ce qui concerne sa consommation, et − *last not least* − sa transmission. Le patrimoine appartient à la Famille en tant que telle. Si l'on veut, il appartient aux individus qui composent la Famille. Mais seulement dans la mesure où ils sont membres de cette Famille. Ce patrimoine n'est pas seulement, et pas nécessairement, une « propriété » immobilière ou mobilière. C'est avant tout l'*œuvre* commune de la Famille, et la propriété familiale n'est que la matérialisation de cette œuvre, qui s'effectue par le Travail proprement dit ou autrement. Et si l'on peut définir la Famille par l'éducation des enfants qu'elle met au monde, on peut la définir aussi par son œuvre ou son « patrimoine ». La Famille est une association d'individus autour d'une œuvre commune, d'une œuvre que les membres de la Famille produisent et « exploitent » en commun, et qui est censée se maintenir dans l'existence en dépit du fait que les individus qui composent la Famille changent : arrivent ou s'en vont. Mais cette œuvre a en fin de compte pour but l'éducation des enfants nés dans la Famille : elle est le « lien » de cette éducation et la « place » des membres de la Famille humanisés par l'éducation familiale.

Certes, d'une manière générale, l'œuvre familiale est un phénomène économique. Mais l'activité économique au sein d'une Famille, ainsi que l'activité économique d'une Famille en tant que Famille, sont autre chose que l'activité propre à la Société économique proprement dite : c'est une activité *familiale* (dans son aspect économique), et non une véritable activité *économique*. Dans la Société économique les inter-actions ont lieu entre des individus isolés, ou groupés en associations à but économique. Dans la Société familiale les inter-actions ont lieu entre Familles, ou entre individus pris en tant que membres de Familles, ces Familles ayant pour but ultime leur maintien en tant que Familles qui éduquent leurs enfants et leur créent une « place » dans la Société familiale. Bien entendu, du moment que l'œuvre familiale a un aspect économique, la Famille et ses membres sont généralement aussi des membres de la Société économique. D'où interactions et conflits entre la Société familiale et la Société économique. De même, la Famille et ses membres sont généralement membres des Sociétés mondaine (« classe sociale »), religieuse et autres, ainsi que de l'État (citoyens). L'œuvre familiale a une valeur économique, sociale, religieuse, politique, etc. Et la Famille crée pour ses membres non pas seulement une « place » dans la Société familiale, mais encore un *topos* dans l'État et dans la Société économique, mondaine, etc. Mais toutes ces « places » auraient pu être créées pour les nouveau-nés par des entités sociales autres que la Famille. L'œuvre *spécifiquement* familiale est celle qui crée le *topos* au sein de la Société familiale elle-même. En tant que « père de famille », l'homme travaille (au sens large) pour ses enfants, c'est-à-dire pour ceux qui sont censés le « prolonger » (en principe indéfiniment) après sa mort, et non pas en tant que citoyens ou membres de la Société économique, mondaine, etc., mais en tant que « pères de famille ». L'œuvre *familiale* a pour but la pérennité de la Famille en tant que Famille : *cette* Famille. Elle doit assurer l'éducation familiale des enfants, c'est-à-dire une éducation telle que les nouveau-nés de la famille puissent remplacer les anciens au sein de cette Famille. Et puisque l'identité de l'homme présuppose l'identité de son monde, l'œuvre familiale doit assurer la pérennité du monde familial : les nouveaux membres, convenablement éduqués, doivent pouvoir vivre dans le même monde familial dans lequel ont vécu leurs parents, c'est-à-dire – en particulier – occuper la même « place » qu'eux au sein de la Société familiale, avoir les mêmes interactions avec l'ensemble des autres Familles, de cette Société. L'œuvre familiale sert l'éducation et l'éducation familiale sert cette œuvre : on éduque les enfants pour qu'ils puissent collaborer à l'œuvre familiale qui a pour but de permettre d'éduquer des enfants capables d'y collaborer et de les placer dans une situation telle qu'ils puissent le faire effectivement. La Famille éduque ses enfants pour qu'ils éduquent les leurs, et l'œuvre familiale crée les cadres matériels de cette éducation indéfinie.

Il est clair cependant que l'éducation et l'œuvre n'épuisent pas le contenu humain de la Famille. Celle-ci n'est pas seulement une association d'individus en vue de l'éducation des enfants à venir de cette association et autour d'une œuvre destinée à servir l'éducation et censée être servie par les enfants éduqués. De tout temps on a vu dans la Famille une association d'*amour* : entre époux et épouse, parents et enfants, etc. Et on ne comprend effectivement pas le contenu humain de la Famille tant qu'on ne sait pas ce qu'est l'*amour* humain.

L'« interaction » amoureuse n'est pas une inter-*action.* L'amour est l'attribution d'une valeur (« absolue ») non pas à l'*action* (ou à l'être *en acte*), mais à l'*être* même en tant qu'*être* (ou être « pur », en puissance, si l'on veut, « absolu », en dehors de toutes *relations,* c'est-à-dire de toute *inter*-action, c'est-à-dire de toute *action*). Comme l'a très bien dit Goethe, on aime quelqu'un non pas pour ce qu'il *fait,* mais parce qu'il *est.* Ainsi, une mère aime son fils non pas parce qu'il a fait telle ou telle chose, et même pas parce qu'il *lui* a fait telle ou telle chose, mais tout simplement parce qu'il *est* son fils : peu importe − un « mauvais fils » ou un « bon fils », un « homme bien » ou un « bon à rien ». Il est évident que l'amour ainsi conçu est un phénomène spécifiquement humain : cet amour présuppose une « abstraction », il se rapporte à l'être en tant qu'« essence » et non au *hic et nunc* déterminé par des inter-actions, à l'existence en acte. Ce n'est qu'un être humanisé, c'est-à-dire détaché de son *hic et nunc* naturel (« animal » ou « empirique ») qui peut faire abstraction du *hic et nunc* d'un autre être, fixé par les inter-actions avec son *hic et nunc* à lui. Ce n'est donc qu'un être préalablement humanisé (par la négation de sa nature animale) qui peut *aimer* au sens indiqué du mot. Mais un être déjà humain peut aimer n'importe quel autre être (et peut-être même soi-même, disons son âme). Et si l'homme se met à aimer les êtres qu'il s'associe pour engendrer des enfants et les éduquer en collaborant avec eux à une œuvre commune destinée à cette éducation, ou bien s'il associe à cette œuvre des êtres qu'il aime et engendre avec eux des enfants pour les éduquer avec eux en commun, il éprouve un amour *familial.* La Famille pourra donc être définie comme une association d'individus qui s'*aiment* (du moins en principe) et qui s'associent en vue d'une *œuvre* commune ayant pour but l'*éducation* des enfants issus de cette association [1].

---

1. L'homme peut *aimer* n'importe qui et même n'importe quoi. Il *aime* dès qu'il attribue une valeur positive à l'être même d'une entité donnée. Tout rapport (positif) « désintéressé » à un être est « amour », et tout amour est un rapport « désintéressé ». On peut aimer une chose ou un animal. (Il se peut que l'Art soit l'expression de l'amour de la chose en tant que telle : de l'être pur, c'est-à-dire de l'« essence », de l'« idée » de l'arbre par exemple. Et la musique est l'expression de l'amour de l'être en tant

Du fait que l'amour est l'attribution d'une valeur positive à l'*être* même de l'homme, indépendamment (plus ou moins, bien entendu) de l'*action* qui actualise cet être dans un *hic et nunc*, c'est-à-dire indépendamment des inter-actions que cet homme a avec moi pris dans mon *hic et nunc*, de ce fait on peut déduire plusieurs conséquences [1].

que tel, ineffable dans son abstraction.) On peut aussi aimer l'homme « en général » (l'« amour du prochain » ou de l'« humanité »). Mais on peut aussi aimer tel homme à l'exclusion de tous les autres. On le prend alors dans sa spécificité, mais tout en faisant abstraction de l'*acte* de cette spécificité, c'est-à-dire de l'*action* qui l'actualise. Ainsi le concept « Napoléon », tout en ne s'appliquant qu'à un seul être, est un *concept*, c'est-à-dire une entité détachée du *hic et nunc* du Napoléon empirique. Aimer « Napoléon », c'est se rapporter au concept « Napoléon », c'est-à-dire à son « essence », à son « idée » ou à son « être » en tant que tel. (C'est pourquoi l'amant « idéalise » l'être aimé. S'il se méprend en identifiant à tort l'« idéal » aimé avec son support empirique du *hic et nunc*, on a l'« aveuglement de l'amoureux ». S'il se rend compte de la différence, il aura tendance à « éduquer » le support afin de le rendre conforme à son « idée » ou « idéal » : d'où l'« amour platonicien » – qui n'est pas nécessairement « platonique » – dont parle Socrate dans *Le Banquet*. Il semble d'ailleurs que non seulement tout amour conscient de soi mène à une « éducation », mais qu'encore toute « éducation » spontanée présuppose l'amour.) Il ne faut pas confondre avec l'amour la sexualité « sublimée » (être « amoureux », etc.), qui est aussi spécifiquement humaine (l'érotisme). Mais l'érotisme peut se combiner avec l'amour, ce qui donne l'« amour » au sens courant du mot. Mais cet « amour » n'a rien de familial. Si l'amour sans érotisme est (dans certains cas) l'« amitié », l'« amour » en question est une « amitié amoureuse » : la base humaine du « concubinage ». L'amour ne devient *familial* que s'il engendre des enfants en vue de leur *éducation* et crée une *œuvre* commune en vue de cette éducation. Et il reste *familial* tant que les êtres qui s'aiment sont liés les uns aux autres par les liens qui les rattachent à cette œuvre commune, c'est-à-dire tant qu'ils sont « parents ». Inversement, une œuvre commune, même éducatrice, n'est pas familiale tant que les associés ne s'*aiment* pas, c'est-à-dire tant qu'ils ne se comportent pas en « parents » les uns envers les autres. L'amour entre *parents* ne signifie d'ailleurs rien d'autre que le fait qu'ils s'attribuent mutuellement une valeur positive indépendamment de leurs inter-*actions*, c'est-à-dire en fonction du seul fait qu'ils sont « parents », qu'ils *sont* (en tant que parents). Je peux mépriser ou même haïr mon frère. Si je lui donne mille francs *uniquement* parce qu'il est mon *frère*, j'éprouve pour lui un *amour familial*. Mais si je paye mille francs à quelqu'un *uniquement* parce qu'il a collaboré à mon œuvre familiale ou contribué à l'éducation de mon enfant, même si je l'aime par ailleurs, je n'ai pas d'amour *familial* pour lui : il n'est pas mon *parent*. « Amour familial » est un autre mot pour le phénomène de la « parenté ».

1. « L'être vrai de l'homme est son *action* » (Hegel). C'est l'action qui est l'humain dans l'homme, ou qui crée l'humain en lui, si l'on préfère (l'homme n'*est* que dans la mesure où il se *crée*). Il s'ensuit qu'on ne peut pas *aimer* l'humain dans l'homme : on peut l'estimer (le « reconnaître ») ou le mépriser, c'est tout. Mais il ne s'ensuit pas qu'on ne peut aimer que l'animal dans l'homme, l'homme en tant qu'être naturel, l'*ani-*

La Famille a pour base physiologique la mise au monde des enfants. Tous les degrés de parenté se calculent à partir de cette base. La parenté existe donc aussi dans le règne animal. Mais elle n'y existe qu'« en soi », non « pour soi », c'est-à-dire *pour* l'animal lui-même. C'est *nous* qui savons que tel animal est le père, le fils, le frère, etc., de tel autre : l'animal lui-même ne le sait pas. Mais l'« en soi » est objectif, c'est une qualité de l'être même : les rapports de parenté ont une nature ontologique, ils déterminent l'être même de l'animal dans ses rapports ontologiques avec l'être des autres animaux. L'homme (s'il est déjà humanisé) peut donc attribuer une valeur positive à la parenté en tant que qualification de l'*être* : il peut *aimer* le parent en tant que parent. Du coup la parenté existe non pas seulement « en soi », mais encore « pour soi » : ce ne sont pas seulement *nous*, l'homme *lui-même* sait qu'il est parent de quelqu'un et que quelqu'un est son parent. Et si l'homme ne se contente pas de l'attitude théorique ou cognitive, du fait de *connaître* la parenté, mais prend envers elle une attitude « émotionnelle » et active, en attribuant une *valeur* positive à la parenté en tant que telle

*mal* Homo sapiens. (Quoique l'aspect purement animal joue un grand rôle dans l'amour, même non sexuel.) L'action effectuée *est* au même titre que *sont* les choses et les animaux. Une maison est tout aussi réelle en acte qu'un arbre, et c'est pourtant une œuvre humaine, non naturelle : aimer une maison c'est donc aimer un être non naturel. Mais la maison n'est humaine en acte que tant qu'il y a des hommes qui *agissent* humainement : si l'humanité disparaît et les maisons restent il n'y aura tout de même rien d'humain en acte sur terre. Et il en va ainsi de l'homme lui-même. Il se construit comme on construit une maison : il n'est vraiment humain que dans l'*acte* de se construire, mais le construit est un être non naturel, tout comme la maison. C'est le « caractère », la « personnalité » qui *sont*, comme *sont* les choses. On peut donc *aimer* non seulement l'animal proprement dit dans l'homme (son corps et son comportement physique et « psychique » animal), mais encore son *être humain*, c'est-à-dire le « cadavre » ou la « momie » de ses actes anthropogènes. Ainsi on peut *aimer* l'homme mort dans la totalité de sa vie humaine écoulée, qui *est* « éternellement » (mais non en acte). On peut donc aimer le « caractère », la « personnalité » en se rapportant à l'homme pris dans son *être* et non dans son action. Mais il ne faut pas oublier que le « caractère » n'est vraiment humain (en acte) que dans la mesure où l'homme le « nie dialectiquement » (cette « négation » n'étant d'ailleurs réelle en acte que dans la mesure où elle crée une réalité, c'est-à-dire s'insère dans l'être et devient un être, c'est-à-dire s'inscrit dans un « caractère » et devient « caractère » — d'où l'impossibilité et l'illusion du « romantisme » et de la « révolution permanente » : il faut du temps pour *réaliser* une négation et pouvoir ainsi la nier à nouveau, et l'homme est mortel). On peut donc *aimer* l'humain dans l'homme, mais l'humain qu'on *aime*, étant *être* et non plus *action*, n'est plus humain *en acte* : c'est le souvenir de l'homme qu'on aime, même dans l'homme présent.

et en se comportant en conséquence, si en un mot il « aime » ses parents et agit en fonction de cet « amour familial », il est membre d'une *Famille* et se comporte en tant que tel. Et en ceci il est spécifiquement humain. La femelle peut s'occuper de son petit, le défendre, etc. Mais elle ne le fait que tant que son petit la tète, ou, en général, est en *interaction* effective avec elle. Ce n'est pas l'*être* du petit, le seul fait qu'il est son fils, qui détermine le comportement de la mère animale. C'est la façon dont le petit se comporte envers elle. Dès que cesse l'inter-action entre le mâle et la femelle, entre les « parents » et les enfants, la « parenté » animale cesse d'exister pour l'animal : les animaux deviennent parfaitement « étrangers » les uns aux autres et ne sont des « parents » que pour *nous*. La mère humaine par contre a vis-à-vis de son enfant une attitude qui ne dépend pas du comportement de celui-ci, de l'inter-action entre lui et elle. Ce n'est pas l'action, c'est l'*être* de l'enfant, c'est-à-dire le fait que c'est son enfant, qui détermine son comportement. La mère *aime* son enfant, et celui-ci est donc son *enfant*, un *parent* pour elle : elle est « mère de famille ».

Et ce qui est vrai de l'amour maternel est vrai de l'amour familial en général. En particulier, lorsqu'il s'agit non pas de camaraderie, d'amitié ou de liaison érotique, mais de mariage, c'est-à-dire de Famille, on ne peut pas dire que deux personnes deviennent mari et femme parce qu'ils s'aiment : ils s'aiment (d'un amour familial) parce qu'ils *sont* mari et femme. Et il en va de même pour tous les autres liens de parenté. Si la Famille est fondée sur l'amour familial, cet amour est une simple fonction du degré de parenté, c'est le fait d'attribuer une valeur à la parenté en tant que telle. La « parenté » physiologique est une caractéristique de l'être (naturel) de l'homme, et l'amour familial est la valeur positive attribuée à cette caractéristique, qui détermine un comportement spécifique : le comportement familial. Certes, il n'y a pas de Famille sans « parenté » naturelle, animale, biologique. Mais cette parenté n'existe que pour l'homme et l'homme seul est capable de lui attribuer une valeur comme à une caractéristique de l'*être* pur, indépendamment de toute action. L'homme seul est donc capable d'*aimer* ses parents en tant que parents, il est seul capable d'avoir un « amour familial ». Et la Famille n'existe qu'à partir du moment où les parents qui la composent s'*aiment* en tant que parents et se comportent en conséquence. La Famille en tant que phénomène spécifiquement humain (« social ») est l'ensemble des « parents » physiologiques qui se *savent* être tels et qui s'aiment, c'est-à-dire qui attribuent une valeur positive au fait d'être parents et qui sont déterminés dans leurs interactions mutuelles par cet amour. Ce n'est pas parce qu'ils ont entre eux des interactions d'un certain genre qu'ils s'aiment : ils ont ces interactions parce qu'ils s'aiment en tant que parents d'un amour familial. C'est cet « amour familial » entre *parents* qui est la base de l'« *œuvre commune* » de la Famille, qui a pour but l'*éducation* des parents à venir ou nouveaux venus, c'est-à-dire la conservation de l'*être* apparenté, le maintien de la parenté dans l'être et dans l'existence réelle en acte. L'amour familial révèle l'aspect « parental » de l'être dans et par la valeur qu'il lui attribue, et l'œuvre familiale éducatrice actualise cet être valorisé en le maintenant dans l'existence actuelle, cette existence actuelle de la parenté-valeur n'étant rien d'autre que la Famille elle-même, élément intégrant – dans et par ses interactions avec les autres Familles – de la Société familiale [1].

Tout ce qui n'est pas « parent » est « étranger » pour la Famille. Mais du moment que la parenté est fonction de l'être et non de l'action il en va de même de la qualité d'« étranger ». L'« étranger » au sens de « non-parent » est « étranger » en raison de son être et non pas à cause de son action. Et c'est pourquoi il n'est pas « Ennemi », comme l'« étranger » politique, de même que le « parent » n'est pas l'« Ami » politique, l'allié, le frère d'armes, le compatriote-concitoyen. Le contraire de l'Amour est la Haine, la valeur négative attribuée à l'*être* en tant que tel, la négation « émotionnelle » de l'être en tant qu'être, indépendamment de son actualisation dans et par l'action. Or, comme l'a très bien montré Carl Schmitt *(Über den Begriff des Politischen)* l'« inimitié » politique n'a rien à voir avec la Haine : il y a des haines entre Familles, mais non entre États. Mais, entre l'Amour et la Haine, il y a l'indifférence, la « neutralité » émotionnelle, la connaissance de l'être sans valeur positive ou négative. Et d'une manière générale la Famille ne hait pas les « étrangers », les autres Familles (non apparentées) : elle est indifférente vis-à-vis d'elles. Là, comme en politique par exemple, où il y a inter-*action*, il n'y a pas de neutralité possible : ou bien on participe à l'action de l'autre, et il est alors Ami,

---

1. En tant que telle la Société familiale est universelle. Ses subdivisions ou Sociétés familiales « nationales » sont une fonction non pas de la vie familiale, mais de la vie politique, économique, religieuse, culturelle, etc. Les Familles forment des groupes « nationaux » parce que leurs membres sont aussi citoyens d'États nationaux et membres de Sociétés nationales économiques, religieuses, etc.

allié, etc., ou bien on s'y oppose, et il est alors Ennemi. Mais là où règnent l'Amour et la Haine, c'est-à-dire là où on se rapporte non pas à l'*action*, mais à l'*être*, il y a une possibilité de neutralité, d'indifférence pure et simple : un être est là, à côté d'un autre être, sans interaction avec lui. Et c'est ainsi qu'une Famille peut simplement être là, à côté d'autres Familles, au sein de la Société familiale. Étant fondée sur l'amour (familial), la Famille est donc tout autre chose qu'un groupe d'Amis opposé à un Ennemi commun; c'est tout autre chose que l'État. C'est un groupe de parents qui s'aiment, c'est-à-dire qui attribuent une valeur positive à leur être en tant que parents. Ce groupe peut haïr certains groupes d'« étrangers ». Mais d'une manière générale il sera simplement indifférent à leur égard. La Société familiale peut impliquer des Familles qui se haïssent et cherchent à se détruire mutuellement dans leur interaction. Mais d'une manière générale cette Société est formée de Familles « neutres » qui, dans leur indifférence mutuelle, sont sans inter-actions réciproques, ou bien qui s'apparentent et s'aiment dans et par des échanges matrimoniaux de jeunes gens ou de jeunes filles qui s'épousent. Et ce sont ces échanges qui constituent la base des inter-actions spécifiquement familiales entre les Familles.

Si la Famille est fondée sur l'Amour familial, et si cet Amour, comme tout Amour, attribue une valeur positive à l'être et non à l'action, l'éminence de l'amour familial ne dépend que de l'éminence de l'*être* de l'être aimé, c'est-à-dire du parent. Le degré de l'amour familial est (en principe) proportionnel au degré de parenté. Et même là où cet amour ne suffit pas pour activer l'œuvre familiale éducatrice, même là où on aura besoin d'appliquer la contrainte, la force, c'est-à-dire une « discipline », c'est-à-dire là où on aura besoin d'une Autorité capable de mobiliser la force disciplinaire (puisque toute force sociale, c'est-à-dire humaine, n'est vraiment forte, c'est-à-dire efficace, c'est-à-dire durable, que si elle repose sur une Autorité), c'est encore à l'Autorité de l'*être*, et non de l'action qu'on aura recours dans la Famille. Or, l'Autorité de l'être, c'est l'Autorité du type « Père » : l'Autorité de la cause, de l'auteur, de l'origine et de la source de ce qui est; l'Autorité du passé qui se maintient dans le présent par le seul fait de l'« inertie » ontologique de l'être. Dans le domaine politique, c'est l'Autorité de l'action (du présent) et par conséquent du projet (de l'avenir), c'est-à-dire l'Autorité du type « Maître » et « Chef » qui prime. Dans le domaine familial, par contre, l'Autorité première, l'Autorité de base, est celle du type « Père » (du passé). Les Autorités du Juge (de l'« éternité », c'est-à-dire de l'impartialité), du Chef (qui prévoit et guide) et du Maître (qui se décide et agit) y sont dérivées de celle du Père (qui engendre l'être et assure la pérennité du passé identique à lui-même). Dans l'État, au contraire, c'est l'Autorité du Père ( et du Juge) qui est dérivée de celles du Maître et du Chef (celle du Maître étant primaire) [1]. Ici encore on voit donc une différence essentielle entre la Famille et l'État. D'une part, les parents ne sont pas des Amis opposés à un Ennemi commun. D'autre part, ce ne sont pas des Gouvernés qui reconnaissent l'Autorité du Maître et du Chef des Gouvernants. Ce sont des parents qui s'aiment en fonction du degré de leur parenté, qui aiment donc surtout leur parent commun, leur ancêtre, la source et l'origine de l'être auquel ils attribuent une valeur positive. Et s'ils reconnaissent une Autorité (qui leur donne un *semblant* d'unité politique, mais en fait seulement une unité familiale), c'est l'Autorité P de ce « parent » par excellence qu'ils reconnaissent, et c'est cette Autorité P de l'*être* en tant que telle qui est reconnue aussi par les membres non parents de la Famille : par les esclaves, les serviteurs, etc., et — le cas échéant — par les autres Familles. L'organisation familiale de la Famille est donc tout autre chose que l'organisation politique de l'État : les parents se subordonnent aux parents (par amour ou par autorité) en fonction de la parenté qui détermine leur être, mais ils ne sont pas à proprement parler *gouvernés* par eux.

Si l'Amour se rapporte à l'être et non à l'action, à l'acte, il ne dépend pas de l'actualité de l'être aimé, c'est-à-dire apprécié en tant qu'être pur, indépendamment de son actualisation active. Si une mère aime le fils parce qu'il est son fils, même s'il « agit mal » envers elle, elle l'aimera aussi s'il n'agit plus du tout, c'est-à-dire s'il est mort, s'il n'existe plus en acte (cf. Hegel). L'« amour est plus fort que la mort » parce qu'il fait abstraction de l'action qui actualise l'être et le maintient dans le *hic et nunc* réel en acte ou empirique. En tant qu'*être* pur, l'être passé ne diffère pas de l'être présent : le passage de la puissance à l'acte (la naissance) et l'épuisement de la puissance par l'acte (la mort) n'affectent pas l'être en tant que tel, c'est-à-dire son « essence ».

---

1. Voir ma *Notice sur l'Autorité* (qu'il s'agirait de compléter pour le domaine familial). (Dans l'État, l'Autorité du Maître semble valoir surtout dans la politique extérieure, dans les rapports avec l'Ennemi; celle du Chef dans la politique intérieure, dans les rapports entre Amis.)

Le fils à naître et le fils mort sont fils au même titre que le fils vivant. La mort n'affecte donc pas la parenté et ne détruit pas l'amour familial[1]. D'où d'une part le culte familial des morts, qui est la « religion » de la Famille, la manifestation du phénomène religieux (de la transcendance affective, l'au-delà valorisé positivement par rapport à l'ici-bas) dans le « domaine » familial. Et d'où d'autre part le phénomène spécifiquement familial de l'*hérédité* sous toutes ses formes[2]. Il ne s'agit pas seulement de valeurs économiques dans l'héré-dité familiale. Il s'agit de la pérennité de l'être en dépit du caractère transitoire de sa manifestation existentielle, actuelle, active. L'être du père se conserve dans le fils : ils sont un seul et même être. Ils diffèrent dans et par leurs actions, mais ces actions sont censées actualiser le même être, et c'est l'être seul qui compte dans et pour la Famille. En héritant de l'être du père, le fils hérite de l'amour qu'il inspirait aux autres, il hérite aussi de son Autorité, de sa fonction éducatrice et de ses rapports avec le patrimoine, l'œuvre familiale. Le fils *est* le père dans et pour la Famille, c'est-à-dire aussi dans et pour la Société familiale, pour les autres Familles. Ce qui change, ce sont les actualités actives, l'être essentiel reste dans l'identité avec lui-même. (D'où le « traditionalisme » de l'activité familiale : l'action des géné-rations qui se succèdent est censée actualiser un seul et même être, elle doit donc rester toujours la même.) Les générations passent, mais la Famille reste. Et ce qui reste, c'est la structure parentale de l'être qui s'actualise dans une œuvre commune destinée à l'éducation des nouvelles générations, qui maintiendront le système parental dans son identité avec lui-même, l'existence actuelle de la Famille étant ainsi une actualisation de l'essence éternelle de son être, c'est-à-dire de l'aspect parental de l'être de ses membres.

1. C'est pourquoi Hegel a pu dire dans la *Phénoménologie* que la fille (qui ne lutte et ne travaille pas) ne révèle et ne réalise son humanité qu'en supportant avec calme la mort de ses parents.
2. Il semble que l'hérédité se manifeste dans les autres « domaines » uniquement à cause du fait que les membres des Sociétés politique, écono-mique, mondaine, religieuse et autres sont aussi des membres de la Société familiale, des « parents ». Le Droit, étant « éternel », accepte facilement l'idée de l'hérédité. Mais l'« éternité » d'un droit subjectif est autre chose que son hérédité. Le Droit n'a pas besoin d'un autre support des droits du mort. C'est la Famille qui a besoin d'un héritier qui hérite de ces droits du défunt. Aussi abolir l'hérédité n'est pas abolir le Droit. C'est à la Famille que le Droit emprunte la fiction de la « survie » du mort dans son héritier (son fils par exemple), ce qui donne d'ailleurs des complications juridiques en cas de conflit entre la volonté de l'héritier et du légateur.

## § 66.

La Société familiale baigne dans la Société politique. Si cette dernière est organisée en État, la Société familiale est, généralement parlant, une société cis-étatique. Et il y a interpénétration entre la Société familiale et les autres sociétés cis- et trans-politiques : économique, mondaine, religieuse, etc. Car, généralement parlant, le membre d'une Famille est en même temps non seulement citoyen d'un État national, mais encore d'une Société économique, religieuse ou autre. Néanmoins, comme nous venons de le voir (§ 65) la Société familiale est une Société humaine *sui generis*. Son unité est formée par les interactions entre les Familles prises en tant que Familles, c'est-à-dire par les interactions familiales. Dans les Sociétés familiales archaïques l'unité (l'atome) sociale est la Famille. Pour atteindre un individu de l'extérieur il faut passer par l'intermédiaire de la Famille à laquelle il appartient, par l'intermédiaire du chef ou du représentant de cette Famille, par le *pater familias* par exemple. Ces Sociétés ne connaissent que des interactions soit intrafamiliales, soit interfamiliales : les membres de Familles différentes n'ont pas d'interactions directes entre eux. À un stade plus avancé de son évolution, la Société familiale reconnaît il est vrai (plus ou moins) l'autonomie des individus : ils peuvent entrer en interactions sans passer par l'intermédiaire de leurs familles respectives ou des chefs de ces familles. Mais l'individu est toujours pris comme membre d'une famille, de « sa » famille : il agit en tant que mari, père, fils, frère, oncle, etc., et c'est encore un mari, père, etc., qui réagit. L'interaction n'est familiale que dans la mesure où les agents agissent et réagissent en leur qualité de membres de familles, ou en tant que familles, c'est-à-dire en qualité de leurs « représentants ». Et la Société familiale n'est rien d'autre que l'ensemble de ces interactions familiales, qui sont des interactions *sui generis*, vu qu'elles ne peuvent avoir lieu que là où il y a des Familles.

Or nous avons vu que la Famille, en tant que phénomène humain *sui generis*, présente *trois aspects*, d'ailleurs complémentaires. *Premièrement*, la Famille est une entité dont l'unité et la structure interne sont déterminées par des rapports de *parenté*, auxquels les membres de la Famille attribuent une valeur positive et qui ont trait à l'être même (et non aux actes) des personnes apparentées (l'amour familial). *Deuxièmement,* les parents qui constituent une Famille collaborent (plus ou moins directement) à une *œuvre* commune, qui se matérialise dans un « patrimoine » (au sens le plus large du mot) et qui a pour but de maintenir la Famille dans son identité avec elle-même à travers le temps, c'est-à-dire la suite des générations (ou, plus exactement, l'œuvre familiale *est* la pérennité de la Famille, sa réalité en acte). C'est pourquoi, *troisièmement,* la Famille, c'est-à-dire les parents qui collaborent à l'œuvre commune, se posent comme but dernier et principal l'*éducation* (l'humanisation) des parents à venir, qui – d'une manière générale – sont engendrés au sein de la Famille elle-même (mais qui peuvent y être introduits par adoption). En bref la Famille est une œuvre éducatrice effectuée en commun par des parents en tant que parents.

La situation de chaque membre au sein d'une Famille et les interactions intrafamiliales de ces membres sont déterminées, d'une part, par le « degré de parenté », d'autre part, par la nature et le degré de la participation à l'œuvre commune, par le « degré d'activité familiale », et enfin par le rôle joué dans l'éducation familiale, c'est-à-dire si l'on veut par le « degré d'autorité pédagogique ». Les interactions intrafamiliales sont engendrées par la parenté, l'œuvre et l'éducation, et de leur côté elles engendrent, maintiennent ou déterminent la parenté, l'œuvre et l'éducation. Et il en va de même pour les relations interfamiliales (entre familles ou entre des membres de familles). Ou bien il s'agit de rapports de simple coexistence, sans gêne mutuelle et par conséquent sans inter-action proprement dite, ou bien, s'il y a interaction, elle crée ou détruit des liens de parenté, c'est-à-dire des rapports avec l'œuvre et l'éducation familiales.

En tant que telles ces interactions familiales (inter et intrafamiliales) n'ont rien de juridique. Mais ce sont des interactions *sociales,* c'est-à-dire spécifiquement humaines, des interactions entre des êtres humains qui agissent humainement. Elles peuvent donc devenir des rapports juridiques, et des rapports juridiques *sui generis,* dans la mesure où elles sont des interactions *familiales,* essentiellement différentes de toutes les autres interactions sociales. Et c'est ce qui a lieu quand un Tiers impartial et désintéressé intervient dans ces interactions. Si ce Tiers intervient pour annuler la réaction de B (Famille ou membre d'une Famille agissant comme tel) à une action de A (Famille ou membre d'une Famille agissant comme tel), A aura un droit subjectif *(right)* à son action : l'action de A sera juridiquement légale, celle de B illégale. On pourra dire alors que dans et par son intervention le Tiers a créé ou appliqué une règle de droit familial. Et l'ensemble de ces règles de droit formera un Droit familial, existant en acte là où l'intervention du Tiers a un caractère irrésistible.

Nous avons vu que l'irrésistibilité de l'intervention du Tiers présuppose une organisation étatique de la Société au sein de laquelle le Tiers intervient. Le Droit familial ne peut donc exister en acte qu'à l'intérieur d'un État, où le Tiers est en dernière analyse un « fonctionnaire » qui agit au nom de l'État. Mais dans la mesure où le Tiers crée ou applique le Droit *familial*, il représente aussi la Société familiale : il est le représentant du groupe juridique exclusif de cette Société et l'État ne fait que sanctionner son intervention de représentant de ce groupe. Dans la mesure cependant où le Tiers représente l'État, il est en dehors de la Société familiale : il est un Tiers vis-à-vis de cette Société. Il peut donc intervenir aussi en guise de Tiers dans les inter-actions entre les membres de la Société (Familles ou membres de Familles) et cette Société elle-même, c'est-à-dire son membre quelconque (« Famille quelconque » ou « membre quelconque d'une Famille quelconque »). C'est pourquoi le Droit familial existant en acte est un Droit non seulement civil mais encore pénal ou criminel.

D'autre part, le Droit familial n'est un Droit que dans la mesure où le Tiers (c'est-à-dire l'État qui se rapporte en Tiers aux membres de la Société familiale et à cette Société elle-même) intervient uniquement pour réaliser un idéal donné de Justice (au sein de la Société familiale, c'est-à-dire dans son statut et dans son fonctionnement, dans les interactions familiales) : de Justice, d'égalité, d'équivalence, ou d'équité. Si l'interaction familiale donnée entre A et B est conforme à l'idéal de Justice accepté par le Tiers, celui-ci n'a pas à intervenir, sinon pour constater cette conformité en vue de l'annulation éventuelle d'un acte tendant à supprimer cette interaction juridiquement légale ou de sa consé-quence. Et si le Tiers annule l'action de B (c'est-à-dire, plus exactement, sa réaction à l'action de A), c'est qu'elle détruit soit l'égalité, soit l'équivalence, soit l'équité dans les rapports entre B et A, A étant soit un membre concret de la Société familiale, différent de tous les autres (cas de Droit familial civil), soit un membre « quelconque », c'est-à-dire la Société elle-même (cas de Droit familial pénal).

Certes, comme tout Droit, le Droit familial a pour résultat de maintenir (dans l'existence) une certaine Société familiale dans son identité avec elle-même. Mais ce n'est pas parce qu'il la maintient qu'il est un Droit. Il la maintient parce qu'il est un Droit authentique, c'est-à-dire conforme à l'idéal de Justice du groupe juridique exclusif de cette Société. Si l'on veut le Droit a pour but de maintenir une Société dans l'existence, mais seulement dans la mesure où cette Société est « *juste* », c'est-à-dire dans la mesure où elle réalise dans son statut et dans son fonctionnement un idéal de Justice, un idéal d'égalité, d'équivalence ou d'équité.

Or l'égalité, l'équivalence ou l'équité doivent se réaliser tant dans l'être statique de la Société, c'est-à-dire dans sa structure, que dans son être actif, c'est-à-dire dans son fonctionnement, dans l'ensemble des interactions qui s'effectuent dans son sein. C'est pourquoi, comme tout Droit en général, le Droit familial (pénal et civil) est tout autant un Droit du statut qu'un Droit de la fonction. Il y a statut (familial) là où le comportement est déterminé par l'être même de l'agent, c'est-à-dire par le seul fait de son existence et, puisque l'être lui-même est indifférent à son actualisation spatio-temporelle, par les seuls faits de sa naissance et de sa mort. Toutes les conséquences du seul fait de la naissance, de la vie et de la mort d'un membre de la Société familiale font partie de son « statut » familial. Là, par contre, où le comportement et l'être familiaux sont une conséquence de l'action au sens propre du terme, c'est-à-dire de l'action libre et consciente, il y a « fonctionnement » familial et un Droit familial de la fonction. Ainsi par exemple la détermination juridique de la filiation juridique fait partie du Droit familial du statut, tandis que le mariage ou l'adoption sont du ressort du Droit familial de la fonction [1]. En ce qui concerne les relations interfamiliales, le « statut » se réduit d'ailleurs à la simple coexistence. Quant à la « fonction », elle est soit

---

1. Nous avons dit que le rapport n'est pas familial s'il a trait à l'*action* et non à l'*être* pur et simple. Mais dans le mariage par exemple, qui est bien une action ou « fonction », ce sont deux *êtres* en tant que tels qui sont unis en rapport et non pas deux *agents*. C'est clair pour le mariage dit d'amour : l'action du mariage unit deux êtres dont chacun attribue une valeur à l'*être* pur de l'autre, indépendamment de son action. Mais il en va de même pour le mariage spécifiquement familial : un membre d'une famille donnée s'y unit à un membre d'une autre famille, parce qu'il est membre de cette famille, c'est-à-dire en raison de la qualité de son *être* et non à cause de son action. L'action peut être cause du mariage ou du divorce, mais seulement indirectement : l'action est censée actualiser l'être auquel on attribue une valeur, et si elle est incompatible avec cet être on peut dire qu'on s'est trompé sur l'être; ou bien l'action permet d'identifier l'être. L'action n'a pas de valeur en elle-même, elle n'est que l'indice de l'être, qui seul peut avoir une valeur familiale.

mariage, soit adoption (en supposant qu'il n'y a aucun lien de parenté entre les familles différentes). Mais dans les relations intrafamiliales, le « statut » et la « fonction » sont assez complexes (en entendant par Famille l'ensemble de tous les parents de sang ou par alliance, cette « grande famille » admettant des subdivisions multiples en familles plus restreintes). Quoi qu'il en soit, le Droit familial (civil et pénal) du statut et de la fonction épuise toutes les relations familiales juridiques possibles, c'est-à-dire tous les cas où un Tiers peut intervenir dans la vie familiale pour y établir, constater ou rétablir la conformité avec un certain idéal donné de Justice d'égalité, d'équivalence ou d'équité.

Si le phénomène de la Famille présente trois aspects essentiels complémentaires, à savoir la *parenté*, l'*œuvre familiale* et la procréation et l'*éducation* des enfants, le Droit familial (pénal et civil) doit avoir *trois parties* principales. D'une part le Droit familial devra fixer les degrés de parenté au sein de chaque Famille et déterminer les conséquences qu'on peut déduire de la parenté. D'autre part ce Droit devra définir la notion de l'œuvre familiale et de sa matérialisation dans et par le patrimoine et déterminer les rapports entre la parenté et l'œuvre en question. Enfin le Droit familial devra déterminer les principes de l'éducation familiale et rattacher l'éducation tant à l'œuvre familiale qu'à la parenté. Le Droit familial, dans la personne du Tiers, devra faire régner l'égalité, l'équivalence ou l'équité dans le domaine de la parenté, de l'œuvre familiale et de l'éducation au sein de la Famille, tant par rapport au « statut » que relativement à la « fonction » de la Famille.

*Le « statut » de la parenté* est un aspect de l'être même de l'homme. En tant que *« statut »* le degré de parenté est fixé par le seul fait de l'existence de l'individu, c'est-à-dire par le fait de sa naissance. En fin de compte, le Droit du *statut* de la parenté est un Droit de la filiation. Du moment que A est reconnu comme fils ou fille de B, tous les degrés de parenté entre A et les autres membres de la famille de B sont fixés automatiquement par le Droit familial. Tout se réduit à fixer la limite extrême à partir de laquelle la « parenté » biologique n'a plus aucune valeur juridique. Et en fixant cette limite le Droit peut s'inspirer soit du principe de l'égalité, soit de celui de l'équivalence, soit enfin de celui de l'équité. Quant à la reconnaissance juridique de la filiation elle peut se faire soit objectivement, soit en tenant dans une certaine mesure compte de l'opinion des intéressés. D'une manière générale, la paternité et la maternité juridiques coïncident avec la filiation biologique. Mais étant donné que la paternité est toujours incertaine il se peut que le Droit tienne compte de l'avis du père présomptif : n'est fils ou fille que celui que le père accepte comme tels. Ceci n'a rien à voir avec l'adoption ou la répudiation d'un enfant. Le père ne répudie pas son enfant, il ne reconnaît pas tel enfant comme sien. La filiation reste « statut ». Ce n'est pas une fonction d'un acte conscient et volontaire du père ou de l'enfant. Elle est fonction d'un rapport entre l'*être* du père et de l'enfant, et l'avis du père n'est qu'un indice de l'existence de ce rapport [1]. D'une manière générale, si A se comporte en père vis-à-vis de B, si B réagit là contre, et si le Tiers intervient pour supprimer cette réaction, c'est que B a le *droit* d'agir en père vis-à-vis de A, c'est qu'il est son père « légitime ». De même, si A se comporte en fils vis-à-vis de B et si le Tiers annule la réaction de B là contre, c'est que A est son fils « légitime ». Sinon il est un « enfant naturel » de B, ou bien il n'est pas son enfant du tout : dans ces deux cas il n'a aucun *droit* de parenté, aucune parenté juridiquement légale, il n'a pas de *topos* dans la Société familiale [2].

Si A nie que tel enfant déterminé B est son fils, il se rapporte à un membre spécifique de la Société familiale : il se rapporte à B, et non à C. C'est donc un cas de Droit familial

1. Bien entendu il faut un consentement *préalable* du père : il doit consentir à reconnaître comme son enfant l'enfant qu'il va engendrer avec telle femme. Mais ce consentement préalable, c'est-à-dire le mariage légitime, va de soi dès qu'il s'agit d'une Famille et non d'un concubinage. Car le but de la Famille est l'éducation des enfants à venir, ce qui implique leur reconnaissance par les deux parents. Le Droit *familial* ne connaît donc que des enfants « légitimes ». Certes un Droit familial peut reconnaître juridiquement les enfants « naturels ». Mais c'est qu'alors les rapports sexuels sont censés impliquer le consentement préalable d'éduquer les enfants à venir. Ces rapports constituent donc automatiquement une sorte de mariage « légitime » (sans autres « formalités »). Le principe reste donc le même : si A est le fils biologique de B, né *dans certaines conditions* fixées par le Droit, il est son fils « légitime », à moins que B ne prouve qu'il n'est pas son fils biologique (cette « preuve » pouvant se réduire à une simple affirmation de sa part). Le Droit peut se contenter du seul fait des rapports sexuels, ou bien exiger certains rites préalables, un acte officiel, etc. : la situation reste la même. L'enfant « naturel » est l'enfant qui n'a aucun *droit* de fils ou de fille. S'il a ces droits, il est « légitime ». Mais ces droits peuvent varier d'un cas à l'autre, selon par exemple qu'il y a eu ou non consentement officiel préalable (c'est-à-dire un « acte de mariage »). Si le Tiers impose le fils au père, la Famille a un caractère forcé, mais c'est une Famille quand même, si le fils imposé a le droit de se nommer fils, d'être éduqué en conséquence et de participer par suite à l'œuvre familiale.

2. Bien entendu un Droit familial peut impliquer un statut spécial de tels « apatrides » familiaux.

civil. Mais si B *est* le fils « légitime » de A et si A le traite néanmoins en « étranger », il se rapporte (d'une façon inadéquate) au fils en tant que tel, c'est-à-dire à un fils en général, à un membre quelconque de la Société familiale (pris en tant que « fils »). Et c'est alors un cas de Droit familial pénal [1]. C'est ainsi que l'inceste peut être un cas de Droit familial pénal, si avoir des rapports sexuels signifie se comporter en non-père ou non-mère vis-à-vis de sa fille ou de son fils [2].

Quant au *Droit de la « fonction » de la parenté*, il se rapporte non plus à l'être et à l'action en tant que fonction de l'être (de la naissance), mais à l'action elle-même et à l'être en tant que fonction de cette action. Mais ce qui compte, c'est encore l'être (né de l'action), et non l'action (qui engendre l'être) en tant que telle. La « fonction » parentale est une action qui crée la parenté là où elle n'existait pas auparavant, ou détruit une parenté préexistante. Mais le Droit familial se rapporte ici à la *parenté* (c'est-à-dire à l'*être*) en tant que créée par une action consciente et volontaire, et non pas à cette action elle-même. Cette action est soit le mariage ou le divorce, soit l'adoption ou la répudiation d'un fils ou d'une fille [3].

Considérons d'abord la « fonction » positive : le mariage et l'adoption. La parenté est ici créée par un acte libre et volontaire (bilatéral ou unilatéral). Mais cet acte est fonction de l'*être* et non de l'action, et il engendre une qualité de l'*être* en tant que tel : une parenté. Si le choix est déterminé par l'« amour », c'est par définition une fonction de l'*être* du choisi. Et si c'est un choix spécifiquement « fami-

---

1. À moins qu'il n'affirme que — en raison de son comportement — Untel « ne peut pas être son fils » (« un fils *dénaturé* »), même s'il est son enfant biologique. Il s'agit alors d'une personne déterminée, c'est-à-dire d'un cas de Droit familial civil. Mais alors il s'agit d'un désaveu, d'une répudiation : c'est donc un cas de Droit familial civil de la fonction et non du statut (voir plus bas).

2. Si se comporter en père par exemple signifie se comporter d'une façon « juste », c'est-à-dire conforme au principe de l'égalité et de l'équivalence, l'inceste peut être exclu de ce comportement parce qu'il est contraire à ces principes : inégalité entre les enfants, ou entre la femme et la fille, ou avec les autres membres de la Société; ou non-équivalence entre les avantages et les inconvénients, etc.

3. Pour simplifier, je suppose qu'il n'y avait aucun lien de parenté (légale) entre les époux. Il faut distinguer entre les familles « étrangères » (au point de vue légal) et les familles apparentées (légalement : par le sang ou par voie de mariage). Celles-ci forment une « grande famille », dont la structure interne est fixée par le Droit familial donné : elles peuvent être plus ou moins indépendantes (juridiquement) les unes des autres.

lial », c'est encore en fonction de l'*être* qu'il choisit : on choisit tel membre d'une famille parce qu'il est son membre[1]. En fait le choix peut être déterminé par les *actions* du choisi. Mais le Droit *familial* n'a pas à tenir compte de ces motifs : il ne reconnaît que les raisons d'« amour » ou de parenté, c'est-à-dire des raisons qui proviennent de l'*être* même du choisi. A choisit Untel (B) pour époux ou enfant adoptif : l'être de B étant fixé, le choix est valable indépendamment des actions de B. Juridiquement on épouse Unetelle, fille d'Untel, etc.; on ne peut pas épouser quelqu'un parce qu'elle travaille bien, ou est honnête, etc. Et ce ne sont que des qualités de l'*être* qui peuvent s'opposer au mariage : le sexe, l'âge, la parenté, etc., et non des *actions* du candidat. Les limites de l'acte sont ici fixées par la qualité de l'être.

Quand un acte de choix (des deux intéressés, ou de l'un d'entre eux, ou d'une tierce personne) a créé un lien de parenté entre A et B (B devenant époux ou enfant adoptif de A), les liens de parenté entre A et B et les autres membres des familles de A et de B en résultent automatiquement[2]. Ce choix, désignant une personne particulière, est un cas de Droit familial civil. Mais dans la mesure où la personne choisie est aussi un « membre quelconque » de la Société familiale – un membre de tel sexe, de tel âge, de tel degré de parenté, etc. –, le choix est aussi un cas de Droit familial pénal (de la fonction de parenté). Ainsi, le Tiers peut non seulement « ignorer » les rapports d'aspects matrimoniaux (sexuel par exemple) quand ils sont homosexuels ou incestueux ou ont lieu entre des mineurs, mais encore les annuler par une peine appliquée aux intéressés. Le Droit peut poser que la qualité de l'être qui s'exprime par la parenté matrimoniale est (« ontologiquement ») incompatible avec certaines autres qualités de l'être, telles que le sexe, l'âge, la parenté, la race, etc. Et ceci parce que la combinaison de ces qualités serait contraire au principe d'égalité, d'équivalence ou de l'équité, soit entre les intéressés, soit entre eux et les autres membres (le membre quelconque) de la Société familiale. C'est ainsi que le Droit peut imposer aussi la monogamie, ou admettre la polygamie (unilatérale ou bilatérale).

---

1. S'il s'agit d'un « apatride familial » sans aucune parenté, c'est à son être pur et simple que le choix se rapporte : c'est un choix d'« amour ». Sinon le choix n'a rien de « familial » : c'est une association d'un autre type, et le Droit familial n'en tient pas compte.
2. Il se peut cependant que les liens de parenté entre un enfant adoptif et les membres de la famille adoptive soient autres qu'entre ces membres et un enfant biologique (« légitime ») de l'un d'eux.

Ici encore on n'aura un cas de *Droit* (familial pénal) authentique que si le Tiers s'inspire d'un idéal de Justice.

Passons maintenant à la « fonction » parentale négative : au divorce et à la répudiation d'un enfant « légitime », ou d'un parent par l'enfant. Il s'agit là de Droit familial *civil,* étant donné que l'intéressé nie que *telle personne déterminée* est son époux ou son enfant [1]. A ne veut pas répudier *une* épouse ou *un* fils (père) : on ne peut pas divorcer parce qu'on voudrait redevenir célibataire ou ne plus avoir d'enfants. Il veut répudier telle épouse ou tel fils (père) *déterminés.* La difficulté est que A invoque les *actes* de B [2]. Or les rapports parentaux entre A et B sont des rapports d'*être* à *être* et non des inter-*actions* proprement dites [3]. Aussi ce n'est pas telle action qui est la cause de la répudiation, mais l'incompatibilité (« légale ») de cette action avec la qualité parentale de l'*être :* B n'est pas l'époux ou le fils (le père) de A parce que ses actes sont incompatibles avec son *être* d'époux ou de fils (de père). Un époux ou un fils (père) « ne peut pas » se comporter de la sorte; en dépit des apparences, B n'est donc pas époux ou fils (père); le Tiers n'a qu'à constater le fait (c'est-à-dire l'erreur commise). Ce n'est pas l'*action* même de B qui force A à le répudier. C'est le fait que l'*être* de B n'est pas ce que doit être l'être d'un époux ou d'un fils (père). L'action n'est que l'indice de l'être et c'est l'être seul qui compte. Mais en fait il est bien difficile de distinguer entre les actions qui sont ou non compatibles avec un être donné. Et c'est pourquoi le problème du divorce a toujours été juridi-

1. Là où A ne conteste pas qu'il est époux ou père (fils) de B et néanmoins se comporte d'une façon incompatible (du point de vue du Tiers) avec sa qualité d'époux ou de père (de fils), en commettant un adultère par exemple, il y aura cas de Droit pénal (la « peine » pouvant d'ailleurs se réduire à une simple réprobation du côté du Tiers). Mais un Droit peut bien entendu considérer que l'adultère est compatible avec la qualité d'époux (sinon d'épouse).

2. On ne peut pas évoquer la disparition de l'« amour ». Car si l'amour attribue une valeur à l'*être* et non à l'action, il est par définition « éternel », immuable. On le voit nettement dans le cas du fils. Mais « je ne l'aime plus » n'a jamais été considéré comme une cause juridique de divorce. Certains Droits admettent le divorce par consentement mutuel ou par décision unilatérale. Mais c'est qu'on admet alors un divorce « sans cause ». La disparition de l'amour n'est jamais une *cause* juridique du divorce.

3. Le cas du divorce à cause de la stérilité, etc., ne présente pas de difficulté. Il y a simplement eu une erreur sur l'*être.* C'est comme si on constatait qu'on a épousé un homme croyant épouser une femme. C'est plutôt la négation du divorce dans ce cas qui est difficile à justifier. On la justifie en remarquant que le but humain de la Famille est l'*éducation* et non la procréation. La stérilité peut donc être « annulée » par l'adoption.

quement très complexe et généralement inauthentique. C'est ce qu'on voit très bien dans le cas de la répudiation d'un enfant, qui ne diffère pas en principe de celui du divorce. Le Droit familial ne reconnaît cette répudiation qu'à contrecœur, pour ainsi dire, ou la nie simplement, même par rapport à un enfant adoptif. Or le principe même de la Famille exclut à vrai dire l'idée d'un lien de parenté *temporaire* ou *révocable*. Et c'est pourquoi le Droit familial a tendance à limiter les possibilités du divorce [1]. Il semble que l'authenticité juridique du divorce et de la répudiation d'un parent en général ne peut être achetée qu'au prix d'une « fiction » : de la fiction de l'incompatibilité de certains actes avec une qualité donnée de l'*être* d'une personne et de l'erreur sur cet être, révélée par les actes en question [2].

D'une manière générale, si A se comporte en époux de B,

1. L'union sexuelle « illégitime » donne toute liberté aux intéressés, et le Droit peut l'« ignorer ». Mais là où il y a Famille, c'est-à-dire parenté proprement dite avec œuvre commune et éducation d'enfants, le divorce est inadmissible en principe. Ceux qui voudraient pouvoir divorcer n'ont qu'à ne pas se marier « légalement ». Les enfants des « unions libres » pourraient être éduqués par l'État (ou par la Société familiale). Si les « parents » biologiques les gardent, leurs rapports avec eux n'auront rien de juridique : c'est-à-dire ni parenté légale, ni participation légale à l'œuvre commune (héritage), ni autorité pédagogique légale.

2. Vu que l'*être* humain de l'homme est son *action*, aucun acte humain ne peut être incompatible avec l'être *humain*. Dans le cas du divorce, il ne s'agirait donc que d'une incompatibilité de l'acte avec l'être « naturel » : « une femme qui ne se conduit pas en femme », etc. Et c'est là en effet une des « causes » généralement reconnues du divorce (stérilité, perversion sexuelle, maladie, etc.). Mais nous avons vu (voir une note précédente) que l'action humaine se maintient en tant qu'un « *être* humain » : personnalité, caractère, etc. Certains actes peuvent donc être incompatibles avec cet être « humain ». D'où une nouvelle possibilité de justifier le divorce : « changement de caractère », etc. Toute la question est de savoir dans quelle mesure la parenté est fonction aussi de l'« être humain », et non seulement de l'« être naturel » (biologique). Et la question se complique encore du fait que les membres de la Société familiale sont aussi citoyens et membres d'autres Sociétés non politiques, notamment de la Société religieuse. Les rapports familiaux entre parents peuvent donc entrer en conflit avec les rapports des mêmes personnes prises en tant que citoyens ou membres d'autres Sociétés. D'où toute une casuistique juridique très compliquée. Deux « ennemis » politiques peuvent-ils être père et fils ou mari et femme? Pour la femme, on évite la difficulté en lui assignant la « nationalité » du mari ou en la considérant comme un être apolitique. Mais, dans le monde moderne, ceci n'est pas toujours possible. Et la question des rapports entre les rapports politiques et les rapports familiaux reste ouverte, quand ces rapports ont lieu dans une seule et même personne. En réalité toutes ces difficultés ne seront résolues que dans l'État universel et homogène. Mais le Droit familial de cet État de l'avenir est difficile à prévoir.

si B réagit là contre et si le Tiers intervient pour annuler cette réaction, c'est que A est époux « légitime » de B. Et si le Tiers se refuse d'intervenir, c'est que A n'est pas — ou n'est plus — époux de B : il n'y a pas eu de mariage, ou il y a eu divorce. Les droits maritaux de A sont donnés par l'ensemble des actions de A qui provoqueraient une annulation par le Tiers de la réaction de B à ces actions. Quant aux devoirs maritaux de A envers B, ce sont les droits maritaux de B vis-à-vis de A.

Considérons maintenant le *Droit de l'œuvre familiale* ou du patrimoine de la Famille.

L'œuvre familiale est accomplie en commun par les membres de la Famille, c'est-à-dire par la Famille en tant que telle. Et le Droit familial détermine tout d'abord la nature de cette œuvre. Il s'agit de savoir dans quelle mesure le membre d'une famille agit pour son propre compte, en tant qu'individu isolé, animal, citoyen ou membre d'une Société autre que familiale, et dans quelle mesure il représente la famille dans son action, agit en sa qualité de membre de cette famille pour le compte de la famille, c'est-à-dire de tous ses membres. Et cette délimitation de l'œuvre familiale a beaucoup varié selon les lieux et les époques. Pour le Droit familial moderne, l'œuvre familiale se limite à une partie de l'activité économique des membres de la famille. Mais au début l'œuvre pouvait avoir aussi une nature politique, religieuse, « mondaine » (activité « de classe ») ou autre, et souvent elle absorbait *toute* l'activité des membres de la famille, notamment toute l'activité économique de ces membres (auquel cas il n'y avait pas de Société économique du tout, ou bien celle-ci se composait de familles, et non d'individus, les interactions entre les différentes familles étant alors non seulement familiales, mais encore économiques au sens propre du mot : échanges purement économiques entre les familles par exemple, mais non pas entre individus).

Ayant déterminé la nature de l'œuvre familiale, le Droit doit fixer aussi les participants « légitimes » à cette œuvre. Et dans la mesure où il s'agit d'un Droit *familial,* cette participation doit être fixée non pas en fonction des actes des participants, mais en fonction de leur *être.* Autrement dit, le degré de la participation légale à l'œuvre familiale est déterminé par le degré de parenté des membres de la famille. Il s'agit donc de déterminer à partir de quel degré de parenté les membres d'une (« grande ») famille sont censés ne plus participer à l'œuvre familiale d'une famille (« restreinte ») donnée. La question est d'ailleurs compliquée, parce que d'une manière générale les parents éloignés sont rattachés à l'œuvre quand font défaut certains parents plus proches, et en sont exclus quand ces parents existent ou apparaissent. C'est ici que se pose aussi la question de la « capacité » familiale juridique, qu'il faut distinguer tant de la « capacité » non juridique (par exemple politique ou religieuse) que de la capacité juridique autre que familiale (par exemple la « capacité » de la Société économique). Un individu qui serait par ailleurs juridiquement « capable » (dans la Société économique par exemple) peut être frappé d'incapacité juridique en tant que membre d'une famille : en tant qu'épouse, ou en tant que fils d'un père vivant, etc. Cette incapacité a trait à la participation de l'individu à l'œuvre familiale et elle est fonction de son être (âge, sexe, parenté, etc.) et non de ses actions (à moins que les actions soient « incompatibles avec l'être »; cf. la note précédente). Au lieu de dire que le Droit familial fixe les « incapacités », on peut dire aussi qu'il fixe l'autorité légale des membres de la famille relativement à l'œuvre familiale. Si A contribue d'une certaine façon à l'œuvre familiale (prend une décision par exemple), si B s'y oppose et si le Tiers annule cette opposition (en raison du seul fait que c'est une opposition de B à l'action de A), c'est que A bénéficie d'une Autorité légale vis-à-vis de B par rapport à l'œuvre, ou bien, ce qui est la même chose, A est relativement « incapable » par rapport à cette œuvre. Et ce qui vaut pour l'œuvre prise en tant qu'action vaut aussi pour l'œuvre prise en tant qu'entité statique, c'est-à-dire en particulier pour le « patrimoine » : le degré d'autorité (ou d'incapacité) fixe le degré de liberté de disposer de ce patrimoine.

Du moment que l'autorité (ou l'incapacité) patrimoniale est fonction de l'être et non de l'action, elle n'est pas individualisée : ce n'est pas un tel qui en bénéficie, mais un père, un fils, un mari, etc. D'où le caractère héréditaire de ces autorités : en prenant la place du père, le fils « hérite » de l'autorité du père, etc. Et ceci est vrai de l'œuvre elle-même, et par conséquent du patrimoine. Elle appartient en commun à un ensemble défini de parents, qui reste identique à lui-même malgré le fait que les individus changent, c'est-à-dire naissent et meurent : l'œuvre et le patrimoine sont rapportés à l'*être* « éternel » ou « essentiel » des membres de la famille et non à leur individualité actuelle. C'est pourquoi le Droit familial du patrimoine (ou de l'œuvre) est avant tout un Droit de l'héritage *(ab intestat)*. Le but de l'œuvre familiale est le maintien indéfini de la famille dans son identité avec elle-même, en dépit de la succession des générations. Et c'est pourquoi le Droit du patrimoine rapporte l'œuvre aux membres de la famille (morts, vivants ou à naître) de façon à ce que l'identité de cette famille soit indéfiniment conservée (du moins en principe) [1]. Le testament est à proprement parler une institution juridique non familiale (surtout une institution du Droit de la Société économique, où le testament est une variété du don). On pourrait dire que le testateur teste non pas en qualité de membre d'une Famille et de la Société familiale en général, mais en sa qualité de membre de la Société économique par exemple [2]. Inversement on pourrait dire que toute hérédité est d'origine familiale. Non seulement en raison du truisme qu'il n'y aurait pas d'hérédité s'il n'y avait pas de famille au sens d'une paternité ou maternité conscientes. Mais parce que l'hérédité n'a de sens que si l'on rapporte l'héritage à l'être même de l'héritier, et non à ses actions. L'héritage a pour base la notion de l'« identité » de l'*être* entre l'héritier et le légataire : le patrimoine rapporté à l'être du père est automatiquement rapporté à l'être du fils, puisque le père et le fils sont censés avoir un seul et même être; or cette identification n'a un sens que si l'on fait abstraction des *actes* des deux [3]. Le Droit semble d'abord avoir sanctionné le principe de l'hérédité de l'œuvre familiale. Et à partir du Droit familial l'idée de l'hérédité est passée dans le Droit de la Société économique, religieuse, etc. : ainsi un fils a pu hériter de l'activité du père que celui-ci avait eue non pas en tant que père ou membre de la Société familiale, mais en tant que membre de la Société économique ou religieuse par exemple.

Comme tout droit en général, le Droit familial de l'œuvre est d'une part un Droit du statut et de l'autre un Droit de la fonction [4]. Le Droit du statut considère l'œuvre en tant qu'entité statique, donnée (patrimoine) et détermine les rapports des membres de la famille avec cette œuvre dans la mesure où ces rapports sont fonction de l'être même de ces

1. La pérennité de la Famille est symbolisée et manifestée par le « nom de famille ». D'où un Droit familial du nom : une subdivision du Droit du patrimoine ou de l'œuvre.

2. Si le testament est fait au profit d'un membre d'une famille, pris en tant que tel, c'est un acte familial. Mais en principe le testament *familial* n'est là que pour suppléer aux imperfections inévitables du Droit de l'héritage *ab intestat.*

3. D'où l'absurdité de l'hérédité du pouvoir politique, essentiellement *actif* et *agissant.*

4. Si l'on prend les termes au sens étroit, on peut dire que le Droit de l'*œuvre* est un Droit de la fonction, tandis que celui du *patrimoine* est un Droit du statut.

membres : du seul fait de leur vie, de leur mort ou de leur naissance. Mais dans son aspect dynamique l'œuvre est du ressort du Droit de la fonction. Ce droit se rapporte aux actes qui constituent l'œuvre, qui modifient, augmentent ou diminuent le patrimoine (en tant que patrimoine). Or, une des sources principales de modification active, c'est-à-dire volontaire de la structure de l'œuvre et la participation des membres de la famille à cette œuvre est le mariage (et dans une mesure beaucoup moindre l'adoption). D'où la notion juridique du *contrat* de mariage (tout contrat étant du ressort du Droit de la fonction). Il y a *contrat* là où il y a interaction consciente et volontaire, et il y a contrat de *mariage* (contrat du Droit *familial*) là où l'interaction a en vue la création (ou la modification) d'une œuvre familiale (d'un patrimoine). Or le mariage lui-même est fonction de l'être et non des actions des futurs époux, tandis que le contrat proprement dit met en rapport des *actions* proprement dites. Le contrat de mariage est donc un contrat *sui generis,* où l'action — objet du contrat — est fonction de l'être des contractants. C'est pourquoi la liberté du contrat ne peut pas être ici absolue [1] : seules seront admises les actions compatibles avec l'*être* des contractants, c'est-à-dire ici avec leur qualité d'époux : ce n'est pas seulement la « volonté » des contractants qui est « loi » pour eux, mais encore la qualité de leur être. Or si l'action (étant négatrice du donné) est variable à l'infini (comme l'a vu déjà Descartes : c'est en tant que « volonté » que l'homme est infini), l'être a des qualités fixes (et dénombrables en tant qu'« essentielles »). D'où le fait que le Droit familial propose aux intéressés un petit nombre de types de contrat de mariage (sinon un type unique, comme c'est souvent le cas). Le Tiers n'intervient que là où l'action « patrimoniale » est conforme à l'*être* familial de l'agent, c'est-à-dire en particulier là où l'interaction est prévue par un type « légal » de contrat familial [2].

Quand les interactions entre A et B relatives à l'œuvre familiale (au patrimoine) sont « personnelles », le Tiers applique ou crée le Droit familial patrimonial *civil.* Et c'est ce qui est généralement le cas. Car dans les interactions relatives à l'œuvre un membre de la famille a généralement en vue tel membre déterminé de *sa* famille et non un membre d'une famille *quelconque* ou un membre quelconque (individu ou

1. Elle ne l'est d'ailleurs nulle part. Cf. plus bas *(b).*
2. L'invalidité des contrats familiaux différents du type légal est autre chose que l'invalidité des contrats (par exemple économiques) « immoraux », etc.

Famille) de la Société familiale. Mais si l'action patrimoniale de A est censée léser un membre quelconque de la Société familiale (individu ou Famille), et si le Tiers intervient, il y aura un cas de Droit familial patrimonial *pénal*. Mais bien entendu cette distinction est dans une large mesure arbitraire et le Droit familial a beaucoup varié en ce point.

D'une manière générale, comme en tout Droit, le Tiers du Droit patrimonial intervient en fonction d'un certain idéal de Justice. Là où cet idéal est égalitaire, le partage *ab intestat* sera égal : tous ceux qui participent à l'héritage y participent à parts égales. De même il n'y aura pas de degré d'autorité ou d'incapacité patrimoniales : ou bien un membre de la famille n'aura aucun droit relatif au patrimoine, ou bien il les aura tous (l'ancien *pater familias* romain par exemple, qui n'a affaire qu'à des « incapables », des *« alieni juris »*, au sein de sa famille) : les membres d'une famille et de la Société familiale sont juridiquement égaux; ou bien ils ne sont pas des sujets de droit familial *(« alieni juris »)*, ou bien ils ont tous les mêmes droits subjectifs (la *« patria potestas »*). Là, par contre, où s'applique l'idéal de l'équivalence (ou de l'équité), toutes les inégalités familiales sont possibles, à condition que les situations de tous les membres d'une Famille ou de la Société familiale en général soient équivalentes entre elles, ce qui aura lieu si dans chaque membre ses droits familiaux sont équivalents à ses devoirs familiaux. Dans le Droit familial égalitaire (aristocratique) les membres égaux dans la plénitude de leurs droits n'ont (en principe) pas de devoirs vis-à-vis des membres égaux dans l'absence de tous droits. Dans le Droit familial de l'équivalence, les membres de la Société familiale et de la Famille sont foncièrement inégaux du point de vue juridique. Quant au Droit familial de l'équité, il combine les deux principes : les membres de la Famille et de la Société familiale sont censés être *égaux,* mais avoir des *devoirs* équivalents à leurs droits, c'est-à-dire des droits et des devoirs réciproques équivalents. Toutefois la présence d'enfants dans la Société familiale rend impossible toute égalité rigoureuse de ses membres. L'égalité juridique des parents et des enfants (en bas âge) ne peut exister que là où l'État (ou la Société familiale, sanctionnée par l'État) contrôle les rapports entre les enfants et les parents, jouant le rôle du « tuteur », du « représentant » de l'enfant vis-à-vis des parents. Il n'y a d'égalité possible qu'entre les membres de la Société familiale pris en tant que « personnes morales individuelles ». Et c'est vers cette solution que semble évoluer le Droit familial.

Il reste à dire quelques mots du *Droit familial de l'éducation*, qui est d'ailleurs inséparable du Droit de la parenté et du Droit de l'œuvre ou du patrimoine, inséparables également.

C'est ici que se pose la question de la « minorité morale » ou de sa contrepartie, de l'« autorité pédagogique ». En raison de son être même (âge, sexe, degré de parenté, etc.) certains membres de la Société familiale sont placés sous l'autorité morale ou pédagogique de certains autres membres : le fils sous l'autorité du père par exemple. L'éducation familiale doit d'ailleurs être comprise dans un sens très large : c'est l'ensemble des actions de la Famille qui ont pour but de transformer un animal nouveau-né en être humain, membre de la Famille. Ainsi par exemple la surveillance pédagogique familiale peut s'étendre sur toute la vie de certains membres de la Famille, des femmes par exemple. Un père peut conserver toute sa vie son autorité pédagogique sur ses enfants, etc. Notamment, les parents ont souvent le droit de décider du mariage de leurs enfants, du moins jusqu'à un certain âge (qui ne coïncide pas avec l'âge de la « puberté légale »). Étant donné que les membres existants de la Famille ont le droit (et le devoir) de créer les membres qui sont appelés à les remplacer, soit en les procréant, soit en les adoptant ou en les épousant, mais dans tous ces cas en les soumettant à une transformation pédagogique appropriée, il est naturel qu'ils aient le droit de déterminer (ou de codéterminer) le mariage des membres de la Famille [1].

Il ne faut d'ailleurs pas confondre l'Autorité familiale en tant que telle avec son aspect *juridique*. Le fait que les membres d'une famille reconnaissent l'autorité pédagogique d'un autre membre n'a en lui-même rien de juridique. On ne peut dire que A a des *droits* pédagogiques sur B, une Autorité pédagogique juridiquement légale, que si un Tiers intervient pour annuler la réaction de B à l'action (pédagogique) de A. Ainsi dans l'ancienne France l'institution des lettres de cachet était une reconnaissance juridique de l'autorité pédagogique paternelle. Mais bien entendu le Droit peut

---

1. Dans l'ancien Droit français, le fils qui se mariait sans le consentement de son père pouvait être déshérité. L'idée est qu'un fils qui ne s'est pas conformé jusqu'au bout au formage pédagogique de ses parents n'est pas devenu un membre (humain) de la Famille capable de remplacer l'ancienne génération. Il est donc exclu de la Famille (de l'œuvre familiale et du patrimoine) comme insuffisamment « humanisé » ou tout au moins insuffisamment « familialisé ». Ainsi un « fils » biologique cliniquement « idiot » peut ne pas être un fils aux yeux du Droit familial.

reconnaître une Autorité pédagogique de manières très différentes. L'essentiel, c'est que A puisse exercer son action pédagogique sur B sans devoir faire d'effort (en principe) pour vaincre la résistance éventuelle de B. Si c'est un Tiers qui annule cette résistance, A a un *droit* familial pédagogique sur B.

Le propre de l'éducation familiale est la création d'un membre de Famille, capable de remplacer les membres sortants sans que soit rompue l'identité de la Famille. Mais en fait la Famille ne se contente pas généralement de créer des membres de la Société familiale à partir des nouveau-nés (de l'espèce animale Homo sapiens). Par son activité éducatrice, elle crée aussi les citoyens et les membres des Sociétés autres que la Société familiale : de la Société économique ou religieuse par exemple, dans les cas où les membres de la Société familiale sont aussi membres de ces Sociétés. Mais en principe cette éducation des citoyens et des membres de la Société non familiale n'a rien à voir avec la Famille : ce n'est pas une éducation *familiale* proprement dite : elle ne concerne pas le Droit *familial*. L'éducation politique peut (et doit) s'effectuer dans et par l'État, de même que la Société économique, religieuse, etc., peut éduquer elle-même ses membres. C'est ce qu'on observe d'ailleurs en effet. Ainsi, dans les sociétés primitives, l'éducation civique du citoyen, qui culmine dans les « rites du passage », vient s'ajouter à l'éducation proprement familiale. Et dans les États plus évolués, le service militaire et l'enseignement secondaire ou supérieur ne sont rien d'autre qu'une action pédagogique politique qui éduque le citoyen en dehors de la Famille et en plus de l'éducation proprement familiale. Mais les limites entre la Famille et l'État et les autres Sociétés étant difficiles à fixer, on est généralement en présence de conflits entre l'éducation familiale et l'éducation politique ou en général non familiale. Et c'est le Droit familial de l'éducation qui est appelé à fixer les limites de l'éducation proprement familiale, en déterminant les limites de l'autorité pédagogique de la Famille. Il semble qu'à la limite la Famille doit se soumettre au contrôle de l'État dans tout ce qui concerne l'éducation civique, c'est-à-dire la création de *citoyens* à partir du non-citoyen (animal ou membre de Société non politique). Mais il semble aussi que la Famille ait un domaine pédagogique qui lui est propre : c'est la création de futurs membres de la Société familiale capables de la maintenir indéfiniment dans son identité avec elle-même.

Le Droit familial de l'éducation se distingue lui aussi en un

Droit du statut et en un Droit de la fonction. L'Autorité pédagogique étant fonction de l'être, c'est-à-dire de l'âge, du
sexe, de la parenté, etc., c'est le Droit du statut qui la fixe.
Mais l'activité pédagogique en tant qu'activité et inter-action
est du ressort du Droit de la fonction.

On peut aussi distinguer ici encore entre un Droit civil et
criminel de la pédagogie familiale. Mais, comme toujours,
cette distinction est difficile à faire et elle est dans une large
mesure arbitraire. Le principe reste le même : il s'agit de
Droit civil là où il y a une interaction pédagogique entre
deux membres « spécifiques » de la Société familiale; mais
là où un membre spécifique se rapporte pédagogiquement à
un membre censé être « quelconque », on a un cas de Droit
familial pénal de l'éducation [1].

Bien entendu, le Droit familial de l'éducation n'est un
Droit authentique que dans la mesure où le Tiers intervient
dans les interactions pédagogiques entre les membres de la
Société familiale avec le seul souci de réaliser dans cette

---

1. D'une manière générale tout le Droit familial est en un certain sens
un Droit *civil*. Car là où A se rapporte à B pris comme son *parent*, il se
rapporte à *ce* parent et non à un membre *quelconque*. Et c'est pourquoi
le Droit familial est généralement inclus dans le « Droit civil ». Cependant
il y a eu, et il y a encore, des cas du Droit familial qui ont incontestablement un caractère pénal : le châtiment de l'adultère par exemple ou de
l'inceste, ainsi que le « détournement de mineurs », etc. Pour l'adultère
il n'y a pas de difficulté, vu qu'il n'y a pas là de parenté entre les deux
adultères. On peut donc dire que l'adultère a séduit la « femme d'un autre »
quelconque, une femme mariée quelconque. On peut assimiler l'adultère
au vol. De même pour le « détournement », assimilable au viol par exemple,
c'est-à-dire à une violence infligée à un « membre quelconque » de la
Société familiale. Mais l'interprétation du châtiment de l'inceste est plus
délicate (et c'est aussi une règle de droit en voie de disparaître). On
pourrait dire que A est châtié parce qu'il a couché non pas avec telle
femme qui est, pour ainsi dire par hasard, sa mère, mais avec sa mère,
qui est par hasard telle femme. L'inceste est donc commis en quelque sorte
avec « sa mère quelconque », et l'intention criminelle vise « la mère »,
et non « cette femme ». Mais c'est là une subtilité difficile à maintenir. En
fait l'inceste a été puni parce qu'il attirait le châtiment divin sur l'ensemble de la Société familiale. Il s'agissait donc d'une lésion des intérêts
de cette Société en tant que telle par l'un de ses membres, ce qui est bien
– dans cette hypothèse – un cas de Droit pénal. Et c'est ainsi qu'il faut
interpréter aussi les châtiments de l'homosexualité (entre adultes consen-
tants) et de la « bestialité ». Dans tous ces cas (et dans l'hypothèse admise)
il y a manque d'égalité ou d'équivalence entre le membre homosexuel,
incestueux ou « bestial » de la Société familiale et son « membre quelconque » : par exemple, par suite de l'action criminelle, tous ont des
inconvénients, mais le criminel seul a en plus un « avantage » (le plaisir);
ou bien il n'y a pas d'égalité du moment que le criminel dispose de ce
dont les autres s'abstiennent.

Société et par ces interactions un certain idéal de Justice : d'égalité, d'équivalence ou d'équité. Un Droit égalitaire n'admettra pas de degrés dans l'Autorité pédagogique : les sujets du droit familial auront tous la même Autorité, tandis que ceux qui n'en auront aucune ne seront pas reconnus comme sujets, tout au moins non pas comme sujets du Droit familial de l'éducation. Mais le Droit de l'équivalence pourra admettre toutes les inégalités possibles, compatibles avec le principe de l'équivalence des situations, c'est-à-dire de l'équivalence des droits et des devoirs pédagogiques. Enfin le Droit de l'équité devra combiner ces deux principes : l'égalité des droits et leur équivalence avec les devoirs. Mais là où il s'agit d'enfants en bas âge l'égalité ne pourra exister qu'à condition de voir dans l'enfant une « personne morale individuelle », qui exerce ses droits pédagogiques, égaux à ceux des autres et équivalents aux devoirs correspondants, non pas personnellement, mais par l'intermédiaire d'un tiers, qui peut être le Tiers du Droit familial d'éducation.

*b. Le Droit de la Société économique.*

§ 67.

Si la Société familiale a pour base *biologique* la sexualité de l'animal Homo sapiens et ses nécessités de l'enfantement, la base *biologique* de la Société économique est donnée par la nécessité qu'a cet animal de se nourrir. Mais, de même que la sexualité d'un être déjà humanisé est autre chose que la sexualité animale, sa nourriture diffère elle aussi de la nourriture purement « naturelle ». Ici comme là cette différence se réalise et se révèle dans et par la Négativité : là on a les phénomènes du viol (inconnu des animaux, où la femelle ne résiste jamais si elle est apte à avoir des rapports sexuels et où elle n'est pas désirée par le mâle si elle n'est pas dans cet état), des « perversions » et des « tabous » sexuels (qui donnent à la limite l'ascétisme de la chasteté); ici la nourriture absorbée indépendamment du besoin biologique et même à l'encontre de ce besoin, la préparation artificielle des mets (cuisson, épices, etc.) et les « tabous » alimentaires (qui donnent à la limite un ascétisme alimentaire pouvant aller jusqu'à la mort). Et puisque la Négativité engendre le langage *(Logos)* l'homme diffère aussi de l'animal (même de l'espèce Homo sapiens) par le fait qu'il ne se contente pas d'avoir des rapports sexuels et de se nourrir, mais *parle* de sa sexualité et de sa nutrition, celles-ci devenant aussi fonction du discours qui s'y rapporte.

Mais en plus de la source biologique ou animale, il y a aussi une source spécifiquement humaine de la Société économique, à savoir le Travail (et l'Échange qui en résulte). En dernière analyse l'autonomie de la Société économique en général et de son Droit en particulier repose sur la différence essentielle entre l'humanisation de l'animal de l'espèce Homo sapiens par la Lutte pour la reconnaissance et celle par le Travail (qui découle de cette Lutte et la présuppose, d'ailleurs). La Lutte est, si l'on veut, une interaction sociale (ou, plus exactement, anthropogène ou sociogène), une interaction entre deux êtres humains, agissant en tant que tels. Mais étant donné que c'est un rapport d'exclusion mutuelle ou, plus exactement, de l'intention d'un anéantissement réciproque, la Lutte elle-même ne crée pas d'interactions sociales proprement dites (celle entre Maître et Esclave étant un *résultat* de la Lutte, qui présuppose sa cessation) : elle ne fonde pas en tant que telle une Société. Mais les individus peuvent s'associer dans et pour une Lutte contre un Ennemi commun [1]. Et cette association par et pour la Lutte engendre un groupe d'Amis ayant un Ennemi commun, c'est-à-dire une Société politique et en fin de compte un État (dans la mesure où l'interaction entre les participants à la Lutte contre l'Ennemi commun est aussi un rapport entre Gouvernants et Gouvernés, c'est-à-dire dans la mesure où le groupe reconnaît une Autorité politique). Dans l'État (et dans la Société politique en général), les individus sont en interaction en tant que participant d'une manière quelconque à la Lutte pour la reconnaissance. Mais si les individus entrent en interaction en tant que Travailleurs, ils constituent une *Société économique.* C'est pourquoi on peut dire que si la socialisation de la Lutte engendre l'État, la socialisation du Travail engendre la Société économique [2].

1. Cette association elle-même n'a rien de spécifiquement humain : elle existe aussi chez les animaux « sociaux ». Elle devient une Société humaine par le fait que chaque membre associé lutte pour le seul « prestige », pour la « reconnaissance », c'est-à-dire « humainement », pour des raisons non biologiques.

2. Nous verrons que la Propriété présuppose en dernière analyse la Lutte : c'est la Lutte pour la reconnaissance qui transforme le fait biologique de la possession en *propriété* reconnue (et — finalement — reconnue par un Tiers, c'est-à-dire juridiquement). Or il n'y a pas de Société (ni de Droit) économique sans propriété (individuelle ou collective; mais la Société économique socialiste reconnaît la « propriété personnelle »). Il

Plus exactement, l'État fondé (plus ou moins) exclusivement sur la Lutte et les rapports qui en découlent est un État aristocratique, un État de Maîtres (dont les uns — les Gouvernés — reconnaissent l'Autorité politique des autres — les Gouvernants — où les Administrés reconnaissent l'Autorité politique, c'est-à-dire « administrative » ou « gouvernementale » des Administrateurs[1]). Or, dans un tel État aristocratique, le Travail est fait par des Esclaves, qui ne sont pas reconnus politiquement comme citoyens de l'État (ni comme citoyens Gouvernants, ni même comme citoyens gouvernés). Dans la mesure où la Société économique est constituée par les interactions fondées sur le Travail, elle n'a donc rien à voir avec l'État aristocratique, ni avec l'État en général, dans la mesure où celui-ci est fondé sur la Lutte. Mais la Société économique existe à l'intérieur de l'État. De plus le Maître détermine à son gré l'existence de l'Esclave. Si donc l'État (aristocratique) est représenté par des Maîtres, et si la Société économique est formée d'Esclaves, l'État détermine l'existence de cette dernière et la Société économique n'a pas d'existence autonome. Mais si les Maîtres, c'est-à-dire l'État en général, reconnaissent les membres de la Société sinon politiquement du moins économiquement, celle-ci sera (dans une certaine mesure) autonome vis-à-vis

semble donc que la Société et le Droit économiques sont fondés sur la Lutte. Mais nous verrons qu'il n'y a pas de Société économique proprement dite sans *Échange* de propriété. Or nous verrons également que l'Échange présuppose le Travail : la propriété apte à l'échange est engendrée par le Travail et non par la Lutte. En ce sens la Société économique et son Droit présupposent donc le Travail, et c'est de là que découle leur spécificité et leur autonomie vis-à-vis de l'État. Mais d'autre part le Travail présuppose la Lutte. D'où la complexité des rapports entre la Société économique et l'État, dont je parlerai dans le § 70. En bref, il faut attribuer une autonomie à la Société économique dans la mesure où l'on attribue une autonomie au Travail, par rapport à la Lutte. Et il faut bien le faire, puisque l'histoire universelle n'est rien d'autre qu'une « dialectique » de la Lutte et du Travail, c'est-à-dire du Maître et de l'Esclave, qui se « synthétisent » dans et par le Citoyen, en qui la Lutte et le Travail coïncident.

1. Il se peut que les Gouvernés ne soient pas des Maîtres proprement dits, ceux-ci étant tous « Gouvernants » — la « couche dominante » ou « gouvernante ». Les Gouvernés sont peut-être des anciens vaincus, des quasi-Esclaves, reconnus politiquement par leurs vainqueurs, les Maîtres, c'est-à-dire des Citoyens (en germe et « pour nous »). Dans l'État aristocratique *tous* les Maîtres appartiendraient donc au « groupe politique exclusif », c'est-à-dire au groupe des Gouvernants, et les Gouvernés, le « groupe politique exclu » serait formé par les Esclaves, les « métèques », les « plébéiens », etc, qui n'ont aucun « droit » politique, qui sont « sujets » (administrés) et non *citoyens* (gouvernés).

de l'État. Et puisque la Société économique, fondée sur le Travail diffère essentiellement de l'État (aristocratique) fondé sur la Lutte, cette Société aura tendance à affirmer son autonomie vis-à-vis de cet État, et l'État, s'il ne nie pas son existence, aura tendance à reconnaître son autonomie. Si maintenant les interactions sociales (économiques) au sein de la Société fondée sur le Travail donnent lieu à l'intervention d'un Tiers impartial et désintéressé (pris au sein de cette même Société), il y aura un Droit spécifique de la Société économique. Et l'État devra reconnaître l'autonomie de ce Droit s'il reconnaît l'autonomie de la Société. Dans la mesure où l'État sanctionne ce Droit (ou le crée et l'applique par son Fonctionnaire, le Tiers pouvant ne pas faire partie de la Société), il existera en acte, en tant que Droit *civil* de la Société économique. Et puisque l'État reconnaît l'*autonomie* de la Société, il y aura aussi un Droit *pénal* de la Société économique, l'État intervenant en guise de Tiers non pas seulement dans les interactions (économiques) entre les membres « spécifiques » (individuels ou collectifs) de la Société, mais encore entre ces membres et la Société elle-même, c'est-à-dire son « membre quelconque ». Et l'État pourra le faire même s'il reconnaît politiquement les membres de la Société économique, c'est-à-dire même si ces membres sont en même temps citoyens de l'État. Il suffit que l'État distingue entre l'individu pris en tant que citoyen (c'est-à-dire dans son rapport avec la Lutte) et ce même individu pris en tant que membre de la Société économique (c'est-à-dire dans son rapport avec le Travail).

Si le Travail est fait par un Esclave proprement dit, le travail n'engendre aucun phénomène juridique. Par définition, le rapport du Travailleur avec la chose, la « matière première », la Nature, n'a rien à voir avec le Droit, qui ne se rapporte qu'aux interactions *sociales,* aux rapports entre deux êtres humains. Or dans ses rapports avec les autres hommes (le Maître), l'Esclave n'est pas reconnu comme un être humain, il n'est pas une « personne juridique », un « sujet de droit ». « Pour nous », et en vérité, le Travail humanise l'homme, mais tant qu'il s'agit d'un Esclave, cette humanité créée dans et par le Travail n'est pas « reconnue », en particulier n'est pas reconnue juridiquement. Mais si l'on reconnaît (pour une raison quelconque) l'humanité du Travailleur en tant que Travailleur, il peut devenir un sujet de droit, à savoir un sujet du Droit de la Société fondée sur le Travail, c'est-à-dire du Droit de la Société économique. Or, reconnaître l'humanité de quelqu'un c'est aussi le reconnaître politiquement, dans une certaine mesure. Du moment qu'il n'y a pas de « neutres » en politique, l'être reconnu comme humain est nécessairement soit Ami, soit Ennemi. Entre Ennemis il n'y a pas de Droit possible. Mais il n'y a pas d'Amis sans Droit. Reconnaître l'humanité du Travailleur et le traiter en Ami, c'est le reconnaître (plus ou moins) comme citoyen (ne serait-ce qu'en Gouverné) [1]. Or, si l'État reconnaît comme citoyen le Travailleur, c'est qu'il est fondé non plus exclusivement sur la Lutte (comme l'État aristocratique), mais encore sur le Travail [2]. Dans ces conditions, le statut du citoyen se rapportera aussi à sa qualité de Travailleur et, d'une manière générale, de membre de la Société économique. Ainsi par exemple la citoyenneté sera fonction de la fortune du citoyen : État « censitaire ». Etc. Dans la mesure où il en est ainsi, le statut (« politico-économique ») n'aura rien de juridique. Mais du moment que tout État a pour base aussi la Lutte, tandis que la Société économique est *exclusivement* fondée sur le Travail, l'État et cette Société ne coïncident jamais entièrement : le statut de citoyen et le statut de membre de la Société économique, ainsi que les fonctions des deux, ne se recouvrent pas complètement. C'est pourquoi il y a une certaine autonomie de la Société économique vis-à-vis de l'État. Et c'est pourquoi il y a un Droit (civil) spécifique et autonome (étatisé ou non) de cette Société, ainsi qu'un Droit *pénal* de la Société économique, où l'État joue le rôle d'un *Tiers* vis-à-vis de cette Société, ce qu'il peut faire en raison de l'autonomie de cette dernière [3].

Hegel a montré [4] que tout comme la Lutte pour la reconnaissance, le Travail humanise l'homme, transforme l'animal de l'espèce Homo sapiens en un être vraiment humain. Le Travail, d'ailleurs, présuppose la Lutte. Le vaincu, qui renonce à la poursuite de la Lutte par crainte de la mort, devient l'Esclave du vainqueur, son Maître. C'est le Maître qui oblige l'Esclave à travailler pour lui : l'Esclave

1. Répétons que tout homme réel n'est jamais purement Maître ou Esclave, mais toujours plus ou moins Citoyen.

2. En réalité il n'y a pas d'États aristocratiques purs. Et il n'y a pas, par définition, d'États fondés *exclusivement* sur le Travail. Mais les rapports entre la Lutte et le Travail en tant que fondements de l'État varient selon les lieux et les époques.

3. La question des rapports entre l'État et la Société économique sera discutée au § 70. C'est là que se posera la question du Droit de la Société économique dans l'État universel et homogène (« socialiste »), qui, étant l'État du Citoyen, réalise la synthèse (parfaite) de la Lutte et du Travail.

4. Cf. mon « Autonomie et dépendance de la conscience de soi », dans *Mesures*.

travaille contre son instinct, sans profit biologique pour soi, par crainte du Maître qui incarne à ses yeux sa mort. Par le Risque de la vie conscient et volontaire pour un but non biologique, pour la Reconnaissance, le Maître a réalisé et révélé son autonomie, sa liberté, son indépendance vis-à-vis de sa nature animale, c'est-à-dire vis-à-vis de la Nature en général, à laquelle est asservi l'Esclave, qui a préféré la vie (animale) à la Reconnaissance (spécifiquement humaine). C'est pourquoi le Maître peut intercaler l'Esclave entre lui et la Nature. Tout ce qui est déterminé par la Nature dans l'interaction entre l'homme et la Nature, tout ce qui asservit l'homme à la matière, se rapporte à l'Esclave, qui forme par son Travail la « matière première », le *donné* naturel. Le Maître domine par contre la Nature et se fait servir par elle, par l'intermédiaire de l'Esclave. Il consomme les produits du Travail, sans avoir eu besoin de travailler soi-même, car il consomme les produits du Travail de l'Esclave. Or ces produits ont été produits pour servir l'homme : l'artefact est une matière « humanisée », niée en tant que donnée naturelle et formée par et pour l'homme. En vivant dans un Monde technique, préparé pour lui par l'Esclave, le Maître vit non pas en animal au sein de la Nature mais en être humain dans un Monde culturel. C'est l'Esclave qui transforme par son Travail le Monde naturel en Monde culturel ou humain, mais c'est le Maître qui en profite et qui vit humainement dans son Monde adapté à son humanité. Et on peut dire que c'est l'humanité du Maître, engendrée dans et par le Risque, qui se réalise et se révèle objectivement en tant que Monde culturel, créé par le Travail de l'Esclave, qui dépend du Maître en raison du Risque accepté par ce dernier.

Mais l'Esclave n'est pas non plus un animal pur et simple. Lui aussi a engagé une Lutte pour la reconnaissance, lui aussi a donc désiré un désir, a éprouvé le Désir anthropogène. Certes, il a renoncé à la Lutte par crainte de la mort. Mais c'est à une Lutte *pour la reconnaissance* qu'il a renoncé, non à une lutte biologique pour la nourriture ou l'accouplement. Dans la terreur *(Furcht)* de la mort l'Esclave a vu ce que n'a pas vu le Maître, qui n'a eu à surmonter qu'une simple crainte *(Angst)* du danger : il a vu sa finitude essentielle, il a compris que la Reconnaissance présupposait la vie biologique, il a senti que la mort était le Néant absolu, la Négativité pure ou abstraite — un Rien. La terreur de la mort a donc humanisé l'Esclave, même si elle l'a forcé à renoncer à la *Reconnaissance* de son humanité, c'est-à-dire à son *actualisation* ou *objectivation*. Car l'animal qui se *sait* fini ou mortel n'est plus un animal : c'est un être humain, ne serait-ce qu'en puissance, c'est un être qui *aspire* à l'infini, à l'immortalité (d'où la Religion et son « dualisme », la notion de la « transcendance »). Et c'est pourquoi la mort est incarnée pour lui non pas dans la Nature, qui tue l'animal (maladie, accidents divers ou vieillesse), mais dans le Maître, dans un être humain, dans un être qui va jusqu'au bout de la Lutte à mort pour la Reconnaissance. Et c'est pourquoi, en se soumettant à la mort, l'Esclave se soumet non pas à la Nature, mais à l'Homme, au Maître, à son Maître. C'est pourquoi aussi cette soumission, cette dépendance, aboutit pour l'Esclave au Travail. Car le Maître dont dépend sa vie ne le tue pas et ne se contente pas non plus de le laisser vivre : il le force à travailler et à travailler pour lui. Or travailler pour le Maître, travailler pour autrui, faire des efforts sans profiter des résultats, c'est agir contre la nature animale, contre ses intérêts biologiques : c'est nier sa nature innée animale, et par conséquent c'est nier la Nature en général, le donné naturel. C'est pourquoi l'Esclave transforme la Nature par son Travail. Il la nie et la réalité révélée ou objective de cette négation est l'artefact, le Monde technique ou culturel, le Monde humanisé ou humain. Certes l'Esclave ne profite pas de ce Monde qu'il produit. Mais s'il n'en fait pas partie, comme le Maître, en tant que consommateur, il en fait néanmoins partie en tant que producteur : et faisant partie d'un Monde humanisé ou humain, il est lui-même humanisé ou humain : il s'humanise dans et par son Travail (producteur). En « formant » la « matière première », l'Esclave-travailleur « se forme » lui-même : dans la mesure où il travaille il *est* humain.

Par son Travail, l'Esclave (et l'homme en général) se libère de sa dépendance vis-à-vis de la Nature, du donné spatio-temporel matériel, puisqu'il le nie, le transforme en artefact, crée à sa place une réalité technique, c'est-à-dire humanisée ou humaine. Il fait pour ainsi dire abstraction de la réalité donnée dans son *hic et nunc* spécifique, du « ceci » qui est « ici et maintenant ». Si son corps animal est par exemple arrêté par le *hic et nunc* d'une rivière, son être humain de Travailleur « fait abstraction » de ce *hic et nunc*, en construisant disons un canot : il remplace le *hic et nunc* naturel donné par un *hic et nunc* technique créé par son Travail. En travaillant, l'homme vit donc dans un univers autre que celui du *hic et nunc* donné. Or, maintenir la réalité objective en faisant abstraction du *hic et nunc* naturel, en l'en détachant, c'est violer l'essence de l'existence, c'est concevoir la réalité dans et par un concept *(Logos)*. En travaillant l'homme pense et parle. Et c'est en pensant et en parlant qu'il travaille. Car l'artefact est un *concept* réalisé par le Travail, qui nie le donné brut. Et c'est pourquoi l'artefact est indépendant du *hic et nunc* naturel, de son *topos* dans le Cosmos de la Nature, en particulier du *hic et nunc* du producteur technique, de son corps, de son être animal.

Cette indépendance, cette autonomie de l'artefact, c'est-à-dire du concept réalisé et révélé par le Travail, vis-à-vis du *hic et nunc* naturel, se réalise et se manifeste tout d'abord par le fait que le Maître détache de l'Esclave le produit du Travail de l'Esclave et se l'approprie. L'artefact est rattaché non pas au corps, à l'animalité de l'Esclave-travailleur, mais à son humanité : au concept-discours *(Logos)* et à la volonté consciente qui engendre et réalise le concept-projet. Dans la mesure donc où le Travailleur est Esclave, où sa volonté est celle du Maître, où il exécute le « projet » de ce dernier par son Travail, le produit de ce Travail, l'artefact, est rattaché au Maître : c'est au Maître qu'il « appartient ». Mais si, pour une raison quelconque, le Travailleur cesse d'être un Esclave proprement dit, s'il a une volonté qui lui est propre, un concept-projet autonome, si la Société ou l'État reconnaissent son autonomie en tant que Travailleur, c'est à lui qu'appartiendra le produit de son Travail (peu importe qu'il soit reconnu comme citoyen ou quasi-citoyen, bourgeois, ou seulement comme membre de la Société économique). Et ce produit, comme tout produit du Travail, sera tout aussi détachable du *hic et nunc* naturel, en particulier du *hic et nunc* du producteur lui-même, qu'était détachable et rattachable au Maître le produit du travail servile. Or ce caractère « conceptuel » (« logique ») du produit, son indépendance du *hic et nunc* naturel, se réalise et se révèle objectivement dans et par l'*Échange*. C'est parce que les produits du Travail de A et de B sont détachables du *hic et nunc* de A et de B que A peut *échanger* le produit de son travail contre celui du travail de B. Et cet Échange des produits du Travail réalise et révèle le caractère spécifiquement humain de ces produits et du Travail lui-même : car il n'y a Échange que là où il y a Travail véritable, et c'est pourquoi il n'y a pas d'Échange dans le monde animal [1].

----

1. On trouve chez certains animaux un « travail » en commun et même une sorte de « division du travail ». Mais on n'y trouve jamais d'échange proprement dit, c'est-à-dire de commerce. Et c'est la preuve qu'il n'y a pas non plus de Travail au sens propre du terme, c'est-à-dire de réalisation active d'un « projet », d'un concept conçu avant son existence réelle.

D'une part le Travail rattache, lie le Travailleur à la chose, à la matière première, au *hic et nunc* donné, qui détermine la nature du Travail : on travaille autrement pour faire une hache que pour fabriquer un canot. Mais d'autre part ce même Travail libère le Travailleur du *hic et nunc* naturel, donné : l'homme-animal est strictement terrestre, l'homme-travailleur peut vivre aussi sous l'eau et dans les airs. D'où une double conséquence du Travail pour le Travailleur. D'une part il y a une *spécialisation* du Travail et du Travailleur, déterminée par le « matériel » et la « matière première » : c'est l'aspect du Travail qui est fonction de la chose donnée et à faire. D'autre part il y a une *universalisation* du Travail et du Travailleur : dans la mesure où le Travail transcende et nie le donné il n'en dépend pas, ni par conséquent le Travailleur; les « besoins » de ce dernier ne sont pas une fonction exclusive de sa nature animale innée, ils dépassent ou peuvent dépasser (donc finissent par dépasser un jour) cette nature et ses « instincts » animaux, et ils ne sont pas non plus fixés par la nature de son Travail. C'est pourquoi le Travail peut varier indéfiniment en fonction des besoins humains, qui ne sont pas fixés par le Travail déjà existant, et c'est pourquoi aussi les besoins peuvent varier indéfiniment en fonction du Travail, qui engendre le besoin même chez ceux qui ne l'effectuent pas eux-mêmes, par la seule existence de son produit, par l'« offre » d'échange. Étant détachable du *hic et nunc* du Travailleur, le Travail peut engendrer un besoin inexistant auparavant dans le *hic et nunc* donné tant chez ce Travailleur qu'ailleurs. Et un besoin nouveau peut engendrer un Travail nouveau tant chez le Travailleur qui l'éprouve lui-même que chez celui qui ne l'éprouve pas. Autrement dit, non seulement le Travail rend l'Échange *possible :* il le rend encore nécessaire. Le Travailleur spécialisé dans son Travail et universalisé dans ses besoins ne peut les satisfaire qu'en échangeant les produits de son Travail spécialisé contre d'autres produits spécialisés du Travail.

Le produit du Travail pris en tant qu'objet d'échange, c'est-à-dire en tant que détaché du *hic et nunc,* tant du *hic et nunc* du Travailleur que de celui de son propre contenu matériel, se réalise et se révèle en fin de compte comme *Argent* ou *Valeur.* Le prix du produit du Travail (et en fin de compte de toute chose, dans la mesure où elle est rapportée au Travail : comme « matière première » à former; ou comme produit d'un Travail « virtuel », possible, etc.) est le symbole matériel de son essence conceptuelle, du concept-projet réalisé par le Travail. (C'est pourquoi on finit par vendre non plus *cette* hache, etc., mais *une* hache ou *la* hache.) Or, si la Valeur est le produit du Travail pris en tant qu'objet d'échange, le Prix d'une chose est fonction d'une part de la qualité du Travail investi en elle, et d'autre part des possibilités d'échange qu'elle offre. Une chose qui ne « coûte aucun travail » ne « coûte » rien ou ne « vaut » rien, et une chose qu'on ne peut pas ou ne veut pas échanger contre une autre « n'a pas de prix » (en général ou pour celui qui la possède). Le Prix est donc déterminé par la production et le marché, ou par la production en vue du marché. Et la *Société économique* n'est en dernière analyse rien d'autre qu'un *Marché,* c'est-à-dire le « lieu » où s'effectuent les échanges des produits du Travail. Ainsi le Droit spécifique de cette Société, le *Droit économique,* est le Droit qui s'applique aux interactions sociales ayant pour but l'échange d'artefacts. C'est à ces interactions que ce Droit applique un idéal donné de Justice.

Le Droit ne s'applique qu'aux rapports *sociaux,* aux interactions entre deux êtres *humains.* Dans la mesure donc où le Travail (en tant que production) met l'homme en interaction avec la Nature (la « matière première ») il n'a rien de juridique. Certes il y a aussi des interactions entre Travailleurs pris en tant que producteurs (et non en tant qu'échangistes ou « commerçants ») : il y a un Travail en commun, une collaboration dans et par le Travail. Et ce sont là des interactions quasi sociales [1]. Mais si l'interaction entre les hommes (les Travailleurs) est déterminée par la chose donnée : un arbre qu'on ne peut déplacer qu'à plusieurs, etc., elle n'est pas une interaction *sociale* proprement dite, c'est-à-dire spécifiquement humaine. L'interaction ne devient vraiment *sociale* que dans la mesure où elle est déterminée par la chose *à faire,* par le concept-projet, c'est-à-dire par le *résultat* du Travail commun. Or, se rapporter au résultat du Travail, c'est se détacher du *hic et nunc* donné, de la matière première et du Travail effectué. Ceux qui participent à un travail collectif participent à son produit. Mais ce n'est pas nécessairement la part produite par A qui lui revient : A peut recevoir la part produite par B, et B celle produite par A. Il y a donc *échange* (tout au moins virtuel) entre les produits du Travail des participants à une œuvre commune. Et c'est dire que tout travail *collectif* est rétribué en fin de compte par un

---

1. Notons cependant que cette sorte d'interactions existe aussi chez les animaux.

*Salaire.* Tout se passe comme si chaque participant touchait un Salaire en argent et le dépensait entièrement pour acheter une part du produit de ce Travail. Et il n'y a une interaction *sociale* (c'est-à-dire « justiciable ») entre les Travailleurs associés à un seul Travail que dans la mesure où il y a eu un *échange* (ne serait-ce qu'entre eux) des produits (virtuels) de leur Travail [1]. La Société économique est donc bien un Marché, et son Droit un Droit de l'Échange (des produits du Travail). Des hommes travaillant côte à côte ne constituent pas de ce fait une *Société* (économique), ni même ceux qui travaillent à une seule et même œuvre. Il n'y a Société économique et Droit économique que là où des individus (ou des collectifs) entrent en interaction en vue d'*échanger* les produits de leur Travail. Sans Travail il n'y a pas d'Échange possible, mais sans Échange le Travail n'est pas un phénomène vraiment social, auquel pourrait s'appliquer un Droit, c'est-à-dire un idéal de Justice [2].

En dernière analyse, la Société économique et son Droit sont donc fondés sur le phénomène (spécifiquement humain) de l'Échange. Or pour qu'une chose (au sens large) puisse devenir objet d'échange elle doit d'une part être liée à un être humain (individu ou collectif) et d'autre part être détachée ou détachable du *hic et nunc* de cet être, de l'être humain pris en tant qu'être naturel (de son « corps » au sens large). Cette liaison entre les « essences » ou les « concepts » de la chose et de l'homme, doublée de l'indépendance de leur « existence » spatio-temporelle, se réalise et se révèle en tant que *Propriété* (qui est tout autre chose que la *Possession* ou l'appartenance « physique », naturelle, constatable aussi dans la Nature, chez les animaux). En effet la Propriété *appartient* au propriétaire, mais elle est *détachable* de son *hic et nunc* (pouvant être en possession d'un autre), et elle peut donc devenir un objet d'échange. On peut donc dire qu'il n'y a pas d'Échange sans Propriété. C'est la Propriété qui est par consé-

---

1. Il se peut qu'un « entrepreneur » prélève une part du Salaire des Travailleurs à son profit. Mais c'est que son « travail » coûte plus cher. Peu importe qu'il soit petit ou nul en tant que Travail proprement dit, c'est-à-dire productif. Il peut avoir une grande valeur en tant qu'objet d'échange ou « capital ». Mais l'analyse de cette question ne saurait être faite ici.

2. C'est pourquoi l'œuvre familiale ne suffit pas pour constituer la Famille en tant qu'entité sociale (familiale). Il faut que cette œuvre soit accomplie par des *parents*. Or la « parenté » dans la Société économique est représentée par l'Échange : le contrat d'échange lie les membres de la Société économique comme la parenté (et le contrat de parenté) lie les membres de la Société familiale.

quent la base et le fondement derniers de la Société économique et de son Droit spécifique. La Société économique est un groupe de Propriétaires qui entrent en interaction en tant que Propriétaires. Et comme je l'ai déjà dit, et comme il est universellement admis de nos jours, la Propriété n'est un phénomène juridique (et social) que dans la mesure où elle engendre des *interactions* entre des êtres humains (pris en tant que Propriétaires ou non-Propriétaires). Ce qui est juridique, ce n'est pas le rapport entre le Propriétaire et sa Propriété, mais celui entre le Propriétaire de telle chose et les non-Propriétaires de cette chose (ainsi qu'entre les Propriétaires et les non-Propriétaires en général). Or les rapports sociaux engendrés par la Propriété en tant que telle sont des rapports d'exclusion mutuelle (en tant que Propriétaires) ou, plus exactement, de simple coexistence (des Propriétaires ou des Propriétaires avec les non-Propriétaires). Ces rapports ne sont pas des inter-actions proprement dites : ils ne fondent donc pas de Société véritable et ne donnent pas de prise à un Droit proprement dit. Il n'y a inter-action (économique) véritable que là où il y a *échange* de propriété, où les propriétés s'aliènent ou sont tout au moins aliénables. Par conséquent nous avions raison de dire que la Société économique et son Droit sont fondés sur le phénomène de l'Échange. Mais il faut ajouter que l'Échange présuppose la Propriété. Et on peut dire que s'il n'y a pas d'Échange sans Propriété, il n'y a pas non plus de Propriété proprement dite sans Échange, pour le moins sans Échange possible ou virtuel. En tout cas, la Propriété ne devient un phénomène vraiment social et juridique que là où elle engendre l'Échange : en tant qu'entité sociale et juridique une propriété est toujours un objet d'échange virtuel ou réel. Un ensemble de Propriétaires qui n'échangeraient jamais leurs propriétés ne constitueraient pas une Société économique et leurs rapports de simple coexistence sans interaction (économique) n'auraient pas engendré un Droit économique [1].

Le Droit de la Société économique est donc nécessairement en même temps un Droit de la Propriété et un Droit de l'Échange, la Propriété étant considérée par le Droit comme la condition *sine qua non* de l'Échange, et l'Échange (du moins virtuel) comme un corollaire ou une conséquence nécessaire de la Propriété. Le terme « Échange » doit d'ail-

---

1. Même le vol est une sorte d'Échange, prohibé, illicite. Le droit *(right)* de Propriété n'a pas de sens sans une interdiction juridique du vol. Or supposer la possibilité du vol, c'est admettre la possibilité d'un Échange, donc aussi d'un Échange juridiquement légal.

leurs être pris dans un sens très large : il s'agit d'inter-*actions* quelconques entre des Propriétaires pris en tant que Propriétaires (autres que les rapports de simple coexistence, de l'exclusion des non-propriétaires de la propriété du propriétaire). Ces inter-actions se réalisent et se manifestent sous la forme d'*Obligations*, qui prennent un caractère juridique quand elles sont sanctionnées par un Tiers impartial et désintéressé, venant annuler les réactions de l'obligé aux actions de l'obligeant qui résultent de l'obligation. Quand l'Obligation est volontaire en ce sens qu'elle est voulue (ou censée être voulue) par l'obligé et l'obligeant, il s'agit de *Contrat* (ou de *quasi-Contrat*, quand la volonté est unilatérale). Quand l'Obligation est involontaire en ce sens qu'elle n'est voulue ni par l'obligé ni par l'obligeant, il s'agit de *Délit* (ou de *quasi-Délit*). Le Droit de la Société économique est donc d'une part un *Droit de l'Obligation :* contractuelle (ou quasi contractuelle) et délictuelle (ou quasi délictuelle). D'autre part il est un *Droit de la Propriété*, la Propriété étant considérée comme la condition *sine qua non* de l'Obligation, comme ce qui rend l'Obligation possible. Or, la possibilité de l'Obligation est aussi ce qu'on appelle la « capacité » juridique (économique), l'aptitude de contracter des obligations (économiques). Le Droit économique de l'Obligation implique donc aussi un Droit de la capacité économique. Et puisque l'Obligation présuppose la Propriété, la capacité de s'obliger présuppose celle d'être ou de devenir propriétaire. Celui qui est incapable d'être propriétaire est par définition incapable de s'obliger. Mais on peut être capable d'être propriétaire tout en étant (plus ou moins) incapable de s'obliger. Il faut donc distinguer un Droit de la capacité inclus dans le Droit de la Propriété du Droit de la capacité qui fait partie du Droit de l'Obligation [1].

On peut dire d'une manière générale que le Droit de la Propriété est un Droit du *statut*, tandis que le Droit de l'Obligation est un Droit de la *fonction*. Car il suffit d'*être* (dans le présent ou même dans le passé ou l'avenir) pour être Propriétaire, tandis qu'il faut *agir* pour s'obliger et obliger. Mais de même que dans la Propriété il y a un aspect « statut » proprement dit, un élément purement statique et un élément dynamique, un aspect « fonction », il y a aussi dans l'Obliga-

---

1. Étant donné que la Propriété n'a un sens juridique que comme une possibilité d'Échange, c'est-à-dire d'Obligation, la capacité de propriété implique toujours une certaine capacité d'obligation. Mais pour qu'il y ait Échange une *action* doit s'ajouter au *fait* de la Propriété. C'est pourquoi la capacité d'obligation ne coïncide pas avec celle de la propriété.

tion un aspect proprement fonctionnel ou actif et un aspect statutaire, relativement passif. On pourrait donc distinguer entre un Droit du statut et un Droit de la fonction tant dans le Droit de la Propriété que dans celui de l'Obligation proprement dite.

Quoi qu'il en soit, le Droit de la Propriété et le Droit de l'Obligation constituent deux branches distinctes du Droit général de la Société économique. J'en parlerai donc séparément, en commençant par le premier (§ 68).

Mais qu'il s'agisse de Propriété ou d'Obligation, il n'y a Droit (économique) que dans la mesure où il y a intervention d'un Tiers impartial et désintéressé, qui intervient avec le seul souci de réaliser un certain idéal de Justice dans les interactions sociales économiques au sein d'une Société (économique) donnée. Et comme toujours, cet idéal peut être soit celui de l'égalité, soit celui de l'équivalence, soit enfin celui de leur synthèse (plus ou moins parfaite), c'est-à-dire de l'équité. En plus des Droits économiques aristocratiques et serviles ou bourgeois qui n'existent, d'ailleurs, jamais à l'état pur) il y a donc encore un Droit économique du Citoyen, qui existe sous des formes très variées [1].

§ 68.

La Propriété et la notion de la Propriété (ce qui est, d'ailleurs, la même chose puisqu'il n'y a pas de Propriété non reconnue) se constituent dans et par la Lutte anthropogène pour la reconnaissance. Le Risque et la Lutte, en aboutissant à la Reconnaissance *(Anerkennen)* du vainqueur aboutit aussi et par cela même à la reconnaissance de sa possession *(Besitz)* comme de sa « Propriété » *(Eigentum)*. On pourrait même admettre que la « première » Lutte s'engage pour la reconnaissance d'une Propriété : A lutte avec B et risque sa vie pour que B reconnaisse une chose (au sens large) comme « propriété » de A, à laquelle B n'a par conséquent « aucun droit ». Les animaux luttent pour la *possession* physique d'une « chose » (nourriture, femelle, etc.). Les hommes, en tant qu'êtres humains, luttent pour qu'une « chose » (qu'ils peuvent déjà posséder en fait) soit *reconnue* comme leur « propriété ». Ainsi l'homme ne lutte pas pour posséder telle femme : il lutte pour que telle femme (qu'il possède ou non) soit reconnue comme « sa femme », pour qu'on reconnaisse

---

1. Je parlerai dans le § 70 du Droit « absolu » du Citoyen, c'est-à-dire du Droit économique de l'État universel et homogène de l'avenir.

ses « droits exclusifs » à cette femme, pour qu'on l'admette comme sa « propriété » et comme la sienne seulement. Et du moment que c'est le fait même de la reconnaissance, la notion de la propriété qui comptent, la « chose » et sa possession effective peuvent être absentes : la « chose » peut être une « abstraction » sans utilité, voire sans réalité biologique (un titre par exemple, ou un nom, une « décoration », etc.), et la possession peut se détacher de la propriété : la propriété du propriétaire peut être — et rester — dans la possession du non-propriétaire.

Cependant, la reconnaissance d'une propriété et d'un homme comme propriétaire est autre chose que la Reconnaissance proprement dite, c'est-à-dire que la reconnaissance de la réalité et de la dignité humaines d'un homme. La Reconnaissance est engendrée par le risque de la vie pour une fin non biologique, et c'est ce même risque qui *crée* l'être humain à partir de l'animal Homo sapiens (et en cet animal). Aussi renoncer à ce risque, c'est renoncer à la réalité humaine (en acte) et à sa reconnaissance : c'est accepter une reconnaissance unilatérale, c'est devenir Esclave, l'Esclave de celui qui a accepté le risque jusqu'au bout. Mais refuser de risquer sa vie pour la reconnaissance d'une propriété ce n'est pas refuser tout risque (antibiologique) en général : c'est refuser de risquer sa vie en fonction d'une particularité, de telle « chose » (au sens le plus large) donnée. Ainsi, B peut être prêt à lutter avec A pour la Reconnaissance de sa dignité humaine, mais il peut refuser de risquer sa vie dans une lutte avec A pour la reconnaissance du « droit de propriété » sur telle femme par exemple, ou telle autre « chose » déterminée. Si donc A est prêt à courir ce risque déterminé à l'occasion d'une « chose » et B non, B reconnaîtra par son refus du risque que A est le *propriétaire* de la chose en question. B renonce à tous ses « droits » relatifs à cette chose : vis-à-vis d'elle il est comme l'Esclave de A. Mais seulement relativement à cette chose, puisque B est prêt à risquer sa vie dans une lutte avec A soit pour la Reconnaissance totale, soit même éventuellement pour la reconnaissance d'une autre « chose » comme sa propriété. De même, A peut refuser de risquer sa vie dans leur lutte pour la propriété d'une autre chose. En renonçant à tout risque, l'Esclave renonce à toute reconnaissance, c'est-à-dire en particulier il renonce à être reconnu comme propriétaire en général et donc comme propriétaire d'une chose déterminée. En reconnaissant son vainqueur comme son Maître, il le reconnaît aussi comme propriétaire et comme propriétaire « absolu »,

comme propriétaire de *toute* « chose » lui-même y compris [1].
Mais si un Maître A renonce à lutter contre un autre Maître B
pour la propriété de la chose *b*, B étant prêt à le faire, A ne
reconnaît B que comme propriétaire de la chose *b*, et ce n'est
que par rapport à cette chose qu'il se « soumet » à A et
accepte une reconnaissance unilatérale. A peut d'ailleurs
reconnaître l'humanité, voire la « maîtrise » de B, sans avoir
lutté avec lui, simplement parce qu'il sait que B a risqué sa
vie dans une Lutte pour la reconnaissance avec C, ayant fait
de C son Esclave. Et si A refuse de lutter avec B pour la propriété de cet Esclave C, il reconnaît B non pas seulement
comme un Maître — et donc comme un propriétaire en général — mais encore comme le propriétaire de l'Esclave C.
Étant ainsi « Esclave » de B par rapport à C, A n'est pas le
Maître de C : il n'a « aucun droit » sur lui, il reconnaît
unilatéralement B comme propriétaire de C, sans être
reconnu par A comme un propriétaire de C. Mais pour être
Maître et pour être reconnu comme tel, et donc comme propriétaire, A doit également avoir un Esclave D. Et B doit
reconnaître A comme propriétaire de D, en renonçant à tous
les droits sur ce D. Ainsi on ne peut pas être Maître sans être
propriétaire, mais on peut l'être sans être propriétaire de
telle chose donnée. Il faut savoir et pouvoir risquer sa vie
pour la Reconnaissance et pour la propriété d'une chose
donnée, mais on peut renoncer à risquer sa vie pour la propriété d'une autre chose. Mais refuser tout risque, c'est
renoncer à la Maîtrise et du coup à la propriété en général
(ce qui ne veut pas dire : se priver de toute *possession*) [2].

---

1. Par rapport à son Esclave le Maître est propriétaire de *toutes* les
choses : il est le « maître du monde ». Si ses « droits » sont limités, s'il
n'est propriétaire que de *certaines* choses, c'est seulement par rapport aux
autres Maîtres.
2. Le risque total de la vie étant le même chez tous, tous les Maîtres
sont pareils en tant que Maîtres. D'où l'« universalisme » du Maître, l'absence d'« individualité » et de « particularité » en lui. Mais le risque pour
la propriété est un risque « déterminé » : un risque pour telle chose et non
pour telle autre. Les Maîtres sont donc différents en tant que Propriétaires.
Le « particularisme » et l'« individualisme » du Maître provient donc de
la propriété privée. Elle est donc fonction de la chose, du *topos* dans le
monde naturel. Ce n'est pas une particularité ou une individualité vraiment
humaines. L'Esclave par contre se « particularise » par le Travail : il
s'*humanise* donc en se particularisant. C'est pourquoi son « *individualité* »
n'a pas besoin d'être une fonction de la propriété privée. Pour être un
« individu » il lui suffit d'être *universellement* reconnu dans sa *particularité*
de Travailleur. L'« individualité » du Maître n'est par contre que la reconnaissance *universelle* de sa *propriété* (particulière, c'est-à-dire « privée »).
Ce n'est donc pas une « individualité » pleinement humaine ou humanisée :

C'est en utilisant l'idée de la Lutte pour la reconnaissance de la propriété (qui présuppose la Lutte pour la Reconnaissance en général) qu'il faut interpréter le droit de propriété du « premier occupant ». Ce n'est pas le fait de *posséder* une chose, ni le fait de la posséder *le premier*, qui crée un *droit* de propriété, qui transforme la *possession* biologique en *propriété* humaine. L'« occupant » — et en particulier le « premier occupant » — n'a un droit de *propriété* que dans la mesure où il est censé vouloir risquer sa vie en fonction de la chose qu'il « occupe », tandis que les autres sont censés refuser ce risque pour la chose « occupée ». Là où il y a une véritable *lutte* pour la propriété, il y a guerre (« privée » ou « nationale ») et le Droit n'a rien à y faire. Le Tiers du Droit de la propriété n'intervient que là où A veut priver B de sa propriété sans vouloir risquer sa vie pour la faire [1]. Mais le Tiers peut ne pas attendre la Lutte effective. Il peut créer des conventions. Ainsi par exemple il peut admettre que le « premier occupant » n'a à lutter contre personne, vu que personne n'a énoncé sa volonté de lutter pour la propriété de la chose en question en l'« occupant ». D'autre part il peut supposer que tout premier « occupant » est prêt à risquer sa vie pour conserver la propriété de la chose qu'il « occupe ». Enfin, l'État peut interdire les luttes pour des choses déterminées (les « guerres privées »). Alors personne ne pourra attaquer le « premier occupant » et on pourra indéfiniment maintenir la fiction qu'il est prêt à lutter pour la propriété de la chose « occupée ». La Lutte étant exclue, toute tentative de le priver de cette propriété pourra être considérée comme juridiquement illégale [2].

---

en tant qu'être spécifiquement humain il n'est que Maître, c'est-à-dire « universel ».

1. Un voleur, brigand, etc., peut risquer sa vie *en fait*. Mais ce risque n'est pas son *but*. Et c'est pour la *possession* qu'il risque sa vie, non pour la *propriété*. Il risque donc sa vie en animal et c'est pourquoi *ce* risque ne crée aucun *droit*.

2. Mais le propriétaire doit *vouloir* risquer sa vie pour sa propriété. Il doit donc la risquer effectivement si l'occasion se présente. Or, même si l'État interdit les « guerres privées », il y a toujours les guerres nationales, qui menacent la propriété d'un État, c'est-à-dire de ses citoyens, c'est-à-dire aussi du propriétaire en question. En tant que propriétaire il doit donc participer à la guerre. D'où l'idée d'exclure (comme à Rome) de l'armée les « prolétaires » sans propriété. (Même les guerres modernes touchent — indirectement — la propriété privée, puisqu'elles appauvrissent l'État : en défendant l'État « capitaliste », tout citoyen-propriétaire défend donc aussi son propre droit de propriété, — cette défense n'ayant d'ailleurs rien de juridique.) Mais le devoir militaire peut être détaché du droit de propriété (privée) : les États luttent aussi pour la Reconnaissance, et tout

La Propriété est liée à une chose donnée. Mais du moment que la Lutte (qui fonde le droit de propriété) est menée pour la *propriété* et non pour la possession, le propriétaire reconnu peut ne pas être le possesseur de la chose qui est sa propriété. D'une manière générale, l'accent est sur la propriété (de la chose) et non sur la chose (qui est une propriété, effectivement possédée ou non). On risque sa vie pour être *propriétaire* de la chose, et puisque ce risque est total, donc le même pour tous, tous ont le même « droit de propriété » : tous sont égaux en tant que propriétaires; ils ne diffèrent que par les choses qui sont leurs propriétés, mais non par le droit de propriété. D'autre part, le Risque pour la Reconnaissance étant chez tous le même, et la Reconnaissance n'étant autre chose que l'objectivation de ce risque, tous les Maîtres sont égaux en tant que « reconnus », en tant que Maîtres. Étant égaux en tant que Maîtres et en tant que Propriétaires, il est naturel que tous les Maîtres aient la même propriété [1]. Or les choses diffèrent les unes des autres. D'où le caractère *collectif* de la propriété spécifiquement aristocratique : c'est une propriété *collective* à participation *égale* de tous les copropriétaires. Chacun peut *posséder* une part *différente* de celle des autres. Mais chacun a *le même* droit de *propriété* sur l'ensemble des choses dont le collectif est propriétaire. Tous sont ainsi égaux en tant que *propriétaires*, tant subjectivement qu'objectivement, ayant tous la même propriété, tout en différant en tant que *possesseurs*. Un groupe de Maîtres (Famille non étatisée, mais autonome, ou « Nation » : clan, tribu, etc.) est propriétaire d'un ensemble de choses : tous luttent en commun contre l'Ennemi pour cette propriété collective, et chacun est propriétaire de l'ensemble au même titre que les autres. Peu importe d'ailleurs qu'ils « exploitent » la propriété collective en commun ou que chacun soit possesseur (temporel ou même perpétuel) d'une

citoyen, reconnu par l'État comme citoyen, doit prendre part à cette Lutte de pur prestige. D'ailleurs il n'y a pas en fait de « prolétaires » proprement dits : tout citoyen, tout homme qui n'est pas l'Esclave d'un autre, est toujours « propriétaire » : ne serait-ce que de son corps et du travail que ce corps peut fournir.

1. Il pourrait sembler que A peut risquer sa vie pour être propriétaire de plus de choses que B. Mais alors A risque sa vie pour la *possession* (de plus de femmes, de nourriture, etc.) et non pour la *propriété*. À moins que la propriété ne devienne un symbole de la Reconnaissance : la noblesse du riche et la richesse du noble. Mais alors on lutte pour la Reconnaissance en général, et la Propriété n'est plus qu'un moyen. La Richesse est d'ailleurs un phénomène déjà « bourgeois » : le noble par sa richesse est « Citoyen » et non Maître proprement dit.

part distincte de l'ensemble de la propriété (tirage des lots au sort, redistribution des lots, etc.).

A côté de cette propriété collective il y a, certes, une « propriété personnelle » : le corps tout d'abord et tout ce qui « fait corps » avec ce corps (vêtements, armes, femmes, etc.). Ici la possession coïncide avec la propriété [1]. Et ici un refus de Lutte équivaut au renoncement à la Reconnaissance : car le corps et ce qui fait corps avec lui est la base même de l'être reconnu, puisqu'il n'y a pas d'être humain en dehors de l'animal. La Reconnaissance implique donc la reconnaissance de la « propriété personnelle ». Mais celle-ci est tout aussi peu une « propriété privée » au sens propre (« bourgeois ») du mot que la « propriété collective ». Aucune des deux ne signifie une inter-action véritable (et donc un conflit possible) entre le « non-propriétaire » et le « possesseur-usufruitier ». La « propriété personnelle » est inaliénable même en tant que possession. Et la « propriété collective » n'est *possédée* que par les co-*propriétaires.*

D'une manière générale, là où il n'y a pas d'échanges entre propriétaires, le Droit même de la propriété se réduit à peu de chose. Il n'a qu'à sanctionner cette absence d'échange, en annulant l'« échange » illicite : vol, rapt, braconnage, etc. Tout échange, tout changement de propriétaire, si les « guerres privées » sont interdites; tout changement sans lutte préalable pour la propriété, si ces guerres sont admises. Le Droit de propriété est alors un Droit pénal. Car du moment qu'il s'agit de propriété et non de possession, la nature de la chose illégalement acquise n'a aucune importance. Il s'agit d'une « chose quelconque » et par conséquent d'un « propriétaire quelconque ». Le voleur lèse donc la Société de propriétaires dans son ensemble. C'est pourquoi le Tiers intervient « spontanément » et annule l'action en tant qu'intention et volonté, c'est-à-dire dans et par une peine [2].

Or, dans une Société vraiment aristocratique, où les propriétaires sont égaux non pas seulement parce qu'ils ont le même *droit* de propriété, mais encore parce qu'ils ont des propriétés égales, il n'y a pas de place pour un Échange entre propriétaires. En ce qui concerne la « propriété personnelle » le Droit de la propriété se réduit donc effectivement au Droit

---

1. Il peut y avoir prêt entre amis. Mais c'est tout autre chose qu'un « bail ». Dans ce « prêt » la possession est sans importance. Dans le « bail » elle importe tout autant que la propriété, et c'est pourquoi elle se paye.

2. Le voleur veut *posséder* une chose déterminée. Mais puisque la propriété n'est pas liée à telle chose, il lèse en volant cette chose un propriétaire « quelconque ».

pénal qui annule le vol (au sens large). Il n'y a pour ainsi dire pas d'inter-actions juridiquement licites entre des propriétaires « personnels ». Mais des inter-actions existent entre les copropriétaires de la « propriété collective ». C'est donc à cette propriété que se rapportera le Droit *civil* de la propriété [1]. C'est à l'intérieur du collectif-propriétaire que se pose la question des rapports entre la propriété (égale), et la possession (de lots différents), ainsi que celle de la « succession » de la propriété. N'étant pas liée au *hic et nunc* de la chose, la propriété est transmissible, en particulier par voie héréditaire. Mais le Droit aristocratique de la propriété doit toujours supposer la volonté du propriétaire de lutter pour sa propriété (d'où l'exclusion des femmes par exemple). Quant au rapport entre la propriété et la possession (partage des lots, etc.), il s'agit de faire de la sorte que l'inégalité inévitable de la possession ne détruise pas l'égalité postulée de la propriété (d'où tirage des lots au sort, partage compliqué du terrain collectif, redistributions, etc.). Et c'est encore le même principe qui régit la distribution de l'autorité économique au sein du collectif (recrutement du « chef » économique et son contrôle par les copropriétaires).

De très bonne heure, et peut-être même dès l'origine, la propriété aristocratique collective a le caractère d'une propriété familiale. Le Droit civil de la propriété apparaît donc surtout comme un Droit de la Société familiale, à savoir comme le Droit de l'œuvre familiale. Le Droit de la propriété de la Société économique ne s'applique qu'aux interactions entre les Familles (ou entre des individus isolés) prises en tant que propriétaires. Or dans une Société aristocratique où les propriétaires (individuels ou collectifs) sont égaux non seulement en droit mais encore en fait, ces interactions (« civiles ») se réduisent à peu de chose. Le Droit aristocratique civil de la propriété a donc un contenu très restreint.

Pour l'essentiel, ce Droit a trait *a)* à la coexistence des propriétés; *b)* à l'acquisition et *c)* à la perte de la propriété. La propriété n'est juridiquement légale que si elle peut *coexister* avec les autres propriétés, sans les supprimer en tant que telles (ni en tant que possession), sans être supprimée par

---

1. La « propriété collective » est en fait surtout foncière. C'est pourquoi pour le Droit civil archaïque de la propriété (et encore pour le Droit romain, qui a inspiré aussi le Code civil français) la propriété proprement dite est avant tout « immeuble ». A l'origine la propriété « meuble » est surtout « personnelle », et en tant que telle elle ne donne pas lieu à des inter-actions entre les propriétaires, de sorte qu'il n'y a pas d'application possible pour un Droit.

elles. D'où le Droit des limites de la propriété (le caractère « sacré » des bornes) et le Droit des servitudes : celui qui ne veut (ou ne peut) pas lutter pour la propriété d'un autre doit reconnaître les limites de cette dernière et rendre son existence possible en reconnaissant certaines restrictions à sa propriété, indispensable à l'existence de l'autre propriété (les « servitudes »). Quant à l'acquisition (autre que celle par Échange, qui est du ressort du Droit des obligations), il y a soit le Droit du premier occupant, soit celui de la conquête, soit enfin l'héritage. Mais ce ne sont là que trois variantes du principe de la Lutte pour la propriété. La conquête est cette Lutte pure et simple. L'occupation en premier équivaut à la volonté de lutter pour la propriété contre de nouveaux prétendants, sans possibilité de lutter contre d'anciens propriétaires, vu leur inexistence. Quant à l'héritier (dans la mesure où il n'est pas un parent, auquel cas il s'agit du Droit de la Famille), il est censé faire sienne la volonté de lutte de l'ancien propriétaire dont il a hérité (c'est l'idée qui est à la base du fief héréditaire, dans la mesure où il n'est pas un « bénéfice », auquel cas l'héritier hérite du fief parce qu'il hérite de la fonction que le fief rétribue). Or, là où l'État interdit la guerre privée pour la propriété, celle-ci devient « éternelle », « imprescriptible ». Elle appartient à jamais au « premier occupant », ou plus exactement au « dernier occupant », c'est-à-dire à celui qui était propriétaire au moment où les luttes pour la propriété (ou du moins pour *cette* propriété) ont été interdites. Dans la mesure où le Droit reconnaît la « survie » de l'homme dans son héritier, la propriété « éternelle » devient une propriété héréditaire. Reste la perte de la propriété, qui n'est rien d'autre que la « prescription », c'est-à-dire l'acquisition par le nouveau propriétaire. Ici encore c'est l'idée de la Lutte pour la propriété qui est à la base. Le propriétaire qui ne réclame pas sa propriété pendant un temps $x$ est censé avoir renoncé à lutter pour elle. D'autre part le possesseur est censé avoir la volonté de lutter. (C'est là le sens profond de la notion de l'*animus* du possesseur dans le Droit romain.) Tout se réduit donc à la volonté de lutte, et c'est pourquoi cette lutte a été la première « preuve » de la propriété (interprétée plus tard comme « jugement de Dieu »; cf. la procédure romaine avec la lance, le préteur venant comme par hasard et séparant ceux qui luttent à mort pour une propriété). Toute contestation de propriété sans volonté de lutte est nulle par définition. Et c'est pourquoi l'appropriation par le vol, qui exclut par définition la lutte (vu que le voleur cache son action), est annulée « spontanément » par le Tiers. La contestation « civile », devant le Tiers, équivaut à une volonté bilatérale de lutte. Or cette lutte étant interdite par l'État, le Tiers n'a qu'à trouver le « premier occupant » ou l'héritier, c'est-à-dire celui chez qui la volonté de lutte est reconnue d'office. A moins qu'il n'y ait « prescription ». La volonté de l'autre est sans portée, vu que la lutte effective est interdite. Mais du moment que les deux sont prêts à lutter, ils sont égaux en tant que propriétaires. Le différend ne porte donc que sur une chose déterminée, sur une propriété spécifique. C'est un cas de Droit civil, et non de Droit pénal, où le voleur, refusant la Lutte, nie le principe même de la propriété et lèse donc l'ensemble de la Société (économique) des propriétaires.

Reste encore le problème de l'usufruit (au sens large), c'est-à-dire de la distinction entre la possession et la propriété pure et simple. Mais l'usufruit est une obligation. On est donc dans le domaine du Droit de l'obligation. Le Droit de propriété ne fixe que la base, la condition nécessaire, mais non suffisante, de l'usufruit. Vu que la propriété est essentiellement autre chose que la possession rien n'empêche de les distinguer juridiquement : un propriétaire reste propriétaire même s'il n'est plus (pour une raison quelconque) en possession de sa propriété; il suffit qu'il soit prêt à lutter pour elle (prise en tant que propriété). Le fait purement négatif que le possesseur ne devient pas propriétaire du seul fait de la possession est fixé par le Droit de la propriété. Mais les rapports positifs entre le propriétaire et le possesseur-usufruitier (c'est-à-dire bénéficiant du consentement du propriétaire à sa possession), sont fixés par le Droit de l'obligation (§ 69).

En bref, le Droit aristocratique de la propriété est fondé sur l'idée de la Lutte pour la propriété. Et c'est pourquoi ce droit n'admet pas de degrés : ou bien on n'a aucun droit de propriété (ayant renoncé à toute lutte, c'est-à-dire en devenant Esclave), ou bien on a tous ces droits (quand on accepte le risque, c'est-à-dire quand on est Maître). Ainsi l'enfant, la femme, en général celui qui est censé ne pas pouvoir lutter pour une propriété n'est pas reconnu comme son propriétaire. Or, puisque la Lutte est à la base de la Maîtrise, et puisque dans la Société aristocratique seul le Maître est sujet juridique, tout sujet juridique y est sujet de la plénitude des droits de la propriété : seuls les *alieni juris* ne possèdent pas ces droits; mais c'est qu'ils ne sont pas des personnes juridiques, n'ayant pas (ou pas encore) accès à la Maîtrise, c'est-à-dire en fin de compte à la Lutte, et donc à la lutte pour la propriété. Certes, tant que dure cette lutte, il n'y a pas de place pour un Tiers et il n'y a donc pas de Droit. Le *Droit* de la propriété n'apparaît qu'au moment où l'État interdit les luttes pour la propriété, c'est-à-dire les « guerres privées ». Mais ce Droit (aristocratique) est néanmoins fondé sur l'idée de cette lutte, sur sa « possibilité », sur la lutte « virtuelle ». La propriété *juridique* est « *éternelle* » parce que le Droit présuppose l'interdiction de la Lutte effective, pouvant enlever au propriétaire sa propriété. Mais le propriétaire n'est propriétaire (et non seulement possesseur) que parce qu'il est censé avoir la *volonté* de lutter à mort pour sa propriété, si l'occasion se présentait (par impossible). Et tout le contenu du Droit aristocratique de la propriété peut être déduit de ce principe : volonté de lutte sans lutte possible. L'absence de cette volonté (ou la supposition légale de cette absence) chez le propriétaire mène à la « prescription », chez le possesseur — au « vol » : on ne peut ni être propriétaire ni le devenir sans une volonté reconnue de lutter à mort pour la propriété, c'est-à-dire de se placer dans la même situation que le prétendant. L'acquisition ou le maintien de la propriété sans lutte est contraire à l'idéal aristocratique de la Justice égalitaire. Et c'est pourquoi le Droit aristocratique de la propriété ne peut pas l'admettre. L'égalité des propriétaires est fondée en dernière analyse sur l'égalité absolue du risque de leurs vies.

Tels sont les principes du *Droit aristocratique de la propriété*. La Propriété y est une fonction du Risque, qui est le même pour tous. D'où le principe égalitaire selon lequel chacun doit avoir une propriété égale à celle des autres. Or, là où il y a égalité entre propriétaires il n'y a pour ainsi dire pas d'inter-actions, pas d'échanges entre eux et par conséquent pas de contrats ou d'obligations en général. Le *Droit économique aristocratique* se réduit donc dans l'essentiel au Droit de la propriété et celui-ci se réduit lui-même à peu de chose, comme nous l'avons vu. Le *Droit économique bourgeois*, par contre, est avant tout un Droit de l'Échange ou de l'Obligation, car la propriété est foncièrement inégale dans la Société économique bourgeoise, ce qui rend les échanges économiques indispensables. On peut même dire que la Propriété n'y est rien d'autre que la condition *sine qua non* de l'Obligation : la Propriété peut y être définie comme ce qui peut être échangé, en créant des obligations entre les échangeants. Non seulement il n'y a pas d'Échange possible sans Propriété, mais on peut dire qu'il n'y a pas non plus de Propriété proprement dite sans Échange, du moins sans Échange possible ou virtuel. On ne peut pas s'obliger si l'on n'est pas Propriétaire, du moins en puissance, et on est obligé, du moins virtuellement, du seul fait qu'on est Propriétaire [1]. Ainsi le Droit bourgeois de la propriété n'est en quelque sorte qu'une introduction au Droit de l'obligation, qui représente la presque totalité du Droit économique bourgeois.

Cette différence tient au fait que le *Droit bourgeois de la propriété* est fondé sur un tout autre principe que le Droit aristocratique correspondant, fondé sur l'idée de la Lutte et du Risque.

Le Droit bourgeois est le Droit de l'Esclave, ou plus exactement de l'Esclave reconnu comme personne juridique, c'est-à-dire comme être humain, donc de l'Esclave devenu Citoyen. Mais dans le Citoyen-bourgeois l'élément servile prédomine de beaucoup sur celui de la maîtrise. Le Bourgeois est un Esclave *reconnu*, mais reconnu dans sa *servitude* (quoiqu'il n'ait plus de Maître proprement dit : le Bourgeois est un Esclave sans Maître-humain, qui se cherche donc un Maître et qui le trouve en Dieu d'abord et dans le Capital ensuite, qu'il « sert »). Or, par définition, l'Esclave ne lutte pas et ce n'est pas d'une Lutte que peut lui venir sa propriété. Elle ne peut lui venir que de son Travail. Aussi du point de vue du Droit bourgeois, la source unique de la Propriété est le Travail : soit le travail de la production de la chose, soit un échange du travail contre une chose.

D'une manière générale le Droit bourgeois est fondé sur l'idéal de la Justice d'équivalence : tout droit est censé être équivalent à un devoir qui y est rattaché, et inversement, le « droit » correspondant à un avantage quelconque, le « devoir » à un inconvénient. Si donc la Propriété est un « droit », voire un « avantage », il faut, pour qu'elle soit « juste », qu'un « devoir » équivalent y soit rattaché ou un « inconvénient » en général. Et ce « devoir » est d'une part le Travail qui engendre la Propriété et d'autre part l'Obligation que crée la Propriété une fois existante (l'impôt par exemple, etc.). La Propriété doit donc tout d'abord être équivalente à l'effort du Travail fourni pour l'acquérir. Toute Propriété présuppose un Travail équivalent fourni par le Propriétaire, et tout effort du Travail engendre une

1. Certes on peut dire que la Propriété aristocratique implique elle aussi une Obligation : une « servitude » par exemple. Mais l'obligation aristocratique se rapporte à d'autres propriétés concrètes, tandis que l'obligation bourgeoise se rapporte à la Société économique dans son ensemble et elle est liée à la Propriété en tant que telle : l'impôt par exemple.

Propriété équivalente. Tout homme qui a fait (fabriqué) une chose est le propriétaire de cette chose (ou le propriétaire virtuel d'une chose équivalente, qu'il peut acquérir par échange) [1]. D'autre part, la jouissance d'une propriété étant un « droit » ou un avantage, elle doit s'accompagner d'un « devoir » ou d'un inconvénient équivalents : tout Propriétaire a des obligations qui découlent du seul fait de la propriété lui étant équivalentes, et qu'un non-propriétaire n'a pas : la Propriété est tout autant un « devoir » qu'un « droit ». Ainsi là où la Propriété exige un effort continu pour se maintenir, c'est le propriétaire qui est censé le fournir (ou d'en fournir l'équivalent).

Or l'équivalence n'implique nullement l'égalité. Et l'effort de travail fourni par l'un pouvant différer de celui fourni par un autre, leurs propriétés pourront être inégales. Et l'inégalité des propriétés va engendrer l'Échange et l'Obligation. Ainsi la Propriété qui est fonction du Travail est essentiellement une Propriété à échanger. Et le Droit même de la propriété va définir cette dernière de façon à ce qu'elle puisse servir de base à l'Échange, au Contrat et à l'Obligation en général, ce qui est possible, vu que la Propriété, étant tout autre chose que la possession, n'est pas liée au *hic et nunc* de la chose : les propriétaires restent identiques à eux-mêmes en tant que propriétaires, même s'ils échangent les choses qu'ils possèdent à titre de propriétaires. A est propriétaire d'une chose *a*, et B d'une autre chose *b*. Du moment que dans les deux cas les droits et les devoirs liés à la propriété de la chose sont équivalents, rien ne sera changé au point de vue du Droit de la propriété, si A devient propriétaire de *b*, et B de *a*. Car ce qui compte, ce n'est pas la *possession* de telle chose, mais la propriété, c'est-à-dire un ensemble de droits ou d'avantages équivalents à un ensemble de devoirs ou d'inconvénients, voire d'effort de travail investi.

Dans le Droit bourgeois de la propriété, la coexistence des propriétaires n'est donc pas seulement statique, comme dans le Droit aristocratique correspondant, mais encore dynamique. Non seulement une propriété donnée doit permettre l'existence des autres propriétés (limites de la pro-

1. Le terme Travail doit être pris dans un sens large. Il peut signifier aussi : « travail intellectuel ». D'où le droit de la « propriété intellectuelle ». Quant à la « firme », à la « marque », etc., ces propriétés « abstraites » symbolisent un Travail investi par leur propriétaire. Là où le Travail ne crée pas d'entités matérielles la propriété est rattachée à des entités « idéelles », à des symboles du Travail : le nom et le renom d'une maison de commerce par exemple, un brevet, la marque d'un produit, etc.

priété, servitudes, etc.), elle doit encore être échangeable avec ces autres propriétés, car les avantages qu'elle incarne ne sont réels que dans la mesure où elle peut être échangée contre d'autres propriétés (équivalentes, mais d'une autre nature). C'est là une conséquence nécessaire de la spécialisation, de la division du travail et donc de la spécification de la propriété produite par ce travail. Celui qui produit des chaussures ne peut tirer un avantage de la propriété produite que s'il peut l'échanger (du moins en partie) contre des vêtements, des aliments, etc. Or la Propriété en tant qu'échangeable est en fin de compte représentée par l'argent. Aussi le Droit bourgeois de la propriété se rapporte surtout à la valeur, au prix de la chose dont on est propriétaire, et non à la chose elle-même. Ce qui est garanti par le Tiers, c'est la propriété de la *valeur* des choses dont on est propriétaire. Quant aux choses mêmes, l'État peut obliger le propriétaire de les aliéner, soit en les échangeant contre d'autres choses, soit en les vendant pour de l'argent (interdiction du stockage, réquisitions, etc.). L'argent devient ainsi l'équivalent direct du travail, tandis que la chose produite par ce travail peut en être détachée. On peut dire qu'à la limite l'argent devient la seule propriété reconnue juridiquement : on ne peut pas enlever l'équivalent monétaire de la propriété du propriétaire, mais on peut fort bien le déposséder des choses qu'il possède à titre de propriétaire : il suffit de les lui payer.

Quant à l'acquisition de la propriété bourgeoise (celle par échange mise à part), elle se fait non pas par la Lutte, mais par le Travail. Aussi le « premier occupant » ne devient-il propriétaire qu'en raison du travail qu'il a investi dans la chose occupée, et le fait qu'il est « premier » signifie seulement qu'il n'y a personne qui a investi du travail avant lui dans la chose en question. Aussi la « preuve » de la propriété se réduit à la preuve du travail investi, l'*animus* du possesseur étant ici sa volonté de travailler la chose possédée. De même, l'héritier ne peut succéder à l'ancien propriétaire qu'à condition d'accepter les « devoirs » liés à la propriété, en particulier de continuer le travail rattaché à la chose dont on est propriétaire. Et puisque le travail fourni par un individu n'est pas nécessairement égal (ou équivalent) à celui fourni par un autre, rien ne dit *a priori* que l'héritier a droit à la même propriété que celui dont il hérite [1]. C'est pourquoi

---

1. Le risque dans la lutte pour la propriété est par contre toujours le même. C'est pourquoi l'héritier qui accepte la lutte éventuelle a droit à la totalité de l'héritage.

en dernière analyse la notion de la propriété héréditaire est étrangère au Droit bourgeois de la propriété (d'où taxes élevées sur les successions, etc.). La continuité de la propriété n'est justifiée que dans la mesure où il y a continuité des obligations qui y sont liées (des impôts par exemple). Mais la source de la propriété étant en fin de compte le Travail, toute acquisition sans travail correspondant, c'est-à-dire aussi une acquisition par héritage, est au fond juridiquement illicite [1].

La perte de la propriété est ici le résultat de l'abandon du travail qui y est rattaché. La « prescription » ne signifie rien d'autre que le fait que le propriétaire n'a pas travaillé à sa propriété (pendant un temps $x$). Il a donc perdu son droit de propriété. Et si le possesseur a (pendant ce temps) investi dans la possession le travail qui lui est rattaché en tant que propriété, il devient le propriétaire de ce qu'il possède. (L'*animus* est ici non pas seulement la volonté ou l'intention, mais l'acte de travailler.)

Quant au vol, etc., il s'agit là d'une acquisition sans travail équivalent (l'effort du voleur n'étant pas un travail proprement dit, puisqu'il ne crée rien, ne nie pas le donné, ne transforme pas une « matière première », ne « forme » pas la chose). Et du moment qu'il y a là une négation du principe même de la propriété bourgeoise, fondée sur le Travail, le voleur lèse la Société économique bourgeoise dans son ensemble. Du moment qu'il acquiert sans travail, il peut acquérir n'importe quoi, une chose quelconque, donc la propriété d'un propriétaire quelconque. Le vol est donc ici aussi un cas de Droit *pénal* de la propriété. Quant au Droit civil, il n'a trait qu'aux rapports entre un travail donné et une propriété déterminée, spécifique. Du moment que quelqu'un a fourni une quantité déterminée de Travail, il a droit à une propriété correspondante « quelconque » : il ne lèse donc pas le propriétaire « quelconque » en l'acquérant effectivement. Mais il se peut qu'il lèse un propriétaire « spéci-

---

1. La volonté de lutte peut exister même là où la lutte est interdite par l'État. L'hérédité de la propriété aristocratique a donc un sens. Mais le Travail étant permis, la seule « volonté » de travailler ne suffit pas. L'héritier doit donc fournir un travail équivalent à la valeur de l'héritage pour en devenir propriétaire. Mais alors il n'y a plus d'héritage : l'« héritier » a lui-même produit sa propriété par son travail. L'héritage bourgeois est donc en fait l'héritage des « moyens de production », de la *possibilité* d'un travail déterminé : sur tel champ, avec tels outils, etc. Et si cette « possibilité » est fournie par un tiers, notamment par l'État, l'hérédité de la propriété n'a plus de raison d'être.

fique » en acquérant sa propriété au lieu d'en acquérir une autre (équivalente). Dans ce cas le Tiers pourra intervenir, mais il appliquera le Droit *civil*.

À l'encontre du Risque dans la Lutte, l'effort du Travail admet des différences et des degrés. D'où des différences tant objectives que subjectives du droit bourgeois de propriété. Non seulement les propriétés des différents propriétaires peuvent être différentes et inégales, l'un ayant plus que l'autre et autre chose que lui. Le droit même de propriété admet des variations et des degrés : la « capacité » juridique de propriétaire n'est pas la même chez tous. Ainsi par exemple quelqu'un peut être propriétaire légitime de biens meubles, sans pouvoir être propriétaire foncier, auquel cas il sera censé ne pas pouvoir ou vouloir travailler la terre. D'une manière générale la « capacité » juridique de propriété est fonction de la capacité de travail.

De par son essence même le Travail *particularise* l'homme en l'humanisant (et l'*individualise* donc, dans la mesure où sa *particularité* humaine est reconnue *universellement*). Il le particularise donc aussi en tant que propriétaire : la propriété bourgeoise née du travail est « particulariste » et non collective, comme la propriété aristocratique engendrée par la Lutte. La propriété créée par le travail est liée à la particularité du Travailleur : elle est à lui, à l'exclusion de tous les autres, c'est-à-dire de tous ceux qui n'ont pas participé à la production. Mais tout en n'étant pas collective, la propriété bourgeoise diffère aussi de la propriété aristocratique « personnelle ». Car elle ne fait pas corps avec le corps du propriétaire. Étant essentiellement échangeable elle est détachable de lui et reste sienne même en étant détachée effectivement. Cette propriété est donc une « propriété privée » au sens propre du terme. Le propriétaire peut ne pas être possesseur de sa propriété : il reste néanmoins son propriétaire et il est seul à l'être. Et c'est cette « propriété privée » qui est la base véritable du Contrat et de l'Obligation en général, de même qu'inversement elle n'a un sens qu'en fonction de cette Obligation (effective ou virtuelle) [1].

---

1. En principe le propriétaire reste propriétaire parce qu'il est censé fournir un travail équivalent à celui qu'il aurait fourni s'il était resté possesseur de sa propriété. Quant à l'usufruitier, il est censé retirer une propriété équivalente au travail qu'il investit dans la chose dont il n'est que possesseur. Mais en fait il en est rarement ainsi. Le Droit bourgeois s'en tire à force de subtilités « formalistes ». De plus, comme nous le verrons tout de suite, il y a une synthèse (imparfaite) du principe bourgeois avec

Le *Droit de la propriété du Citoyen* est une synthèse des Droits correspondants aristocratique et bourgeois.

Ainsi, premièrement, ce Droit conserve d'une part la notion aristocratique de la Propriété exempte de tout « devoir » et non destinée à l'Échange, c'est-à-dire indépendante de toute Obligation (c'est la « propriété personnelle » du Droit synthétique parfait, c'est-à-dire socialiste). D'autre part ce Droit connaît aussi la Propriété bourgeoise, conçue comme simple prémisse de l'Obligation, destinée à l'Échange et équivalente à un « devoir » correspondant (c'est la « propriété collective » ou « sociale », « étatique », etc., du Droit socialiste : participer à la propriété collective, c'est participer au travail collectif). Deuxièmement, ce Droit réunit l'égalité avec l'équivalence. Ainsi, dans sa forme parfaite, il admet l'égalité des propriétés (et des droits de propriété), mais chez chacun le droit de propriété est accompagné d'un devoir qui lui est équivalent. Et le maintien du principe d'équivalence permet de conserver la notion de l'argent, de la valeur et du prix, l'égalité des propriétés pouvant se limiter à celle de leurs valeurs. Troisièmement, le Droit du Citoyen est aussi une synthèse des principes de la Lutte et du Travail. C'est le Travail qui engendre la Propriété et c'est en travaillant qu'on devient Propriétaire. Mais le Propriétaire est censé devoir défendre sa Propriété les armes à la main si la nécessité se présente : en cas d'une guerre par exemple qui lèse la propriété collective et par conséquent les propriétés des copropriétaires. Quatrièmement, enfin, la Propriété reconnue par ce Droit est tout autant collective qu'individuelle. Non pas seulement parce qu'à côté de la propriété collective ou « sociale » il y a une « propriété personnelle », mais encore parce que la participation à la propriété collective est strictement individuelle. L'unité de la Société économique est ici l'individu et non la Famille ou un autre groupe social quelconque.

A ses débuts la synthèse du Droit du Citoyen est d'ailleurs encore imparfaite, voire « abstraite » ou purement « formelle », c'est-à-dire — si l'on veut — erronée. On a le Droit

---

le principe aristocratique (ou plus exactement avec une « fiction » de ce principe), qui donne le Droit bourgeois « capitaliste » — première ébauche (imparfaite) du Droit du Citoyen relatif à la Propriété : la propriété acquise sans Travail (et sans Lutte) y est « formellement » assimilée à la propriété aristocratique (acquise par la Lutte ou la volonté de la Lutte), qui n'implique aucun « devoir », en particulier pas de devoir de travailler, et qui est « éternelle », voire héréditaire.

« bourgeois » proprement dit ou le Droit « capitaliste » de la propriété. D'une part ce Droit assimile la Propriété (« capitaliste ») à la Propriété aristocratique, vu qu'il admet que celle-ci peut être acquise et possédée sans Travail. Mais d'autre part cette même Propriété est assimilée à la Propriété bourgeoise, vu qu'elle peut être acquise et maintenue sans Lutte et même sans volonté de Lutte. Cette pseudo-synthèse est purement « formelle » : l'absence de Lutte est assimilée au Travail qui fait en réalité défaut, de même que l'absence du Travail est assimilée à la Lutte qui en fait n'existe pas non plus. Mais elle cadre bien avec l'existence « inauthentique » du Bourgeois lui-même, qui est un Esclave sans Maître, assimilé du point de vue formel au Maître vu qu'il n'en a pas (quoiqu'il ne se soit pas libéré du Maître par une Lutte révolutionnaire et ne participe donc pas à la Maîtrise authentique, fondée sur le Risque dans la Lutte pour la reconnaissance). Or, ne luttant pas en raison de sa servitude, le Bourgeois croit pouvoir ne pas travailler en raison de sa prétendue Maîtrise (c'est-à-dire en fait parce qu'il n'a plus de Maître qui le force à travailler, sinon Dieu ou le « Capital » lui-même). Et cette pseudo-synthèse permet de combiner (« abstraitement » ou « formellement ») dans la Propriété capitaliste les caractères des Propriétés aristocratique et bourgeoise, la combinaison s'effectuant à l'avantage du Propriétaire. Tout comme la Propriété aristocratique, la Propriété capitaliste est censée être « éternelle », c'est-à-dire héréditaire. Mais étant individuelle comme la Propriété bourgeoise, la succession y est absolument arbitraire (droit de tester à volonté), d'autant plus que l'héritier n'hérite ni d'une volonté de lutte ni d'un devoir de travail. De même, étant assimilé au Droit bourgeois, le Droit capitaliste de la propriété n'est nullement égalitaire : il admet l'inégalité tant de fait que de droit des Propriétaires. Mais, en s'assimilant au Droit aristocratique, ce Droit tend à libérer le droit de propriété de tous les devoirs qu'y rattache le Droit bourgeois. Tout comme dans ce dernier, la Propriété est réduite à sa valeur monétaire. Mais cette propriété « abstraite » est assimilée à la Propriété aristocratique : son échange n'est pas un devoir et la coexistence des propriétés peut être purement statique. Et c'est en ce sens que la Propriété devient « Capital » : un meuble assimilé à un immeuble, si l'on veut (ou un immeuble assimilé à un meuble, quand le Capital est foncier). L'échange n'étant pas obligatoire, il peut se payer : la Propriété-Capital apporte un revenu en se transformant en Capital échangé, le prêt du Capital se paye à tant pour cent [1].

Cette synthèse « capitaliste », étant imparfaite, admet une infinité de degrés. Il y a donc un grand nombre de Droits capitalistes de la propriété. Mais dans leur évolution historique (dans leur « dialectique ») ces Droits tendent à une seule et même limite : à la synthèse parfaite (et par conséquent immuable) des principes aristocratique et bourgeois dans le Droit socialiste de la propriété, qui fait partie du Système du Droit du Citoyen de l'État universel et homogène de l'avenir. J'en dirai quelques mots dans le dernier paragraphe de cet écrit (§ 70).

§ 69.

Voyons maintenant ce qu'est la deuxième partie du Droit de la Société économique, c'est-à-dire le *Droit de l'obligation,* ou si l'on veut de l'échange des propriétés.

Rappelons tout d'abord qu'il n'y a Droit que là où il y a une intervention d'un Tiers dans une interaction sociale. Les interactions entre les êtres humains auxquelles peut s'appliquer le Droit de l'obligation (contrat et délit) n'ont en elles-mêmes rien de juridique. Le fait de contracter une dette, de louer une maison ou de briser la vitre du voisin, etc., n'ont rien à voir avec le Droit. Ce ne sont que des interactions sociales, voire économiques, qui *peuvent* devenir des rapports juridiques entre des sujets de droit, mais qui peuvent tout aussi rester en dehors du domaine juridique. Une interaction sociale économique ne devient une situation juridique qu'à partir du moment où un Tiers impartial et désintéressé intervient dans cette interaction afin de supprimer la réaction de l'un des deux agents à l'action de l'autre. Si A promet à B de lui rembourser à telle date une somme empruntée, ce rapport entre A et B n'est pas encore juridique. Il ne l'est que là où un Tiers est censé intervenir pour supprimer

---

1. La propriété de l'ouvrier, produite par son travail, est par contre interprétée d'après les principes du Droit bourgeois : son échange est obligatoire et ne se paye donc pas; l'ouvrier qui échange le produit de son travail contre un autre produit ne reçoit que l'équivalent rigoureux du travail qu'il a livré. Quant au capitaliste, il peut ne pas échanger sa propriété, c'est-à-dire son capital. S'il le fait, il touche donc une prime pour le consentement à l'échange : on lui restitue son capital plus des intérêts. C'est pourquoi on ne peut appeler « Capital » au sens propre que la propriété que le propriétaire peut soustraire à l'échange : c'est ce qui lui reste après qu'il a couvert ses frais de consommation personnelle.

l'opposition de B si A agit (à la date prévue) pour enlever à B la somme due par lui à A. La convention entre A et B n'est un rapport juridique que dans la mesure où elle implique la possibilité d'une intervention du Tiers. Une obligation *juridique* (contrat ou délit) contient donc nécessairement deux éléments : un rapport entre les agents en interaction et l'acceptation de ce rapport par le Tiers. On dit que l'obligation a force de loi pour les parties intéressées. C'est que justement elle est sanctionnée par un Tiers (qui incarne la « loi » juridique) : si A a une obligation envers B et s'il ne l'exécute pas, c'est le Tiers qui le forcera à le faire, et non B lui-même, et c'est seulement dans cette mesure que l'obligation de A envers B est une obligation *juridique* (un contrat ou un délit). Le Tiers intervient non pas parce que A a promis quelque chose à B ou parce que B est d'avis que A lui doit quelque chose, mais parce que *le Tiers a reconnu* une obligation de A envers B : ce n'est pas parce qu'il y a une obligation de A envers B que le Tiers intervient; c'est parce qu'il intervient qu'il y a une obligation au sens juridique du terme (contrat ou délit). C'est pourquoi l'obligation dite « naturelle » (la dette de jeu dans la société moderne par exemple) n'est pas un phénomène juridique, si l'obligeant n'a pas d'« action » contre l'obligé. Et si le paiement d'une obligation « naturelle » est considéré comme un *paiement* (et non comme un don) et s'il ne peut pas être « répété », c'est que le *paiement* (volontaire) d'une obligation « naturelle » est un acte juridique, sanctionné par le Tiers. Mais l'obligation elle-même n'a rien de juridique, tant que l'obligé ne s'est pas exécuté.

Par définition le Droit de l'obligation de la Société économique est un Droit *civil.* Autrement dit, le Tiers n'intervient ici que dans des interactions économiques entre deux membres spécifiques de la Société économique, pris en tant que ces membres dans leur *hic et nunc* respectif. A est « obligé » envers B quand il est un membre concret de la Société économique, différent de tous les autres, et non un membre « quelconque », représentant la Société en tant que telle, prise dans son ensemble. C'est pourquoi une obligation (réciproque ou unilatérale) entre A et B n'affecte en rien ni un C déterminé ni un autre membre « quelconque », c'est-à-dire la Société elle-même : un contrat est sans effet envers les Tiers. Certes A peut obliger B au profit d'une autre personne C : B peut par exemple emprunter de l'argent à A avec l'obligation de le restituer à C. Mais alors il y a en réalité deux obligations : soit une obligation de B envers A et une obligation de A envers C, soit une obligation de B envers A et une obligation de B envers C. Ou bien encore A et C forment une personne morale collective envers laquelle B est obligé (et dont le statut est fixé dans le contrat entre A et B). De toute façon, il s'agit de rapports entre des membres spécifiques de la Société économique, qui n'affectent en rien (du moins en principe) cette Société elle-même, c'est-à-dire son membre quelconque. Le fait que l'obligation entre A et B a « force de loi » pour A et B, mais n'a aucun effet pour les tiers, prouve que A et B sont absolument isolés du reste de la Société dans et par cette obligation; ils constituent une sorte « d'État dans l'État ». Leur interaction n'atteint personne d'autre et n'est affectée par personne d'autre qu'eux-mêmes. Or, c'est dire précisément que nous sommes en présence d'un cas de Droit *civil*. Si A doit de l'argent à B, ceci n'intéresse que A et B, mais non un membre quelconque de la Société, c'est-à-dire cette Société en tant que telle. Cette dernière peut donc intervenir en guise de Tiers désintéressé dans l'obligation entre A et B. Mais ce Tiers n'interviendra pas « spontanément » : il n'interviendra que si A ou B sont lésés, ce qui ne peut se manifester au Tiers que par la « provocation » venue de A ou de B. De même, en intervenant et en annulant l'action (de A par exemple), le Tiers se contentera de l'annuler en tant qu'acte, car seul l'acte (et non l'intention ou la volonté) peut léser un membre spécifique (A ou B) de la Société : l'intention et la volonté se rapportent au membre « quelconque », or celui-ci n'est pas affecté par l'obligation en question et ne peut donc pas être lésé en fonction d'elle. Aussi les dommages-intérêts par lesquels peut se traduire l'annulation effectuée par le Tiers n'ont-ils rien à voir avec une peine. Tout simplement le refus de l'obligé de s'exécuter au profit de l'obligeant a modifié son obligation, en y ajoutant les dommages-intérêts. Le Tiers, en obligeant l'obligé de payer le dû et les dommages, se contente de supprimer sa réaction à l'action de l'obligeant, tendant à récupérer le dû, c'est-à-dire l'ancien dû plus les dommages. Et ce nouveau dû n'est touché que par l'obligeant, et non par un membre « quelconque », c'est-à-dire par la Société elle-même : les dommages ne sont pas une amende, c'est-à-dire une peine.

Le Tiers se contente donc de faire exécuter l'obligation ou, d'une manière générale, d'annuler la lésion de l'obligeant provenant du comportement de l'obligé récalcitrant. La dette payée avec retard mais augmentée de dommages-intérêts ne diffère en rien de la dette simplement restituée à la date prévue. Et c'est pourquoi toutes les obligations économiques juridiques ont tendance à se transformer en obligations *financières*. A est obligé non pas envers un membre quelconque, mais envers B, dans son *hic et nunc;* et A n'est pas obligé (envers B) en tant que membre quelconque, mais dans son *hic et nunc,* dans la mesure où ce *hic et nunc* est déterminé par celui de B. C'est donc une partie seulement de A qui est obligée, et une partie déta-chable de A pris en tant que membre quelconque de la Société, ce membre n'étant pas obligé envers B. A n'est obligé que dans et par ce qu'il a de purement et strictement « personnel », mais qui est détachable de sa « personne ». Il n'est obligé que par et dans son « avoir », c'est-à-dire en fin de compte dans et par sa « propriété privée ». Et c'est pourquoi on peut dire que c'est seulement la propriété pri-vée de A qui est obligée, et non pas A lui-même. Si A perd sa propriété, il n'est plus obligé, car A sans cette propriété n'est plus le A qui était obligé et qui avait cette propriété. Mais si A recouvre la propriété perdue (ou son équivalent), il est obligé à nouveau. D'autre part celui qui hérite de la pro-priété de A comme étant propriété de A, hérite aussi de l'obli-gation liée à cette propriété, c'est-à-dire à un *hic et nunc* (de A) impliquant ladite propriété [1].

1. Il y a eu, et il y a encore, beaucoup de flottement dans ces questions. L'ancien Droit annulait l'obligation avec la mort de l'obligé parce que ce Droit rattachait l'obligation à la *personne concrète* de l'obligé (d'où aussi la contrainte par corps, la prison ou l'esclavage pour dettes, etc.). C'était conforme au principe du Droit civil : l'obligation était rappor-tée à A et B et non à des membres quelconques, c'est-à-dire non à C ou D (héritiers de A et B par exemple). Mais en fait il y avait une anti-nomie, car la *personne* est aussi un membre quelconque de la Société, qui par définition n'est pas affectée par l'obligation. On a donc aboli la prison pour dettes, etc., qui affectait fatalement aussi le membre quel-conque en la personne de l'obligé. On a rapporté l'obligation à la propriété privée de l'obligé. A, en tant qu'obligé, était donc considéré comme un « membre quelconque ayant telle propriété privée ». Or, l'héritier de cette propriété est aussi un « membre quelconque possédant cette propriété » : lui aussi est donc obligé tout comme l'a été A. Et du moment que la pro-priété de A peut être détachée de lui, elle peut l'être aussi de son propre *hic et nunc.* Ce qui est obligé ce n'est donc pas telle propriété, mais son équivalent en argent, dans la mesure où cet équivalent est rattaché à l'obligé. Dans certains Droits la non-restitution d'un « dépôt » est considé-rée comme un cas de Droit pénal. C'est qu'il faut y distinguer deux aspects. L'un – l'aspect civil – est la non-restitution du dépôt (qui est alors une simple dette), qui s'annule (après « provocation ») par l'annulation de l'acte seul (restitution plus dommages-intérêts éventuels); l'autre aspect est le *vol* de la propriété d'autrui (par hasard « confiée » au voleur), et c'est un cas de Droit pénal, qui lèse un membre quelconque.

L'obligation de Droit économique est donc par définition un cas de Droit civil. Par certains de ses aspects elle s'apparente cependant aux cas de Droit pénal, où intervient le membre « quelconque », c'est-à-dire la Société économique elle-même. Ainsi une obligation est juridiquement nulle (inexistante) si elle a une « cause illicite » (juridiquement). Autrement dit A et B qui s'obligent ne sont pas absolument isolés de la Société et leur obligation est censée pouvoir affecter des tiers, c'est-à-dire un membre « quelconque ». Mais la difficulté n'est ici qu'apparente et on est bien dans le domaine du Droit civil. Une obligation est dite avoir une « cause illicite » quand elle est censée léser (ou en général affecter, « intéresser ») un membre *quelconque* de la Société (économique), ne·serait-ce que dans la personne de l'obligé (ou de l'obligeant). Or, par définition, l'obligation (au sens propre) est un rapport entre deux membres *spécifiques*. Dans la mesure où elle se rapporte à un membre *quelconque* (c'est-à-dire à la Société en tant que telle), elle n'est pas une « obligation » au sens propre du terme. Elle n'existe donc pas aux yeux du tiers, elle n'a aucune réalité juridique, elle est « nulle » comme on dit. Et c'est pourquoi elle n'a aucun effet juridique : en particulier elle ne peut pas être imputée à ses auteurs; n'existant pas, elle ne peut pas être *annulée;* en particulier elle ne peut pas être annulée dans et par une peine. Une obligation doit donc être telle qu'un membre *spécifique* puisse la contracter sans affecter (léser) un membre *quelconque*, même si ce membre est affecté en sa personne. Une obligation « licite » est censée n'affecter que celui qui la contracte, le contractant étant pris comme membre *spécifique* de la Société économique. C'est seulement dans ce cas que la Société (ou l'État, qui représente la Société) peut intervenir en qualité de Tiers impartial et désintéressé et que, par conséquent, l'obligation existe en tant qu'entité juridique.

On a dit que l'exercice d'un droit *(right)* ne peut pas créer d'obligation (par délit). En le disant on a raisonné de la manière suivante. Avoir un droit, c'est l'avoir envers un membre *quelconque* de la Société. En l'exerçant on ne peut pas léser *ce* membre, par définition. Donc en exerçant son droit. A ne peut pas non plus léser un membre *spécifique* B, ni par conséquent s'obliger envers lui. Mais en réalité une obligation ne se rapporte qu'à l'interaction entre deux membres *spécifiques* qui n'affecte pas le membre *quelconque*. L'action qui crée l'obligation est donc par définition indifférente pour la Société, c'est-à-dire pour le membre quelconque, c'est-à-dire pour tout autre que A et B. Dans l'aspect où elle est prise, cette action n'est donc pas un droit de A vis-à-vis du membre quelconque, puisqu'il n'y a pas d'interaction entre eux. Si l'action découle d'un droit de A vis-à-vis de B, elle ne peut certes pas créer d'obligation envers B. Mais ce qui est un droit vis-à-vis d'un membre quelconque peut ne pas être un droit vis-à-vis du membre spécifique B. Et dans ce cas l'action peut obliger A envers B. Car ce qui ne lèse pas un membre quelconque peut fort bien léser un membre spécifique dans son *hic et nunc.* Seulement, si l'action de A n'affecte que B, c'est à B de la révéler comme le lésant : c'est B qui doit « provoquer » le Tiers et fournir la preuve de la lésion. Certes en exerçant son droit valable vis-à-vis du membre quelconque, A ne peut pas léser ce dernier, et il ne peut donc pas léser B en tant que membre quelconque. Mais si A vise par son action non pas le membre quelconque, mais B exclusivement dans son *hic et nunc,* il n'exerce pas son droit. Il peut donc léser B et contracter une obligation envers celui-ci (si le Tiers intervient sur la provocation de B) [1].

Il y a, certes, des interactions sanctionnées par le Tiers qui se rapportent au membre quelconque de la Société économique, c'est-à-dire à cette Société dans son ensemble. Mais ces interactions n'ont alors rien à voir avec les obligations que nous considérons ici. Si A s'oblige délictuellement envers un membre quelconque, on a un cas de Droit pénal, mais cette « obligation » ou ce « délit », qui est en réalité un crime, n'a rien à voir avec le Délit civil du Droit de la Société économique. Il n'y a Délit civil que là où l'action délictuelle se rapportait (ou était censée se rapporter) uniquement à un membre spécifique de la Société économique, pris en tant que tel, dans son *hic et nunc.* De même si une convention sanctionnée par le Tiers lie des membres quelconques ou un membre spécifique avec un membre quelconque, cette convention n'a rien à voir avec le Contrat civil du Droit économique. Il s'agit alors encore d'un cas de Droit pénal, fondé sur le statut général (statique et dynamique) de la Société économique. Le Contrat civil est une interaction entre deux membres spécifiques de cette Société,

1. Ainsi par exemple, faire preuve d'un « esprit de chicane » ce n'est pas exercer son droit d'action juridique contre un membre quelconque, mais vouloir nuire à B, et à lui seulement. Or le Droit général ne vise pas B. L'action en justice contre B, pris en tant que B, n'est donc pas un droit. De même, construire un mur qui prive le voisin de lumière, c'est se rapporter à ce voisin, et non au membre quelconque.

pris en tant que tels, dans leur *hic et nunc* respectif. Et c'est seulement du Contrat et du Délit proprement dits, c'est-à-dire de l'Obligation économique civile, qu'il sera question dans ce paragraphe.

Le Droit de l'Obligation proprement dite fait partie du Droit de la Société économique. C'est dire que l'Obligation elle-même a un caractère économique. Les « délits » et les « contrats » familiaux, par exemple, n'ont donc rien à voir avec l'obligation. En particulier, l'acte qui lie le mari et sa femme n'a rien d'un Contrat proprement dit. Tout au plus les rapports économiques entre les époux peuvent donner lieu à un Contrat. Et encore faut-il que les contractants soient pris en tant que membres de la Société économique et non de la Société familiale, c'est-à-dire non pas en tant que mari et femme par exemple.

Il n'y a donc Obligation (contractuelle ou délictuelle) que là où il y a une interaction sociale (économique) entre des membres spécifiques de la Société économique, pris en tant que ces membres, mais dans la spécificité de leur *hic et nunc*. C'est dire qu'une Obligation ne peut avoir lieu qu'entre Propriétaires agissant en tant que tels. Le Droit de l'Obligation implique et présuppose le Droit de la Propriété. L'obligation n'oblige l'obligé qu'en tant que Propriétaire.

Les notions de propriétaire et de Propriété doivent d'ailleurs être prises ici dans un sens très large. L'obligé peut n'être propriétaire que de son corps, mais dans ce cas il doit être considéré comme un véritable propriétaire de ce corps. La conception du corps-propriété n'a d'ailleurs rien d'artificiel. Aujourd'hui encore une femme vend couramment ses cheveux et on peut vendre son propre cadavre au théâtre anatomique. La prostituée et la figurante louent leur corps. Et l'ouvrier vend le produit de son corps — l'effort physique que ce corps fournit. Il n'est propriétaire du produit de cet effort que dans la mesure où il est propriétaire de son corps, et non Esclave par exemple. C'est aussi parce que le corps a été considéré comme la propriété de l'obligé qu'il y a eu des emprisonnements et un esclavage pour dettes par exemple. Toute la question est de savoir si le corps appartient à la « personne juridique » prise en tant que membre quelconque de la Société ou en tant que membre spécifique. Et c'est dans le premier cas seulement qu'il est juridiquement absurde d'obliger le corps de l'obligé, puisque l'obligation ne se rapporte qu'au membre spécifique. Quoi qu'il en soit, un être privé de toute propriété, même de celle de son propre corps, ne peut pas être obligé, ni par contrat ni à cause d'un délit. C'était le cas de l'Esclave.

La Propriété est cependant une cause nécessaire, mais non suffisante de l'Obligation. Prise en elle-même, la Propriété n'engendre aucun contrat ni délit. Pour qu'il y ait Obligation quelconque il faut qu'il y ait une inter-*action* entre deux êtres humains agissant en tant que Propriétaires. Ou bien, si l'on veut, il faut qu'il y ait *Échange* de Propriétés. On dit aussi que l'Obligation présuppose une « volonté ». C'est vrai, dans la mesure où tout acte effectif présuppose une volonté d'agir et une intention. C'est pourquoi le Tiers devra poser la question de l'intention et de la volonté pour savoir s'il y a eu une inter-*action* véritable, sans laquelle il ne saurait y avoir d'obligation. Ainsi un cas de force majeure ne crée pas d'obligation précisément parce qu'il n'y a pas eu d'action véritable, c'est-à-dire consciente et volontaire. Mais du moment que l'interaction dans l'Obligation a lieu entre deux membres *spécifiques* pris dans leur *hic et nunc*, elle n'intervient que dans son actualité spatio-temporelle, c'est-à-dire en tant qu'*acte*. L'intention et la volonté n'interviennent donc dans le Droit de l'Obligation que dans la mesure où elles se réalisent et s'actualisent en tant qu'acte. Et on voit ainsi à nouveau que ce Droit est un Droit civil : c'est l'acte seul qui sera annulé par le Tiers, et celui-ci n'annulera l'intention et la volonté que dans la mesure où elles sont actualisées dans l'acte. Mais cet acte ne sera annulé que s'il actualise l'intention et la volonté correspondantes. Car c'est seulement dans ce cas que c'est un acte spécifique entre deux membres spécifiques, c'est-à-dire un acte capable d'engendrer une obligation. Il n'y a pas d'Obligation sans Échange, et il n'y a pas d'Échange sans action consciente et volontaire, c'est-à-dire sans acte engendré par une volonté naissant d'une intention.

La Propriété ne peut donc fonder une Obligation que dans la mesure où elle est échangeable. Or la Propriété essentiellement échangeable est en fin de compte l'argent. Par conséquent toute Obligation tend à devenir une obligation pécuniaire. Ce qui n'a pas ou est censé ne pas avoir d'équivalent pécuniaire ne pourra pas être obligé. Aussi quand le corps sera considéré comme inaliénable (invendable), il ne pourra pas être obligé, et il n'y aura plus de prison pour dettes, ni vente en esclavage en fonction d'une obligation. D'une manière générale une Obligation non exécutée ne pourra être annulée par le Tiers que par un payement de dommages-intérêts évalués en argent.

Le Droit de la Propriété est dans l'essentiel un Droit du statut. Le Droit de l'Obligation par contre, qui se rapporte uniquement à des inter-*actions*, est un Droit de la fonction. Or le Droit du statut est surtout fondé sur le principe de l'égalité, tandis que le Droit de la fonction se base surtout sur le principe de l'équivalence. Car l'égalité rend l'Échange inutile, et dans l'Échange il y a généralement équivalence et non égalité de ce qu'on échange. Le Droit de l'Obligation est donc dans l'essentiel un Droit bourgeois, fondé sur l'idéal de la Justice d'équivalence. Ce qui importe dans l'Obligation, c'est que les avantages de l'obligé soient équivalents à ses inconvénients, de même que les avantages de l'obligeant sont équivalents à ses inconvénients. D'où l'on déduit l'équivalence des avantages (et des inconvénients) de l'obligeant et de l'obligé.

Cependant le principe d'égalité n'est pas absent du Droit de l'Obligation, qui − comme tout Droit réel − est un Droit de l'équité, de la synthèse de l'égalité et de l'équivalence. S'il n'y a pas de Droit proprement aristocratique de l'Obligation (vu qu'il n'y a pour ainsi dire pas d'Échange économique dans la Société purement aristocratique), il y a un élément aristocratique dans le Droit réel de l'Obligation.

En dernière analyse le phénomène humain en général, et par conséquent le phénomène juridique, remonte à la « première » Lutte anthropogène pour la reconnaissance (cf. la Deuxième Section). Cette Lutte est si l'on veut la première « Obligation », plus exactement le premier « Contrat ». L'homme qui engage la Lutte met en péril la vie de son adversaire, mais il s'engage par cela même de mettre en péril sa vie à lui. C'est cette *égalité* des conditions qui réalise et révèle l'aspect Justice, le côté juridique, de la Lutte, et de l'anthropogenèse en général, c'est-à-dire de l'existence spécifiquement humaine elle-même. Du point de vue aristocratique, c'est-à-dire pour le Maître, une interaction ne peut être vraiment humaine, c'est-à-dire juste et par conséquent juridiquement valable, qu'à condition que les deux coagents se trouvent dans la même situation, dans des conditions égales. Un Contrat, et une Obligation en général ne peuvent donc avoir lieu qu'entre *égaux*, et l'obligé doit se trouver, au moment où il contracte l'obligation, dans la même situation générale que l'obligeant. Or cet aspect « aristocratique » de l'Obligation se retrouve dans le Droit synthétique de l'Obligation, c'est-à-dire dans tout Droit réel, et en particulier dans le Droit moderne. Ici encore les coagents d'une obligation sont censés être égaux au moment de la naissance de l'obligation, et se trouver dans la même situation générale. Une obligation qui présuppose nécessairement une inégalité des situations des coagents est juridiquement « nulle », c'est-à-dire qu'elle n'existe pas en tant qu'Obligation proprement dite. Ainsi par exemple si A fait violence à B, B n'est plus dans la même situation que A; l'« obligation » que B contracte envers A dans cette situation est « nulle ». De même si A est en état d'erreur, tandis que B agit en connaissance de cause. Etc. [1]. C'est pourquoi l'incapable ne peut pas s'obliger dans la mesure où il est incapable, c'est-à-dire censé se trouver dans une situation générale différente de celle du coagent jouissant de la plénitude des droits [2].

Bien entendu, la Lutte n'est une « obligation » qu'au sens très large du mot. Cette « obligation », tout en ayant un aspect juridique (cf. le Droit de la guerre), n'a rien à voir avec l'Obligation économique que nous étudions. C'est tout au plus une des sources lointaines de ces Obligations proprement dites. Et en général le Droit aristocratique de l'égalité n'intervient que comme une telle source lointaine dans le Droit de l'Obligation. Il en va ainsi du principe fondamental de la Justice et du Droit aristocratiques, c'est-à-dire de l'idéal de l'égalité avec soi-même, qui se traduit entre autres par le devoir foncièrement aristocratique de la fidélité à la parole donnée. Le Maître est censé être fidèle à la « foi jurée » parce qu'il est censé rester Maître, c'est-à-dire se maintenir dans l'identité avec lui-même, en dépit des variations du *hic et nunc*. S'il a donné « sa parole » à un moment donné et dans des circonstances données, il doit la maintenir dans tous les temps et dans toute circonstance : sinon il dépend du *hic et nunc* naturel, il n'est pas vraiment humain, c'est-à-dire qu'il n'est pas véritablement Maître. Or la « foi jurée » est l'une des sources de l'Obligation et en particulier du Contrat proprement dit. C'est une condition sinon suffisante, du moins nécessaire de tout contrat. Seulement, dans la mesure où le Contrat est un phénomène de Droit *privé*, il ne se rapporte qu'à une interaction déterminée entre deux

1. La violence, l'erreur, etc., annulent d'ailleurs l'obligation parce que celle-ci doit être une inter-action, c'est-à-dire une action proprement dite, donc une action consciente et volontaire.

2. Mais le Droit étant « éternel », il se rapporte à l'ensemble de la vie de l'individu. Un incapable peut donc s'obliger dans la mesure où il est censé devenir « capable » dans la suite de sa vie. Prise dans son ensemble, la situation du majeur (qui a été mineur) est égale à celle du mineur (qui sera majeur).

membres spécifiques A et B de la Société économique. Il ne
s'agit donc pas, pour observer un contrat, de maintenir
l'identité de A et de B pris en tant que membres quelconques,
ni même l'identité de A et de B pris en tant que A et B. Il
suffit que A reste identique à lui-même dans son rapport
d'obligation avec B et inversement : si A (ou B) maintient
cette identité, B (ou A) ne peut pas l'annuler : il doit aussi
rester identique à lui-même dans son rapport d'obligation
avec A (ou B) [1]. Quand le Tiers intervient dans une Obligation, c'est aussi du principe de l'égalité (ou de l'équivalence)
avec soi-même qu'il s'inspire : il intervient souvent pour
forcer quelqu'un de tenir sa promesse, pour sanctionner la
« foi jurée ». Mais, dans le Droit synthétique réel de l'Obligation, cette « identité » n'est que l'un des éléments en cause,
et il peut être atténué par d'autres (si le contrat se révèle
par trop désavantageux pour l'une des parties par exemple,
c'est-à-dire s'il est « injuste » du point de vue de la Justice
bourgeoise de l'équivalence). Quoi qu'il en soit, si l'identité
de A avec soi est un « devoir », en général ou par rapport à B,
cette identité de A est aussi un « droit » de B : si B agit de
façon à ce que A se maintienne dans l'identité avec lui-même,
et si A réagit là contre, le Tiers annulera cette réaction. Le
maintien d'une obligation est donc un droit, un phénomène
juridique.

Mais la « foi jurée » aristocratique n'engendre une Obligation proprement dite que si elle se rapporte à un échange de
propriété. Or, dans le Droit de la Société aristocratique, cet
échange ne peut avoir lieu que sur la base de l'égalité. Mais
l'égalité des propriétés rend tout échange inutile (ou tout au
moins peu fréquent et nullement nécessaire). C'est pourquoi
la Société aristocratique ne connaît pour ainsi dire pas de
Droit de l'obligation. On a découvert cependant dans le
Potlatch une des sources lointaines du Contrat [2]. Or, le
Potlatch est un phénomène bien aristocratique (dans la
mesure où une Société réelle peut l'être). Le Potlatch est un

1. Dans le Droit bourgeois de l'obligation, ce principe d'*identité* avec
soi-même est remplacé par celui de l'*équivalence* de la nouvelle attitude
avec l'ancienne et avec celle du coagent. C'est pourquoi l'obligation (le
contrat par exemple) bourgeoise est beaucoup plus souple que l'obligation
aristocratique. L'Aristocrate « tient parole » dans tous les cas; le Bourgeois peut modifier ses engagements en fonction des circonstances, à
condition que l'obligation modifiée soit équivalente à l'ancienne et reste
équivalente à celle de son partenaire. Le « formalisme » du Droit de l'obligation est un élément du Droit aristocratique : la « formule » détache
l'obligation du *hic et nunc* et la rend immuable.

2. Cf. Davy, *La Foi jurée*.

Don. Or, dans la Société aristocratique, le Don n'a de sens que s'il est censé établir ou rétablir l'égalité entre le donateur et le donataire. Donner quelque chose à quelqu'un c'est donc supposer ou faire croire qu'on est supérieur à celui à qui on donne. C'est donc admettre implicitement qu'il n'est pas Maître au sens propre du mot, vu que tous les Maîtres véritables sont censés être égaux. Celui qui a reçu le Don doit donc le rendre pour démontrer sa Maîtrise, c'est-à-dire son humanité [1]. Ainsi le Potlatch est en fait un échange de propriété du type contractuel. Et c'est pourquoi on y a vu l'origine (aristocratique) du commerce (bourgeois) et du Droit (bourgeois, voire synthétique) de l'obligation. Mais le Potlatch proprement dit n'est pas encore un phénomène juridique, vu qu'il ne donne pas lieu à l'intervention d'un Tiers. C'est tout au plus une « source » du Droit de l'obligation, et une source assez lointaine. Il n'en reste pas moins que le principe du Potlatch, c'est-à-dire de l'égalité, est un élément intégrant (quoique secondaire) du Droit réel synthétique de l'obligation. Une obligation peut être juridiquement « nulle », si elle aboutit à une trop grande inégalité entre les parties obligées.

Tout comme le Contrat ou pseudo-contrat aristocratique, le Délit aristocratique est lui aussi fondé sur le principe de l'égalité. Si par son action envers B, A a détruit l'égalité entre lui et B (en « diminuant » B), il est censé devoir la rétablir. De même, si l'interaction entre A et B a « diminué » A, c'est B qui doit rétablir l'égalité détruite. Dans les deux cas il y a une obligation délictuelle. Et, bien entendu, pour qu'il y ait Délit (civil) proprement dit, l'égalité ne doit intervenir que comme un rapport entre A et B et non relativement au membre « quelconque » (auquel cas il y aurait crime, et non délit). Or, dans la Société vraiment aristocratique, les membres quelconques sont censés être égaux. En détruisant son égalité avec B, A détruit donc son égalité avec un membre quelconque. C'est pourquoi dans la Société aristocratique il n'y a pas de Délits civils véritables, tout « délit » étant en réalité un crime [2]. L'Obligation délictuelle égali-

---

1. Refuser le Don, c'est soit vexer le donateur en lui faisant comprendre qu'on a plus que lui, soit s'humilier en montrant qu'on n'est pas capable de rendre le don, qu'on en a besoin pour la consommation.
2. Certes, dans le Droit archaïque, la personne lésée doit « provoquer » le Tiers. Mais il ne s'ensuit pas que c'est un cas de Droit *civil*. La personne lésée agit en qualité de membre quelconque, de « procureur », en dénonçant le crime (qui – par hasard – la concerne). La distinction entre intervention « provoquée » et « spontanée » du Tiers n'a un sens que là où cette dernière existe. Or, elle n'existe généralement pas dans le Droit archaïque.

sante ne devient un cas franc de Droit civil que là où il ne s'agit que de rétablir l'égalité détruite entre A et B, pris dans leur spécificité, c'est-à-dire là où l'égalité des membres quelconques n'est plus postulée. Mais dans ce cas la Société est bourgeoise, elle est fondée sur le principe d'équivalence et non sur celui de l'égalité. Et dans cette Société l'Obligation elle-même sera fondée sur le principe d'équivalence, et le Délit naîtra d'une suppression de l'équivalence entre A et B, et non de leur égalité. Mais il n'en reste pas moins que le Droit réel synthétique de l'obligation s'inspire aussi dans certains cas ou aspects du principe aristocratique de l'égalité, tant lorsqu'il s'agit du Contrat que lorsqu'il est question du Délit.

Mais, encore une fois, le Droit de l'obligation est essentiellement un Droit bourgeois, non un Droit du citoyen avec prédominance de l'élément bourgeois : il a pour base principale la Justice de l'équivalence, et non celle de l'égalité. Ce Droit est un Droit de l'Échange de propriété, et l'Échange présuppose en fait l'inégalité des propriétaires, de même qu'une Propriété engendrée par le Travail, c'est-à-dire spécifiée par ce dernier. Cette propriété, ne suffisant pas à l'ensemble des besoins du propriétaire, le pousse à l'Échange. Or la Propriété inégale et fondée sur le Travail est un phénomène essentiellement bourgeois, qui s'adapte naturellement à la Justice d'équivalence et engendre ainsi un Droit de l'obligation fondé sur ce principe.

La Propriété fondée sur le Travail est censée être l'avantage équivalent à l'inconvénient de l'effort qui l'a produite. Travailler, fournir un effort, c'est donc se constituer une « créance ». Si A a travaillé pour B, leur situation ne peut devenir équivalente que si B fournit à A une propriété équivalente à l'effort de A : en fin de compte une somme déterminée d'argent. On peut donc voir dans le travail fourni l'une des sources principales directes de l'Obligation, à savoir du Contrat[1]. On pourrait dire que le « premier »

---

Mais dans la mesure où le Droit du talion est un Droit civil, et quand l'égalité y est remplacée par l'équivalence par la pratique du *Wergeld*, on peut dire qu'il s'agit d'un Droit de l'Obligation. On a même dit que le crédit fait par la famille du tué à la famille du meurtrier en ce qui concerne le payement du *Wergeld* est l'une des sources du Contrat. De toute façon le *Wergeld* peut être assimilé aux dommages-intérêts payés à la suite d'un Délit civil.

1. Si A fournit son travail à un membre quelconque, c'est-à-dire à la Société en tant que telle, il y a aussi une « obligation » de la Société de le payer. Mais c'est alors un cas de Droit pénal si l'on veut. En tout cas, dans l'Obligation (civile) proprement dite, A fournit son travail au profit de

Contrat véritable a été un contrat de travail, fixant un salaire : A ayant travaillé pour B, B doit lui rendre l'équivalent du travail fourni; A ayant fourni à B une Propriété, B doit travailler pour A ou lui fournir un équivalent de travail qui correspond à la propriété reçue. Dans ce dernier cas B aura échangé sa propriété contre la propriété de A. Et si A et B produisent eux-mêmes leurs propriétés par leur travail, un échange partiel de leurs propriétés leur sera tôt ou tard nécessaire. Cet Échange de Propriété peut être considéré comme la deuxième source principale directe de l'Obligation, notamment du Contrat proprement dit (troc, vente, etc.). L'Échange présupposant en dernière analyse le Travail, l'équivalence des propriétés échangées dans l'obligation sera d'une part déterminée par le travail nécessaire à leur production : la propriété de A sera équivalente à celle de B, si le travail fourni par A pour produire sa propriété est équivalent au travail qu'a exigé de B sa propriété. Mais l'Obligation présuppose aussi l'Échange : soit d'un travail contre un autre travail, soit du travail contre une propriété, soit enfin de deux propriétés. La valeur d'échange de ce qui est échangé devra donc elle aussi être prise en considération lorsque le Tiers détermine l'équivalence dans une Obligation. Or cette « valeur d'échange » est déterminée par la loi de l'offre et de la demande, c'est-à-dire de la rareté respective des entités échangées. La valeur globale est fixée par la quantité du travail investi et par la valeur d'échange. Et l'équivalence de deux valeurs est exprimée en fin de compte par l'égalité de leur prix en argent. Les entités échangées dans une Obligation doivent donc avoir le même prix [1].

D'une manière générale, l'obligation contractuelle n'est juridiquement valable (non « nulle ») que s'il y a équivalence entre les obligations des obligés. Le Tiers (du Droit bourgeois de l'Obligation) n'interviendra que là où B exige de A l'équi-

B, pris dans sa spécificité, dans son *hic et nunc*. C'est pourquoi l'obligation s'établit entre A et la « propriété privée » de B.

1. L'*égalité* du prix n'est pas une *égalité* proprement dite, mais une *équivalence*. Car le prix implique la « valeur d'échange », qui établit non pas l'égalité mais – en principe – l'équivalence économique de deux entités : propriété ou travail. Le travail de A peut être moindre que le travail de B; leurs produits auront le même prix, c'est-à-dire seront économiquement équivalents, si la valeur d'échange du produit de A est supérieure à celle du produit de B. Ainsi par exemple l'argent liquide peut avoir une valeur d'échange plus grande qu'un produit ou que le travail productif. Il y aura encore équivalence économique et l'Obligation sera « juste » du point de vue du Droit bourgeois, quoiqu'il n'y ait pas d'égalité, de sorte que pour le Droit aristocratique l'Obligation sera « injuste », voire « nulle ».

valent économique de ce qu'il a fourni à A. Si cette équivalence n'a pas lieu, l'Obligation est « illicite », voire « nulle », c'est-à-dire inexistante en tant qu'obligation juridique. Ainsi A ne peut rien exiger de B s'il ne lui a rien fourni, et il ne peut pas exiger sciemment plus que l'équivalent de ce qu'il a fourni. D'où la prohibition de l'« enrichissement sans cause ». Si un effort fourni donne droit à l'obtention d'un équivalent, l'obtention de quelque chose sans effort équivalent est un délit. Le Tiers annulera donc ce délit en supprimant l'obtention et en rétablissant ainsi l'équivalence des conditions par la restitution de l'équivalence entre les inconvénients et les avantages. L'enrichissement sans cause est un genre de Délit où A s'enrichit aux dépens de B sans avoir fourni un effort équivalent. Le Tiers supprime l'injustice en rétablissant l'équivalence des inconvénients et avantages de A et des inconvénients et avantages de B. Quant au Délit proprement dit, il aura lieu quand les agissements de A vont provoquer des inconvénients en B, sans que B puisse avoir des avantages — réels ou possibles — en fonction de ces mêmes agissements de A. Autrement dit il y aura Délit là où il n'y a pas de Contrat entre A et B, c'est-à-dire où A et B sont censés ne pas être en interaction. Si cette interaction a néanmoins lieu et si par suite de cette interaction « illégale » B a des inconvénients, l'interaction sera annulée par le Tiers par le fait que A payera à B des dommages-intérêts équivalents à ses inconvénients. Si par contre l'interaction « illégale » (au sens de : non contractuelle) entre A et B, où A est seul à agir au sens propre du mot, a pour conséquence un avantage pour B, l'interaction sera annulée par le Tiers qui enlèvera à B les avantages obtenus sans effort (sans action véritable de sa part), et qui constituent un « enrichissement sans cause ».

Mais dans tous ces cas il s'agit de Droit *civil*, c'est-à-dire de rapports entre A et B pris dans leur spécificité. C'est entre A et B qu'il y a ou il n'y a pas d'équivalence, et non entre des membres quelconques. Par conséquent c'est à A et B de constater s'il y a lieu l'absence d'équivalence et de le démontrer au Tiers. Là où ni A ni B ne viennent « provoquer » le Tiers, celui-ci n'a pas à intervenir : le silence des intéressés est une preuve de l'existence de l'équivalence dans leur rapport d'obligation, et là où B ne proteste pas, il n'y a pas de délit de A envers B. C'est pourquoi A peut faire un don gratuit à B. On dit dans ce cas que A retire du don un avantage « moral ». Mais le Tiers n'a pas à s'en préoccuper. Du moment que A et B ne « provoquent » pas le Tiers à l'occasion du don fait par A à B, il y a par définition équivalence économique entre l'acte de donner et celui de recevoir, même si cette équivalence reste occulte, inaccessible aux tiers et en particulier au Tiers du Droit d'Obligation.

Tout Droit de l'Obligation de la Société économique a affaire à deux types fondamentaux d'Obligations : au *Contrat* et au *Délit.*

Il y a *Contrat* quand il y a une inter-*action* proprement dite entre A et B, c'est-à-dire quand A agit en vue d'une réaction de B et B en vue d'une réaction de A. Or l'action véritable est consciente et volontaire. C'est pourquoi on dit que dans un Contrat il y a « accord de deux volontés ». Mais les « volontés », c'est-à-dire les volontés d'agir, et les intentions n'interviennent ici que dans la mesure où elles déterminent les actes et sont actualisées dans et par ces actes. Le Contrat est une inter-action *actuelle,* ce sont deux *actes* (conscients et volontaires) qui se conditionnent mutuellement. Et ils sont censés être égaux ou équivalents. Dans le quasi-contrat, il est vrai, l'action semble être unilatérale. Quand A fait un don à B, ou quand A gère les affaires de B sans un mandat de sa part, il semble qu'il n'y ait pas d'action de B, c'est-à-dire pas d'inter-action. Mais ce n'est là qu'une illusion. Dans le cas du don, le quasi-contrat n'existe qu'à partir du moment où B a accepté le don, et cette acceptation est une action (une réaction) consciente et volontaire. Et si B peut faire appel au Tiers pour obtenir le don promis, mais non encore livré, c'est qu'il est censé l'avoir accepté au moment même où il a été promis. Il y a donc eu inter-action ou accord de deux volontés en tant que déterminant deux actes. Et dans le cas de la gérance, B est aussi censé l'avoir acceptée au moment où elle s'effectuait. Or, l'accepter, c'est conclure un contrat et admettre par cela même le principe de l'équivalence (ou de l'égalité). D'où l'obligation de B de payer à A un équivalent de l'effort fourni et du résultat obtenu par cet effort. Sinon il y aurait un enrichissement sans cause de A, c'est-à-dire une sorte de délit envers B et par suite une obligation de l'annuler par un payement de dommages-intérêts équivalents. Qu'il s'agisse du contrat ou du quasi-contrat, il y a donc toujours une inter-action proprement dite entre A et B, l'acte de l'interaction étant intentionnel et volontaire tant chez A que chez B.

Quand il y a *Délit* de A envers B, par contre, il y a bien une action véritable, c'est-à-dire un acte conscient (ou intentionnel) et volontaire, de la part de A, mais B n'agit ni ne réagit au sens propre du mot : il reste purement passif. A jette une pierre, par exemple, B se contente de posséder une vitre brisée par cette pierre. Or, si l'action de A cause un inconvénient à B, cet inconvénient ne peut pas être compensé par un avantage de B, vu que celui-ci n'agit pas, c'est-à-dire ne participe pas consciemment et volontairement à l'action de A. De ce fait B se trouve dans une situation « injuste », car la somme de ses inconvénients dépasse maintenant la somme de ses avantages (en supposant, comme il faut le faire, que ces sommes étaient équivalentes avant l'action de A). Il faut donc compenser l'inconvénient causé par un avantage équivalent. Dans notre exemple il faut payer à B sa vitre brisée. Or, ce n'est pas un membre quelconque qui a causé l'inconvénient, mais A. C'est donc à A de le réparer, et non au membre quelconque, c'est-à-dire à la Société. Certes, A n'a pas voulu briser la vitre, causer un dommage à B. Mais il a voulu agir comme il l'a fait, et il a agi dans sa spécificité, dans son *hic et nunc*. C'est donc à lui, dans sa spécificité, dans son *hic et nunc*, de réparer le dommage. Car s'il a agi volontairement de la sorte, c'est qu'il a retiré ou a pensé pouvoir retirer un avantage de son acte, un avantage pour lui dans sa spécificité. Un avantage (réel ou escompté) en A s'oppose donc à un inconvénient en B. Pour rétablir l'équivalence, A doit compenser l'inconvénient causé. La « théorie du risque » a donc raison d'éliminer tout élément de « faute » de la notion du Délit. Il suffit que A ait agi au sens propre du terme, c'est-à-dire accompli un acte intentionnel (conscient) et volontaire. Sinon il n'y aurait pas de Délit, pas d'Obligation : en cas de « force majeure » par exemple. Si A a *agi* et si une conséquence (prévue ou non, voulue ou non) de son acte a nui à autrui, A est obligé envers la personne lésée; s'il a nui sans *agir*, il n'est pas responsable (même s'il a prévu la lésion et a voulu nuire). Ainsi par exemple si A a le typhus et contamine B par le seul fait qu'il coexiste avec lui, il n'est pas obligé envers B. Mais si A a une maladie vénérienne et contamine B en accomplissant un *acte* sexuel (volontaire et conscient) avec lui, il est responsable et obligé à des dommages-intérêts (en supposant que B n'ait pas consenti à une interaction sexuelle avec un A *malade*). Certes, en pratique il est souvent difficile de savoir s'il y a eu une *action* véritable de A, ou un cas de « force majeure », une conséquence du seul fait de l'existence passive de A. Et c'est pourquoi le Tiers peut parler de « faute », d'« imprudence », etc. Car là où il y a eu « faute », etc., il y a certainement eu une *action* proprement dite et par conséquent une obligation (au cas d'une lésion d'autrui). Ce qui compte, ce n'est pas la « faute » ou l'« imprudence », mais uniquement le fait de l'*action*. Pour la même raison on peut distinguer entre le délit proprement dit, où il y a une volonté de nuire, et le quasi-délit, où cette volonté est présumée faire défaut. Car là où il y a eu volonté ·de nuire, il y a certainement eu *volonté* d'agir, c'est-à-dire une action proprement dite, un acte intentionnel et volontaire. Mais ici encore ce n'est pas la volonté de *nuire* qui compte, mais uniquement la *volonté* en tant que telle. Que A ait voulu briser la vitre de B ou qu'il l'ait fait « par hasard », l'obligation sera la même : celle de payer le prix de la vitre brisée. Seulement dans le premier cas il ne pourra être question de « force majeure », tandis que dans le second cette question devra être posée.

D'une manière générale le Délit est une interaction de fait entre A et B, où A est seul à agir véritablement, B restant passif, se contentant d'exister. Si cette interaction (forcée, du point de vue de B) ne détruit pas l'équivalence en B, ni donc celle entre A et B, le Tiers n'a pas lieu d'intervenir et il n'y a pas de Délit, d'Obligation. Si oui, le Tiers interviendra pour rétablir l'équivalence (ou l'égalité), soit en faisant payer A, si B a été lésé, soit en faisant payer B, si celui-ci a été enrichi « sans cause » par l'interaction (non voulue) avec A. De toute façon l'interaction (unilatérale quant à la volonté) n'a lieu qu'entre A et B, pris dans leur spécificité. Il s'agit donc bien d'un cas de Droit civil.

On peut dire si l'on veut que le Contrat est un Droit de la fonction, tandis que le Délit est un Droit du statut. En effet, pour qu'il y ait une obligation contractuelle entre A et B, les deux doivent *agir* au sens propre du terme, ou en tout cas avoir l'intention d'agir ou vouloir agir. Mais pour bénéficier d'une obligation délictuelle, B n'a pas besoin d'agir : il lui suffit d'exister, de réaliser passivement par son être même un certain statut, qui lui garantit entre autres l'équivalence (ou l'égalité) avec A. Mais pris dans son ensemble le Droit de l'Obligation est néanmoins un Droit de la fonction, par opposition au Droit de la propriété, qui est un Droit du statut. Car même pour qu'il y ait Délit il faut qu'il y ait une action proprement dite du côté de celui qui s'oblige délictuellement. La simple coexistence purement passive ne peut engendrer aucune Obligation, tout en créant des rapports de Propriété.

On peut dire que le délit de A vis-à-vis de B est la manifestation d'un conflit entre l'action (ou la fonction) de A et le statut de B. Or, on peut se demander si, pour pouvoir être obligé délictuellement, A ne doit pas au préalable accepter ou reconnaître le statut de B (ainsi que son propre statut, dans ses rapports avec celui de B, ce statut de A étant reconnu aussi par B). Or cette reconnaissance réciproque pourrait être interprétée comme une sorte de Contrat entre A et B. Le Délit, qui présuppose un statut, présupposerait donc un Contrat, car tout Statut est censé naître d'un Contrat. C'est la théorie du « Contrat social », qu'il s'agit de discuter brièvement.

Du moment que l'Obligation est un phénomène *civil*, elle n'est pas fondée sur un contrat entre A et un membre *quelconque* de la Société (économique). Car, par définition, l'action délictuelle n'affecte en rien ce membre : elle lèse uniquement B pris dans sa spécificité. Mais A pourrait conclure un contrat avec le membre quelconque (c'est-à-dire avec la Société en tant que telle), par lequel il s'engagerait à respecter l'équivalence (ou l'égalité) des conditions de tous les membres pris dans leur spécificité, c'est-à-dire en particulier de celle de B. Si A a la volonté ou seulement l'intention de ne pas tenir cet engagement envers le membre quelconque, c'est-à-dire de léser n'importe quel membre de la Société, il commet un crime et tombe sous le coup du Droit pénal. Mais si A maintient cet engagement général et lèse uniquement B, pris dans sa spécificité, il s'agit d'un cas de Droit civil, d'une Obligation envers B. En exécutant cette Obligation, en payant les dommages-intérêts en question, A exécute son contrat avec le membre quelconque : il est donc en accord avec le Droit pénal. Et s'il annule l'acte délictuel par le payement des dommages, il sera aussi en accord avec le Droit civil.

Mais est-il bien vrai qu'il y a un tel « Contrat social »? Peut-on dire qu'il y a un *Contrat* entre un membre spécifique de la Société et cette Société elle-même, c'est-à-dire son membre quelconque, dans lequel les contractants acceptent certains inconvénients équivalents à certain avantage : par exemple A s'engage à respecter le statut de B parce que B respecte le sien, il fait des efforts pour soutenir la Société afin que celle-ci le soutienne et le protège, etc.? On pourrait semble-t-il l'affirmer là où l'appartenance de A à une Société (économique) donnée est fonction d'une action proprement dite de sa part, là où A adhère consciemment et volontairement à la Société, pouvant ne pas le faire. Mais là où A fait partie de la Société en fonction de sa seule existence, par le fait de sa naissance par exemple, la notion de Contrat semble inapplicable. Il s'agit bien d'un Statut rattaché à l'être même de l'intéressé et non à son action, à la « fonction » de cet être. Il y a donc des Statuts indépendants de tout Contrat, mais tout Contrat présuppose un Statut quelconque, à savoir pour le moins celui qui fait des contractants des sujets de droit, des personnes juridiques.

Il y a des collectifs, voire des « Sociétés », formés par un libre accord de leurs membres. On dit que ces Sociétés sont fondées sur un Contrat, sur un « Contrat social » si l'on veut. Mais les auteurs allemands [1] ont insisté à juste titre sur la différence entre un tel « Contrat social », qu'ils appellent *Vereinbarung* (c'est-à-dire Convention), et le Contrat proprement dit *(Vertrag)*. Dans un Contrat il y a inter-action entre A et B, tandis que la Convention a pour but la création d'une action commune de A et de B, d'un « accord de volontés », en vue d'une interaction (par exemple contractuelle) entre le collectif (A + B) et un autre agent C (individuel ou collectif) [2]. La Convention crée le collectif dans son *être*, et elle le crée en tant que personne juridique si la Convention est reconnue par le Tiers. Quant au Contrat, il est la *fonction* ou l'*action* du collectif créé par la Convention. On peut dire aussi que dans et par la Convention les membres reconnaissent (consciemment et volontairement) leur *statut* collectif, le statut de chacun d'eux dans ses rapports avec les statuts des autres membres.

Le « Contrat social » ne peut donc être qu'une Convention au sens indiqué : ce n'est pas un Contrat proprement dit. On ne peut donc pas dire que tout Délit présuppose un Contrat. Il faut dire que toute Obligation, délictuelle ou contractuelle, présuppose un statut juridique, lequel statut est la manifestation ou le résultat d'une Convention. (Quant au Délit, il est indépendant de tout Contrat : au contraire, il n'y a Délit proprement dit de A vis-à-vis de B que dans la mesure où il n'y a pas de Contrat entre A et B.) Toute la question est de savoir si tout Statut (et donc toute Obligation) présuppose nécessairement une Convention au sens propre du terme. Et c'est là le problème du « Contrat social ».

Il n'y a Convention véritable que là où le statut des membres de la Société est consciemment et librement (volon-

---

1. Jellinek notamment. Cf. Sternberg, *Allgemeine Rechtslehre*, vol. II, p. 38.

2. Le « contrat collectif » ne diffère pas essentiellement d'un contrat individuel : le contrat entre A et B reste le même si A et B sont des individus ou des collectifs. Dans ce dernier cas il y a eu des *Conventions* préalables entre les membres de A (et de B). Mais étant donné cette Convention, A est assimilable à un individu : c'est une personne juridique (morale collective), qui est capable, entre autres, de conclure des Contrats, voire commettre des Délits (et même des crimes, quoique ce dernier point ne soit pas universellement admis — à tort semble-t-il).

tairement) accepté par eux, c'est-à-dire là où ils auraient pu ne pas l'accepter et où ils peuvent, l'ayant accepté, l'abandonner à nouveau (sous certaines conditions). C'est le cas des « Sociétés », c'est-à-dire des collectifs de Droit civil (et ce sont les Conventions qui les forment qui sont assimilées aux Contrats et font partie du Droit de l'Obligation) : nul n'est astreint d'y appartenir du seul fait de son existence (de par sa naissance par exemple), et chaque membre peut quitter le collectif quand bon lui semble. C'est qu'il y participe seulement dans sa spécificité, et non pas en tant que membre quelconque de la Société (économique) proprement dite, c'est-à-dire globale [1]. Mais si la Société est autonome. ses membres y appartiennent en fonction de leur *être* et ils ne peuvent pas la quitter par suite d'une *action*, c'est-à-dire d'une volonté. Dans ce cas il n'y a donc pas de sens de parler de Convention, et encore moins de « *Contrat* social ». Il y a un Statut qui est rattaché à l'être même des membres et qui ne dépend pas de leurs actions, de leur volonté, de leur reconnaissance du statut. Or, là où l'appartenance à la Société est facultative, le Droit de cette Société n'existe qu'en puissance. Loin de fonder le Droit *actuel*, la Convention l'exclut au contraire. Le Droit n'existe *en acte* que là où il n'y a pas de Convention, où le Statut est rattaché à l'être et non à la volonté ou à l'action. Mais le Droit *en puissance* présuppose en fin de compte une Convention (du moins une Convention des membres du groupe exclusif juridique). Et puisque le Droit actuel actualise le Droit virtuel, tout Droit présuppose en dernière analyse une Convention (formant un collectif qui réalise le Droit en question). Pour s'actualiser, le Droit transforme donc la Convention, ou si l'on veut le « Contrat », en Statut. L'évolution juridique va donc ici du Contrat au Statut, et non du Statut au Contrat, comme le voulait Sumner-Maine. Mais ce Statut est un statut du

---

1. A ne peut pas rompre à la Convention par un acte de volonté unilatérale : il ne peut pas quitter le collectif en tant que son membre; mais il peut le quitter en tant que membre (quelconque) de la Société économique globale. A en tant que membre du Collectif, c'est-à-dire dans sa spécificité de membre d'un collectif donné, est donc distinct de lui-même. pris en tant que membre quelconque de la Société économique. C'est-à-dire qu'il ne participe au collectif que par une « appartenance détachable », c'est-à-dire par une propriété, et en fin de compte par l'équivalent présumé d'une propriété. Il ne peut donc pas retirer sa propriété engagée dans un collectif par une convention. Mais « lui-même », c'est-à-dire lui en tant que membre de la Société économique globale, peut se retirer du collectif. Et c'est pourquoi le collectif est « conventionnel », ou si l'on veut « contractuel » : un collectif de Droit civil privé.

membre *quelconque* de la Société (économique) [1]. Il n'affecte donc pas le membre spécifique dans sa spécificité. Celui-ci peut donc conclure un Contrat avec un autre membre spécifique, dans la mesure où le Contrat est compatible avec le Statut. Ce Contrat sera un Contrat de Droit civil. Or le membre quelconque peut coïncider plus ou moins avec le membre spécifique. Autrement dit le Statut (héréditaire) peut laisser une marge plus ou moins grande au Contrat (volontaire) : l'être d'un membre de la Société peut déterminer plus ou moins son action. Or l'évolution historique augmentait de plus en plus cette marge. Et c'est ce qu'avait en vue Sumner-Maine. Le « Contrat social » (c'est-à-dire l'acceptation d'un Ennemi commun et la reconnaissance d'une Autorité) ou plus exactement la Convention sociale cédait la place à un Statut (social); mais ce Statut détermine de moins en moins le membre spécifique. (Pratiquement les activités des individus deviennent de moins en moins héréditaires.) C'est dire que le domaine du Contrat civil devient de plus en plus étendu (et peu importe qu'il ait une tendance à devenir *collectif,* au lieu d'être *individuel*). Mais si le Statut laisse le champ libre à l'*activité* du membre spécifique, il continue à régir son *être* passif. D'où l'existence de l'Obligation délictuelle : l'*action* d'un membre spécifique est un Délit si elle est contraire au statut de l'*être* d'un autre membre spécifique. Tout se réduit donc à savoir ce qui fait partie de l'*être* du membre spécifique, et ce qui est fonction de son *action.* Or le maintien de la vie fait partie de l'être Le Statut peut donc garantir au membre spécifique le maintien de sa vie, c'est-à-dire par exemple le travail nécessaire à ce maintien : d'où un « droit au travail ». Et dans la mesure où le travail est censé maintenir la vie, l'être même du travailleur, il est impliqué dans son statut : d'où un « Code du travail », etc. Il pourrait donc sembler que l'évolution (récente) va de nouveau du Contrat au Statut. Mais dans

---

1. En fait la Société économique ne devient obligatoire pour ses membres que dans la mesure où elle est étatisée : c'est parce que le membre de la Société est citoyen d'un État (national) qu'il ne peut pas la quitter à son gré. Ceci n'a rien de juridique. Mais le Tiers n'a pas à s'en préoccuper. Ce qui compte pour lui, c'est qu'il a affaire à un Statut et non à une Convention (Contrat). Si le contrat entre A et B est contraire au statut de A et de B, il est nul; si l'action de A est contraire au statut de B, elle est un délit. La provenance du statut n'intéresse pas le Tiers. Il sait que son intervention, fondée sur ce statut, est « irrésistible », c'est tout. D'ailleurs le rapport entre le Tiers et ses justiciables n'a rien de juridique, par définition, vu qu'il n'y a pas d'autre « Tiers » dans l'interaction entre le Tiers et ses justiciables.

la mesure où le mode du travail n'est pas *héréditaire*, il y a *contrat* (collectif ou non) de travail, et non un *statut* proprement dit [1]. Seulement ce contrat (comme tout contrat) doit être en accord avec le statut. D'où des types *prescrits* de contrats (comme les « contrats de mariage » par exemple). Mais ce sont néanmoins des types de *contrats*. Seulement dans la mesure où l'action (contractuelle ou non) est en désaccord avec l'être (déterminé par le statut), elle est délictuelle. Et si elle est en désaccord avec l'être d'un membre *quelconque* de la Société, elle est même criminelle. D'où un semblant de la prédominance du statut sur le contrat [2].

Pour résumer on peut dire que le Droit de l'Obligation de la Société économique bourgeoise comprend les Conventions, les Contrats et les Délits. Il y a Convention *(Vereinbarung)* quand A s'engage librement et en connaissance de cause à se conformer à un statut spécifique, qu'il a en commun avec les autres membres du collectif fondé sur la Convention en question. Ce statut conventionnel n'affecte que le membre spécifique A de la Société économique. C'est-à-dire qu'il se rapporte à (une partie de) sa propriété monnayable. Mais cette spécificité est fixée par le statut et le Tiers peut intervenir pour forcer A à le respecter. La *Convention* est un accord en vue d'une action commune. Quant au *Contrat* proprement dit, il est une inter-action entre deux membres spécifiques (individuels ou collectifs) A et B. Enfin le *Délit* est une action unilatérale de A qui affecte B dans sa spécificité. Si cette action lèse B, elle est un *Délit* de A au sens étroit du terme. Si elle procure à B un avantage, il y a un *Enrichissement sans cause* de B, c'est-à-dire une sorte de Délit de B. On peut donc dire que le Délit civil au sens large (coordonné au Contrat et à la Convention) est soit un Délit au sens propre, soit un Enrichissement sans cause.

1. C'est là la différence entre une Société socialiste et le Bas-Empire romain par exemple, où les professions étaient *héréditaires*.

2. Dans une Société *homogène* (c'est-à-dire socialiste) la spécificité des membres est diminuée, vu leur égalité réelle. C'est pourquoi le Contrat civil entre membres spécifiques y tend à coïncider avec des rapports entre membres quelconques, fondés sur leur statut. En ce sens on peut dire que le Socialisme remplace le Contrat (civil) par un Statut. Mais ce n'est pas parce que le Droit socialiste (du Citoyen) est contraire au Contrat. C'est simplement parce que la Société homogène, tout comme la Société aristocratique, rend inutiles la plupart des contrats de la Société bourgeoise : les égaux ont peu de choses à échanger; or l'Obligation présuppose l'échange. Mais le principe du Contrat est maintenu en ce sens que toute spécificité des membres tend à devenir contractuelle et non statutaire (c'est-à-dire héréditaire). Voir le § 70.

Dans tous ces cas il s'agit de Droit *civil*, c'est-à-dire de rapports entre des membres de la Société économique pris dans leur spécificité, qui n'affecte pas le membre quelconque, c'est-à-dire la Société elle-même. C'est pourquoi toutes les Obligations (conventionnelles, contractuelles ou délictuelles) doivent être en accord avec le Statut du membre quelconque, c'est-à-dire s'effectuer dans la marge laissée libre par ce statut. D'autre part les Obligations, pour avoir une existence juridique, c'est-à-dire pour être des Obligations véritables, doivent être conformes au principe de Justice admis par la Société (économique) où elles ont lieu, c'est-à-dire dans la Société bourgeoise, au principe de l'équivalence, à savoir de l'équivalence entre les membres spécifiques pris dans leur spécificité, ou bien encore de l'équivalence entre les « droits » spécifiques et les « devoirs » spécifiques dans celui qui contracte une Obligation quelconque. Les avantages que A retire (ou croit pouvoir retirer) de son action doivent être équivalents aux inconvénients causés par cette même action. C'est ainsi seulement qu'au cas d'une interaction (mutuellement consentie ou imposée unilatéralement) il y aura équivalence entre les avantages et inconvénients de A d'une part et ceux de B de l'autre. Le Tiers n'interviendra dans l'Obligation que pour établir, maintenir ou rétablir une telle équivalence entre deux membres spécifiques, dans la mesure où l'équivalence est une fonction de l'Obligation.

C'est de cette notion générale de l'équivalence entre des membres spécifiques que peut être déduit tout le Droit bourgeois de l'Obligation. Une Obligation quelle qu'elle soit est censée établir, maintenir ou rétablir une équivalence particulière, spécifique, entre deux membres de la Société économique. Cette équivalence étant *spécifique*, elle peut être détachée de l'équivalence générale (postulée) des membres quelconques. C'est dire qu'il s'agit d'équivalence entre des propriétés privées monnayables (le mot propriété étant pris dans son sens le plus large). C'est uniquement cette propriété qui est affectée par l'Obligation.

Ce principe général permet de résoudre le problème de *la transmission des Obligations*. Dans la mesure où la spécificité de A, affectée par l'Obligation, passe à un autre membre B de la Société économique, B est obligé par l'Obligation en question. Mais B ne peut être obligé par l'Obligation de A que s'il accepte la spécificité de A en cause. Pratiquement, puisque la spécificité en question se réalise et se révèle sous la forme d'une propriété monnayable, B n'est obligé que dans la mesure où il accepte la propriété de A, pour le moins la part affectée par l'Obligation. Ainsi, en refusant l'héritage, l'héritier (testamentaire ou *ab intestat*) se libère de l'Obligation. Mais si B accepte la spécificité de A, même si la propriété de A est insuffisante pour payer l'Obligation, B a accepté cette dernière et est responsable dans sa spécificité propre, c'est-à-dire avec toute sa propriété. Car sa spécificité (propriété) implique alors celle de A.

Quant à *la prescription des Obligations*, elle est encore fondée sur le principe de l'équivalence. Ou bien on peut dire que par le seul fait de la durée de l'Obligation l'équivalence entre A et B a été rétablie sans que A ou B aient quelque chose à faire conformément à l'Obligation. Ou bien on peut admettre que si B n'a pas « provoqué » le Tiers en raison de la non-exécution de l'Obligation de A, c'est que sa situation a été équivalente à celle de A sans que A ait eu besoin de faire quelque chose, c'est-à-dire d'exécuter l'Obligation. Autrement dit l'Obligation est inexistante juridiquement ou nulle, vu qu'il n'y a pas eu de suppression d'équivalence. L'idée est au fond la suivante. La Société est censée être fondée sur l'équivalence de ses membres. Si elle fonctionne normalement, c'est que cette équivalence existe. Si donc une Obligation a pu ne pas avoir été exécutée sans que la vie sociale soit perturbée, c'est qu'elle était inutile, l'équivalence ayant existé sans elle. C'est dire qu'elle est « nulle », que juridiquement elle n'existe pas. Elle est juridiquement nulle parce qu'elle ne peut pas être justifiée du point de vue de la Justice d'équivalence.

Reste la question de *la capacité à l'Obligation.* Vu que l'Obligation se rapporte à la *spécificité* du membre de la Société économique, la capacité en question n'est rien d'autre que la capacité de cette spécificité. Ne peut s'obliger que celui qui peut être un membre *spécifique* de la Société économique, et seulement dans la mesure où il le peut. Or, en fin de compte, la spécificité de la Société économique se traduit par la propriété privée, c'est-à-dire détachable du propriétaire tout en étant sa propriété exclusive. Pour pouvoir s'obliger il faut donc d'une part pouvoir être Propriétaire, et de l'autre il faut pouvoir aliéner sa Propriété. On peut donc dire aussi que la capacité à l'Obligation est une capacité à l'Échange de propriété, c'est-à-dire à l'action économique proprement dite. Elle peut dépendre de l'âge, du sexe, de l'état de santé (physique ou morale), etc.

Il y a donc un Droit aristocratique de l'Obligation, fondé sur le principe de l'égalité entre les membres spécifiques de la Société économique, et un Droit bourgeois de l'Obligation, fondé sur le principe de l'équivalence de ces membres. Mais ces deux Droits n'existent jamais à l'état pur. Tout Droit réel de l'Obligation est un Droit synthétique, un Droit du Citoyen, fondé sur le principe de l'équité, qui synthétise l'égalité et l'équivalence. Non seulement en ce sens que dans tout Droit réel il y a des Obligations égalitaires à côté des Obligations d'équivalence, mais encore parce que dans toute Obligation réelle il y a un aspect d'égalité et un aspect d'équivalence. Toute Obligation réelle est une Obligation d'équité. Dans chaque Obligation il y a un aspect égalitaire, voire aristocratique : l'égalité des conditions de départ, l'identité avec soi-même (la « foi jurée »), le principe du Potlatch; et il y a aussi un aspect d'équivalence : l'équivalence entre les avantages et les inconvénients d'un chacun, l'équivalence des avantages et des inconvénients de l'un et de l'autre, l'équivalence des propriétés échangées (l'équivalence du travail et du produit, du prix et de la marchandise, etc.). Or, dans cette coexistence, dans cette synthèse des deux principes l'un est toujours tempéré par l'autre : l'égalité doit s'accommoder de l'équivalence, et l'équivalence de l'égalité. Et avant de devenir parfaite, c'est-à-dire immuable ou « absolue », la synthèse implique une prédominance plus ou moins grande de l'un des deux principes. D'où une diversité pratiquement infinie du Droit de l'Obligation, dont les uns sont plutôt « bourgeois » et les autres « aristocratiques ». La prédominance de l'un des deux principes provoque une réaction de l'autre, qui — en devenant prédominante — provoque à son tour la réaction du premier. Et cette dialectique se prolonge jusqu'à l'équilibre parfait, c'est-à-dire stable et définitif, réalisé dans le Droit « absolu » de l'Obligation, qui est le Droit de la Société économique de l'État universel et homogène de l'avenir (qui peut ne se réaliser jamais, vu la finitude de l'existence humaine) [1].

Il n'est pas question d'analyser ici les diverses possibilités de synthèse dans le Droit de la Société économique, en particulier dans celui de l'Obligation. Pour déterminer je ne dirai que quelques mots du Droit économique « absolu », c'està-dire du Droit de la Société économique de l'État universel et homogène.

---

1. Une entité qui ne se réalise *jamais* est impossible. Une chose qui se réalise nécessairement au cours d'un temps infini est possible. Mais elle peut rester seulement possible pendant un temps fini, si elle ne se réalise pas au cours de ce temps.

§ 70.

La Société économique est une Société de Propriétaires qui entrent en interactions en tant que Propriétaires. Si donc dans l'État universel et homogène, c'est-à-dire dans l'Empire socialiste, il n'y a plus de Propriétaires, il n'y aura pas non plus de Société économique distincte de l'État (ou de la Société politique), et par conséquent pas de Droit de la Société économique, en particulier pas de Droit de la Propriété et de l'Obligation [1]. Or, pour qu'il n'y ait plus de Propriétaire, il faut que l'homme (l'individu) cesse d'être propriétaire même de son propre corps [2]. Autrement dit le citoyen de l'Empire sera assimilable à l'Esclave dans la Société aristocratique. Il différera cependant de l'Esclave vu qu'il n'a pas de Maître, son « Maître » étant l'État, c'est-à-dire — aussi — lui-même, puisque l'État est universel et homogène, puisqu'il implique tous et un chacun, et un chacun au même titre que tous les autres. On peut dire aussi que le membre spécifique de la Société sera l'« Esclave » du membre quelconque, c'est-à-dire aussi de lui-même pris en tant que membre quelconque. Il le sera tout au moins économiquement : son corps, avec toutes ses appartenances sera « la chose » du membre quelconque, c'est-à-dire de l'État. Dans le plan économique il n'y aura donc pas de *spécificité* humaine, *reconnue* en tant que telle, en particulier reconnue juridiquement. Il n'y aura pas de Droit économique se rapportant à la spécificité : il n'y aura pas de Droit civil de la Société économique.

Mais en sera-t-il vraiment ainsi?

Certes, on ne peut pas faire de prévision en ce qui concerne la réalité humaine, vu sa « liberté », c'est-à-dire le fait que son être n'est rien d'autre que son action, qui peut avoir ou ne pas avoir lieu dans un temps déterminé, en particulier dans

---

1. Si la Famille y est conservée, il y aura un Droit civil, ne serait-ce que le Droit de la Société familiale.

2. Si l'on réalise — par impossible — une égalité *rigoureuse* de tous les citoyens de l'Empire, la notion de Propriété n'y aura plus de sens, même en ce qui concerne le corps propre. Si tous sont vraiment égaux la différence entre le mien et le tien est vide de contenu, elle est purement « formelle » : elle est donc sans réalité actuelle. Mais en fait l'égalité absolue est impossible, vu que chaque entité réelle *diffère* de toutes les autres ne serait-ce que par son *hic et nunc*.

le temps que va durer l'histoire humaine [1]. Mais on peut
supposer ou, si l'on préfère, poser que l'Empire maintiendra
le phénomène de la Propriété, ne serait-ce qu'en conservant
l'idée de la propriété constituée par le corps propre du propriétaire. Or cela suffit pour qu'il y ait une Société économique distincte de l'État et par conséquent un Droit de cette
Société, un Droit privé économique de la Propriété et de
l'Obligation.

En effet, si chacun est Propriétaire de son corps, il le sera
aussi des appartenances de ce dernier, de ce qui est lié à ce
corps servant à le maintenir dans l'existence (vêtements,
nourriture, etc.) [2]. Or les corps sont nécessairement différents, comme le sont toutes les entités matérielles spatio-
temporelles : ils sont différents par le « ceci » de leur *hic et
nunc*. Les appartenances des corps seront donc différentes
elles aussi : elles seront différentes en tant que fonctions
de corps différents, c'est-à-dire de « naturels », de « caractères », de « goûts », etc. Le corps avec ses appartenances
constitue la « Propriété personnelle » de l'individu. Et dans
la mesure où cette Propriété est détachable, elle se prêtera
à l'Échange et l'exigera même, vu que ces Propriétés diffèrent les unes des autres [3]. Or, là où il y a Propriété et

1.  Est « possible » ce qui se réalise *nécessairement* au cours d'un temps
*infini;* « impossible » ce qui ne se réalisera *jamais.* Pendant un temps fini
(quelconque) une entité peut rester à l'état de simple « possibilité », ce qui
veut dire qu'elle ne s'est pas réalisée au cours du temps donné, mais se
réalisera nécessairement dans le temps infini pris dans son ensemble. Mais
la réalité humaine est essentiellement *finie.* La notion du « possible » ne
s'y applique donc pas. Ce qui ne se réalise pas au cours de l'Histoire (finie),
ne se réalisera jamais, car après la fin de l'Histoire il n'y aura plus rien
d'humain. Mais on ne peut pas dire que ceci a été « impossible », parce que
c'est seulement pendant un temps *fini* que ceci ne s'est pas réalisé. Et on
ne peut donc pas dire non plus que ce qui se réalise dans ce temps fini
a été « possible », puisque par définition ceci ne pouvait pas disposer d'un
temps *infini* pour se réaliser. La réalité humaine n'est donc pas la réalisation (l'actualisation) d'une « possibilité » (d'une « puissance ») : et la réalité qui ne présuppose pas une possibilité, l'acte qui n'actualise pas une
puissance, est une réalité libre, un acte de liberté, la liberté réelle en acte.
On ne peut « déduire » la réalité humaine qu'après coup. C'est-à-dire qu'on
ne peut que la comprendre ou l'expliquer, mais non la prévoir. Et on la
comprend ou l'explique par la Dialectique, où la Thèse précède l'Antithèse
qui la présuppose, et où la Synthèse intègre les deux après qu'elles eurent
été réalisées.
2.  C'est un corps *humain,* son existence est donc *humaine;* le vêtement
ne doit pas seulement être chaud, il doit être joli, à la mode, etc.; de même
la nourriture doit être bonne, etc.
3.  Même le corps proprement dit est, si l'on veut, détachable : on peut
le vendre après sa mort ou de son vivant (on peut se vendre à un sadique,

Échange de Propriété possibles, il y a un Droit de la Propriété et de l'obligation (conventionnelle, contractuelle et délictuelle). Ainsi par exemple on peut s'associer à plusieurs pour aménager un parc ou un jardin, ou louer des meubles anciens, ou échanger des tableaux qu'on a peints contre des sculptures faites par un autre, ou bien encore on peut détériorer par un acte non consenti par l'autre son corps ou une appartenance de son corps.

La Propriété personnelle présuppose une spécificité qui distingue un individu de tout ce qui n'est pas lui : son corps. Et elle implique une possibilité de rapports spécifiques entre les spécificités des individus : des interactions entre leurs corps. Inversement la Propriété personnelle (liée au corps) engendre des spécificités : un corps vêtu autrement, nourri autrement, etc., qu'un autre, et des rapports spécifiques entre des spécificités : échanges de vêtements, de nourritures, etc. Ces interactions spécifiques, étant des interactions entre des spécificités, n'affectent pas, par définition, les agents pris en tant que « membres quelconques », égaux aux autres. Autrement dit elles n'affectent pas la Société en tant que telle, ni par conséquent l'État, l'Empire. La Société économique ou l'État peuvent donc intervenir en qualité de Tiers désintéressé et impartial dans ces interactions économiques spécifiques. Il y aura donc un Droit privé (civil) économique. Et ce Droit sera le Droit d'une Société économique différente de l'État, de la Société formée par les Propriétaires agissant en tant que Propriétaires, c'est-à-dire — ici — dans leur spécificité, en tant que « Propriétaires personnels ».

On dit que dans l'Empire socialiste tout appartient à l'État, qu'il est le seul Propriétaire [1]. Mais ceci peut être faux. Il se peut que la Propriété *personnelle* soit maintenue, et que le non-spécifique ou le non-spécifié seulement « appartiennent » à l'État (sans être sa Propriété au sens juridique du terme, bien entendu). Ce qui se rapporte au citoyen « quelconque », pris en tant que tel, ne sera la Propriété de personne. Mais ce qui est lié au citoyen pris dans sa *spécificité* peut fort bien être sa Propriété (personnelle). À condition bien entendu que cette Propriété personnelle n'affecte en rien le citoyen « quelconque », ou ne le prive surtout de rien (et ne l'enrichisse en rien). Ainsi par exemple les « moyens de production », qui se rapportent au consommateur et au producteur « quel-

pour qu'il le tue dans dix ans). La fonction du corps (travail, sexualité, etc.) est certainement détachable, ainsi que toutes les « appartenances ».

1. La notion de Propriété n'a alors aucun sens. En tout cas aucun sens juridique, vu qu'il n'y a plus de Tiers possible.

conques » peuvent être soustraits au Droit de propriété,
c'est-à-dire « appartenir » à l'État, voire au citoyen « quelconque », c'est-à-dire aussi aux consommateurs et aux producteurs pris non dans leur spécificité, mais dans ce qu'ils
ont de commun, d'universel. Mais un produit lié par la
consommation à un corps spécifique peut être considéré
comme une appartenance de ce corps, c'est-à-dire comme
une « Propriété personnelle » de l'individu, du citoyen possédant ce corps : en fait et juridiquement. Le morceau de fromage que j'ai déjà avalé est bien « à moi » : nul n'a le droit
de l'extraire de mon estomac. Alors le fromage que j'ai saisi
pour l'avaler est aussi « mien ». Et le fromage que j'ai
« acquis » d'une manière quelconque l'est également.

Or dans l'Empire socialiste — universel et homogène — tous
sont citoyens, et tous les citoyens sont rigoureusement égaux
et équivalents (abstraction faite des enfants et des fous, mais
je ne discute pas cette question difficile). Les citoyens en tant
que citoyens n'ont donc aucune spécificité. La spécificité
se manifeste dans la Société ou crée cette Société, si l'on préfère : la Société civile, la *bürgerliche Gesellschaft*. Là où la
spécificité se réalise et se révèle en tant que Propriété (personnelle : du corps et de ses appartenances), il s'agit de la
Société économique. Son membre quelconque est le Propriétaire personnel en tant que tel. Et tout citoyen (les enfants et
les fous mis à part) est un tel Propriétaire, c'est-à-dire un
membre quelconque de la Société économique. Mais dans
la spécificité de sa Propriété le citoyen est un membre spécifique de la Société économique, auquel s'applique le Droit
privé civil de cette Société, réalisé par la Société en sa qualité de Tiers ou par l'État au nom de la Société. Quant au rapport avec le membre quelconque de la Société économique,
c'est-à-dire quant au Droit privé pénal de cette Société, c'est
l'État qui le réalise en sa qualité de Tiers par rapport à cette
Société elle-même [1].

Supposons qu'un citoyen fasse des tableaux [2]. Il le fait
pour son plaisir. Mais il en fait trop pour les garder tous.
Or on ne peut pas dire qu'il a travaillé pour un membre
quelconque de la Société, qui est obligé de les lui prendre.
Car ce membre peut ne pas aimer les tableaux, ou ses

---

1. Si la spécificité de l'individu se réalise et se révèle encore par sa
« parenté », il y aura en plus de la Société économique encore une Société
familiale et un Droit privé (civil et pénal) de la Société. Mais je ne discuterai pas ici cette question.
2. Pour simplifier on peut admettre qu'il le fait à ses heures de loisir,
après avoir achevé le travail obligatoire du citoyen.

tableaux. Il ne travaille donc pas pour la Société en tant que telle, ni encore moins pour l'État. L'État n'a pas à acquérir ses tableaux. Mais il se peut qu'un autre membre de la Société — en fonction de sa spécificité, de son « goût » — veuille acquérir son tableau, en l'échangeant contre une propriété personnelle détachable, c'est-à-dire contre de l'argent, son argent. Pourquoi ne pourrait-il pas le faire? Or, en vue de ce client possible, la Société (ou l' « État », si l'on préfère), peut prendre en dépôt les tableaux que le peintre veut échanger, et les donner au client en transmettant le prix au peintre. La Société fera ainsi fonction de simple commissionnaire (rétribué par un prélèvement sur le prix payé pour le tableau). Et le cas peut être généralisé. La Société dans son ensemble (en la personne du Fonctionnaire) peut servir d'intermédiaire dans les échanges des propriétés personnelles de ses membres spécifiques. Il y aura un Contrat (de vente, de location, etc.) entre deux membres spécifiques, médiatisé par le membre quelconque, c'est-à-dire par la Société en tant que telle. Et cette même Société, étant un Tiers désintéressé dans le Contrat, peut jouer le rôle du Tiers juridique et sanctionner juridiquement ce Contrat.

Il y aura donc un ensemble d'interactions économiques entre les citoyens de l'Empire pris non pas en tant que Citoyens, mais en tant que Propriétaires personnels, et cet ensemble constituera la Société économique. Et dans la mesure où les membres de cette Société agiront non pas en tant que Propriétaires (personnels) en général, quelconques, mais dans leur spécificité, dans la nature spécifique de la Propriété (personnelle) d'un chacun, leurs interactions, si elles provoquent l'intervention de la Société (ou de l'État) en qualité de Tiers juridique, vont engendrer et réaliser un Droit privé civil de la Société économique. En particulier un Droit de l'Obligation. Dans la mesure, bien entendu, où leurs interactions n'affectent en rien le Citoyen de l'Empire, c'est-à-dire dans la mesure où elles sont compatibles avec le statut de ce dernier [1].

N'oublions pas, d'ailleurs, que l'Empire socialiste est un État *universel* et *homogène*. C'est dire que d'une part il n'a

---

1. En lui-même ce Statut (politique) n'aura rien de juridique. Mais il reçoit un caractère juridique dans la mesure où on lui applique le Droit public, au sens indiqué plus haut. Ainsi le Statut de citoyen peut impliquer par exemple l'obligation de travailler $x$ heures par jour d'après les indications de l'État (ou de la Société économique). Aucun Contrat ne pourra alors libérer quelqu'un de ce travail. Mais le travail effectué en dehors du travail obligatoire pourra faire l'objet d'un Contrat de Droit privé.

pas d'Ennemi, qu'il n'a pas à faire la guerre. D'autre part, en raison de son homogénéité, il n'y a pas en lui de Groupe politique exclusif, c'est-à-dire pas de rapports entre Gouvernants et Gouvernés (quoiqu'il y ait une distinction entre Administrants et Administrés). En d'autres termes, l'Empire sera privé des deux caractères essentiels de l'État. Il n'aura pour ainsi dire aucun « intérêt » politique. Il sera « désintéressé » vis-à-vis de ses Citoyens. C'est pourquoi il pourra continuer de jouer vis-à-vis d'eux le rôle du Tiers juridique. Et on peut même dire que c'est seulement l'Empire qui pourra jouer ce rôle d'une manière vraiment parfaite, sans conflits entre l'idéal de Justice et la « raison d'État ». Le Citoyen de l'Empire ne sera pas un Guerrier. Et il ne sera ni Gouvernant ni Gouverné. Il ne sera Citoyen que dans et par son égalité et équivalence avec les autres, avec *tous* les autres, tous les hommes en général. Être Citoyen ne sera donc rien d'autre qu'être un être humain, dans le sens plein et fort du terme. Et le Statut du Citoyen sera le « statut » de l'être humain en tant que tel. L'État aura à veiller à ce que ce statut soit maintenu [1]. Par rapport à ce Statut, l'État ne sera pas un Tiers. Mais il le sera par rapport à tout ce qui n'est pas inclus dans ce Statut. Il sera donc un Tiers de Droit privé. Et pratiquement il ne sera rien d'autre. Il aura à veiller à ce que les interactions *spécifiques* des citoyens soient compatibles avec le Statut du citoyen quelconque. Or elles le seront si elles sont conformes au Droit en vigueur. L'activité de l'État universel et homogène se réduira donc à une activité juridique. Il ne sera pas « intéressé » aux interactions *spécifiques* (économiques par exemple, ou familiales) entre ses Citoyens. Et il aura à veiller à ce que les interactions entre les Citoyens conservent ce caractère « spécifique », c'est-à-dire n'affectent pas le Citoyen « quelconque », voire l'État en tant que tel. Quant aux citoyens quelconques et à leurs interactions, l'État n'aura pas à y intervenir (politiquement, car ici il n'est plus désintéressé, il n'est plus Tiers, mais partie), car il n'y aura pas, en principe, de conflit dans ces interactions : étant donné l'universalité et l'homogénéité de l'Empire, l'État ne se trouvera en présence ni de conflits nationaux (guerres extérieures), ni de conflits sociaux (révolutions et guerres civiles). Tant que le Citoyen agira en sa qualité de Citoyen, c'est-à-dire de membre *quelconque* de la commu-

---

1. Si par exemple l'être humain ne peut se réaliser que dans et par le Travail, l'État veillera à ce que tout citoyen travaille, dans des conditions fixées par l'État

nauté, ou en fonction de son être humain, il ne pourra pas entrer en conflit avec un autre Citoyen agissant de même. Il y aura certes des conflits entre les Citoyens pris dans leur spécificité, c'est-à-dire non pas en tant que Citoyens, mais en tant que membres (spécifiques) de la Société (économique ou autre). Mais ces conflits seront résolus par l'État agissant en guise de Tiers du Droit (privé) de la Société. L'État ne sera donc rien d'autre qu'un Juge. Mais ce Juge sera un État, vu que son intervention aura un caractère irrésistible. Autrement dit le Droit socialiste (privé) existera *en acte*. Et seul le Droit de l'Empire sera vraiment actuel, vu que seule l'universalité de l'Empire exclut toute possibilité d'échapper à son jugement.

L'Empire socialiste admet donc l'existence d'une Société économique et d'un Droit (privé) – civil et pénal – de cette Société, Droit existant en acte, c'est-à-dire sanctionné par l'État agissant en tant que Tiers. Et ce Droit socialiste de la Société économique se divisera en Droit de la propriété et en Droit de l'obligation.

Voyons d'abord ce que peut être ce *Droit de la propriété*, c'est-à-dire la Propriété reconnue par le Droit socialiste.

L'État n'a pas de Propriété au sens juridique du mot, car il n'y a pas de Tiers pouvant reconnaître et sanctionner ses droits de Propriétaire. La Société (notamment la Société économique) peut par contre avoir une Propriété juridiquement reconnue par l'État en sa qualité de Tiers. C'est si l'on veut une Propriété collective. Seulement le collectif est ici formé par les membres quelconques de la Société économique, pris en tant que tels. La Propriété de la Société est la Propriété de son membre quelconque. Toute tentative de « spécifier » cette Propriété, tout essai d'un membre spécifique de s'approprier la Propriété de la Société, sera annulé par le Tiers. On aura alors un cas de Droit pénal de la Société économique. Or les membres quelconques étant par définition égaux (et équivalents), un Échange de Propriété entre eux n'aura pas lieu. La Propriété du membre quelconque est donc indétachable. Elle n'a pas de valeur pécuniaire. Et elle ne peut pas faire l'objet d'une Obligation (conventionnelle, contractuelle ou délictuelle). Quant à la Propriété (spécifique) d'un membre spécifique, elle est détachable de son propriétaire. Elle a donc une valeur pécuniaire et elle peut faire l'objet d'une Obligation quelconque. Elle peut devenir collective à la suite d'une Convention qui associe des membres spécifiques dans leur spécificité. Elle peut être échangée par suite d'un Contrat (vendue ou louée). Elle peut enfin être détachée pour annuler un Délit civil, voire un Enrichissement sans cause. Mais cette Propriété spécifique détachable n'est pas une « Propriété privée » au sens du Droit bourgeois ou « capitaliste » : c'est uniquement une « Propriété personnelle ». C'est dire que la Propriété est toujours liée à la « personne » du Propriétaire, c'est-à-dire en fin de compte à (la spécificité de) son corps : c'est une « appartenance » de son corps. Certes une Propriété personnelle peut être détachée du corps de A. Mais uniquement pour être immédiatement rattachée au corps d'un B. La Propriété personnelle n'a donc pas d'existence *autonome,* comparable à celle du « Capital », de la Propriété privée (« privée de support personnel », c'est-à-dire corporel). On peut *échanger* deux Propriétés personnelles, définitivement (troc) ou temporairement (location). Mais on ne peut pas reprendre l'ancienne propriété avec autre chose en plus, sans avoir fourni un travail équivalent à ce plus.

Pratiquement, la Propriété est personnelle quand elle n'est pas héréditaire. Le Droit de propriété de la Société économique socialiste ne connaît donc pas d'hérédité économique, elle ne reconnaît pas de testament (tout en admettant le don). Et cela suffit pour qu'il n'y ait pas d'accumulation de propriété et pour que la Propriété personnelle ne se transforme pas en un « Capital » impersonnel [1].

Voyons maintenant ce que peut être l'Obligation socialiste.

Du moment qu'il n'y a pas de « Propriété privée » autonome ou capitaliste, il n'y aura aucune Obligation du type capitaliste. L'obligation sera liée à la propriété, comme dans le Droit capitaliste, et non à la personne de l'obligé prise dans son ensemble : il n'y aura pas d'emprisonnement pour dettes, etc. Mais la Propriété obligée sera liée à la personne du Propriétaire, c'est-à-dire à son corps. L'obligation disparaîtra donc avec ce corps : il n'y aura pas de transmission héréditaire de l'obligation, pour la simple raison qu'il n'y aura pas de transmission héréditaire de la propriété obligée. Mais cette dernière restera obligée après la mort du propriétaire. La spécificité disparaissant, la propriété appartient au membre quelconque, c'est-à-dire à la Société

1. S'il y a dans l'Empire socialiste une Société familiale, c'est-à-dire une Parenté, toute hérédité ne peut pas en être exclue. Et si la Famille socialiste a pour mission l'éducation de ses membres (ou une partie de cette éducation), il faut admettre l'existence d'une œuvre familiale, par définition héréditaire. Dans la mesure où cette œuvre implique une Propriété, celle-ci sera également héréditaire. Mais je ne discute pas ici cette question, en ne parlant que de la Société économique.

économique dans son ensemble, ainsi que l'obligation rattachée à cette propriété. Mais une Obligation peut être cédée, c'est-à-dire échangée contre une autre.

D'une manière générale tout le Droit de l'obligation « bourgeois » et « aristocratique » sera maintenu, dans la mesure où il se rapporte à la Propriété personnelle. Par une Convention des propriétés personnelles pourront être mises en commun. Et un Contrat pourra provoquer leur échange (définitif ou temporaire). Enfin un Délit pourra faire passer une propriété personnelle d'un propriétaire à un autre, ainsi qu'un Enrichissement sans cause.

L'Échange (conventionnel, contractuel ou délictuel) des Propriétés personnelles aura le caractère d'un troc : une Propriété sera détachée d'un propriétaire pour se rattacher « immédiatement » à un autre. Mais ce transfert pourra être médiatisé par la Société économique (par l'« État ») : si la propriété détachée de A reste un certain temps entre les mains de la Société avant d'être rattachée à B, ceci n'a pas d'importance, car pendant ce temps la Propriété cesse d'être spécifique, c'est-à-dire obligeable (ou même d'être une Propriété en général, si c'est l'État qui la garde). L'essentiel c'est qu'il n'y ait pas de propriété susceptible d'être obligée et néanmoins non rattachée à un membre spécifique de la Société. Par ailleurs, comme dans le Droit bourgeois, les propriétés échangées doivent être équivalentes, elles doivent avoir la même valeur ou le même prix, calculé en fonction du travail qui y a été investi et de leur « valeur d'échange », régie par la loi de l'offre et de la demande, voire de la rareté (objective ou subjective).

Tout comme dans la Société économique « bourgeoise » toute Propriété sera en fin de compte un produit (équivalent) du Travail du Propriétaire. Mais tout comme dans la Société « aristocratique », les Propriétés seront égales entre elles. Mais dans cette Société synthétique l'égalité sera tempérée par l'équivalence. Les membres quelconques de la Société économique seront rigoureusement égaux. Il y aura autrement dit un minimum de Travail obligatoire égal pour tous. Mais un travail supplémentaire facultatif sera admis — et par conséquent une Propriété personnelle équivalente. C'est uniquement ce surplus qui sera en fait détachable, c'est-à-dire monnayable. Il n'y aura donc pas d'égalité *pécuniaire* rigoureuse. Mais il y aura équivalence entre l'argent possédé et le travail fourni pour l'avoir. Dans cette marge les Propriétés personnelles ne seront donc pas identiques : ni quantitativement ni qualitativement. Ceci d'autant moins qu'elles résulteront du Travail, nécessairement spécifié, spécialisé. D'où une nécessité d'Échange. C'est-à-dire : existence de l'argent, du prix, et d'un Droit de l'Échange, c'est-à-dire de l'Obligation économique. Quant à la Propriété obligatoire, issue du Travail obligatoire, elle peut être soustraite à toute Obligation, à tout échange. D'où l'inutilité de la monnayer, de fixer son prix. C'est la Propriété du membre quelconque de la Société économique : y toucher, c'est donc commettre un crime.

Voyons pour terminer si la Société (et l'État) de l'Empire socialiste est fondée sur un « Contrat (Convention) social » ou sur un « Statut ».

D'une part il s'agit bien d'un Statut, déterminé par l'être même de l'individu et indépendant de son action : le Statut de membre de la Société et de l'État socialistes est une fonction de la naissance. Car l'État et la Société étant *universels,* l'individu n'a plus où aller : il ne peut plus se soustraire à son Statut, il y est assujetti du seul fait de sa naissance, de son être même. Mais d'autre part ce Statut est aussi un « Contrat social » ou plus exactement une « Convention sociale ». Car cette Société et cet État sont « démocratiques » : elle est fonction de la « volonté », de l'action libre, c'est-à-dire consciente et volontaire de tous et de chacun. De *tous,* puisque la Société est *universelle :* elle englobe l'humanité entière. De *chacun,* puisqu'elle est *homogène,* chacun agissant donc comme agissent les autres (la Société et l'État étant l'être et l'action du membre *quelconque,* ces membres étant rigoureusement égaux et équivalents). La différence n'apparaît que dans et par la spécificité des membres, mais par définition elle n'affecte pas le membre quelconque ni son Statut, c'est-à-dire la Société elle-même. Étant égaux, les membres quelconques tombent d'accord, et leur accord est la Société. Cette Société est donc bien le résultat d'une *Convention* universelle entre égaux. Mais vu que tous sont égaux du seul fait de leur naissance, cette Convention est tout autant un *Statut :* elle est plus statutaire que tous les Statuts des Sociétés nationales et hétérogènes. Mais ce Statut est aussi plus conventionnel que toutes les Conventions limitées et hétérogènes : car personne ne le subit sans l'accepter volontairement et consciemment (les enfants et les fous mis à part). L'Empire synthétise donc le Statut et la Convention, tout comme son Droit synthétise l'égalité et l'équivalence. Et c'est pourquoi ce Droit connaît tout autant des Statuts que des Contrats ou des Obligations en général : les Statuts des membres quelconques et les Obligations des membres spécifiques.

Et si les Obligations doivent être en accord avec les Statuts, ceux-ci doivent laisser une place pour les Obligations.

Ainsi, par exemple, le Statut du membre quelconque peut impliquer le droit et le devoir de travailler dans certaines conditions : droit et devoir librement consentis, mais sanctionnés par l'État en qualité de Tiers, c'est-à-dire droits et devoirs *juridiques* [1]. Mais la *spécificité* du Travail n'est pas fixée par le Statut : les professions ne sont pas héréditaires, elles dépendent de la volonté ou de l'action, non de l'être des individus. Et c'est dire que cette spécificité — comme toutes les spécificités — est fixée par un Contrat [2]. La spécificité du travail (et donc de la Propriété, etc.) de chacun est fixée par des Contrats entre les travailleurs, des Obligations de Droit privé (civil). Et peu importe que ces Contrats soient « collectifs » ou « individuels », qu'ils soient conclus directement entre les intéressés, ou médiatisés par la Société (l'État). L'essentiel c'est que la Société y joue le rôle d'un Tiers (arbitre, juge, notaire, bourse de travail, etc.), qu'elle n'y soit pas intéressée en tant que telle. S'il en est ainsi, il y aura un Droit privé civil de la Société économique : un Droit de la Propriété-travail ou du Travail-propriété et un Droit de l'Obligation, de l'Échange des Propriétés personnelles nées de ce travail spécifique : de l'Échange conventionnel, contractuel ou délictuel.

Le Contrat est donc ici statutaire et le Statut, contractuel ou conventionnel. Autrement dit l'être est fonction, et la fonction est être. Et c'est en ceci même que se réalise et s'actualise l'humanité. Car « l'être vrai de l'homme est son action »

---

1. L'État n'ayant plus à se défendre contre l'Ennemi, il n'est pas « intéressé » en tant qu'État à la vie économique (ni au nombre de la population). Il peut donc intervenir en Tiers, c'est-à-dire pour réaliser un idéal de Justice, c'est-à-dire d'humanité, et non pour des « raisons d'État ». Pour l'État, l'oisif peut mourir de faim, s'il veut. L'essentiel c'est qu'il ne *vive* pas sans travailler, c'est-à-dire qu'il n'ait pas d'avantages sans inconvénients équivalents. Certes, la diminution de la population et la paresse des individus va abaisser le « standard » de vie. Mais ce standard ne touche que la spécificité des individus : l'État n'y est donc pas intéressé. S'il le maintient et le sanctionne, il le fait en guise de Tiers. Car même si, par impossible, tous les citoyens voulaient mourir de faim plutôt que de travailler, l'État n'en serait pas affecté politiquement, en tant qu'État, vu qu'il n'a pas d'Ennemi et qu'il n'implique pas de Gouvernant. Or l'État n'est « intéressé » à son maintien que dans la mesure où son existence est menacée soit par l'Ennemi extérieur, soit par une révolte des Gouvernés.

2. C'est en ceci uniquement que le Socialisme diffère de l'Étatisme du Bas-Empire romain, de l'Égypte, du royaume des Incas, etc. Là la spécificité même était statutaire.

(Hegel), et l'action de l'homme existe réellement en acte et se révèle en tant qu'être humain, non naturel, culturel, historique.

L'évolution historique va donc de la Convention au Statut et de là à leur synthèse « socialiste » dans et par l'État universel et homogène. Les premières Sociétés et les premiers États sont nés de Conventions : c'est une Convention qui crée le premier collectif qui s'oppose à un Ennemi commun et qui reconnaît l'Autorité (politique) de gouvernant de l'un de ses membres (ou d'un groupe de ses membres). Mais cet État conventionnel est limité, il a un Ennemi à l'extérieur, un monde qui n'est pas cet État. Et il n'est pas homogène, car un groupe politique exclusif de Gouvernants s'y oppose au groupe politique exclu des Gouvernés. Or, de par son essence même, l'État aspire à l'universalité et à l'homogénéité. C'est pourquoi la Convention tend à se transformer en Statut : on est citoyen non pas parce qu'on le veut, mais parce qu'on *est*, parce qu'on existe en tant qu'être humain. Seulement en fait tous ne sont pas citoyens et tous ne le sont pas dans la même mesure. D'où le caractère de contrainte lié au Statut, l'oppression de son caractère héréditaire. Il y a des hommes héréditairement exclus de ce Statut, exclus aussi – dans son intérieur – du Statut des Gouvernants. D'où guerres extérieures et intestines – Révolutions et en général changements politiques. Et cette dialectique guerrière et révolutionnaire durera tant qu'il y aura des hommes exclus d'un Statut politique donné et tant que tous ceux qui le subissent ne seront pas « satisfaits » *(befriedigt)* par lui, c'est-à-dire tant qu'on ressentira son hérédité comme un désavantage. Mais là où le Statut est celui de tous et où tous l'acceptent librement, il n'y a plus de changement possible. Et ce Statut infiniment « statutaire » dans son caractère immuable et universel est aussi infiniment « conventionnel » vu qu'il « satisfait » ceux qui le subissent, de sorte qu'ils ne le subissent pas mais le créent et le maintiennent volontairement, dans et par leurs actions, qui sont leur être même. Étant héréditaire comme tout Statut véritable, il est librement consenti comme toute vraie Convention. La Dialectique du Statut et de la Convention (du Contrat) aboutit donc à la fin de l'histoire, avec l'État universel et homogène, à une synthèse définitive où l'*être* statutaire s'identifie à l'*action* conventionnelle et où la convention active se solidifie en un statut existant réellement en acte dans son identité avec lui-même.

# DU MÊME AUTEUR

*Ouvrage reproduit
par procédé photomécanique
Impression Société Nouvelle Firmin-Didot
à Mesnil-sur-l'Estrée, le 2 mai 2007
Dépôt légal : mai 2007
Numéro d'imprimeur : 84612*

ISBN 978-2-07-078512-4/Imprimé en France

**151562**